中国文学编年史

明末清初卷

主编◇陈文新

本卷主编◇赵伯陶

靈中南

《中国文学编年史》编纂委员会

总　序

　　纪传体、编年体是中国传统史书的两种主要体裁，而编年体的写作远较纪传体薄弱。《四库全书总目》卷四七史部编年类小序已明确指出这一事实："司马迁改编年为纪传，荀悦又改纪传为编年。刘知幾深通史法，而《史通》分叙六家，统归二体，则编年、纪传均正史也。其不列为正史者，以班、马旧裁，历朝继作。编年一体，则或有或无，不能使时代相续。故姑置焉，无他义也。"① 与古代历史著作的这种体裁格局相似，在20世纪的中国文学史写作中，也是纪传体一枝独秀，不仅在数量上已多到难以屈指，各大专院校所用的教材也通常是纪传体，这类著作的核心部分是作家传记（包括作家的创作经历和创作成就）。编年类的著作，则虽有陆侃如、傅璇琮、曹道衡、刘跃进等学者做了卓有成效的工作，但就总体而言，仍有大量空白，尤其是宋、元、明、清、现、当代部分，历时一千余年，文献浩繁，而相关成果甚少。这样一种状况，自然是不能令人满意的。这套十八卷的《中国文学编年史》的编纂出版，即旨在一定程度地改变这种状况。

　　文学史是在一定的空间和时间中展开的。纪传体的空间意识和时间意识以若干个焦点（作家）为坐标，对文学史流程的把握注重大体判断。其优势在于，常能略其玄黄而取其隽逸，对时代风会的描述言简意赅，达到以少许胜多许的境界。若干重要的文学史术语如"建安风骨"、"盛唐气象"、"大历诗风"等，就是这种学术智慧的凝

---

① 永瑢等撰：《四库全书总目》，第418页，北京，中华书局，1965。

结。但是，由于风会之说仅能言其大概，"个别"和"例外"（即使是非常重要的"个别"和"例外"）往往被忽略，不免留下遗憾。一些跨时代的作家，如李煜、刘基、张岱等人，在文学史中的时代归属与其代表作的实际创作年代也常有不吻合的情形。例如，李煜被视为南唐作家，而他最好的词写在宋初；刘基被视为明代作家，而他最好的诗、文写在元末；张岱被视为明代作家，而其代表作多写于清初。比上述情形更具普遍性的，还有下述事实：我们讲罗贯中的《三国志通俗演义》，往往以毛宗岗修订本为例；我们讲施耐庵的《水浒传》，往往以百回繁本为例；我们讲兰陵笑笑生的《金瓶梅》，往往以崇祯本为例。这就出现了两方面的问题：第一，我们讲的并不是作家的原著；第二，我们忽略了读者的接受情形。这类涉及风会与例外、作家时代归属与作品实际创作、传播与接受两方面的问题，以纪传体来解决，由于受到体例的限制，往往力不从心，采用编年体，解决起来就方便多了：不难依次排列，以展开具体而丰富多彩的历史流程。

与纪传体相比，编年史在展现文学历程的复杂性、多元性方面获得了极大的自由，但在时代风会的描述和大局的判断上，则远不如纪传体来得明快和简洁。作为尝试，我们在体例的设计、史料的确认和选择方面采用了若干与一般编年史不同的做法，以期在充分发挥编年史长处的同时，又能尽量弥补其短处。我们的尝试主要在三个方面：其一，关于时间段的设计。编年史通常以年为基本单位，年下辖月，月下辖日。这种向下的时间序列，可以有效发挥编年史的长处。我们在采用这一时间序列的同时，另外设计了一个向上的时间序列，即：以年为基本单位，年上设阶段，阶段上设时代。这种向上的时间序列，旨在克服一般编年史的不足。具体做法是：阶段与章相对应，时代与卷相对应，分别设立引言和绪论，以重点揭示文学发展的阶段性特征和时代特征（现当代文学因时间周期较短，拟省略阶段，不设引言）。其二，历史人物的活动包括"言"和"行"两个方面，"行"（人物活动、生平）往往得到足够重视，"言"则通常被忽略。而我们认为，在文学史进程中，"言"的重要性可以与"行"相提并论，特殊情况下，其重要性甚至超过"行"。比如，我们考察初唐的文学，不读陈子昂的诗论，对初唐的文学史进程就不可能有真正的了解；我们考察嘉靖年间的文学，不读唐宋派、后七子的文论，对这一时期的文学景观就不可能有准确的把握。鉴于这一事实，若干作品序跋、友朋信函等，由于透露了重要的文学流变信息，我们也酌情收入。其

2

三，较之政治、经济、军事史料，思想文化活动是我们更加关注的对象。中国文学进程是在中国历史的背景下展开的，与政治、经济、军事、思想文化等均有显著联系，而与思想文化的联系往往更为内在，更具有全局性。考虑到这一点，我们有意加强了下述三方面材料的收录：重要文化政策；对知识阶层有显著影响的文化生活（如结社、讲学、重大文化工程的进展、相关艺术活动等）；思想文化经典的撰写、出版和评论。这样处理，目的是用编年的方式将中国文学进程及与之密切相关的中国思想文化变迁一并展现在读者面前。

《中国文学编年史》是一个基础性的重大学术工程，文献的广泛调查和准确使用是做好编纂工作的首要前提。《四库全书》、《续修四库全书》、《四库存目丛书》、《四库禁毁书丛刊》、《丛书集成》、《笔记小说大观》等是我们经常使用的典籍，近人和今人整理出版的别集、总集，大量年谱（如徐朔方《晚明曲家年谱》），以及文、史、哲方面的编年史，均在参考范围之内，限于体例，未能一一注明，谨此一并致谢。在使用上述文献的过程中，我们采取的是一种如履薄冰、如临深渊的谨慎态度。这是因为，相当一部分典籍是由我们第一次标点，这一工作的难度是不言而喻的。即使是前人已经整理的典籍，我们也并不直接采用，而是根据自己的理解再整理一次。这样做当然增加了工作量，但确有许多好处，若干错误就是在这一过程中得到纠正的，有些错误的纠正涉及基本事实的澄清。比如，张大复《皇明昆山人物传》卷八记梁辰鱼晚年情形，有云："（梁氏）当除夕遇大雪，既寝不寐。忽令侍者遍邀诸年少，载酒放歌，绕城一匝而后就睡。曰：'天为我辈雨玉，可令俗人蹴踏之耶？'时年已七十矣。亡何，中恶，语不甚了。有老奴李用者，颇省其说，尚有注记。得岁七十有三。"一位学者将"中恶，语不甚了"标点为"中恶语，不甚了"，并就此推论说："梁辰鱼七十岁时遭遇暧昧不明的事件。""《皇明昆山人物传》的上述记载本意是为贤者讳，事实上倒很可能为统治者隐盖了迫害异己文人的一件罪行。"这就不免弄错了事实。"中恶"即突然患急病，正所谓"老健春寒秋后热"，老年人得急病是常见的情形。而"中恶语"的表述，明显不符合古人的语言习惯。再如，陈田《明诗纪事》将正德时期的傅汝舟与明末的傅汝舟混为一人，将两人的生平搅在一起，其按语云："丁戊山人诗初矜独造，晚遁荒诞，择其人格者录之，亦是幽弦孤调。山人享大年，具异才，谈佛谈仙，亦作北里中艳语。初与郑少谷游，晚乃与茅止生、卓去病、张文寺、文太青倡和，支离怪诞，无所不有。少谷集中无是也。论者乃专谓山人刻意学少谷，何哉?"《明诗纪事》近三百万言，卓有建树，是研究明诗的必备案头书。但关于傅汝舟，陈田的确弄错了。郑善夫（1485—1523）号少谷，以学杜著称，学郑少谷的是正德年间的傅汝舟；文翔凤号太青，万历三十八年（1610）进士，与文太青等唱和的是明末的傅汝舟。两个傅汝舟之间相距约百年，陈田想当然地将二者合为一人，说他"享大年"，又说他前期学郑少谷，后期学竟陵派，曲意弥缝，令人哑然失笑。其他种种，如部分文学家辞典对作家生卒年的误注，若干点校本的断句错误等，我们都在力所能及的范围内做了纠正。提到这些情况，不是想证明我们的水平有多高，而意在告诉读者：我们的工作态度是认真的，有志于为读者提供一部值得信赖的编年史著述。

《中国文学编年史》的编纂得到了北京大学、武汉大学、南京大学、中国人民大学、中国社会科学院、中国艺术研究院、中华书局、陕西师范大学、西北师范大学、华中师范大学、山东师范大学、山东曲阜师范大学、中南民族大学、中南财经政法大学等单位专家和领导，尤其是武汉大学领导的支持；湖南省新闻出版局、湖南出版投资控股集团及湖南人民出版社鼎力支持编年史的编纂出版，所有这些，我们将永远铭记在心。

陈文新

2006 年 7 月 23 日于武汉大学

凡 例

一、《中国文学编年史》以编年形式演述中国文学发展历程，凡十八卷：第一卷周秦、第二卷汉魏、第三卷两晋南北朝、第四卷隋唐五代（上）、第五卷隋唐五代（中）、第六卷隋唐五代（下）、第七卷宋辽金（上）、第八卷宋辽金（中）、第九卷宋辽金（下）、第十卷元代、第十一卷明前期、第十二卷明中期、第十三卷明末清初、第十四卷清前中期（上）、第十五卷清前中期（下）、第十六卷晚清、第十七卷现代、第十八卷当代。

二、编年史各卷据文学发展的不同阶段划分为若干章（如无必要，或不分章）。章的标目方式是："××章　××年至××年，共××年"。关于某一阶段文学的总体评论放在该章的首年之前，如明前期卷"第一章　洪武元年至建文四年，共35年"，在章目下，"洪武元年"之前，单列明前期卷"引言"一目。关于某一时代文学的综合论述，放在卷首。如元代卷，在第一章前，单列元代文学"绪论"。

三、编年史各卷所收录内容的构架大体统一，重点包括七个方面：1. 重要文化政策；2. 对文学发展有显著影响的文化生活（如结社、讲学、重大文化工程的进展、相关艺术活动等）；3. 作家交往（唱和、社团活动等）；4. 作家生平事迹；5. 重要作品的创作、出版和评论；6. 争鸣（团体之间、个人之间在重要问题上的论辩等）；7. 其他。

四、叙事以纲带目，即在征引相关文献之前有一句或数句概述。如，先总叙一句"俞宪编《盛明百家诗》成书"，再征引相关序跋、著录、评议。前者为纲，后者为目，纲、目配合，旨在完整地呈现文学史事实。少量见于常用工具书的重要史实，或不必展开的文学史事实，则列纲而略目，以省篇幅。

五、公历纪年年初与中国传统纪年年末不属同一年份，如公元1899年元月1日至12月31日对应于光绪二十四年戊戌十一月二十七日至光绪二十五年己亥十一月二十九日，而不对应于光绪二十五年己亥正月初一至十二月三十日。我们采用变通的处理方法，以公历纪年，而以农历纪月，比如，凡光绪二十五年己亥正月至十二月之内的内容均置于公元1899年下。作家生卒年，仍据公历标注，其他以此类推。现、当代文学部分，纪年、纪月均据公历。

六、同一年内之文学史实，按月份先后顺序排列。月份不详而仅知季度的，春季置于三月之后，夏季置于六月之后，其他以此类推。季度、月份均不详者，另设"本年"目统之。

七、一部分重要文学史实，年月不详而仅知大体时段者，在年号之末另设"××年间"目统之，如嘉靖四十五年之后另设"嘉靖年间"一目。

八、引用序跋，一般采用"作者＋篇名"的方式，如"臧懋循《唐诗所序》"。引用序跋之外的诗文等作品，一般采用"集名＋卷次＋篇名"的方式，如"《有学集》卷三一《隐湖毛君墓志铭》"，采用"作者＋篇名"的方式，如"钱谦益《隐湖毛君墓志铭》"。无篇名者则省略，如"《艺苑卮言》卷三"。某作者集中所收为他人别集所作的序跋，亦采用这一方式，如"《太函集》卷二二《弇州山人四部稿序》"。引用正史，一般采用"正史名＋本传或××传"的方式，"如《明史》本传"或"《明史》李攀龙传"，不标卷次。引用《四库全书总目提要》，或用全称，或简称"四库提要"，只标明卷次。如"四库提要卷一五三"。引用地方志，标明纂修年代，如"光绪《乌程县志》卷三一"。据类书转引时，注明原出处，如"《太平广记》卷二〇《阴隐客》（出《博异志》)"。引用报刊，注明年月日或卷次。

九、作者小传一般置于生年。有些作家，虽生年在上一卷，但在上一卷无文学活动，其小传酌情移入本卷首次出现时。如杨士奇，元亡时才 4 岁，其小传置于明前期卷，出生时只交代："杨士奇（1365—1444）生"，不列小传。现、当代作者，因传记资料常见，相关作家小传酌情收录。

十、对于某一作家的总体评论和重要著录一般置于卒年。某作者卒年在下一卷，但在下一卷无重要文学活动，主要评论材料酌情置于本卷。如易顺鼎（1858—1920），其评论材料集中于晚清卷，不入现代卷。

十一、作家代表作一般不录原文，但收录重要评论材料，并酌情说明相关选本收录情形。

十二、需要补充交待而占用篇幅较大的文学史事实，设少量"附录"。对若干需要辨证的史实，设按语加以说明。以提供文献线索为主，不详加征引。

目 录

第二章　清康熙元年至康熙三十九年

（1662—1700）共 39 年

绪　论

　　《明史·选举一》：选举之法，大略有四：曰学校，曰科目，曰荐举，曰铨选。学校以教育之，科目以登进之，荐举以榜招之，铨选以布列之，天下人才尽于是矣。明制，科目为盛，卿相皆由此出，学校则储才以应科目者也。其径由学校通籍者，亦科目之亚也，外此则杂流矣。然进士、举贡、杂流三途并用，虽有畸重，无偏废也。荐举盛于国初，后因专用科目而罢。铨选则入官之始，舍此蔑由焉。是四者厘然具载其本末，而二百七十年间取士得失之故可睹已。科举必由学校，而学校起家可不由科举。学校有二：曰国学，曰府、州、县学。府、州、县学诸生入国学者，乃可得官，不入者不能得也。入国学者，通谓之监生。举人曰举监，生员曰贡监，品官子弟曰荫监，捐资曰例监。同一贡监也，有岁贡，有选贡，有恩贡，有纳贡。同一荫监也，有官生，有荫生。

　　《明史·选举二》：科目者，沿唐、宋之旧，而稍变其试士之法，专取《四子书》及易、《书》、《诗》、《春秋》、《礼记》五经命题试士。盖太祖与刘基所定。其文略仿宋经义，然代古人语气为之，体用排偶，谓之八股，通谓之制义。三年大比，以诸生试之直省，曰乡试。中式者为举人。次年，以举人试之京师，曰会试。中式者，天子亲策于廷，曰廷试，亦曰殿试。分一、二、三甲以为名第之次。一甲止三人，曰状元、榜眼、探花，赐进士及第。二甲若干人，赐进士出身。三甲若干人，赐同进士出身。状元、榜眼、探花之名，制所定也。而士大夫又通以乡试第一为解元，会试第一为会元，二、三甲第一为传胪云。子、午、卯、酉年乡试，辰、戌、丑、未年会试。乡试以八月，会试以二月，皆初九日为第一场，又三日为第二场，又三日为第三场。初设科举时，初场试经义二道，《四书》义一道；二场，论一道；三场，策一道。中式后十日，复以骑、射、书、算、律五事试之。后颁科举定式，初场试《四书》义三道，经义四道。《四书》主《朱子集注》，《易》主程传、朱子《本义》，《书》主蔡氏《传》及古注疏，《诗》主《朱子集传》，《春秋》主左氏、公羊、谷梁三传及胡安国、张洽传，《礼记》主古注疏。永乐间，颁《四书五经大全》，废注疏不用。其后，《春秋》亦不用张洽传，《礼记》止用陈澔《集说》。二场试论一道，判五道，诏、诰、表、内科一道。三场试经史时务策五道。

《明史·儒林传序》：明太祖起布衣，定天下，当干戈抢攘之时，所至征召耆儒，讲论道德，修明治术，兴起教化，焕乎成一代之宏规。虽天覃英姿，而诸儒之功不为无助也。制科取士，一以经义为先，网罗硕学。嗣世承平，文教特盛，大臣以文学登用者，林立朝右。而英宗之世，河东薛瑄以醇儒预机政，虽弗究于用，其清修笃学，海内宗焉。吴与弼以名儒被荐，天子修币聘之殊礼，前席延见，想望风采，而誉隆于实，诟谇丛滋。自是积重甲科，儒风少替。白沙而后，旷典缺如。原夫明初诸儒，皆朱子门人之支流馀裔，师承有自，矩矱秩然。曹端、胡居仁笃践履，谨绳墨，守儒先之正传，无敢改错。学术之分，则自陈献章、王守仁始。宗献章者曰江门之学，孤行独诣，其传不远。宗守仁者曰姚江之学，别立宗旨，显与朱子背驰，门徒遍天下，流传逾百年，其教大行，其弊滋甚。嘉、隆而后，笃信程、朱，不迁异说者，无复几人矣。要之，有明诸儒，衍伊、雒之绪言，探性命之奥旨，锱铢或爽，遂启歧趋，袭谬承讹，指归弥远。至专门经训受授源流，则二百七十馀年间，未闻以此名家者。经学非汉、唐之精专，性理袭宋、元之糟粕，论者谓科举盛而儒术微，殆其然乎！

《明史·文苑传序》：明初，文学之士承元季虞、柳、黄、吴之后，师友讲贯，学有本原。宋濂、王袆（《明史》原作"祎"，误）、方孝孺以文雄，高、杨、张、徐、刘基、袁凯以诗著。其他胜代遗逸，风流标映，不可指数，盖蔚然称盛已。永、宣以还，作者递兴，皆冲融演迤，不事钩稽，而气体渐弱。弘、正之间，李东阳出入宋元，溯流唐代，擅声馆阁。而李梦阳、何景明倡言复古，文自西京，诗自中唐而下，一切吐弃，操觚谈艺之士翕然宗之。明之诗文，于斯一变。迨嘉靖时，王慎中、唐顺之辈，文宗欧、曾，诗仿初唐。李攀龙、王世贞辈，文主秦、汉，诗规盛唐。王、李之持论，大率与梦阳、景明相倡和也。归有光颇后出，以司马、欧阳自命，力排李、何、王、李，而徐渭、汤显祖、袁宏道、钟惺之属，亦各争鸣一时，于是宗李、何、王、李者稍衰。至启、祯时，钱谦益、艾南英准北宋之矩矱，张溥、陈子龙撷东汉之风华，又一变矣。有明一代，文士卓卓表见者，其源流大抵如此。

《清史稿·选举一》：古者取士之法，莫备于成周，而得人之盛，亦以成周为最。自唐以后，废选举之制，改用科目，历代相沿。而明则专取《四子书》及《易》、《书》、《诗》、《春秋》、《礼记》五经命题试士，谓之制义。有清一沿明制，二百馀年，虽有以他途进者，终不得与科第出身者相比。康、乾两朝，特开制科，博学鸿词，号称得人。然所试者亦仅诗、赋、策论而已。洎乎末造，世变日亟……有清学校，向沿明制。京师曰国学，并设八旗、宗室等官学。直省曰府、州、县学。世祖定鼎燕京，修明北监为太学。顺治元年，置祭酒、司业及监丞、博士、助教、学正、学录、典籍、典簿等官。设六堂为讲肆之所，曰率性、修道、诚心、正义、崇志、广业，一仍明旧。少詹事李若琳首为祭酒，请仿明初制，广收生徒。官生除恩荫外，七品以上官子弟勤敏好学者，民生除贡生外，廪、增、附生员文义优长者，并许提学考选送监。又言学以国子名，所谓国之贵游子弟学焉。前朝公、侯、伯、驸马初袭授者，皆入国学读书。满洲勋臣子弟有志向学者，并请送监肄业。诏允增设满洲司业、助教等官，是为八旗子弟入监之始。厥后定为限制，条例屡更，益臻详备。肄业生徒，有贡、有监。贡生凡六：曰岁贡、恩贡、拔贡、优贡、副贡、例贡。监生凡四：曰恩监、荫监、优监、例监。荫有二：曰恩荫、难荫。通谓之国子监生。

《清史稿·选举三》：有清科目取士，承明制用八股文。取《四子书》及《易》、《书》、《诗》、《春秋》、《礼记》五经命题，谓之制义。三年大比，试诸生于直省，曰乡试，中式者为举人。次年试举人于京师，曰会试，中式者为贡士。天子亲策于廷，曰殿试，名第分一、二、三甲。一甲三人：曰状元、榜眼、探花，赐进士及第；二甲若干人，赐进士出身；三甲若干人，赐同进士出身。乡试第一曰解元，会试第一曰会元，二甲第一曰传胪。悉仍明旧称也。世祖统一华夏，顺治元年，定以子、午、卯、酉年乡试，辰、戌、丑、未年会试。乡试以八月，会试以二月，均初九日首场，十二日二场，十五日三场。殿试以三月，二年，颁《科场条例》，礼部议覆。给事中龚鼎孳疏言："故明旧制，首场试时文七篇，二场论、表各一篇，判五条，三场策五道，应如各科臣请，减时文二篇，于论、表、判外增诗，去策改奏疏。"帝不允，命仍旧例。首场《四书》三题，《五经》各四题，士子各占一经。《四书》主朱子《集注》，《易》主程《传》、朱子《本义》，《书》主蔡《传》，《诗》主朱子《集传》，《春秋》主胡安国《传》，《礼记》主陈澔《集说》，其后《春秋》不用胡《传》，以《左传》本事为文，参用《公羊》、《谷梁》。二场论一道，判五道，诏、诰、表、内科一道，三场经史时务策五道。乡、会试同。

《清史稿·儒林传序》：元、明之间，守先启后，在于金华。洎乎河东、姚江，门户分歧，递兴递灭，然终不出朱、陆而已。终明之世，学案百出，而经训家法，寂然无闻。揆之《周礼》，有师无儒，空疏甚矣。然其间台阁风厉，持正扶危，学士名流，知能激发。虽多私议，或伤国体，然其正道，实拯世心。是故两汉名教，得儒经之功；宋明讲学，得师道之益：皆于周、孔之道，得其分合，未可偏讥而互诮也。清兴，崇宋学之性道，而以汉儒经义实之。御纂诸经，兼收历代之说；四库馆开，风气亦精博矣。国初讲学，如孙奇逢、李颙等，沿前明王、薛之派，陆陇其、王懋竑等，始专守朱子，辨伪得真。高愈、应㧑谦等，坚苦自持，不愧实践。阎若璩、胡渭等，卓然不惑，求是辨诬。惠栋、戴震等，经发古意，诂释圣言……综而论之，圣人之道，譬若宫墙，文字训诂，其门径也。门径苟误，跬步皆歧，安能升堂入室？

《清史稿·文苑传序》：清代学术，超汉越宋。论者至欲立"清学"之名，而文学并重，亦足于汉、唐、宋、明以外别树一宗，呜呼盛已！明末文衰甚矣！清运既兴，文气亦随之而一振。谦益归命，以诗文雄于时，足负起衰之责；而魏、侯、申、吴，山林遗逸，隐与推移，亦开风气之先。康、乾盛治，文教大昌。盛主贤臣，莫不以提倡文化为己任。师儒崛起，尤盛一时。自王、朱以及方、恽，各擅其胜。文运盛衰，实通世运。此当举其全体，若必执一人一地言之，转失之隘，岂定论哉！

第一章

明万历二十九年至清顺治十八年　南明永历十五年（1601—1661）共61年

·引　言·

陈继儒《文娱序》：往丁卯前，珰纲告密，余谓董思翁云："吾与公此时不愿为文昌，但愿为天聋地哑，庶几免于今之世矣。"郑超宗闻而笑曰："闭门谢客，但以文自娱，庸何伤？近年缘读《礼》之暇，搜讨时贤杂作小品而题评之，皆芽甲一新，精彩八面，而法外法，味外味，韵外韵，典丽新声，络绎奔会，似亦隆、万以来，气候秀擢之一会也。"

黄宗羲《明文案序上》：有明之文莫盛于国初，再盛于嘉靖，三盛于崇祯。国初之盛，当大乱之后，士皆无意于功名，埋身读书，而光芒卒不可掩；嘉靖之盛，二三君子振起于时风众势之中，而巨子晓晓之口舌，适足以为其华阴之赤土；崇祯之盛，王、李之珠盘已坠，邾、莒不朝，士之通经学古者耳目无所障蔽，反得以理既往之绪言；此三盛之由也。

黄宗羲《明文案序下》：有明文章正宗，盖未尝一日而亡也。自宋、方以后，东里、春雨继之，一时庙堂之上，皆质有其文。景泰、天顺稍衰，成、弘之际，西涯雄长于北，匏庵、震泽发明于南，从之者多有师承。正德间，馀姚之醇正，南城之精炼，掩绝前作。至嘉靖而昆山、毗陵、晋江者起，讲究不遗馀力，大洲、浚谷相与掎角，号为极盛。万历以后又稍衰，然江夏、福清、秣陵、荆石未尝失先民之矩矱也。崇祯时，昆山之遗泽未泯，娄子柔、唐叔达、钱牧斋、顾仲恭、张元长皆能拾其坠绪，江右艾千子、徐巨源，闽中曾弗人、李元仲，亦卓荦一方，石斋以理数润泽其间，计一代之制作，有所至不至，要以学力为浅深，其大旨罔有不同，故无俟于更弦易辙也。

王夫之《读通鉴论》卷末《叙论三》：若近世李贽、钟惺之流，导天下淫邪，以酿中夏衣冠之祸，岂非逾于洪水，烈于猛兽者乎？

张尔岐《嵩庵闲话》卷一：明初学者崇尚程朱，文章质实，名儒硕辅，往往辈出，国治民风，号为近古。自良知之说起，人于程、朱始敢为异论，或以异教之言诠解六经，于是议论日新，文章日丽，浸淫至天启、崇祯之间，乡塾有读《集注》者传以为笑，《大全》、《性理》诸书，束之高阁，或至不蓄其本。庚辰以后，文章猥杂最甚，能缀砌古字经语，犹为上驷。俚辞谚语颂圣祝寿，喧嚣满纸，圣贤微言几扫地尽，而甲申之变至矣。

沈德潜《明诗别裁集序》：宋诗近腐，元诗近纤，明诗其复古也。而二百七十馀年中，又有升降盛衰之别。尝取有明一代诗论之，洪武之初，刘伯温之高格并以高季迪、袁景文诸人，各逞才情，连镳并轸，然犹存元纪之馀风，未极隆时之正轨。永乐以还，体崇台阁，骫骳不振。弘、正之间，献吉、仲默力追雅音，庭实、昌谷，左右骖靳，古风未坠。馀如杨用修之才华，薛君寀之雅正，高子业之冲淡，俱称斐然。于鳞、元美益以茂秦，接踵曩哲，虽其间规格有馀，未能变化，识者咎其鲜自得之趣焉，然取其菁英，彬彬乎大雅之章也。自是而后，正声渐远，繁响竞作，公安袁氏、竟陵钟氏、谭氏，比之自郐无讥。盖诗教衰而国祚亦为之移矣。此升降盛衰之大略也。编明诗者，陈黄门卧子《皇明诗选》，正德以前，殊能持择，嘉靖以下，形体徒存。尚书钱牧斋《列朝诗选》，于青丘、茶陵外，若北地、信阳、济南、娄东，概为指斥，且藏其所长，录其所短，以资排击，而于二百七十馀年中，独推程孟阳一人。而孟阳之诗，纤词浮语，只堪争胜于陈仲醇诸家，此犹舍丹砂而珍溲勃，贵筝琶而贱清琴，不必大匠国工，始知其诬妄也。国朝朱太史竹垞《明诗综》所收三千四百馀家，泯门户之见，存是非之公，比之牧斋，用心判别。

《四库总目提要》卷一九〇著录朱彝尊编《明诗综》一百卷：明之诗派，始终三变。洪武开国之初，人心浑朴，一洗元季之绮靡，作者各抒所长，无门户异同之见。永乐以迄弘治，沿三杨台阁之体，务以春容和雅，歌咏太平。其弊也，冗沓肤廓，万喙一音，形模徒具，兴象不足。是以正德、嘉靖、隆庆之间，李梦阳、何景明等崛起于前，李攀龙、王世贞等奋发于后，以复古之说递相唱和，导天下无读唐以后书。天下响应，文体一新，七子之名，遂竟夺长沙之坛坫。渐久而模拟剽窃，百弊俱生。厌故趋新，别开蹊径，万历以后，公安倡纤诡之音，竟陵标幽冷之趣，幺弦侧调，嘈嘈争鸣。佻巧荡乎人心，哀思关乎国运，而明社亦于是乎屋矣。大抵二百七十年中，主盟者递相盛衰，偏袒者互相左右，诸家选本，亦遂皆坚持畛域，各尊所闻。至钱谦益《列朝诗集》出，以记丑言伪之才，济以党同伐异之见，逞其恩怨，颠倒是非，黑白混淆，无复公论。彝尊因众情之弗协，乃编纂此书，以纠其谬。

陈田《明诗纪事序》：光绪癸未，都门过夏，旅情萧索，取明人诗阅之，遂有《纪事》之辑。至己亥，阅十七寒暑，录诗几四千家，分为十签。凡论明诗者，莫不谓盛于弘、正，极于嘉、隆，衰于公安、竟陵。余谓莫盛于明初，若犁眉、海叟、子高、翠屏、朝宗、一山，吴四杰、粤五子、闽十子、会稽二肃、崇安二蓝，以及草阁、南村、子英、子宜、虚白、子宪之流，以视弘、正、嘉、隆时，孰多孰少也？且明初诗家各抒心得，隽旨名篇，自在流出，无前后七子相矜相轧之习，温柔敦厚，诗教固如是也。

沈德符《万历野获编》卷二五《时尚小令》：元人小令，行于燕赵，后浸淫日盛。自宣、正至成、弘后，中原又行《锁南枝》、《傍妆台》、《山坡羊》之属。李空同先生初自庆阳徙居汴梁，闻之以为可继《国风》之后。何大复继至，亦酷爱之。

冯梦龙《序山歌》：书契以来，代有歌谣，太史所陈，并称风雅，尚矣……且今虽季世，而但有假诗文，无假山歌，则以山歌不与诗文争名，故不屑假。苟其不屑假，而吾藉以存真，不亦可乎？抑今人想见上古之陈于太史者如彼，而近代之留于民间者如此，倘亦论世之林云尔。若夫借男女之真情，发名教之伪药，其功于《挂枝儿》等，故录《挂枝儿》而次及《山歌》。

袁宏道《叙小修诗》：大都独抒性灵，不拘格套，非从自己胸臆流出，不肯下笔。有时情与境会，顷刻千言，如水东注，令人夺魄……惟夫代有升降，而法不相沿，各极其变，各穷其趣，所以可贵，原不可以优劣论也……故吾谓今之诗文不传矣。其万一传者，或今闾阎妇人孺子所唱《擘破玉》、《打草竿》之类，犹是无闻无识，真人所作，故多真声。不效颦于汉、魏，不学步于盛唐，任性而发，尚能通于人之喜怒哀乐、嗜好情欲，是可喜也。

钟惺《诗归序》：真诗者，精神所为也。察其幽情单绪，孤行静寂与喧杂之中；而乃以其虚怀定力，独往冥游于寥廓之外。

邹祗谟《远志斋词衷·明人有佳词》：俞少卿云："万历以来，诗文制义，化为四目蒙魋、九头妖鸟。而诗馀以无人染指，故独留本来面目。"此言故是激论，如冯、董、二文敏、赵忠毅、吴文端、李太仆、范尚宝、焦修撰、王编修诸公，何尝无一二佳调，但非专家，故不为少卿所推藉耳。

陈廷焯《白雨斋词话》卷三：词至于明，而词亡矣。伯温、季迪，已失古意。降至升庵辈，句琢字炼，枝枝叶叶为之，益难语于大雅。自马浩澜、施浪仙辈出，淫词秽语，无足置喙。明末陈人中，能以秾艳之笔，传凄婉之神，在明代便算高手。然视国初诸老，已难同日而语，更何论唐、宋哉……有明三百年中，习倚声者，不乏其人；然以沉郁顿挫四字绳之，竟无一篇满人意者，真不可解。

文廷式《云起轩词钞序》：词家至南宋而极盛，亦至南宋而渐衰。其衰之故，可得而言也。其声多啴缓，其意多柔靡，其用字则风云月露、红紫芬芳之外，如有戒律，不敢稍有出入焉。迈往之士，无所用心。沿及元、明，而词遂亡，亦其宜也。有清以来，此道复振。国初诸家，颇能宏雅。

王骥德《曲律》：临川之于吴江，故自冰炭。吴江守法，斤斤三尺，不欲令一字乖律，而毫锋殊拙；临川尚趣，直是横行，组织之工，几与天孙争巧，而佶屈聱牙，多令歌者齚舌。吴江尝谓："宁协律而不工，读之不成句，而讴之始协，是为中之之巧。"曾为临川改易《还魂》字句之不协者，吕吏部玉绳（郁蓝生尊人）以致临川，临川不怿，复书吏部曰："彼恶知曲意哉！语意所至，不妨拗折天下人嗓子。"其志趣不同如此。郁蓝生谓临川近狂，而吴江近狷，信然哉！

黄宗羲《胡子藏院本序》：诗降而为词，词降而为曲。非曲易于词，词易于诗也，其间各有本色，假借不得……正法眼藏，似在吾越中，徐文长、史叔考、叶六桐皆是也。外此则汤义仍、梁少白、吴石渠。虽浓淡不同，要为元人之衣钵。张伯起、梅禹金，终是肉胜于骨。顾近日之最行者，阮大铖之偷窃，李渔之謇乏，全以关目转折，遮伧夫之眼，不足数矣。

可一居士《醒世恒言序》：六经国史而外，凡著述皆小说也。而尚理或病于艰深，修词或伤于藻绘，则不足以触里耳而振恒心。此《醒世恒言》四十种所以继《明言》、《通言》而刻也。明者，取其可以导愚也。通者，取其可以适俗也。恒则习之而不厌，传之而可久。三刻殊名，其义一耳。

绿天馆主人《古今小说序》：史统散而小说兴。始乎周季，盛于唐，而浸淫于宋……皇明文治既郁，靡流不波；即演义一斑，往往有远过宋人者。而或以为恨乏唐人风致，谬矣……大抵唐人选言，入于文心；宋人通俗，谐于里耳。天下之文心少而里耳多，则小说之资于选言者少，而资于通俗者多。

公元 1601 年（明万历二十九年　辛丑）

二月

利玛窦至京师。《明通鉴》卷七二："是月，大西洋利玛窦至京师，进方物。大西洋者，欧罗巴洲之统名。洲中凡七十馀国，而意大里亚居其一。利玛窦，即意大里亚人也，以万历九年，泛海数万里抵广州之香山澳，居二十年。至是入京师，由天津税监马堂奏闻。下礼部议，言：'大西洋不载《会典》，真伪不可知。且所供天主及天主母图，既属不经，而所携有神仙骨诸物，则唐韩愈所谓"凶秽之馀，不宜令入宫禁"者也。乞给赐冠带还国，勿令潜居两京，与中人交往，别生事端。'不报。"张岱《石匮书·列玛窦传》称其为"西洋人中有卓识者"。

三月

王衡考中一甲第二名进士。

五月

苏州民变。《明史·神宗本纪二》："二十九年……五月，苏州民变，杀织造中官孙隆参随数人。"

七月

四日，查继佐（1601—1676）**生。**沈起《查东山先生年谱》："先生生于万历辛丑秋七月四日酉时，为神宗二十九年，浙之海宁人。"查继佐，原名继佑，以应县试试册误书继佐，遂因之。字伊璜，号与斋，又号敬修子，另有钓史、钓玉之号。入清隐居不仕，更名省，字不省，或变名为左尹，别号非人氏。又以所居近东山（即审山），庐名朴园，学者称东山先生或朴园先生，海宁（今属浙江）人。明崇祯六年举人。清军南下，曾任鲁王之兵部职方司主事、监军御史，从事抗清活动，兵败后返里，幸免于庄廷钺《明史》案，讲学著述以终。博学多才，尤长于史学，著有《兵权》、《敬修堂说外》、《原书》、《马史论》、《知是编》、《九宫谱定》、《通鉴严》、《钓玉轩稿先甲集》、《后甲集》、《说造》、《说难》以及《国寿录》、《鲁春秋》、《东山国语》、《敬修堂钓叶》、《罪惟录》等，《罪惟录》一百〇六卷，纪有明史实，最为著名。另有《玉琢缘》、《鸣鸿度》、《眼前因》、《梅花讖》、《三报恩》、《非非想》传奇六部与杂剧《续西厢》一部。

八月

十四日,汤显祖撰《邯郸记》传奇成,作《邯郸记题词》。据徐朔方《汤显祖年谱》。

十一月

二十八日,茅坤（1512—1601）卒,年九十。据朱赓《明河南按察司副使奉敕备兵大名道鹿门茅公墓志铭》。茅坤字顺甫,号鹿门,归安（今浙江湖州）人。《明史·文苑传》:"坤善古文,最心折唐顺之。顺之喜唐宋诸大家文,所著文编,唐、宋人自韩、柳、欧、三苏、曾、王八家外,无所取,故坤选《八大家文钞》。其书盛行海内,乡里小生无不知茅鹿门者。"著有《白华楼藏稿》十一卷、《续稿》十五卷、《吟稿》八卷、《玉芝山房稿》二十二卷、《耄年录》七卷（《四库总目提要》卷一七七）,选《八大家文钞》。今人有整理本《茅坤集》,浙江古籍出版社 1993 年出版。王世贞《弇州续稿》卷五三《黄汝亨作茅章丘传小序》:"吴兴有茅鹿门先生者,其居官所至,负才术,顾厄于才,不获,究归,而以文学收远近声。"陈文烛《白华楼稿序》:"《白华楼藏稿》、《续稿》、《吟稿》,鹿门茅先生所著也。先生文章尔雅,雄视宇内,谓余可闻斯旨,曾序其文,先生以全集寄豫章,属余序焉。"朱国祯《涌幢小品》卷二二《俚诗有本》:"茅鹿门先生文章擅海内,尤工叙事志铭,国朝诸大家皆不及也。晚喜作诗,自称半路修行,语多率易。"屠隆《明河南按察司副使奉敕备兵大名道鹿门茅公行状》:"公于书无所不窥,为文于古最嗜马、班、欧、苏,于今嗜唐顺之、王慎之一二公;他标榜最得时名者,公独不以为然。而为文,气以昌格,情以达才,洸洋巨丽,滔滔弘远,绝不为雕字镂句、险僻轧苗态。"钱谦益《列朝诗集小传》丁集上《茅副使坤》:"为文章滔滔莽莽,谓文章之逸气,司马子长之后千馀年而得欧阳子,又五百年而得茅子。疾世之为伪秦汉者,批点唐、宋八大家之文,以正之。人谓顺甫之才气,殆可以追配古人,而惜其学之不逮也。"黄宗羲《黄宗羲全集》第十册《答张尔公论茅鹿门批评八家书》:"鹿门八家之选,其旨大略本之荆川、道思。然其圈点勾抹多不得要领,故有腠理脉络处不标出,而圈点漫施之字句之间者,与世俗差强不远。"《四库总目提要》卷一七七著录茅坤《白华楼藏稿》十一卷、《续稿》十五卷、《吟稿》八卷、《玉芝山房稿》二十二卷、《耄年录》七卷:"明茅坤撰。坤有《徐海本末》,已著录。是编《藏稿》、《续稿》,皆其杂著之文,《吟稿》则皆诗也。《玉芝山房稿》文十六卷、诗六卷。《耄年录》则诗文杂编,不复分类。坤刻意摹司马迁、欧阳修之文,喜跌宕激射。所选《史记钞》、《八家文钞》、《欧阳史钞》,即其平生之宗旨。然根柢少薄,摹拟有迹。秦汉文之有窠臼,自李梦阳始;唐宋文之亦有窠臼,则自坤始。故施于制义则为别调独弹,而古文之品终不能与唐顺之、归有光诸人抗颜而行也。至《耄年录》,则精力既衰,颓唐自放,益非复壮盛之时刻意为文之旧矣。"同书卷一八九又著录茅坤编《唐宋八大家文钞》一百六十四卷:"明茅坤编。坤有《徐海本末》,已著录。《明史·文苑传》称坤善古文,最心折唐顺之。顺之所著《文编》,唐宋人自韩、柳、欧、三苏、曾、王八家外,无所取,故坤选《八大家文钞》。考明初朱右,已采录韩、柳、欧阳、曾、王、三苏之作为《八先生文集》,实远在坤前,然右书今不传,惟坤此集为世所传习……说者谓其书本出唐顺之，坤据其稿本，刊版以行，攘为己作，如郭象之于向秀。然坤所作序例，明言以顺之及王慎中评语标入，实未讳所自来。则称为盗袭者，诬矣……八家全集浩博，学者遍读为难，书肆选本，又漏略过甚。坤所选录，尚得烦简之中。集中评语虽所见未深，而亦足为初学之门径，一二百年以来，家弦户诵，固亦有由矣。"陈田《明诗纪事》戊签卷二〇选茅坤诗一首，有按语云："《唐宋八大家文选》自朱伯贤始，明中叶未盛行。自唐应德、王道思矫北地剽袭秦、汉之弊，顺甫选《八家文钞》盛行于时，可称好事。"

是年

努尔哈赤始建八旗制度雏形。蒋良骐《东华录》卷一："辛丑年，复编三百人为一牛录，每牛录设额真一。"

李贽《续藏书》定稿于通州马经伦家。焦竑《澹园集》附编一《续藏书序》："李宏甫《藏书》一编，余序而传之久矣，而于国朝事未备，因取余家藏名公事迹绪正之。未就而之通州。久之，宏甫殁，遗书四出，学者争传诵之。其实真赝相错，非尽出其手也。岁己酉，眉源苏公吊宏甫之墓，而访其遗编于马氏，于是《续藏书》始出。"

公元 1602 年（明万历三十年　壬寅）

闰二月

李贽被劾。《明神宗万历实录》卷三六九："万历三十年闰二月乙卯，礼科都给事中张问达疏劾：李贽壮岁为官，晚年削发，近又刻《藏书》、《焚书》、《卓吾大德》等书，流行海内，惑乱人心。以吕不韦、李园为智谋，以李斯为才力，以冯道为吏隐，以卓文君为善择佳偶，以司马光论桑弘羊欺武帝为可笑，以秦始皇为千古一帝，以孔子之是非为不足据，狂诞悖戾，未易枚举，大都刺谬不经，不可不毁者也。尤可恨者，寄居麻城，肆行不简，与无良辈游于庵院，挟妓女，白昼同浴。勾引士人妻女入庵讲法，至有携衾枕而宿庵观者，一境如狂。又作《观音问》一书，所谓观音者，皆士人妻女也。后生小子，喜其猖狂放肆，相率煽惑。至于明劫人财，强搂人妇，同于禽兽而不之恤。迩来缙绅士大夫亦诵咒念佛，奉僧膜拜，手持数珠，以为戒律；室悬妙像，以为皈依，不知尊孔子家法，而溺意于禅教沙门者，往往出矣。近闻贽且移至通州，通州离都下仅四十里，倘一入都门，招致蛊惑，又为麻城之续。望敕礼部檄行通州地方官，将李贽解发原籍治罪，仍檄行两畿各省，将贽刊行诸书，并搜简其家未刊者，尽行烧毁，毋令贻祸乱于后，世道幸甚。得旨：李贽敢倡乱道，惑世诬民，便令厂卫五城严拿治罪。其书籍已刊未刊者，令所在官司尽搜烧毁，不许存留，如有党徒曲庇私藏，该科及各有司访参奏来并治罪。已而贽逮至，惧罪不食死。"

三月

十六日子时，李贽（1527—1602）卒。汪本钶《卓吾先师告文》："钶自三月十二日别师，师遽于三月十五日引决，到十六夜子时长往矣。年七十六。"贽初名载贽，字宏甫，号卓吾，另有温陵居士、龙湖叟、秃翁、笃吾、思斋、百泉居士等别号，泉州晋江（今属福建）人（《明史稿》卷二〇七《李贽传》、袁中道《李温陵传》、钱谦益《列朝诗集小传》闰集《卓吾先生李贽》）。著有《焚书》六卷、《续焚书》五卷、《藏书》六十八卷、《续藏书》二十七卷、《九正易因》二卷（中国社会科学院哲学所图书室藏明抄本）等，今人有整理本《李贽文集》七卷，北京科学文献出版社 2000 年出版。焦竑《澹园集》附编一《焦弱侯荐李卓吾疏》："卓吾先生秉千秋之独见，悟一性之孤明。其书满架，非师心而实以道古；传之纸贵，未破俗而先以警愚。何辜于天，乃其摩牙而相螫；自明无地，滥焉朝露之先晞。刿头送人，岂以表信陵之义；溅血悟主，庶几有相如之风。当其捐生殉朋友之知，足愧全躯保妻子之辈。此犹一时之果报，未论累劫之因缘……七十六年成幻梦，百千亿佛作皈依。鉴此悃诚，永为明证。谨疏。"袁中道《珂雪斋近集文钞》卷八《李温陵传》："所读书皆钞写为善本，东国之秘语，西方之灵文，《离骚》、马、班之篇，陶、谢、柳、杜之诗，下至稗官小说之奇，宋元名人之曲，雪藤丹笔，逐字雠校，肌襞理分，时出新意。其为文不阡不陌，撅其胸中之独见，精光凛凛，不可追视。诗不多作，大有神境。"沈铁《李卓吾传》："所著有《藏书》四十卷，《说书》、《焚书》各二卷，《初谭》四卷，而佛经诸书不与焉。所著《藏书》，论古今君相人物，皆庋于儒先，如以武氏为圣后，冯道为贤臣。漳人薛士彦读而喜之，谓是圣贤学问也，善用之可以建事业；不尔，恐蹈于权谋术数。尔时，部议并毁其书刻，而世人喜其高奇，反以盛传于世。"钱谦益《列朝诗集小传》闰集《卓吾先生李贽》："卓吾所著书，于上下数千年之间，别出手眼，而其掊击道学，抉摘情伪，与耿天台往复书，累累万言，胥天下之为伪学者，莫不胆张心动，恶其害己，于是咸以为妖为幻，躁而逐之。马御史经纶，迎之于通州，寻以妖人逮下诏狱。狱词上，议勒回原籍。卓吾曰：'我年七十有六，死尔，何以归为？'遂夺剃刀自刭，两日而死。御史收葬之通州北门外，秣陵焦竑题其石曰'李卓吾先生墓'，过者皆吊焉。"

二十三日，**张溥**（1602—1641）生。蒋逸雪《张溥年谱》："明神宗万历三十年，壬寅（1602），三月二十三日，生于太仓。张氏名溥，初字乾度，改字天如，号西铭，苏之太仓州人也……兄弟十人，溥居八。"《明史·文苑传》："张溥，字天如，太仓人。伯父辅之，南京工部尚书。溥幼嗜学，所读书必手抄，抄已朗诵一过，即焚之，又抄，如是者六七始已。右手握管处，指掌成茧。冬日手皲，日沃汤数次。后名读书之斋曰七录，以此也。与同里张采共学齐名，号'娄东二张'。"

十一月

二十三日，**祁彪佳**（1602—1645）生。杜春生辑《遗事》引《祁氏家乘》："公生于万历三十年壬寅十一月二十三日寅时。"彪佳字虎子，一字幼文，又字弘吉，号世培，别号远山主人，山阴（今浙江绍兴）人，著名藏书家祁承爜之子。十七岁浙江乡试中举，天启二年（1622）三甲第二百四十名进士。历官兴化府推官、大理寺寺丞、右佥都御史巡抚江南、右副都御史，南都陷，绝粒投池殉国，年四十四。南明唐王赠少保兵部尚书，谥忠敏（据祁熊佳《行实》、《明史》本传）。清乾隆中谥忠惠。著有《远山堂曲品》、《远山堂剧品》、《祁忠惠公遗集》十卷，今人有整理本《祁彪佳集》，中华书局上海编辑所1960年出版。

十二月

明廷禁以小说语入奏议。《大明神宗显皇帝实录》卷三七九："万历三十年十二月己未（编者按，己未似有误，考陈垣《二十史朔闰表》，是年十二月无己未日。是年十二月已交公元1603年1月12日—2月10日），礼部题……臣等以为皆宜禁，如作字必依《正韵》，不得见写古字，用语必出经史，不得引用子书及杂以小说俚语……诏是之，曰：本章字画，令查嘉靖八年体式刊印颁行，馀依拟严行申饬，违者参究。"

是年

吕天成《曲品》初稿成。吕天成《曲品·自序》："壬寅岁，曾著《曲品》。然惟于各传奇下著评语，意不尽，亦多未得当，寻弃之。"

汤显祖《宜黄县戏神清源师庙记》作于是年前后。据徐朔方《汤显祖年谱》考证。

胡应麟（1551—1602）卒。据吴晗编《胡应麟年谱》（载《清华学报》1934年第九卷第一期）。胡应麟，字元瑞，一字明瑞，号少室山人，又号石羊生、芙蓉峰客、壁观子，兰溪（今属浙江）人（王世贞《石羊生传》、钱谦益《列朝诗集小传》丁集《胡举人应麟》）。著有《少室山房类稿》一百二十卷、《诗薮》二十卷、《少室山房笔丛》四十八卷等，《诗薮》有今人整理本，上海古籍出版社1979年新一版，《少室山房笔丛》有今人整理本，上海书店出版社2001年出版。《明史·文苑传》："胡应麟，幼能诗。万历四年举于乡，久不第，筑室山中，购书四万馀卷，手自编次，多所撰著。携诗谒世贞，世贞喜而激赏之，归益自负。所著《诗薮》二十卷，大抵奉世贞《卮言》为律令，而敷衍其说，谓诗家之有世贞，集大成之尼父也。其贡谀如此。"王世贞《石羊生传》："元瑞性孤介，时时苦吟沉思，不甚与客相当。至其挥麈尾，扢扢艺文，持论侃然，尤甚于许可……元瑞所著：诗有《寓燕》、《还越》、《计偕》、《岩栖》、《卧游》、《抱膝》、《三洞》、《两都》、《兰阴》、《畸园》等集二十馀卷，《诗薮》内编外编十二卷；他撰述未行世者，有《六经疑义》二卷，《诸子折衷》四卷，《史蕞》十卷，《笔丛》十卷，《皇明诗统》三十卷，《皇明律范》十二卷，《古乐府》二卷，《古韵考》一卷，《二酉山房书目》六卷，《交游纪略》一卷，《兜玄国志》十卷，《酉阳续俎》十卷，《隆万新闻》十卷，《隆万杂闻》四卷，《骆侍御忠孝辨》一卷，《补刘氏山栖志》十二卷；搜辑诸书，有《群祖心印》十卷，《方外遐音》十卷，《考槃集》十卷，《谈剑编》二卷，《采真游》二卷，《会心语》二卷；类萃诸书，有《经籍会通》四十卷，《图书博考》十二卷，《诸子汇编》六十卷，《虞初统集》五百卷。盖生平于笔砚未尝斯须废去。"钱谦益《列朝诗集小传》丁集上《胡举人应麟》："应麟，字元瑞，兰溪人。少从其父宦燕中，从诸名士称诗，归而领乡荐，数上公车不第。筑室山中，购书四万馀卷，手自编次，亦多渔猎撰著。携诗谒王元美，盛相推挹，元美喜而激赏之，登其名于末五子之列。归益自负，语人曰：'弇州许我狎主齐盟，自今海内文士，当捧盘盂而从我矣。'众皆目笑之，自若也。著《诗薮》二十卷，自邃古迄明代，上下扬挖，大抵奉元美《卮言》为律令，而敷衍其说，《卮言》所入则主之，所出则奴之。其大指谓千古之诗，莫盛于有明李、何、王、李四家，四家之中，牢笼千古，总萃百家，则又莫盛于弇州。诗家之有弇州，证果位之如来也，集大成之尼父也。又从弇州而下，推及于敬美、明卿、伯玉之伦，以为入人升堂而家入室，殆圣体贰之才，未可以更仆悉数也。元美初喜其贡谀也，姑为奖借，以媒引海内之附己者，晚年乃大悔悟，语及《诗薮》，辄掩耳不欲闻，而流传讹缪，则已不可回矣。"汪道昆《诗薮序》："明瑞出《诗薮》三编凡若干卷，盖将轶《谈艺》，衍《卮言》，廓虚心，采独见，凡诸毫倪妍丑，无不镜诸灵台。其世，则自商、周、汉、魏、六代、三唐以迄于今；其体，则自四言、五言、七言、杂言、乐府、歌行以迄律绝；其人，则自李陵、枚叔、曹、刘、李、杜 以迄元美、献吉、于鳞：发其椟藏，瑕瑜不掩。即晚唐弱宋胜朝之籍，吾不欲观，虽在糠秕，不遗馀粒……万历庚寅春二月朔，新都汪道昆序。"陈文烛《少室山房笔丛序》："吾友胡元瑞，工诗善属文，有《少室山房稿》，贾其馀勇，著书数百卷，如《经籍会通》、《史书佔毕》、《九流绪论》、《四部正讹》、《三坟补逸》、《二酉缀遗》、《华阳博议》、《庄岳委谭》、《丹铅新录》、《艺林学山》，自题为《笔丛》，海内争传，几于纸贵。"《四库总目提要》卷一七二著录《少室山房类稿》一百二十卷："明胡应麟撰。应麟有《笔丛》，已著录。应麟借王世贞以得名，与李维桢、屠隆、魏允中、赵用贤称'末五子'。所作《诗薮》，类皆附和世贞《艺苑卮言》。后之诋七子者，遂并应麟而斥之。考七子之派，肇自正德，而衰于万历之际，横距海内百有馀年……应麟虽仰承馀派，沿袭颓波，而记诵淹通，实在隆、万诸家之上。故所作芜杂之内尚具菁华。录此一家，亦足以为读书者劝也。"朱彝尊《静志居诗话》卷一四《胡应麟》："长律至百韵，已为繁复矣。元美哭于鳞，乃增益至一百二十，元瑞哭元美则更倍之。盖感知己之深，不禁长言之也。《诗薮》一编，专以羽翼《卮言》，钱氏诟之太甚。观《少室山房笔丛》，沉酣四部，自不失为读书种子，讵可因《诗薮》而概斥之乎？"

李清（1602—1683）生。朱彭寿《清代人物大事纪年》："康熙二十二年癸亥（1683），卒岁：李清，故大理寺左寺丞。卒年八十二。"逆推得其生年。又江庆柏《清代人物生卒年表》据《兴化李氏传略》括注李清生卒年为"1602—1683"。李清，字水心，号映碧，又号枣园、碧水翁、天一居士，江南兴化（今属江苏）人。明崇祯四年进士，历官吏科给事中。南明弘光朝，迁大理寺左寺丞，清兵南下，隐归故里，著述以终。长于史学，著有《南北史南唐书合注》一百九十一卷、《三垣笔记》三卷、《附识》三卷以及《南渡录》、《南唐书合订》、《澹宁斋杂著》、《澹宁斋史论》等。

公元 1603 年（明万历三十一年 癸卯）

八月

十五日，屠隆、曹学佺、阮自华、林古度等七十馀人在福州乌石山凌霄台为诗文之会，是为凌霄台大社。见钱谦益《列朝诗集小传》丁集中《屠仪部隆》、曹学佺《芝社集》之《凌霄台大社》自注。

九月

十二日，阎尔梅（1603—1679）生。鲁一同《白耷山人年谱》："万历三十一年九月十二日，山人生。山人姓阎，名尔梅，字用卿，号古古，生而耳长大，白过于面，故又号白耷山人。世居沛。"阎尔梅，江南沛县（今属江苏）人。明崇祯三年举人。著有《白耷山人诗集》十卷、《文集》二卷。

十月

汤显祖为郑之文《旗亭记》传奇作序。序云："其事可歌可舞，常以语好事者，而友人郑君豹先以挟日成之，其词南北交参，才情并赴。千秋之下，某氏一戎马间妇人，时勃勃有生气，亦词人之笔机也……万历岁癸卯小春，临川汤显祖题。"小春，古人谓农历十月。

十一月

妖书案起。《明通鉴》卷七三："十一月，甲子，复起妖书曰《续忧危竑议》，阁臣朱赓获之于寓门外。其词假郑福成为问答——郑福成者，谓郑氏子福王当成也。大略言：'上立东宫出于不得已，他日必当更易。其用朱赓为内阁者，以赓、更同音，寓更易之意。'词极诡妄，时人谓之'妖书'。上大怒，敕有司大索奸人。"

是年

高濂（1527？—1603？）卒。高濂生卒年据徐朔方《高濂行实系年》有关考证。该文引冯梦祯《快雪堂集》卷六〇所载万历三十一年二月十二日日记："同王问琴、沈伯宏、俞唐卿湖上探桃花消息。会次儿携榼，请高深甫集于我舟。"可证高濂是年尚在世。又引李日华《味水轩日记》于万历三十七年五月十二日所记于杭州"访高瑞南子麟南，出其所藏郭忠恕复写摩诘辋川图"为证，高濂已去世有年。高濂，字深甫，号瑞南，又作瑞南居士、瑞南道人、湖上桃花渔，又别署千墨主、万花居，钱塘（今浙江杭州）人。科场不遇，曾出资捐官，在京师鸿胪寺见习，后因父去世，家居不再出仕。著有《雅尚斋诗草》、《芳芷栖词》、杂著《遵生八笺》以及散曲若干，见于《南词韵选》、《南宫词纪》、《吴骚合编》、《词林逸响》等书。另有传奇《节孝记》、《玉簪记》，以后者最有名。吕天成《曲品》卷下著录"高瑞南所作传奇二本"，评《玉簪记》云："词多清俊。第以女贞观而扮尼讲佛，纰缪甚矣。"又评《节孝记》云："陶潜之《归去》，李密之《陈情》，事佳。分上下帙，别是一体。词隐之《奇节》亦然。"道光《新建县志》卷七三："明高深甫著《遵生八笺》十九卷，其《霞举》一笺，历陈高隐姓氏，自巢许以来共七十馀人，有云：'裘之量不乐仕进，以荐者召为司直入朝，赋新筑书堂壁未干云云，遂促归。'"乾隆《杭州府志》卷五八著录高濂《遵生八笺》十六卷、《三经怡闲录》二卷、《雅尚斋集》、《三径怡闲录》。《四库总目提要》卷一八〇著录高濂《雅尚斋诗草》二集二卷："明高濂撰。濂字深甫，号瑞南，仁和人。其诗先有初集，今未之见。此是其二集也，前有万历辛巳自序，大旨主于得乎自然，亦悦性情，故往往称心而出，无复锻炼之功。其时山人墨客多此派也。"吴梅《玉簪记跋》："此记传唱四百馀年矣，顾其中情节，颇有可议者。潘、陈自幼结姻，陈投女贞观，虽未通名籍，故乡既遇潘生，审知河南籍贯，岂有不探夫家之理，乃竟用青衿挑拨之语，淫词相构，殊失雅道，一不合也。王公子慕耿衲小姐，百计钻求，顾以门客一言，遂移爱于妙常，属凝春庵主说合，直至篇终耿衲小姐毫无归着（记中有耿衲小姐已嫁王尚书一语，不可即作归着，须登场作出才合），二不合也。张于湖先见妙常，止为日后判决王尼张本，却不该围棋挑思，先作轻薄语，况于湖为外色乎！三不合也。至于用韵之夹杂，句读之舛误，更无论矣。编制传奇，首重结构，词藻其次也。记中《寄弄》、《耽思》诸折，文彩固自可观，而律以韵律，则不可为训，顾能盛传于世，深可异也。深甫散曲至多，散见《南词韵选》、《吴骚合编》、《词林逸响》者，卓尔可传，不意作传奇乃轻率如是，殊不可解。深甫尚有《节孝记》一种，分上下二卷，上卷赋陶潜《归去来辞》，下卷赋李令伯《陈情表》，合而成书，别是一体。其词吾未见，不敢评骘。自有此体，而叶六桐之《四艳记》，徐天池之《四声猿》，沈宁庵之《十孝记》，皆从此出矣。实与传奇正式不合也。"

公元 1604 年（明万历三十二年　甲辰）

三月

徐光启考中三甲第五十二名进士。

是年春

陈与郊自序其所作传奇《诠痴符》四种。其序末署"万历甲辰春日友人齐悫书于任诞轩"。编者按，齐悫、任诞轩皆是陈与郊之化名。

十月

初七日，陈确（1604—1677）生。吴骞辑《陈乾初先生年谱》："明万历三十二年甲辰，十月初七日未时，先生生于凤冈坝之故居。"陈确，原名道允，一作道永，字非玄，号乾初，海宁（今属浙江）人。明诸生，入清不仕。著有《乾初先生文钞》、《遗诗》等，中华书局 1979 年出版整理本《陈确集》。

谭元春访钟惺，二人订交。据《钟惺简明年表》。（上海古籍出版社 1992 年出版《隐秀轩集》附录二）

顾宪成讲学东林书院。锁绿山人《明亡述略》卷一："顾泾阳、高景逸讲学东林，海内士大夫多从之游，故魏忠贤诬为东林党；而复社则杨维斗、张天如倡之，以踵东林者也。"

十二月

初九日（已交公元 1605 年 1 月 27 日），**陈贞慧**（1605—1656）**生**。黄宗羲《黄宗羲全集》第十册《陈定生先生墓志铭》："生于万历甲辰十二月九日，卒于顺治丙申五月十九日，年五十三。"陈贞慧，字定生，号雪岑，宜兴（今属江苏）人。廪生。与冒襄、侯方域、方以智有"四公子"之称。明亡以遗民自居。著有《雪岑集》、《皇明语林》，编有《八大家文选》等。

是年

冯班（1604—1671）**生**。据邓之诚《清诗纪事初编》卷一："冯班……卒于康熙十年辛亥，年六十有八。"逆推之，当生于明万历三十二年（1604）。江庆柏《清代人物生卒年表》著录冯班生卒年与上同，并注出处为沈道乾《冯钝吟年谱稿》。《清史列传·文苑传》谓冯班卒于顺治十年（1653）。朱彭寿《清代人物大事纪年》："康熙二十年辛酉（1681），卒岁：冯班，字定远，号钝吟居士。江苏常熟人。常熟县故诸生。诗人，卒年六十八。"据此，其生卒年当为"1614—1681"。袁行云《清人诗集叙录》卷四、吴海林等编《中国历史人物生卒年表》著录冯班生卒年同此。编者张慧剑《明清江苏文人年表》据《历代人物年里碑传综表》著录冯班生卒年为"1602—1671"，谓其享年七十。钱仲联主编《中国文学家大辞典·清代卷》、《中国大百科全书·中国文学》括注冯班生卒年同此。编者按，冯班与其兄冯舒（1593—1649）齐名，有"二冯"之目，二人年纪不应当相差二十余岁，故本书从邓之诚说。冯班，字定远，号钝吟居士，江南常熟（今属江苏）人，明诸生，入清不仕。著有《钝吟全集》二十三卷。

来集之（1604—1683）**生**。据邓长风《明清戏曲家考略》。袁行云《清人诗集叙录》卷二著录来集之《倘湖遗稿》不分卷（钞本）、《倘湖近诗》二卷："集之生当明万历三十二年，诗起辛酉（天启元年），云年十八。有《八十自寿诗》，亦老髦矣。"朱彭寿《清代人物大事纪年》："康熙二十一年壬戌（1682），卒岁：来集之，故太常寺少卿。卒年七十□。"张月中主编《中国古代戏剧辞典》："来熔（1604—1669），明末清初戏曲家。字元成，号集之、元成子。浙江萧山人。明代天启、崇祯年间（1621—1644）内阁大学士来宗道之子。崇祯十二年（1639）南京国子监贡生，次年中进士。任安庆（今属安徽）府推官时，左良玉纵兵四出，掳掠烧杀，他曾前往帐中劝阻。弘光朝马士英拟招揽于门下，拒不就。曾任兵科给事中、太常寺少卿等职。入清后，隐居倘湖之滨，潜心著述，学者称之为倘湖先生。康熙十七年（1668），巡抚推荐应博学鸿儒科，固辞不就。著有《读易隅通》、《卦易一得》、《易图亲见》、《博学汇书》等书。所作杂剧有《女红纱涂抹试官》、《秃碧纱炎凉秀士》，总名为《两纱》，《小青娘挑灯闲看牡丹亭》、《蓝采和长安闹剧》、《阮步兵邻廨啼红》、《铁氏女花院全贞》，总名为《秋风三叠》，俱传于世，颇多牢骚之作。"

马守真（1548—1604）卒。据吴海林等编《中国历史人物生卒年表》。钱谦益《列朝诗集小传》闰集《马湘兰》："马姬，名守真，小字玄儿，又字月娇，以善画兰，故湘兰之名独著。姿首如常人，而神情开涤，濯濯如春柳早莺，吐辞流盼，巧伺人意，见之者无不人人自失也。所居在秦淮胜处，池馆清疏，花石幽洁，曲廊便房，迷不可出。教诸小鬟学梨园子弟，日供张宴客，羯鼓琵琶声，与金缕红牙声相间。性喜轻侠，时时挥金以赠少年，步摇条脱，每在子钱家，弗顾也。常为墨祠郎所窘，王先生伯谷脱其阨，欲委身于王，王不可。万历甲辰秋，伯谷七十初度，湘兰自金陵往，置酒为寿，燕饮累月，歌舞达旦，为金阊数十年盛事。归未几而病，燃灯礼佛，沐浴更衣，端坐而逝，年五十七矣。有诗二卷。万历辛卯，伯谷为其序曰：'有美一人，风流绝代。问姓则千金燕市之骏，托名则九畹湘江之草……六代精英，钟其慧性；三山灵秀，凝为丽情。尔其搦琉璃之冠，字字风云；攣玉叶之笺，言言月露。蝇头写怨，而览者心结；鱼腹缄情，而闻者神飞。寄幽惊于五字，音似曙莺之啭谷；抒孤抱于四韵，情类春蚕之吐丝。按子夜之新声，翻庭花之旧曲……' 湘兰殁，伯谷为作传，赋挽诗十二绝句。至今词客过旧院者，皆为诗吊之。"胡文楷《历代妇女著作考》卷六著录马守真《湘兰子集》与传奇《三生传》。庄一拂《古典戏曲存目汇考》卷一〇著录马守真传奇《三生传》："《曲录》著录。《曲录》据《传奇汇考标目》著录之。《群音类选》内残存此剧佚曲，题作《三生传玉簪记》，《月露音》内亦存有佚曲，题为《三生记》。按吕天成《曲品》中《焚香记》条云：'别有《三生记》，则合《双卿》而成者。'疑即此本。佚。"

公元 1605 年（明万历三十三年　乙巳）

五月

二十八日，**黄淳耀**（1605—1645）生。朱彭寿《古今人生日考》卷五："五月二十八日，明嘉定县进士黄淳耀，《陶庵先生年谱》，万历三十三年乙巳。按，黄公，乾隆中赐谥忠节。"黄淳耀，初名金耀，字蕴生，一字松崖，号陶庵，又号水镜居士，嘉定（今属上海市）人。崇祯十六年进士。南都亡，嘉定破，与弟渊耀自缢于城西僧舍。著有《山左笔谈》、《陶庵集》等。

八月

二十五日，**屠隆**（1543—1605）卒。1919 年《甬上屠氏宗谱》卷七《世略·老大房·优传》："生嘉靖二十二年癸卯六月二十五日申时……卒万历三十三年乙巳八月二十五日辰时，享年六十有三。葬朱家园父茔内。"另据屠隆《由拳集》卷十五《与瞿睿夫》"仆年三十五得一第"，屠隆于万历五年丁丑（1577）考中三甲第九十二名进士，逆推之亦当生于明嘉靖二十二年癸卯（1543）。惟屠隆《鸿苞》卷首载张应文《鸿苞居士传》云："乙巳八月二十五日病卒，享年六十四岁。"据此逆推之，则屠隆当生于嘉靖二十一年（1542）矣，今从前者。屠隆，原名优，后改名龙，又易名为隆。字长卿，一字纬真，号赤水，晚号鸿苞居士，鄞县（今浙江宁波）人。明万历五年进士，历官颍上、青浦知县,升礼部主事,迁郎中,以事罢官,卖文为生。著述宏富,据张应文《鸿苞居士传》:"其书有《由拳集》十卷、《白榆集》十二卷、《栖真集》十卷、《泠然草》二卷、《横塘集》二卷、《南游草》二卷、《破迷论》一卷、《娑罗馆清言》一卷、《佛法金汤》一卷、《发矇编》一卷、《荒政考》一卷行于世。《绛雪楼》文部十卷、诗部十卷并《鸿苞》四十八卷,未受梓。"另据《今乐考证》著录,屠隆还创作有传奇《昙花记》、《彩毫记》、《修文记》三种,总名《凤仪阁传奇》。《明史·文苑传》:"屠隆者,字长卿,(沈)明臣同邑人也。生有异才,尝学诗于明臣,落笔数千言立就。族人大山、里人张时彻方为贵官,共相延誉,名大噪。举万历五年进士,除颍上知县,调繁青浦。时招名士饮酒赋诗,游九峰、三泖,以仙令自许,然于吏事不废,士民皆爱戴之。迁礼部主事。西宁侯宋世恩兄事隆,宴游甚欢。刑部主事俞显卿者,险人也,尝为隆所诋,心恨之。讦隆与世恩淫纵,词连礼部尚书陈经邦。隆等上疏自理,并列显卿挟仇诬陷状。所司乃两黜之,而停世恩俸半岁。隆归,道青浦,父老为敛田千亩,请徙居。隆不许,欢饮三日谢去。归益纵情诗酒,好宾客,卖文为活。诗文率不经意,一挥数纸。尝戏命两人对案拈二题,各赋百韵,咄嗟之间二章并就。又与人对弈,口诵诗文,命人书之,书不逮诵也。子妇沈氏,修撰懋学女,与隆女瑶瑟并能诗。隆有所作,两人辄和之。两家兄弟合刻其诗,曰《留香草》。"王世贞《弇州续稿》卷一六〇《屠长卿诗后》:"屠长卿手书五、七言古近体二十四章,寄余金陵,长夏读之,令人忘暑,其宏丽奔放,真才子也。若陆平原之材多,张壮武之不实,小所不能免耳。诗语大半道情而夸特甚,蕊珠宫所首禁者,此不过英雄欺人。第今后世视之,如李青莲疑其仙去不死。"钱谦益《列朝诗集小传》丁集上《屠仪部隆》:"隆,字长卿,鄞县人。万历丁丑进士,除颍上知县,调青浦,升礼部主客主事,历仪制郎中。长卿令青浦,延接吴越间名士沈嘉则、冯开之之流,泛舟置酒,青帘白舫,纵浪泖浦间,以仙令自许。在郎署,益放诗酒,西宁宋小侯少年好声诗,相得欢甚,两家肆筵曲宴,男女杂坐,绝缨灭烛之语,喧传都下,中白简罢官。壮年不自聊,纵游关塞,思得一当,归而谈空覈玄,自诡出世。晚年一无所遇,为大言以自慰而已……长卿答友人书,自叙其所作,以为姿敏而意疏,姿敏故多疾给,意疏故少精坚,束发操觚,睥睨一世,长篇短什,信心矢口……今所传《由拳》、《白榆》、《采真》、《南游》诸集,皆为曾起草之笔也。长卿虽为吏,家无馀赀,好交游,蓄声伎,不耐岑寂,不能不出游人间。自谓采真者十之三,乞食者十之七,盖实录也。衰晚之年,精华垂尽,率笔应酬,取悦耳目,渊明《乞食》之诗,固曰'叩门拙言词',今乃以文词为乞食之具,志安得不日降,而文安得不日卑!长卿晚作冗长不足观,其病坐此,云杜亦云,岂不伤哉!"朱彝尊《静志居诗话》卷一四《屠隆》:"长卿才非不高,而纵情奔放,记云'不知所以裁之'者也。"《四库总目提要》卷一七九著录屠隆《白榆集》二十卷:"明屠隆撰。隆有《篇海类编》,已著录。是集诗八卷,文十二卷。隆为人放诞风流,文章亦才士之绮语。陈子龙《明诗选》谓其诗如冲繁驿舍,陈列壶觞,顷刻办就,而少堪下箸。文尤语多藻绘,而漫无持择。盖沿王、李之涂饰,而又兼涉三袁之纤佻也。"同卷又著录其《由拳集》二十三卷:"是集凡赋一卷、古今体诗十卷、杂文十二卷。时隆方知青浦县,故以'由拳'为名。"陈田《明诗纪事》己签卷六选屠隆诗十五首，引《甬上耆旧集》云："先生异才天纵，横视古今。里中父老传其饮中下笔，杯影尚摇，歌声初转，一挥已满，四座尽倾。其七言古诗得意处，山奔海立，斯亦一奇也。余尝谓录古人诗，要当于彼法取其独擅者耳。近人选长卿，仅存一律，复非其所意得，使前人才气，于何得伸？其未行世诗文，名《绛雪楼集》，尚数十卷，藏于家。"又加按语云："长卿才气纵横，长篇尤极恣肆，惟任情倾泻，不自检束，未免瑜为瑕掩；录诗者但取寥寥短篇，安足见所长。李杲堂云：'录诗非其意所得，使前人才气于何得伸？'最识文人苦心。余于解大绅、曾子启、屠长卿诸人，均用此意，使才鬼有知，当抃舞地下。"吴梅《昙花记跋》："此记为赤水忏悔文……是此记在当时，知其命意者已寡矣。余又有《昙花却冗》，分上下二卷，删原文十之三四，虽便歌场，仍不免晦涩之病。赤水尚有《彩毫记》，赋李青莲事，较比略胜，而涂金错媲，通本无一疏俊语，不免徐灵昭所诮。又赤水晚年修仙，为吴人孙荣祖所弄，文人入魔，信以为实。又作《修文记》，以一家夫妇子女，托名演之，颇极幻妄之趣。事见牧斋《列朝诗集》。余只见《昙花》、《彩毫》二记，《修文》未见。出宫失调，疵病至多，盖赤水非深明音律者，故多可议也。"郑振铎《修文记跋》："《修文》为隆晚年作。所叙皆隆夫妇子女修仙事，实一部自叙传也。而以其女得道为仙，修文天上，为全传之骨干。郁蓝生《曲品》谓：'赤水晚修仙，为黠者所弄。文人入魔，信以为实，故作《修文记》。然以一家夫妇子女托名演之，已穷其幻妄之趣。'钱谦益《列朝诗集》则以赤水为吴人孙荣祖所弄，并言其女死后为仙事。是此记正赤水求道入魔时之作也。此记设想荒诞，文辞酸庸，错综仙佛，杂糅人鬼。仆仆求仙，自信得道。而妻子女婿，一门并种善因，皆得超拔。快意抒情，直类谵语。明代混合三教，妄意求真之徒不少，赤水殆入魔尤深者。然在戏曲史上，类此之自叙传，赤水实为始作俑者，其影响殊大。清代之《醉高歌》、《写心杂剧》等作，并皆承其馀风。元明戏文，每苦质直。此记逞其想象，上碧落下黄泉，仙福鬼趣，各穷其境，亦殊有别趣。《仇鬼》一出中之任伯嚣，即讦赤水之俞显卿也。《遇师》一出中之完初道人孙君，即吴人荣祖也。生平友仇，亦已并入记中矣。二十一年四月四日，郑振铎跋。"

是年秋

江盈科（1553—1605）**卒**。《袁宏道集笺校》卷三四《哭江进之》（有序）："乙巳秋，闻进之兄卒于蜀，余时伏枕恸几绝。"江盈科，字进之，号渌萝，常德桃源（今属湖南）人。万历二十年进士，历官长洲知县、吏部主事、四川佥事。著有《雪涛阁集》十四卷，《谐史》、《谈言》、《雪涛谈丛》、《雪涛诗评》、《闺秀诗评》各一卷，《皇明十六种小传》四卷等。今人有辑校本《江盈科集》，岳麓书社 1997 年出版。《袁宏道集笺注》卷一八《雪涛阁集序》："余与进之游吴以来，每会必以诗文相励，务矫今代蹈袭之风。进之才高识远，信腕信口，皆成律度，其言今人之所不能言，与其所不敢言者。"袁中道《珂雪斋集》卷一七《江进之传》："江进之，名盈科，楚之桃源人也。公生于农家，稍长，知刻苦读书，有异才。肫诚无忮害。自为诸生，名已隆隆起。乙酉，举于乡。壬辰，举于南宫，为长洲令……久之，公补铨曹，不能具装……后有人中伤之者，遂改廷尉正，人为公惜。公曰：'自吾为诸生时，望不及此。及为吏，治繁剧处，耳目纷拏，心思营怦，头发为白。幸不遭褫逐，承乏廷尉。廷尉事省，吾素有述作之志未竟，今可如愿，吾志毕矣。'以故公益闭门读书，暇则为诗文。诗多信心为之，或伤率意，至其佳处，清新绝伦。文犹圆妙。予伯兄、仲兄及予，皆居京师，与一时名人于崇国寺葡萄林内，结社论学，公与焉……公体素羸，有血疾。后以苦思愈甚，主试于蜀。后升按察司金事，视蜀学政，公竟卒于蜀，得年仅五十。"朱彝尊《静志居诗话》卷一六《江盈科》："进之与袁中郎同官吴下，其诗颇近公安派，持论亦以七子为非，特变而不成方者。中郎谓其矫枉之过，所谓笑他人之未工，忘己事之已拙，文人通病，大抵然矣。"《四库总目提要》卷六二著录江盈科《明十六种小传》四卷："明江盈科撰。盈科字进之，号绿萝山人，湖广桃源人。万历壬辰进士，官至四川提学副使。是书采辑明代轶事，分四纲十六目。一曰四维，分忠、孝、廉、洁四目；二曰四常，分慈、宽、明、慎四目；三曰四奇，分隐、怪、机、侠四目；四曰四凶，分奸、诣、贪、酷四目。大抵委巷之谈。自序曰'因阅国乘，摘出三百馀年新异事'者，妄也。如方孝孺之灭族，由杀蛇之报，国史安有是事哉！其分配诸目，如薛瑄入节类，于谦入廉类，姚广孝姊入隐类，亦往往无义例也。"光绪《桃源县志》卷八："江盈科，字进之，号渌萝……生平湛于经术，尤留心时务。如用兵虑其嗜杀也，边徼防其失靡也，谳鞫惩其锻炼也，则以《丛谈》中《武功》、《西南》、《冤狱》诸篇规讽当路。天才俊逸，所为诗文与袁中郎力主清新，用矫七子模拟之弊。尝言李空同文笔古拙，七言古风逼真杜陵；何大复诗文庶几双美，而挺拔绝特已逊古人；王元美终当以文冠世；李于鳞之文，初读作苦，久而思索得出，令人欠伸。诗则雄词凌驾，傲睨恶道，盖两失者。持论如此，故当时转移风气，海内至以江、袁并称。著有《易经解》、《雪涛阁集》、《明臣小传十六种》、《雪涛丛谈》、《诗评》、《闺秀诗评》，皆有深婉之致。崇祀乡贤。"陈田《明诗纪事》庚签卷一七选江盈科诗四首，有按语云："进之才不及中郎，而近俚、近俳，正复相似。今录其明畅之作。"

十月

二十二日，冯梦祯（1548—1605）卒。钱谦益《牧斋初学集》卷五一《南京国子监祭酒冯公墓志铭》："公讳梦祯，字开之，姓冯氏，其先高邮人也。国初徙嘉兴之秀水，以沤麻起富至钜万……其为文穿穴解故，摆落畦径，含咀菁华，匠心独妙。尝自诡规摹唐、瞿二家，得其衣钵。万历丁丑，举会试第一，选翰林院庶吉士。海内传写其文，果以为唐、瞿再出。与同年生宣城沈君典、鄞屠长卿以文章意气相豪，纵酒悲歌，跌宕俯仰，声华籍甚，亦以此负狂简声……公卒于万历乙巳十月廿二日，享年五十有八。"钱谦益《列朝诗集小传》丁集下《冯祭酒梦祯》："有《真实居士集》若干卷，为诗文疏朗通脱，不以刻镂求工。而佛乘之文，憨大师极推之，以为宋金华之后一人也。"朱彝尊《静志居诗话》卷一五《冯梦祯》："冯公儒雅风流，名高三席，归田之后，间娱情声伎，筝歌酒宴，望者目为神仙中人。诗亦不蹈时习，五古能盘硬语，尤见意匠经营。同谱若沈君典、屠纬真，皆不及也。"《四库总目提要》卷八三著录冯梦祯《历代贡举志》一卷，同书卷一四四又著录其《快雪堂漫录》一卷，同书卷一七九又著录其《快雪堂集》六十四卷："梦祯旧藏王羲之《快雪时晴帖》，故以名堂。后帖归冯铨，堂名亦随之而移，实则始自梦祯也。是编文六十二卷，诗止二卷。所作皆喜于疏快，不以镂刻为工，而随意所如，无复古人矩矱矣。"陈田《明诗纪事》庚签卷一二选冯梦祯诗三首，小传著录其《快雪堂集》六十四卷。

是年

袁宏道《袁石公十集》十六卷（《广庄》一卷、《敝箧集》二卷、《桃源咏》一卷、《华嵩游草》二卷、《瓶史》一卷、《觞政》一卷、《破研斋集》三卷、《广陵集》一卷、《狂言》二卷、《狂言别集》二卷）刊行，有"万历乙巳刊"本。

陈名夏（1605—1654）生。朱彭寿《清代人物大事纪年》："顺治十一年甲午(1654)，卒岁：陈名夏，前少保、秘书院大学士。三月十日以罪处绞（注：以结党怀奸)，年五十。"吴海林等编《中国历史人物生卒年表》未确定其生年。钱仲联主编《中国文学家大辞典·清代卷》括注陈名夏生卒年为"1601—1654"，不从。陈名夏字百史，号芝山、石云居士，江南溧阳（今属江苏）人。明崇祯十六年进士，授修撰，擢兵科都给事中。北都破，降李自成。顺治二年降清，官至秘书院大学士。顺治十一年因党争而被劾奸贪，处绞。著有《石云居士文集》十五卷、《诗》七卷。

陈之遴（1605—1666）生。江庆柏《清代人物生卒年表》据《海宁渤海陈氏宗谱》卷七括注陈之遴生卒年为"1605—1666"。

陆树声（1509—1605）卒。据台湾中央图书馆编《明人传记资料索引》。《明史·陆树声传》："陆树声，字与吉，松江华亭人。初冒林姓，及贵乃复。家世业农，树声少力田，暇即读书。举嘉靖二十年会试第一，选庶吉士，授编修……起太常卿，掌南京祭酒事……神宗嗣位，即家拜礼部尚书……连疏乞休……树声端介恬雅，翛然物表，难进易退。通籍六十馀年，居官未及一纪。与徐阶同里，高拱则同年生。两人相继柄国，借辞疾不出。为居正所推，卒不附也……树声年九十七卒，赠太子太保，谥文定。"钱谦益《列朝诗集小传》丁集中《陆宫保树声》："公竖清修，坚晚节，清虚恬退，所谓外现儒风，中修梵行者欤？公年九十时，以衲衣一袭，付慧日院，手书一诗于衲表，又自题其画像，留寺作供，松人以为美谈。"朱彝尊《静志居诗话》卷一二《陆树声》："平泉在史馆，相嵩寿日，同馆皆更绯衣入贺，公独青袍立，嵩目慑之，不为意也。其后定陵践位，即家拜礼部尚书。江陵将援之入阁，授以意，佯为不觉，竟托疾归，江陵大愠。比归，遂不复出。天下高之。卒时年九十有八，与魏文靖同，洵人瑞也。"《四库总目提要》卷一一四著录陆树声《平泉题跋》二卷："明陆树声撰……此编皆其题跋书画之文，万历庚寅，其门人黄来、包林芳等别辑刊行，后附以杂著四则。"同书卷一一六又著录其《茶寮记》一卷，同书卷一二四又著录其《汲古丛语》一卷、《病榻寤言》一卷、《耄馀杂识》一卷，同书卷一三四又著录其《陆学士杂著》十一卷、《陆文定公书》，皆属子部书籍。另有《陆文定公集》二十六卷。陈田《明诗纪事》戊签卷二一选陆树声诗三首，引陈继儒《见闻录》云："佘山慧日院佛像落成，徐文贞入山中，奉世庙钦赐蟒衣一袭，付僧圆实，因赋一绝云：'单衣露冷宿昙华，误绾宫袍傍帝车。拈向山门君莫笑，细看还是旧袈裟。'丁酉陆平泉八十有九矣，亦以衲衣一袭付慧日院，手书偈于衣之表云：'解组归来万虑捐，尽将身世付安禅。披来戒衲浑无事，不向歌姬为乞缘。'此二事，东坡解衣留镇山门同一风流也。"又加按语云："文定清望，有东汉人风。诗亦蕴藉，称其为人。"

公元 1606 年（明万历三十四年　丙午）

正月

余邵鱼撰《列国志传》重刊。余邵鱼《题全像列国志传引》后署"时大明万历岁次丙午孟春重刊，后学畏斋余邵鱼谨序"。余邵鱼，字畏斋，福建建阳人，为刻书家余象斗的族叔，其生活年代大约在明嘉靖至万历间。

四月

十二日，卓人月（1606—1636）生。《卓氏遗书》卷二《家传》："人月，字珂月，万历丙午四月十二日生。"朱彝尊《静志居诗话》卷二〇："卓人月，字珂月，仁和（今浙江杭州）人，贡生。有《蕊渊集》。"崇祯八年（1635）贡生。

五月

十七日，《杨家通俗演义》八卷五十八则成书刊行。旧题"秦淮墨客校阅。烟波钓叟参订"，卷首有秦淮墨客《杨家通俗演义序》，后署"时万历丙午长至日，秦淮墨客书"。万历三十四年夏至为农历五月十七日。万历三十四年卧松阁刊本于秦淮墨客序下有"纪氏振伦"、"春华"印章二，或谓撰者即为纪振伦字春华者。

是年夏

汤显祖《玉茗堂文集》刊于南京。是书南京文粜堂梓，板心题《玉茗堂集选》，扉页有"丙午夏金陵周如溟刊"数字。

臧懋循在南京僧舍作《唐诗所序》。是书序末自署："万历丙午夏日书于秦淮僧舍。"又《负苞堂集·文选》卷四《寄姚通参书》："弟雕虫之嗜，老而不衰。以其暇辑古诗、初盛唐诗若干卷，命曰《诗所》，窃附于雅颂各得之义。敬以奉览。别遣奴子，赍售都门，将收其值，以给中晚唐诗杀青资斧。"

《海刚峰居官公案传》四卷七十一回成书刊行，题"晋人羲斋李春芳编次"。李春芳《海刚峰先生居官公案传序》有云："余偶过金陵，虚舟生为予道其事若此，欲付诸梓，而乞言于予。余亦建言得罪者，忽有感于中，因喜为之序。万历丙午岁夏月之初吉，晋人羲斋李春芳书于万卷楼中。"则小说作者当为虚舟生，而非李春芳。

是年

徐光启与利玛窦合作译出《几何原本》前六卷。见《徐文定公行实》。

沈璟《南九宫十三调曲谱》刊行，并以一帙寄王骥德。据徐朔方《沈璟年谱》。

焦竑《澹园集》四十九卷编成，刻印于扬州，耿定力、陈懿典、吴梦旸、方时俊、许吴儒等皆有序。耿定力《焦太史澹园集序》："焦太史弱侯之文，播于海内者久，其全编未出也。直指黄公顷板行之，而以书勉余曰：'子宜有序。'忆自先恭简倡道东南，一时从游者众，而弱侯以弱冠辄为之先，行解兼胜。先恭简特属意焉。计其所得，当在渊、参之建邪……万历丙午季冬，通家友弟楚黄耿定力纂。"

焦竑《焦氏笔乘》正、续两集由谢与栋刻于本年，顾起元为撰序。

曹学佺、臧懋循、陈邦瞻、吴梦旸等人为金陵社集。钱谦益《列朝诗集小传》丁集上附见《金陵社集诸诗人》："万历初年……其后二十馀年，闽人曹学佺能始回翔棘寺，游宴冶城，宾朋过从，名胜延眺；缙绅则臧晋叔、陈德远为眉目，布衣则吴非熊、吴允兆、柳陈父、盛太古为领袖。台城怀古，爰为凭吊之篇；新亭送客，亦有伤离之作。笔墨横飞，篇帙腾涌，此金陵之极盛也。"

吴继善（1606—1644）生。继善字志衍，直隶太仓州人。吴伟业《志衍传》："志衍讳继善，姓吴氏，志衍其字也。余年十四，识志衍，志衍长于余三岁。"

朱鹤龄（1606—1683）生。《清史列传·儒林传》："朱鹤龄字长孺，江苏吴江人……康熙二十二年，卒，年七十八。"朱鹤龄《愚庵小集》卷五《戊午元日》有"甲子瞥过同绛县"句，"绛县"用《左传·襄公三十年》中典，谓七十三岁，戊午为康熙十七年（1678），逆推之，其生年与《清史列传》所记者正同。惟《愚庵小集》卷末附录朱鹤龄自撰《传家质言》，内有云："甲申春，馆金陵唐仪曹署，闻烈皇帝变报，乃泫然长号曰：'此何时也，尚思以科第显耶？'遂绝志弃举子业，是年三十七矣。"据此，则朱鹤龄当生于明万历三十六年（1608），"三十七"或系"三十九"之误刻，今不从。朱鹤龄，字长孺，号愚庵，吴江（今属江苏）人。明诸生，入清不仕。著有《尚书埤传》、《禹贡长笺》、《诗经通义》、《读左日钞》、《李义山诗集笺注》、《杜工部集辑注》等。另有《愚庵小集》十五卷，为其诗文集，1979年上海古籍出版社有影印康熙间刊本。

公元 1607 年（明万历三十五年　丁未）

六月

十九日，傅山（1607—1684）生。丁宝铨《傅青主先生年谱》："明万历三十五年丁未六月十九日，先生生。"注云："先生生年，前人皆谓为万历三十四年丙午……今以先生本集考之，实生于丁未，非丙午也。"又云："先生系傅氏，初名鼎臣，后改名山，字青竹，后改青主，一字仁仲，或别署曰公之它，一作公他，亦曰石道人，曰啬庐，曰随厉，曰六持，曰丹崖翁、丹崖子，曰浊堂老人，曰青羊庵主、不夜庵老人，曰傅侨山、侨山、侨黄山、侨黄老人、侨黄之人，曰朱衣道人，曰酒道人、酒肉道人，或径称居士、傅居士、傅道士、道人、傅子，以喜苦酒，故称老蘗禅，以受道法于龙池还阳真人，故一名真山，或署侨黄真山，又曰五峰道人，曰龙池道人，曰龙池闻道下士，曰观化翁，曰大笑下士。"阳曲（今属山西太原）人。明诸生，入清不仕，以遗民自居，当道举其博学鸿儒，坚拒不就。工诗善书画，又擅医术。著有《霜红龛集》四十卷。

八月

十五日，吕天成为沈璟校订《义侠记》并作序。是序末署"万历丁未中秋日东海郁蓝生题"。

十一月

二十三日，于慎行（1545—1607）卒。《明史·神宗本纪二》："十一月壬子，于慎行卒。"《明史·于慎行传》："于慎行，字无垢，东阿人。年十七，举于乡……隆庆二年成进士。改庶吉士，授编修……由侍讲学士擢礼部右侍郎。转左，改吏部，掌詹事府。寻迁礼部尚书……加太子少保兼东阁大学士，入参机务……赠太子太保，谥文定……慎行学有原委，贯穿百家。神宗时，词馆中以慎行及临朐冯琦文学为一时冠。"《明通鉴》卷七三："十一月，壬子，大学士于慎行卒。慎行奉召就道，已得疾；及至京师，廷谢拜起不如仪，上疏请罪，归卧于家。遂草遗疏，请上'亲大臣，录遗逸，补言官。'数日卒。"有《谷城山馆文集》四十二卷、《谷城山馆诗集》二十卷、《读史漫录》十四卷、《谷山笔麈》十八卷传世。钱谦益《列朝诗集小传》丁集中《于阁学慎行》："公于诗文，春容弘丽，一时推大手笔……公生当庆、历之世，又为历下之乡人，其所论著，皆箴历下之膏肓，对病而发药。夫为大雅，卓尔不群，其是之谓乎！近代馆阁，莫盛于戊辰，公与云社李本宁，才名相并，以诗言之，则大泌瞠乎其后矣。"朱彝尊《静志居诗话》卷一五《于慎行》："于慎行，字可远，更字无垢，东阿人。隆庆戊辰进士，选庶吉士，授编修，历修撰、侍讲、左谕德、侍读学士，升礼部侍郎，改吏部，拜礼部尚书，入直东阁。卒，赠太子太保，谥文定。有《谷城山房集》。东阿格律和平，当正声微茫之时，能为是调，即以诗高选，亦堪作相。"《四库总目提要》卷九〇著录于慎行《读史漫录》十四卷，同书卷一二五又著录其《笔麈》十八卷，同书卷一七二又著录其《谷城山馆诗集》二十卷："明于慎行撰。慎行有《读史漫录》，已著录。慎行与李攀龙为乡人，而不沿历城之学。其论古乐府曰：'唐人不为古乐府，是知古乐府也，不效其体而特假其名以达所欲言。近世一二名家，至乃逐句形模，以追遗响，则唐人所吐弃矣。'其论五言古诗曰：'魏晋之于五言，岂非神化，学之则迂矣。何者？意象空洞，朴而不敢琱；轨途整严，制而不敢骋。少则难变，多则易穷，若原本性灵，极命物态，洪纤明灭，毕究精蕴，唐讵无五言古诗哉！'其生平宗旨，可以概见。然其诗典雅和平，自饶清韵，又不似竟陵、公安之学，务反前规，横开旁径，逞聪明而偭古法。其矫枉而不过直，抑尤难也。"同书卷一七八又著录其《谷城山馆文集》四十二卷："此集乃所作杂文也。明中叶以后，文格日卑，学浅者蹈故守常，才高者破律坏度。慎行之文，虽不涉吊诡之习，至于精心结构，灏气流行，终未能与唐顺之、王慎中、归有光等并据坛坫，故录其诗集，而文集则附存目焉。"陈田《明诗纪事》庚签卷八选于慎行诗十首，有按语云："东阿论诗，洞达古今流变。《谷城山馆集》，音调谐畅，飒飒乎朱弦大雅之音。万历中叶以后，朝政不纲，上下隔绝，矿税横征，缙绅树党，亡国之象，已兆于斯。而公安、竟陵之苦音侧调应之，声音之道与政通应如桴鼓。东阿爰立，未即登朝，遽尔凋谢，所谓'人之云亡，邦国殄瘁'，不独为诗运伤之也！"

是年

叶宪祖作传奇《金锁记》。 黄宗羲《黄宗羲全集》第十册《外舅广西按察使六桐叶公改葬墓志铭》："公古淡本色，街谈巷语，亦化神奇，得元人之髓。如《鸾鎞》，借贾岛以发抒二十馀年公车之苦，固有明第一手矣。"

李雯（1607—1647）生。 据江庆柏《清代人物生卒年表》，注其出处为宋徵舆《林屋文稿》卷一〇。钱仲联主编《中国文学家大辞典·清代卷》括注其生卒年为"1608—1647"，不从。李雯，字舒章，号蓼斋，华亭（今属上海）人。著有《蓼斋集》、《蓼斋后集》。

公元 1608 年（明万历三十六年 戊申）

三月

初三日，金人瑞（1608—1661）生。 据清顺治十七年（1660）金人瑞五十三岁逆推。又杨保同《金圣叹轶事》："俗传三月三日为文昌生日，而圣叹亦于是日生，故人称圣叹为文曲星。"廖燕《二十七松堂文集》卷十四《金圣叹先生传》："先生金姓，采名，若采字，吴县诸生也。为人倜傥高奇，俯视一切，好饮酒，善衡文评书，议论皆发前人所未发……鼎革后，绝意仕进，更名人瑞，字圣叹，除朋从谈笑外，惟兀坐贯华堂中，读书著述为务。或问圣叹二字何义，先生曰：《论语》有两'喟然叹曰'，在颜渊为叹圣，在'与点'则为圣叹，予其为点之流亚欤！所评《离骚》、《南华》、《史记》、杜诗、《西厢》、《水浒》，以次序定为六才子书，俱别出手眼。尤喜讲《易》乾、坤两卦，多至十万馀言。其馀评论尚多，兹行世者，独《西厢》、《水浒》、唐诗、制义、唱经堂杂评诸刻本。"佚名《哭庙纪略》："金圣叹，名人瑞，庠生。姓张，原名采，字若采。文倜傥不群，少补长洲博士弟子员，后以岁试文怪诞黜革。及科试，顶金人瑞名就试，即拔第一，补吴庠生。"佚名《辛丑纪闻》："金圣叹名喟，又名人瑞，庠生。姓张，原名采，字若采。"

六月

初一，陈子龙（1608—1647）生。 《陈子龙自撰年谱》卷上："万历三十六年戊申……予以季夏朔日，生于郡城，先妣韩宜人出也。将产之夕，先妣梦若龙者降室之东壁，蜿蜒有光，故初名介，后先君征前梦，改今名云。"《明史·陈子龙传》："陈子龙，

21

字卧子，松江华亭人。生有异才，工举子业，兼治诗赋古文，取法魏、晋，骈体尤精妙。"另据《陈子龙世系表》（《陈子龙诗集》附录）："子龙，字懋中，亦字卧子，生于万历三十六年戊申六月初一，殉节于丁亥年五月十三日，年四十。"

是年

冯梦龙或于是年作《双雄记》传奇，并以之向沈璟求教。据徐朔方《冯梦龙年谱》。

袁宏道撰《潇碧堂集》二十卷刊行，有"万历戊申勾吴袁氏书种堂精刊"本。

袁宏道撰《瓶花斋集》十卷刊行，有"万历三十六年戊申勾吴袁氏书种堂精刊"本。

吴从先（1608—?）生。据王重民编《吴从先事略》（见上海古籍出版社1992年出版《冷庐文薮》）。吴从先，字宁野，号小窗，新安（今安徽歙县）人。为明之出版商，与焦竑、陈继儒、冯梦祯、汤宾尹、黄汝亨、何伟然等文人皆有交往。编撰有《小窗自纪》四卷、《小窗清纪》五卷、《小窗艳纪》十四卷、《小窗别纪》四卷等散文小品选集。吴逵《小窗清纪序》："宁野为人，慷慨淡漠，好读书，多著述，世以文称之。重视一诺，轻挥千金，世以侠名之。而不善视生产，不屑争便径，不解作深机，世又以痴目之。"焦竑《书吴宁野自纪》："新安吴君宁野，妙龄雅志，综览群籍，掇其菁玄，或语冷而趣远，风旨各殊，皆成兴托。昔称晋宋人语简约玄淡，尔雅有韵，君之所著仿佛近之。"《四库总目提要》卷一四四著录吴从先《小窗自纪》四卷、《艳纪》十四卷、《清纪》五卷、《别纪》四卷："明吴从先撰。从先爵里未详。《自纪》皆俳谐杂说及游戏诗赋，词多儇薄。《艳纪》采录汉至明杂文，分体编录，踳驳殊甚。《清纪》摹仿《世说》，分清语、清事、清韵、清学四门。《别纪》兼涉志怪，总明季纤诡之习也。"

公元1609年（明万历三十七年 己酉）

正月

二十九日，王衡（1561—1609）卒。据徐朔方《王衡年谱》。《明史·王锡爵传》："子衡，字辰玉，少有文名。为举首才，自称因被论，遂不复会试。至二十九年，锡爵罢相已久，始举会试第二人，廷试亦第二。授编修。先父卒。"康熙《苏州府志》卷四五："王衡，字辰玉，号缑山，锡爵子。生而颖然，白皙。读书五行俱下，举华亭陈继儒业支硎山中，月明赋诗，尝举酒刻成诗，限酒寒得罚以为适……辛丑成进士，廷对为第二人，如其父，授编修。是岁奉使江南，因请终养。久之，病疡。病二年，竟卒，年四十九。衡诗文俱名家，尤长经世略，注意边务。侍父京邸，颇有所左右，第不欲自显。弇州负天下望，后辈咸出门下。衡犹倔强，以通家子见。弇州得衡诗文，辄呼才士。衡屈伏十年，所有不同，每寓歌咏，仿元人词曲作戏剧，论者多惜其未用。"乾隆《镇洋县志》卷一三著录其"《论语驳议》、《春秋纂注》、《诸子语类》、《缑山集》"。《四库总目提要》卷七八著录王衡《纪游稿》一卷，同书卷一七九又著录其

《緱山集》二十七卷："明王衡撰。衡有《纪游稿》，已著录。万历戊子，衡举顺天乡试第一，时其父锡爵在政府，为高桂饶伸所劾，遂不复会试。锡爵罢相后，始登万历辛丑进士第二，入翰林，旋即归养。得以其闲肆力于古学。与王世贞虽同里闬，而不蹈其蹊径，然颇染陈继儒之俗格。《明史·隐逸传》称，锡爵招继儒与衡读书支硎山，其所由来者渐矣。"庄一拂《明清散曲作家汇考》："王衡（1564—1607），字辰玉，号緱山，别署蘅芜室主人。江苏太仓人。作品：有《緱山集》二七卷，附散曲，《归田词》一卷附曲，还有《纪游稿》集。作杂剧五种，《没奈何哭倒长安街》、《杜祁公藏身真傀儡》、《王摩诘拍碎郁轮袍》、《再生缘》四种今存，《裴湛和合》已佚。"

五月

二十日，吴伟业（1609—1671）生。顾湄《吴梅村先生行状》："先生生于明万历己酉五月二十日。"冯其庸、叶君远《吴梅村年谱·传略》："吴伟业，字骏公，号梅村，又号梅村居士、梅村道士、梅村叟、鹿樵生、灌隐主人、大云道人、旧史士、外史士、国史士。江南太仓州人。"

是年

袁中道、钟惺、潘之恒等东南名士在南京结冶城大社。袁中道《珂雪斋集》卷一〇《翁承嫩文序》："予己酉游秣陵，结冶城大社，皆海内名士。"又见钟惺《隐秀轩集》卷一九《赠唐宜之署颍上县事序》："予己酉游南都，宜之年二十有馀……予时与一时同志要宜之为冶城社，社中先后成进士举于乡者强半。"

小说《续编三国志后传》刊行。旧题"晋平阳侯陈寿史馀杂记，西蜀酉阳野史编次"。佚名《新刻续编三国志序》后署"时万历岁次己酉"，署名剜去。又有佚名《新刻续编三国志引》云："今是书之编，无过欲泄愤一时，取快千载，以显后关、赵诸位贤良也。"

冯溥（1609—1692）生。毛奇龄《文华殿大学士太子太傅兼刑部尚书易斋冯公年谱》："先生讳溥，字孔博，别字易斋，山东青州府益都县人，世籍临朐……万历三十七年己酉，先生生。"顺治四年进士，由编修仕至文华殿大学士兼吏部尚书，卒谥文毅。著有《佳山堂集初集》十卷、《二集》八卷。

公元 1610 年（明万历三十八年　庚戌）

正月

十六日，沈璟（1553—1610）卒。据凌景埏《词隐先生年谱及其著述》引《沈氏家谱》（见徐朔方《徐朔方集》第二卷《沈璟年谱》）。沈璟，字伯英，号宁庵，吴江（今属江苏）人。明万历二年进士，历官吏部员外郎、光禄寺丞。三十七岁即以病去官，开始戏剧创作生涯。著有传奇十七种，合称《属玉堂传奇》，包括《红蕖记》、《埋剑记》、《十孝记》、《分钱记》、《双鱼记》、《合衫记》（以上六种为其前期创作），

《义侠记》、《鸳衾记》、《桃符记》、《分柑记》、《四异记》、《凿井记》、《珠串记》、《奇节记》、《结发记》、《坠钗记》、《博笑记》（以上十一种为其后期创作）。著有散曲集《情痴寱语》一卷、《词隐新词》一卷、《曲海青冰》二卷，其曲学著作有《遵制正吴编》、《论词六则》、《唱曲当知》、《南九宫十三调曲谱》，编有《南词韵选》。为曲坛吴江派领袖。康熙《吴江县志》卷三二："璟以文章称，性谦谨而能任事。精六书学，日厘订不释手。晚年考订乐府，自号词隐先生。先是，邑沈义甫著《乐府指迷》，璟复厘正之。增订《九宫曲谱》，又撰《论词六则》、《正吴篇》，审音者宗焉。天启初，追叙国本建言诸臣，赠光禄少卿。"徐大业《书南词全谱后》："自宋以来，四十八调不能具存，北曲仅存《中原音韵》所载之六宫十一调。南曲仅存毗陵蒋维忠所谱之《九宫十三调》，每调各录旧词为式，又骎骎失传。词隐先生乃增补而校订之，辨别体制，分厘宫调，详核正犯，考定四声，指摘误韵，校勘同异，句梳字栉，至严至密。而腔调则系遵魏良辅所改昆腔，以其婉转悠扬，品格在诸腔之上。其板眼、节奏一定，不可假借，天下翕然宗之。又有《论词六则》、《唱曲常知》、《正吴篇》诸作，皆为度曲家楷模，百馀年来，莫敢稍易。其挽回南曲之功，可谓多矣。若先生所自著词曲，则有《红蕖》、《桃符》等十七记、《词隐新词》诸散曲，皆依宫循调，不失矩度。当时，与临川汤若士齐名。汤以才藻胜，而矩度不甚协，故两人相龃龉云。"沈雄《古今词话·词评》下卷《沈璟》："《明诗纪事》曰：沈璟成进士后，善音律，好游戏。一日，将泛西湖，途中自按红牙度曲，逻卒疑其有异，置之狱。时诸昆咸历显秩，号为五凤齐鸣者。共诣钱塘狱，问起居，冠盖络绎，县令待罪去。进士号词隐先生，著《九宫谱》，定《古今词谱》，故近代之曲律词调，必以松陵沈氏为宗云。"江顺诒《词学集成》卷四《词律本二沈之说》："又云：'上去不宜相替，宋沈伯时义甫之说也。去声当高唱，上声当低唱，沈璟词隐先生之说也。两说为后人论词者所本，故表而出之。'案，后人似指万氏《词律》而言。"

袁中道、钱谦益、李流芳等在京师结社修业。 袁中道《珂雪斋集》卷一一《徐田仲文序》："庚戌计偕，予与李长衡、韩求仲、钱受之诸公，结社修业，田仲与焉。时韩与钱皆收，而予等被落。"

三月

钱谦益考中一甲第三名进士。

郑之文考中二甲第二十九名进士。

王志坚考中二甲第三十八名进士。

钟惺考中三甲第八名进士。

宣党汤宾尹为是科会试分校官，越房搜弟子韩敬试卷中式，起庚戌科场案。 据《明通鉴》卷七四。

五月

容与堂刊本《水浒传》一百回刊行。李卓吾《忠义水浒传叙》后署"温陵卓吾李赘撰，庚戌仲夏日，虎林孙朴书于三生石畔"。是书属现存《水浒传》最完整的百回繁本。或谓是书乃叶昼托李贽之名以行。钱希言《戏瑕》卷三《赝籍》："比来盛行温陵李贽书，则有梁溪人叶阳开名昼者，刻画摹仿，次第勒成，托于温陵之名以行。往袁小选中郎尝为予称李氏《藏书》、《焚书》、《初潭集》，批点《北西厢》四部，即中郎所见者，亦止此而已。数年前，温陵事败，当路命毁其集，吴中镂藏书板并废。近年始复大行，于是有李宏父批点《水浒传》、《三国志》、《西游记》、《红拂》、《明珠》、《玉合》数种传奇，及《皇明英烈传》，并出叶手，何关于李？昼，落魄不羁之人也，家故贫，素嗜酒，时从人贷饮，醒即著书，辄为人持金鬻去，不责其值，即著《樗斋漫录》者也。近又辑《黑旋风集》行于世，以讽刺进贤，斯真滑稽之雄已。"又周亮工《因树屋书影》卷一："叶文通，名昼，无锡人，多读书，有才情。留心二氏学，故为诡异之行，迹其生平，多似何心隐。或自称锦翁，或自称叶五叶，或自称叶不夜，最后名梁无知，谓梁溪无人知之也。当温陵《焚》、《藏》书盛行时，坊间种种借温陵之名以行者，如《四书第一评》、《第二评》，《水浒传》、《琵琶》、《拜月》诸评，皆出文通手。文通自有《中庸颂》、《法海雪》、《悦容编》诸集，今所传者，独《悦容编》耳。"

六月

叶纨纨（1610—1632）生。叶绍袁《叶天寥自撰年谱》："（万历）三十八年庚戌，二十二岁……六月，长女纨纨生（字昭齐）。初生之女，宝于夜光，即许字若思第三子。"事迹参见本书顺治五年（1648）"叶绍袁卒"目。

八月

初八日，黄宗羲（1610—1695）生。黄炳垕《黄梨洲先生年谱》："公讳宗羲，字太冲，号南雷，忠端公长子，居馀姚通德乡黄竹浦。明鲁监国时以副宪从亡。鼎革后讲学甬越间，屡征不起。大江以南之士多从之，世称梨洲先生，卒后，门人私谥曰文孝。明万历三十八年庚戌八月八日戌时，公生。"黄宗羲为明末清初三大思想家之一，著述宏富，择其要者，如《宋元学案》一百卷、《明儒学案》六十二卷、《明夷待访录》二卷，编《明文案》二百七十卷、《明文海》四百八十二卷、《明文授读》六十二卷，自著诗文集则有《吾悔集》四卷、《南雷文案》十一卷、《南雷文定前集》十一卷、《南雷文定后集》四卷附一卷、《南雷文定三集》三卷、《南雷文定四集》四卷、《南雷文定五集》三卷附一卷、《南雷文约》四卷以及《南雷文钞》、《南雷杂著》、《南雷诗历》等等。浙江古籍出版社从 1985 年至 1994 年出版沈善洪主编整理本《黄宗羲全集》十二册，最为完备。

九月

初六日，袁宏道（1568—1610）卒。袁中道《珂雪斋集》卷一八《吏部验封司郎中中郎先生行状》:"万历庚戌九月初六日,中郎先生卒于家,得年仅四十三……所著诗文:始有《敝箧集》,乃作诸生、孝廉及初登第时作也;继有《锦帆集》,令吴门作也;继有《解脱集》,吴门解官,与陶石篑诸公游吴越诸山作也;继有《广陵集》,弃吴令就教,暂携妻子寓仪真作也;继有《瓶花斋集》,则为京兆,授为太学助教,及补仪曹时作也;继有《潇碧堂集》,则六年高卧柳浪湖作也;继有《破砚斋集》;则再补仪曹作也;继有《华嵩游草》,则官吏部典试秦中往返作也。盖自秦中归,为明年庚戌,而先生逝矣。其存者仍为二卷,外有批点韩、柳、欧、苏四大家集,《宗镜摄录》、《西方论》、《檀经删》,皆行于世。先生生于隆庆戊辰之十二月初六日,卒于万历庚戌之九月初六日,享年仅四十有三。"今人钱伯城有《袁宏道集笺校》五十五卷、附录三种,上海古籍出版社1981年出版。《明史·文苑传》:"袁宏道,字中郎,公安人。与兄宗道、弟中道并有才名,时称'三袁'……宏道年十六为诸生,即结社城南,为之长。间为诗歌古文,有声里中。举万历二十年进士。归家,下帷读书,诗文主妙悟。选吴县知县,听断敏决,公庭鲜事。与士大夫谈说诗文,以风雅自命。已而解官去。起授顺天教授,历国子助教、礼部主事,谢病归。久之,起故官。寻以清望擢吏部验封主事,改文选。寻移考功员外郎,立岁终考察群吏法,言:'外官三岁一察,京官六岁,武官五岁,此曹安得独免?'疏上,报可,遂为定制。迁稽勋郎中,后谢病归,数月卒……先是,王、李之学盛行,袁氏兄弟独心非之。宗道在馆中,与同馆黄辉力排其说。于唐好白乐天,于宋好苏轼,名其斋曰白苏。至宏道,意矫以清新轻俊,学者多舍王、李而从之,目为公安体。然戏谑嘲笑,间杂俚语,空疏者便之。其后,王、李风渐息,而钟、谭之说大炽。钟、谭者,钟惺、谭元春也。"钱谦益《列朝诗集小传》丁集中《袁稽勋宏道》:"宏道,字中郎,万历壬辰进士,除吴县知县。县繁难治,能以廉静致理。逾年,称病,投劾去。遍游吴会山水,作《锦帆》、《解脱集》,改京府学官国子博士,迁礼部仪制郎。归卧流浪湖上,凡六年,以清望推择,改吏部。有文选考功迁稽勋郎中,移病休沐,不数月卒于家,年四十有三。万历中年,王、李之学盛行,黄茅白苇,弥望皆是。文长、义仍,崭然有异,沉痼滋蔓,未克芟薙。中郎以通明之资,学禅于李龙湖,读书论诗,横说竖说,心眼明而胆力放,于是乃昌言击排,大放厥词。以为唐自有诗,不必《选》体也。初、盛、中、晚皆有诗,不必初、盛也。欧、苏、陈、黄各有诗,不必唐也。唐人之诗,无论工不工,第取读之,其色鲜妍,如旦晚脱笔研者。今人之诗虽工,拾人钉饵,才离笔研,以成陈言死句矣。唐人千岁而新,今人脱手而旧,岂非流自性灵与出自剿拟者所从来异乎!空同未免为工部奴隶,空同以下皆重儓也。论吴中之诗,谓先辈之诗,人自为家,不害其为可传;而诋诃庆、历以后,沿袭王、李一家之诗。中郎之论出,王、李之云雾一扫,天下之文人才士始知疏瀹心灵,搜剔慧性,以荡涤摹拟涂泽之病,其功伟矣。机锋侧出,矫枉过正,于是狂瞽交扇,鄙俚公行,雅故灭裂,风华扫地。竟陵代起,以凄清幽独矫之,而海内风气复大变。譬之有病于此,邪气结辖,不得不用大承汤下之,然输泄太利,元气受伤,则别症生焉。北地、济南,结辖之邪气也;公安泄下之,劫药也;竟陵传染之,别症也。徐分闰气,其与几何?庆、历以下,诗道三变,而归于凌夷熸熄,岂细故哉!小修序中郎诗云:'《锦帆》、《解脱》,意在破人执缚。间有率易游戏之语,或快爽之极，浮而不沉，情景太真，近而不远。要亦出自灵窍，吐于慧舌，写于铦颖，足以荡涤尘坌，消除热恼。学者不察，效颦学语，其究为俚俗，为纤巧，为莽荡，乌焉三写，弊有必至，非中郎之本旨也。'余录中郎诗，参以小修之论，取其申写性灵而不悖于风雅者，学者无或操戈公安，而复嘘王、李之烬，斯道其有瘳乎！"王夫之《姜斋诗话》外编卷二："自李贽以佞舌惑天下，袁中郎、焦弱侯不揣而推戴之，于是以信笔扫抹为文字，而稍含吐精微、锻炼高卓者为'咬姜呷醋'。故万历壬辰以后，文之俗陋，亘古未有。"朱彝尊《静志居诗话》卷一六《袁宏道》："袁宏道，字无学，公安人，宗道之弟。万历壬辰进士，除吴县知县，改京府学官，国子博士，迁吏部郎，调吏部，移病卒于家。有《锦帆》、《解脱》、《潇碧堂》、《瓶花斋》、《华嵩游草》、《破研斋》、《广陵》、《桃源》、《敝箧》等集。隆、万间，王、李之遗派充塞，公安昆弟起而非之，以为'唐自古有诗，不必《选》体，中、晚皆有诗，不必初、盛，欧、苏、陈、黄各有诗，不必唐人。唐诗色泽鲜妍，如旦晚脱笔研者，今诗才脱笔研，已是陈言。岂非流自性灵，与出自剿拟，所从来异乎？'一时闻者涣然神悟，若良药之解散，而沉疴之去体也。乃不善学者，取其集中俳谐调笑之语。如《西湖》云：'一日湖上行，一日湖上坐。一日湖上住，一日湖上卧。'《偶见白发》云：'无端见白发，欲哭翻成笑。自喜笑中意，一笑又一跳。'《严陵钓台》云：'人言汉梅福，君之妻父也。'此本滑稽之谈，类入于狂言，不自以为诗者。乃锡山华闻修选明诗，从而激赏叹绝。是何异弃苏合之香，取蛣蜣之转邪？余于中郎，尽汰其鄙俚之作，存其稍有意者，对之可以刮目矣。"沈德潜《明诗别裁集》卷一〇选袁宏道诗一首《感事》，小传云："公安兄弟意矫王、李之弊而入于俳谐，又一变而之竟陵，诗道遂不复振。人但知竟陵之衰，而不知公安一派先之也。"《四库总目提要》卷一一六著录袁宏道《觞政》一卷，同书卷一二八又著录其《瓶花斋杂录》一卷，同书卷一七九又著录其《袁中郎集》四十卷："明袁宏道撰。宏道有《觞政》，已著录。其诗文所谓公安派也。盖明自三杨倡台阁之体，递相摹仿，日就庸肤。李梦阳、何景明起而变之，李攀龙、王世贞继而和之。前后七子遂以仿汉摹唐，转移一代之风气。迨其末流，渐成伪体，涂泽字句，钩棘篇章，万喙一音，陈因生厌。于是公安三袁又乘其弊而排抵之，三袁者，一庶子宗道，一吏部郎中中道，一即宏道也。其诗文变板重为轻巧，变粉饰为本色，致天下耳目一新，又复靡然而从之。然七子犹根于学问，三袁则惟恃聪明。学七子者不过赝古，学三袁者乃至矜其小慧，破律而坏度。名为救七子之弊，而弊又甚焉。观于是集，亦足见文体迁流之故矣。"同书卷一九三又著录其《明文隽》八卷："旧本题曰袁宏道精选、邱兆麟参补、陈继儒标旨、张鼐校阅、吴从光解释、陈万言汇评，盖坊间刻本，托宏道以行。前有周宗建序，谓有志公车业者，其沉酣之无后，亦必非宗建语也。"陈田《明诗纪事》庚签卷五选袁宏道诗十九首，有按语云："中郎才调殊绝，《锦帆》、《解脱》，不离绮语，《潇碧》、《破研》，自矜摆脱尘嚣，独臻妙境。譬之幺弦侧调，可以适独坐，不可以登清庙明堂。至《狂言》等作，几于《下里》之曲矣。"李慈铭《越缦堂读书记》"咸丰辛酉九月初七日"："阅《袁中郎全集》，系明季浙中所刻，合诗文共为四十卷，不分《锦帆》、《解脱》等集名目。公安之派，笑齿已冷，皆谓轻佻纤俗之习，创自石公。今观其全诗，俚恶者固不免，如唐人'小婢偷红纸，娇儿弄白髭'之类，迂

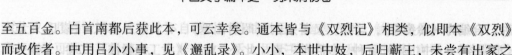

至五百金。白首南都后获此本，可云幸矣。通本皆与《双烈记》相类，似即本《双烈》而改作者。中用吕小小事，见《避乱录》。小小，本世中妓，后归蕲王，未尝有出家之说也。壬申中秋，霜崖。"

吕天成《曲品》定稿。 吕天成《曲品·自序》后署："万历庚戌嘉平月望日东海郁蓝生书于山阴樛木园之烟鬟阁。"

西洋历法入中国。 《明通鉴》卷七四："十一月，壬寅朔，日有食之……是日，钦天监推日食分秒及亏圆之候，职方郎中范守己疏驳其误。礼官因博求知历学者，令与监官昼夜推测，庶几历法靡差。于是五官正周子愚言：'大西洋归化远臣庞迪峨、熊三拔等，携有彼国历法，多中国典籍所未备者。乞视洪武中译《西域历法》例，取知历儒臣，率同监官将诸书尽译，以补典籍之缺。'先是，大西洋人利玛窦进贡土物，而迪峨、三拔及龙华民、邓玉函、汤若望等先后至，俱精究天文历法。礼部因奏：'精通历法如邢云路、范守己，为时所推，请改授京卿，共理历事。翰林院检讨徐光启，南京工部员外郎李之藻，亦皆精心历理，可与迪峨、三拔等同译西洋法，俾云路等参订修改。然历法疏密，莫显于交食，欲议修历，必重测验，乞敕所司修治仪器，以便从事。'疏入，留中。未几，云路、之藻皆召至京，参预历事。云路据其所学，之藻则以西法为宗——西法入中国自此始。"

明廷党争起。 《明通鉴》卷七四："初，顾宪成家居，讲学东林，从之游者甚众，而忌者日益多。是时廷臣党势日盛，国子祭酒汤宾尹与谕德顾天埈，各收召朋徒，干预时政，谓之宣昆党，以汤宾尹宣城人，天埈昆山人也。自上倦勤，内外章奏悉留中不发，惟言路一攻，则其人自去，以故台谏之势积重不返。有齐、楚、浙三党：齐则亓诗教、周永春、韩浚、张延登为之魁，而燕人赵兴邦辈附之；楚则官应震、吴亮嗣、田生金为之魁，而蜀人田一甲、徐绍吉辈附之；浙则姚宗文、刘廷元为之魁，而商周祚、毛一鹭、过庭训等附之；与宾尹、天埈声势相倚，并以攻东林、排异己为事，创大东、小东之说，目东宫为大东，东林为小东。一人稍异议，辄群起逐之，大僚非其党不得安于其位，天下号为当关虎豹。"

是年冬

臧懋循《唐诗所》中晚唐选稿被盗。 臧懋循《负苞堂集·文选》卷四《寄谢在杭书》："向集中晚唐人诗已得十之八九，而庚戌冬为亡赖子盗去大半，搜罗校订之勤，一旦尽废。"古今传《唐诗所》仅存前集。参见本书万历四十八年引《四库总目提要》之著录。

是年

王志坚在南京任职兵部，组织史社。 据《吴郡名贤图传赞》卷一二。

徐复祚作《红梨记》传奇。 徐复祚托名忍辱头陀撰《红梨记自序》："《闻中鼓吹》，泰峰郁先生所作也。中载赵伯畴事甚悉。庚戌（万历）长夏，展玩间，辄感余心，特为谱诸声歌。及阅古剧，亦传此一段事，虽稍有牴牾，要之不为无本。或疑两生未尝觌面，那至思慕乃尔。"

冯梦龙所编《挂枝儿》出版不迟于今年，其编成则略先。据徐朔方《冯梦龙年谱》考证。

公元 1611 年（明万历三十九年　辛亥）

正月

十六日，杜濬（1611—1687）**生。**方苞《方苞集》卷一三《杜茶村先生墓碣》："先生姓杜氏，讳濬，字于皇，号茶村，湖广黄冈人。明季为诸生……先生生于明万历辛亥年正月十六日。"杜濬，原名诏先，明崇祯十二年己卯乡试副榜。入清以遗民自居，与吴应箕、吴伟业、王猷定、夏完淳、方以智、杨龙友、孔尚任以及柳敬亭等，先后皆有交往。著有《变雅堂文集》五卷、《茶村诗》三卷、《变雅堂诗钞》八卷、《变雅堂遗集》二十卷。

三月

京察，黜国子祭酒汤宾尹等。《明通鉴》卷七四："（辛亥）三月，大计京官，国子祭酒汤宾尹等降黜有差。"

五月

御史劾东林党人。《明通鉴》卷七四："壬寅，御史徐兆魁劾东林讲学诸人，首诬诋顾宪成，谓：'浒墅有小河，东林专其税为书院费；关使至，东林辄以书招之，即不赴亦必致厚馈；讲学所至，仆从如云，县令馆谷供亿非二百金不办；会时必谈时政，郡邑行事偶相左必令改图。'又劾其受黄正宾贿。其言皆绝无左验。光禄丞吴炯上书，为一一致辨，因言：'宪成贻书救三才，诚为出位，臣尝咎之，宪成亦自悔。今宪成被诬，天下将以讲学为戒，绝口不谈孔、孟之道，国家正气从此而损，非细事也。'疏入，不报。"

是年夏

焦竑《澹园续集》二十七卷刻成，金励、徐天启作序。金励《澹园续集序》："金陵焦先生著有《澹园集》，往者侍御黄公请梓之，以公宇内，宇内业已奉为拱璧。不佞励近承乏江左，获聆先生性、学之宗，以及文章之事则五六年，《澹园》所裒又已侈矣。因请并广之，而以其意窃质于先生……万历辛亥夏日，整饬徽宁等处兵备副使大梁后学金励季儒甫撰。"

七月

三十日，陆世仪（1611—1672）**生。**朱彭寿《古今人生日考》卷七："七月三十

31

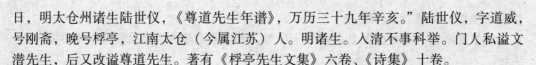

日，明太仓州诸生陆世仪，《尊道先生年谱》，万历三十九年辛亥。"陆世仪，字道威，号刚斋，晚号桴亭，江南太仓（今属江苏）人。明诸生。入清不事科举。门人私谥文潜先生，后又改谥尊道先生。著有《桴亭先生文集》六卷、《诗集》十卷。

八月

初一，李渔（1611—1680）**生**。李渔有《庚子举第一男时予五十初度》七律，庚子为清顺治十七年（1660）。又包璿《李笠翁先生一家言全集叙》有云："笠翁来有闽，璿亦客闽……康熙九年仲秋初吉山阴同学包璿题，时适届笠翁览揆之辰，遂以为寿。"仲秋初吉即农历八月初一，览揆之辰，古人之生辰。有关李渔生年，另有1610年说。有关论辩可参见《文学评论丛刊》第五辑（1980）所载关贤柱《李渔生卒年考》、1981年1月25日《文汇报》所载谌伟恩《李渔生卒年新证》、《文学评论丛刊》第十三辑（1982）所载远益之《李渔生卒年考辨》。李渔，本名仙侣，号天徒，后改名渔，字谪凡，号笠翁，又号笠鸿、笠道人、湖上笠翁、贱居者、李十郎、随庵主人、觉世稗官、新亭樵客等，浙江兰溪人，生于雉皋（今江苏如皋）。明诸生。入清以卖文为生，又至南京，名所居曰芥子园，开设书铺，编纂刊刻图书。尝率家庭戏班闯荡江湖，广交达官显贵与文人墨客，与钱谦益、吴伟业、龚鼎孳、周亮工、尤侗、余怀、王士禛、施闰章、丁澎、宋荦等皆有往还。其文学成就主要在戏曲创作、戏曲理论与小说创作方面。光绪《兰溪县志》卷五《文学》："李渔，字谪凡，邑之下李人。童时以五经受知学使者，补博士弟子员，少壮善诗、古文词、杂著，有才子称。好邀游，自白门移居杭州西湖上，自喜结邻山水，因号湖上笠翁。题室楹云：'繁冗驱人，旧业尽抛尘市里；湖山招我，全家移入画图中。'性极巧，凡窗牖床榻、服饰器具、饮食诸制度，悉出新意，人见之莫不喜悦，故倾动一时。所交多名流、才望，即妇孺亦皆知有李笠翁。晚年思归，作《归故乡赋》有云：'采兰纫佩兮，观濑引觞。'盖于此有终焉之志也。生平著述汇为一编，名曰《一家言》。又辑《资治新书》若干卷，其简首有《慎狱刍言》、《详刑末议》数则，为渔所自撰，皆蔼然仁者之言。作诗文甚敏捷，求之可立待以去。而率臆构思，不必尽准为古。最著者词曲，其意中亦无所谓高则诚、王实甫也。有《十种曲》盛行于世。当时李卓吾、陈仲醇名最噪，得笠翁为三矣。论者谓，近雅则仲醇庶几，谐俗则笠翁为甚云。昔笠翁尝于下里村间凿沟引水，环绕里址，至今大得其水利。"

十月

初一日，张履祥（1611—1674）**生**。苏惇元《张杨园先生年谱》："万历三十九年辛亥，冬十月丁卯朔，时嘉辰，先生生。先生姓张氏，讳履祥，字考夫，别号念芝，浙江嘉兴府桐乡县人。"张履祥，又号杨园先生。明诸生。少从黄道周、刘宗周学。著有《杨园先生全集》。

二十六日，方以智（1611—1671）**生**。据任道斌《方以智年谱》。方以智，字密之，号曼公，又自号龙眠愚者、泽园主人、浮山愚者、鹿起山人、恣山子、江北读书人等，又曾化名吴石公。出家后又有弘智、行远、无可、五老、墨历等法号，变幻无常，不一而足。江南桐城（今属安徽）人。《南疆逸史》卷四〇《方以智传》："少美姿貌，聪颖绝伦，书无所不读。为人风流自喜。及语忠孝大节，凛如也。"

十二月

初四日（时已交公元 1612 年 1 月 6 日），函可（1612—1660）生。据函可《千山诗集》附录函昰、郝浴等撰《奉天辽阳千山剩人可禅师塔铭》。函可，字祖心，号剩人，广东博罗人。明礼部尚书韩日缵之子，原名韩宗騋，诸生。崇祯十二年出家为僧，入清，因身藏私史《再变记》，为南京门者所获，遣戍沈阳。著有《千山诗集》、《剩诗》等。

是年

宋懋澄作《将迁居金陵议》文。言其读书志趣："壬子借一于南都，不捷，当傥数廛于金陵，汇坟典，诵读其中，穷群经诸史之奥，及国朝掌故与百家言，暨《周髀》、《甘石》、稗官、艺术之书，以迄二氏；更计今之作者，日盛月新，如春花秋月，终无了期，而皆足以供读者之需，抑作者之用劳，而读者之用逸，但令天下任其劳，而我据其逸，以终老于群籍之中，斯亦可以寡过矣。"

李贽《续藏书》由上元王惟俨刻成。焦竑《澹园集》附编一《续藏书序》："余乡王君惟俨梓行之，而属余引其简端……辛亥秘石渠旧史焦竑题。"

冒襄（1611—1693）生。朱彭寿《清代人物大事纪年》："康熙三十二年癸酉（1693），卒岁：冒襄，江苏如皋县故副贡生。十二月卒，年八十三。入国史《文苑传》。"据此逆推之，得生年。冒襄，字辟疆，因邑有朴树，踞城南濠，冒襄就朴构亭，与鹳鹤同栖，遂自号巢民、朴巢、朴庵，江南如皋（今属江苏）人。崇祯十五年副榜贡生。与桐城方以智、宜兴陈贞慧、商丘侯方域，时有"四公子"之目。

黄周星（1611—1680）生。据秦翰才编《黄周星年谱稿》。黄周星，字景虞，号九烟，初育于周氏，从其姓，《登科录》作周星，后复姓黄。湖南湘潭籍，上元（今江苏南京）人。明崇祯十三年进士，历官户部主事。入清不仕，改名黄人，字略似，号半非，又号圃庵、汰沃主人、笑苍道人。寄寓南浔，年七十忽感怆于怀，于五月五日投水自尽。著有《九烟先生遗集》六卷以及《人天乐》戏曲等。

吴乔（1611—1695）生。江庆柏《清代人物生卒年表》据《围炉诗话》卷四、光绪《昆新两县续修合志》卷三四括注吴殳生卒年为"1611—1695"。吴乔，原名殳，字修龄，江南太仓（今属江苏）人。明诸生，入清后以布衣游公卿间。著有《西昆发微》三卷、《围炉诗话》八卷、《手臂录》四卷等。

朱载堉（1536—1611）卒。据冯文慈编《朱载堉年谱》（载《中国音乐》1986 年第二期）。朱载堉，字伯勤，号勾曲山人，怀庆府（今河南沁阳）人，明宗室郑恭王朱厚烷长子。精研数学、乐律、历法，创"新法密律"（即十二平均律）。《明史·诸王传》："世子载堉笃学有至性，痛父非罪见系，筑土室宫门外，席藁独处者十九年。厚烷还邸，始入宫。万历十九年，厚烷薨……二十二年正月，载堉上疏，请宗室皆得儒服就试，毋论中外职，中式者视才品器使。诏允行。明年又上历算岁差之法，及所著《乐律书》，考辨详确，识者称之。卒谥端清。"顺治《怀庆府志》卷七："郑恭王长子也。恭王之先世曰东垣王，与盟津王俱简王庶子，嫡系国绝，以此当属盟津。先是，盟津革爵，遂及恭王。寻盟津曾孙载玺已直盟津冤，天子为旌其墓。恭王薨，埨以世及之序让载玺，疏凡七上，乃得报。初，埨之在娠，阇黎入梦，生埨。埨儿时即好着阇黎服，偏袒右肩，说先天法。稍长，学无师授，辄能累黍辨黄钟，演为历法、算经，被之琴瑟，皆奥衍无涯涘。晚节益幅巾策杖，杂处农樵间，不可辨识。比薨，谥端清。世子诏建让国高风坊。所著有《乐律全书》、《历学新说》、《律吕正论》、《嘉量算经》、《韵学新说》、《切韵指南》、《先天图正误》等书行世，然索解人不得。"道光《河内县志》卷一九著录朱载堉著述："《乐律全书》四十卷、《嘉量算经》、《韵学新说》、《先天图正误》、《律吕正律》、《瑟铭解疏》、《毛诗韵府》、《礼经类编》、《算经秬秠详考》、《金刚心经注》，以上诸书皆见《郑世子神道碑》中，今俱散佚，不可考。"

公元 1612 年（明万历四十年 壬子）

是年春

甄伟撰《西汉通俗演义》八卷刊行。甄伟《西汉通俗演义序》后署"万历壬子岁春月之吉，钟山甄伟撰"。甄伟，生平不详。

四月

初七日，周亮工（1612—1672）生。周亮工《赖古堂集》附录钱陆灿《周栎园墓志铭》："公讳□□，字元亮，号栎园，又称减斋先生……生于万历壬子年四月初七日，卒于康熙壬子年六月二十三日，享年六十有一。"周亮工，字元亮，一字减斋，号栎园，学者又称之为栎下先生，祥符（今河南开封）人。明崇祯十三年进士，历官潍县知县、浙江道监察御史。入清，历官福建左布政使、户部右侍郎，被劾入狱，旋释归，起为江安粮道。又因事下狱，赦归，病卒。著有《赖古堂集》二十四卷、《因树屋书影》十卷、《闽小记》四卷、《字触》六卷以及《印人传》、《读画录》、《同书》等多种。上海古籍出版社 1979 年出版《赖古堂集》影印本。

二十九日，钱澄之（1612—1693）生。朱彭寿《古今人生日考》卷四："四月……二十九日，明桐城县诸生授翰林院编修钱澄之，《田间府君年谱》。万历四十年壬子。"钱澄之，原名秉镫，字幼光，一作饮光，号田间，又号西顽，桐城（今属安徽）人。明末诸生。曾在南明唐王、桂王小朝廷任职，后以避乱出亡吴、越、闽、粤，削发为僧，改名幻光，后还俗隐于故乡，改名澄之，入清未仕。博学多才，尤以诗文名重于时。著有《田间诗集》、《田间文集》、《藏山阁集》等。

五月

顾宪成（1550—1612）卒。《明通鉴》卷七四："是月，南京光禄少卿顾宪成卒。

宪成废归，以三十六年起官南卿，辞不就，至是卒于家。宪成既卒，攻者犹未止。凡救三才者，争辛亥京察者，卫国本者，发韩敬科场案者，宪成既卒，请行勘熊廷弼者，抗论张差梃击者，最后争移宫、红丸者，忤魏忠贤者，率指目为东林，抨击无虚日。借魏忠贤毒焰，一网尽去之，杀戮禁锢，善类为一空。崇祯立，始渐收用，而朋党势已成，小人卒大炽，祸中于国，迄国亡而后已。"黄宗羲《明儒学案》卷五八《东林学案一·端文顾泾阳先生宪成》："顾宪成字叔时，别号泾阳，常之无锡人……万历甲子举乡试第一，庚辰登进士第，授户部主事……戊戌，始会吴中同志于二泉，甲辰，东林书院成，大会四方之士，一依《白鹿洞规》。其他闻风而起者，毗陵有经正堂，金沙有志矩堂，荆溪有明道书院，虞山有文学书院，皆捧珠盘，请先生莅焉。先生论学，与世为体。尝言官辇毂，念头不在君父上；官封疆，念头不在百姓上；至于山水林下，三三两两，相与讲求性命，切磨德义，念头不在世道上，即有他美，君子不齿也。故会中亦多裁量人物，訾议国政，亦冀执政者闻而药之也。天下君子以清议归于东林，庙堂亦有畏忌……壬子五月，先生卒，年六十三……而东林独为天下大忌讳矣。天启初，诸正人稍稍复位……逆奄之乱，小人作《东林点将录》、《天鉴录》、《同志录》以导之，凡海内君子，不论有无干涉，一切指为东林党人。以御史石三畏言，削夺先生。崇祯二年，赠礼部右侍郎，谥曰端文。"陈田《明诗纪事》庚签卷一三选顾宪成诗一首。小传云："宪成字叔时，无锡人。万历庚辰进士，除户部主事，改吏部，谪桂阳州判官，迁处州推官，改泉州，擢吏部主事。历员外、郎中，以忤帝意削籍归。起南光禄少卿，不就。天启初，赠太常卿，以阉党追论削夺。崇祯初，赠吏部侍郎，谥端文。有《泾皋藏稿》二十卷。"又有按语云："端文与高忠宪公讲学东林，海内推为山斗。公尝自言：'官辇毂，志不在君父；官封疆，志不在民生；居水边林下，志不在世道：君子无取焉。'与淮抚李三才交善，三才为忌者所论，公居林下，贻书叶福清、孙太宰为延誉，时以出位责之。三才有雄略，公之延誉，自为世道计。厥后论三才者多附阉党，丽名逆案，一薰一莸，始有定论云。"

七月

二十二日，张尔岐（1612—1678）生。《清代碑传全集》卷一三〇载《张处士尔岐墓表》："生于万历壬子七月二十二日，殁于康熙丁巳十二月二十八日。"张尔岐，字稷若，号蒿庵，山东济阳人。明季诸生。入清，弃举子业，居乡里授徒为生。精研《仪礼》，著述宏富。著有《吴氏仪礼订误》五卷、《周易说略》八卷、《诗说略》五卷、《老子说略》二卷，以及《蒿庵集》三卷、《蒿庵闲话》二卷等。

闰十一月

初一日，徐夜（1612—1684）生。徐夜《甲辰生日二首》其一："至后有愁添短发，朝来无酒介长龄。"其二："质胜黄杨当闰岁，才非白雪近阳春。"诗后自注："余以闰十一月生。"据陈垣《二十史朔闰表》，明万历四十年壬子（1612）闰十一月。"至后"，据郑鹤声编《近世中西史日对照表》，是年冬至（1612 年 12 月 21 日）后一日恰为闰十一月初一日，甲辰年（1664）以及寻常年分皆无闰十一月，故作者每年记生日只能以"至后"为记，可知其生于壬子年闰十一月初一日无疑。朱彭寿《清代人物大事纪年》谓徐夜生卒年为"1616—1687"，享年七十二岁；钱仲联主编《中国文学家大辞典·清代卷》、江庆柏《清代人物生卒年表》括注徐夜生卒年为"1611—1683"。皆似误。徐夜，初名元善，字长公，以慕嵇叔夜（康）改今名，更字嵇庵，号东痴，新城（今山东桓台）人。明末诸生。王士禛《渔洋诗话》卷上："徐夜字东痴，叔祖季木考功（象春）外孙，与余兄弟为外从兄弟。诗学陶、韦，巉刻处似孟东野，余目之为碉松露鹤。"传世有《徐夜诗选》二卷、《隐君诗集》四卷。今人张光兴、李崇葵、毕宜伸有《徐夜诗选注》，天津古籍出版社 1993 年出版。

是年

焦竑编李贽尺牍为《李氏遗书》，并嘱陈邦泰（大来）协助梓行。 焦竑《澹园集》附编一《与陈大来书》："大来兄姻丈：卓吾尺牍，见于刻行文集者十之三四耳。鄙意欲尽数检出，稍择其粹者付之剞劂，不意长儿竟逝，所收半已散轶。今其存者遗往，烦即梓行之，以俟识者之自择，其亦可也。竑白。"

徐复祚《投梭记》、《梧桐雨》作于此年前后。 据徐朔方《徐复祚年谱》考证。

小说《东西晋演义》刊行，有明万历四十年周氏大业堂刊本。 孙楷第《中国通俗小说书目》卷二著录："明无名氏撰。题'秣陵陈氏尺蠖斋评释'，'绣谷周氏大业堂校梓'。首雉衡山人序（即杨尔曾）。"同卷又著录明武林刊本《新镌东西晋演义》十二卷五十回："明杨尔曾编。'武林夷白主人重修'，'泰和堂主人参订'。尔曾字圣鲁，号雉衡山人，浙江钱塘人。第一回前记年代起迄，东西晋不分叙，比大业堂本为详。北京大学藏武林刊本，序已失去。大业堂本之雉衡山人序，疑当属之此本。"杨尔曾（生卒年不详），又有《韩湘子全传》，见本书 1623 年（明天启三年）纪事。

方文（1612—1669）生。 钱陆灿《题嵞山先生续集》（见《嵞山续集》卷首）云："近来诗卷擅千秋，栎下官高尔止游。何事同生壬子岁，竟无一字学崔刘。"诗后自注："周栎园侍郎与尔止俱壬子，予亦壬子。白香山诗云：'何事同生壬子岁，老于崔相及刘郎。'"方文，字尔止，号嵞山，一名一，一末，字明农，别号淮西、忍冬，桐城（今属安徽）人。明诸生，入清不仕，以工诗著称。著有《嵞山集》十二卷、《续集》四卷、《又续集》五卷，共二十一卷，上海古籍出版社 1979 年有影印康熙二十八年古怀堂刻本。

钱陆灿（1612—1698）生。 杨钟羲《雪桥诗话》卷二："圆沙字尔韬，一字湘灵，以乙亥拔贡，复中丁酉江南第二名举人，尝得通判不仕。康熙壬申卒，年八十一。有《圆砚居士集》。"邓之诚《清诗纪事初编》卷三谓钱陆灿"卒于康熙三十七年戊寅四月六日，年八十七"，今从。但二说皆可证钱陆灿之生于万历四十年壬子。钱陆灿，字尔弢，号湘灵，又号圆沙，江南常熟（今属江苏）人。顺治十四年举人，候选通判。著有《调运斋诗文随刻》。

王穉登（1535—1612）卒。 据庄一拂《明清散曲作家汇考》。《明史·文苑传》：

"王穉登，字伯谷，长洲人。四岁能属对，六岁善擘窠大字，十岁能诗，长益骏发有盛名。嘉靖末，游京师，客大学士袁炜家。炜试诸吉士紫牡丹诗，不称意，命穉登为之，有警句。炜招诸吉士曰：'君辈识文章，能得王秀才一句耶？'将荐之朝，不果。隆庆初，复游京师，徐阶当国，颇修憾于炜。或劝穉登弗名袁公客，不从，刻《燕市》、《客越》两集，备书其事。吴中自文徵明后，风雅无定属。穉登尝及徵明门，遥接其风，主词翰之席者三十馀年。嘉、隆、万历间，布衣、山人以诗名者十数，俞允文、王叔承、沈明臣辈尤为世所称，然声华烜赫，穉登为最。申时行以元老里居，特相推重。王世贞与同郡友善，顾不甚推之。及世贞殁，其仲子士骍坐事系狱，穉登为倾身营救，人以是重其风义。万历中，诏修国史，大学士赵志皋辈荐穉登及其同邑魏学礼、江都陆弼、黄冈王一鸣。有诏征用，未上，而史局罢。卒年七十馀。"崇祯《吴县志》卷五一："王穉登，字百谷，武进人，从父贾于吴。少英敏，能属对，六龄善擘窠书……试京闱未竟，闻父丧，即日奔还。已再应顺天试不第，慨然曰：'吾乃曳逢衣，局促辕下，千秋大业讵一第止耶！'遂高卧，不复出。卜筑长春巷，日肆力古文词，二酉五车，靡所不博涉。尤邃于风雅，自建安迄大历，囊括刃解，为骚坛赤帜。吴中称祝、祖钱、铭志、碑版之词，蕲为光宠者必之穉登……即朝鲜、安南诸国；水西、思明诸酋，争购其翰墨。于是穉登名满天下……神宗践祚，诏举轶才，林文恪燫以穉登荐，辞不往。赵文懿皋议修国史，请旨搜山林岩穴之士入史馆，征及穉登，与御史邢侗、礼部屠隆。穉登计曰：'将置史馆诸君子何地？是怨府也。'事竟寝，咸服其有识……乡人称述其事，多不胜纪。卒年七十八。"道光《苏州府志》卷一二七著录王穉登"《晋陵集》二卷、《金闾集》二卷、《燕市集》二卷、《青雀集》二卷、《客越志》二卷、《越吟》二卷、《荆溪疏》二卷、《延令纂》二卷、《梅花什》一卷、《明月篇》二卷、《两航记》一卷、《青苕集》二卷、《竹箭集》二卷、《采真篇》二卷、《法因集》四卷、《广长庵疏志》一卷、《虎苑》二卷、《苦言》一卷、《谋野集》四卷、《题跋》一卷、《弈史》一卷"。钱谦益《列朝诗集小传》丁集中《王较书穉登》："穉登，字伯谷，先世江阴人，移居吴门……伯谷为人。通明开美，妙于书及篆隶，好交游，善结纳，谭论娓娓，移日分夜，听者靡靡忘倦。吴门自文待诏殁后，风雅之道，未有所归，伯谷振华启秀，嘘枯吹生，擅词翰之席者三十馀年。闽粤之人，过吴门者，虽贾胡穷子，必踵门求一见，乞其片缣尺素，然后去……伯谷少子留，字亦房，有隽才，将刻其全集，会病卒不果。曹能始携归闽中，未知已刊行否？余年及壮，伯谷犹健饭，数相闻而不往谒。昔王弇州自言，少时与文待诏周旋，而意殊不满，晚年为作传，可当一忏悔文。余当世而失伯谷，其悔有甚于弇州。录其诗，彷徨太息，不胜中郎虎贲之感，又恨无弇州之笔，补此阙陷也。"朱彝尊《静志居诗话》卷一四《王穉登》："伯谷诗亦华整，第嫌肉胜于骨。至袁文荣所赏'色借相公袍上紫'、'书生薄命原同妾'等句，媚灶之词，近于卑田乞儿语矣。钱氏甄录太繁，手删其十九，而风骨始刻露。尝鼎一脔，未为不知味也。"《四库总目提要》卷一一四著录王穉登《吴郡丹青志》一卷，同卷又著录其《弈史》一卷，同书卷一四三又著录其《吴社编》一卷，全属子部类书籍。陈田《明诗纪事》己签卷一六选王穉登诗二十一首，引《野获编》云："近年词客寥落，为王百谷岿然鲁灵光。其诗纤秀，为人所爱，亦间受讥弹。周公瑕与百谷俱以善书冠吴中，各不相下。王目周书为蚯蚓拖泥，周亦目王书为螳螂打拱，似亦微肖云。"又加按语云："百谷才情妙绝；弇州《四十子诗》云：'百谷命世才，兴文自绮岁。'赏叹逾恒，顾不录于五子之列，殊不可解。"庄一拂《明清散曲作家汇考》："王穉登（1535—1612）字百谷，一字伯固，长洲（今江苏吴县）人。作品：与张琦合选明代散套小令《吴骚集》，王氏散曲亦见此编。并著《南有堂诗集》、《吴郡丹青志》、《弈史》、《吴社编》，有《王百谷全集》。作杂剧《相思谱》，传奇《全德记》、《影袍记》。"

邢侗（1551—1612）卒。据台湾中央图书馆编《明人传记资料索引》。《明史·文苑传》："邢侗，字子愿。万历二年进士。终陕西行太仆卿。家资钜万，筑来禽馆于古犁丘，减产奉客，遂至中落。妹慈静，善仿兄书。"钱谦益《列朝诗集小传》丁集下《邢少卿侗》："侗，字子愿，临邑人。万历二年进士，除南宫知县，历御史参议，终陕西行太仆寺少卿。子愿生七岁，能作擘窠书，十馀岁，楷法王雅宜。二十四岁登第，殿试策，书法擅场，主者惊异，卒置榜尾。罢官时，年才三十馀。先世席资钜万，美田宅，甲沛水上。子愿筑来禽馆，在古犁丘上，读书识字，焚香扫地，不问家人生产。四方宾客造门，户履恒满。减产奉客，酒铪簪珥，时时在质库中。晚年书名益重，购请填咽，碑版照四裔。妹慈静，善仿兄书；家童戴禄，亦通六书之学。同里王尚书洽，集子愿书，刻《来禽馆帖》。济南风流文采，几与江左文、董，先后照映。李维桢序其集，拟诸北齐邢子才云。"朱彝尊《静志居诗话》卷一五《邢侗》："子愿虽有诗名，为书法所掩。其言曰：'诗盛于嘉、隆七子，以为尽词人之变矣。然效趋者高趾，促柱者急张，往往不病而呻吟，匪乐而强笑，江河日下，七子之盛，七子之衰也。'盖深中时流之弊，特其自撰，不见脱颖耳。"《四库总目提要》卷一七九著录邢侗《来禽馆集》二十九卷："明邢侗撰……是集凡文二十四卷，诗仅五卷。侗以善书得名，当时有北邢南董之目。其序于慎行诗集，谓李、何学唐，为化鸱之眼，而于太仓、历下并有微词，盖能不依七子门户者。故所作大抵和平雅秀。王士禛论诗绝句亦有'来禽夫子本神清'之语。特骨干未坚，不能自成一队。文体则更近于涩矣。"陈田《明诗纪事》庚签卷七上选邢侗诗七首，引《山左明诗钞》云："《来禽馆》诗，气体清逸，风神隐秀。渔洋山人云'来禽夫子本神清'，非虚语也。"又有按语云："子愿诗，神清体弱，能张书苑，不足以语骚坛，以较玄宰诸诗，差为过之。"

公元 1613 年（明万历四十一年　癸丑）

二月

十五日，吕天成增补《曲品》成。乾隆杨志鸿抄本《曲品》自序署"万历癸丑清明日东海郁蓝生书于山阴樛木园之烟鬟阁"。是年清明为农历二月十五日（1613 年 4 月 4 日）。

三月

鹿善继考中二甲第五十五名进士。

四月

叶小纨（1613—1657）生。叶绍袁《叶天寥自撰年谱》："（万历）四十一年癸丑，二十五岁。四月，次女小纨生（字蕙绸）。"事迹参见本书顺治五年（1648）"叶绍袁卒"目。

五月

二十八日，顾炎武（1613—1682）生。张穆《顾亭林先生年谱》卷一："明万历四十一年癸丑五月二十八日，先生生。先生初名绛，更名继绅，后仍名绛，字忠清。乙酉后，更名炎武，字宁人，学者称亭林先生。又尝称名曰圭年，亦或署蒋山佣。"顾炎武，昆山（今属江苏）人。南明弘光朝，以贡生荐授兵部司务，又曾任隆武帝之兵部职方司主事。明亡，结纳志士，图谋恢复，拒清廷与修《明史》之征召。博学，主张经世致用，开清代朴学之风。著述宏富，文学有《亭林诗文集》。中华书局 1959 年出版《顾亭林诗文集》六卷整理本，上海古籍出版社 1983 年出版王蘧常辑注《顾亭林诗集汇注》六卷。

七月

十四日，归庄（1613—1673）生。赵经达《归玄恭先生年谱》："明万历四十一年癸丑，七月十四日，先生生于昆山之李巷。先生名庄，乙酉后，更名祚明，又称归藏，或称归乎来，又署归妹；字尔礼，又字玄恭，或署悬弓，又称园公，亦呼元公，或题元功；号恒轩，又号己斋。既为僧，自署普明头陀，或鏖鏊钜山人；又尝自称逸群公子。"归庄，昆山（今属江苏）人，为明代散文家归有光之曾孙，明诸生。清兵南下，曾参加昆山抗清活动，事败后一度僧装亡命，后隐居乡里。善诗文，著有《玄恭文钞》七卷、《玄恭文续钞》七卷、《归高士集》十卷、《归玄恭遗著》不分卷等。中华书局上海编辑所 1962 年出版整理本《归庄集》，上海古籍出版社 1984 年出版是书之新一版。

十一月

初一日，陈瑚（1613—1675）生。朱彭寿《古今人生日考》卷一一："十一月初一日，明太仓州举人陈瑚，《安道公年谱》，万历四十一年癸丑。"陈瑚，字言夏，号确庵，又号无闷道人，江南太仓（今属江苏）人。明崇祯十六年举人，入清不仕。与同里陆世仪皆为理学名家。著有《确庵诗钞》八卷、《确庵文钞》六卷、《顽潭诗话》三卷。

是年

曹学佺等在闽中结石君社。曹学佺《石仓诗集》卷二三《浮山堂集》有《九日举石君社，分得六麻韵》一诗。

冯梦龙怂恿书贩购刻《金瓶梅》而未遂。徐朔方《冯梦龙年谱》："沈德符《万历野获编》卷二十五云：'袁中郎（宏道）《觞政》以《金瓶梅》配《水浒传》为外典，余恨未得见。丙午（三十四年）遇中郎京邸，问曾有全帙否？曰：第睹数卷，甚奇快。今惟麻城刘涎白（延伯）承禧家有全本，盖从其妻家徐文贞（阶）录得者。又三年，小修（中道）上公车，已携有其书。因与借钞挈归。吴友冯梦龙见之惊喜，怂恿书坊以重价购刻。马仲良时榷吴关，亦劝余应梓人之求，可以疗饥。余曰：此等书必遂有人板行，但一刻则家传户到，坏人心术。他日阎罗究诘始祸，何辞置对？吾岂以刀锥博泥犁哉？仲良大以为然，遂固箧之。未几时而吴中悬之国门矣。'鲁迅、吴晗、郑振铎皆据上文推论《金瓶梅》初版于万历三十八年。余复习焉不察，以讹传讹。台湾魏子云《论明代的金瓶梅史料》始据《吴县志·职官》查出马仲良（之骏）榷吴（浒墅）关在万历四十一年，今所存万历丁巳（四十五年）刊《金瓶梅词话》即初刻本也。"

叶宪祖改编《双修记》。《曲海总目提要》卷八云此记有万历癸丑之序。清耕读山房抄本《曲品·补遗》："《双修记》，坊间俗本有《刘香女修行宝卷》，道婆辈每宣诵之。美度喜其事僻而谐俗，复不袭旧，遂制新声。"

孙默（1613—1678）**生**。据汪懋麟《百尺梧桐阁集》卷五《孙处士墓志铭》。孙默。字无言，号栘荪，江南休宁（今属安徽）人。布衣终身，与王士禛、朱彝尊、宋琬、施闰章等皆有交。编有《十五家词》三十七卷，著有《笛松阁集》。

陆圻（1613—1667以后）**生**。据邓之诚《清诗纪事初编》卷二推算。陆圻，字丽京，一字景宜，号讲山，浙江钱塘人。明贡生，入清不仕。后隐于广东丹霞山，不知所终。生平详见康熙三年（1664）记事。

曹溶（1613—1685）**生**。据吴荣光《历代名人年谱》，钱仲联主编《中国文学家大辞典·清代卷》、江庆柏《清代人物生卒年表》同。曹溶，字洁躬，一字鉴躬，号秋岳，一号倦圃，秀水（今浙江嘉兴）人。明崇祯十年进士，历官御史。入清，官至户部侍郎。工诗词，与龚鼎孳齐名，有"龚曹"之称。著有《静惕堂诗集》十四卷、《静惕堂词》一卷。

张凤翼（1527—1613）**卒**。据徐朔方《张凤翼年谱》。康熙《苏州府志》卷五六本传："卒年八十七。"张凤翼，字伯起，号灵墟，又署灵虚先生、冷然居士，长洲（今江苏苏州）人。嘉靖四十三年举人。著有《处实堂前集》十二卷、《后集》六卷、《谈辂》三卷、《梦占类考》十二卷、《文选纂注》十二卷，善度曲，著有传奇《红拂记》、《祝发记》、《窃符记》、《虎符记》、《灌园记》、《扊扅记》六种，合称《阳春六集》。乾隆《江南通志》卷一六五："张凤翼，字伯起，长洲人。与弟献翼、燕翼并有才名。吴人语曰：'前有四皇，后有三张。'凤翼嘉靖甲子举人。献翼字幼于，刻意为歌诗。好《易》，十年中，笺注凡三易。于是三张之名，献翼尤藉甚。燕翼字叔贻，亦有文名，与凤翼同举于乡，早卒。"钱谦益《列朝诗集小传》丁集中《张举人凤翼》："凤翼，字伯起，长洲人。与其弟献翼幼于、燕翼叔贻并有才名。吴人语曰：'前有四皇，后有三张。'伯起、叔贻，皆举乡荐，幼于困国学。叔贻早死，而伯起老于公车，年八十馀乃终。伯起善书，晚年不事干请，鬻书以自给。好度曲，为新声，所著《红拂记》，梨园子弟皆歌之。伯起与余从祖春池府君，同举嘉靖甲子。余弱冠，与二三少年冲酒阑入其家宴，酒阑灯炧，伯起具宾主，身行酒炙，执手问讯，其言蔼如。先进风流，至今犹可思也。"朱彝尊《静志居诗话》卷一三《张凤翼》："伯起好填词，梨园子弟多演之。然俗笔耳。其弟叔贻，诗亦庸庸。惟幼于小有才，然亦颓惰自放。而吴人之谚，比于四皇甫。论其工拙，判若云渊矣。"《四库总目提要》卷一七八著录张凤翼《处实堂集》八卷："明张凤翼撰。凤翼有《梦占类考》，已著录。是编诗四卷，文三卷，末一卷曰《谈辂》，则其笔记也。凤翼才气亚于其弟献翼，故不似献翼之狂诞，而词采亦复少逊。生平好填词，集中多论传奇之语。《千顷堂书目》载凤翼《处实堂前集》十二卷、《后集》六卷，与此本皆不符，未喻其故。"同书卷一九一又著录张凤翼《文选纂注》十二卷："是书杂采诸家诠释《文选》之说，故曰纂注。然所引多不著所出，夫诠释义理，可以融会群言，至于考证旧文，岂可不明依据？言各有当，不得以朱子《集传》、《集注》藉口也。"陈田《明诗纪事》己签卷七选张凤翼诗二首。

公元 1614 年（明万历四十二年　甲寅）

四月

六日，魏耕（1614—1662）生。《雪翁诗集》卷一七《附录下》魏霞《明处士雪窦先生传》："先生初讳时珩，又名耕，字楚白，号雪窦，予从兄也。生明万历甲寅四月六日。父讳忠显，读书怀古，尝游学霅川，逍遥山川，以歌咏自娱。先生初颖异，七岁从先君学，日诵数百言，覆背如流。"

八月

初四日，宋琬（1614—1674）生。据吴荣光编《历代名人年谱》。宋琬，字玉叔，号荔裳，莱阳（今属山东）人。顺治四年进士，官至四川按察使。著有《安雅堂集》、《二乡亭词》等。齐鲁书社 2003 年出版有整理本《宋琬全集》，收录宋琬著作七种二十卷（包括杂剧《祭皋陶》）。

是年冬

钟惺与谭元春精订《诗归》。据《钟惺简明年表》。

十二月

二十四日（时已交公元 1615 年 1 月 23 日），宋徽璧（1615—?）生。江庆柏《清人物生卒年表》据《崇祯十六年癸未科进士三代履历》括注宋徽璧生卒年为"1615—?"，又加注云："宋徽璧生于万历四十二年十二月二十四日，公历为 1615 年 1 月 23 日。"原名存楠，字尚木，又字让木，号幽谷朽生，别署歇浦村农，江南华亭（今上海松江）人，宋徽舆之从兄。明天启七年举人，崇祯十六年进士。入清，历官秘书院撰文中书、礼部员外郎、广东潮州知府。王豫《江苏诗征》："王遹敏云：尚木在明季曾充经筵展书官，本朝授秘书院撰文中书。舟山之役从征有功，转礼部员外郎。"

又引《荻汀录》云："尚木与从弟徵舆少负隽才，时称大小宋。"陈子龙《宋尚木诗稿序》："予与尚木同里闬，称无间，相酬唱者几二十年。自予治狱东上，而尚木往来旧都，盖四五祀不数见也。今上定鼎金陵，而两人皆以侍从朝夕立殿，上退则各入省治事，诸公相过从报问，忽忽日在桑榆间矣。予既废笔墨，而尚木亦未见所谓吟咏者。及予请急东归，明年尚木以奉使过里门，则出新诗数卷见示。其旨适以衷，其气和以贞，其调宏以浑，其色温以丽。予读而叹曰：思深哉！正而有节，阳舒阴聚，此古者朱襄氏之音也，世其复治乎？盖尚木之为诗者三变矣。始则年少气盛，世方饶乐，盖多芳泽绮艳之词焉，是未免杂乎郑卫。既当先朝兵数起，无宁岁，慨然有经世之志，盖多感慨闵激之旨焉，是为齐秦之音及《小雅》之变。今王气再见春陵，天下想望太平，故其为诗也，深婉和平，归于忠爱，庶几乎《召南》之有《羔羊》、《素丝》，《大雅》之有《卷阿》、《飘风》。其于君也，诵不忘规；其于臣也，勖而不怒，诗人之义备矣……今尚木际明时，位禁近，发为诗歌，和厚渊至，此岂季世之音乎？可以占世运而无忧矣！"吴伟业《吴梅村全集》卷二八《宋尚木抱真堂诗序》："吾友云间宋子尚木刻其《抱真堂诗》成，君方官岭表，邮书数千里问序于余，余读而叹曰：君子之于诗也，知其人，论其世，固已；参之性情，考其为学，而后论诗之道乃全。夫尚木之称诗四十年矣，初与大宗伯宛平王公同起，继为同里大樽诸子所推重。宛平之言曰：尚木以膏粱少年，匹马入京师，从有司之举。时柄人窃国柄，君贳酒悲歌燕市中，肮脏扼塞，一发之于诗。大樽之言曰：尚木早岁好为芳华绮丽之辞，一变而感慨激楚，再变而和平深婉，归之于忠爱。又曰：尚木为学最早，取裁亦最正。自吾论诗，诸子多悔其少作，壬申以前，惟尚木之诗为可存。噫嘻！合两君子之言，可以论尚木之人与其世矣。自文社起，同志者负其才气，雄视海内，君之格律日进，不肯以毫末让古人，故天性夷澹，雅不欲标榜自喜。同郡陈征君仲醇缘持论不合，受后进所击排，君用大体，独拥护老成，议者乃止。宋氏既右姓，兄弟多读书知名，一门之内，鱼鱼雅雅，望而知为温柔敦厚之风，此则君所以为性情也。君累不得志于计偕，六上始收，不幸遂遭末造，忧生伤乱，逾十年始出。既已簪笔侍从，又不获已，从事于戎马钲鼓之间，主事差其劳勚，奏授一郡，崎岖岭海，燠然其遗民，刻廉自苦，七年不得调。当君之未出也，尝欲仿高氏《品汇》，定先朝一代之作，为正声、为大家，续亡友之志以折衷正始，初不以兵火少自假易。及乎守剧郡，处蛮徼，故人之流离其土者，收恤殷勤，死丧匍匐，鸡鸣风雨，未尝旦夕有忘于怀，此则君之所以为学也。嗟乎！大樽诸子已矣，即宋氏之以诗鸣者，隐莫如子建，达莫如直方，乃相继凋谢，君独以其身为才人，为宿素，为廉吏，为劳臣，合观前后篇什，自非岁月之深，阅历之久，不足以诣此。百世而下，论次云间之诗者，或开其先，或抎于后，兼之者其在君乎！"杨际昌《国朝诗话》卷二："华亭宋辕文（徵舆）、尚木（徵璧）、子建（存标），陈大樽所称三宋也。诗尊大樽派，多尚华缛，然自有风致。"

是年

　　金堡（1614—1680）生。据王汉章编《澹归大师年谱》。王夫之《永历实录·金堡列传》："金堡，字卫公，别字道隐，浙江仁和人……崇祯丙子……举于乡……已中崇祯庚辰进士。"金武祥《粟香五笔》："金先生讳堡，字道隐……桂林既下，定南欲官之，辞不受，乃度为僧……师法名今释，号澹归，又号性因，自称借山野衲，又称茅坪衲僧，往来庐山丹崖间以终。"来新夏《近三百年人物年谱知见录》著录王汉章编《澹归大师年谱》（天津人民图书馆藏清稿本）："谱主释今释，字澹归，又号舵石翁。杭州人。本姓金，名堡，字道隐，号卫公，别号冰还道人。明万历四十二年（1614年）生，清康熙十九年（1680 年）卒，年六十七岁。明崇祯十三年（二十七岁）进士。选山东临清县知县，旋即去官。清兵攻占杭州时曾起兵抗清。后历事隆武、永历。任永历朝礼科给事中，永历四年以言事得罪，遣戍清浪，路遇清兵，押解走窜，移至桂林。顺治七年，桂林破，落发为僧，法名性因，时年三十七岁。顺治九年至粤东雷峰寺，从天然和尚受戒，改名今释，复在韶州创丹霞寺，自为主持。"著有《遍行堂集》。

张岱祖父张汝霖起复刑部主事，在南京与黄汝亨等结史社，张岱亦与其事。据张岱《快园道古》、《陶庵梦忆》。

袁无涯刻本《水浒传》一百二十回付梓。有李贽序、杨定见小引。袁中道《游居柿录》卷九"万历四十二年甲寅"下"七月二十三日"后"九月初一日"前有记云："袁无涯来，以新刻卓吾批点《水浒传》见遗，予病中草草视之。"

袁中道刻《珂雪斋近集》。据《游居柿录》卷九。

公元 1615 年（明万历四十三年　乙卯）

五月

梃击案起。据《明史纪事本末》卷六八。

八月

二十四日，梅鼎祚（1549—1615）卒。梅鼎祚《鹿裘石室集》卷二五《临其留题》后注："乙卯八月廿四日午时以手画授而逝。"钱谦益《列朝诗集小传》丁集下《梅太学鼎祚》："鼎祚，字禹金，宣城人。云南参政守德之子。禹金舞象时，陈鸣垫、王仲房皆其父客，故禹金少即称诗。长而与沈君典齐名，君典取上第，禹金遂弃举子业，肆力诗文，撰述甚富。万历末，年六十七，赋诗说偈而逝。有《鹿裘集》六十五卷。禹金于学，博而不精，其为诗，宗法李、何，虽游猎汉魏三唐，终不出近代风调。七言今体，步趋李于鳞，又其靡也。'秋减叶声中'，五字擅场，虽千章万句，亦何以加？禹金好聚书，尝与焦弱侯、冯开之暨虞山赵玄度订约搜访，期三年一会于金陵，各书其所得异书逸典，互相馈写。事虽未就，其志尚可以千古矣。"朱彝尊《静志居诗话》卷一七《梅鼎祚》："禹金周见洽闻，著书甚富，《诗乘》、《文纪》之外，旁及书记小说，兼精传奇，所填韩君平《玉合记》，为词家所赏。又云：'风中絮、陌上尘。叹韶光，何曾恋人。'亡友王介人极称之。"康熙《宁国府志》卷一九："梅鼎祚，字禹金。父守德，官给谏。时孕七月而生燕邸，癯甚。二兄相继夭，父益怜之。欲其焚笔砚，乃匿书帐中，时时默诵。年十六廪诸生，郡守罗汝芳召致门下，龙溪王畿呼为小友。性不喜经生，以古学自任，饮食寝处不废书，发为文辞，沉博雅赡，士大夫好之，干旄庐者日至。与王世贞、汪道昆钜公游，当时海内无不知禹金者。奉父里居，左右以色养。属母郭恭人疾，序当岁荐，让其次者。辛卯游北雍，年甫强。时内阁申公时行等，皆欲以文待诏故事疏荐，辞不就。归隐书带园，搆天逸阁藏书，坐卧其中。伯兄元祚无子，以仲子士好嗣之，敬嫂刘氏如母。岁乙卯卒，年六十七。著有《鹿裘石室集》。鼎祚既负才不第，又当中原尚文之世，博闻强识，长于编纂，取上世以来诗文各以类纪，下及杂记、传奇，并有辑撰，多至千馀卷。子士都、士好。性刚直，终宁州丞。从子士劝字勉叔，少负俊才，鼎祚特嗟异之，有《唾馀集》。"是志卷三一著录梅鼎祚"《宣乘翼》、《宛雅》、《古乐苑》、《八代诗乘》、《汉魏诗乘》、《李杜诗钞》、《文纪》、《鹿裘石室集》"。乾隆《江南通志》卷二九〇著录梅鼎祚"《文汇》十四卷"，是志卷一九四著录其"《予宁草》、《庚辛草》"。光绪《安徽通志》卷三三九著录其"《宣乘翼》、《青泥莲花记》"，是志卷三四二著录其"《才鬼记》十卷"。光绪《宣城县志》卷三五著录其"《皇霸文纪》、《两汉文纪》、《三国文纪》、《西晋文纪》、《东晋文纪》、《宋文纪》、《梁文纪》、《陈文纪》、《后魏文纪》、《隋文纪》、《南齐文纪》、《北齐后周文纪》、《释文纪》、《古乐苑》、《书记洞铨》、《青泥莲花记》、《宛雅》、《唐乐苑》、《女士集》、《予宁草》、《李杜诗钞》、《梅禹金全集》二十卷"。《四库总目提要》卷一四四著录梅鼎祚《才鬼记》十六卷："明梅鼎祚撰。鼎祚字禹金，宣城人。尝作《三才灵记》，一为《才神记》，一为《才幻记》，一即此书。所载上自周，下至明代，末二卷则箕仙之语，皆从诸小说采出……小说家语怪之书，汗牛充栋，鼎祚捃拾残剩，以成是编，本无所取义，而体例庞杂又如是，真可谓作为无益矣。"同卷又著录其《青泥莲花记》十三卷："明梅鼎祚撰。是编记倡女之可取者分七门，一曰记禅，二曰记元，三曰记忠，四曰记义，五曰记孝，六曰记节，七曰记从。又附外编五门，一曰记藻，二曰记用，三曰记豪，四曰记遇，五曰记戒。自谓寓维风于谐末，奏大雅于曲终。然狎邪之游，人情易溺，惩戒尚不可挽回，鼎祚乃捃拾琐闻，谓冶荡之中亦有节行，使倚门者得以借口，狎邪者弥为倾心，虽意主善善从长，实则劝百而讽一矣。"同书卷一八〇又著录其《梅禹金全集》二十卷："明梅鼎祚撰。鼎祚有《才鬼记》，已著录。是集乃其诗，凡分《庚辛草》四卷、《与元草》八卷、《予宁草》八卷。鼎祚辑《八代诗乘》，又辑《古乐苑》，于诗家正变源流，不为不审，而所作止此，则囿于风气、委曲谐俗之过也。"同书卷一八九又著录其《古乐苑》五十二卷："明梅鼎祚撰。鼎祚有《才鬼记》，已著录。是编因郭茂倩《乐府诗集》而增辑之。郭本止于唐末，此本止于南北朝。则用左克明《古乐府》例也……然其捃拾遗佚，颇足补郭氏之阙，其解题亦颇有所增益。虽有丝麻，无弃菅蒯，存之可资考证也。其《衍录》四卷，记作者爵里及诸家评论，盖剽窃冯惟讷《诗纪别集》而稍为附益，多采杨慎等之说，今亦并录之，备修订焉。"同卷又著录梅鼎祚《皇霸文纪》十三卷、《西汉文纪》二十四卷、《东汉文纪》三十二卷、《西晋文纪》二十卷、《宋文纪》十八卷、《南齐文纪》十卷、《梁文纪》十四卷、《陈文纪》八卷、《北齐文纪》三卷、《后周文纪》八卷、《隋文纪》八卷、《释文纪》四十五卷。同书卷一九三又著录梅鼎祚《汉魏诗乘》二十卷、《书记洞诠》一百十六卷、《宛雅》十卷、《续宛雅》八卷、《宛雅三编》二十四卷。可见其编纂之功。陈田《明诗纪事》庚签卷八选梅鼎祚诗十五首，引欧大任《虞部集》："禹金五言古苍然骨立，七言驰骤乐府，时极少陵之致。近体其气完，其声铿以平，其思丽以雅，盖彬彬中宫商也。"有按语云："禹金五言长于近体，七言长于绝句。名列弇州四十子之一。弇州晚年学仙，奉昙阳子教，谓升举可致。禹金有《弇山园追忆王长公诗》云：'眼前感激千古事，白鸡梦断青鸾逝。服药求仙徒误人，纵酒高歌差快意。'可谓达人之论矣。"吕天成《曲品》卷下著录梅禹金所著传奇一本《玉合》云："许俊还玉，诚节侠丈夫事，不可不传。词调组诗而成，从《玉玦》派来，大有色泽。伯龙赏之。恨不守音韵耳。《金鱼记》当退避三舍。又曾著《玉导》，家君谓之曰：'符郎事已引入《双鱼》。'遂止。"屠隆《玉合记叙》："梅生禹金，吾友沈典君总卯交，生平所为歌若诗，洋洋大雅，流播震旦，诗坛上将，繁弱先登矣。以其馀力为《章台柳》新声，其词丽而婉，其调响而俊，既不悖于雅音，复不离其本色。洄洑顿挫，凄沉淹抑，叩宫宫应，叩羽羽应，每至情语出于人口，入于人耳，人快欲狂，人悲欲绝，则至矣，无遗憾矣。故余谓传奇一小技，不足以盖才士，而非才士不辨，非通才不妙。梅生得之，故足赏也。"汤显祖《玉合记题词》："予观其词，视予所为《霍小玉传》，并其沉丽之思，减其秾长之累。且予曲中乃有讥托，为部长吏抑止不行。多半《韩蕲王传》中矣。梅生传事而已，足传于时。"吴梅《玉合记跋》："《玉合》谱许尧佐章台柳事，为梅禹金最得意笔。禹金尚有《昆仑奴》杂剧，见《盛明杂剧》。此记文情秾丽，科白安雅，较《浣纱》为纯粹。其结构紧严，除本传外绝鲜妆点增加处，亦较玉茗《还魂》、《紫钗》差胜。学人填词，究与才人不同也。禹金弃举子业，肆力诗文，撰述甚富，有《鹿裘》六十五卷。好聚书，尝与焦弱侯、冯开之及虞山赵玄度，订约搜访，期三年一会于金陵，各出所得异书逸典，互相雠写。事虽未就，其志向可以千古矣。今人知禹金能诗，而不知能曲，余故多选数支。此书有三刻本，一为禹金原刻，一为富春堂本，一即汲古阁本，富春本最胜。适不在箧中，因仅据毛刻缮录之。"徐渭《题昆仑奴杂剧后》："此本于词家可占立一脚矣，殊为难得。但散白太整，未免秀才家文字语，及引传中语，都觉未入家常自然。至于曲中引用成句，白中集古句，俱切当，可谓拏风抢雨手段……梅叔《昆仑剧》已到鹊竿尖头，直是弄把喜戏一好汉，尚可撺掇者，直撒手一着耳。"

十一月

十七日，龚鼎孳（1615—1673）生。朱彭寿《古今人生日考》卷一一："十一月……十七日……礼部尚书龚端毅鼎孳，《名人生日表》。万历四十三年乙卯。"龚鼎孳，字孝升，号芝麓，江南合肥（今属安徽）人。明崇祯七年进士，授兵科给事中。入清，官至礼部尚书，卒谥端毅。乾隆三十四年，诏削其谥。以诗古文辞名世，与钱谦益、吴伟业并称"江左三大家"，喜奖引人才。著有《定山堂集》四十三卷、《香严词》四卷。

是年

努尔哈赤建立八旗制度。蒋良骐《东华录》卷一："乙卯年，既削平诸国，每三百人设一牛录额真，五牛录设一甲喇额真，五甲喇额真设一固山额真，每固山额真左右设两梅勒额真。初设黄、红、蓝、白四旗，至是添设四旗，参用其色厢之，共八旗。行军时地广则八旗并列，分八路，地狭则八旗合一路。每战长矛大刀为前锋，善射者从后冲击，精兵勿下马，相机接应。克敌后，核功必以实。"

张岱辑《徐文长逸稿》。据王思任序（《王季重十种·杂序》）。

曹学佺在福州城外之石仓别业结石仓社。徐兴公《鳌峰集》卷一一《送徐仲芳归嘉兴》诗注云："与曹能始结石仓社。"

周肇（1615—1683）生。邓之诚《清诗纪事初编》卷三言周肇"年六十九，当卒于康熙二十二年癸亥。肇长王昊十二岁，昊卒于康熙十八年己未，年五十三，以是推知之"。周肇，字子俶，江南太仓（今属江苏）人。总角入复社，为太仓十子之一。顺治十四年举人。历官青浦教谕、新淦知县。著有《东冈集》等。

陈忱（1615—1671?）生。杨志平《陈忱生平交游考》（见《明清小说研究》2005年第一期）引陈忱《东池诗集叙》："崇祯甲戌，予年二十，潜居南浔野寺，面平林，枕古墓，萧条旷莽，篝灯夜读，情与境会……默容居士陈忱题。"崇祯甲戌即崇祯七年（1634），时陈忱年二十岁，逆推之，当生于明万历四十三年（1615）无疑。袁行霈主编《中国文学史》第四卷第八编第三章《清初白话小说》（高等教育出版社1999年出版）有关陈忱的生年同。另江苏省社会科学院明清小说研究中心、文学研究所编《中国通俗小说总目提要》（中国文联出版公司1990年出版）著录《水浒后传》括注陈忱生卒年为"约1613—?"，钱仲联主编《中国文学家大辞典·清代卷》括注陈忱生卒年亦为"1613—?"，江庆柏《清代人物生卒年表》据《中国历代人物年谱考录》正编卷九括注陈忱生卒年为"1608—?"。本书不从。陈忱，字遐心，号雁宕，又作雁荡，又号默容居士、樵徐、古宋遗民，乌程（今浙江吴兴）南浔镇人。同治《湖州府志》卷五九引韩纯玉《诗兼》："忱字遐心，号雁宕，乌程人。诗人隐逸者……雁宕与余同处城堙间，相去止里许，生平未识其面，并不闻其名。没后始见其诗及杂著小说家言。驱策史册典故，若数家珍，而郁郁无肮脏不平之气，时复盘旋于楮墨之上，亟觅其全集，已零落不能多得矣。"陈忱尝与顾炎武、归庄等结惊隐诗社，后以卖卜为生，并从事通俗文学创作，著有《续二十一史弹词》、《痴世界乐府》、《水浒后传》八卷四十回，以及《雁宕诗集》二卷。以《水浒后传》最为著名，1955年北京宝文堂书店出版《水浒后传》校注本，1981年上海古籍出版社又出版《水浒后传》整理本，1983年宝文堂书店又出版节编本。

沈鲤（1531—1615）卒。据台湾中央图书馆编《明人传记资料索引》。《明史·沈鲤传》："沈鲤，字仲化，归德人……（嘉靖）四十四年成进士，改庶吉士，授检讨……擢侍讲学士，再迁礼部右侍郎，寻改吏部，进左侍郎。屏绝私交，好推毂贤士不使知。（万历）十二年冬，拜礼部尚书。去六品甫二年至正卿，素负物望，时论不以为骤……二十九年，赵志皋卒，沈一贯独当国。廷推阁臣，诏鲤以故官兼东阁大学士，入参机务……帝亦嫌鲤方鲠，因鲤乞休，遽命与一贯同致仕……年八十，遣官存问，赍银币。鲤奏谢，复陈时政要务。又五年卒，年八十五。赠太师，谥文端。"《四库总目提要》卷一二五著录沈鲤《文雅社约》一卷、《附录》一卷："明沈鲤撰。鲤字仲化，归德人，嘉靖乙丑进士，官至文渊阁大学士，谥文端。事具《明史》本传。鲤里中有文雅台，相传即瞿相之圃。鲤与里人修举社饮之礼，以礼法相约……盖救奢崇朴，鲤之本志，此书犹是意也。"同书卷一七二又著录沈鲤《亦玉堂稿》十卷："明沈鲤撰。鲤有《文雅社约》，已著录。鲤常辑其诗文为《亦玉堂稿》十卷、《续稿》八卷，明末板毁不存。王士禛《古夫于亭杂录》载其家有鲤正、续两集，三复其文，叹其经术湛深，议论正大。然士禛没后，池北书库所藏散佚皆尽，今亦未见其本。此本乃康熙庚午刘榛裒辑残阙所重刊。集中有文无诗，盖以非原稿之旧矣。鲤在神宗时，立朝侃直，称为名臣，晚入政府，毅然特立……虽沮于奸邪，不获尽究其用，而集中所载如谏止矿税一疏，实国脉民生之所系，其功甚伟。他如议复建文年号，改景帝实录，停取麒麟，请并封恭妃，请宥议礼诸臣，以及正文体……皆关朝廷大体，知无不言……文章之工拙，抑其末矣。"

公元 1616 年 （明万历四十四年　丙辰　后金［清］太祖天命元年）

正月

初一日，努尔哈赤在赫图阿拉（今辽宁新宾）称汗，年号天命，国号金，史称后金。蒋良骐《东华录》卷一："丙辰年，群臣尊上为覆育列国英明皇帝，建元天命元年。"《清史稿·太祖本纪》："天命元年丙辰春正月壬申朔，上即位，建元天命，定国号曰金。诸贝勒大臣上尊号曰覆育列国英明皇帝。"

三月

初三日，臧懋循《元曲选》一百种编成。臧懋循《元曲选自序二》："予故选杂剧百种，以尽元曲之妙，且使今之为南者，知有所取则云尔。万历丙辰春上巳日，下里若人臧晋叔书。"王国维《元曲选跋》："元人杂剧罕见别本，《元人杂剧选》久不可见，即以单行本言，平生仅见郑廷玉《楚昭王疏者下船》一种，乃钱塘丁氏善本书室所藏明初写本，曲文拙劣。尚在此本下，盖经优伶改窜也。此百种岿然独存，呜呼，晋叔之功大矣！"

初八日，叶小鸾（1616—1632）生。叶绍袁《叶天寥自撰年谱》："（万历）四十四年丙辰，二十八岁。三月初八日，三女小鸾生（名琼章）。家贫乏乳，方四月，过育舅沈君庸家，妗母张倩倩抚之。"事迹参见本书顺治五年（1648）"叶绍袁卒"目。

阮大铖考中三甲第十名进士。

瞿式耜考中三甲第一百九十七名进士。

袁中道考中三甲第二百三十二名进士。

是年春

吕天成作《红青绝句》二百首。作者自序云："吾友方诸生自燕邸寄两折来，为《红闺丽事》、《青楼韵语》凡二百题。予读而悦之，予各度一小令曲，而窃纠夭绍，不成响也。同社史颉庵曰：'盍各赋七言绝句乎？'予曰诺……时约同赋者宋胆庵及颉庵。予诗先成，不能待，爰付剞劂。两君才藻横流，后来者必且压倒帱庵耳。丙辰春日东海郁蓝生题于距仙佛处。"

四月

三日，袁中道、钟惺、杨鹤等数十人雅集京师海淀，号海淀大会诗。钟惺《隐秀轩集》卷三有《四月三日杨修龄侍御游宴海淀园》一首五言诗。又袁中道《游居柿录》卷一一："西直门北十馀里，地名海淀，李戚畹园在焉。亭台楼阁，直入云霄；奇花异草。怪石美箭俱备。引玉泉流水入于清渠。可数里，泛大楼船其中，宛似江南。是日，修龄作主，词客龙君御而下若干人，工弈棋书画者若干人，亦一时之胜会也。各分韵，号为'海淀大会诗'。"杨修龄，即杨鹤，字修龄，武陵（今湖南常德）人。万历三十二年进士，官至兵部尚书加太子少保。龙君御，即龙膺，字君善，一字君御，武陵（今湖南常德）人。万历八年进士，官至南太常卿，有《九芝集选》十二卷。

六月

十五日，汤显祖作《忽忽吟》。有注云："此苦次绝笔，在丙辰夏秒六月望日。"

十六日，汤显祖（1550—1616）卒。《玉茗堂选集·尺牍》载汤显祖第三子汤开远序云："岁在龙蛇，六月既望，家严祠部公遂弃邀诸孤去矣……易簀之夕尚为孺子哭，命以麻衣冠就敛。"汤显祖，字义仍，号海若，又号若士，晚号茧翁，别署清远道人，临川（今属江西）人。万历十一年进士，历官南京太常博士、南京礼部主事，以言事贬雷州徐闻县典史，迁浙江遂昌县令。万历二十六年弃官归里，著述以终。著有《玉茗堂集》，今人有《汤显祖全集》徐朔方笺校本，分诗文与戏曲两部分，诗文部分五十一卷，北京古籍出版社1999年出版。其戏曲代表作为《牡丹亭》（又名《还魂记》），与其《邯郸记》、《南柯记》、《紫钗记》合称"玉茗堂四梦"。《明史·汤显祖传》："汤显祖，字若士，临川人。少善属文，有时名。张居正欲其子及第，罗海内名士以张之。闻显祖及沈懋学名，命诸子延致。显祖谢弗往，懋学遂与居正子嗣修偕及第。显祖至万历十一年始成进士。授南京太常博士，就迁礼部主事。十八年，帝以星变严责言官欺蔽，并停俸一年。显祖上言曰……帝怒，谪徐闻典史。稍迁遂昌知县。二十六年上计京师，投劾归。又明年大计，主者议黜之。李维桢为监司，力争不得，竟夺官。家居二十年卒。显祖意气慷慨，善李化龙、李三才、梅国桢。后皆通显有建竖，而显祖蹭蹬穷老。三才督漕淮上，遣书迎之，谢不往。"钱谦益《列朝诗集小传》丁集中《汤遂昌显祖》："显祖，字义仍，临川人。生而有文在手，成童有几庶之目。年二十一，举于乡……与吴门、蒲州二相子，同举进士。二相使其子召致门下，亦谢弗往也。除南太常博士，朝右慕其才，将征为吏部郎，上书辞免。稍迁南祠郎，抗疏论劾政府信私人，塞言路，谪广东徐闻典史，量移知遂昌县。用古循吏治邑，纵囚放牒，不废啸歌。戊戌上计，投劾归，不复出……里居二十年，年六十馀始丧其父母，既葬，病卒。自为祭文，遗令用麻衣冠草履以敛，年六十有八……所居玉茗堂，文史狼藉，宾朋杂坐，鸡埘豕圈，接迹庭户，萧闲咏歌，俯仰自得……自王、李之兴，百有馀岁，义仍当雾霁充塞之时，穿穴其间，力为解驳。归太仆之后，一人而已。义仍少熟《文选》，中攻声律，四十以后，诗变而之香山、眉山，文变而之南丰、临川。尝自叙其诗三变而力穷，又尝以其文寓余，以谓不蕲其知吾之所已就，而蕲其知吾之所未就也。于诗曰变而力穷，于文曰知所未就，义仍之通怀嗜学，不自以为能事如此，而世但赏其词曲而已，不能知其所以就，而又安能知其所未就，可不为三叹哉！"朱彝尊《静志居诗话》卷一五《汤显祖》："义仍填词，妙绝一时，语虽斩新，源实出于关、马、郑、白，其《牡丹亭》曲本，尤极情挚。人或劝之讲学，笑答曰：'诸公所讲者性，仆所言者情也。'世或相传云刺昙阳子而作。然太仓相君，实先令家乐演之，且云：'吾老年人，近颇为此曲惆怅。'假令人言可信，相君虽盛德有容，必不反演之于家也。当日娄江女子俞二娘，酷嗜其词，断肠而死。故义仍作诗哀之云：'画烛摇金阁，真珠泣绣窗。如何伤此曲，偏只在娄江。'又《七夕答友诗》云：'玉茗堂开春翠屏，新词传唱牡丹亭。伤心拍遍无人会，自掐檀板教小伶。'其后又续成《紫箫》残本，身后为仲子开远焚弃。诗终牵率，非其所长。"沈德潜《明诗别裁集》卷九选汤显祖诗一首《送别刘大甫》。《四库总目提要》卷一七九著录汤显祖《玉茗堂集》二十九卷："明汤显祖撰。显祖有《五侯鲭字海》，已著录。显祖于王世贞为后进，世贞与李攀龙持上追秦汉之说，奔走天下。归有光独诋为妄庸，显祖亦毅然不附，至涂乙其《四部稿》，使世贞见之。然有光才不逮世贞，而学问深密过之。显祖则才与学皆不逮，而议论识见则较世贞为笃实。故排王、李者亦称焉。是集凡诗十三卷、文十卷、尺牍六卷，前有南丰朱廷诲序……非无根据之学者，然终非有光匹也。"陈田《明诗纪事》庚签卷二选汤显祖诗二十首，有按语云："义仍才气兀傲，不可一世。集中五古清劲沉郁，天然孤秀，而时伤塞涩，则矫枉之过也。其诗云：'常恐古人先，乃与今人匹。'又云：'文家虽小技，目中谁大手。何李色枯薄，馀子定安有。'李、何取法于杜，义仍则并杜而薄之。曰'少陵诗少一清字'，可谓因噎废食也。义仍与袁中郎善，舍七子而另辟蹊径，趋向则一。但义仍师古，教有程矩，尚能别派孤行。中郎师心自用，势不至舍正路而入荆榛不止。余论两家之得失如此，不得一概抹煞，致没作者苦心也。"王骥德《曲律》卷四："临川之于吴江，故自冰炭。吴江守法，斤斤三尺，不欲令一字乖律，而毫锋殊拙；临川尚趣，直是横行，组织之工，几与天孙争巧，而屈曲聱牙，多令歌者齚舌。吴江尝谓：'宁协律而不工，读之不成句，而讴之始协，是为中之之巧。'曾为临川改易《还魂》字句之不协者，吕吏部玉绳（郁蓝生尊人）以致临川，临川不怿，复书吏部曰：'彼恶知曲意哉！余意所至，不妨拗折天下人嗓子。'其志趣不同如此。郁蓝生谓临川近狂，而吴江近狷，信然哉！"吕天成《曲品》卷下著录"汤海若所著传奇五本"，皆列为"上上品"。评《紫箫》云："琢调鲜华，炼白骈丽。向传先生作酒、色、才、气四记，有所讽刺，是非顿起，作此以掩之，仅半本而罢。觉太曼衍，留此供清唱可也。"评

《紫钗》云："仍《紫萧》者不多，然犹带靡缛。描写闺妇怨夫之情，备极娇苦，直堪下泪，真绝技也。"评《还魂》云："杜丽娘事，果奇。而著意发挥怀春慕色之情，惊心动魄。且巧妙叠出，无境不新，真堪千古矣。"评《南柯梦》云："酒色武夫，乃从梦境证佛，此先生妙旨也。眼阔手高，字句超秀。方诸生极赏其登城北词，不减王、郑，良然，良然！"评《邯郸梦》云："穷士得意，兴尽可仙。先生提醒普天下措大，功德不浅。即梦中苦乐之致，犹令观者神摇，莫能自主。"茅元仪《批点牡丹亭记序》（见《古本戏曲丛刊初集》）："《玉茗堂乐府》，临川汤若士所著也。中有《牡丹亭记》，乃合李仲文、冯孝将及睢阳王、谈生事而附会之者也。其播词也，铿锵足以应节，诡丽足以应情，幻特足以应态，自可以变词人抑扬俯仰之常局，而冥符于创源命派之手。"陈继儒《晚香堂小品》卷二二《牡丹亭题词》："吾朝杨用修长于论词，而不娴于造曲。徐文长《四声猿》能排突元人，长于北而又不长于南。独汤临川最称当行本色，以《花间》、《兰畹》之馀彩，创为《牡丹亭》，则翻空转换极矣。"沈际飞《牡丹亭题词》（见独深居本《牡丹亭》）："临川作《牡丹亭》词，非词也，画也；不丹青，而丹青不能绘也；非画也，真也；不啼笑而啼笑，即有声。以为追琢唐音乎，鞭箠宋调乎，抽翻元剧乎？当其意得，一往追之，快意而止。非唐，非宋，非元也。"吴从先《小窗自纪》："汤若士《牡丹亭序》云：'夫人之情，生而不可死，死而不可生者，皆非情之至。'又云：'事之所必无，安知情之所必有？'情之一字遂足千古，宜为海内情至者惊服。"李渔《闲情偶寄》卷一："汤若士，明之才人也。诗文尺牍尽有可观；而其脍炙人口者，不在尺牍诗文，而在《还魂》一剧。使若士不草《还魂》，则当日之若士，已虽有而若无，况后代乎？是若士之传，《还魂》传之也。"李调元《雨村曲话》卷下："玉茗四种，《还魂记》、《烂柯记》、《邯郸梦》、《紫钗记》，以《还魂》为第一部，俗呼《牡丹亭》。句如'雨丝风片，烟波画船'，皆酷肖元人。惜其使才，于韵脚所限，多出以乡音，如'子'与'宰'叶之类。其病处在此，佳处亦在此。"吴梅《冰丝馆本还魂记跋》："临川《还魂》，同时已有窜改：一为吕玉绳，'醉汉琼筵'绝句，即为吕氏而发（见《玉茗集·与凌初成书》）；一为臧晋叔，即叶怀庭讥为孟浪汉者，实则为吴下优人计，则删改本，亦颇可用（晋叔将《四梦》全行删削，实有见地，余另有题记）；一为龙子犹，剧名改作《风流梦》，即世传墨憨斋本者是也。俗伶所歌《叫画》一折，即是龙本，知者鲜矣。删改本中以此为最，余所见者止此。至于刊本之高下，更难论断。"

七月

十四日，余怀（1616—1696）生。据李金堂校注《板桥杂记·前言》。《同人集》卷二余怀《冒巢民先生七十寿序》："余与巢民（冒襄）交，在己卯、庚辰之际。余少巢民五岁，以兄事之。"余怀，字澹心，一字无怀，号曼翁，一号广霞，又号壶山外史、寒铁道人，晚年自号鬘持老人。莆田（今属福建）人，长期寓居南京，故自称白下余怀或江宁余怀。

二十五日，魏裔介（1616—1686）生。朱彭寿《清代人物大事纪年》："太祖天命元年丙辰（明神宗万历四十四年，公元 1616 年），生辰：魏裔介，七月二十五日生，字石生，号贞庵、昆林。直隶柏乡人。享年七十一。"魏裔介，字贞白，一字昆林，号石山，又号贞庵，直隶柏乡（今属河北）人。顺治三年进士，官至太子太傅、保和殿大学士，卒谥文毅。著有《兼济堂诗集》八卷、《兼济堂文集选》二十卷。

十月

小说《云合奇踪》（又名《英烈传》）二十卷八十则刊行。旧题"徐渭文长甫编"，演义元末明初朱元璋开国事。徐如翰《云合奇踪序》后署"时万历岁在柔兆执徐阳月谷旦，赐进士朝列大夫边关备兵观察使者古虞徐如翰伯鹰甫谨撰"，太岁纪年之"柔兆执徐"即甲子纪年之"丙辰"年，古人称农历十月为阳月。

是年

焦竑所编《国朝献征录》一百二十卷在南京付梓。据黄汝亨、顾起元序。

董其昌父子居乡横暴，松江人编写《黑白传》以讽，终酿民抄董宦事件。详《民抄董宦事实》。

柴绍炳（1616—1670）生。朱彭寿《清代人物大事纪年》："太祖天命元年丙辰（明神宗万历四十四年，公元 1616 年），生辰：柴绍炳生，字虎臣，号省轩、翼望山人。浙江仁和人。享年五十五。"博学善为文，西泠十子之一。著有《省轩文钞》十卷、《省轩诗钞》二十卷、《白石轩杂稿》八卷、《柴氏古韵通》八卷、《省过纪年录》二卷、《通考辑略》等。

吴百朋（1616—1670）生。江庆柏《清代人物生卒年表》据孙治《孙宇台集》卷二四《行状》括注吴百朋生卒年为"1616—1670"。

公元 1617 年（明万历四十五年　丁巳　后金［清］天命二年）

六月

十六日，宋敬舆（1617—1659）生。宋徵舆《林屋文稿》卷一〇《亡兄太学生辕生府君墓志铭》："生于天命丁巳六月十六日。"宋敬舆，字辕生，江南华亭（今上海松江）人，宋懋澄长子，宋徵舆之兄。诸生。著有《芳洲集》。

七月

初二日，曹尔堪（1617—1679）生。施闰章《施愚山集·文集》卷一九《翰林院侍讲学士曹公顾庵墓志铭》："君生明万历四十五年丁巳七月二日。"曹尔堪，字子顾，号顾庵，嘉善（今属浙江）人。顺治九年进士，授编修，升侍讲学士，以事罢归。工诗善词，著有《杜鹃亭稿》、《南溪文略》、《南溪词》、《秋水轩唱和词》等。

八月

钟惺在南京作《诗归序》。据《钟惺简明年表》。

九月

二十日，**魏象枢**（1617—1687）生。魏象枢口授《寒松老人年谱》："万历丁巳九月二十日未时生。"魏象枢，字环极，又字环溪，号昆林，又号庸斋，晚称寒松老人，山西蔚州（今灵丘）人。明崇祯十五年举人，清顺治三年进士，由刑科给事中，历官都察院左都御史，加刑部尚书衔，以疾归。著有《寒松堂集》十二卷，中华书局 1996 年出版整理本。

十月

二十五日，钟惺、谭元春合选《诗归》成书。《谭元春集》卷二二《诗归序》："惟春与钟子克虑厥始，惟春克勘厥中，惟钟子克成厥终。诗归哉！明万历丁巳十月二十五日景陵谭元春撰。"

十二月

《金瓶梅词话》一百回刊行，是为初刻本。弄珠客《金瓶梅序》后署"万历丁巳季冬，东吴弄珠客漫书于金阊道中"。

是年

明廷齐、楚、浙三党用事，尽斥东林，首辅方从哲碌碌充位，朝政日非。据《明史·夏嘉遇传》。

徐复祚《南北词广韵选》编于今年或略后。据徐朔方《徐复祚年谱》考证。

焦竑所编杨慎《升庵外集》一百卷在南京付梓。据焦竑、顾起元、汪辉等人序。

宋徵舆（1617—1667）生。宋徵舆《林屋文稿》卷五《江南杂诗自序》有云："不佞以万历丁巳生。"又《林屋文稿》卷一〇《先考幼清府君行实》："丙辰不第归（指宋懋澄），复居故里。丁巳举二子，时府君年四十九，慨然作而叹曰：'我无家嗣，不能不为蒸尝忧。今有子，身可以报国矣。'"又王士禛《带经堂集》卷八一《蚕尾续文》九《书宋孝廉事》："云间宋孝廉懋澄，副都御史徵舆之父也，精数学。徵舆生时，预书一纸缄付夫人曰：'是子中进士后，乃启视之。'至顺治四年丁亥，徵舆成进士，始开前函，有一行字云：'此儿三十年后，当事新朝，官至三品，寿止五十。'其后，康熙丙午，果以宗人府府丞迁副都御史，官至三品，明年丁未，卒官，年正五十也。"编者按，旧时纪岁法，宋徵舆年五十卒于 1667 年，当生于 1618 年，有关工具书亦多据此推断，误。宋徵舆，字辕文，号直方，又号佩月主人、佩月骚人，江南华亭（今上海松江）人，为宋懋澄次子、宋徵璧从弟。顺治四年进士，官至都察院副都御史。著有《林屋文稿》、《林屋诗草》等。

邓汉仪（1617—1689）生。据钱仲联主编《中国文学家大辞典·清代卷》。邓汉仪，字孝威，号旧山，又号旧山农、钵叟，江南泰州（今属江苏）人。康熙十八年荐举博学鸿儒科，落选，授内阁中书，归里。与冒襄、余怀、吴伟业、龚鼎孳、孔尚任皆有交往。编有《天下名家诗观》四集，著有《淮阴集》、《官梅集》、《过岭集》等。

邱园（1617—1689 以后）生。据《中国大百科全书·戏曲曲艺卷》。邱园，又作丘园。李修生主编《古本戏曲剧目提要》载王忠阁撰《御袍恩》条括注丘园生卒年为"1616—?"，下又云其"卒于康熙二十八年（1689）以后"。邓长风《明清戏曲家考略续编》订邱园生卒年为"1614—1690"。康熙《常熟县志》卷五："丘园，字屿雪，东海侯岳之后，隐居坞丘。时或伤今吊古，长言咏叹，托诸音律。撰《岁寒松》、《蜀鹃啼》诸乐府。与弟源生著《名教表微》一书。"乾隆《唐市志·文苑》言丘园："志洁行方，辟既耕堂于坞垞之左，种竹莳花，浩乎自得。喜写山水，善吟咏。著有《名教表微》、《既耕堂草》、《梅圃诗馀》、《竹溪杂兴》等集。兼工乐府，有《岁寒松》、《蜀鹃啼》，为赏音家所称。"民国《重修常昭合志》卷一八著录丘园"《党人碑传奇》、《虎囊弹乐府》、《双凫影乐府》、《百福带乐府》、《幻缘箱乐府》、《御袍恩乐府》、《闹勾阑乐府》、《一文钱乐府》"。庄一拂《古典戏曲存目汇考》卷一一著录邱园所撰传奇十种：《一合相》、《四大庆》、《幻缘箱》、《百福带》、《虎囊弹》、《蜀鹃啼》、《岁寒松》、《闹勾阑》、《双凫影》、《党人碑》，今存者《党人碑》、《幻缘箱》与《百福带》（又名《御袍恩》）三种。小传云："邱园，字屿雪，江苏常熟人，居坞邱山，纵情诗酒，尤善度曲，画山水仿石田，雪景尤妙。卒年七十有四。尤侗《邱屿雪像赞》云：'君善顾曲，梨园乐府。吾和而歌，红牙画鼓。'《新传奇品》称其词如'入薄后庙，绮丽满身'。"吴伟业《观蜀鹃啼剧诗（有序）》："《蜀鹃啼》者，邱子屿雪为吾兄成都令志衍作也……"

公元 1618 年（明万历四十六年 戊午 后金 [清] 天命三年）

三月

努尔哈赤书七大恨进攻明朝。蒋良骐《东华录》卷一："天命元年三月，征明，临行书七大恨告天。"

侯方域（1618—1655）生。据徐植农、赵玉霞《侯方域年谱》（见齐鲁书社 1988 年出版《侯朝宗文选》）。侯方域，字朝宗，河南商丘人。顺治八年辛卯副贡生。著有《壮悔堂文集》十卷、《补遗》一卷、《四忆堂诗集》八卷。

四月

十四日，尤侗（1618—1704）生。朱彭寿《清代人物大事纪年》："天命三年戊午（明万历四十六年，公元 1618 年），生辰：尤侗，四月十四日生，字同人、展成，号悔庵、艮斋、西堂。江苏长洲人。享年八十七。"《清史列传·文苑传》："尤侗，字展成，江苏长洲人。少博闻强记，弱冠补诸生。才名籍甚。历试于乡，不售，以贡谒选，除直隶永平府推官。吏治精敏，不畏强御，怙势梗法者，逮治无所纵。坐挞旗丁，镌级归。康熙十八年，召试博学鸿儒，授翰林院检讨，分修《明史》，撰志传多至三百篇。居三年，告归。先是，侗所作诗文，流传禁籞中，世祖章皇帝以'才子'目之。后入翰林，圣祖仁皇帝称为'老名士'，天下羡其荣遇，比于唐李白云。三十八年，圣驾南巡，至苏州，侗献《平朔赋》《万寿诗》，上嘉焉，赐御书'鹤栖堂'匾额。四十二年，驾复幸吴，赐御书一幅，即家授侍讲，盖异数也。侗性宽和，与物无忤，汲引后进，一才一艺，奖借不容口。兄弟七人，友爱无间，白首如垂髫。四十三年，卒，年八十七。其诗词古文，才既富赡，复多新警之思，体物言情，精切流丽。每一篇出，传诵遍人口。著述甚富，《全集》五十卷、《馀集》七十卷、《鹤栖堂集》十卷。"沈德潜《国朝诗别裁集》卷一一选尤侗诗二十五首，小传云："西堂少岁时专尚才情，诗近温、李；归田以后，仿效白乐天，流于太易。虽街谈巷议入韵语中，远近或以游戏视之，比于王凤洲之评唐伯虎，不知四十至六十时，诗开阖动荡，轩昂顿挫，实从盛唐诸公中出也。《咏明史乐府》一卷，尤为神来之作。今选中所收，皆铮铮有声者，使艺苑人见之，共识西堂面目。"《四库总目提要》卷八七著录尤侗《明艺文志》五卷，同书卷一三九又著录其《宫闱小名录》四卷、《后录》一卷。徐世昌编《晚晴簃诗汇》卷四五选尤侗诗二十首，《诗话》云："展成早负时名，弟子著录者甚众。所作如《临去秋波转》制义、《读离骚》《吊琵琶》诸南曲，流传禁籞，世所艳称。圣祖南巡，展成迎驾献诗文，晋侍讲，御书'鹤栖堂'三字以赐。其诗上者为白傅之讽谕、闲适，次亦诚斋之《道院》《朝天》。万斛泉源，随地涌出，称其心之所欲言。虽身后名减，要不失为才人。"邓之诚《清诗纪事初编》卷三著录尤侗《西堂全集馀集》合一百三十五卷、《鹤栖堂稿》六卷："尤侗……著《西堂全集》，为《杂俎一集》八卷、《二集》八卷、《三集》八卷、《剩稿》二卷、《秋梦录》一卷、《小草》一卷、《论语诗》一卷、《右北平集》一卷、《看云草堂集》八卷、《述祖诗》一卷、《于京集》五卷、《京弦集》二卷、《拟明史乐府》一卷、《外国竹枝词》一卷、《百末词》六卷、《钧天乐》二卷、《读离骚》四折一卷、《吊琵琶》四折一卷、《桃花源》四折一卷、《黑白卫》四折一卷、《清平调》一折一卷，附《湘中草》六卷；《馀集》为《年谱图诗》一卷、《小影图赞》一卷、《年谱》二卷、《艮斋倦稿诗》十一卷、《文》十五卷、《性理吟》二卷、《续论语诗》一卷、《杂说》七卷、《续说》三卷、《看鉴偶评》五卷、《明史拟传》五卷、《明史外国志》八卷、《宫闱小名录》五卷。都三十五种一百三十五卷，著书之多，同时毛奇龄外罕有其匹。其《杂俎》，乾隆时列为禁书，故其集不入《四库书目》。《看云草堂集》有剜去者，殆避禁忌，似禁前所删。侗诗文以才子自命，虽不足法，然亦当时一作手。《鹤栖堂稿》诗文各三卷，在合集之外，为康熙三十八年至四十年所作。"袁行云《清人诗集叙录》卷六著录尤侗《西堂诗集》二十五卷（康熙间刻全集本）："工时文，词曲亦负名……《百末词》六卷，孙默收入《十六家词》。杂剧《钧天乐》《读离骚》《吊琵琶》《桃花源》《黑白卫》，脍炙当世，传本亦广……诗初效白，后习宋人，不甚藻饰，叉手而成。惟《回文集句》奕神降乩，滥收其间，不免泥沙俱下。"中华书局 1992 年出版尤侗《艮斋杂说·续说》《看鉴偶评》整理本。

五月

臧懋循改编汤显祖《四梦》成。徐朔方《臧懋循年谱》:"文选卷三《玉茗堂传奇引》云:'予病后一切图史悉已谢弃,闲取四记,为之反复删订,事必丽情,音必谐曲。'文末署'万历徒维敦牂之岁夏五月东海臧晋叔书于雕虫馆'。""徒维敦牂之岁"即太岁纪年的戊午年。考臧懋循《负苞堂集·文选》卷三《玉茗堂传奇引》一文,其文末未见所署撰文年月。

六月

初八日,吕坤(1536—1618)卒。郑涵《吕坤年谱》:"嘉靖十五年……十月十日,生于河南开封府宁陵县……名坤,初字顺叔,后改字叔简,别号新吾、心吾,晚号抱独居士……六月初八日卒于家,葬于宁陵县西北十二里之鞋城村。"《明史·吕坤传》:"吕坤,字叔简,宁陵人。万历二年进士。为襄垣知县,有异政。调大同,征授户部主事,历郎中。迁山东参政、山西按察使、陕西右布政使。擢右佥都御史,巡抚山西。居三年,召为左佥都御史。历刑部左、右侍郎。二十五年五月疏陈天下安危……疏入,不报。坤遂称疾乞休,中旨许之……初,坤按察山西时,尝撰《闺范图说》,内侍购入禁中。郑贵妃因加十二人,且为制序,属其伯父承恩重刊之。(戴)士衡遂劾坤因承恩进书,结纳宫掖,包藏祸心。坤持疏力辩。未几,有妄人为《闺范图说》跋,名曰《忧危竑议》,略言:'坤撰《闺范》,独取汉明德后者,后由贵人进中宫,坤以媚郑贵妃也。坤疏陈天下忧危,独不及建储,意自可见。'其言绝狂诞,将以害坤。帝归罪于士衡等,其事遂寝。坤刚介峭直,留意正学。居家之日,与后进讲习。所著述,多出新意……卒,天启初,赠刑部尚书。"钱谦益《列朝诗集小传》丁集中《吕侍郎坤》:"坤,字叔简,宁陵人。万历甲戌进士,官至刑部左侍郎。侍郎敭历中外,所至有声迹,讲求经济实学,皆可施行。万历中,郑贵妃方擅宠,撰《女诫》一书,以明德马后为首,侍郎序而刻之,坐此为朝论所哗,不得大用,君子惜之。生平不求工声律,新乐府数章,记载时事,有古人讽喻之风。"《四库总目提要》卷九三著录吕坤《呻吟语摘》二卷:"明吕坤撰。坤有《四礼疑》,已著录。《明史·艺文志》载《呻吟语》凡四卷,此止二卷。考卷末万历丙辰其子知畏跋,则此乃坤从四卷中手自删削,并取知畏所续入者若干条,存十之二三。距万历壬辰郭子章作序之时,又二十四年,盖坤晚年之定本也。其内篇分七门,曰性命,曰存心,曰伦理,曰谈道,曰修身,曰问学,曰应务。外篇分九门,曰世运,曰圣贤,曰品藻,曰治道,曰人情,曰物理,曰广喻,曰词章,大抵不侈语精微,而笃实以为本;不虚谈高远,而践履以为程。在明代讲学诸家,似乎粗浅,然尺尺寸寸,务求规矩,而又不违戾于情理,视陆学末派之猖狂,朱学末派之迂僻,其得失则有间矣。"同书卷九六又著录其《呻吟语》六卷:"此编上三卷为内篇,下三卷为外篇,盖万历壬辰刊本也。晚年又手自删补为《呻吟语摘》三卷,弥为简要,故此本存其目焉。"同书卷一三二又著录其《闺范》四卷:"明吕坤撰。坤有《四礼疑》,已著录。此编乃其为山西按察使时所作。前一卷为嘉言,皆采六经及《女诫》、《女训》诸文为之训释。后三卷为善行,分女子、妇人、母道各一卷,叙其本事，而绘图上方，并附以赞。文颇浅近，取易通俗也。当时尝传入禁中，神宗以赐郑贵妃，妃重刻之。后妖书案起，遂以是书为口实。朱国桢《涌幢小品》曰：'吕新吾司寇廉察山西，纂《闺范》一书，焦弱侯以使事至，吕索序刊行，弱侯亦取数部入京，郑贵妃之侄国泰乞取添入后妃一门，而贵妃与焉。众大哗，谓郑氏著书，弱侯交结为序，将有他志'云云。所纪与史小异。然国桢与焦竑为友，目睹刊本，所记似得其真。此本无郑贵妃序，当为坤之原本也。"同书卷一三四又著录其《吕公实政录》七卷。同书卷一七九又著录其《去伪斋文集》十卷："是集为其孙慎多等所刊。坤于明季讲学诸儒中，最为笃实，是集亦多有裨世道之文，而出于后人之编录，一切俳谐笔墨，无不具载……至于应俗之文，连牍不已，益为眼中金屑矣。"陈田《明诗纪事》庚签卷一一选吕坤诗一首。今人王国轩等有《呻吟语》注本，学苑出版社 1994 年出版。

九月

明廷加天下田赋。《明史·神宗二》："（万历）四十六年……九月壬辰，辽师乏饷，有司请发各省税银，不报。辛亥，加天下田赋。"

二十二日，吴嘉纪（1618—1684）生。汪懋麟《吴处士墓志》："处士生于前明万历戊午九月二十二日。"吴嘉纪，字宾贤，号野人，江南泰州（今属江苏）人。明末诸生，入清不仕。工诗，与汪楫、周亮工、王士禛、孙枝蔚皆有交。著有《陋轩诗》，上海古籍出版社 1980 年出版杨积庆《吴嘉纪诗笺校》。

十一月

二十一日（已交公元 1619 年 1 月 6 日），施闰章（1619—1683）生。汤斌《翰林院侍读前朝议大夫愚山施公墓志铭》："公生于明万历四十六年十一月二十一日，距卒得年六十有六。"施闰章，字尚白，一字屺云，号愚山，又号蠖斋，晚号矩斋，江南宣城（今属安徽）人。顺治六年进士，历官江西布政司参议，分守湖西道。康熙十八年举博学鸿儒，授侍讲，与修《明史》，转侍读，卒官。工诗，著有《施愚山先生学馀文集》二十八卷、《诗集》五十卷、《别集》四卷、《遗集》六卷。今人有整理本《施愚山集》，黄山书社 1993 年出版。

是年

张岱开始撰写《古今义士传》（书成改名《古今义烈传》）。据祁彪佳崇祯四年序。

李贽《续焚书》印行。焦竑《澹园集》附编一《李氏续焚书序》："新安汪鼎甫，从卓吾先生十年，其片言只字，收拾无遗。先生书既尽行，假托者众，识者病之。鼎甫出其《言善篇》、《续焚书》、《说书》，使世知先生之言有关理性，而假托者无以为也。鼎甫亦有功于先生已。澹园老人焦竑。"

无锡华淑辑刊《闲情小品》总二十九种。据《清代禁书知见录》。

陈廷会（1618—1679）生。据邓之诚《清诗纪事初编》。陈廷会，字际叔，号鹪客，钱塘（今浙江杭州）人，明诸生。入清高隐不出，为西泠十子之一。著有《瞻云诗稿》。

孙治（1618—?）生。江庆柏《清代人物生卒年表》据孙治《孙宇台集》卷二四《先妣沈太孺人行实》括注孙治生卒年为"1618—?"。《清史列传·文苑传》："孙治，字宇台，亦仁和人。诸生。与陆圻、陈廷会齐名友善，人见之者以为神理都肖。宛平梁以樟至武林，一见倾契，谓人曰：'若孙子者，所谓云中白鹤，邴根矩、刘士光之俦也。'精京氏《易》及《潜虚》，尝与圻各占晴雨，皆验，人咸异之。以著述称于时，四方求文，户外屦满。其文刻意摹古，虽质不俳。笃于友谊，吴百朋宰南和，客死。治往经纪其丧。著有《鉴庵集》。"朱彝尊《静志居诗话》卷二二《孙治》："孙治，字宇台，仁和县学生。有集。宇台刻意摹古，宁质不俳。"《清史稿·艺文志及补编》著录孙治《宇台集》四十卷。王绍曾主编《清史稿·艺文志拾遗》著录孙治《武林灵隐寺志》八卷（《武林掌故丛编本》）。

柳如是（1618—1664）生。据胡文楷《柳如是年谱》。柳如是，早年以杨为姓，曾以杨爱、朝云、云娟为名，以影怜为字；后以柳为姓，初名隐（一说名隐雯），字蘼芜，又改名是，字如是，号河东君，另有"美人"之别称。钱肇鳌《质直谈耳·柳如是轶事》："如是幼养于吴江周氏，为宠姬。年最稚，明慧无比，主人常抱置膝上，教以文艺，以是为群妾忌。独周母以其善于趋奉，爱怜之。然性纵荡不羁，寻与周仆通，为群妾所觉，谮于主人，欲杀之。以周母故，得鬻为倡。"编者按，吴江周氏，据陈寅恪《柳如是别传》考证，即周道登（？—1633），字文岸，号念西，吴江人。万历二十六年进士，历官少詹事、礼部左侍郎，崇祯初晋文渊阁大学士，为相不足一年即被劾罢官。另据沈虬《河东君传》："河东君柳如是者，吴中名妓也。美丰姿，性狷慧。知书善诗律，分题步韵，顷刻立就，使事谐对，老宿不如。四方名士，无不接席唱酬。"著有《戊寅草》、《湖上草》等。

吕天成（1580—1618）卒。据徐朔方《王骥德吕天成年谱》。王骥德《曲律》卷四："郁蓝生吕姓，讳天成，字勤之，别号棘津，亦徐姚人，太傅文安公曾孙，吏部姜山公子。而吏部太夫人孙，则大司马公姊氏，于比部称表伯父。其于词学，故有渊源。勤之童年便有声律之嗜，既为诸生，有名，兼工古文词。与余称文字交垂二十年，每抵掌谈词，日昃不休。孙太夫人好储书，于古今戏剧，靡不购存，故勤之泛滥极博。所著传奇，始工绮丽，才藻烨然，后最服膺词隐，改辙从之，稍流质易，然宫调、字句、平仄，兢兢惢慎，不少假借。词隐生平著述，悉授勤之，并为刻播，可谓尊信之极，不负相知耳。勤之制作甚富，至摹写丽情亵语，尤称绝技。世所传《绣榻野史》、《闲情别传》，皆其少年游戏之笔。余所恃为词学丽泽者四人，谓词隐先生、孙大司马、比部俟居及勤之，而勤之尤密迩旦夕。方以千秋交勖。人咸谓勤之风貌玉立，才名藉甚，青云在襟袖间，而如此人，曾不得四十，一夕溘先，风流顿尽，悲夫！"同书同卷又云："同舍有吕公子勤之，曰郁蓝生者，从髫年便解摛搽，如《神女》、《金合》、《戒珠》、《神镜》、《三星》、《双栖》、《双阁》、《四元》、《二淫》、《神剑》，以迨小剧，共二三十种。惜玉树早摧，赍志未竟。"同书同卷又云："勤之《曲品》所载，搜罗颇博，而门户太多。旧曲列品有四：曰神、曰妙、曰能、曰具……新曲列为九品，以上之上属沈、汤二君，而以沈先汤，盖以法论，然二君既属偏长，不能合一，则上之上尚当虚左。至后八品，亦似多可商榷。复于诸人，概饰四六美辞，如乡会举主批评举子卷牍，人人珠玉，略无甄别。改勤之雅欲奖饰此道，夸炫一时，故多和光之论。余谓品中止宜取传奇之佳者，次及词曲略工、搬演可观者，总以上、中、下三等之，不必多立名目。其馀俚腐诸本，竟黜不存；或尽搜人间所有之本，另列诸品之外，以备查考，未为不可。至散曲，又当别置一番品题，始为完局。故夫目具萧统，笔严董狐，勒成不刊之书，以传信将来，吾则不暇，以俟后之君子。"冯梦龙《太霞新奏》卷五王伯良《哭吕勤之后》："勤之工于词曲，予惟见其《神剑记》，谱阳明先生事。其散曲绝未见也，当为购而传之。伯良《曲律》中，盛推勤之，至并其所著《绣榻野史》、《闲情别传》，皆推为绝技。予谓勤之未四十而夭，正坐此等口业，不足述也。"祁彪佳《远山堂曲品叙》："予素有顾误之僻，见吕郁蓝《曲品》而会心焉。其品所及者未满二百种，予所见新旧诸本，盖倍是而且过之。欲赘评于其末，惧续貂也。乃更为之，分为六品，不及品者，则以杂调黜焉……故吕以严，予以宽；吕以隘，予以广；吕后词华而先音律，予则赏音律而兼收词华。"沈自晋《古今人谱词曲传剧总目》："吕棘津《神镜记》。名天成，字勤之。别号郁蓝生，姚江人。所著《烟鬟阁传奇》十种。"吴书荫《曲品校注·吕天成和他的作品考》："总之，吕天成所作传奇共十三种。赵景深先生据沈璟《致郁蓝生书》和《赠郁蓝生双调词》考订，认为《神女记》、《戒珠记》、《金合记》是吕氏二十岁（1599）时的少作；《三星记》、《神镜记》、《四相记》是二十一岁至二十四岁（1600—1603）时的作品；《双栖记》、《四元记》、《二淫记》、《神剑记》该是二十四岁以后这十年（1603—1613）以内的作品；他如《曲律》所著录的《李丹记》、《蓝桥记》、《双阁画扇记》，大约是 1613 年以后的作品。"同书又云："杂剧作品，据《曲律》卷四：'迨二三十种。'从《远山堂曲明剧品》的著录，可考知名目者仅八种：《海滨乐》（即《齐东绝倒》）、《秀才送妾》、《胜山大会》、《夫人大》、《儿女债》、《耍风情》、《缠夜帐》和《姻缘帐》，除《齐东绝倒》存于《盛明杂剧》中，其他均佚。沈璟称其'诸小剧各具景趣，数语含姿，片言生态，是称簇锦缀珠，令人彷徨追赏'（《致郁蓝生书》）。"今人吴书荫有《曲品校注》，中华书局 1990 年出版。

公元 1619 年（明万历四十七年　己未　后金［清］天命四年）

三月

杨镐率兵四路攻后金，皆大败，萨尔浒之役，杜松战死。据《明史·神宗二》。

叶宪祖考中三甲第五十八名进士。

姚希孟考中三甲第一百二十一名进士。

吴炳考中三甲第一百七十八名进士。

范文若考中三甲第二百四十七名进士。

九月

初一日，王夫之（1619—1692）生。王之春《船山公年谱前编》："明万历四十七年己未，公一岁。九月初一日子时，生于衡州府城南回雁峰王衙坪。时武夷公年五十，谭太孺人年四十有三。"王夫之，字而农，号姜斋，又号夕堂、一瓢道人、双髻外史，以晚居石船山观生居，自署船山病叟，学者称船山先生。衡阳（今属湖南）人，明崇祯十五年举人。明亡后曾举兵抗清，又曾任南明永历朝行人司行人，后知大势已去，遂隐居湘西，潜心从事著述以终。著有《张子正蒙注》、《思问录》、《读通鉴论》、《永历实录》、《宋论》、《庄子解》、《楚辞通释》、《姜斋诗话》以及诗文等，后人编成《船山遗书》三百五十八卷。中华书局 1962 年从《船山遗书》中辑出其诗文与词，出版《王船山诗文集》二册；人民文学出版社 1981 年又出版戴鸿森《姜斋诗话笺注》；文化艺术出版社 1997 年又出版王夫之《古诗评选》、《唐诗评选》、《明诗评选》整理本。

十一月

　　焦竑（1540—1619）**卒**。黄汝亨《寓林集》卷一五《祭焦弱侯先生文》："万历己未冬十一月，前翰林院修撰弱侯焦先生捐馆舍……先生素无疾，强饭，每与予对食，脱粟或数盂。面奕奕有光，似未衰者。行年八十，士大夫方歌颂为寿，夜衔杯而晓闻易箦，洒然于始终去来之际，何其顺化也。"焦竑，字弱侯，又字从吾、叔度，号漪园，又号澹园，另署漪南生、澹园子、澹园居士、澹园老人、太史氏、秘史渠旧史、龙洞山农等，福王时谥文端。南京棋手卫人。万历十七年进士第一，授修撰，后贬福建福宁州同知，弃官归。著有诗文集《澹园集》四十九卷、《续集》三十五卷、《易筌》六卷、《老子翼》三卷、《庄子翼》八卷、《焦氏笔乘》正续集十四卷、《国朝献征录》一百二十卷、《玉堂丛语》八卷、《焦氏类林》八卷、《校刻北西厢记》五卷等。中华书局 1999 年出版整理本《澹园集》四十九卷、《续集》二十七卷，附录点校者李剑雄《焦竑年谱（简编）》等。《明史·文苑传》："焦竑，字弱侯，江宁人。为诸生，有盛名。从督学御史耿定向学，复质疑于罗汝芳。举嘉靖四十三年乡试，下第归。定向遴十四郡名士读书崇正书院，以竑为之长。及定向里居，复往从之。万历十七年，始以殿试第一人官翰林修撰，益讨习国朝典章。二十二年，大学士陈于陛建议修国史，欲竑专领其事，竑逊谢，乃先撰《经籍志》，其他率无所撰，馆亦竟罢……皇长子出阁，竑为讲官……二十五年主顺天乡试，举子曹蕃等九人文多险诞语，竑被劾，谪福宁州同知。岁馀大计，复镌秩，竑遂不出。竑博极群书，自经史至稗官、杂说，无不淹贯。善为古文，典正雅驯，卓然名家。集名《澹园》，竑所自号也。讲学以汝芳为宗，而善定向兄弟及李贽，时颇以禅学讥之。万历四十八年卒，年八十。熹宗时，以先朝讲读恩，复官，赠谕德，赐祭荫子。福王时，追谥文端。"《明名臣言行录》卷七四《修撰焦文端公竑》："生平养深性定，无旁睇，无倚容，澹然得失之场。家居廿载如一日，惟问奇之履常满户外。拥书数万卷，日哦咏其中，有若寒士。副墨之传，得其片楮剩牍，争惜之。所著有：《东宫讲义解》、《易筌》、《禹贡解》、《考工记解》、《老庄翼》、《阴符经解》、《支谈》、《焦氏笔乘》、《续笔乘》、《焦氏类林》、《澹园集》、《澹园续集》、《澹园别集》、《经籍志》、《俗书刊误》、《献征录》、《词林历官表》、《玉堂丛话》。以泰昌元年卒，讣闻，上念其讲幄功，予祭二坛，赠秩谕德；子一人入太学。"钱谦益《列朝诗集小传》丁集下《焦修撰竑》："丁酉北试，上度原推两宫坊，别用弱侯，原推者愧恨，媾新建合谋倾弱侯。言官遂用科场事，抉摘诋毁。弱侯陈辩甚力，新建从中主之，以文体调外任。自是屏居里中，专事著述，李卓吾、陈季立不远千里相就问学，渊博演迤，为东南儒者之宗。年八十乃卒。尝言胸中有国家大事二十件，在翰林九年未行一事，林下讲求留京事宜，行得六事。至今不知二十事为国家何等事也，惜哉！天启元年，以先帝旧学，优赐祭葬。南渡时，补谥曰文端。所著书二十馀种，皆行于世。"朱彝尊《静志居诗话》卷一六《焦竑》："修撰晚掇巍科，仕虽不达，公望归之。亳州李文友仁卿诗云：'文章南国多门下，翰墨西园集上才。'盖实录也。诗特寄兴，若储书之富，几胜中簿，多手自抄撮，惜近年俱散佚矣。绝句云：'花明月淡海天秋，三十六重烟雨楼。数载欲归归未得，看君先上木兰舟。'"陈田《明诗纪事》庚签卷一六选焦竑诗三首，有按语云："弱侯为东宫讲官，是时太仓当国，谓元子冲龄典学，当引进图史。弱侯辑古储君事可为法戒者绘图衍义，名曰《养正图解》，拟进之。同官郭美命辈恶其不相闻，目为贾誉，贤者乃相厄如此。弱侯著述甚富，小诗亦有清放之致。"

三十日（时已交公元 1620 年 1 月 4 日），申涵光（1620—1677）生。张玉书《张文贞集》卷一一《处士凫盟申君墓志铭》："会闻客至，遣归，忽一仆而逝，康熙十六年六月六日也。距生前明万历四十七年十一月三十日，年五十有九。"申涵光，字孚孟，又字符孟，号凫盟，又号聪山，直隶永年（今属河北）人。明诸生。入清，格于母命屡应试，贡入太学则不就，力辞山林隐逸之征召，以遗民终。工诗，与殷越、张盖等同开河朔诗派。著有《聪山诗集》八卷、《文集》三卷以及《荆园小语》等。

十二月

明廷再加天下田赋。据《明史·神宗二》。

是年

张溥与张采订交。张采《祭天如兄文》："忆弟交兄，始庚辰。"

小说《隋唐两朝志传》（又名《隋唐志传》）十二卷一百二十二回刊行，题"东原贯中罗本编辑，西蜀升庵杨慎批评"。有万历四十七年龚绍山刊本。

王揆（1619—1696）生。江庆柏《清代人物生卒年表》据《江苏艺文志·苏州卷》括注王揆生卒年为"1619—1696"。朱彭寿《清代人物大事纪年》："天命七年壬戌（明天启二年，公元 1622 年），生辰：王揆生，字端吉，号芝廛。江苏太仓人。"不从。王揆，字端士，号芝廛，王时敏次子。顺治十二年进士，以推官用，不出。康熙十七年诏举博学鸿儒，力辞未就试。为太仓十子之一，著有《芝廛集》。

张丹（1619—?）生。据钱仲联主编《中国文学家大辞典·清代卷》。《清史列传·文苑传》："张丹，初名纲孙，字祖望，亦钱塘人。与毛先舒、陆圻等，所称西泠十子者也。丹性淡泊，喜游览深溪邃谷，不避险阻。为诗悲凉沉远，七律义兼比兴，擅杜甫之长。朱彝尊尤赏其五言古体,波澜老成,盖诸子中之杰特者。所著有《秦亭诗集》十二卷。"《清史稿·文苑传》:"丹,字纲孙,美须髯。淡静不乐交游,而嗜山水。其诗悲凉沉远,曰《秦亭集》。"朱彝尊《静志居诗话》卷二二《张纲孙》:"张纲孙,一名丹,字祖望,钱塘人。有《从野堂诗集》。秦亭论诗谓:'少陵七律,能用比兴,他人虽极工炼,不过赋尔。'以是人皆赏其七律,然不若五古之波澜老成也。其南北行旅诸篇,尤为奇崛,方之西陵诸子,逸伦绝群。"沈德潜《国朝诗别裁集》卷八选张丹诗四首,小传云:"张丹,一名纲生,字祖望,浙江钱塘人,有《从野堂诗集》。此西陵十子中矫矫者。向共推其七律,而五古生辣结辖,终以此体擅长。"《四库总目提要》卷一八一著录张丹《张奉常诗集》十二卷:"国朝张丹撰。丹字祖望,原名纲孙,钱塘人,与陆圻、柴绍炳、陈廷会、毛先舒、丁澎、吴百朋、孙治、沈谦、虞黄昊相倡和,称西泠十子。此集其晚年所刻,原名《从野堂集》,前有自叙一篇,述其游历所经,而诗格与之俱变。毛先舒称其悲凉沉远,矫然不群。朱彝尊亦谓其五言古体波澜老成,南北行旅诸篇,尤为奇崛。又尝批其《北归诗》云:'句句学杜,句句不袭杜;句句做,句句不做。'其倾挹甚至。故丹寄彝尊诗有'惭我诗词遘知己,思君杖履定登台'之句。今观全集,其七言古体,亦宕逸可诵,不独五言,特诸体未能悉称,律诗不免率易。"

周容(1619—1679)生。据全祖望《鲒埼亭集外编》卷六《周征君墓幢铭》:"鄮山先生周姓,讳容,字茂三,浙之宁波府鄞县人也……生于万历己未某月某日,卒于康熙己未某月某日,得年六十有一。"又朱彭寿《清代人物大事纪年》:"天命四年己未(明万历四十七年,公元 1619 年),生辰:周颙生,字鄮山,号茂山、躄翁。浙江鄞县人。享年六十一。"似是周颙以避清嘉庆帝颙琰讳,改周容,恐非是。明诸生,工诗,善书画。著有《春酒堂文存》四卷、《春酒堂诗存》十卷、《春酒堂诗话》一卷。

吴绮(1619—1694)生。据朱彭寿《清代人物大事纪年》:"天命四年己未(明万历四十七年,公元 1619 年),生辰:吴绮生,字园次,号丰南、听翁。江苏江都人。享年七十六。"吴绮,字薗次,一字丰南,号听翁,一号菰叟,别号红豆词人。贡生,曾官湖州知府。工诗善词,能度曲。著有《林蕙堂集》二十六卷、《扬州鼓吹词》、《兰香词钞》四卷,以及《啸秋风》、《绣平原》、《忠愍记》等传奇。另辑有《宋金元诗咏》等。

公元 1620 年(明万历四十八年 庚申 明光宗泰昌元年 后金〔清〕天命五年)

正月

沈谦(1620—1670)生。毛先舒《沈去矜墓志铭》:"去矜与余同齿,而生先余九月。"朱彭寿《清代人物大事纪年》:"天命五年庚申(明万历四十八年,公元 1620 年),生辰:沈谦,正月生,字去矜。浙江仁和人。享年五十一。"沈谦,字去矜,号研雪子,又号东江渔夫,仁和(今浙江杭州)人。明诸生。入清业医,好诗古文,工词,尤擅散曲,与陆圻、丁澎、毛先舒、柴绍炳、孙治、张丹、吴百朋、虞黄昊、陈廷会齐名,称"西泠十子"。著有《东江集钞》九卷、《别集》五卷、《词学》十二卷、《填词杂说》一卷、《词韵略》一卷,编有《词谱》、《沈氏古今词选》,撰杂剧《庄生鼓盆》以及传奇《兴福宫》、《美唐风》、《胭脂婿》、《对玉环》等。

二月

二十一日,臧懋循(1550—1620)**卒。**据徐朔方《臧懋循年谱》。又 1934 年甲戌重修《臧氏族谱》载章嘉祯《南京国子监博士臧顾渚公暨配吴孺人合葬墓志铭》:"庚申春仲,疾陡发,呼诸孤,以状传志铭语之,且诚以勤读书,厚树德,怡然而暝。"臧懋循,字晋叔,号顾渚山人,长兴(今属浙江)人。明万历八年进士,历官荆州府学教授、夷陵知县、南京国子监博士,万历十三年被劾罢官。编刊《古诗所》、《唐诗所》、《元曲选》,改编汤显祖《玉茗堂四梦》,著有《负苞堂集》,古典文学出版社 1958 年出版断句本,文二卷、诗五卷。钱谦益《列朝诗集小传》丁集上《臧博士懋循》:"懋循,字晋叔,长兴人。万历庚辰进士,风流任诞,官南国子博士,每出必以棋局、蹴球系于车后。又与所欢小史衣红衣,并马出凤台门,中白简罢官。时南海唐伯元上书议文庙从祀,恭进石经《大学》,与晋叔偕贬,同日出关。汤若士为诗云:'却笑唐生同日贬,一时臧谷竟何云?'艺林至今以为美谈。"朱彝尊《静志居诗话》卷一五《臧懋循》:"何元朗、臧懋循皆精曲律。元朗评施君美《幽闺》,出高则诚《琵琶》之上,王元美目为好奇之过。晋叔谓:'《琵琶》[梁州序]、[念奴娇序]二曲不类则诚口吻,当是后人窜入。'元美大不以为然,津津称诩不置。晋叔笑曰:'是恶知所谓《幽闺》者哉!'尝从黄州刘延伯借元人杂剧二百五十种,又购得杨廉夫《仙游》、《梦游》、《侠游》、《冥游》弹词,悉镂板以行。序言:'郑若庸《玉玦》、张伯起《红拂》等记,用类书为传奇。屠长卿《昙花》,道白终折无一曲。梁伯龙《浣纱》、梅禹金《玉合》,道白终本无一散语。均非是。'且言:'汪伯玉南曲失之靡,徐文长北曲失之鄙,惟汤义仍庶几近之,而失之疏。'其持论断断不爽。诗亦不堕七子之习,故虽从元美燕游,不入'四十子'之目,亦磊磊之士也。"乾隆《长兴县志》卷八:"臧懋循,字晋叔,居顾渚之阳,因号顾渚……懋循生而敏颖,读书数行下,博闻强记,畋渔百代,高才逸韵,不屑屑一官。既祭酒南中,时与名士隽士览六朝遗迹,命题分赋,或至丙夜。被劾归,慕黄山、白岳之胜,策杖往游,徜徉云壑,赋诗满志。已而念金陵旧游地,挈家居焉。自《三百篇》迄唐中晚,搜遗定讹,厘别体类为《古诗所》,选元人杂剧一百种,并为骚坛大观。工书,楷法《麻姑坛》、《九成宫》,行草书《圣教序》诸帖,而尤耽孙过庭。且精晓音律,于南北九宫般涉诸调,移宫入赚,乐句之节,喇喇能指诸掌。先辈风流,于斯未坠。"同书卷一二:"元代文章,惟填词一种,至分十二科取士。国初杨廉夫寓长兴,长于乐府,而未究其妙。邑人臧国博懋循字晋叔,少年玩世,有类长卿,晚岁审音,不减中郎。每见过,谈及词曲,辄以扇击掌唱叹移晷。乃纂刻《古诗所》、《唐诗所》百馀卷,元词一百种。"乾隆《湖州府志》卷四七著录臧懋循编刊著述:"《删改玉茗堂传奇》、《校订昙花记》、《古本荆钗记》、《六博碎金》、《负苞堂诗文选》九卷、《古诗所》五十卷、《唐诗所》四十七卷、

《古逸词》二十四卷、《元曲选》前后集□。"《四库总目提要》卷一七九著录臧懋循《负苞堂稿》九卷："明臧懋循撰。循字晋叔，长兴人，万历庚辰进士，官国子监博士。诗多绮罗脂粉语，未免近靡靡之响。懋循善顾曲，元明杂剧皆所梓行，故词曲序引，屡见集中，亦其结习之所在也。"同书卷一九三又著录其《诗所》五十六卷："明臧懋循编。懋循有《负苞堂集》，已著录。初，临朐冯惟讷辑上古至三代之诗为《风雅广逸》，后又益以汉魏迄于陈隋诸诗，总名曰《古诗纪》。懋循是编，实据惟讷之书为稿本，惟讷书以诗隶人，以人隶代，源流本末，开卷灿然。懋循无所见长，遂取其书而割裂之，分二十有三门，曰郊祀歌辞，曰庙祀歌辞，曰燕射歌辞，曰鼓吹曲辞，曰横吹曲辞，曰相和歌辞，曰情商曲辞，曰舞曲歌辞，曰琴曲歌辞，曰古歌辞，曰杂曲歌辞，曰杂歌谣辞，曰古语古谚，曰古杂诗，曰四言古诗，曰五言古诗，曰六言古诗，曰七言古诗，曰杂言古诗，曰骚体古诗，曰阙文，曰璇玑图诗，曰杂歌诗，曰补遗，颠倒瞀乱，茫无体例。且古诗之名本对近体而起，故沈、宋变律以后，编唐宋诗者二体迥分。若陈、隋以前，无非古体，乃亦称曰几言古诗，于格调以为梼昧。中如傅玄有《女篇》，本乐府，而入之古诗；傅毅《冉冉孤竹生》一首，本古诗，而入之歌曲者，不可仆数。又《诗纪》搜采虽博，亦颇伤泛滥。故后来常熟冯舒有《匡谬》一书，颇中其病。懋循不能有所考订，而掇拾钉饺，以博相夸，又不分真伪，稗贩杂书以增之，甚至庾信诸赋以句杂七言亦复收入，尤为冗杂矣。"又同卷著录其《唐诗所》四十七卷："明臧懋循编。凡十有四门，曰古乐府，曰乐府系，曰三言四言古诗，曰五言古诗，曰七言古诗，曰杂体古诗，曰风体骚体古诗，曰五言律诗，曰七言律诗，曰五言排律，曰七言排律，曰五言绝句，曰七言绝句，曰阙文。每门之内又各以题目类从，钉饺割裂，亦张之象《唐诗类苑》之流也。每卷之首皆注前集二字，则当有后集，今未之见，然大概可睹矣。"陈田《明诗纪事》庚签卷一三选臧懋循诗一首，按语云："晋叔官南都时，入曹石仓诗社，诗虽绮靡，亦有清致。"

三月

明廷复加天下田赋。据《明史·神宗二》。

五月

二十日，冯梦龙增补罗贯中编次之《平妖传》四十回刊行，张誉《平妖传叙》后署"泰昌元年长至前一日，陇西张誉无咎父题"。是年夏至为五月二十一日。又，是年五月当属万历四十八年，详下九月记事。

六月

初九日，张煌言（1620—1664）生。全祖望《鲒埼亭集》卷九《明故权兵部尚书兼翰林院侍讲学士鄞张公神道碑铭》："公讳煌言，字玄箸，别号苍水，浙之宁波府鄞县西北厢人也……生于万历庚申六月初九日，得年四十有五。"另托名全祖望所撰《张苍水年谱》（见上海古籍出版社 1985 年新版《张苍水集》附录）："明神宗万历四十八年庚申六月十九日，公生（有作四月者讹）。"本书从前者。张煌言，明崇祯十五年举人，明亡，拥鲁王监国，官至权兵部尚书，曾与郑成功连兵抗清，后被俘不屈死。著有《冰槎集》、《奇零草》、《采薇吟》等，中华书局上海编辑所 1959 年出版《张苍水集》，较为完备。

　　二十四日，魏际瑞（1620—1677）生。 朱彭寿《清代人物大事纪年》："天命五年庚申（明万历四十八年，公元 1620 年），生辰：魏际瑞，六月二十四日生（原名魏祥），字善伯，号东房。江西宁都人，享年五十八。"魏际瑞，顺治贡生，著有《魏伯子文集》十卷。

七月

　　二十一日，明神宗朱翊钧（1563—1620）卒。《明通鉴》卷七六："是月，壬辰，大渐，召英国公张惟贤，大学士方从哲，尚书周嘉谟、李汝华、张问达、黄克缵、黄嘉善，侍郎孙如游等于弘德殿，勉诸臣勤职，辅理嗣君。丙申，帝崩，年五十有八。"

八月

　　初一日，朱常洛（1582—1620）即皇帝位，是为明光宗。《明通鉴》卷七六："八月，丙午朔，皇太子即皇帝位。大赦。以明年为泰昌元年。蠲直省被灾租税。"

九月

　　初一日，明光宗朱常洛（1582—1620）卒。《明通鉴》卷七六："九月，乙亥朔，帝崩。先一日，诸臣召对，出宫门外俟少顷，中旨传圣体安善。日晡，李可灼复进一丸出。是日昧爽，遂上宾，年三十九。"

　　初五日，廷臣迫光宗所宠之李选侍由乾清宫移居仁寿殿，以防其操纵朝政。 见《明史·熹宗纪》。"移宫"与万历四十三年之"梃击"、本年本月之李可灼进"红丸"，合称明廷三大案。

　　初六日，朱由校（1605—1627）即皇帝位，是为明熹宗。《明通鉴》卷七六："庚辰，皇长子由校即皇帝位。时廷议改元，或议削泰昌弗纪，或议去万历四十八年，即以今年为泰昌，或议明年为泰昌，后年为天启元年。左光斗请以今年八月以前为万历，以后为泰昌，明年为天启。己丑，下诏，如光斗议。"

　　二十日，魏忠贤起。《明通鉴》卷七六："甲午，赐太监魏进忠（后赐名忠贤）世荫，封乳母客氏为奉圣夫人。初，进忠隶司礼监掌东厂太监孙暹，上为皇太孙，进忠谨事之。孝和皇后，上生母也，时为王才人。进忠夤入宫典膳，因魏朝以结王安。朝先与上乳媪客氏私，时所称对食者；及进忠入，亦通焉。客氏遂薄朝而爱进忠。两人深相结，上嗣位，进忠、客氏并有宠，遂有是命。又荫客氏子侯国兴、弟客光先、进忠兄钊，并锦衣千户。寻进忠自惜薪司迁司礼监秉笔太监。初，进忠直东宫，有道士歌于市曰'委鬼当头立，茄花满地红'——委鬼谓魏，茄则析其字为客也。及是客、魏始用事，盖已有先兆云。"

二十二日，赵进美（1620—1693）**生。**赵执信《饴山文集》卷一〇《中大夫福建提刑按察使司按察使先叔祖韫退赵公暨元配张淑人合葬行实》："公生于庚申年九月二十二日寅时，卒于康熙三十一年十二月初五日未时，卜以今年己卯九月二十四日葬于虎山之西北公所自营之兆。"赵进美，字嶷叔，号韫退，为赵执信从祖，崇祯十三年进士，官行人。入清，历官福建按察使。著有《清止阁集》十四卷，以及传奇《瑶台梦》、《立地成佛》等。

十月

十五日，毛先舒（1620—1688）**生。**毛奇龄《西河合集》卷九《毛稚黄墓志铭》："君生于泰昌元年十月十五日寅时。"毛先舒，字稚黄，一名骧，字驰黄。钱塘（今浙江杭州）人。晚居郭东园，自号菜佣，又号四福先生，不求闻达。与毛际可、毛奇龄有"浙中三毛"之称，又在西泠十子之列。著有《潠书》八卷、《小匡文钞》四卷、《稚黄子文迸》一卷、《思古堂文集》四卷、《东苑文钞》二卷、《蕊云集》一卷、《晚唱》一卷、《东苑诗钞》一卷、《鸾情集选》一卷等。

十一月

十七日，宋懋澄（1569—1620）**卒。**宋懋澄，字幼清，号稚源，一作自源（明刊本李绍文《云间杂识》卷首载宋懋澄序，文末署"乙卯端阳日友弟宋懋澄自源甫顿首撰"。乙卯当为 1615 年），江南华亭（今上海松江）人。明万历壬子（1612）举人。宋徵舆《林屋文稿》卷十《先考幼清府君行实》："是年（指万历壬子年）举于乡，癸丑迁吴门。丙辰不第归，复居故里。丁巳举二子，时府君年四十九，慨然作而叹曰：'我无冢嗣，不能不为蒸尝忧。今有子，身可以报国矣。'故己未之役益自奋，竟以积劳遘疾，不得第。时海上潘衷俊、松陵沈煌俱以公车先后卒，丧不成且不能归，府君伤之，为具棺殓，护其丧南下，经纪甚至。此两人非有素也，时论高之。是年白尔亨先生亦卒。白讳正蒙，与府君同举于乡，癸丑成进士，精数学，能先知，尝为府君言，我两人将先后亡，不出两岁，且具言时日，详在姚太史现文先生记事中。其卒也，府君哭之恸，归，预为训子书万馀言，原本忠孝，如六经旨。庚申秋，直指使者克以张太夫人之节上闻，奉旨建坊。坊既成，舆疾拜诏如礼。至十一月十七日，终于华亭之米市里，距己巳生六月初九日，享年仅五十有二耳。"编者按，宋懋澄之生卒年歧说颇多，陆勇强检齐鲁书社《四库全书存目丛书》集部第二二二册宋徵舆《林屋文稿》，始得宋懋澄确切之生卒年以及其子宋敬舆、宋徵舆的生平材料，功莫大焉。详见《明清小说研究》2004 年第三期《宋懋澄生卒年考辨及其他》一文。陈子龙《安雅堂稿》卷一三《宋幼清先生传》："宋幼清先生名懋澄，其先为宋宗室，汴人也。从国南迁，家于杭。宋亡，因以国氏。入明，迁松江，为大族……先生幼孤，生十三年而能文章，喜交游。稍习经生家言，即弃去，顾好为侠。慕战国烈士之风，祠赵相虞卿于家，所以见志也。

私习古兵法，散家结客，欲以建不世功。而会是时，海内承平，无所自见，则游于酒人，任诞……年三十馀，始折节为儒。北游京师，为太学生，所交皆海内贤豪士……卒复客燕者五年，以久无所遇，归而就试于江南……是年举于乡，益温温下人，欲有所就，外似椎方，而其为侠实益甚。尝三试宗伯，竟不第。先是先生与晋陵白进士正蒙善，白有异术，能先知亡期，尝谓先生曰：'我与汝皆以某年月卒。'及期，白果卒，先生知不免，为训子书万馀言，如期竟死，年五十一……先生文章俊拔，尤工尺牍及稗官家言，有《九籥集》若干卷，藏于家。晚举二子，敬舆、徵舆，咸有才藻。"吴伟业《吴梅村全集》卷四七《宋幼清墓志铭》："辕生兄弟工文章，交游遍海内，顾出公（指宋懋澄）所为诗文，尤豪宕自喜。又负奇略，规摹九边形势，亲历险塞，与其贤豪长者游。平生居燕者十之五六，居吴门者十之三四，若齐，若秦，若汴，若豫章，若楚、越，皆居焉。"李雯、陈子龙、宋徵舆《皇明诗选》卷四："宋懋澄，字幼清，华亭人，万历中举人。所著有《九籥集》。舒章（即李雯）曰：'幼清先生，余父执也，河海之士，豪气不除，负奇才而不用，故其诗激烈，声多商羽，似孤城严角，夜临秋风。'"是书选宋懋澄《游子吟》五古一首，陈子龙评云："风调本之《十九首》，而时出新绪，以写幽思。"姚弘绪《松风馀韵》卷四二引《方志》云："懋澄字幼清，年弱冠，以诗文著，比入北雍，文战久不利，转徙而南，中万历壬子举人……所为诗文，奇矫雄特，无俗子韵。慨然以修志子任，具状上台，如三江之沿革，百渎之通淤，城有议扩之条，邑有割分之说……语皆卓落，惜不遂其志也。"是书选其诗十五首，后云："孝廉抱用世才，屡上春官，不遂其志，矻矻以著述名，非素愿也。隽句如'柳枝迷百舌，马足怯苺苔'，'晓日云衣薄，残星水面收'，'每到登高处，尝思作赋才'，'愁看马上客，羡煞渡头人'，'人行双镜里，鱼跃乱星中'，'云涩山迎翠，风轻水漾鳞'，'早晚起居青琐客，风波珍重白头人'，'江头破镜清秋月，城上啼乌丙夜霜'，'五两轻装同柳絮，三年薄俸减榆钱'，'几树绿杨沉马影，长堤碧草带渔航'，'城埋杀气云常黑，沙卷悲风日欲黄'，'暝色月深修竹里，晓烟香暖百花中'，'愿如明月何时满，梦见黄河到底浑'，'帘影不遮蝴蝶梦，风声疑送雁鸿书'，'明月却迷飞絮路，马蹄踏遍落花泥'，于嶔崎磊落中，而饶芊绵旖旎之致，洵是才人之笔。"王士禛《池北偶谈》卷二二《宋孝廉数学》："宋有《九籥集》，如稗官家刘东山、杜十娘等事，皆集中所载也。"宋懋澄《九籥集》，王利器有校录本，中国社会科学出版社1984年出版。有《九籥集文》、《九籥别集》、《九籥集诗辑录》与《附录》，内容较为完备。其中《九籥集文》卷五所载《负情侬传》，其事即为冯梦龙《警世通言》第三十二卷《杜十娘怒沉百宝箱》所本；《九籥别集》卷二所载《刘东山》，即为凌濛初《拍案惊奇》卷三《刘东山夸技顺城门，十八兄奇踪村酒肆》所本。

是年

丁耀亢等在苏州结山中社。丁耀亢《江游草》卷首《野鹤自纪》："庚申，傲石虎丘，与陈古白、赵凡夫结山中社。"陈古白，即陈元素，字古白，长洲（今江苏苏州）人，诸生。赵凡夫，即赵宧光，字凡夫，吴人。有《寒山杂著》。

冯梦龙《麟经指月》刊行，《古今谭概》编成，后重刻改名《古今笑》。据徐朔方《冯梦龙年谱》。

冯梦龙改本《北宋三遂新平妖传》刊行。嘉会堂《新平妖传识语》："旧刻罗贯中《三遂平妖传》二十卷，原起不明，非全书也。墨憨斋主人曾于长安复购得数回，残缺难读。乃手自编纂，共四十卷，首尾成文，始称完璧。题曰《新平妖传》，以别于旧。本坊绣梓，为世共珍。金阊嘉会堂梓行。"又是书卷首有张誉《平妖传叙》，后署："泰昌元年长至前一日，陇西张誉无咎父题。"

刘淑（1620—1657 后）生。以其父刘铎天启六年（1626）遇害时，刘淑年仅七龄逆推之。又刘淑《个山集》卷四有《从母南归母方三十今母六旬舅氏三为母祝家慈命笔致谢》一诗，刘淑小于其母二十二岁，其母六十寿辰，刘淑当已三十八岁，故知顺治十四年（1657）尚在世。《安福县志》卷一八《艺文·刘淑启葬父太仆公祭文题注》："刘氏名淑，扬州太守侗初公铎之女，宁夏巡抚王世鲸公次男蔼之妻也。女生而聪慧，志识不凡，父钟爱之，曰：'恨不男耳！'无何，父以忤魏珰致祸，逮系京师。恭人萧氏携淑走万里相从，淑方生七龄尔，随父患难，历艰苦无怖容。会父以再逮三逮，备极惨刑，且死，萧恭人抱稚女随公，必殉。公曰：'无庸！'既因指稚女曰：'是异日当为媛中英，可授以书。'馀无语。明年，新天子立，魏珰见戮，上赠公，谕祭葬。母女南还。停公枢卧侧，女必朝夕哭临。从是矢志刻励读书，不独女史母训口诵心慕，更博通经传，精其大义，操笔为文辞，蔚然可观。无何，兄帜早世；比归王门，不数载，蔼亦早丧。女矢节靡他，赋诗见志。抚遗孤永铨，方数龄……丙戌兵起，女脱簪珥飨义师。乃奸臣遑逆，欲强娶之。女誓一死，藏利刃不离肘腋。后奸知其孝节素著，竟释之。时兵乱稍定，女念兄子尚幼，父窆期终不可知。越岁戊子，以蔡力营葬于本里之辛田。又痛父诗文浩赜，汩于兵火散逸，无几时，复自搜其所仅存者得若干卷，亲叙订之，镌行于世。"刘淑传世有《个山集》七卷，为其诗、词、文之作，见王泗原校注《刘铎刘淑父女诗文》。是集前有校注者之父王仁照写于民国三年七月之《叙》云："淑姑以一女子，欲提一旅以靖国难，事虽不成，志足悲矣。出师未二百里，而狂且肆辱，淑姑挺身奋剑，仅得全节而归。遂遁迹山间，吟诗自遣。诗多伤时事，詈斥胡虏，固不可刊于前清盛时也。余求得《个山集》三舍刘氏钞本两部，虫蚀残缺，不可卒读。游楚南，得湘乡刘氏钞本，尚完整，惟行草小字，谬误亦多。爰以三本比勘，校理经年，渐有次序，谨以付梓。此集诗境幽邃雄豪，间以典赡。文一卷，复从邑志录入《订镌父太仆公来复斋稿小引》及葬父诸祭文……淑姑之诗，则凡游山泛棹、诉月吟风、忆梦述病、侍佛参禅，无不血随泪落，裂胆碎肝。慨宗社之云亡，痛山河之非旧。今隔数百年读之，犹不觉湿眦拍案，色动魂飞，拔剑而起舞。"

董说（1620—1686）生。朱彭寿《清代人物大事纪年》："天命五年庚申（明万历四十八年，公元 1620 年），生辰：董说生，字雨若，号俟庵、月函、漏霜。浙江乌程人，享年六十七。"董说，字若雨，号西庵，自称鹧鸪生，闻谷大师锡名智龄；明亡，改姓林，名蹇，字远游，号南村，亦称胡林子，又称槁木林；灵岩大师名之曰元潜，字俟庵；为僧后，更名南潜，字月涵，一作月岩，又字宝云，号补樵，一号枫庵、漏霜；另有高晖生、梦史、梦乡大夫、静啸斋主人、月涵船师、痴如居士等别号。乌程

（今浙江吴兴）人。明亡，弃诸生为僧。一生著述宏富，今存者《丰草庵全集》四十一卷以及神魔小说《西游补》等。

孙枝蔚（1620—1687）生。朱彭寿《清代人物大事纪年》："天命五年庚申（明万历四十八年，公元 1620 年），生辰：孙枝蔚生，字豹人，号溉堂。陕西三原人。享年六十八。"明末，曾起兵抗击李自成农民军，后逃至扬州经商，旋弃去，乞食江湖。康熙十八年举博学鸿儒，不愿应试，授内阁中书归。工诗词，与李天馥、陈维崧、王士禛、魏禧、施闰章等人皆有交往。著有《溉堂集》，包括《前集》九卷、《后集》六卷、《续集》六卷、《文集》五卷、《诗馀》二卷。上海古籍出版社 1979 年出版康熙刻本影印本行世。

许旭（1620—1689）生。据钱仲联主编《中国文学家大辞典·清代卷》。许旭，字九日，江南太仓（今属江苏）人。诸生，尝客范承谟幕，工诗。为太仓十子之一，著有《秋水集》十卷、《闽中纪略》一卷等。

黄与坚（1620—1701）生。据钱仲联主编《中国文学家大辞典·清代卷》。又朱彭寿《清代人物大事纪年》："天命五年庚申（明万历四十八年，公元 1620 年），生辰：黄与坚生，字庭表，号忍庵。江苏太仓人。享年七十□。"黄与坚，幼年从吕云采学，张溥见而才之。以诸生拔贡入成均，廷试第一。顺治十六年进士，授推官，旋以奏销里误。康熙十八年应博学鸿儒试，授翰林院编修，擢赞善。有《愿学斋集》四十卷。钱谦益《有学集》卷二〇《黄庭表忍庵诗序》："往余从行卷中得庭表诗，故纸蒙茸，昱昱然如有光气。展卷得《长安》、《金陵杂感》诸篇，顿挫钩锁，缠绵恻怆，风情骨格，在韩致尧、元裕之之间。盱衡抵掌，谓后不得不推此贤。时人或未之许也。久之，庭表学殖益富，才力益老，散华落藻，惊爆都市。梅村告我：'平子目不虚矣。'余年八十，避人称寿，庭表独赋四章枉赠。金春玉应，锵然盈耳，南丰一瓣香，深有寄托，非苟为赞颂而已。"沈德潜《国朝诗别裁集》卷六选其诗五首，于《闻砧》后评云："悲怆之作，远客人几不能读。"于《金陵杂感》其一后评云："言敕选良家而置故妃于戮辱也，叔宝无心肝，不至于此。"其二后评云："言神兵北下，而长江无备，以至亡国也。"于《沂州客店遇同乡友人》后评云："'人历冰霜倍老成'，即杜老'艰危气益增'意，少年柔脆人应知之。"《清史列传·文苑传》："黄与坚，字庭表，江苏太仓州人。童年颖悟，三岁能识字，五岁能诵诗。十四岁慨然有志于古学，欲遍读周秦以下书。甫三年读周末诸子及六朝以上者几尽，究心经术，辑解甚多，《易学阐》其一也。性拓落，与人交，当生死患难，不肯相背负。顺治十六年进士，授知县。康熙十八年，由江南巡抚慕天颜荐举，召试博学鸿儒，授翰林院编修，与修《明史》。二十三年，充贵州乡试正考官，寻迁赞善。《明史》告成，复命分修《一统志》，虽出入禁林，而所居委巷版门，竟日无剥啄声，凝尘蔽榻，寂寞著书，如穷愁专一之士。著有《忍庵集》，其文醇雅而不冶，简质而不繁，谨严而不夸；诗风情骨格在韩偓、元好问之间。吴伟业选娄东十子诗，以与坚为冠，其九人为周肇、许旭、顾湄、王揆、王撰、王抒、王摅、王昊、王曜升也。"徐世昌编《晚晴簃诗汇》卷四二选黄与坚诗七首，《诗话》云："忍庵早慧，八岁即好唐人诗，自录小本。少长，嗜古学，遍读周秦至六朝书。其诗为钱牧斋、吴梅村所称，名列太仓十子中。词条丰蔚壮丽而有情韵，几社遗风未坠。"邓之诚《清诗纪事初编》卷三著录黄与坚《愿学斋集》四十卷，有云："与坚工诗，以性情胜。年八十二卒，有《愿学斋集》四十卷。"选其诗《拟古》四首。

公元 1621 年（明熹宗天启元年　辛酉　后金［清］天命六年）

是年

冯梦龙《情史类略》（又名《情史》、《情天宝鉴》）编成于是年之后。据徐朔方《冯梦龙年谱》考证。

谈迁开始撰写《国榷》。据《国榷·义例》。

虞淳熙（1553—1621）卒。钱谦益《列朝诗集小传》丁集下《虞稽勋淳熙》："淳熙，字长孺，钱塘人。万历癸未进士，授兵部职方主事。东西方用兵，所条上皆有条理……迁主客员外。会稽勋郎吕胤昌以孙冢宰甥引去，冢宰从物望，推长孺改补。癸巳内计，冢宰与赵考功尽黜宰执之私人，党人力攻孙、赵，指摘长孺不当补吕阙，以撼冢宰。冢宰争之，强朝士持清议者讼言台谏议非是，并攻执政。上震怒，冢宰罢去，长孺与赵削籍，而诸言者皆得重遣。万历间之党论，坚持不可拔，自此始也。归田三十载，值天启之初，群公皆自谪籍起，而长孺卒于家，年六十有九……长孺少见知于李于鳞、王元美，赋才奇诵，搜抉奇字僻句，务不经人弋获，以为绝出。于时贤，颇心折汤若士、屠长卿，自诡以畀兀胜之。虽未免牛鬼蛇神之诮，可谓经奇者也。尝曰：'我文似古而不似古者，皆我胸中语耳。'黄贞父评其诗文曰：'宏深微眇，应念而作，风生雨集，排古荡今。'斯善誉长孺者矣。子宗瑶、宗玖，皆有文，刻《德园集》六十卷。"陆云龙等《翠娱阁评选皇明小品十六家》载丁允和《虞德园先生小品叙》："德园先生，紫庭丹洞人也。往筑龙月玉文之馆于西湖，草玄枕秘，迥然不可一世……顾博学宏材，仅与朝岚夕烟相晤对，以故发为文辞，幽奇奥渺，定尔石破天惊，了不可读。不知先生呼吸混元，吞吐万象，非第取近人句字媚俗眸也……一时学者，亦必竞效虞氏为文章。一二短篇，固两峰寸缕，三潭微光尔，智者尚问津于紫庭丹洞之下。壬申重九日，西湖奈士丁允和拜书。"《四库总目提要》卷一九三著录虞淳熙兄弟《坝篪音》二卷："明虞淳熙、虞淳贞同撰。淳熙有《孝经集灵》，已著录。淳贞字僧孺，淳熙弟也。是集凡《赋溪上落花诗》一百五十首，又次韵沈嘉则《杂咏》一百二十首，又仿杜甫《同谷》七歌。淳熙作者命曰《坝音》，淳贞作者命曰《篪音》。原序称其《溪上落花诗》，伯仲皆一夜而就，大意欲夸多斗捷耳，不知一题衍至百馀首，即曹、刘、沈、谢亦不必工也。"陈田《明诗纪事》庚签卷一四上选虞淳熙诗一首，小传谓其有《瓘务山馆文集》二十五卷、《诗集》八卷。又加按语云："万历中叶以后，诗道歧出。长孺学仙学佛，既无升天之质，又无广长之舌，二氏语言，一经运用，便成钝根，斯又公安、竟陵所不为者也。"

朱素臣（1621？—1701 后）生。据李修生主编《古本戏曲剧目提要》。又蒋星煜《中国戏曲史探微·论朱素臣校订本〈西厢记〉》："朱素臣是生于 1615 年左右，1690年以后去世，至少活了七十五岁。"道光《乍浦备志》卷三六："朱素臣，字九先，居雅山之北。少习举子业，弃去为农。暇即手一编，不释闭，或吟咏以自写其性灵。为人方正，有勇力，遇不平即挥拳相助……崇祯乙亥秋，李潜夫偕友人游雅山，闻其名，造庐而请谒焉。一见如故，遂与定交，称之畏友云。"民国《吴县志》卷七五："朱素臣，以字行，佚其名。尝助玉参订《北词广正谱》，又与李渔友善。著传奇十八种，今仅传《十五贯》、《翡翠园》二种。"庄一拂《古典戏曲存目汇考》卷一一著录朱雍传奇《一着先》、《十五贯》、《大吉庆》、《文星现》、《未央天》、《四大庆》、《四奇观》、《四圣手》、《全五福》、《忠孝间》、《振三纲》、《秦楼月》、《猰狍璧》、《通天台》、《朝阳凤》、《瑶池宴》、《万年觞》、《聚宝盆》、《翡翠园》、《锦衣归》、《龙凤钱》二十一种，小传云："朱雍，字素臣，江苏吴县人。所居曰笙庵，与李玉同时，玉著《北词广正谱》，雍与同校。并于扬州李书云合编《音韵须知》。按《曲海总目提要》著录《未央天》条注云：'闻明季时，有兄弟二人，皆擅才思，其一作《未央天》，其一作《瑞霓罗》。'据此，则雍又与朱佐朝为弟兄。朱氏之作，兼具案头场上之长，为清初一大剧曲家。《新传奇品》称其词如'少女簪花，修容自爱'。"蔡毅《中国古典戏曲序跋汇编》卷一二云："朱雍，字素臣，又字九先，江苏吴县人。李玉著《北词广正谱》，雍与同校。并与扬州李书云合编《音韵须知》。与朱佐朝为兄弟，同为清初大剧曲家。今知传奇有二十一种，传世十二种。"李修生主编《古本戏曲剧目提要》载王永宽所撰《十五贯》词条云："朱素臣撰。又名《双熊梦》。《新传奇品》、《传奇汇考标目》、《重订曲海总目》、《曲目新编》、《今乐考证》等著录。朱素臣（1621？—1701以后）原名朱雍，字素臣，号笙庵，通常以字行，吴县（今属江苏）人。约生于明天启初年，康熙四十年（1701）尚在世（见沈德潜《归愚诗钞》卷一〇《凌氏如松堂文宴观剧》诗注）。生平事迹难以详考，仅知他出身寒素，未曾做官，喜度曲，会吹笙。他是苏州派重要作家，与朱佐朝为兄弟，和李玉、毕魏等友善。曾和毕魏、叶时章共同编定李玉的名作《清忠谱》传奇，和朱佐朝等四人合作《四奇观》传奇，和邱园等四人合作《四大庆》传奇，和过孟起等三人合作《定蟾宫》传奇，又协助李玉编纂《北词广正谱》，和扬州李书云合编《音韵须知》。他自己单独创作的传奇有《十五贯》、《翡翠园》、《未央天》、《秦楼月》、《聚宝盆》、《龙凤钱》、《朝阳凤》、《锦衣归》、《万年觞》、《文星现》、《振三纲》、《一着先》、《猰狍璧》、《忠孝间》、《四圣手》、《瑶池宴》、《全五福》、《通天台》、《大吉庆》共十九种。前十种今存有全本。还著有杂剧《杜少陵献三大礼赋》、《琴操问禅》、《杨升庵妓女游春》三种，皆已佚。《十五贯》约作于清初。上、下二卷，二十六出。因写熊友兰、熊友蕙兄弟遭遇的两件冤案，都因神明托梦于况钟，得以昭雪，故剧又名《双熊梦》。"

朱佐朝（生卒年不详）。庄一拂《古典戏曲存目汇考》卷一一著录朱佐朝传奇《一斛珠》、《一捧花》、《九莲灯》、《元宵闹》、《太极奏》、《五代荣》、《玉素珠》、《石麟现》、《四大庆》、《四奇观》、《吉庆图》、《血影石》、《牡丹图》、《建皇图》、《飞龙凤》、《轩辕镜》、《清风寨》、《乾坤啸》、《御雪豹》、《瑞雪亭》、《瑞霓罗》、《落花灯》、《万花楼》、《万寿冠》、《渔家乐》、《夺秋魁》、《寿荣华》、《莲花筏》、《锦云裘》、《凤双栖》、《赘神龙》、《双和合》、《宝昙月》、《璎珞会》、《艳云亭》等三十五种之多，小传云："朱佐朝，字良卿，江苏吴县人。为清初有名剧作者之一。《新传奇品》称其词如'八音纵鸣，时见节奏'。"朱佐朝与朱素臣为兄弟，故放在一处。

与朱素臣合编《音韵须知》者李书云。蒋星煜《中国戏曲史探微·论朱素臣校订本〈西厢记〉》："李书云，名宗孔，别号秘园。出于世家，李濂之子。清顺治三年（1646）中乡举，翌年成进士。先后任员外郎、御史、给事中等职，关心民瘼，对水利、赋税、吏治、救灾等措施皆以力求实效出发。"

公元 1622 年（明天启二年　壬戌　后金［清］天命七年）

三月

文震孟考中一甲第一名进士。
陈仁锡考中一甲第三名进士。
倪元璐考中二甲第二十名进士。
黄道周考中二甲第七十三名进士。
祁彪佳考中三甲第二百四十名进士。

四月

初二日，李邺嗣（1622—1680）生。朱彭寿《清代人物大事纪年》："天命七年壬戌（明天启二年，公元 1622 年），生辰：李邺嗣，四月初二生（原名李文胤，以字行），号杲堂。浙江鄞县人。享年五十九。"李邺嗣，明诸生，入清以著述为事，著有《杲堂诗钞》、《文钞》等。浙江古籍出版社 1988 年出版整理本《杲堂诗文集》。

五月

十一日，山东白莲教徐鸿儒起事反明。不久败死。据《明史·熹宗纪》。

九月

朱国祯《涌幢小品》付梓。朱国祯《涌幢小品跋》："是编起己酉之春，至辛酉冬月，积可三十馀册……检出，节为三十二卷，付之梓……壬戌九月题于西郊之暎月轩。"

是年秋

潘之恒（1556—1622）卒。据汪效倚《潘之恒曲话·潘之恒年表》（中国戏剧出版社 1988 年出版）："天启二年壬戌（1622 年）六十七岁。秋天以前卒于南京。"潘之恒，字景升，号鸾啸生、鸾生、亘生、庚生、天都逸史冰华生、冰华生、髯，徽州歙县（今属安徽）人。明嘉靖三十五年（1556）正月初八日生。戏曲评论家。钱谦益《列朝诗集小传》丁集下《潘太学之恒》："之恒，字景升，歙人。须髯如戟，甚口，好结客，能急难，以倜傥奇伟自负。晚而倦游，家益落，侨寓金陵，留连曲中，征歌度曲，纵酒乞食，阳狂落魄以死。景升少而称诗，才敏而词赡，从其乡汪司马结白榆社，又师事王弇州。其称诗弇州、太函也。久之，交袁中郎兄弟，上下其议论，其论诗又公安也。中郎尝序其《涉江诗》，以为出汪、王之门，能湔其旧习。然景升既倾心公安，其诗故服习汪、王，终不能有所解驳，中郎徒以论合，谨而收之耳。晚年访余津逮轩，酒间唱酬，率意涂抹，无复持择。人谓老而才尽，未几逝矣。景升诗集，前后合数千篇。余悲鬐老于词场，篇帙繁多，终就沦没，录其《金昌草》数首。"康熙《徽州府志》卷一二："潘之恒，字景升，歙县人。同里汪司马道昆举白榆社，之恒以少隽与焉，由是知名。入太学，再试不遇，遂弃去。专精古文辞，工诗歌，恣情山水。海内名流无不交欢。著有《鸾啸集》。所游行山水，随得随录记之。而新安、越中、三吴江上诸'山水志'成焉。末年尤属意黄山，辑成一书曰《黄海》，总其凡曰《亘史》，未竟而没于金陵。"周亮工《因树屋书影》卷八："近黄山潘景升，好品题诸姬，自为撰记。文辞艳丽，时人谓景升是姬之董狐。"《四库总目提要》卷一七八著录潘之恒《涉江诗选》七卷："明潘之恒撰。之恒有《黄海》，已著录。之恒初以文词受知于汪道昆、王世贞，既而赴公车不得志，渡江历浔阳、武昌，从公安袁宏道兄弟游，宏道称其出汪、王之门而能不入其蹊径。然当时论者又谓之恒依傍汪、王，终不能有所解驳，宏道徒以其论与己合而收之。迹其生平，盖始终随人作计者也。集本二十卷，宏道删定为此本，凡甲、乙集各三卷，丙集一卷。"民国《歙县志》卷一五著录潘之恒："《天下名山注》、《新安山水志》、《黄海志》十六卷、《三吴杂志》三卷、《亘史钞》九十一卷、《景升诗》八卷。"

是年

吴伟业入张溥门下为弟子。顾湄《吴梅村先生行状》："下笔顷刻数千言，时经生家崇尚俗学，先生独好三史，西铭张公见而叹曰：'文章正印，其在子矣！'因留受业，相率为通经博古之学。"

邹元标因在京师创首善书院，与高攀龙等讲学，为反东林党者所劾，罢官。据《明史》本传。

丁澎（1622—1685）生。据谷辉之《毛先舒年谱》（见《历史文献》第三辑，上海科学技术文献出版社 2000 年出版）。江庆柏《清代人物生卒年表》据《浙江古今人物大辞典》括注丁澎生卒为"1622—1685"。丁澎，字飞涛，号药园，仁和（今浙江杭州）人。顺治十二年进士，历官礼部郎中。著有《扶荔堂诗集选》十二卷、《扶荔词》三卷、《词变》一卷及杂剧《演骚》等。

陈允衡（1622—1672）生。据谢正光、佘汝丰《清初人选清初诗汇考》著录《诗慰》之陈允衡小传。袁行云《清人诗集叙录》卷七："又据《李素而画跋》，自云丁丑（崇祯十年）年方十四五，则允衡当生于天启初。"钱仲联主编《中国文学家大辞典·清代卷》括注陈允衡生卒年为"1636？—1672"，今不从。陈允衡，字伯玑，号玉渊，江西南城人。明御史陈本初之子。诗工五言，尝选诗号《国雅》，又选《诗慰》。著有《爱琴馆集》二卷、《勤外堂愿学集》一卷。

公元 1623 年（明天启三年　癸亥　后金〔清〕天命八年）

六月

初一日，小说《韩湘子全传》三十回成书刊行。是书卷首有烟霞外史序，后署"时天启癸亥季夏朔日，烟霞外史题于泰和堂"，是为明天启三年金陵九如堂刊本。卷首题"钱塘雉衡山人编次"、"武林泰和仙客评阅"。孙楷第《中国通俗小说书目》卷五著录，谓雉衡山人即杨尔曾。参见本书万历四十年（1612）有关《东西晋演义》纪事。

是年秋

王骥德（1542？—1623）卒。徐朔方《王骥德吕天成年谱》："熹宗天启三年癸亥（1623），秋，王骥德病甚，以《曲律》寄毛以燧。卒年八十二。"王骥德，字伯良，一字伯骏，号方诸生、玉阳生，别署鹿阳外史、秦楼外史。会稽（今浙江绍兴）人。曾师事徐渭，与沈璟、吕天成、孙如法等传奇作家、曲学家有交，终生从事戏曲理论研究与戏曲创作。所作传奇六种，今仅存《题红记》一种；作杂剧《男王后》、《两旦双鬟》、《弃官救友》、《金屋招魂》、《倩女离魂》五种，今仅存《男王后》一种。著有诗文《方诸馆集》、散曲《方诸馆乐府》，曲学著作有《曲律》、《南词正韵》、《声韵分合图》。曾校注《西厢记》、《琵琶记》二种。庄一拂《明清散曲作家汇考》谓王骥德生于1551年，卒年七十三岁。毛以燧《曲律跋》："余不谙词法，而酷好词致。犹忆弱冠之年，侍先君子山阴署中，获同王伯良先生研席。先生于谭艺之暇，每及词曲，津津乎有味其言。余间举古传奇若杂剧中瑕瑜处相质，先生辄颐解首肯，谓可与言曲。先生于此道，故本夙悟，加以精探逖揽，自宫调以至韵之平仄、声之阴阳，穷其元始，究厥指归，靡不析入三昧。吾邑词隐先生，为词坛盟主，持法之严，鲜所当意，独服膺先生，谓有冥契；诸所著撰，往来商榷。先生尝欲进余堂庑，指授衣钵，余谢未皇。岁癸亥，先生病，入秋忽驰数行，缄一帙来，曰：'吾生平论曲，为子所赏，顾喙也，非笔也。浸久法不传，功令斯湮，正始永绝，吾用大惧。今病且不起，平日所积成是书，曲家三尺具是矣，子其为我行之吴中。'余启读之，则《曲律》也。方在校刻，而讣音随至，兹函盖绝笔耳。先生淹通藻发，其所为诗若古文辞，卓然成一家言，有《方诸馆集》久行于世。遗草多未入梓，独忍死以是编相付。先生尝谓：'吾姑从世界缺陷处一修补之。'此意殊可念。先生旧尝校注古本《西厢》、《琵琶》二传，一洗沉讹，特擅精博，并征余言弁首，犹是属意衣钵狂狷之极思。余卒逡巡未能一领其秘，亦不意其遂为古人，竟以此负先生矣！先生作有《题红记》，及《男后》、《离魂》、《救友》、《双鬟》、《招魂》诸剧，脍炙一时；乃最所得意则有《方诸馆乐府》二卷，悉散套与小令，家缮部兄方为厥之金陵。盖先生一生，钟有情癖，故但涉情澜，留连宛转，尽态极妍，令人色飞肠断，尤称擅场，洵是千古绝技。今二书并行，庶不为千古绝学，藉以不终负先生嘉惠之意，其在斯乎……天启阏逢困敦之岁季春上浣五日，松龄友弟毛以燧跋。"钱熙祚《曲律跋》："王伯良《曲律》，传本甚尠，诸著录家亦未之及，惟吴江沈君征《度曲须知》尝引起《论韵》一条。伯良在明季与词隐齐名，所著《题红记》及《男后》、《救友》、《双鬟》、《招魂》诸剧，今不尽存；方诸馆校注《西厢》、《琵琶》二记，亦不传。此本为青浦陈东桥先生家旧藏，张君啸山得以视余。观其辨别体格，研究声韵，持论甚严，固不愧'律'之一字……余重校刻伯良书，为度曲家圭臬，亦为论词者发深长思也。熙祚。"乾隆《绍兴府志》卷五四："王骥德，字伯良，渭弟子，居隔一墙，渭填词每毕，辄呼伯良，骑墙读之。有《方诸馆乐府》，又作《曲律》，盛自夸诩。"

十月

初五日，毛奇龄（1623—1716）生。朱彭寿《古今人生日考》卷一〇："十月初五日，翰林院检讨毛奇龄，明天启三年癸亥。"卒年据张惟骧辑《疑年录汇编》卷九，比《清史列传》、《清史稿》所记晚三年。毛奇龄，原名甡，字大可，又字于一、齐于，号河右，又号西河，另有僧弥、僧开、初晴、秋晴、晚晴、春庄、春迟诸号，萧山（今属浙江）人。明末廪生，康熙十八年举博学鸿儒，中式授翰林院检讨，与修《明史》。著述宏富，其《西河全集》四百馀卷，分经、史、子、集四部。《清史列传·儒林传》："毛奇龄，字大可，浙江萧山人。康熙十八年，以廪监生荐举博学鸿儒科，试列二等，授翰林院检讨，充《明史》馆纂修官。二十四年，充会试同考官。寻假归，得痹疾，遂不复出。奇龄少颖悟，明季避兵县之南山，筑土室读书其中，著《毛诗续传》三十八卷。既，以避仇流寓江淮间失其稿，乃就所记忆，著《国风省篇》一卷、《诗劄》一卷、《毛诗写官记》四卷。复在江西参议道施闰章处，与湖广杨洪才说诗，作《白鹭洲主客说诗》一卷。明嘉靖中鄞人丰坊伪造《子贡诗传》、《申培诗说》行世。奇龄作《诗传诗说驳议》五卷，引证诸书，多所纠正。洎在史馆，进所著《古今通韵》十二卷，圣祖仁皇帝善之，诏付史馆。归田后，僦居杭州，著《仲氏易》，一日著一卦，凡六十四日而书成。托于其兄锡龄之绪言，故曰'仲氏'，凡三十卷。又著《推易始末》四卷、《春秋占筮书》三卷、《易小帖》五卷、《易韵》四卷、《河图洛书原舛编》一卷、《太极图说遗议》一卷。其言《易》发明荀、虞、干侯诸家，旁及卦变、卦综之法。自后儒者多研究汉学，不敢以空言说经，实自奇龄始。而辨正图书，排击异学，尤有功于经义……奇龄淹贯群书，诗文皆推倒一世，而自负者在经学，然好为驳辨，他人所已言者，必力反其词……而指名攻驳者，惟顾炎武、阎若璩、胡渭三人而已，以三人博学众望，足以攻击，而馀子以下，不足齿录也……五十二年，卒于家，年九十四。门人蒋枢编辑遗集，分经集、文集二部：经集自《仲氏易》以下，凡五十种；文集合诗、赋、序、记及他杂著，凡二百三十四卷。著述之富，甲于近代。李天馥尝谓：'奇龄有不可及者三：不挟书册而下笔有千万卷，一也；少小避人，盛年在道路，得怔忪疾，遇疾发，求文者在门，扪腹四应，顷刻付去无误，二也；读书务精覈，群经诸子及诸琐屑事，皆极其根柢，而贯其枝叶，偶一论及，辄能使汉宋儒者挂口不敢辨，三也。然奇龄恃其纵横驳辨，肆为排击，欲以劫服一世，汉以后人俱不得免，而其所最诋者为宋人，宋人之中所最诋者为朱子。故后人反诋之者亦多。'全祖望尝发其集为《萧山毛氏纠谬》十卷。祖望称：'奇龄之才要非流辈所易及，使其平心易气以立言，其足以羽翼儒苑无疑。'世谓公论云。"《清史稿·儒林传》："毛奇龄，字大可，又名牲，萧山人。四岁，母口授《大学》即成诵。总角，陈子龙为推官，奇爱之，遂补诸生。明亡，哭于学宫三日。山贼起，窜身城南山，筑土室，读书其中。顺治三年，明保定伯毛有伦以宁波兵至西陵，奇龄入其军中。是时马士英、方国安与有伦犄角，奇龄曰：'方、马国贼也，名公为东南建义旗，何可与二贼共事？'国安闻之大恨，欲杀之，奇龄遂脱去。后冤家屡陷之，乃变姓名为王士方，亡命浪游。及事解。以原名入国学。康熙十八年，荐举博学鸿儒科，试列二等，授翰林院检讨，充《明史》纂修官……五十二年，卒于家，年九十一……《四库全书》收奇龄所著书目多至四十馀部。奇龄辨正图、书，排击异学，尤有功于经义。弟子李塨、陆邦烈、盛唐、王锡、章大来、邵廷寀等，著录者甚众。"徐釚《本事诗后集》："大可诗歌纤靡淫佚，上驾徐、庾，下掩温、李。会稽姜垓《当楼集序》曰：'河右诗词一本《三百篇》，故温丽其体，而精深其旨，若其语则工妙备矣。'"沈德潜《国朝诗别裁集》卷一一选毛奇龄诗十六首，小传云："西河湛深经学，著述等身，在国朝可称多文为富者。惟攻击朱子不遗馀力，至镌书若干卷以示旗鼓，所以不得为醇儒，艺林惜之。诗学规橅唐人，时专尚宋体，故多起而议之者，然学唐而能自出新意，不同于规孟贾之目，画西施之貌者也。视采剥宋人皮毛者，高下可以道里计耶？"袁枚《随园诗话》卷三："东坡近体诗，少蕴酿烹炼之功，故言尽而意亦止，绝无弦外之音、味外之味；阮亭以为非其所长，后人不可为法。此言是也。然毛西河诋之太过。或引'春江水暖鸭先知'，以为是坡诗近体之佳者。西河云：'春江水暖，定该鸭知，鹅不知耶？'此言则太鹘突矣。若持此论诗，则《三百篇》句句不是：在河之洲者，斑鸠、鳲鸠皆可在也，何必雎鸠耶？止邱隅者，黑鸟、白鸟皆可止也，何必黄鸟耶？"《四库总目提要》卷一七三著录毛奇龄《西河文集》一百七十九卷："国朝毛奇龄撰。奇龄著述之富，甲于近代。没后其门人子侄编为《西河合集》，分经集、史集、文集、杂著四部，凡四百馀卷。其《史问》以奇龄有遗命，不付剞劂，语见《经问》第五卷《景泰帝》条下，馀亦不尽行于世。此本为康熙庚子其门人蒋枢所编，但分经集、文集二部。经集自《仲氏易》以下凡五十种，已别著录。文集凡二百三十四卷，而《策问》一卷、《表》一卷、《集课记》一卷、《续哀江南赋》一卷、《拟广博词连珠词》一卷，皆有录无书。其中如《王文成传》本二卷，《制科杂录》一卷、《后观石录》一卷、《越语肯綮录》一卷、《何御史孝子祠主复位录》一卷、《湘湖水利志》三卷、《萧山县志刊误》三卷、《杭志三诘三误辨》一卷、《天问补注》一卷、《胜朝彤史拾遗记》六卷、《武宗外记》一卷、《后鉴录》七卷、《韵学要旨》十一卷、《诗话》八卷、《词话》二卷，外附《徐都讲诗》一卷，本各自为书，今亦分载于各部。其当编于集部者，实文一百一十九卷、诗五十三卷、词七卷，统计一百七十九卷。奇龄之文，纵横博辨，傲睨一世，与其经说相表里，不古不今，自成一格，不可以绳尺求之。然议论多所发明，亦不可废。其诗又次于文，不免伤于猥杂，而要亦我用我法，不屑随人步趋者，以馀事观之可矣。"又同书卷一九七著录毛奇龄《诗话》八卷："国朝毛奇龄撰。奇龄有《仲氏易》，已著录。是编多记起所自作，及同时诸人倡和，亦间及唐诗。奇龄以考据为长，诗文直以才锋用事，而于诗尤浅。其尊唐抑宋，未为不合，而所论宋诗，皆未见宋人得失，漫肆讥弹。即所论唐诗，亦未造唐代藩篱，而妄相标榜。如诋李白，诋李商隐，诋柳宗元，诋苏轼，皆务为高论，实茫然不得要领。"陶元藻《全浙诗话》："西河先生集以散体文为最，其长篇叙事，尤得龙门神髓。辩驳经义，颇以捷给为能，殊乏儒者气象，当次之，诗文次之。然先生却以经术自负，而所作诗词亦流播甚远。尝有琉球使者过杭觅买《濒中集》，并访见先生，故先生悬一联曰：'千秋经术留天地，万里蛮方识姓名。'盖先生所自作而假名于门生某君者也。余幼时犹见此联，书法亦佳。先生凡作诗古文，必先罗书满前，考核精细，才伸纸疾书。"徐世昌编《晚晴簃诗汇》卷四四选毛奇龄诗五十一首，《诗话》云："西河天才俊丽，诗多仗兴而成，然格律严，骨韵隽，思力亦沉。中年以前所作豪宕哀怨，多见性情；通籍后庄雅近台阁体，意境一变。要皆一守唐格，不作宋以后语。集中存诗既多，自云：'应酬者十九，宴游者十一。'或以猥杂病之，殆未观西河之深。"邓之诚《清诗纪事初编》卷七著录毛奇龄《濒中集》十四卷、《当楼集》一卷、《桂枝集》一卷、《西河合集诗》五十四卷、《文》一百三十五卷："毛奇龄，又名甡，字齐于，又字大可，萧山人。少尝兴义师，变姓名亡命江湖间十馀年，事稍解，乃归里。复以文学游食四方，有盛名。康熙十八年举博学鸿儒科，授检讨，二十四年引疾归，遂不再出，专意著述。事具《自撰墓志》及《清史列传·儒林传下》。撰《西河合集》为经集五十一种，二百三十六卷；文集及他著六十六种，二百五十七卷。著述之富，一代鲜有能及之者。然于古今人多所诋谋，尤诋朱熹，闻者惊怪。全祖望作《萧山毛检讨别传》，述其父之言，谓奇龄《自撰墓志》所言，几以为字字皆诬，不知何以恶之如此之甚。然其言太过，有不待辨而自明者。如谓奇龄亡命，由于仇家发其杀人事，而奇龄自谓与义辞监军为妄。然又谓奇龄亡命时，妻陈因于杭者三年，其子庾死。于法非大逆无牵连及妻子者，则不仅仅为杀人可知。祖望穷极丑诋，口不择言，而不意其自相矛盾也。后来阮元刻《学海堂经解》，多取奇龄说经之作，谓于汉学有开始之功，当略其短而著其功，表其长而正其误。奇龄之失，在引证间有错误，则由强记博闻不事翻检之故，恐后人欲订其误，毕生不能。其言较为持平。于是毛氏之学稍显。奇龄尤擅辞章，初撰《夏歌集》、《濒中集》、《当楼集》、《桂枝集》、《鸿路堂诗钞》、《西河文选》，今能见者，《濒中》、《当楼》、《桂枝》三集及文钞，皆采入《合集》，以诗文各体分卷，凡诗五十四卷，文一百三十五卷。初受知于陈子龙，诗尚奇丽，径路与云间为近。后来复有变化，由初唐上窥齐梁，思路绵邈，非人意向所及。文笔恣肆，穷极深微，皆能发泄无馀，使成光采。惟时地人物，不免颠倒，用字不经，颇费解索。题目鄙俚，至为袁枚辈所讥，然不能掩其文之雄也。卒于五十五年，年九十四，亦最老寿。"张舜徽《清人文集别录》卷二著录毛奇龄《西河文集》一百一十九卷（书留草堂原刻本）："奇龄博学雄辩，固是不废大家，然语多过激，流于肆诞，而不自觉。此其所短也。盖其人自视弥高，而睥睨当世之士。尝谓元明以来无学人，学人之绝，盖于斯三百年矣（见是集叙类卷二十四《送阎潜丘归淮安序》）。又谓当世有文人而无学人，而今则并文人亦无之（同卷《东阳杜雍玉诗序》）。此等语皆数数见于他篇，其意盖直以学人自命矣。顾奇龄所指为博通群经而堪称大儒者，惟西汉有孔安国、刘向，东汉有郑玄，魏有王肃，晋有杜预，唐有贾公彦、孔颖达，合七人。他如赵岐、包咸、何休、范宁之徒，皆无与焉。即博综典籍如吴之韦昭、晋之郭璞、唐之李善、颜师古、宋之马端临、王应麟辈，并于经学无所预（见是集书札《复章泰占质经问》）。然则其所标举以为学人者，经生而已耳，注述家而已耳。"袁行云《清人诗集叙录》卷七著录毛奇龄《西河诗集》五十三卷（康熙间书留草堂刻本）："诗集初刻曰《濑中集》，凡十四卷，姜西溟、蒋平阶、蔡仲光、徐缄、骆复旦序。共一千七百五十四首。后刻《合集》……康熙间诗尚宋体，奇龄则转主盛唐，然尊杜抑李，重在质实，故其诗沉博绝丽，近体又多新语。故亦为施闰章所赏，至谓尽才方妙。《打虎儿行》、《同王征士听杨太常弹琴篇》、《杨将军美人试马请歌》、《钱编修所藏司马相如玉印歌》、《柳花歌寓芜城作》、《宣德窑青花脂粉箱为莱阳姜仲子赋》，皆古体中佳制，康熙间老宿咸能之。后辈无能措手也。奇龄博于经史，《读史诗》诸篇，颇有囊括之功。又善陈时事，《明河篇》记与查继佐过张吏部曲江园观百戏……均不空疏。奇龄喜词曲，尝手批《西厢》。《合集》有《徐都讲》诗一卷，都讲即女弟子徐昭华，实开教女弟子之先。与查继佐游，作《观女伎》诗。自娶曼殊为妾，曼殊小字阿儿，后夭折。方廷瑚《幼樗吟稿》有诗云：'经史文词各擅名，笔端奇崛气纵横。曼殊夭去情怀劣，可惜都成变雅声。'即论西河也。"

是年

陈仁锡刻所辑《明文奇赏》四十卷，见其《明文奇赏序》。

顾贞立（1623—1699）**生。**江庆柏《清代人物生卒年表》据《锡山历朝书且考》卷六括注顾贞立生卒为"1623—1699"。叶恭绰编《全清词钞》卷三一选顾贞立词四首，小传云："顾贞立，原名文婉，字碧汾，自号避秦人，江苏无锡人，贞观姊，侯晋室。有《栖香阁词》一卷。"郭麐《灵芬馆词话》卷二《顾贞观姊词》："无锡顾文端公女，为梁汾姊，有《楚黄署中闻警》寄《满江红》云：'仆本恨人，那禁得、悲哉秋气。恰又是、将归送别，登山临水。一派角声烟霭外，数行雁字波光里。试高凭、觅取旧妆楼，谁同倚。 乡梦远，书迢递。人半载，辞家矣。叹吴头楚尾，翛然高寄。江上空怜商女曲，闺中漫洒神州泪。算缟紵、何必让男儿，天应忌。'语带风云，气含骚雅，殊不似巾帼中人作者，亦奇女子也。"胡文楷《历代妇女著作考》卷二〇著录顾贞立《餐霞子集》，又著录《栖香阁词》二卷："是书道光三年（1823）癸未山阳李芝龄刊于南昌。有女史李文媛序。宣统二年（1910）庚戌，族孙侯学愈据以覆刻。有侯学愈序，侯鸿鉴跋。光绪二十二年丙申（1896）南陵徐乃昌刊本，列入《小檀栾室汇刻闺秀词》第三集。"

王撰（1623—1709）**生。**据钱仲联主编《中国文学家大辞典·清代卷》。王撰，字异公，号随庵，江南太仓（今属江苏）人，王时敏第三子，王揆之弟。年十三即为州学生，旋入太学，后屡试不遇。自少不事生产，家渐落。工诗，善隶书、绘画，为娄东十子之一。著有《随庵诗稿》一卷（清抄本）、《揖山集》十卷、《王异公诗稿》不分卷（稿本）、《太仓王异公文集》不分卷（稿本）、《三馀集》一卷，编有《娄东王氏诗抄三种》九卷（抄本）。归庄《归庄集》卷三《王异公诗序》："吾友王异公，素以诗鸣，盖以过人之才，承相国、太史之家学，又尝闻宗伯、司成之绪论，于是下笔千言，珠玑错落。五言长篇，有类白太傅；七律时似刘随州；七古绮丽流美，往往欲入初唐，于所谓各宗一派、争持一说者，殆兼其长而无其病，居然风雅名家矣。昌黎、庐陵之论诗，以为穷而后工，盖不独孟东野、苏子美辈为然，其言至今而尤验。颇怪异公以纨绔子弟，有良田美宅，何缘得工于诗？近寓娄东，始知异公于诸昆弟中最贫，而居家复多不自得者，乃知异公工诗之所由来也。虽然，余于家庭亦多憾，而穷又百倍于异公，宜诗有过人者，乃词拙而格卑，多宋人风调，人皆以剑南相拟。余视异公方怀愧，而敢为之叙，盖承命再三，而不得辞云尔。"徐世昌编《晚晴簃诗汇》卷二七选王撰诗三首，《诗话》云："异公画承家学，论者谓其'峰峦树石，无不肖似烟客'，可称具体。诗清婉。"《清史稿·艺术传》："时敏子撰，字异公，画守家法，得其具体。"

严绳孙（1623—1702）生。朱彭寿《清代人物大事纪年》："天命八年癸亥（明天启三年，公元1623年），生辰：严绳孙生，子荪友，号藕荡渔人。江苏无锡人。享年八十。"《清史列传·文苑传》："严绳孙，子荪友，江苏无锡人。明刑部尚书一鹏孙。六岁能作径尺大字，及长，以诗古文辞擅名。康熙十八年，以布衣举博学鸿儒，试日遇目疾，仅赋《省耕诗》一首。圣祖素重其名，列二等末，授翰林院检讨，与修《明史》，充日讲起居注官。二十年，充山西乡试正考官。二十二年，迁右中允。寻告归。绳孙读书不务强记，案上惟置一编，终日不易，然既读，则终身不忘。性高旷，淡于荣利，拜官日，既揭《归去来辞》于壁。在史馆，分撰《明史·隐逸传》，所作序文，容与蕴藉，多自道其志行。归后，杜门不出，筑堂曰雨青草堂，亭曰佚亭，布衣窠石、小梅、方竹，宴坐一室以为常。兼工书画，梁溪人争以倪云林目之。为文宗范史，详雅有度。诗词婉约深秀，独标神韵。四十一年，卒，年八十。著有《秋水集》诗八卷、文七卷、词二卷。"沈德潜《国朝诗别裁集》卷一一选其诗四首。徐世昌编《晚晴簃诗汇》卷四二选严绳孙诗九首，《诗话》云："荪友诗宗黄初、建安，近体出入温、李，蔚茂而婉丽，为同时姜宸英、叶方蔼、吴绮所重。王渔洋亦谓其'冲融恬易，鲜矫激之言'。圣祖尝以布衣四人问内阁诸臣，即李因笃、朱彝尊及严、姜也。后公卿举鸿博，姜独不与。"袁行云《清人诗集叙录》卷七著录严绳孙《秋水集》八卷（康熙间刻本）："是集与词二卷合刻，姜宸英、叶方蔼序。绳孙早负诗名，与吴伟业、归庄、顾湄、屈大均、朱彝尊、顾贞观、陈恭尹均有赠酬。诗古体宗魏晋，五七言近体出入于中晚唐间……吴兆宽《爱吾庐诗稿》有《读秋水集》四首，顾光旭《响泉集》有《观严中允绳孙升平嘉宴诗纪恭赋》。"冯金伯《词苑萃编》卷八引张渔川云："国初诸家，小长芦而外，断推秋水，小词精妙，一时作者未易几也。樊榭《论词绝句》曰：'闲情何碍写云蓝，淡处翻浓我未谙。独有藕渔工小令，不教贺老占江南。'斯言当矣。"陈廷焯《词坛丛话·南北并峙》："藕渔小令之妙，独绝一时，与渔洋南北并峙可也。"

袁中道（1570—1623）卒。据钱伯城点校袁中道《珂雪斋集·前言》。《袁宏道集笺注》卷四《叙小修诗》："弟小修诗，散佚者多矣……足迹所至，几半天下，而诗文亦因之以进。大都独抒性灵，不拘格套，非从自己胸臆流出，不肯下笔。有时情与境会，顷刻千言，如水东注，令人夺魄。其间有佳处，亦有疵处，佳处自不必言，即疵处亦多本色独造语。然予则极喜其疵处；而所谓佳者，尚不能不以粉饰蹈袭为恨，以为未能尽脱近代文人气息故也。"《明史·文苑传》："中道，字小修。十馀岁，作《黄山》、《雪》二赋，五千馀言。长益豪迈，从两兄宦游京师，多交四方名士，足迹半天下。万历三十一年始举于乡，又十四年乃成进士。由徽州教授，历国子博士、南京礼部主事。天启四年进南京吏部郎中，卒于官。"钱谦益《列朝诗集小传》丁集中《袁仪制中道》："中道，字小修，中郎之弟也。少于中郎两岁。十馀岁，著《黄山》、《雪》二赋，五千馀言。长而通轻侠，游于酒人，以豪杰自命，视妻子如鹿豕之相聚，视乡里小儿如牛马之尾行，而不可与一日居也。泛舟西陵，走马塞上，穷览燕、赵、齐、鲁、吴、越之地，足迹几半天下，而诗文亦因以日进。归而学于李龙湖，有志出世。操觚应举，怀利刃切泥之叹。久之，数困锁院，而两兄皆腼仕，流离世故，有忧生之嗟。万历丙辰，始举进士，授徽州府教授，选国子博士，乞南，得礼部仪制，历官郎中，旋复乞休，以疾卒，年五十有四。小修尝自叙《珂雪斋集》，谓其诗文不及古人者有五，欲付之一炬，而名根未忘，不忍弃掷。又谓出世则以超悟让人，退而修香光之业；用世则以经济让人，退而居仕隐之间；修词则以经国垂世让人；姑存其绪言，以当过雁之一喚。皆实语也。余尝语小修：'子之诗文，有才多之患，若游览诸记，放笔芟薙，去其强半，便可追配古人。'小修曰：'善哉，子能之，我不能也。吾尝自患决河放溜，发挥有馀，淘炼无功。子能为我芟薙，序而传之，无使有后世谁定吾文之感，不亦可乎？'小修之通怀乐善若此，而余逡巡未果，实自愧其言。小修又尝告余：'杜之《秋兴》，白之《长恨歌》，元之《连昌宫词》，皆千古绝调，文章之元气也。楚人何知，妄加评骘，吾与子当昌言击排，点出手眼，无令后生堕彼云雾。'盖小修兄弟间，师承议论如此；而今之持论者，夷公安于竟陵，等而排之，不亦过乎！"朱彝尊《静志居诗话》卷十七《袁中道》："袁中道，字小修……有《珂雪斋集》。小修才逊中郎，而过于伯氏。"陈田《明诗纪事》庚签卷五选袁中道诗十首，小传谓其有《珂雪斋集》二十四卷。又加按语云："小修自序《珂雪斋集》云：'文法秦、汉，古诗法汉、魏，近体法盛唐，此词家三尺也。予敬佩焉，而终不学之，非不学也，不能学也。古人之意至，而法即至焉。吾先有成法据于胸中，势必不能尽达吾意，达吾意而或不能尽合于古之法，合者留，不合者去，则吾之意其可达于言者有几？而吾之言其可传于世者又有几？故吾以为断然不能学也。姑抒吾意所欲言而已。夫古之人岂易言哉！岂惟古人，即本朝诸君子，各有所长，成一家言，敢自谓超乘而上之耶？'可谓有自知之明。惟伯修、中郎之论，先入为主，故其所作，不脱轻佻习气。予取其集中之近雅者存之，即中郎所谓以粉饰蹈袭为恨者也。"今人有整理本《珂雪斋集》二十五卷，附录二种，上海古籍出版社 1989 年出版。

公元 1624 年（明天启四年　甲子　后金［清］天命九年）

正月

十三日，魏禧（1624—1681）生。朱彭寿《清代人物大事纪年》："天命九年甲子（明天启四年，公元 1624 年），生辰：魏禧，正月十三日生，字冰叔，号裕斋、勺庭、叔子。江西宁都人。享年五十七。"魏禧，明诸生，入清隐居不仕，与兄际瑞、弟礼号称"宁都三魏",以散文著称于世。著有《魏叔子文集》等。今人有《魏叔子文集》整理本,中华书局 2003 年出版。

十六日,汪琬(1624—1691)**生**。朱彭寿《古今人生日考》卷一:"正月十六日,翰林院编修汪琬,《汪钝翁年谱》,明天启四年甲子。"汪琬,字苕文,号钝庵,晚号钝翁,以晚年隐居太湖尧峰山,学者称尧峰先生。江南长洲(今江苏苏州)人。顺治十二年进士,历官户部主事、刑部郎中,以奏销案去官。康熙十八年举博学鸿儒,授翰林院编修,与修《明史》,翌年以病告归,十年后卒。擅长散文,著有《尧峰文钞》五十卷、《钝翁类稿》一百一十八卷、《拟明史列传》二十四卷等。

十八日,赵琦美(1563—1624)**卒**。钱谦益《初学集》卷六六《刑部郎中赵君墓表》:"明年,其家以讣音来,则君以病没于长安之邸舍,天启四年之正月十八日也。君讳琦美,字玄度,故广参议讳承谦之孙,赠礼部尚书谥文毅讳用贤之子。君之历官,以父任也……享年六十有二。"赵琦美,原名开美,字仲朗,号玄度,别署清常道人。光绪《常昭合志稿》卷三二:"赵琦美,字玄度。文毅公子,天性颖发,博闻强记。以父荫历官刑部郎中。生平捐衣削食,假书缮写,朱黄雠校,欲见诸实用。得善本,往往文毅公序,而琦美刊之。其题跋自署清常道人,有藏书之室曰脉望馆。官太仆时,尝解马出关,周览博访,上书条奏方略,随例报闻,遂以使事归里。"乾隆《常昭合志》卷一一著录其"《洪武圣政记》三十二卷、《伪吴杂记》三卷、《铁网珊瑚》十六卷、《容台小草》、《脉望馆书目》、《和禅诗》五卷"。另辑有《脉望馆钞校本古今杂剧》二百四十二种,清初钱曾录入《也是园书目》,故又称《也是园古今杂剧》。1939年商务印书馆选出一百四十四种,题为《孤本元明杂剧》排印出版。1985 年郑振铎又将《脉望馆钞校本古今杂剧》全部编入《古本戏曲丛刊》第四集,影印出版。郑振铎《跋脉望馆钞校本古今杂剧》:"元人杂剧多赖臧晋叔《元曲选》而存。从前研究元剧的,几以臧选为唯一的宝库。臧选刊于万历四十四年,所选杂剧凡百种……然而我们却终于又发现了更大的一个元明杂剧的宝库,这个宝库包含了二百四十二种的元明杂剧,在种数上,较之臧选更多到一倍半,而足以补臧选及他书之未及的。"

五月

陈继儒为徐弘祖母亲王孺人写《寿江阴徐太君王孺人八十叙》,陈泰来为作《秋圃晨机图》,李维桢、夏树芳、高攀龙、文震孟、沈应奎、杨汝成、米万钟、何乔远、张大复、陈仁锡、李流芳等人皆有文、赋或诗题赠。

七月

十五日,郑成功(1624—1662)**生**。朱彭寿《清代人物大事纪年》:"天命九年甲子(明天启四年,公元 1624 年),郑成功,七月十五日生(原名郑森),字大木。福建南安人。享年三十九。"郑成功,字明俨,号大木,南明隆武帝赐姓朱,号国姓爷。于清康熙元年(1622)收复台湾。

大学士叶向高致仕。据《明史·熹宗本纪》。

十月

削吏部侍郎陈于廷、副都御史杨涟、佥都御史左光斗籍。据《明史·熹宗本纪》。

十二月

冯梦龙编刊《警世通言》成。无碍居士《警世通言叙》："陇西君海内畸士，与余相遇于栖霞山房，倾盖莫逆，各叙旅况。因出其新刻数卷佐酒，且曰：'尚未成书，子盍先为我命名？'余阅之，大抵如僧家因果说法度世之语，譬如村醪市脯，所济者众。遂名之曰《警世通言》，而从臾其成。时天启甲子腊月，豫章无碍居士题。"

是年

太仓人张溥、张采创建应社，十一人参加。以后人数日增，波及大江南北。张采《知畏堂集·文存》卷二《杨子常四书稿序》："甲子冬，始与张子天如同过唐市，问子常庐，请见……宾主叙述如平生，因遂定应社约。"张溥《七录斋诗文合集·五经征文序》："应社之始立也，所以志于尊经复古者，盖其志也。是以《五经》之选，又各有托：子常、麟士主《诗》，维斗、来之、彦林主《书》，简臣、介生主《春秋》，受先、惠常主《礼》，溥与云子则主《易》，振振然白其意于天下。"朱彝尊《静志居诗话》卷二一《孙淳》："诗流结社，自宋、元以来，代有之。迨明庆、历间，白门再会，极称盛矣。至于文社，始天启甲子，合吴郡金沙、檇李仅十有一人，张溥天如、张采来章、杨廷枢维斗、杨彝子常、顾梦麟麟士、朱隗云子、王启荣惠常、周铨简臣、周钟介生、吴昌时来之、钱栴彦林，分主五经文字之选，而效奔走以襄厥事者，嘉兴府学生孙淳梦朴也。是曰应社。"

叶昼等在开封创海金社。周亮工《因树屋书影》卷一："文通（叶昼）甲子、乙丑间游吾梁，与雍丘侯五汝戬倡为海金社，合八郡知名之士，人镌一集以行。中外文社之盛，自海金社始。"

陆绍珩编《醉古堂剑扫》十二卷刊行。据《剑扫自序》。陆绍珩，字湘客，吴江（今属江苏）人。

计东（1624—1675）生。据钱仲联主编《中国文学家大辞典·清代卷》。吴荣光《历代名人年谱》、朱彭寿《清代人物大事纪年》皆谓计东天启五年（1625）生，似误。计东，字甫草，号改亭，江南吴江（今属江苏）人。顺治十四年举人，以奏销案除名，绝意仕进，与当时诸多文人交往，诗文俱佳。著有《改亭诗集》六卷、《文集》十六卷。

彭师度（1624—1692）生。朱彭寿《清代人物大事纪年》："天命九年甲子（明天启四年，公元 1624 年），生辰：彭师度生，字古晋，号省庐。江苏华亭人。"又江庆柏《清代人物生卒年表》据彭师度《彭省庐先生文集》卷首彭士超《家传》括注彭师度生卒为"1624—1692"。《四库总目提要》卷一八一著录彭师度《彭省庐文集》七卷、《诗集》十卷："国朝彭师度撰。师度字古晋，号省庐，华亭人。崇祯戊寅，吴下诸人为千英之会，毕集于虎丘。师度年十五，即席成《虎丘夜宴同人序》，吴伟业有江左三凤凰之目，盖谓师度及吴兆骞、陈维崧也。集中兵谋十馀篇，颇见用世之志。诗歌沿云间之脉，富艳有馀。"

周朝俊（约 1580—1624 后）卒。据徐朔方《周朝俊事实录存》。周朝俊，字夷玉。又作仪玉，号公美，鄞县（今属浙江）人。诸生。工填词，创作传奇《红梅记》、《李丹记》、《香玉人》、《画舟记》等十馀种，今仅存《红梅记》一种。光绪《鄞县志》卷三八："周朝俊，字夷玉，诸生。少有才，为诗学李长吉，填词亦擅名。"民国《鄞县通志》卷一六五六："周朝俊，字夷玉，工填词。明末年自四川至岭外，几无处不唱其《红梅花传奇》者。《李丹记传奇》、《香玉人传奇》、《红梅花传奇》。"《古本戏曲丛刊》初集录王穉登所撰覆明末玉茗堂刊本《叙红梅记》："四明周生者，余初未尝识。己酉秋，余复有西湖之游，宿昭庆上人房。偶于壁上见所题诗句，清宛复有生气。余赏叹之。上人云：'此生仰王先生非一日矣。今亦寓敝刹，先生倘有意乎弗靳一面，以慰生夙志可乎？'余曰：'所作如此，其人可知。'虽属上人邀之同席。观其举动言笑，大抵以文弱自爱，而一种旷越之情超然尘外。余次过其寓中，见几上一帙，展示之，乃生所制《红梅记》也。循环读之，其词真，其调俊，其情宛而畅，其布格新奇，而毫不落于时套。削尽繁华，独存本色。嘻！周郎可为善顾曲焉。余友纬真向制《昙花记》，李青莲诗大行于世。纬真逝后，四明绝响。今复有周生，则纬真不能擅美于江南矣。太原王穉登。"吴梅《红梅记跋》："此记为玉茗堂批本，久已散逸，余从冷摊得之，心殊得意，因选录数齣。记中情节，颇有紧凑处……余按元人稗史，有《绿衣人传》，与此记中李慧娘事绝类……大抵此记事实，皆本此传也。明万历时袁宏道有删改本，清乾隆三十五年有重刻本，余皆未见，意乾隆本为伊龄阿设局扬州修改词曲时所刊也……此记传唱绝少。五十年前，有《鬼辨》、《算命》等折，偶现歌场，余生也晚，已不及见。今乱弹腔有《红梅阁》一剧，即矍括此记而成，实是点金成铁。余故多录数折，并详述本末，为并世学者告焉。"

邓志谟（1554？—1624 以后）卒。《中国通俗小说家评传》收孙一珍《邓志谟》："邓灵字志谟，号景南，别号竹溪散人（又作竹溪散生、竹溪风月主人）、百拙生……邓志谟是豫章（今江西省南昌县）人……邓志谟生于明嘉靖三十三年左右，卒于天启四年以后。"撰有神魔小说《铁树记》二卷十五回、《飞剑记》二卷十三回、《咒枣记》二卷十四回，另有《山水争奇》、《风月争奇》、《花鸟争奇》、《童婉争奇》《疏果争奇》等小说诗词杂著，编有《艺林晋故事白眉》十二卷、《精选故事黄梅》十卷、《事类捷录》十五卷、《丰韵情书》六卷、《丽藻》六卷、《洒洒篇》六卷等，撰有戏曲《五局传奇》，包括《并头莲记》、《玛瑙簪记》、《玉连环记》、《凤头鞋记》与《八珠环记》。

公元 1625 年（明天启五年　乙丑　后金［清］天命十年）

二月

十六日，冯梦龙为王骥德《曲律》作叙。冯梦龙《曲律叙》："伯良《曲律》一书，近镌于毛允遂氏，法尤密，论尤苛。厘韵则德清蒙讥，评词则东嘉领罚。字栉句比，则盈床无合作；敲今击古，则积世少全才……天启乙丑春二月既望，古吴后学冯梦龙题于荇溪之不改乐庵。"

三月

叶绍袁考中三甲第四十六名进士。

六月

二十一日，钟惺（1574—1625）卒。卒年据李先耕、崔重庆标校《隐秀轩集》附录二《钟惺简明年表》、《钟惺卒年辨正》（载《文学遗产》1987 年第六期）有关考证。钟惺，字伯敬，号退谷，又称止公居士、晚知居士，临终受戒，自起法名断残。祖籍江西吉安永丰，其高祖始迁家湖广竟陵皂市。谭元春《谭元春集》卷二五《退谷先生墓志铭》："退谷先生者，吾友钟学使伯敬先生也……退谷为诸生十二年，常不利，癸卯举孝廉，至庚戌始为夷陵雷公简讨所深赏，中第十七人，成进士。为行人者八年，中间使四川、山东，及典贵州乙卯乡试者凡三差，拟部者二年，改授工部主事，上疏愿改南曹部，持不覆者又二年，授南礼部仪制司主事，转祠祭司郎中者又一年，升福建提学佥事，考较兴化、延平、福州三府者一年，寻丁父忧去职。大计中人言，服阕居家者凡三年，而退谷卒，寿盖五十有二矣。生于万历甲戌七月二十七日，没以天启四年六月二十一日，葬以天启末年丁卯十月十八日，茔去皂市十里笑城之南。所著书有《隐秀轩全集》，评阅诸书，俱行于世。退谷讳惺，字伯敬，显世江西永丰人，正德中始徙景陵之皂市。"《明史·文苑传》："惺，字伯敬，竟陵人。万历三十八年进士，授行人，稍迁工部主事，寻改南京礼部，进郎中。擢福建提学佥事，以父忧归，卒于家。惺貌寝，羸不胜衣，为人严冷，不喜接俗客。由此得谢人事。官南都，僦秦淮水阁读史，恒至丙夜，有所见即笔之，名曰《史怀》。晚逃于禅以卒。自宏道矫王、李诗之弊，倡以清真，惺复矫其弊，变而为幽深孤峭。与同里谭元春评选唐人之诗为《唐诗归》，又评选隋以前诗为《古诗归》。钟、谭之名满天下，谓之竟陵体。然两人学不甚富，其识解多僻，大为通人所讥。"钱谦益《列朝诗集小传》丁集中《钟提学惺》："惺，字伯敬，竟陵人。万历庚戌进士，授行人，迁南京礼部祠祭主事，历仪制郎中，以佥事提学福建，丁忧归，卒于家。伯敬少负才藻，有声公车间。擢第之后，思别出手眼，另立深幽孤峭之宗，以驱驾古人之上。而同里有谭先生元春，为之应和，海内称诗者靡然从之，谓之钟谭体。譬之春秋之世，天下无王，桓、文不作，宋襄、徐偃德凉力薄，起而执会盟之柄，天下莫敢以为非霸也。数年之后，所撰古今《诗归》盛行于世，承学之士，家置一编，奉之如尼丘之删定。而寡陋无稽，错谬叠出，稍知古学者咸能挟笑以攻其短。《诗归》出，而钟、谭之底蕴毕露，沟浍之盈于是乎涸然无馀地矣。当其创获之初，亦尝覃思苦心，寻味古人之微言奥旨，少有一知半见，掠影希光，以求绝出于时俗。久之，见日益僻，胆日益粗，举古人之高文大篇铺陈排比者，以为繁芜熟烂，胥欲扫而刊之，而惟其僻见之是师，其所谓深幽孤峭者，如木客之清吟，如幽独君之冥语，如梦而入鼠穴，如幻而之鬼国，浸淫三十馀年，风移俗易，滔滔不返。予尝论近代之诗，抉摘洗削，以凄声寒魄为致，此鬼趣也。尖新割剥，以噍音促节为能，此兵象也。鬼气幽，兵气杀，著见于文章，而国运从之，以一二轮才寡学之士，衡操斯文之柄，而征兆国家之盛衰，可盛叹悼哉！钟之才，固优于谭，《江行》俳体，其赴公车之作；《入蜀》诸诗，其初第之作，习气未深，声调犹在。余得采而录之。唐天宝之乐章，曲终繁声，名为入破；钟、谭之病，岂亦《五行志》所谓诗妖者乎！余岂忍以蚓窍之音，为《关雎》之乱哉！"朱彝尊《静志居诗话》卷一七《钟惺》："《礼》云：'国家将亡，必有妖孽。'非必日蚀星变，龙漦鸡祸也。惟诗有然。万历中，公安矫历下、娄东之弊，倡浅率之调，以为浮响，造不根之句，以为奇突，用助语之辞，以为流转，著一字，务求之幽晦，构一题，必期于不通。《诗归》出，而一时纸贵，闽人蔡复一等，既降心以相从，吴人张泽、华淑等，复闻声而遥应。无不奉一言为准的，入二竖于膏肓，取名一时，流毒天下，诗亡而国亦随之矣。"王士禛《古夫于亭杂录》卷五："竟陵钟伯敬集中《早朝》一联云：'残雪在帘如落月，轻烟半树信柔风。'阅之不觉失笑。如此措大寒乞相，乃欲周旋金华殿中，将易千门万户为茅茨土阶邪？"《四库总目提要》卷一七著录钟惺《诗经图史合考》二十卷、《毛诗解》，同书卷三四又著录其《五经纂注》五卷，同书卷九〇又著录其《史怀》十七卷，同书卷一三四又著录其《合刻五家言》，同书卷一九三又著录其《诗归》五十一卷、《明诗归》十卷《补遗》一卷、《名媛诗归》三十六卷、《周文归》二十卷、《宋文归》二十卷。《诗归》提要云："明钟惺、谭元春同编。惺有《诗经图史合考》，元春有《岳归堂诗集》，均已著录。是书凡古诗十五卷、唐诗三十六卷，大旨以纤诡幽渺为宗，点逗一二新隽字句，矜为玄妙。又力排选诗惜群之说，于连篇之诗随意割裂，古来诗法于是尽亡。至于古诗字句，多随意窜改。顾炎武《日知录》曰：'今日盛行《诗归》一书，尤为妄诞。魏文帝《短歌行》"长吟咏叹，思我圣考"，圣考谓其父武帝也，改为"圣老"，评之曰："圣老字奇。"……此皆不考古而肆臆之说，岂非小人而无忌惮者哉！'朱彝尊《诗话》谓是书乃其乡人托名，今观二人所作，其门径不过如是，殆彝尊曲为之词也。"陈田《明诗纪事》庚签卷五选钟惺诗三首，小传谓其有《隐秀轩集》三十二卷。又引冯班《钝吟杂录》云："李、何、王、李之论诗，如贵胄子弟，倚恃门阀，傲忽自大，时时不会人情；钟、谭如屠沽家儿，时有慧黠，异乎雅流。"又加按语云："伯敬苦心吟事，雕镂镵削，不遗馀力。五古游览之篇，犹有佳作；近体力矫王、李之弊，舍崇旷而入莽榛，薄亮音而矜细响，所谓以小智破大道者也。"今人有整理本《隐秀轩集》四十二卷，上海古籍出版社 1992 年出版。

七月

毁首善书院。《明通鉴》卷七九："秋，七月，戊午，太白昼见。壬戌，毁首善书院。御史张讷上疏，力诋邹元标、孙慎行、冯从吾、余懋衡等，请毁其讲学书院。从之。"

魏忠贤兴大狱，捕杨涟、魏大中、左光斗等，三人受酷刑不屈死。《明通鉴》卷七九："庚午，副都御史杨涟、金都御史左光斗、给事中魏大中卒于狱。初，涟等入诏狱，许显纯非法拷掠，血肉狼藉，赃不肯承。光斗私计曰：'彼杀我有二法：因我不承而酷刑以毙之，一也；夜半令狱卒潜杀之，二也。承则当下法司，或者有见天之日。'诸人然其言，俱自诬服；及忠贤矫旨五日一比，不下法司，诸人始悔失计。至是追比毕，复以涟、光斗、大中三人另发大监，其夕，同为狱卒所毙。涟之死，土囊压身，铁钉贯耳，最为惨毒；光斗、大中，亦皆体无完肤；越数日始报，三人尸首俱已溃败不可识矣。方涟之被逮也，市民数万，拥道攀号，所历村市，悉焚香建醮，祈佑生还。既死，产入官，不及千金，母妻止宿谯楼，二子至乞食以养。征赃令急，乡人竞出资助之，至卖菜佣亦为输助。光斗前兴畿辅水利，寻督学政，市民德之。容城孙奇逢者，节侠士也，与定兴鹿正倡义醵金，诸生争应之，得金数千，谋代输缓狱，而光斗已前毙——正即善继父，世所谓鹿太公者也。光斗死，而其赃未竟，抚按严追，兄光霁坐累死，母以哭子死。都御史周应秋，犹以所司承追不力，疏趣之，由是家族尽破。后忠贤定《三朝要典》，移宫一案以涟、光斗为罪魁，议开棺戮尸，有解之者，乃免。"张溥《七录斋诗文合集》卷五有《祭魏廓园先生文》。

八月

诏毁天下书院。《明通鉴》卷七九："八月，壬午，诏毁天下书院。东林、关中、江右、徽州各书院，俱行拆毁，变价助工，从逆党张讷议也。讷言：'各省私创讲堂，皆踵东林为之。'因丑诋邹元标、冯从吾、孙慎行、余懋衡，并及侍郎郑三俊、毕懋良等，俱坐削夺。"

十二月

榜东林党人姓名示天下。《明通鉴》卷七九："十二月，乙酉，榜东林党人姓名示天下。时御史卢承钦求媚忠贤，乃仿王绍徽《点将录》前事，上言：'东林自顾宪成、李三才、赵南星而外，如王图、高攀龙等，谓之副帅；曹于汴、汤兆京、史记事、魏大中、袁化中谓之先锋；丁元荐、沈正宗、李朴、贺烺，谓之敢死军人；孙丕扬、邹元标，谓之土木魔神。请以党人姓名罪状，榜示海内。'忠贤大喜，敕所司刊籍，凡党人已罪未罪者，悉编名其中。"

初六日，陈维崧（1625—1682）生。据周韶九《陈维崧年表》（见周韶九《陈维崧选集》后附，上海古籍出版社 1994 年出版）。《清代碑传全集》卷四五徐乾学《陈检讨维崧志铭》："阅四年，年五十八而病作……卒。"同卷蒋永修《陈检讨迦陵先生传》："壬戌患头偋，遂不起。"陈维崧，字其年，号迦陵，宜兴（今属江苏）人，明末四公子之一陈贞慧之子。少负才名，吴伟业曾将他与吴兆骞、彭师度誉为江左三凤凰。康熙十八年举博学鸿儒，由诸生授检讨，与修《明史》。善诗，尤工骈文与词，其词苍凉豪放，开阳羡一派。著有《湖海楼诗文全集》。

是年

陈子龙与夏允彝等人交往。陈子龙《陈子龙自撰年谱》卷上："天启五年乙丑。是岁，师事陈威玉先生。始交同郡夏彝仲、周勒卣、顾伟南、宋子建、尚木、彭燕又、朱宗远、金沙周介生诸君。"

魏学洢（1596—1625）卒。魏学洢，字子敬，嘉善（今属浙江）人，明末诸生。《明通鉴》卷七九："大中长子学洢，以父被逮，号恸欲随行，大中止之，乃微服间行，探刺起居。既抵都，逻卒四布，变姓名匿旅所，昼伏夜出，称贷以完父赃，未竟而大中毙。学洢恸哭几绝，扶榇归，晨夕号泣，水浆不入口，遂死。崇祯初，赠恤大中。有司以状闻，诏旌学洢为孝子。"《明史·魏大中传》："长子学洢，字子敬，好学工文，有至性。"著有《茅檐集》八卷、《魏子敬遗集》等。《核舟记》一文记述明天启二年（1622）微雕艺术家王毅（字叔远）在一核桃上所雕之"核舟"，生动传神，为历代散文选集所录。陆次云《古今文绘》评云："刻核舟者神于技，记核舟者神于文。摩拟人物于纤微之中，意态神情毕出，何异道子写生！"朱彝尊《静志居诗话》卷一九《魏学洢》："魏学洢，字子敬，嘉善人。赠太常卿大中子。乡人私谥孝烈先生。有《茅檐集》。大学士同里钱公士升序其集云：'子敬之志，父存则不独死，父死则不独生。'是诚孝子之知己矣。"《四库总目提要》卷一七二著录魏学洢《茅檐集》八卷："大中没后，所谓坐受杨镐、熊廷弼贿三千三百两者，所司仍追呼于家，学洢积忧积瘁于前，积痛于后，又重以阉党之威虐，数者交迫，乃无生理，非真徒以一冥不视，蹈灭性之戒。故学洢之孝在于大中被祸之日，竭力殚心，蹈危履险，出万死以冀一生。今诵其与人诸书，至性恻怛，足以感天地而动鬼神。而钱士升等作序，惟欲以陨身殉父称之，遂讳其追逮之事，浅之乎知学洢矣。其集一刊于钱棻，棻，大中门人也。再刊于其弟学濂，是为今本。学濂颓其家声，论者不能以大中之故，曲为宽假。然益见学洢之不朽，由所自立，不由于父荫也。"陈田《明诗纪事》辛签卷二八选魏学洢诗四首，引《橋李诗系》云："子敬诗近古淡一派，时而诡异，又似锦囊中物。"

卓人皋（1625—1677）生。据潘承玉《明清之际杭州卓氏四作家生平事迹考补——从〈全清词〉顺康卷的一个失误谈起》（载《绍兴文理学院学报》2004年第二期）。卓人皋，字有枚，仁和（今浙江杭州）人，卓尔康幼子。王同《塘栖志》卷八《卓尔康传》："子人皋，字有枚，以古文为当世所称。"

公元1626年（明天启六年　丙寅　后金［清］天命十一年）

正月

以顾秉谦、黄立极、冯铨为总裁，编纂《三朝要典》。《明通鉴》卷八〇："春，正月，戊午，命纂《三朝要典》，从霍维华、杨所修议也。未几开馆，以顾秉谦、黄立极、冯铨为总裁，施凤来、杨景辰、孟绍虞、曾楚卿副之。极意诋谋东林，暴扬罪恶……时方修《光宗实录》，凡事关三案，命即据《要典》改正。"

三月

苏州民变。《明通鉴》卷八〇："庚申，苏州民变。缇骑至苏，首逮周顺昌。顺昌故有德于乡，市民闻其被逮，愤怒号冤，开读日，不期而集者数万，咸执香为周吏部请命。诸生文震亨、杨廷枢、王节、刘羽翰等请于抚按，以民情上闻，旗尉厉声骂曰：'东厂逮人，鼠辈敢尔！'大呼：'囚安在！'手掷银铛于地，声琅然。众益愤，曰：'吾始以为天子命，乃东厂魏太监耶！'遂蜂拥上，势如山崩。旗尉东西窜，众纵横殴击，立毙一人，馀负重伤逾垣走。巡抚毛一鹭不能发一语；知府寇慎、吴县知县陈文瑞，素得民，曲为解谕，众始散。顺昌乃自诣吏。"

十七日，高攀龙（1562—1626）**卒**。据黄宗羲《明儒学案》，详下。《明通鉴》卷八〇："是月，前左都御史高攀龙卒于家。攀龙闻缇骑将至，谒道南祠，为文以告。归，与二门生、一弟饮后园池上，及暮，书遗表讫，具衣冠自沉于池。"黄宗羲《明儒学案》卷五八："高攀龙字存之，别号景逸，常州之无锡人。万历己丑进士。寻丁嗣父忧，服阕，授行人……遂与顾泾阳复东林书院，讲学其中。每月三日远近集者数百人，以为纪纲世界，全要是非明白。小人闻而恶之，庙堂之上，行一正事，发一正论，俱目之为东林党人。天启改元，先生在林下已二十八年，起为光禄寺丞，升少卿署寺事……转太常大理，晋太仆卿。乞差还里，甲子即家起刑部侍郎……升左都御史，纠大贪御史崔呈秀，依律遣戍。亡何逆奄与魏广微合谋，借会推晋抚一事，尽空朝署。先生遂归。明年，《三朝要典》成，坐移宫一案，削籍为民，毁其东林书院。丙寅，又以东林邪党逮先生及忠端公七人。缇帅将至，先生夜半书遗疏，自沉于水，三月十七日也。年六十有五……崇祯初，逆奄呈秀伏诛。赠太子少保，兵部尚书，赐祭毕，荫子，谥忠宪。"张溥《七录斋诗文合集》有《吊高景逸先生诗》。《明史·高攀龙传》："高攀龙，字存之，无锡人。少读书，辄有志程、朱之学。举万历十七年进士，授行人……初，海内学者率宗王守仁，攀龙心非之。与顾宪成同讲学东林书院，以静为主。操履笃实，粹然一出于正，为一时儒者之宗。海内士大夫，识与不识，称高、顾无异词。攀龙削官之秋，诏毁东林书院，庄烈帝嗣位，学者更修复之。"朱彝尊《静志居诗话》卷一六《高攀龙》："高攀龙，字云从，无锡人。万历己丑进士，除行人，谪揭阳典史，起光禄寺丞，历官刑部侍郎、都察院左都御史，坐忤逆阉，削籍被逮，赴水死。赠太子少保、兵部尚书，谥忠宪。有《高景逸诗》。先生天下规矩，援世翼教，不以声律自绳。然与归待诏订金石契，宜同心之言，自成兰臭也。"《四库总目提要》卷一七二著录高攀龙《高子遗书》十二卷、《附录》一卷："明高攀龙撰。攀龙有《周易易简说》，已著录。攀龙出赵南星之门，渊源有自。其学以格物为先，兼取朱、陆两家之长，操履笃实，粹然一出于正。初自辑其语录文章为《就正录》，后其门人嘉善陈龙正编为此集，凡分十二类。一曰语，二曰劄记，三曰经说，四曰备仪，五曰语录，六曰诗，七曰疏揭问，八曰书，九曰序，十曰碑传记谱训，十一曰志表状祭文，十二曰题跋杂书。附录志状年谱一卷。其讲学之语，类多切近笃实，阐发周密。诗意冲澹，文格清遒，亦均无明末纤诡之习。盖攀龙虽亦聚众讲学，不免渐染于风尚，然严气正性，卓然自立，实非标榜门户之流，故立朝大节，不愧古人。发为文章，亦不事词藻，而品格自高。此真所以异于伪欤！"陈田《明诗纪事》庚签卷一六选高攀龙诗七首。

二十五日，王士禄（1626—1673）**生**。据王士禛《王考功年谱》。另据况周颐《蕙风词话续编》卷二《清词人生日》："三月……二十五日王西樵（士禄）生（见《名人年谱》）。王士禄，字子底，又字伯受，号西樵，又号负苓子。新城（今山东桓台）人，

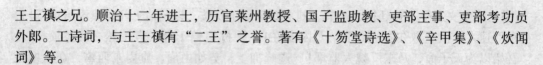

王士禛之兄。顺治十二年进士，历官莱州教授、国子监助教、吏部主事、吏部考功员外郎。工诗词，与王士禛有"二王"之誉。著有《十笏堂诗选》、《辛甲集》、《炊闻词》等。

六月

十七日，周顺昌（1584—1626）卒。《明通鉴》卷八〇："六月……戊子，吏部员外郎周顺昌卒于狱。"

二十日，《三朝要典》成。《明通鉴》卷八〇："六月……辛卯，《三朝要典》成，刊布中外。"

闰六月

初一日，黄尊素（1584—1626）卒。《明通鉴》卷八〇："闰月，辛丑朔，御史黄尊素卒于狱。尊素知狱卒将害己，叩首谢君父，赋诗一章。时独李应升尚在，尊素隔墙呼之曰：'仲达，我先行矣。'遂卒。所坐赃不及三千，而尊素家贫甚，同年故旧及乡人咸助之，乃得完。"

李维桢（1547—1626）卒。钱谦益《牧斋初学集》卷五一《南京礼部尚书赠太子少保李公墓志铭》："天启六年闰六月，卒于家，春秋八十……公讳维桢，字本宁，其先豫章人。高祖九渊，徙于楚之京山。"《明史·文苑传》："李维桢，字本宁，京山人。父裕，福建布政使。维桢举隆庆二年进士，由庶吉士授编修。万历时，《穆宗实录》成，进修撰……天启初，以布政使家居，年七十馀矣……四年四月，太常卿董其昌复荐之，乃召为礼部右侍郎，甫三月进尚书，并在南京。维桢缘史事起用，乃馆中诸臣惮其以前辈压己，不令入馆，但超迁其官。维桢亦以年衰，明年正月力乞骸骨去。又明年卒于家，年八十。崇祯时，赠太子太保。维桢弱冠登朝，博闻强记……其文章，弘肆有才气，海内请求者无虚日，能屈曲以副其所望。碑版之文，照耀四裔。门下士招富人大贾，受取金钱，代为请乞，亦应之无倦，负重名垂四十年。然文多率意应酬，品格不能高也。"钱谦益《列朝诗集小传》丁集上《李尚书维桢》："维桢，字本宁，京山人。隆庆戊辰进士，选翰林庶吉士，除编修，进修撰，出为陕西参议。浮沉外僚几三十年。稍迁南太常，拜南京礼部侍郎，升尚书，致仕。卒年八十。本宁在史馆，博闻强记，与新安许文穆齐名，同馆为之语曰：'记不得，问老许。做不得，问小李。'自词林左迁，海内谒文者如市，洪裁艳词，援笔挥洒，又能骫骳曲随，以属厌求者之意。其诗文声价腾涌，而品格渐下。余志其墓云：'公之文章固已崇重于当代矣，后世当有知而论之者。'亦微词也。为人乐易阔达，交游猥杂，又背负者穷而来归，遇之反益厚。其左迁在江陵时，江陵败，人谓当抗疏自列，本宁慨然曰：'江宁遇我厚，左官非江宁意也。奈何利其死，以赍于时世乎？'其为长者如此。"陆云龙等《翠娱阁评选皇明小品十六家·李本宁太史小品叙》："京山本宁太史，富于学而善用，其所著述，为卷百许，皆出经入史，熔古铸今。自记叙论说及铭志赞跋，种不一篇，篇不一格。即寸浪尺涔，其论议点染，莫不罗今古极奇奥在，才可夺五花簟者，亦输其博，至集庄、集老、集经、集骚，更有指挥如意，无骜不用命者，则散钱得索子，自绳贯丝联。今而知学不惧博矣，试就所选读之，当亦有会。"朱彝尊《静志居诗话》卷一四《李维桢》："本宁如官厨宿馔，粗鹿肥麋，虽脤膴具陈，蠡虌杂进，无当于味。"《四库总目提要》卷一七九著录李维桢《大泌山房集》一百三十四卷："明李维桢撰。维桢有《史通评释》，已著录。是集诗六卷，杂文一百二十八卷，而一百二十八卷之中，世家传志、碑表、行状、金石之文，独居六十卷，记载之富，无逾于是。然牵率之作过多，不特文格卑冗，并事实亦未可征信。"陈田《明诗纪事》己签卷六选李维桢诗二首，谓其有《大泌山房集》一百三十四卷，有按语云："本宁诗，选词征典，不善持择，多陈因之言，而披沙采金，时复遇宝。"

始建魏忠贤生祠。《明通鉴》卷八〇："浙江巡抚潘汝桢倡议，奏请祀于西湖，织造太监李实请令杭州百户守祠。诏赐祠额曰普德，勒石记功德。自是请建祠者接踵矣。"

八月

十一日，努尔哈赤（1559—1626）卒。蒋良骐《东华录》卷一："天命十一年……七月癸巳，太祖幸清河汤泉，不豫。丙午，乘舟还京。庚戌，崩于瑷碿堡，距沈阳城四十里，年六十有八。"《清史稿·太祖本纪》："秋七月，上不豫，幸清河汤泉。八月丙午，上大渐，乘舟回。庚戌，至爱鸡堡，上崩，入宫发丧。在位十一年，年六十有八。天聪三年葬福陵。初谥武皇帝，庙号太祖，改谥高皇帝。"

二十七日，刘铎（1573—1626）卒。刘铎《来复斋稿》附录瞿式耜《刘公墓志铭》（今本《瞿式耜集》不见，属佚文）："公讳铎，字我以，别号侗初，安成（今江西安福——笔者）南里三舍人也……万历丙午举于乡，越十载丙辰始成进士……初授刑部主事，奉使陇右，登华山，上青柯坪，挹玉井，扪仙掌。东眺黄河，超然有乘风临烟之意。出关，行李萧然，惟所至吟咏，积草盈篑而已。再历秋曹，执法如山。商人李朝为内臣陈正己所毙，公独正陈罪，大忤魏珰指。时珰焰方炽，颂莽功德请魏公九锡者几遍朝之士，公岳岳不少俯。珰犹畏公才名，属人求草书，意讽之也。公拒弗与，遂出公守扬州，治扬三月，大得士民诵。珰闻憾且忌，授意田尔耕以诗语为讪己，缇骑逮之。扬绅衿氓隶遮道哭送，甚有欲叩阍鸣冤者，公慰遣之。及廷鞫，竟得释，奉旨复原官。珰犹冀公一谢，公竟绝迹珰庭。复以戚畹李承恩狱逮系，公亦竟不俯首，珰愈益憾，乃假巫蛊恣其凶。司刑薛贞锻炼成狱……终承阉指，坐以决，不待时……公生于万历癸酉正月二十日丑时，殁于天启丙寅八月二十七日午时……公诗文浩瀚，多散逸，公之女搜其所存者若干卷，刊以行于世。"《明史·万燝传》附："铎，庐陵人。由刑部郎中为扬州知府。愤忠贤乱政，作诗书僧扇，有'阴霾国事非'句。侦者得之，闻于忠贤。倪文焕者，扬州人也，素衔铎，遂嗾忠贤逮治之……会铎家人有夜醮者，参将张体乾诬铎咒诅忠贤，刑部尚书薛贞坐以大辟。忠贤诛，贞、体乾并抵罪，铎赠太仆少卿。"刘淑《个山集》卷七《订镌父太仆公来复斋稿小引》："曩者逆珰嘘波，穷海滔荡。先君以一身障苴其间，有如麟豸同谿，势不相容。非先君杀珰则为珰謦，所必然耳。而祸机之发乃在文字，嗟乎悲哉！请剑楮上，击笏毫端，事虽未成，谅亦慰忠臣义士感慨而欲读其遗文者也……万里招魂，仅有遗稿一车……或得借当代奇儒侠彦流连凭吊，缀以片玉，则千古之下，先君以文字死也，终当以文字生乎！不肖女淑谨书。"陈田《明诗纪事》庚签卷二三选刘铎诗《马当大风》一首。刘铎今传《来复斋集》十卷，包括赋、四言诗、五七古、五七律、五七绝、词、论说、记叙、书、疏引、绝笔等，王泗原有《刘铎刘淑父女诗文集》校注本，人民教育出版社 1999 年出版。

九月

初一日，后金皇太极（1592—1643）即位，是为太宗。蒋良骐《东华录》卷一："太宗文皇帝（太祖第八子，讳皇太极）生明万历二十年壬辰十月二十五日辛亥申时，为大贝勒，与代善、阿敏、莽古尔泰共理政。太祖崩，大贝勒代善等合词请速正大宝，以天命十一年九月庚午即位（时年三十有五），改明年丁卯为天聪元年，赦殊死以下。"

初九日，冯梦龙改编《太平广记》为《太平广记钞》八十卷成书付梓。李长庚《太平广记钞序》："友人冯犹龙氏，近者留心性命之学，书有《谭概》，经有《指月》，功在学者不浅。兹又辑《太平广记钞》，盖是书闳肆幽怪，无所不载，犹龙氏掇其蒜酪脍炙处，尤易入人，正欲引学者先入广大法门，以穷其闻，而后可与观《指月》、《谭概》诸书之旨也。偶与友人谭博约之说，有当于中，遂以为是编序。天启六年九月重阳日，楚黄友人李长庚书。"冯梦龙《太平广记钞小引》："予自少涉猎，辄喜其博奥，厌其芜秽，为之去同存异，芟繁就简，类可并者并之，事可合者合之，前后宜更置者更置之。大约削简什三，简句字复什二，所留才半，定为十八卷……沈飞仲力学好古之士，得予所评纂，爱而刻之，亦迥乎与俗不谋矣。吴邑冯梦龙识。"

苏州市民颜佩韦、杨念如、周文元、马杰、沈扬挺身投案，就义死。《明通鉴》卷八〇："方吴民之激变也，颜佩韦等五人为首。顺昌即逮，遂下诏捕治，并及五人之党。巡按御史徐吉治其狱，五人论死，以属苏州知府寇慎。比临刑，五人语慎曰：'公好官，知我等起义，非为乱也。'延颈就刃而死。吴人合葬之虎丘，题曰五人之墓。"

是年

潘之恒《亘史》付梓刊行。据汪效倚《潘之恒年表》（《潘之恒曲话》附录）。

冯梦龙辑《智囊》成。冯梦龙《增广智囊补自叙》："忆丙寅岁，余坐蒋氏三径斋小楼近两月，辑成《智囊》二十七卷，以请教于海内之明哲，往往滥蒙嘉许，而嗜痂者遂冀余有续刻。"编者按，冯氏此叙为崇祯七年《智囊》之增补一卷之本所作者，名《智囊补》，二十八卷。两书皆分为十部，大同小异。

陈子龙与陈继儒、董其昌等人交往。陈子龙《陈子龙自撰年谱》卷上："天启六年丙寅。是岁，始交陈眉公、董玄宰两先生，及嘷水侯豫瞻、武塘钱彦林昆弟。"

沙张白（1626—1691）生。据钱仲联主编《中国文学家大辞典·清代卷》。沙张白，初名一卿，字介臣，号定峰，江南江阴（今属江苏）人，明诸生。长于史学，诗多咏古之作。著有《读史大略》六十卷、《定峰乐府》十卷、《辟莽园诗钞》十三卷。

董含（1626—1698 以后）生。据钱仲联主编《中国文学家大辞典·清代卷》，董含生卒为"1626—1698 以后"。另致之校点《三冈识略·本书说明》："董含生于明天启四年（1624），年十五，补博士弟子员。明亡，年方弱冠，避兵戎马间。顺治三年（1646）出应清朝科试，顺治十一年（1654）江南乡试中式。顺治十八年（1661）成进士，殿试二甲第二名，时年三十六……卒于康熙三十六年（1697）以后，年七十馀。"若以其三十六岁考中顺治十八年进士计，当生于 1626 年，与其天启四年生说龃龉。董含，字阆石，一字蓉城，号榕庵，别号赘客、莼乡赘客，江南华亭（今上海松江）人。《清史列传·文苑传》："（董俞）兄含，字阆石。顺治十二年进士，著有《艺葵集》、《安蔬堂集》。"另据《明清进士题名碑录索引》，董含中顺治十八年二甲二名进士。《清史列传》误。著有《古乐府》二卷、《闵离草》四卷、《闲居稿》三卷、《北渚草》二卷、《林史》一卷、《山游草》二卷、《三冈识略》十卷、《盍簪感逝录》二卷、《安蔬堂诗稿》十卷等。《四库总目提要》卷一八二著录董含《闲居草》一卷云："含字榕庵，华亭人，董俞弟也。诗名不及其兄，而诗格高雅过其兄。诗编卷首称《艺葵草堂稿》，而卷中称《闲居草》，盖其全集之一种也，大抵苍凉幽咽，有骚人哀怨之遗，而惝恍其词，知其意有所寓，而莫名其寓意之所在也。"《三冈识略自序》："甲申、乙酉之际，海内鼎沸，时余年未弱冠，避乱转徙，卜居三冈之东（紫冈、沙冈、竹冈）……厥后奔走四方，三入京洛，既而栖迟里门。自少及老，取耳目所及者，续于书后。凡五年为一卷，以月系岁，以日系月，天道将周，积成十卷，名《三冈识略》……康熙著敦牂毕辜月，莼乡赘客董含题于东冈之艺葵草堂。"

黄汝亨（1558—1626）卒。据台湾中央图书馆编《明人传记资料索引》。黄汝亨，字贞父，号寓庸居士，仁和（今浙江杭州）人。万历二十六年进士，官至江西布政司参议。著有《天目游记》、《廉吏传》、《寓庸子游记》、《寓林集》等。陆云龙等《翠娱阁评选皇明小品十六家》入选《黄贞父先生小品》一卷，陆云龙题《弁词》云："披卷快读，当见西山爽气扑人眉宇，沁人心骨。人文山水真为天下观也。"陈田《明诗纪事》庚签卷一九选黄汝亨诗十首，小传云："汝亨字贞父，仁和人。万历戊戌进士，除进贤知县，征授南工部主事，改礼部，历郎中，出为江西佥事，迁参议。有《寓林集》三十八卷。"又引《懒真草堂集》云："贞父诗，晋、宋之陶、谢，唐之王、孟。"又加按语云："贞父诗刻意摹古，思清而词隽。"《四库总目提要》卷五六著录黄汝亨《古奏议》，同书卷六二又著录其《廉吏传》，同书卷七八又著录其《天目游记》一卷。今人《续修四库全书》收录黄汝亨《寓林集》三十二卷、《寓林集诗》六卷。

公元 1627 年（明天启七年 丁卯 后金 [清] 太宗天聪元年）

正月

二十五日，**李颙**（1627—1705）生。吴怀清《二曲先生年谱》："明天启七年正月二十五日未时，先生生。"又："康熙四十四年乙酉，七十九岁。夏四月十五日，先生卒。"《清史列传·儒林传》："李容（编者按，中孚名颙，史馆因避讳改作容），字中孚，陕西盩厔人……容事母孝，饥寒清苦，无所凭借，而自拔流俗，以昌明关学为己任。自经史子集以至二氏书籍无不博观，而不滞于训诂，文义旷然见其会通。其学以尊德性为本体，以道问学为工夫，以悔过自新为始基，以静坐观心为入手……康熙十二年，陕督鄂善以隐逸荐，有诏起之，固辞以疾。十八年，诏举博学鸿儒，礼部以海内真儒荐，大吏亲至其家促之起，舁床至省。容绝粒六日，至拔刀自刺，大吏骇去，乃得予假治病……自是闭关不与人接，惟昆山顾炎武及同邑惠思诚至则款之。思诚，容四十年所心交也。四十二年，圣祖西巡，召容见，时容已衰老，遣子慎言诣行在陈情，以所著《四书反身录》、《二曲集》奏进。上谓慎言曰：'尔父读书守志，可谓完节。'特赐御书'志操高节'及诗幅以奖之。容学亦出姚江，谓学者当先观陆九渊、杨简、王守仁、陈献章之书，阐明心性，然后取二程、朱子以及吴与弼、薛瑄、吕柟、罗钦顺之书，以尽践履之功。初有志济世，著《帝学宏纲》、《经筵僭拟》、《经世蠡测》、《时务急策》等书，既而尽焚其稿。又著《十三经注疏纠谬》、《二十一史纠谬》、《易说》、《象数蠡测》。亦谓无当身心，不以示人……时容城孙奇逢之学盛于北，馀姚黄宗羲之学盛于南，与容鼎足，世称三大儒。惟容起身孤根，上接关学之传，尤为难及云。晚年寓富平，有《富平答问》。四十四年，卒，年七十六。门人王心敬传其学，其《四书反身录》七卷、《二曲集》二十二卷，亦心敬所撰次。"《四库总目提要》卷三七著录李容《四书反身录》六卷、《续补》一卷，同书卷一八一又著录其《二曲集》二十二卷。徐世昌编《晚晴簃诗汇》卷一二选李颙诗一首，小传云："李颙，字中孚，盩厔人。自署二曲土室病夫，学者称为二曲先生。"《诗话》云："与李天生善，天生受职归诣二曲，二曲曰：'是借径南山者也。'闭门不纳，三请乃见，士论高之。"张舜徽《清人文集别录》卷二著录《二曲全集》二十六卷（湘阴蒋氏小琅嬛山馆重校刊本）："是集及《四书反身录》，《四库》皆已著录。集为其门人王心敬所编，每卷各标分题，曰《悔过自新说》，曰《学髓》，曰《两庠汇语》，曰《靖江语要》，曰《锡山语要》，曰《传心录》，曰《体用全学》，曰《读书次第》，曰《东行述》，曰《南行述》，曰《东之语》。或出自著，或由门弟子所记。自卷十六至二十一，为颙所撰各体杂文。卷二十三以下，分题《襄城记异》、《义林记》、《李氏家传》、《贤母祠记》诸目，皆言颙之父母身后事。刊集时援宋人附录之例，以编入者，非颙之著作也。"今人有整理本《二曲集》四十六卷，中华书局 1996 年出版。

八月

十五日，冯梦龙编刊《醒世恒言》成。 可一居士《醒世恒言叙》："此《醒世恒言》四十种，所以继《明言》、《通言》而刻也。明者，取其可以导愚也；通者，取其可以适俗也；恒则习之而不厌，传之而可久。三刻殊名，其义一耳……天启丁卯中秋，陇西可一居士题于白下之栖霞山房。"衍庆堂《醒世恒言识语》："本坊重价购求古今通俗演义一百二十种，初刻为《喻世明言》，二刻为《警世通言》，海内均奉为邺架玩奇矣。兹三刻为《醒世恒言》，种种典实，事事奇观。总取木铎醒世之意，并前刻共成完璧云。艺林衍庆堂谨识。"

二十二日，明熹宗朱由校（1605—1627）卒。《明通鉴》卷八〇："甲寅，上大渐。乙卯，帝崩于乾清宫，年二十三。遗诏，以皇五弟信王朱由检嗣皇帝位。王即夕入临，居宫中，比明，群臣始至。"

二十四日，朱由检（1611—1644）即皇帝位，是为明思宗（南明谥）崇祯帝。《明通鉴》卷八〇："丁巳，信王即皇帝位。大赦天下。以明年为崇祯元年。"

九月

二十九日，叶燮（1627—1703）生。叶绍袁《叶天寥自撰年谱》："（天启）七年丁卯，三十九岁……九月二十九日，六子世倌生。"叶燮，原名世倌，后改名燮，字星期，号己畦，以晚居吴县横山，又称横山先生。叶绍袁第六子，原籍吴江，以曾随父出家杭州皋亭山，故寄籍嘉善（今属浙江）。考中康熙九年进士，官宝应知县，以忤上官落职。诗文宗尚杜甫、韩愈，著有《己畦诗集》十卷、《文集》十四卷、《原诗》四卷等，以后者最为著名。《清史列传·文苑传》："叶燮，字星期，浙江嘉兴人。父绍袁，明天启中进士。燮幼颖悟，年四岁，绍袁授以楚辞，即能成诵。及长，工文，喜吟咏。康熙九年成进士，十四年，选江苏宝应知县，旋罢归，遍游四方。晚年乃定居吴县之横山，人因以横山目之。始燮之官宝应也，适三逆煽乱，军事旁午，地当南北往来之冲，接应靡暇日。县境滨临运河，东西延袤二百里，时虞溃决。又值岁谷不登，民乏食。燮极意经画，境赖以安。以伉直不附上官意，用细故落职，而嘉定知县陆陇其亦同时登白简，燮闻之不以去官为忧，以与陇其同劾为幸也。于是纵游泰岱、嵩高、黄岳、匡庐、罗浮、天台、雁荡诸山，海内名胜略遍。年七十有六，犹以会稽五泄近在数百里内未游为憾，复裹三月粮，穷其奥而归。归遂疾，越一年卒。燮言诗以杜甫、韩愈为宗，陈见俗障，扫而空之。其论文，与长洲汪琬不合，往复诋諆；及琬殁，慨然曰：'吾失一净友，今谁复弹吾文者？'取向所短汪者悉焚之。寓吴时，以吴中称诗多猎范、陆之皮毛而遗其实，遂著《原诗》内外篇，力破其非。吴人士始而訾謷，久乃更从其说。新城王士禛称燮诗熔铸古昔，能自成一家言。所著有《己畦文集》十卷、《诗集》十卷、《原诗》四卷、《残馀》一卷。"林云铭《原诗叙》（据《己畦集》）："嘉善叶子星期，诗文宗匠，著有《原诗》内外篇四卷，直抉古今来作诗本领，而痛扫后世各持所见以论诗流弊。娓娓雄辩，靡不高踞绝顶，颠扑不破。岁丙寅九月，招余至其草堂，出而见示，促膝讽诵竟日。余作而叹曰：'今人论诗，断断聚讼，犹齐人井饮相捽；得此方有定论矣。'"人民文学出版社 1979 年出版《原诗》整理本（与薛雪《一瓢诗话》、沈德潜《说诗晬语》合刊）。

是年秋

凌濛初在南京编撰《拍案惊奇》成。凌濛初《二刻拍案惊奇小引》："丁卯之秋，事附肤落毛，失诸正鹄，迟回白门。偶戏取古今所闻一二奇局可纪者，演而成说，聊舒胸中磊块。非曰行之可远，姑以游戏为快意耳……为书贾所侦，因以梓传请。遂为钞撮成篇，得四十种。"

十月

二十日，**汤斌**（1627—1687）生。朱彭寿《清代人物大事纪年》："太宗天聪元年丁卯（明天启七年，公元 1627 年），汤斌，十月二十日生，字孔伯、荆岘，号潜庵。河南睢州人。享年六十一。"汤斌，顺治九年进士，官检讨；康熙十八年举博学鸿儒，授侍讲，历官内阁学士、江宁巡抚、礼部尚书，卒谥文正。尝从孙奇逢学，躬行实践，著有《汤子遗书》十卷。

十一月

初一日，**安置魏忠贤于凤阳**。《明通鉴》卷八〇："十一月，甲子，安置魏忠贤于凤阳。"

初六日，**魏忠贤**（1568—1627）**自缢死**。《明通鉴》卷八〇："己巳，魏忠贤自缢死。时上榜忠贤罪示天下，寻谕曰：'逆恶魏忠贤，擅窃国柄，诬陷忠良，罪当死，姑从轻发凤阳。乃不思自惩，素蓄亡命之徒，环拥随护，势若叛然，令锦衣卫逮治。'忠贤行至阜城，闻之，与其党李朝钦俱自缢。"

张溥作《五人墓碑记》，褒扬苏州市民颜佩韦等五人，其中言及周顺昌被逮之际有"吾社之行为士先者，为之声义敛资材以送其行，哭声震动天地"数语，"吾社"即指应社。

冯梦龙所辑《太霞新奏》成。书前署"天启丁卯仲冬顾曲散人题于香月居中"。是书卷首《发凡》有云："是选各宫调，分十二卷，得曲一百六十五套，杂犯曲小令各一卷，又得曲一百五十四只，虽未空群，庶几巨览。"

十二月

明廷诛杀客氏。《明通鉴》卷八〇："客氏及其子侯国兴、弟客光先与魏良卿皆伏诛。"

毁魏忠贤生祠。《明通鉴》卷八〇："是冬，诏天下所建忠贤逆祠，悉行折毁变价。"

是年

张溥、张采与陈子龙定交。陈子龙《陈子龙自撰年谱》卷上："天启七年丁卯……是岁作《梅花赋》、《蚊赋》。始交娄江张受先、张天如，吴门杨维斗、徐九一。"

徐复祚《花当阁丛谈》（即《三家村老委谈》）**成于此年**。国家图书馆藏抄本是书第四册第七卷前有"天启岁在丁卯夏五月"字样。又是书卷五《沈同和》跋语有云："余自丙子（即万历四年，1576）至今五十年来，目击科场之坏日甚一日。"

王昊（1627—1679）**生**。朱彭寿《清代人物大事纪年》："太宗天聪元年丁卯（明天启七年，公元 1627 年），生辰：王昊生，字惟夏，号顾园。江苏太仓人。享年五十三。"王昊，字惟夏，江南太仓（今属江苏）人，王世懋曾孙。弱冠补诸生，不就省试。康熙十八年举博学鸿儒，命下已前卒。著有《硕园诗稿》三十五卷、《硕园集》一卷、《硕园词稿》一卷，编有《古学文存辨体》八卷。

赵南星（1550—1627）卒。据台湾中央图书馆编《明人传记资料索引》。《明史·赵南星传》："赵南星，字梦白，高邑人。万历二年进士。除汝宁推官。治行廉平，稍迁户部主事。张居正寝疾，朝士群祷，南星与顾宪成、姜士昌戒弗往。居正殁，调吏部考功，引疾归。起历文选员外郎。疏陈天下四大害……卒以病归。再起，历考功郎中……斥南星为民……南星里居，名益高。与邹元标、顾宪成，海内拟之'三君'。中外论荐者百十疏，卒不起。光宗立，起太常少卿。俄改右通政，进太常卿。至则擢工部右侍郎。居数月，拜左都御史，慨然以整齐天下为己任……寻代张问达为吏部尚书……东林势盛，众正盈朝。南星益搜举遗佚，布之庶位。高攀龙、杨涟、左光斗秉宪；李腾芳、陈于廷佐铨；魏大中、袁化中长科道；郑三俊、李邦华、孙居相、饶伸、王之寀辈悉置卿贰。而四司之属，邹维琏、夏嘉遇、张光前、程国祥、刘廷谏亦皆民誉。中外忻忻望治，而小人侧目，滋欲去南星……忠贤及其党恶南星甚……卒戌南星代州……南星抵戌所，处之怡然。庄烈帝登极，有诏赦还。巡抚牟志夔，忠贤党也，故迟遣之，竟卒于戌所。崇祯初，赠太子太保，谥忠毅。"钱谦益《列朝诗集小传》丁集中《赵尚书南星》："南星，字梦白，高邑人。万历甲戌进士。释褐为汝宁府推官，迁户部郎，用清望推择为吏部，历考功郎中。癸巳内计京朝官，佐其长孙恭简公扶正抑邪，尽黜当路之私人，执政恨之。奉严谴削籍，里居三十年。天启初，以列卿起废，拜礼部尚书，坐忤逆阉，切责罢归，遣戌大同。先帝即位，未及召用，卒于戌所。赐谥忠毅……梦白抗议竖节，身为部党之魁，人以为门庭高峻，不可梯接，不知其通轻侠，纵诗酒，居然才人侠士、文章意气之侪也。为诗厌薄七子，刻意濯磨，而步趋北地，不能出其窠臼。为文滔滔莽莽，输写块垒，而起伏顿挫，不能禀合于古法，要其雄健磊落，奔轶绝尘，北方之学者，未能或之先也。梦白尝属余定其诗文，且以不朽为托，余虽未及志其墓，而尝徇其门人之请，再订其集，颇有所删改，当有知而传之者。"《四库总目提要》卷三六著录赵南星《学庸正说》三卷，同书卷九〇又著录其《史韵》二卷。陈田《明诗纪事》庚签卷一一选赵南星诗七首，小传谓其有《忠毅集》二十四卷。引王士禛《蚕尾续文》："高邑赵忠毅公北方伟人，天下望之如泰山北斗。诗长于古、《选》，颇有法度，而又能自见其才思。"又加按语云："忠毅三历铨曹，一为太宰，激浊扬清，凛不可犯。可谓姜桂之性，老而愈辣。诗亦风骨耸峻。"

公元 1628 年（明思宗崇祯元年　戊辰　后金［清］天聪二年）

三月

张采考中三甲第四十名进士。

五月

十日，明廷毁《三朝要典》。《明通鉴》卷八一："五月……庚午，毁《三朝要典》，编修倪元璐请之也。其略曰：'梃击、红丸、移宫三议，讧于清流；而《三朝要

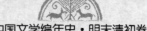

典》一书，成于逆竖；其议可兼行，其书必当速毁。'"

六月

小说《警世阴阳梦》十卷四十回刊行。题"长安道人过清编次"，演义魏忠贤事。元九《警世阴阳梦醒言》后署"戊辰六月，砚山樵元九题于独醒轩"。

十月

凌濛初《拍案惊奇》刊成。日本慈眼堂藏原刊四十卷足本《拍案惊奇》卷首《凡例》后署"崇祯戊辰初冬即空观主人识"。

是年

陕西大旱，高迎祥、李自成、张献忠等揭竿而起。据《明通鉴》卷八一、彭遵泗《蜀碧》卷一等。

张岱《古今义烈传》杀青。其自序末署"龙飞崇祯戊辰鞠月会稽外史宗子张岱读书于寿芝楼秉烛撰此"。

潘之恒《鸾啸小品》编成付梓。据汪效倚《潘之恒年表》（《潘之恒曲话》附录）。

小说《魏忠贤小说斥奸书》（全名《峥霄馆评定新镌出像通俗演义魏忠贤小说斥奸书》）八卷四十回刊行。题"吴越草莽臣撰"，卷首有崇祯元年盐官木强人叙、吴越草莽臣自叙、罗刹狂人叙。或谓草莽臣即冯梦龙，孙楷第《中国通俗小说书目》则疑撰者为陆云龙。

陈子龙与艾南英论争文学。陈子龙《陈子龙自撰年谱》卷上："崇祯元年戊辰。秋，豫章孝廉艾千子有时名，甚矜诞，挟谖诈以恫喝时流，人多畏之。与予晤于娄江之异园，妄谓秦、汉文不足学，而曹、刘、李、杜之诗，皆无可取。其詈北地、济南诸公尤甚，众皆唯唯。予年少在末坐，摄衣与争，颇折其角。彝仲辈稍稍助之，艾子诎矣。然犹作书往返，辩难不休。"李延昰《南吴旧话》："艾千子、陈大樽两人，论文不合，作书与瑗公，极诋陈。语粗鄙，是人不堪。大樽更将驳之，瑗公阻之曰：'无论谢上蔡语，了不可得；王蓝田面壁岂遽为难事？'大樽细阅上蔡语录，至'怀蔽锢自欺之心，长虚骄自大之气'，俯首曰：'瑗公所以教我矣。'遂立寝之。"

张溥选贡入太学，张采考中进士，共结燕台社（又称燕台十子社）。杜登春《社事始末》："是时娄东张天如先生溥、金沙周介生先生钟，并以明经贡入国学，而先君子（即杜麟征）登辛酉贤书，夏彝仲先生允彝亦以戊午乡荐偕游燕市，获缔兰交。目击丑类猖狂，正绪衰息，慨然结纳，计立坛坫。于是先君子与都门王敬哉先生崇简倡燕台十子之盟，稍稍至二十馀人。宛平米吉士寿都、闽中陈昌箕先生肇曾、吴门杨维斗先生廷枢、徐勿斋先生汧、江右罗文止先生万藻、艾千子先生南英、章大力先生世纯、朱子逊先生健、朱子美先生徽、娄东张受先先生采、吾松宋尚木先生存楠后改名徵璧者皆与焉。"

吴伟业进学。顾湄《吴梅村先生行状》："年二十，补诸生。"

王抃（1628—1702）生。据王抃自撰《王巢松年谱》及王懋初跋。王抃，初名抡，又名扬，字清尹；明亡后改字怿民，后又改鹤尹，号巢松。太仓（今属江苏）人。王时敏第五子，明诸生，入清屡试不第。曾从陆世仪、吴伟业、汪士韶、陈瑚受业，工诗，善乐府，杂剧传奇尤所擅场。著有《巢松集》六卷、《健庵集》一卷（《太仓十子诗选》本），《玉阶怨》、《戴花刘》杂剧，《筹边楼》、《浩气吟》、《鹭峰缘》传奇等。归庄《归庄集》卷三《王怿民诗序》："三百年来，吾郡之为宰辅者九人，其后人之才名蔚起，能世其家者，首推王文肃公家。怿民以文肃为之曾祖，太史为之祖，太常为之父，渊源既远，于是诸昆弟竞爽争鸣，有八桂、五桂之目。余尝序其兄周臣之古文、异公之诗矣。怿民先是与弟虹友有合刻诗，钱宗伯序之。兹复以新稿属余序。余览之，七言近体居多。今之为七律者，率尚浮声缛采，不知有气格，不复论风旨，故近世诗学之坏，七律为尤甚。怿民之诗，有磊落迈往之气，多慷慨之辞，似不屑屑于寻行数墨者，此其所以远胜于人也。钱宗伯称太史为诗，落笔数千言，已而多所持择；精制科之业，讲经世之务，以二者之馀力为诗，故其诗不足以尽太史。怿民读书好古，又方为进士业，未必专志求工于诗，而诗固已度越时流，骎骎绳乃祖之武矣。苟能问津于汉魏，肆力于李、杜三唐，吾安能测其所至哉！余为诗二十馀年，而犹不能工，明知作诗之难，故于怿民之诗，欣赏之馀，终不欲以目前定之，盖有厚期云尔。"王士禛《分甘馀话》卷四："娄江十子，虹友（王撼）才尤高，余尝序其《金陵集》。鹤尹诗才不及，而独工金元词曲，所为《筹边楼》、《浩气吟》等传奇，不但引商刻羽，杂以流徵，殆可谓词曲之董狐。"王豫《江苏诗征》引《太仓州志》："抃天资英迈，神采斐然，为诗善乐府，卒年八十五。"沈德潜《国朝诗别裁集》卷一四选王抃诗二首，于《送友还蜀中》诗后评云："应是乱后还蜀，流贼遂平，人民为靖，送者多悲歌感慨之音。"于《扬州次梅村师韵》后评云："福王南渡时事，阁部分镇，庙堂水火，四镇交争，丧亡之兆显然，而彼昏君不知，诗人所以叹也。"邓之诚《清诗纪事初编》卷三著录王抃《巢松集》六卷："王抃，字怿民，又字鹤尹。时敏九子，抃与撼最才而最穷。抃之于撼，才气或稍逊，深稳则过之。吴伟业评其诗，谓五言多平实之调，七言少盘礴之奇，足称知言。朱彝尊乃谓境生象外、意在言表，与田雯所谓奇思硬语、殴御才华，同为肤语。以此判吴、朱优劣，知世间少直谅之人也。今传世西庐家书，集抃康熙五年北游时与之者。黄与坚序其乐府，谓有《舜华庄》诸种曲，惜今不传。知其所致力者，尤在曲子也。刻此集时，年已七十一，未知卒于何年。"庄一拂《古典戏曲存目汇考》卷八著录王抃杂剧《玉阶怨》、《戴花刘》两种，皆佚；同书卷一一又著录其传奇《浩气吟》、《舜华庄》、《筹边楼》、《鹭峰缘》四种，仅《筹边楼》传世，馀皆佚。

姜宸英（1628—1700）生。朱彭寿《清代人物大事纪年》："天聪二年戊辰（明庄烈帝崇祯元年，公元 1628 年）。生辰：姜宸英生，字西溟，号湛园。慈溪人。享年七十二。"姜宸英，慈溪（今属浙江）人，康熙三十六年（1697）进士，授翰林院编修，充顺天乡试副考官，以事被劾，病死狱中。精书法，善古文辞，著有《姜先生全集》三十三卷。

公元 1629 年（明崇祯二年　己巳　后金［清］天聪三年）

正月

二十一日，明廷定阉党逆案，自崔呈秀以下凡六等。 见《明史·庄烈帝一》。

二十一日，吕留良（1629—1683）生。 卞僧慧《吕留良年谱长编》卷五："明思宗崇祯二年己巳（1629年）一岁。正月二十一日，吕元学侧室杨氏生留良于浙江嘉兴府崇德县登仙坊之里第。时元学卒已四月，抚于三兄嫂愿良夫妇。"吕留良，字庄生，号东庄。年二十五，就清廷试，易名光轮，字用晦，号晚村。钱谦益尝为更字曰留侯。又自号耻斋老人、南阳村白衣人。年五十二，避清廷山林隐逸聘，剪发袭僧服，僧名耐可，字不昧，号何求老人。嘉兴崇德（今浙江桐乡）人，清康熙元年（1662），改崇德为石门，或称吕留良为石门人，本此。著有《晚村先生文集》八卷、《续集》一卷、《东庄诗存》七卷，创编《宋诗钞》。死后，因雍正间曾静、张熙之狱牵涉，被开棺戮尸，其子及门人立斩，株连甚广。是为清代著名文字狱之一。

四月

后金开文馆，译汉文书籍，记注本朝史事。 据蒋良骐《东华录》卷二。

闰四月

三日，李流芳（1575—1629）卒。 据寒星、永祁编《李流芳年谱》（载上海书画社刊行之《朵云》1991 年第二期）。李流芳，初字茂官，更字长蘅，号檀园、一道、六浮居士、泡庵等，歙县（今属安徽）人。《明史·文苑传》："流芳，字长蘅，万历三十四年举于乡。工诗善书，尤精绘事。天启初，会试北上，抵近郊闻警，赋诗而返，遂绝意进取。"钱谦益《列朝诗集小传》丁集下《李先辈流芳》："流芳，字长蘅，嘉定人。万历丙申，与余同举南畿，再上公车不第。天启壬戌，抵近郊闻警，赋诗而返，遂绝意进取，誓毕其馀年，读书养母，刻心学道，以求正定之法。年五十有五，病咯血而卒。长蘅为人，孝友诚信，和乐易直，外通而中介，少怪而寡可，与人交，落落穆穆，不为翕翕热。磨切过失，周旋患难，倾身沥肾，无所鲠避。家贫，资修脯以养母；稍赢，则以分穷交寒士。视世之竖立岸崖，重自表襮者，不啻欲唾弃之。性好佳山水，中岁于西湖尤数，诗酒笔墨，淋漓挥洒，山僧榜人，相与款曲软语……其于诗，信笔书写，天真烂然，其持择在斜川、香山之间；而所心师者，孟阳一人而已。居恒语余：'精舍轻舟，晴窗净几，看孟阳吟诗作画，此吾平生第一快事。'余笑曰：'吾却有二快：兼看兄与孟阳耳。'晚尤逊志古人，草书杜、白、刘、苏诸家诗，至数十巨册，故于诗笔益细。孟阳亦叹其《皋亭》、《南归》诸篇，以为非今人可及也。"沈德潜《明诗别裁集》卷一〇选李流芳诗三首，小传云："嘉定四君子中，以檀园为上，虽渐染习气，而风骨自高，不能掩其真性灵也。"《四库总目提要》卷一七二著录李流芳《檀园集》十二卷："明李流芳撰。流芳字长蘅，嘉定人。万历丙午举人，三上公车不第。因魏忠贤乱政，遂绝意进取，筑檀园，读书其中。《明史·文苑传》附见唐时升传中。是编凡古今体诗六卷，杂文四卷，题画跋二卷。虽才地稍弱，不能与其乡归有光等抗衡，而当天启、崇祯之时，竟陵之盛气方新，历下之馀波未绝，流芳容与其间，独恪守先正之典型，步步趋趋，词归雅洁，二百馀年之中，斯亦晚秀矣。谢三宾刻《嘉定四先生集》时，流芳尚存，三宾诣视其疾，索所作，因尽出平生诗文，手自芟纂，以成斯集。三宾为作序，亦感慨凄动。三宾字象三，鄞县人，天启乙丑进士，后官巡按御史，守莱州，颇著劳绩。掖县毛霦《平叛记》载之最详云。"陈田《明诗纪事》庚签卷四选李流芳诗六首，按语云："长蘅貌似谭友夏，友夏赠诗云：'他年谁后死，优孟免蹒跚。'长蘅亦赠友夏诗云：'谁云谭郎貌似我，执手问人还似无。寸心明白已如此，区区形似终模糊。'又与袁小修、钟伯敬游，故其诗未免为楚咻所夺。今录其不堕彼法者，五言特清迥出尘。"

七月

十五日，小说《禅真后史》十集六十回刊行，题"清溪道人编次，冲和居士评校"。翠娱阁主人《禅真后史序》后署"时崇祯己巳兰盆日，翠娱阁主人题"。兰盆日即孟兰盆节，农历七月十五日。孙楷第谓是书撰者乃方汝浩，洛阳人。是书为方汝浩《禅真逸史》八集四十回续书（有崇祯间白下翼圣斋刊本），黑龙江人民出版社 1986 年出版《禅真逸史》整理本。

八月

二十一日，朱彝尊（1629—1709）生。朱彭寿《清代人物大事纪年》："天聪三年己巳（明崇祯二年，公元 1629 年），生辰：朱彝尊八月二十一日生，字锡鬯、竹垞，号鸥舫、小长芦钓师。浙江秀水人。享年八十一。"《清史列传·文苑传》："朱彝尊，字锡鬯，浙江秀水人。明大学士国祚曾孙。康熙十八年，诏举博学鸿儒科，以布衣试入选者，富平李因笃、吴江潘耒、无锡严绳孙及彝尊四人，皆除翰林院检讨，与所擢五十人同纂修《明史》。二十年，充日讲起居注官。是年秋，充江南乡试副考官。二十二年，入直南书房。命紫禁城骑马，赐居禁垣东，数与内庭宴，被文绮时果之赉。二十三年元旦，南书房宴归，圣祖仁皇帝以看果赐其家人，彝尊皆恭纪以诗。是时彝尊方辑《瀛洲道古录》，私以小胥录四方经进书，为学士牛钮所劾，降一级。二十九年，补原官。寻乞假归。仁皇帝南巡江浙，彝尊屡迎驾于无锡，召见行殿，进所著《经义考》，温谕褒奖，赐御书'研经博物'匾额。彝尊自少时以诗古文辞见知于江左之耆儒遗老，又博通书籍，顾炎武、阎若璩皆极称之。年逾五十，以布衣入翰林，数被恩遇。主江南试时，作《告江神文》、《贡院誓神文》以自励。所撰《经义考》共三百卷，仿鄱阳马氏《经籍考》而推广之，自周迄本朝，各疏其大略，分存、佚、阙、未见四门，于十四经外，附以逸经、毖经、拟经家学，承师宣讲，立学刊石，书壁镂版、著录，而以通说终焉。乾隆四十二年高宗纯皇帝亲制诗篇题诗卷首，命浙江巡抚三宝刊行，世以为荣。彝尊之在史馆也，凡七上总裁书，论定凡例，访遗书，请宽其期，毋如《元史》之迫于时日，多所乖谬。辨《从亡致身录》之不足信，谓方孝孺之友宋中珩、王孟蕴、郑叔度、林公辅诸人咸不及于难，则文皇当日无并其弟子友朋为一族戮之之事，其所谓九族者本宗一族也；为东林多君子而不皆君子，异乎东林者亦不皆小人。作史者不可先存门户之见，而以同异分邪正、贤不肖。世皆以为有识。彝尊又尝慨明诗自万历后，作者散而无统，作《明诗综》百卷，于公安、竟陵之前，铨次稍详；若启、祯死事诸臣，复社文章之士，亦力为表扬之。其自序云：'或因诗而存其人，或因人而存其诗，间缀以诗话，述其本事，期不失作者之旨。'彝尊诗不名一格，少时规橅王、孟，未尽所长；中年以后，学问愈博，风骨愈壮，长篇险韵，出其无穷。益都赵执信论国朝之诗，以彝尊及王士禛为大家，谓王之才高而学足以副之；朱之学博而才足以运之。彝尊又好为词，其体近姜白石、张玉田，而加恢宏焉。所著《词综》三十四卷、《日下旧闻》四十二卷、《曝书亭集》八十卷。《欧阳子五代史注》、《瀛洲道古录》，则其所草创未成者。四十八年，卒，年八十一。"沈德潜《国朝诗别裁集》卷一二选朱彝尊诗十八首，小传云："竹垞先生生平好古，自经史子集及金石碑版，下至竹木虫鱼诸类，无不一一考索纂述，如《经义考》、《日下旧闻》、《诗综》、《词综》，其最著者……顾宁人先生不肯多让人，亦以博雅称许之……集中诗不分唐宋界限，故各体具备。然予所录者，仍以唐体为归。"《四库总目提要》卷六八著录据朱彝尊《日下旧闻》所奉敕撰《钦定日下旧闻考》一百二十卷，卷八五又著录朱彝尊《经义考》三百卷，同书卷一三九又著录其《韵粹》一百七卷，同书卷一七三又著录其《曝书亭集》八十卷、《附录》一卷："国朝朱彝尊撰。彝尊有《日下旧闻》，已著录。此集凡赋一卷，诗二十二卷，皆编年为次，始于顺治乙酉，迄于康熙己丑，凡六十五年之作。其纪年皆用《尔雅》岁阳、岁阴之名，从古例也。词七卷，曰《江湖载酒集》，曰《茶烟阁体物集》，曰《蕃锦集》。杂文五十卷，分二十六体。附录《叶儿乐府》一卷，则所作小令也。彝尊未入翰林时，尝编其行稿为《竹垞文类》，王士禛为作序……惟暮年老笔纵横，天真烂漫，惟意所造，颇乏剪裁。然晚景颓唐，杜陵不免，亦不能苛论彝尊矣。至所作古文，率皆渊雅，良由茹涵既富故根底盘深……盖以诗而论，与王士禛分途各骛，未定孰先；以文而论，则渔洋《文略》，固不免瞠乎后耳。惟原本有《风怀二百韵诗》，及《静志居琴趣》长短句，皆流宕艳冶，不止陶潜之赋《闲情》。夫绮语难除，词人常态，然韩偓《香奁集》别有篇帙，不入《内翰集》中，良以文章各有体裁，编录亦各有义例，溷而一之，则自秽其书。今并刊除，庶不乖风雅之正焉。"同书卷一八三又著录其《竹垞文类》二十六卷："是集乃其未遇时所刻，中有《曝书亭集》所未录者，皆悔其少作，自为删汰也。"同书卷一九〇又著录其所编《明诗综》一百卷，同书卷一九四又著录其所选《洛如诗钞》六卷："此集皆康熙丁亥平湖人社集之作……其以洛如名者，洛如，花名，干如竹，实似荬，郡有文士则生也。"同书卷一九九又著录其所选《词综》三十四卷，同书卷二〇〇又著录朱彝尊、李良年、沈皞日、李符、沈岸登、龚翔麟之《浙西六家词》十卷。徐世昌编《晚晴簃诗汇》卷四四选朱彝尊诗七十二首，《诗话》云："竹垞著述最富，初刻《文类》二十六卷，入翰林后为《腾笑集》八卷，晚乃编定《曝书亭集》……所编《明诗综》，里贯之下，各载诸家评论，以《静志居诗话》分附于后。隆、万后所收未免稍繁，然世远者篇章易佚，时近者部帙多存，当亦随所见闻，不尽出于标榜。归愚《别裁》谓集中诗不分唐、宋界限，故各体俱备。长律议论正大，格律工整，步武少陵。《送曹侍郎备兵大同》诸篇，近李北地，应是中年之作。晚岁俱归流易，前贤绪论兹为允矣。《斋中读书》十二首，足见平生为学宗旨，故备录之。"邓之诚《清诗纪事初编》卷七著录朱彝尊《南车草》一卷、《竹垞文类》二十六卷、《竹垞文类》二十五卷、《腾笑集》八卷、《曝书亭集》八十卷、《曝书亭集外稿》八卷、《曝书亭词拾遗》三卷、江浩然《曝书亭诗录笺注》十二卷、孙银槎《曝书亭诗集笺注》二十三卷、杨谦《曝书亭集诗注》二十二卷、李富孙《曝书亭集词注》七卷："朱彝尊，字锡鬯，号竹垞，晚号小长芦钓鱼师，又号金风亭长，秀水人。国祚曾孙，至彝尊家已中落，变乱以后尤贫。与同里周筼、缪泳、王翃、沈进、李绳远、良年、符兄弟结诗课，为曹溶所知，渐有名里中。壮岁欲立名行，主山阴祁氏兄弟，结客共图恢复。魏耕之狱，几及于难，踉跄走海上。会事解乃赋远游，以布衣自尊。十馀年间遂负重名，姓字达于禁中。举康熙十八年鸿博之试，授职检讨……乃归田，专意著述。论者惜其轻于一出，终伤铩羽，然观所作《吊李陵文》，早已决心自献矣。而后削《文类》布衣之称，题诗集《腾笑》之名，无乃忸怩乎！卒于四十八年，年八十一……彝尊为学，专务博综，《词综》三十卷，成于康熙十七年，独标正始，别择甚严，转移之功，遂成有清填词之盛。采词集一百七十家，传记、小说、地志三百馀家，然犹嫌秘笈之未尽睹，金石之未备录。明词芜累，托言嗣出，而孤陋寡闻者，乃竟起而续貂也。《日下旧闻》四十二卷，成于二十六年。所见之书，乾隆中官修《日下旧闻考》时，已有不及知者，今则亡佚更多。旧籍日亡可惊，则彝尊博洽为可贵。《经义考》三百卷，成于三十八年……乾隆四十二年，官为刻竟。《明诗综》一百卷，成于四十一年，著录三千馀人，采集部二千馀家，不薄七子、钟、谭，颇与钱谦益《列朝诗集》持异同之论。尽以遗老旧人没于清初者，归之于明，最为卓见。惜谨畏过甚，明初文士罹祸者，多以倾危目之。所录顺康时人之作，稍触忌讳，辄为改削，乃欲以其书拟史，何得谓之直笔！何焯菲薄彝尊，后生竞名，不足为训。然谓彝尊此书奉陈子龙以斥谦益，而书中往往袭取谦益馀唾，颇中其失，世遂以之定钱、朱优劣矣。彝尊尤以诗文著称，顾炎武称其文章尔雅，斋心和厚。著《曝书亭集》八十卷，凡赋一卷、诗二十二卷、词七卷、文五十卷。文多考据之作，题跋一类，有意与《有学》争胜，或竟过之。碑版纪事之作，多足征事……诗篇极富，赵执信因有'贪多'之诮。或谓得一佳语，便可敷衍成篇。今观《腾笑集》中诗，有改题目而存者，既无当于实事，且何足以见性情乎？然兴酣笔落，遂可凌驾古人者，亦复多有。晚年才华不免稍谢，终无愧大家。先是顺治十四年，彝尊人粤归，刻其诗一百三十首和曹溶诗三十二首，为《南车草》一卷，诗多不见本集，有蔗馀道者为之序云：'自变故以来，诗书之气，无所附丽，天下之才人，往往化为诗人。'其言沉痛，不知何人也。嘉庆二十三年，海宁蒋楷始为之重刊。《竹垞文类》刻于康熙十六年，尚题'布衣朱彝尊'，为诗十四卷、文十二卷。《竹垞文类》二十五卷本，大约刻于二十三年，削去总目及布衣一行，并削去二十六卷一卷，中有《吊李陵文》，或以此为讳也。《腾笑集》诗八卷，以续《文类》，刻于二十五年，取《北山移文》'腾笑'之语，聊以解嘲。世以彝尊佚文甚多，为之辑补者，杨谦辑遗诗二卷、骈文二卷。未行。冯登府与彝尊五世孙墨林，从《曝书亭类稿》'石楼'、'漫与'二集手录本，更于断纸零墨中，共相收拾，参以《文类》、《腾笑》，得古今体诗约四百首，分为五卷，附词一卷、文二卷，刻于嘉庆二十二年，采之似犹未尽。后一年《南车》始重刻，故不及见。翁之润有《曝书亭词拾遗》三卷，从彝尊手稿录其为集中所无者，刻于光绪二十□年，之润为同龢孙，纨绔而以好事取名，足征文献。为之作注者，江浩然《曝书亭诗录笺注》十二卷，刻于乾隆二十七年，曰录者，犹之选本也。孙银槎《曝书亭诗集笺注》二十三卷，成于嘉庆五年。两注皆略于注事，孙注并将'屈五'字样刊去，以'友人'二字代翁山，其时文禁已疏，不知何故多此顾忌。杨谦《曝书亭集诗注》二十二卷，成书最后，较为详赡。然涉及'屈五翁山'者，并其诗删之，更孙之不若也。李富孙《曝书亭词注》七卷，成于嘉庆十九年，富孙经生，为良年后人，经学词章具有根底，故征引极博，人物考订尤详，且能是正彝尊之失，可谓佳籍。王鸣盛《吴诗集览序》云：'予门人范洪铸注竹垞诗成，亦称淹雅，正相与商榷开雕；又李注言无名氏《腾笑集注》言卯生人忌食河豚，先生忘其所出。然则彝尊诗注，尚有不传者矣。'张舜徽《清人文集别录》卷二著录朱彝尊《曝书亭集》八十卷（康熙五十三年原刻本）："论者或谓当时王士禛工诗，汪琬工文，毛奇龄工考据，独彝尊兼有众长。余则以为彝尊之所以大过人者，在其学问功力深厚，不仅非王、汪所能望，即毛氏抑犹逊其笃实。盖奇龄才胜其学，而彝尊学副其才，斯又两家之辨也。至于根柢庞固，文辞渊雅，有学而能宣，能文而有本，又远出并世诸儒之上……主持坛坫，垂五十年，填词家至取与玉田、白石并称，而论诗者谓足与渔洋媲美。于是绩学之名，遂为诗词所掩。今观是集卷四十二至五十五题跋之作，辨订群书，考证碑版，虽得失互见，而大体多精。要非博涉多通而识断通核者不能为，世徒推其文藻之美，固不足以尽之也。"袁行云《清人诗集叙录》卷九著录朱彝尊《曝书亭诗集》二十二卷（康熙五十三年刻本）、《曝书亭集外诗》五卷（道光二年刻本）："诗文初刻曰《竹垞文类》，通籍后为《腾笑集》，晚合前后所作手自删定，总八十卷，更名《曝书亭集》，潘耒、查慎行序，王士禛、魏禧旧序，曹寅助刻，未竣而朱、曹相继下世，其孙稻孙续成之，《四库总目》别集类著录。诗凡二十二卷，编年顺治四年前后所作，大抵不出乡里，十年，至广州，与陈子升、张家珍、屈大均等人交往，犹及见万泰。十五年还家，游金陵、淮扬，结交布衣老宿甚广。十八年，走海上，之东瓯。康熙三年北上，出居庸关，历雁北、晋中，观览山川祠庙。凡所经历，各以所见为咏。康熙六年在京师，与达官酬接，以《朱碧山银槎歌》作于孙承泽席上颇得名。十八年，举鸿博，称臣，有颂德诗数卷。晚年题图、论学之什，颇为质直。诗集酬唱赠别之什最夥，康熙间朝野名流事迹，多可取为印证……其诗唐宋兼采，无考据填实之弊，盖于古无所不学，又能自用，故愈老愈传也。论者以彝尊比王士禛，谓为南北二大宗，田雯、宋荦不能及也……沈景修《论诗绝句》云：'早岁才名动国门，直探星宿溯昆仑。《风怀》苦受多情累，百韵诗拚两庶豚。'（《蒙庐诗存》）评论甚精。"

十月

清兵分三路进逼北京，京师戒严。 据《明通鉴》卷八一。

十二月

初一日已交公元 1630 年 1 月 13 日。

梁佩兰（1630—1705）**生**。据吴荣光《石云山人文集》卷四所载《墓碑》，梁佩兰生于崇祯二年十二月。又朱彭寿《清代人物大事纪年》："天聪三年己巳（明崇祯二年，公元 1629 年），梁佩兰生，字芝五，号药亭。广东南海人。享年七十七。"又同书："康熙四十四年乙酉（公元 1705 年），卒岁：梁佩兰，候选知县，原任翰林院庶吉士。三月三十日卒，年七十七。诗人，岭南七子之一，入国史《文苑传》。"《清史列传·文苑传》："梁佩兰，字芝五，号药亭，广东南海人。顺治十四年，乡试举第一，屡上公车不得志。日与其同志砥砺文学，金台举社事，推佩兰与朱彝尊辈主坛坫，一时风雅称盛。佩兰每有所作，争相钞诵。康熙二十七年成进士，年六十矣……改翰林院庶吉士，不一年遽乞假归。途经齐、鲁、吴、越，与旧游诗筒酒盏，放浪湖山。里居十五年，属下诏敕守土官促词臣久于外者，令赴馆就职。佩兰入都，散馆以不能国书不入等，放归，寻卒……与南海程可则、顺德陈恭尹、番禺王邦畿、方殿元暨殿元长子还、次子朝，同以诗鸣粤中，人称为岭南七子。其诗从汉魏人，不借径三唐，新城王士禛、秀水朱彝尊、吴江潘耒尤推重之。四十七年，卒，年七十七。著有《六莹堂前后集》十六卷。"编者按，《清史列传》所记梁佩兰生卒年与其年六十成进士抵牾，本书不从。

是年

张溥联合诸文社，组成复社。是年于尹山（今江苏吴江）大会同人，是为复社第一次盛会。朱彝尊《静志居诗话》卷二一《孙淳》："崇祯之初，嘉鱼熊开元宰吴江，进诸生而谋讲艺，于时孟朴里居，结吴翻扶九、吴允夏去盈、沈应瑞圣符等肇举复社。于时云间有几社，浙西有闻社，江北有南社，江西有则社，又有历亭席社，昆阳云簪社，而吴门别有羽朋社、匡社，武林有读书社，山左有大社，金会于吴，统合于复社。复社始于戊辰，成于己巳。其盟书曰：'学不殖将落，毋蹈匪彝，毋读非圣书，毋违老成人，毋矜厥长，毋以辩言乱政，毋干进丧乃身。嗣今以往，犯者小用谏，大者摈。金曰：诺。'是役也，孟朴渡淮、泗，历齐、鲁以达于京师，贤大夫士必审择而定衿契，然后进之于社。故天如之言曰：'忘其身惟取友是急，义不辞难而千里必应，三年之间，若无孟朴，则其道几废。'盖先后大会者三，复社之名动朝野，孟朴劳居多。"陆世仪《复社纪略》卷一："吴江令楚人熊鱼山开元，以文章经术为治，知人下士，慕天如名，迎至邑馆；巨室吴氏、沈氏诸弟子俱从之游学。于是为尹山大会，苕霅之间，名彦毕至。未几，臭味翕集，远自楚之蕲黄，豫之梁宋，上江之宣城、宁国，浙东之山阴、四明，轮蹄日至。比年而后，秦、晋、闽、广多有以文邮致者。是时，江北匡社、中州端社、松江几社、莱阳邑社、浙东超社、浙西庄社、黄州质社与江南应社，各分坛坫。天如乃合诸社为一，而为之立规条，定课程。曰：'自世教衰，士子不通经术，但剿耳绘目，几幸弋获于有司。登明堂不能致君，掌郡邑不知泽民，人材日下，吏治日偷，皆由于此。溥不度德，不量力，期与四方多士共兴复古学，将使异日者务

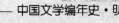

为有用。'因名曰复社。"

夏允彝等六人创几社。杜登春《社事始末》："戊辰会试,惟受先、勿斋两公得隽。先君(指杜麟徵)中副车,与下第诸公还,相订分任社事,昌明泾阳之学,振起东林之绪,以上副崇文重道之至意。于是天如、介生,遂有复社《国表》之刻,复者,兴复绝学之意也。先君与彝仲,有几社六子《会义》之刻,几者,绝学有再兴之几,而得知几其神之意也。两社对峙,皆起于己巳岁,予以是年生,生之时,两郡毕贺,借汤饼会为东南一大会,社事之有大会,自贺予生始也。娄东、金沙两公之意,主于广大;先君与会稽先生之意,主于简严。惟恐汉、宋祸苗,以我身亲之,故不欲并称复社,自立一名。诸君子同于公车,订盟起事,并驾齐驱,非列棘设藩,各为门户也。《国表》初刻,已尽合海内名流,其书盛行,戊辰房稿,莫之与媲。几社《会义》止于六子,六子者何? 先君与彝仲两孝廉主其事,其四人则周勒卣先生立勋、徐闇公先生孚远、彭燕又先生宾、陈卧子先生子龙是也。"据谢国桢《明清之际党社运动考·几社始末》云:"那时创办几社的还有李雯,因为他后来投降到清廷,所以杜登春《社事始末》没有把李雯列入。"李延昰《南吴旧话录》:"几社非师生不同社,或指为此朋党之渐,苟出而仕宦必覆人家国,陈卧子闻而怒。夏考功曰:'吾辈以师生有水乳之合,将来立身必能各见渊源。然其人所言譬如挟一良方,虽极苦,何得不虚怀乐受。'卧子曰:'兄言是。'乃邀为上客。"

明廷开历局,以徐光启为监督,用耶稣会士龙华民(Niccolo Longobardi,1591—1654)等修历。次年又召汤若望(Johann Adam Schall von Bell,1591—1666)等进局。据《明史·徐光启传》。

袁宏道撰《袁中郎全集》四十卷刊行,有"崇祯二年刊"本。

沈泰刊《盛明杂剧》初、二集。是集有崇祯己巳袁幔亭、徐翙、张元徵序。王国维《盛明杂剧跋》:"《盛明杂剧》三十卷,崇祯己巳钱唐沈泰林宗刊本。前有张元徵、徐翙、程羽文三序。案戏曲总集,除臧懋循《元曲选》、毛晋《六十种曲》外,若《元人杂剧选》、《古名家剧选》及此书,世人虽知其名,均在存佚之间。襄见日本内阁图书寮书目,有《盛明杂剧》二集三十卷,惊为秘笈。己酉冬日,得此书于厂肆,是为初集,而二集在日本内阁,始知世间尚有完书也。"

董以宁(1629—1669)生。据钱仲联主编《中国文学家大辞典·清代卷》。董以宁,字文友,号宛斋,江南武进(今江苏常州)人。诸生,少负文誉,工诗词。著有《正谊堂文集》二十卷、《诗集》二十卷、《蓉渡词》三卷、《词话》一卷。

钱曾(1629—1701)生。据钱大成《钱遵王年谱稿》。钱曾,字遵王,号也是翁,江南常熟(今属江苏)人。明诸生,为钱谦益族孙。家富藏书,曾撰《读书敏求记》四卷。工诗,著有《今吾集》、《笔云集》等。钱谦益《牧斋有学集》卷一九《族孙遵王诗序》:"遵王生绮纨,好学汲古,逾于后门寒素。其为诗,别裁真伪,区明风雅,有志于古学者也。比来益知持择,不多作,不苟作,介介自好,戛戛乎其难之也。得我说而存之,其为进埶御焉? 吾老矣,庶有虞于子乎?"沈德潜《国朝诗别裁集》卷八选钱曾诗四首,小传云:"遵王注牧斋诗集,固博闻士也。诗流易有馀,不求警策,得牧斋一体。"《四库总目提要》卷八七著录钱曾《读书敏求记》四卷、《述古堂书目》

无卷数。徐世昌编《晚晴簃诗汇》卷一五选钱曾诗一首,《诗话》云:"遵王,牧斋族孙,为牧斋注《初学》、《有学》二集。承绛云馀绪,家有藏书,撰《读书敏求记》,收藏家讲版本者,不能出其范围。尝秋夜宿破山寺,赋绝句十二首,牧斋甚赏之,取为《吾炙集》冠。尤推许'琉璃笼眼'二语,谓'取出世间妙义,写世间感慨',并题二绝句云:'笼眼琉璃映望奇,诗中心眼几人知。思公七尺屏风上,合写吾家断句诗。''高楼额粉笑如云,还钵休随庆喜群。大叫曾孙莫惊怖,老父原是武夷君。'"钱曾《秋夜宿破山寺绝句》:"空庭月白树阴多,崖石巉岩似钵罗。莫取琉璃笼眼界,举头争忍见山河。"袁行云《清人诗集叙录》卷九著录钱曾《钱遵王诗稿》不分卷(北京图书馆藏抄本)、《今吾集》不分卷(中国科学院图书馆藏抄本):"曾少学于族祖钱谦益,绛云楼火,烬馀书籍及诗文稿,悉付藏弆。所居述古堂、也是园,多善本古书。著有《读书敏求记》、《述古堂书目》,又为牧斋注《初学》、《有学》集诗传世。卒于康熙四十年,年七十三。诗稿未刻,《诗稿》为傅增湘先生旧藏钞本,乃选录,不尽其全……又《今吾集》钞本,以康熙刻本为底本,首壬子钱陆灿序,与《诗稿》有异同。和钱谦益诗四首,作于辛丑。和吴伟业赠苏生绝句,有江潭流落之悲。《题陈伯玑耦耕图》,伯玑名允衡,江西诗家。为金章宗作生挽诗,五言二百字。《题石谷子书卷》、《有论诗者戏以绝句八首答之》,以及观剧绝句十二首,皆艺文资料。作者固博闻之士,其与自鸣风雅,犹有别也。"

黄虞稷(1629—1691) 生。据钱仲联《中国文学家大辞典·清代卷》。朱彭寿《清代人物大事纪年》:"天聪二年戊辰(明庄烈帝崇祯元年,公元 1628 年),生辰:黄虞稷生,字俞邰,号楮园。江苏上元人(原籍福建晋江)。享年六十三。"今不从。黄虞稷,康熙十七年举博学鸿儒,以母丧未与试。著有《千顷堂书目》、《我贵轩集》等。

魏礼(1629—1694) 生。朱彭寿《清代人物大事纪年》:"天聪三年己巳(明崇祯二年,公元 1629 年),生辰:魏礼生,字公和(当作和公),号季子。江西宁都人。享年六十六。"钱仲联主编《中国文学家大辞典》(清代卷)括注魏礼生卒年为"1630—1695",源于邓之诚《清诗纪事初编》卷二著录魏礼《魏季子文集》十六卷:"卒于乙亥(康熙三十四年),年六十六。"本书未从。魏礼,明诸生,与兄魏际瑞、魏禧一门师友,称"易堂三魏"。入清不仕,工诗古文,著有《魏季子文集》十六卷。

史槃(1533?—1629?) 卒。张月中主编《中国古代戏剧辞典》谓史槃生卒年为"1531—1630",徐朔方《史槃行实系年》注史槃生卒年:1533 或略前—1629 或略后。今从。史槃,字叔考,会稽(今浙江绍兴)人,为徐渭弟子,一生困顿。善书画,工词曲,与王骥德等有交。著有《童羖斋集》与散曲集《齿雪馀香》,均佚。著有杂剧三种:《苏台奇遘》、《三卜真状元》、《清凉扇馀》,失传。《苏台奇遘》,祁彪佳《远山堂剧品》著录,入"雅品":"《苏台奇遘》(北六折)。叔考见孟子若有伯虎剧,遂奋笔为之,直欲压倒元、白耳。北调六齣始此。"《三卜真状元》,祁彪佳《远山堂剧品》著录,入"能品":"《三卜真状元》(南北六折)。是剧也,一以见黄怀宁循良之征,一以见刘殿元积厚之报。其为词不涉夸张,自得颂述之体。"《清凉扇馀》,祁彪佳《远山堂剧品》著录,入"能品":"《清凉扇馀》(南北四折)。此于王云来《清凉扇》之外,别搆四折。内钱嘉征面斥陆万龄一折,绝有生色。"另有传奇十五种,今传《梦磊记》、《鹣钗记》、《樱桃记》、《唾红记》（后又名《唾绒记》）。四剧，祁彪佳《远山堂曲品》俱入“能品”。著录《梦磊记》云：“文景昭富贵姻缘，俱得之于石，故梦中白玉蟾以‘磊’字授之，其中结构，一何多奇也！但刘以司农而夜送女于文生旅邸，与《檀扇》之以甥女私慰凌生，皆非近情之事。”著录《鹣钗记》云：“此记波澜，只在荆公误认宋广平为康璧耳，搬弄到底，至于完姻之日，欲使两女互易，真戏场矣。柳沃若桃斗一段，大有逸趣；但韦安石之搆国香，境界叠见，其中宜删繁就简。”著录《樱桃记》云：“丘素平樱桃之盟几败矣，而作之合者，乃在黄巢。此君作贼，犹不失英雄本色。后以死丁香易生爱娟，凿空出奇，大可捧腹。”著录《唾红记》云：“叔考匠心创词，能就寻常意境，层层掀翻，如一波未平，一波复起。词以淡为真，境以幻为实，唾红其一也。”陈继儒《陈眉公集》卷六《史叔考童羖斋集叙》云：“余尝见《合纱》、《檀扇》、《鹣钗》、《双鸯》、《樱桃》诸词，惊曰：世乃更有徐文长乎？客曰：此即文长之友史叔考也。叔考自少婀公车言，会江陵下沙汰之令，檄郡国录士上督学使，额无过十五，叔考叹曰：寒书生岂能飞渡铁步障乎？遂作《破瑟赋》以谢同仁，不应举。文长闻而喜曰：史君赋使碎琴之陈子昂愧不能穴地遁去。自是与叔考交甚驩。即南阡北陌、高山大泽之间，无不与叔考俱，而谈艺尤甚洽。顷公七十四而《童羖斋集》成。”冯梦龙《墨憨斋重定梦磊传奇》有序云：“史氏所作十馀种，率以情节交错、离奇变幻为骨，几成一例。就中《梦磊》最佳，《合纱》次之。”黄宗羲《思旧录》云：“史槃，字叔考，徐文长之门人。其书画刻画文长，即文长亦不能辨其非己作也。长于填词，如《鹣钗》、《合纱》、《金丸》、《梦磊》诸院本，皆盛行于世。余四十岁时于黄泥桥诸氏园中见之，须鬓浩然，年盖九十馀矣。”

公元1630年（明崇祯三年　庚午　后金［清］天聪四年）

正月

顺天府府尹刘宗周上疏查禁优伶戏曲。刘汋《先君子蕺山先生年谱》卷上：“崇祯三年春正月，拜疏申明保甲，奉旨允行。京师最伤风化者莫过于梨园，自勋戚至大猾小吏，有宴会辄娼优并陈，流连十夜，先生言禁于保甲中。一日外出，见畀箱于道，呼责之。其人遽曰：‘司礼某太监物也。’先生曰：‘犯吾禁，虽王侯不宥，况若辈乎？’命举火焚之，尽逐诸优于境外，辇毂为之一清。”

二月

二十八日，唐甄（1630—1704）**生。**据唐甄《潜书》所附王闻远所撰《行略》。唐甄，本名大陶，字铸万，后更名甄，号圃亭，四川达州人。顺治十四年举人，历官山西长子县令，以事去官，终老于苏州。宗尚王阳明之学。《清史列传・文苑传》：“著《衡书》。曰‘衡’者，志在权衡天下也。后以连蹇不遇，更名《潜书》。书分上下篇：言学者为上篇，始自辨儒，终于博观，凡五十篇；言治者为下篇，始于商治，终于潜存，凡四十七篇。其自述曰：‘上观天道，下察人事，远正古迹，近度今宜，根于心而致之行，如在其位而谋其政，非虚言也。’宁都魏禧见而叹曰：‘是周秦之书也！今犹有此人乎？'康熙四十三年，卒，年七十有五。又著有《毛诗传笺合义》、《春秋述传》、《潜文》、《潜诗》、《日记》。"

八月

初一日，叶宪祖编成《青锦园赋草》一卷，附《广连珠》。收赋九篇，有序，后署"崇祯壬申中秋月朔日姚江叶宪祖题于安汉署中"。

十六日，明崇祯帝误信后金之反间计，自毁长城，以谋叛罪杀袁崇焕（1584—1630）。《明史·庄烈帝一》："三年……秋八月癸亥，杀袁崇焕。"袁崇焕，字元素，号自如，广东东莞人。万历四十七年进士，历官按察使，守宁远，用红衣大炮打败努尔哈赤，次年又打败皇太极，获宁锦大捷。崇祯元年起兵部尚书，督师蓟辽、登莱，屡建战功。有《袁督师遗集》。

九月

初五日，屈大均（1630—1696）生。据汪宗衍《屈翁山先生年谱》。屈大均，生于南海邵氏，年十六，尝以邵龙姓名补南海县学生员，后随父归，复姓屈氏，名绍隆；以后更名大均，字介子，又字翁山，号泠君；明亡，曾一度为僧，名今种，字一灵，又字骚馀，后返儒服，更今名。广东番禺人。与魏耕、顾炎武等明遗民交往，一度从事抗清复明活动。工诗。著有《道援堂集》、《翁山诗外》、《翁山文外》、《道援堂词》、《翁山易外》、《翁山文钞》、《翁山诗略》、《广东新语》、《先圣庙林记》、《皇明四朝成仁录》等。人民文学出版社 1996 年出版《屈大均全集》整理本，中山大学出版社 2000年出版《屈大均诗词编年笺校》。

十月

十八日，陆陇其（1630—1693）生。吴光西等《陆陇其年谱》："庚午明庄烈帝崇祯三年十月十八日，先生生于泖滨世居。"杨开基《重订陆清献先生年谱原本》："明崇祯三年庚午，是岁十月癸亥，先生生。先生讳龙其，后避嫌名，改讳陇其，字稼书，浙江平湖人。"陆陇其，康熙九年进士，历官嘉定、灵寿知县，擢四川道御史。卒后，雍正五年从祀孔庙，乾隆初追赠内阁学士兼礼部侍郎，谥清献。著有《三鱼堂文集》十二卷、《外集》六卷、《附录》一卷。

是年秋

陈子龙、张溥、吴伟业等人赴南京乡试，中举。陈子龙《陈子龙自撰年谱》卷上："崇祯三年庚午，予幸登贤书，本房即京山郑师也。是科相国姜燕及、陈赞皇两先生为试官，南国得士称最盛，而郑师之门，尤多名士云。"

张溥因乡试之便，在南京召开复社金陵大会。张溥等复社士子中举人者颇多。陆世仪《复社纪略》卷二："崇祯庚午乡试，诸宾兴者咸集，天如又为金陵大会。是科主裁为江右姜居之曰广。榜发，解元为杨廷枢，而张溥、吴伟业皆魁选，陈子龙、吴昌时俱入彀，其他省社中列荐者复数十馀人。"

十二月

初一日（已交公元 1631 年 1 月 2 日），明廷增田赋充饷。据《明史·庄烈帝一》。

是年

小说《梼杌闲评》（又名《明珠缘》）五十卷五十回，不题作者姓名，约成书于是年以后，盖小说所述事最晚至崇祯三年故也。讲述魏忠贤与客印月狼狈为奸，作恶朝中事。以光绪二十年（1894）本较为通行，今有人民文学出版社 1983 年所出版整理本。

李柏（1630—1700）生。据吴怀清《雪木先生年谱》。钱仲联主编《中国文学家大辞典·清代卷》括注其生卒为"1624—1694"，与《清史列传·儒林传》、邓之诚《清诗纪事初编》卷二、朱彭寿《清代人物大事纪年》所记同。今从年谱。李柏，字雪木，号白山逸人，又号太白山人，郿县（今陕西眉县）人。一生隐居不仕，与李颙、李因笃有"关中三李"之称。著有《槲叶集》五卷，附《南游草》一卷。

季振宜（1630—1674）生。据钱仲联主编《中国文学家大辞典·清代卷》。季振宜，字诜兮，号沧苇，江南泰兴（今属江苏）人。顺治四年进士，授浙江兰溪知县，历官刑部主事、户部员外郎、户部郎中、浙江道御史。以藏书著名于世。

徐复祚（1560—1630 以后）卒。庄一拂《古典戏曲存目汇考》卷六谓徐复祚"卒于崇祯三年（1630 年）以后"，其《明清散曲作家汇考》亦如之，今从。又徐朔方《徐复祚年谱》括注其生卒为"1560—1629 或略后"。徐复祚，原名笃儒，字阳初，后改讷川，号暮竹，别署阳初子、三家村老。常熟（今属江苏）人。博学工文，尤擅长词曲。著有《三家村老委谈》，又名《花当阁丛谈》（后人从中辑出部分或称《三家村老曲谭》、《曲论》），创作传奇《投梭记》、《红梨记》、《祝发记》、《宵光剑》、《雪樵记》、《题塔记》、《题桥记》七种，创作杂剧《一文钱》、《梧桐雨》、《闹中牟》三种。另有曲选《南北词广韵选》。雍正《昭文县志》卷七一："徐复祚，字阳初，大司空栻之孙。为诸生，博学能诗，尤工词曲。传奇若《红梨》、《投梭》、《祝发》、《宵光剑》、《一文钱》、《梧桐雨》诸本，传诵梨园。又尝仿陶九成《辍耕录》作《村老委谈》三十卷。"乾隆《常昭合志》卷一一著录徐复祚著述："《三家村老委谈》三十六卷，按此书一名《花当阁丛谈》，今只存八卷。又有《红梨记》、《投梭记》、《祝发记》、《宵光剑》、《一文钱》、《梧桐雨》诸传奇。"民国《重修常昭合志》卷一八著录徐复祚著述："《丹棘篇》六卷、《委谈佚篇》一卷、《家儿私语》一卷、《题塔》、《雪樵》、《闹中牟》。"吴梅《红梨记跋》："此记谱赵伯畴、谢素秋事，颇称奇艳，明曲中上乘之作也。阳初，常熟人，所作有《宵光剑》、《梧桐雨》、《一文钱》诸剧。或改易元词，或自出机局，盛为歌场生色，而《红梨》尤为平生杰作。中记南渡遗事，及汴京残破情形，大有故国沧桑之感。传奇诸作，大抵言一家离合之情，独此记家国兴衰，备陈始末，洇为词家异军……虽通本用《琵琶》格式至多，不免蹈袭旧格，但明人多有此病，不可专责徐氏也。"

公元 1631 年（明崇祯四年　辛未　后金［清］天聪五年）

正月

初一日，旧题"**古吴金木散人编，永兴清心居士校**"《**鼓掌绝尘**》**四集四十回付梓**。闭户先生《鼓掌绝尘题辞》后署"崇祯辛未岁之元旦，闭户先生书于咽园之烹天馆"。

二月

吴伟业赴京参加会试，举第一名会元。顾师轼《梅村先生年谱》："举会试第一名。座主：内阁周延儒，宜兴人；内阁何如宠，桐城人。房师李明睿，江西南昌人，天启壬戌进士。"

三月

吴伟业考中一甲第二名进士。

张溥考中三甲第一名进士。

李清考中三甲第一百八十六名进士。谈迁《国榷》卷九一："三月乙亥朔，己丑，策贡士吴伟业等三百人于建极殿，赐陈于泰、吴伟业、夏曰瑚等进士及第、出身有差。"

张溥学于徐光启。张溥《七录斋近集·徐文定公农政全书序》："予生也晚，犹获侍先师徐文定公，盖岁辛未之季春也。溥时以春官尚书守詹次，当读卷，亟赏予廷对一策，予因得以谒公京邸。公进予而前，勉以读书经世大义，若谓孺子可教者。予退而矢感，早夜惕励，闻公方究泰西历学，予邀同年徐退谷往问所疑。"

是年春

张溥、陈子龙、夏允彝、宋徵璧、彭宾、吴伟业、万寿祺、杨廷枢等拟立燕台社，未果。陈子龙《陈忠裕公全集》卷三〇《壬申文选凡例》："辛未之春，余与彝仲、让木、燕又俱游长安，日与偕者：江右杨伯祥，彭城万年少，吴中杨维斗、徐九一，娄江张天如、吴骏公，同郡杜仁趾，拟立燕台之社，以继七子之迹，后以升落零散，遂倡和乡里，不及远方。故勒卣诗曰：'明时凤侣多相得，下泽鸥群且自盟。'子龙亦尝有作云：'金台宾客非无侣，莲社神仙亦我徒。'虽感慨系之，亦见不朽盛事非关名位矣。"

四月

陈子龙赴京会试，落第归。作《东郊赋》等文。陈子龙《陈子龙自撰年谱》卷上：

"崇祯四年辛未。四月抵里门……上以仲春朝日于东郊，予窃从道旁见千乘万骑之盛，因作《东郊赋》，又作《江南父老难中原子弟中州灾异对》、《拟汉有司核张京兆奏》、《求自试表》诸篇。"

小说《隋炀帝艳史》八卷四十回刊行，即崇祯人瑞堂刊本。旧题"齐东野人编次，不经先生批评"，野史主人《隋炀帝艳史序》后署"崇祯辛未岁清和月，野史主人漫书于虚白堂"。古人称农历四月为清和月。鲁迅《唐宋传奇集·稗边小缀》以《醒世恒言》有《隋炀帝逸游召谴》一篇，认为是书撰者即冯梦龙。

五月

初四日，彭孙遹（1631—1700）生。朱彭寿《清代人物大事纪年》："天聪五年辛未（明崇祯四年，公元1631年），生辰：彭孙遹，五月初四日生，字骏孙，号信弦、羡门。浙江海盐人。享年七十。"彭孙遹，顺治十六年进士，授中书。康熙十八年举博学鸿词第一，授翰林院编修，官至礼部右侍郎。工诗善词，与王士禛齐名，有"彭王"之称。著有《松桂堂全集》三十七卷、《南陔集》三卷、《延露词》三卷、《金粟词话》一卷、《词统源流》一卷、《词藻》四卷等。

九月

二十五日，陈恭尹（1631—1700）生。据温肃《陈独漉先生年谱》。陈恭尹，字元孝，初号半峰，晚号独漉子，亦称罗浮布衣，顺德（今属广东）人。曾任南明永历帝锦衣卫佥事，又与郑成功、张煌言等联系复明。工诗，尤擅七律。著有《独漉堂全集》诗文各十五卷、词一卷。

十一月

初二日，徐乾学（1631—1694）生。《清代碑传全集》卷二〇韩菼《资政大夫经筵讲官刑部尚书徐公乾学行状》："公生于有明崇祯四年十一月初二日，卒于康熙三十三年七月十七日，年六十有四。"徐乾学，字原一，号健庵，昆山（今属江苏）人。康熙九年进士，授编修，历官翰林院侍讲学士、内阁学士兼礼部侍郎、督察院右副都御史、刑部尚书。著有《憺园文集》。

吴兆骞（1631—1684）生。徐釚《南州草堂集》卷二九《孝廉汉槎吴君墓志铭》："汉槎以前辛未十一月某日生。"又顾贞观《弹指词》卷下《金缕曲·寄吴汉槎宁古塔》："兄生辛未我丁丑。"吴兆骞，字汉槎，吴江（今属江苏）人。顺治十四年举人，以丁酉科场案遣戍宁古塔二十馀年，于康熙二十年被允纳资赎归，后病逝京师。著有《秋茄集》八卷。

是年

孟称舜《孟叔子史发》成书。《四库总目提要》卷九〇著录孟称舜《孟叔子史发》：“明孟称舜撰。称舜字子塞，会稽人，崇祯间诸生。是书凡为史论四十篇，其文皆曲折明畅，有苏洵、苏轼遗意，非明人以时文之笔论史者。惟以其屡举不第，发愤著书，不免失之偏驳……盖瑕瑜互见之书也。前有崇祯辛未自序，述不得志而立言之意。”

夏完淳（1631—1647）生。清顺治四年（1647），夏完淳年十七岁就义南京，逆推得生年。夏完淳初名复，字存古，号小隐，又号灵首（或作灵胥），松江华亭（今属上海）人。完淳生有异禀，自幼受父亲夏允彝影响，崇尚名节，五岁读经史，七岁能诗文，十二岁即博览群书，为文千言立就。师事陈子龙，曾与杜登春等组西南得朋会，为几社后劲。年十六，拟庚信作《大哀赋》，文采宏逸。乙酉清兵南下，夏完淳随父夏允彝、师陈子龙起兵抗清，清兵陷松江，其父投水殉国，完淳与师陈子龙等再组义军抗清，鲁王监国遥授其为中书舍人。后抗清事败，流离返家，于清顺治四年夏在故乡被清兵捕获，解往南京，不屈就义，年仅十七岁。清乾隆中通谥节愍。著有《玉樊堂集》、《内史集》、《南冠草》、《续幸存录》等（王鸿绪《明史稿》本传、侯玄涵《夏允彝传》、王弘撰《夏孝子传》、汪端明《三十家诗选》）。今人有整理本《夏完淳集》八卷，中华书局上海编辑所 1959 年出版。

董俞（1631—1688）生。据钱仲联主编《中国文学家大辞典·清代卷》。董俞，字苍水，一字樗亭，号莼乡钓客，江南华亭（今上海松江）人。《清史列传·文苑传》："董俞，字苍水，江苏金山卫人。顺治十七年举人，康熙十八年，举博学鸿儒，罢归。童时喜读古人诗，略上口，即能为声偶之言，与兄含并以才名显。尤善赋学，尝为《镜赋》、《燕赋》、《采茶赋》，清婉流丽，论者谓可与吴绮相颉颃。入都时，与王士禛相唱和。尝渡洞庭至鹿角山，风浪大作，覆舟蔽湖而下，童仆震慑无人色，俞坦然危坐，赋二诗投湖中，竟得无恙，其镇静如此。俞父官少宰，本贵公子，江南逋赋之狱起，绅士同日除名者万馀人，俞隶焉，遂弃帖括，究极于风雅正变之间，爰及汉魏，下迄三唐，朝蕴暮盐，萧然如寒畯，而其诗亦闳深涵演，非复小乘所敢望。晚卜筑南村，灌园除菜，啸歌自得。著有《樗亭》、《浮湘》、《度岭》等集。又与田茂遇同编《高言集》。"

李因笃（1631—1692）生。据吴怀清编《关中三李年谱·天生先生年谱》。一说李因笃生于明崇祯六年（1633）。来新夏《近三百年人物年谱知见录》著录《天生先生年谱》三卷，有按语云："谱主生卒年有异说。姜亮夫《历代人物年里碑传综表》、《续疑年录》等皆作崇祯六年生。是谱编者考称：'按康熙十八年己未先生告终养疏云：臣年四十有九。有顾宁人是年与先生书亦云：弟年四十有九。依此类推，当生崇祯四年辛未。'"李因笃，字天生，更字孔德，号子德，又号中南山人。陕西富平人，祖籍山西洪洞。明诸生，康熙十八年召试博学鸿儒，授检讨，未逾月，以母病辞归。早年即以诗名，与李颙、李柏有"关中三李"之称。著有《受祺堂诗》三十五卷、《文》四卷、《续集》四卷。

顾祖禹（1631—1692）生。据夏定域编《顾祖禹年谱》（载《文献》1989 年第一至第二期）。朱彭寿《清代人物大事纪年》："天命九年甲子（明天启四年，公元 1624 年），生辰：顾祖禹生，字景范，号宛溪、复初。江苏常熟人。享年五十七。"今不从。

顾祖禹，字复初，又字景范，号宛溪，江南无锡（今属江苏）人，生于常熟。著有《读史方舆纪要》一百三十卷，为历史地理学名著。

娄坚（1567—1631）卒。据吴海林等编《中国历史人物生卒年表》。《明史·文苑传》："娄坚，字子柔。幼好学，其师友皆出有光门。坚学有师承，经明行修，乡里推为大师。贡于国学，不仕而归。工书法，诗亦清新。四明谢三宾知县事，合时升、坚、嘉燧及李流芳诗刻之，曰《嘉定四先生集》。"钱谦益《列朝诗集小传》丁集下《娄贡士坚》："坚，字子柔，嘉定人。经明行修，学者推为大师。五十贡于春官，不仕而归。其师友皆出震川之门，传道其流风遗书，以教授学者，师承议论，在元和、庆历之间，箴砭俗学，抉摘踳驳，从容更仆。具有条理。衣冠修然，容止整暇，书法妙天下。风日晴美，笔墨精良，方欣然染翰，不受促迫。与唐叔达、程孟阳为练川三老，暇日整巾，拂撰杖履，联袂笑谈，风流弘长，与之游处者，咸以为先民故老，不知其为今人也。晚而学佛，长斋持戒，间与余辈当歌命酒，亦留连不忍去。"朱彝尊《静志居诗话》卷一八《娄坚》："娄坚，字子柔，嘉定人。贡生。有《吴歈小草》。'练川三老'，子柔古风独胜。"《四库总目提要》卷一七二著录娄坚《学古绪言》二十五卷："明娄坚撰。坚字子柔，长洲人。隆、万间贡生。早从归有光游，《明史·文苑传》附载有光传中，称其与唐时升、程嘉燧号练川三老，又与时升、嘉燧及李流芳号嘉定四先生。然嘉燧以依附钱谦益得名，本非端士。核其所作，与三人如兼葭倚玉，未可同称。三人之中，时升、流芳虽均得有光之传，而能融会师说，以成一家言者，又当以坚为冠。盖明之末造，太仓、历下馀焰犹张，公安、竟陵新声屡变，文章衰敝，莫甚斯时。坚以乡曲儒生，独能支拄颓澜，延古文之一脉。其文沿溯八家，而不剿袭其面貌，和平安雅，能以真朴胜人，亦可谓永嘉之末，得闻正始之音矣。王士禛《居易录》尝称其《长庆集序》，以为真古文。今观是集，大抵具有古法，不但是篇，士禛特偶举其一也。"陈田《明诗纪事》庚签卷四选娄坚诗五首，小传谓其有《吴歈小草》十卷。又加按语云："子柔传震川之学，薄元美辈为庸妄钜子，虽与元美之子冏伯游，不能讳其失也。《吴歈小草》长于古体，刊落浮嚣，语多造微。近体绝句，时流浅易。盖其所心摹力追者白乐天一流，而才不足以济之；有真率而无兴趣，质盛则野，其弊然也。"

公元1632年（明崇祯五年 壬申 后金［清］天聪六年）

二月

十六日，孙蕙（1632—1686）生。高珩《栖云阁文集》卷一四《户科给事中树百孙公墓志铭》："君生于崇祯壬申二月十六日子时，卒于康熙二十五年三月初六日寅时，享年五十有五。"孙蕙，字树百，号泰岩，一号笠山，淄川（今属山东淄博）人。顺治十八年进士，历官宝应知县、户科给事中。著有《笠山诗选》五卷。

三月

后金达海增改满文十二字头，加圈点。蒋良骐《东华录》卷二："三月，以国书十二字头向无圈点，上下字雷同无别，命巴克什达海酌加圈点，以分析之。"

十月

叶小鸾（1616—1632）**卒**。叶绍袁《叶天寥自撰年谱》："（崇祯）五年壬申，四十四岁……十月，琼章遂弃蕊宫之驾。"事迹参见本书顺治五年（1648）"叶绍袁卒"目。

十二月

初八日（已交公元 1633 年 1 月 17 日），王士祜（1633—1681）**生**。据王士禛《渔洋文略》卷一一《先兄东亭行述》。王士祜，字子侧，一字叔子，号东亭，又号古钵山人，新城（今山东桓台）人。康熙九年进士，未仕而卒。著有《古钵诗选》一卷。

叶纨纨（1610—1632）**卒**。叶绍袁《叶天寥自撰年谱》："（崇祯）五年壬申，四十四岁……昭齐哭妹归家，又成徂谢。"又叶绍袁《天寥年谱别记》："壬申……十二月迫小除矣，长女昭齐徂逝。"事迹参见本书顺治五年（1648）"叶绍袁卒"目。

是年冬

凌濛初编撰《二刻拍案惊奇》**成**。凌濛初《二刻拍案惊奇小引》后署"崇祯壬申冬日即空观主人题于玉光斋中"。

是年

陈子龙、夏允彝纂《壬申文选》。陈子龙《陈子龙自撰年谱》卷上："崇祯五年壬申。集同郡诸子治古文辞益盛，率限日程课，今世所传《壬申文选》是也。"

陈子龙初识柳如是。据陈寅恪《柳如是别传》第三章有关考证。

毛宗岗（1632—1709 以后）生。陈翔华据蒋祖芬《娄关蒋氏本支录·祖范》所存录之毛宗岗跋语，逆推其生于明崇祯五年，清康熙四十八年春尚在世（见陈翔华著《诸葛亮形象史研究》第 300 页注，浙江古籍出版社 1990 年出版）。毛宗岗，字序始，号孑庵，茂苑（今江苏苏州）人。与其父毛纶（字德音，号声山）仿金圣叹评《水浒》之法，对罗贯中《三国志演义》删改评批，伪托金圣叹序于卷首，标为"第一才子书"，加强原小说之尊刘抑曹正统观念，整顿回目，修饰文字，改换诗文，并加评语。今知康熙十八年醉耕堂精刻本《三国演义》为毛本最早刻本，从此毛本一百二十回《三国演义》遂取代旧本行世，影响甚广。毛纶《第七才子书琵琶记总论》："昔罗贯中先生作《通俗三国志》一百二十卷，其记事之妙，不让史迁；却被村学究改坏，予甚惜之。前岁得读其原本，因为校正；复不揣愚陋，为之条分节解；而每卷之前，又各缀以总评数段，且许儿辈亦得参附末论，共赞其成。书既成，有白门快友见而称善，将取以付梓。不意忽遭背师之徒，欲窃冒此书为己有，遂致刻事中阁，殊为可恨。今特先以《琵琶》呈教，其《三国》一书，容当嗣出。"

吴历（1632—1718）生。朱彭寿《清代人物大事纪年》："天聪六年壬申（明崇祯五年，公元 1632 年），生辰："吴历生，字渔山，号墨井道人。江苏常熟人。享年八十七。"吴历，又号桃溪居士，著有《墨井集》三卷。钱谦益《牧斋有学集》卷四八《题桃溪诗稿》："里中渔山吴子，摹刘松年《四皓图》，辄以赠予……渔山不独善画，其于诗尤工。思清格老，命笔造微，盖亦以其画为之，非欲以涂朱抹粉争艳于时世者。"徐世昌编《晚晴簃诗汇》卷三九选吴历诗十首，《诗话》云："明万历间，利玛窦、庞迪我辈入中国，始有《二十五言》、《七克》诸书。徐文定与共治历算，遂习其说，具载《天学初函》中。渔山盖亦以儒生而归西教者，《墨井题跋》自言'年垂五十，学道于三巴，有绝句三十首'。三巴者，耶稣会之堂名也。诗注谓：'柏先生约余同去大西，入吞不果。'后以老寿卒，年八十六，墓在上海徐家汇，即文定之故里。前人记载或云'浮海不知所终'，或云'弃家出游，航海至西洋，往返数万里，归隐上海'，皆未尽确也。《海虞诗苑》已称真迹流传绝少，张浦山以麓台论画每右渔山而左石谷，深致微词。要之六法之外，士气为贵，论其韵致，固非专矜功力者所足方已。"邓之诚《清诗纪事初编》卷一著录吴历《墨井集》三卷："吴历，字渔山。常熟人。从陈瑚学经世之略，瑚刻其诗入《从游集》，谓能共适冥漠之乡。学诗于钱谦益，谦益称其诗思清格老，命笔造微。与王翚同学画于王时敏，以为历之所作，刻刺神技，斲轮妙手。冥心默契，不可思议。翚与历同里同岁生，画为皇太子所赏，赐额清晖，因以名其堂。而历荒寒寂寞，卖画养母。晚岁好道，遂弃家入天主教，居澳门七年，复归乡里。卒于康熙五十七年，年八十有八。事具张云章所撰《墨井道人传》。有《墨井集》三卷，为《墨井诗钞》、《题跋》、《三巴集》各一卷。三巴者，澳门所居天主堂也。历诗为画名所掩，而人品又为诗画所掩。今称历者又重其传教，岂知当日入道，含辛茹苦有不可喻人者哉！"袁行云《清人诗集叙录》卷一〇著录吴历《墨井集》五卷（宣统元年上海排印本）："吴历……康熙二十一年在澳门入耶稣会，洗名西满沙勿略，又取西姓雅古纳，后曾任司铎。尝拟随柏应理司铎赴欧洲，未果。回沪传教上海、嘉定等处。康熙五十七年殁，年八十七。葬上海南门外耶稣会墓中。能诗，康熙间飞霞阁刻本曰《墨井诗钞》，道光间顾湘《小石山房丛书》重刻之，分上下卷，共百三十一首。别卷曰《三巴集》者，只刻《吞中杂咏三十首》，附《画跋》曰《外卷》。宣统元年，李杕据顾本以《三巴集》未刻之《圣学诗》补入，末附《口铎》一卷，由上海土山湾印书馆排印，首唐宇昭、余怀、陈瑚、陈玉璂、尤侗等原序，李杕、马相伯新序，即今本《墨井集》。"

朱国祯（1558—1632）卒。卒年据《明史》本传，详下。朱国祯，一作朱国桢，字文宁，号平极，乌程（今浙江吴兴）人。据朱国祯《自述行略》（北京大学图书馆藏抄本），他生于明嘉靖三十七年（1558）正月初一。著有《皇明史概》一百二十卷、《涌幢小品》三十二卷等。《明史·朱国祯传》："朱国祯，字文宁，乌程人。万历十七年进士，累官祭酒，谢病归，久不出。天启元年擢礼部右侍郎，未上。三年正月拜礼部尚书兼东阁大学士……改文渊阁大学士，累加少保兼太子太保。魏忠贤窃国柄……视国祯蔑如。其冬为逆党李蕃所劾，三疏引疾。忠贤谓其党曰：'此老亦邪人，但不作恶，可令善去。'乃加少傅，赐银币，荫子中书舍人，遣行人送归，月廪、舆夫皆如制。崇祯五年卒。赠太傅，谥文肃。"《四库总目提要》卷四八著录朱国祯《大政记》

三十六卷。同书卷一二八又著录其《涌幢小品》三十二卷："明朱国祯撰。国祯有《大政记》，已著录。是书杂记见闻，亦间有考证，其是非不甚失真，在明季说部之中，犹为质实。而贪多务得，使芜秽汩没其菁英，转有沙中金屑之憾。初名曰'希洪'，盖欲仿《容斋随笔》也，既而自知其不类，乃改今名。其曰涌幢者，国祯尝构木为亭，六角如石幢，其制略如穹庐，可以择地而移，随意而张，忽如涌出，故以为名云。"

公元 1633 年（明崇祯六年　癸酉　后金［清］天聪七年）

三月

　　张溥南归，在苏州虎丘召开复社大会，到者数千人。陆世仪《复社纪略》卷二："癸酉春，溥约社长为虎丘大会，先期传单四出，至日，山左、江右、晋、楚、闽、浙以舟车至者数千馀人。大雄宝殿不能容，生公台、千人石，鳞次布席皆满，往来丝织，游于市者争以复社会命名，刻之碑额，观者甚众，无不诧叹，以为三百年来，从未一有此也。"

五月

　　陆云龙选评《翠娱阁评选皇明小品十六家》成书。是书编者自序后署"癸酉仲夏，钱唐翠娱阁主人陆云龙雨侯甫题"。《四库总目提要》卷一九三著录《十六名家小品》三十二卷："明陆云龙编。云龙字雨侯，钱塘人。是编评选屠隆、徐渭、李维桢、董其昌、汤显祖、虞淳熙、黄汝亨、王思任、袁宏道、文翔凤、曹学佺、陈继儒、袁中道、陈仁锡、钟惺、张鼐十六家之文，每篇皆有评语，大抵轻佻儇薄，不出当时之习。前有何伟然序，伟然即尝刻《广快书》者，宜其气类相近矣。"陆云龙（1586？—1653？），《中国通俗小说家评传》收夏咸淳《陆云龙》："陆云龙，字雨侯，号翠娱阁主人，钱塘（今浙江杭州）人。其先世本居海宁，后徙钱塘之南良里（《两浙辀轩录·陆敏树传》）。生卒年不详，盖为万历十四年至顺治十年（1586—1653），年约七十。据云龙《翠娱阁近言》所载，天启二年（1622），云龙之子敏树七岁，由此上推，知敏树声于万历四十四年（1616）。设若云龙三十岁得子，则可推知其生之年当在万历十四年（1586）。云龙短篇小说集《清夜钟》第四回《少卿痴肠惹祸，相国借题害人》，叙南明弘光间事，知作者明亡后犹在世。又《仁和县志·朱东观传》谓东观好友陆彦龙甲申之后，'思一展其才，而时事龃龉，卒不能遂其志'，终以'怼愤'而卒。卒后，'乃弟云龙为经纪其后事'（《碑传集·陆彦龙传》）。以此推测，陆云龙当卒于清初顺治年间。"陆云龙为古今诗文与明人小品编选家，编有《明文归》三十四卷、《明文奇艳》二十卷、《皇明八大家》十六卷、《翠娱阁评选皇明小品十六家》三十二卷、《翠娱阁评选钟伯敬合集》十六卷、《翠娱阁评选行笈必携》二十一卷、《翠娱阁评选文韵》四卷、《翠娱阁评选文奇》四卷、《翠娱阁评选词菁》二卷等。另撰小说《清夜钟》十六回（是书题薇园主人述，孙楷第据卷首印章，谓薇园主人姓杨，路工认为即陆云龙），今存残本。又《魏忠贤小说斥奸书》八卷四十回，今存残本，题吴越草莽臣撰，或谓乃冯梦龙，或谓即陆云龙。陆云龙有弟陆人龙，字君翼，编撰短篇小说集

《型世言》十卷四十回，各回回首署"钱唐陆人龙君翼"，另有陆云龙（署翠娱阁主人）所撰小叙、引或题词。是书海内久失传，1987 年夏，法国国家科学院研究员陈庆浩在韩国汉城奎章阁图书馆（前王家图书馆）发现此书，约刻于明崇祯初年。据陈庆浩研究，今存《幻影》、《三刻拍案惊奇》、别本《拍案惊奇》，均系《型世言》之残本。今《型世言》已有多家出版社，如中华书局、山东文艺出版社等出版整理本。是书在当今学界有"三言二拍一型"之称，可见重要性。陆人龙另有历史小说《辽海丹忠录》八卷四十回，首题"平原孤愤省戏草，铁崖热肠人偶评"，序称"此予弟《丹忠》所由录也"，可知撰者即陆人龙。有明崇祯初刻本。

是年夏

孟称舜评点《古今名剧合选》成。《古今名剧合选自序》云："予学为曲，而知曲之难，且少以窥夫曲之奥焉。取元曲之工者，分其类为二，而以我明之曲继之，一名《柳枝集》，一名《酹江集》，即取《雨霖铃》'杨柳岸'及《大江东去》'一尊还酹江月'之句也。元曲自吴兴本外，所见百馀十种，共选得十之七；明曲数百种，共选得十之三。盖美生于所尚……予此选去取颇严，然亦辞足以达情为最，而协律者次之，可演之台上，亦可置之案头赏观者，其一此作《文选》诸书读可矣。崇祯癸酉夏，会稽孟称舜题。"

八月

八日，王志坚（1576—1633）卒。钱谦益《牧斋初学集》卷五四《王淑士墓志铭》："淑士卒于崇祯六年八月八日，年五十有八。次年十二月，葬吴县西山之真珠坞。"《明史·文苑传》："王志坚，字弱生，昆山人。父临亨，进士，杭州知府。志坚举万历三十八年进士，授南京兵部主事，迁员外郎、郎中。暇日要同舍郎为读史社，撰《读史商语》。迁贵州提学佥事，不赴，乞侍养归。天启二年起督浙江驿传，奔母丧归。崇祯四年复以佥事督湖广学政，礼部推为学政第一。六年卒于官。志坚少与李流芳同学，为诗文，法唐、宋名家。通籍后，卜居吴门古南园，杜门却扫，肆志读书，先经后史，先史后子、集。其读经，先笺疏而后辨论。读史，先证据而后发明。读子，则谓唐、宋而后无子，当取说家之有裨经史者补之。读集，则定秦、汉以后古文为五编，考覈唐、宋碑志，援史传，捃杂说，以参覈其事之同异、文之纯驳。其与内典，亦深辨性相之宗。作诗甚富，自选止七十馀首。"钱谦益《列朝诗集小传》丁集下《王提学志坚》："志坚，字淑士，初字弱生，昆山人。万历庚戌进士，授南京兵部车驾主事，历郎，升佥事，提学贵州，不赴；再起提学湖广，卒于官。淑士少与李长蘅同研席，为诗文已知法唐、宋名家，而深鄙庆、历间之俗学。通籍以后，多谢病家食，卜居吴门古南园旷远之地，杜门却扫，肆志读书……其大指在于箴俗学，杜狂禅，欲以实际胜之，而不斳以辨博树帜也。淑士有怀长蘅诗曰：'一编馀故籐，字画麻姑细。仿佛共丹铅，深夜重门闭。'盖两人读书况味如是，而其人之安和静好，亦可以想而知矣。"朱彝尊《静志居诗话》卷一七谓王志坚有《香岩室草》。《四库总目提要》卷九〇著录《读史商语》四卷，同书卷一八九又著录其《四六法海》十二卷，同书卷一九三又著录其《古文渎编》二十三卷："明王志坚撰。志坚有《读史商语》，已著录。是编乃其督学湖广时所选唐宋八家古文，凡诸集中稍涉俳偶者，皆不采录，以志坚别有《四六法海》一书，登载骈体故也。其曰'渎编'者，取刘熙《释名》'渎者，独也，独出其所而注于海'之义。盖以八家为正派，馀为支派，故所选历代之文，别名《澜编》云。"陈田《明诗纪事》庚签卷二二选王志坚诗一首。

九月

　　袁于令撰小说《隋史遗文》十二卷六十回成书刊行。崇祯六年刊本《隋史遗文》卷首有吉衣主人（即袁于令）序，后署"崇祯癸酉玄月无射日，吉衣主人题于西湖冶园"。古人称农历九月为玄月。

是年秋

　　陈子龙与友人彭宾、彭汝楠同访病中之柳如是，写有《秋夕沈雨，偕燕又、让木集杨姬馆中，是夜姬自言愁病殊甚，而余三人者皆有微病，不能饮也》七律二首。二诗见《陈子龙诗集》卷十三。

是年秋冬之际

　　黄宗羲至杭州参与读书社活动。黄宗羲《郑玄子先生述》："崇祯间，武林有读书社，以文章风节相期许，如张秀初（岐然）之力学，江道闇（浩）之洁净……郑玄子之卓荦，而前此小筑社之闻子将（启祥）、严印持（调御）亦合并其间。是时四方社集最盛，然其人物，固未之或先也。癸酉秋冬，余至杭，沈昆铜、沈眉生至自江上，皆寓湖头，社中诸子，皆来相就。"

十月

　　九日，徐光启（1562—1633）卒。《明通鉴》卷八三："冬，十月，戊辰，大学士徐光启卒。光启雅负经济才，有志用世。及柄用，年已老，值周延儒、温体仁专政，不能有所建白。惟西法之行，实自光启倡之云。"《明史·徐光启传》："徐光启，字子先，上海人。万历二十五年举乡试第一，又七年成进士。由庶吉士历赞善。从西洋人利玛窦学天文、历算、火器，尽其术。遂遍习兵机、屯田、盐筴、水利诸书……未几，熹宗即位，光启志不得展，请裁去，不听。既而以疾归……崇祯元年召还……五年五月以本官兼东阁大学士，入参机务，与郑以伟并命。寻加太子太保，进文渊阁。光启雅负经济才，有志用世。及柄用，年已老，值周延儒、温体仁专政，不能有所建白。明年十月卒。赠少保。"《四库总目提要》卷一七著录徐光启《诗经六帖重订》十四卷（清范方重订），卷一〇二著录其《农政全书》六十卷、《别本农政全书》四十六卷，卷一〇六著录其与人合作《新法算书》一百卷等等。陈田《明诗纪事》庚签卷二一选徐光启诗一首，按语云："通变而不失其常，君子于文定有取焉。"

是年

归庄与顾炎武定交。 顾炎武于顺治十四年丁酉（1657）因避仇将北游（见张穆《顾亭林先生年谱》卷二），归庄《归庄集》卷三《送顾宁人北游序》："余与宁人之交，二十五年矣。"

陈子龙与李雯等唱和。 陈子龙《陈子龙自撰年谱》卷上："崇祯六年癸酉。文史之暇，流连声酒，多与舒章倡和，今《陈李倡和集》是也。"

吴炳撰《绿牡丹》传奇，温体仁家人借以攻复社，张溥、张采等请学使查禁毁版。 见陆世仪《复社纪略》卷二。

顾湄（1633—？）生。 顾湄，字伊人，江南太仓（今属江苏）人。其生年，见冯其庸、叶君远《吴梅村年谱》"崇祯六年"注[三]。诸生，因以奏销案罣误，绝意仕进。父顾梦麟，长于毛、郑之学，顾湄能传其业，且为陈瑚高弟，肆力于诗古文辞，其诗清丽。著有《吴下丧礼辨》一卷、《水乡集》。钱谦益《有学集》卷四八《题顾伊人诗》："杜子美诗云：'陶潜一老翁，闻道苦不早。有子贤与愚，何其挂怀抱？'及其晚年居蜀，喜宗文、宗武诵诗入学，欢喜吟赏，累见于诗。有子贤愚，何尝不挂怀抱也。东坡云：'轼困穷本缘文字，在海外见过文字一篇，辄数日喜。'今观织帘父子唱和之诗，去之十馀年，旁观者尤为色动，而况其父子之间乎？聊书其后，以见古人之意，亦庸以励儿曹也。甲辰仲春朔，东涧老人谦益书。"吴伟业《吴梅村全集》卷三八《顾母陈孺人八十序》："余及门顾伊人居州之凤里，事母陈孺人以孝闻。其先君麟士，长于毛、郑之学，稽经缉传，自名一家，海内所称织帘先生也。余常访伊人于其里，茅斋三楹，衡门两版，庭阶洁治，地无纤尘。散步至后圃，见嘉树文石，则曰：此吾父在日，某先生所尝过而憩焉者也。丹黄遗帙，插架如新，薜壁旧题，漫漶可识。噫嘻！麟士可谓有子矣。"归庄《归庄集》卷三《顾伊人诗序》："顾麟士先生之笃于学也，海内仰之者三十馀年。无子，有养子曰伊人，少能诗，吾友言夏尝序而刻之，兹又将刻其近作，因言夏以请序于余，似以余为知诗者。嗟乎！余今日则何敢言诗？余学为诗二十馀年，今乃取其可存者录而置之，自为序以志悔，悔其二十馀年不知为有体有用之学，而费白日、敝精神于雕虫之技也……伊人喜文辞，见父之执颇恭谨，庶几能传其家学。诗雅淡清洒，二病皆无之，是可与语学问性情者。更愿伊人益深其学问，养其性情，而勿求工于诗！诗固雕虫之技，余之所悔而不可追者也，其亦务为士君子之所急乎？夫士君子之所急者，不过反之于身，实求所以深其学问，所以养其性情，如是而已。试以吾言质之言夏，以为如何？"王豫《江苏诗征》："王屋云，湄本惠安令程新子，新与顾梦麟善，梦麟无嗣，幼鞠湄，遂姓顾。克承经学，以陈瑚为师，吴伟业称曰，麟士有子。"沈德潜《国朝诗别裁集》卷一四选其诗二首，于《感怀》下评云："福王时，马、阮秉政，诛戮名流，长江不守。作者感慨言之，知小朝廷之必亡也。"于《阅江楼》下评云："楼在师子山，又名卢龙山，明高皇有诗，又命宋濂作序。"徐世昌编《晚晴簃诗汇》卷三十八选顾湄诗四首，引钱谦益语云："钱牧斋曰：

伊人为诗陶冶性灵。清丽婉约，名章秀句，清丽芊绵，至于孤情瘁旨，作者有不自知，而秋士恨人每抚卷三叹焉。"又《诗话》云："伊人父麟士，长于毛、郑之学，故兼通经，曾佐徐健庵编刻《宋元经解》。得苏长公所书《渊明集》，名其斋曰'陶庐'，牧斋为之记，又赠诗有云：'无终路阻重华远，只合南郊订卜居。'"邓之诚《清诗纪事初编》卷一著录顾湄《太仓十子诗选·水乡集》云："顾湄，字伊人，诸生。师事陈瑚为高弟。慎交、同声社兴，皆以得湄为重。值奏销眺误，绝意进取，专力诗古文。昆山徐乾学慕其名，延馆于家，时刻《通志堂经解》，湄较雠之力为多。"选其诗五首。袁行云《清人诗集叙录》卷八著录顾湄《水乡集》一卷（《太仓十子诗选》本）："顾湄撰。湄字伊人，本姓程，父新令惠安，与太仓顾梦麟善。梦麟无子，因鞠之，遂姓顾。师事陈瑚，学诗于吴伟业。《吴梅村集》有《寿顾母陈孺人序》。顺治间以奏销案罣误，绝意进取。康熙十九年，徐乾学延馆于家，刻《通志堂经解》，湄董校雠之役。谷应泰撰《明诗纪事本末》，湄出力亦多。又校订《吴梅村集》、《太仓十子诗选》，殆为江南才士，缙绅士夫交相誉之。诗歌清绝挺拔，养邃心细。《乙未海上作》、《练川感事怀前朝诗老》、《秋夜读书作》、《己亥六月杂诗十二首》并序，气韵并胜。赠呈钱谦益、怀顾炎武、赠杜濬等人诗，尤可征事。揆其生平所为，不当止于是，今仅存此百首，只可见其丰格而已。"

毛际可（1633—1708）生。朱彭寿《清代人物大事纪年》："天聪七年癸酉（明崇祯六年，公元 1633 年），生辰：毛际可生，字会侯，号鹤舫。浙江遂安人。享年七十六。"毛际可，晚号松皋老人。顺治十五年进士，善古文诗词，著有《安序堂文钞》三十卷等。《清史列传·文苑传》："毛际可，字会侯，浙江遂安人。顺治十五年进士，授河南彰德府推官，改知城固县，调祥符，康熙十八年，举博学鸿儒，罢归。寻膺卓异，行取，赐袍服，以事去官。少负隽才，淹雅博闻，以文章名。居官有异政……及归，益致力为古文，虚怀善下，辄好人讥弹其文。至于朋友往还，必以无所规益相督勉，尤乐汲引后进。四方从游，恒屡满户外。其学不及毛奇龄之博，而亦不似奇龄之强悍坚僻。二十二年，浙抚修《通志》，聘为总裁。康熙四十七年，卒，年七十六。著有《春秋五传考异》十二卷、《松皋文集》十卷、《安序堂文钞》三十卷、《松皋诗选》二卷、《诗馀诗稿》四卷、《浣雪词钞》二卷、《黔游日记》一卷。"《四库总目提要》卷一八二著录毛际可《安序堂文钞》二十卷："国朝毛际可撰。际可字会侯，号鹤舫，遂安人。顺治戊戌进士，官彰德府推官。际可与毛先舒、毛奇龄有三毛之称，其学不及奇龄之博，而亦不至如奇龄之强悍坚僻，与先舒则雁行矣。"同书同卷又著录其《会侯文钞》二十卷："国朝毛际可撰。此本刻于康熙己亥，乃淳安方婺如所重辑。"徐世昌编《晚晴簃诗汇》卷三〇选毛际可诗五首，《诗话》云："鹤舫治《春秋》，著《三传考异》。与西河同宗，西河晚居虎林注《易》，鹤舫集唐人句寄之曰：'懒于街里踏尘埃，林下从留石上苔。贤者是兄愚者弟，早潮才落晚潮来。门间多有投诗客，山翠遥添献寿杯。讲易自传新注义，悬知独有子云才。'"邓之诚《清诗纪事初编》卷七著录毛际可《安序堂文钞》三十卷："毛际可……著《安序堂文钞》三十卷，较《四库》著录本多十卷，盖际可先刻《松皋堂文集》十卷，有康熙丙辰李蔚序，后选《松皋文》，改刻版心，增以新作，为《安序堂文钞》二十卷。继又取未选及新作增为三十卷，卷末有受业王起东识语云：'从《留青全集》中取失盗事，及覆勘仇扳有据事二稿入集。'又有先生后嗣克昌语，起东增订，或在际可既没之后。际可尚有《松皋诗选》二卷、《拾馀诗稿》四卷、《浣雪词钞》二卷、《黔游日记》一卷、《春秋五传考异》十二卷，今皆不易见，则由乾隆四十六年王仲儒《西斋集》之狱。仲儒曾为《松皋诗选》作序，上册《离珠集》有际可赠王西斋诗，际可又为《西斋集》作序，由际可曾孙原任江南道御史毛少睿呈缴《松皋诗选》板片，又查抄际可诗文板片之寄存杭州汪日永家者。今文集尚易见，《松皋诗选》则不可求矣。际可专肆力于古文，记事之作，多有可观。三毛并称，际可为较谨饬，若学则不足以望奇龄。"

公元1634年（明崇祯七年　甲戌　后金［清］天聪八年）

正月

二十二日，曹贞吉（1634—1698）**生。**据朱彭寿《古今人生日考》卷一："正月二十二日……升任湖广提学道礼部仪制司郎中曹贞吉，《潜州集·墓志》，明崇祯七年甲戌。"曹贞吉，字迪清，一字升阶，又字升六，号实庵，安丘（今属山东）人。康熙三年进士，官至礼部郎中。工诗，与宋琬、王又旦、颜光敏、叶封、田雯、谢重辉、丁炜、曹禾、汪懋麟有"金台十子"之称。亦工词。著有《珂雪集》一卷、《朝天集》一卷、《鸿爪集》一卷、《珂雪词》二卷等。

二十六日，宋荦（1634—1713）**生。**朱彭寿《清代人物大事纪年》："天聪八年甲戌（明崇祯七年，公元1634年），生辰：宋荦正月二十六日生，字牧仲，号漫堂、绵津山人。河南商丘人。享年八十。"宋荦，又号西陂。《清史列传·大臣传》："宋荦，河南商丘人，大学士宋权之子。世祖章皇帝顺治四年，荦年十四，应诏以大臣子列侍卫，逾岁考试。注铨通判。圣祖仁皇帝康熙三年，授湖广黄州通判……二十六年二月，擢山东按察使，十月，迁江苏布政使……三十一年六月，调江苏巡按……内升吏部尚书。四十七年闰三月，以衰老乞罢……五十三年三月，赴京祝圣寿，诏加太子少师，赐诗有'世家耆德自天全'之句。九月，卒于家，年八十。"沈德潜《国朝诗别裁集》卷一三选宋荦诗十首，小传云："宋荦，字牧仲，河南商丘人，官至礼部尚书，著有《绵津诗钞》。商丘公官部曹时，列《十子诗选》中；抚吴时，有《渔洋绵津合刻》；又尝选《江左十五子诗》以提倡后学，固风雅之总持也。所作诗古体主奔放，近体立生新，意在规仿东坡。时宗之者，非苏不学矣。兹所录者，俱近唐贤诸作，公晚年订定，意或转在是与？"张谦宜《綑斋诗谈》卷七《宋牧仲》："古诗神清气肃，思路镵刻，至律诗便不能尔，想所见尚非全集，未足以罄所长耶？此君单能押险韵，其音头落处，铿然清脆。拟古感慨而不怒张，沐于古者深矣（五古）。《过北庄》之三，气静而有纵送之势，是以为妙。《筵上咏铁脚联句》，有《石鼎》之奥，仿宋、齐之排，押韵更极匠心（五排）。《咏蕉花》七律：'密蕊暗依花瓣瓣，孤芳倒压叶层层。'此则是小家数。"杨际昌《国朝诗话》卷一："商丘宋公七言古诗，心摹手追于眉山，得其清放之气，各体亦秀，以台阁人成山林格者也。《即事六首》其一云：'两年宦况一囊诗，尽日都为啸咏时。欲向庭前了公事，二三老吏正围棋。'其三云：'东斋不复似官衙，竹径松扉兴自赊。最是园丁能结事，黄昏时节课浇花。'其五云：'雨过山光翠且重，一轮新月挂长松。吏人散尽家童睡，坐听寒溪古寺钟。'此种风致，安得谓宦途中定是尘容俗状耶？与新城奖掖后进几四十年。毗陵邵子湘（长蘅）有《王宋合选》之刻。"《四库总目提要》卷一七三著录宋荦《西陂类稿》三十九卷："国朝宋荦撰。荦有《沧浪小志》，已著录。是书凡诗二十二卷、词一卷、杂文八卷、奏疏六卷。其诗之目曰《古竹圃稿》，曰《嘉禾堂稿》，曰《柳湖草》，曰《将母楼稿》，曰《古竹圃续稿》，曰《都官草》，曰《双江唱和集》，曰《回中集》，曰《西山唱和集》，曰《续都官草》，曰《海上杂诗》，曰《漫堂草》，曰《漫堂唱和诗》，曰《啸雪集》，曰《庐山诗》，曰《述鹿轩诗》，曰《沧浪亭诗》，曰《迎銮集》，曰《红桥集》，曰《迎銮二集》，曰《清德堂集》，曰《迎銮三集》，曰《藤阴倡和集》，曰《乐春阁诗》，曰《联句集》，凡二十有五。其初本各自为集，晚年致仕居西陂，乃手自订定，汇为兹帙。惟初刻《绵津山人诗集》，删除不载，盖以早年所作，格调稍殊，故列为一编，不欲使之相混也。荦虽以任子入官，不由科目，而淹通典籍，练习掌故，诗文亦为当代所推，名亚于新城王士禛。其官苏州巡抚时，长洲邵长蘅选士禛及荦诗为《王宋二家集》，一时颇以献媚大吏为疑，赵执信尤持异论，并士禛而掎轧之。平心而论，荦诗大抵纵横奔放，刻意生新，其渊源出于苏轼。王士禛《池北偶谈》记其尝绘轼像，而己侍立其侧。后谒选果得黄州通判，为轼旧游地。又施元之《苏轼注》久无传本，荦在苏州，重价购得残帙，为校雠补缀，刊版以行，其宗法可以概见。故其诗虽不及士禛之超逸，而清刚隽上，亦拔戟自成一队。其序、记、奏议等作，亦皆流畅条达，有眉山轨度。士禛寄荦诗有曰：'尚书北阙霜侵鬓，开府江南雪满头。当日朱颜两年少，王扬州与宋黄州。'言二人少为卑官，即已齐名，不自长蘅合刻始，所以释赵执信之让也。然则士禛亦未尝不引为同调矣。"同书卷一八二又著录宋荦《绵津山人诗集》十八卷附《枫香词》一卷、《纬萧草堂诗》一卷："荦所作诗有《古竹圃稿》……凡十四集，大抵沿明季诗社之习，旋得旋刊，出之太早，故利钝不免互见。此集则荦为江西巡抚时重自删汰，并为一编，而仍存诸集之旧目，故有六首为一卷者，视旧集为精简矣。前有汪琬、刘榛二序。榛序以种树为喻，言方其初植，虽一病叶不忍摘，久之而繁枝荛焉。又久之而歧干斫焉。亦笃论也。宋杨万里、陆游并一代巨擘，而万里《诚斋集》、游《剑南诗》金砾混淆，往往为后人口实，岂非爱不能割，依违牵就至是乎？后荦自定《西陂类稿》，凡此集之诗皆不收，毋亦学与年进、悔其少作欤？后附《纬萧草堂诗》一卷，乃其子翰林院编修至所作，才力殆又亚于荦焉。"同书卷一九四著录宋荦编《江左十五子诗选》十五卷："是编乃荦为苏州巡抚时甄拔境内能文之士王式丹等十五人，各选诗一卷刻之。考自古类举数人共为标目，四、八之所载，其来久矣，然文士则无是名也。文士之有是名，实胚胎于建安七子。历代沿波，至明代而前后七子、广、续五子之类，或分垒交攻，或置棋不定，而泛滥斯极。往往以声气之标榜酿为朋党之倾轧，覆辙可历历数也。荦与王士禛并以文章宿老，领袖诗坛，士禛既以同时之人为《十子诗选》，荦亦以所拔之士编为此集，虽奖成后进，原不失为君子之用心，究未免前明诗社之习也。夫诸人诗倘不佳，哀刻何益？其诗果佳，则人人各足以自传，又何必借此品题乎？"徐世昌编《晚晴簃诗汇》卷三二选宋荦诗二十四首，《诗话》云："西陂雍容暇豫，其气和，其辞炼，在盛唐雅近王、韦，五言尤粹美。细读之，使人躁释矜平，知其涵养者深也。子至诗稍有圭棱，然名章秀句，不愧名父之子。"邓之诚《清诗纪事初编》卷八著录宋荦《绵津山人集》六十九卷、《西陂类稿》五十卷："宋荦。字牧仲，权子。少入仕禁中为侍卫，及长，出为黄州府推官，洊至江西巡抚，调江宁巡抚，值屡次南巡，竭东南民力以事供张，得久任。入为礼部尚书，未几，致仕归，卒于康熙五十三年，年八十。事具《清史列传·大臣传》。少有才名，共侯方域结社，习为诗古文辞。及官臘仕，颇事笼络文士，邵长蘅选刻《王宋二家诗》，以荦与王士禛并拟。荦又刻《江左十五子诗》，皆近标榜。所撰《绵津山人集》六十九卷，刻于康熙二十七年，晚岁复增益之附以所为文，别刻为《西陂类稿》五十卷。凡《绵津》所有者，几莫不有之。乃《四库》既以《类稿》著录，复以《绵津》入存目，何耶?"袁行云《清人诗集叙录》卷一〇著录《绵津山人诗集》二十四卷（康熙二十七年刻本）："宋荦撰。荦字牧仲，号漫堂，一号绵津山人，河南商丘人。父权，由遵化巡抚降清。荦少与侯方域结社，以荫仕入侍禁中，出为黄州府推官，累擢江宁巡抚。好延文士，为吴中风雅总持。官至吏部尚书，卒于康熙五十三年，年八十。撰《绵津山人诗集》初刻二十四卷，附《枫香词》、《漫堂说诗》。二刻增《文集》共六十九卷。晚年自订《西陂类稿》五十卷，收入各体文，内容又有增益（《四库总目》别集类著录）。是集为汪琬、刘榛、王铎、侯方域、张自烈、吴伟业序，存诗八百四十馀首，各卷以事系名。附周斯盛、张尚瑗等唱和诗。诗学盛唐，又趋效东坡，清丽健举，有纵横捭阖之势。《望龙蟠矶》、《谪仙楼观萧尺木花壁歌》《小孤山》、《舟泊天门登梁山》、《登废城》、《东坡画竹歌》、《玉带生歌》、《张水部晴峰雷琴歌》、《吴汉槎归自塞外作歌》、《秦皇岛望海歌》，卓荦可传。沈德潜所选，多近王、韦，亦见其不可一绳矣。荦尝得宋椠《施注苏诗》残本，校刻之。乾隆间书归翁方纲，征题甚夥。他作如咏居庸、盘山，《海上杂诗》、《西陂杂咏》、《济南杂诗》、《庐山诗》、《李卓吾墓》，取材广而可征事。抚吴最久，表彰风雅，选刻《江左十五子诗》。自称于世味尠所嗜好，顾独嗜朋友（徐永宣《云溪草堂诗序》）。一时布衣、画师，如杜濬、魏禧、郑簠、罗牧，咸从与游，不独显贵达官也。或云:'尚书北阙霜侵鬓，开府江南雪满头。谁识当时两年少，王扬州与宋黄州。'诗出，声价增重，引为比肩王士禛。惟其诗兴会飙举，而不能格奇创往。蒋士铨论诗比之苏季子位尊金多，未必知人；洪亮吉谓宋不及王（《北江诗话》），亦是公论。"

三月

龚鼎孳考中三甲第九十八名进士。
刘侗考中三甲第二百二十九名进士。
陈际泰考中三甲第二百三十一名进士。

四月

后金以沈阳为"天眷盛京"，并设科取士。见蒋良骐《东华录》卷三。

闰八月

十五日，张岱等枫社成员相聚绍兴蕺山，"在席者七百馀人"，"演剧十馀出，妙入情理，拥观者千人"。据张岱《陶庵梦忆》卷七《闰中秋》。

二十八日，王士禛（1634—1711）生。《清代碑传全集》卷一八宋荦《资政大夫刑部尚书王公士禛暨配张宜人墓志铭》："公生于明崇祯甲戌闰八月二十八日亥时，薨于康熙辛卯五月十一日酉时，享年七十有八。公弱冠称诗，五十馀年，海内学者宗仰如泰山北斗。"王士禛，字子真，又字贻上，号阮亭，晚号渔洋山人，新城（今属山东桓台）人。顺治十二年会试中式，未与殿试。顺治十五年补行殿试，中二甲进士，历官扬州推官、礼部主事、户部郎中、左都御史翰林院侍讲、刑部尚书。康熙四十三年，以王五、吴谦狱失出，罢刑部尚书，还乡里居，从事著述。卒后，以避雍正皇帝胤禛御讳，追改名为"士正"。乾隆三十年，追谥文简，三十九年又以"正"字与原名音不相近，诏改为"士祯"。工诗词，倡神韵说，钱谦益对其有"代兴"之目，成当时诗坛之领袖。著述宏富，著有《带经堂全集》九十二卷、《渔洋精华录》十卷，以及《渔洋诗话》、《池北偶谈》、《居易录》、《香祖笔记》、《古夫于亭杂录》等诗话、笔记作品。1992 年齐鲁书社出版清人惠栋、金荣所注《渔洋精华录集注》十二卷整理本，1999 年上海古籍出版社又出版《渔洋精华录集释》整理本，《渔洋诗话》有《清诗话》本，上海古籍出版社 1978 年新一版。《池北偶谈》、《香祖笔记》、《古夫于亭杂录》、《分甘馀话》等笔记作品，近年也相继有整理本问世。《清史列传·大臣传》："王士禛，山东新城人。顺治十五年进士。十六年，授扬州府推官……康熙……十七年正月，召对懋勤殿，谕吏部曰：'王士禛诗文兼优，以翰林用。'遂授侍讲。二月，转侍读……十九年十二月，迁国子监祭酒……三十七年七月，擢左都御史。三十八年……十一月，迁刑部尚书……五十年五月，卒于家，年七十有八。所著有《带经堂集》、《皇华纪闻》、《池北偶谈》、《香祖笔记》、《居易录》、《分甘馀话》、《粤行三志》、《秦蜀驿程》、《陇蜀馀闻》、《渔洋诗话》、《国朝谥法考》诸书。"钱谦益《有学集》卷一七《王贻上诗序》："贻上之诗，文繁理富，衔华佩实。感时之作，恻怆于杜陵；缘情之什，缠绵于义山。其谈艺四言，曰典，曰远，曰谐，曰则。沿波讨源，平原之遗则也；截断众流，杼山之微言也；别裁伪体，转益多师，草堂之金丹大药也。平心易气，耽思旁讯，深知古学之由来，而于前二人之为，皆能淘汰其症结，被除其嘈囋。思深哉！《小雅》之复作也，微斯人，其谁与归？"沈德潜《国朝诗别裁集》卷四选王士禛诗四十七首，小传云："渔洋少岁即见重于牧斋尚书，后学殖日富，声望日高，宇内尊为诗坛圭臬，突过黄初，终其身无异辞。身后多毛举其失，互相弹射。而赵秋谷宫赞著《谈龙录》以诋諆之，恐未足以服渔洋心也。或谓渔洋獭祭之工太多，性灵反为书卷所掩，故尔雅有馀，而莽苍之气、遒劲之力往往不及古人，老杜之悲壮沉郁每在乱头粗服中也。应之曰：是则然也，然独不曰欢娱难工，愁苦易好，安能使处太平之盛者强作无病呻吟乎？愚未尝随众誉，亦非敢随众毁也。平心以求，录其最佳者，其有当众心与否，不及计焉。"《四库总目提要》卷六三著录王士禛《古懽录》八卷，同书卷六四又著录其《蜀道驿程记》二卷、《南来志》一卷、《北归志》一卷、《秦蜀驿程后记》

二卷，同书卷七六又著录其《浯溪考》二卷、《长白山录》一卷《补遗》一卷，同书卷七八又著录其《广州游览小志》一卷，同书卷八三又著录其《琉球入太学始末》一卷、《国朝谥法考》一卷，同书卷一二二又著录其《居易录》三十四卷、《池北偶谈》二十六卷、《香祖笔记》十二卷、《古夫于亭杂录》六卷、《分甘馀话》四卷，同书卷一四三又著录其《陇蜀馀闻》一卷、《皇华纪闻》四卷，同书卷一七三又著录其《精华录》十卷："当我朝开国之初，人皆厌明代王、李之肤廓，钟、谭之纤仄，于是谈诗者竞尚宋元。既而宋诗质直，流为有韵之语录；元诗缛艳，流为对句之小词。于是士祯等以清新俊逸之才，范水模山、批风抹月，倡天下以'不著一字，尽得风流'之说，天下遂翕然应之。然所称者盛唐，而古体惟宗王、孟，上及于谢朓而止。较以《十九首》之惊心动魄、一字千金，则有天工人巧之分矣。近体多近钱郎，上及乎李顾而止。律以杜甫之忠厚缠绵、沉郁顿挫，则有浮声切响之异矣。故国朝之有士祯，亦如宋有苏轼，元有虞集，明有高启。而尊之者必跻诸古人之上，激而反唇，异论逐渐生焉。此传其说者之过，非士祯之过也。"同书卷一七六又著录其所选《华泉集选》四卷，卷一八二又著录惠栋所注其《精华录训纂》十卷、《渔洋诗集》二十二卷、《续集》十六卷、《渔洋文略》十四卷、《蚕尾集》十卷《续集》二卷、《后集》二卷、《南海集》二卷、《雍益集》一卷、《抡山集选》一卷，同书卷一九〇又著录其所选《二家诗选》二卷、《唐贤三昧集》三卷、《唐人万首绝句选》七卷，同书卷一九四又著录其《古诗选》三十二卷、《十种唐诗选》十七卷、《载书图诗》一卷，同书卷一九六又著录其《渔洋诗话》三卷："士祯论诗，主于神韵，故所标举，多流连山水、点染风景之词，盖其宗旨如是也。其中多自誉之辞，未免露才扬己。又名为诗话，实兼说部之体……然其中清词佳句，采掇颇精，亦足资后学之触发，故于近人诗话之中，终为翘楚焉。"同书卷一九七又著录其《五代诗话》十二卷。徐世昌编《晚晴簃诗汇》卷二九选王士祯诗一百五首，《诗话》云："文简生当国家全盛之时，文教昌明之会，特擢清职，旷典易名，皆由于诗，故世奉为山斗。诗承王、李、钟、谭之后，独标神韵为宗旨，盖用以调剂矫正之。后来持异同者，遂成门户。然公诗于精能中见神韵，非专事蹈虚者。诗本于性情，出于才分，非尽关于学。以诗学论，要不得不推为一代正宗也。"邓之诚《清诗纪事初编》卷六著录王士祯《阮亭诗钞》十七卷、《带经堂全集》九十二卷、《渔洋山人精华录》十卷、惠栋《渔洋山人精华录训纂》二十卷、《年谱》二卷、惠栋《渔洋山人精华录训纂补》二卷、金荣《渔洋山人精华录笺注》十二卷、《补注》一卷、《年谱》一卷、伊应鼎《渔洋山人精华录会心偶得》六卷："王士祯……至刑部尚书，四十三年，以王五一案失出革职。盖士祯与废太子唱和，借题逐之。卒于五十年，年七十八……撰《带经堂全集》九十二卷。初士祯十五岁，刻《落笺堂初稿》一卷，后与兄士禄有《琅琊二王合刻》。康熙元年删定丙申（顺治十三年）至辛丑（十八年）之诗一千二百二十二首，为《阮亭诗钞》十七卷，钱谦益以次二十八人为之序。凡丙申以后所刻，有《秋柳诗》、《无题唱和诗》、《香奁唱和诗》、《白门集》、《过江集》、《入吴集》、《白门外集》、《秦淮杂诗》、《蛮江集》、《岁暮怀人绝句》，皆编入此集，所谓编诗断自丙申是也。后弃之别刻《渔洋集》、《渔洋续集》、《南海集》、《蚕尾集》、《蜀道集》、《雍益集》、《古夫于亭集》、《蚕尾后集》。没前一年，复就诸集删并为《带经堂集》九十二卷。从来刻集之多、删芟之多，均无过于士禛者。先于三十九年刻其诗三之一，凡千馀首，为《渔洋山人精华录》十卷，托名盛符升、曹禾所选，近人得士禛与林佶书札（载《烟画东堂小品》），乃知出于士禛自选……士禛不屑追逐刘正宗济南一派，乃倚钱、吴以取重，称吴为师，然不若视钱之重。诗格风流，吐辞修洁，倡为神韵之说，声气复足以张之，遂至名盛一时。洎乎晚岁，篇章愈富，名位愈高，海内能诗者，几无不出其门下。主持风雅，近五十年，过于钱、吴远矣。然其诗辞重于意，赵执信讥为'朱贪多，王爱好'。然乾隆中士禛竟以工诗补谥文简，《精华录》风行一代，莫之能比。其文亦颇雅饬，然欲以博见长，不惟逊钱，且不敌朱，则读书与不读书之别也。"张舜徽《清人文集别录》卷三著录王士禛《渔洋集文》十四卷、《蚕尾集文》八卷、《续文》二十卷（《带经堂全集》本）："其为诗备诸体，不名一家，自汉、魏以下，兼综而集其成，而大指以神韵为宗。文亦出入《史》、《汉》、八家，兼及六朝（见宋氏所撰《墓志铭》，载《西陂类稿》卷三十一）。莘谓士禛之诗，在清初有大名，是也。至颂其文兼《史》、《汉》、八家之长，则未免扬之逾实。"袁行云《清人诗集叙录》卷一〇著录王士禛《渔洋精华录》十卷（康熙三十九年刻本）："顺、康两朝，诗学甚昌，成就之高，可驾唐、宋。然诸家皆出生于明，挚乳前朝文化，若论其所得，自当由明、清两属之。如谓清诗开山，遗老固不当领衔，降臣亦不自胜任。士禛诗本深秀，又标举神韵之说，与天下作者驰逐数十年，受其奖掖者多成名家。赵执信抵牾之，杭世骏称不佳，均未能损其名。乾隆帝以其积学工诗，流派较正，至追谥文简，是士禛之诗，在当时决无辟造之功、立极之则，而为坛坫之主，又不当有异辞。袁枚所谓'一代正宗才力薄'，良不诬矣。"陈廷焯《词坛丛话·渔洋词闲雅》："王渔洋词，风流闲雅，小令之妙，空绝古今。"

九月

二十八日，徐元文（1634—1691）生。《清代碑传全集》卷一二韩菼《资政大夫文华殿大学士户部尚书掌翰林院事徐公元文行状》："公之生也，以明崇祯七年甲戌九月辛巳，顾夫人梦神人授之玉尺，觉而生公。"徐元文，字公肃，号立斋，江南昆山（今属江苏）人。顺治十六年进士第一，授修撰，历官国子祭酒、左都御史、刑部尚书、户部尚书、文华殿大学士兼翰林院掌院学士，被劾归里，卒。著有《含经堂集》三十卷、《别集》二卷，主修《太宗实录》、《平定三逆方略》、《明史》等。

是年秋冬之际

柳如是作《男洛神赋》。据陈寅恪《柳如是别传》第三章考证，作者借此赋表达对陈子龙的一往情深。以后陈子龙则有《采莲赋》之作。

是年

吴伟业与侯方域定交。侯方域《壮悔堂集》卷三《与吴骏公书》："域凡驽不材，年垂四十，无所表见，然辱学士交游之末者，自甲戌以来，今且二十年矣。"

冯梦龙重订《智囊》为《智囊补》二十八卷刊行。据其自序。

公元 1635 年（明崇祯八年　乙亥　后金［清］天聪九年）

正月

初七日，周游撰《开辟衍绎》（全名《开辟衍绎通俗志传》，即《开辟演义》）六卷八十回完稿。王黉《开辟衍绎叙》后署"崇祯岁在旃蒙大渊献春王正月人日，靖竹居士王黉子承父书于柳浪轩"，太岁纪年之"旃蒙大渊献"即甲子纪年之"乙亥"年。周游，字仰止，号五岳山人，馀不详。

二十四日，李天馥（1635—1699）生。朱彭寿《古今人生日考》卷一："武英殿大学士李文定公天馥，《有怀堂文稿·墓志》，明崇祯八年乙亥。原作十年生，与康熙三十八年六十五岁不合，疑误。"编者按，韩菼《有怀堂文稿》卷一六为其所撰"墓志铭"有"公生于有明崇祯十年正月二十四日"之记，或有误书。李天馥，字湘北，号容斋，江南合肥（今属安徽）人，原籍河南永城。顺治十五年进士，选庶吉士，授检讨，历官翰林院侍讲学士、内阁学士、吏部尚书、武英殿大学士，卒谥文定。著有《容斋千首诗》、《容斋诗馀》一卷。

二月

陈子龙写有《寒食》绝句三首。其一云："今年春早试罗衣，二月未尽桃花飞。应有江南寒食路，美人芳草一行归。"据陈寅恪《柳如是别传》第三章有关考证："崇祯八年春季并首夏一部分之时间。卧子与河东君在此期内，其情感密挚，达于极点，当已同居矣。"三首绝句即当为柳如是所作。

三月

十一日，颜元（1635—1704）生。李塨《颜习斋先生年谱》卷上："明崇祯八年乙亥三月十一日卯时，先生生。"颜元，初名园，字浑然，一字易直，号习斋，又号思古人，直隶博野（今属河北）人。诸生。其学以经世为宗，不囿于汉宋家言，躬行实践，其要旨在存人、存性、存学、存治。是颜李学派之开创者。著述宏富，有《颜习斋遗书》等传世。《四库总目提要》卷九七著录颜元《存性编》二卷、《存学编》四卷、《存治编》一卷、《存人编》四卷。徐世昌编《晚晴簃诗汇》卷一一选颜元诗三首，《诗话》云："习斋诸书繁富，其要旨则在存人、存性、存学、存治。陆桴亭学重六艺，习斋喜其同志，更躬行实践以昌大之。尝谓：'宋人好言习静，今日正当习动。'盖其学以经世为宗，切实可行，不囿于汉、宋家言。"张舜徽《清人文集别录》卷三著录颜元《习斋记馀》十卷（《畿辅丛书》本）："是编乃其文集，而名曰《记馀》者，盖取行有馀力，则以学文之义。其中序书之篇、论学之简，自抒所见，理辟辞明。世之究心颜学者，要必奉斯编为津逮矣。"

四月

后金禁译野史。王嵩儒《掌故零拾》卷一《译书》："天聪九年四月己巳，上谕文馆诸臣曰：'朕观汉文史书，殊多饰词，虽全览无益也。今宜于辽、宋、元、金四史内，择其勤于求治，而国祚昌隆，或所行悖道，而统绪废坠，与其用兵行师之方略，以及佐理之忠良，乱国之奸佞，有关紧要者，择实汇译成书，用备观览。至汉文《通鉴》之外，野史所载，如交战几何，逞施法术之语，皆系妄诞。此等书籍，传至国中，恐无知之人，信以为真，当停其翻译。'按逞施法术，本小说不经之谈，以此垂戒，后世犹有信义和团拳匪以肇乱者。又本朝入关之先，以翻译《三国志演义》为兵略，故其崇拜关羽，其后有托为关神显灵卫驾之说，屡加封号，庙祀遂遍天下。"

五月

二十三日，田雯（1635—1704）生。田雯自撰《蒙斋年谱》："至我父丽水令蓼庵公，渊源式承，门祚渐起，示大雅之鼓吹，表东国之人伦。乃以前崇祯乙亥五月二十三日丑时生余于桑园镇。"又田肇丽《补年谱》："甲申，府君七十岁。至二月十六日，以积劳咯血，诸药罔效，二十三日辰时奄乎长逝。"甲申为康熙四十三年（1704）。田雯，字纶霞，一字紫纶，又字子纶，号漪亭，又号山薑，晚号蒙斋，山东德州人。康熙三年进士，历官内阁中书、贵州巡抚、刑部右侍郎、户部左侍郎。论诗宗宋，著述据田需《行状》："有《古欢堂诗集》三十卷、《文集》二十二卷、《别集》四卷、《黔书》二卷、《长河志籍考》十卷、《年谱》二卷、《诗传备义》八卷、《历代诗选》十二卷、《历代文选》二十卷、《寒绿堂山薑分体诗》十五卷、《读诗定本》八卷。"沈德潜《国朝诗别裁集》卷六选田雯诗九首，小传云："山薑诗才力既高，取材复富，欲兼唐、宋而擅之。山左诗家中，另开一径，然缘此不无少杂。"《四库总目提要》卷一七三著录田雯《古欢堂集》三十六卷、附《黔书》二卷、《长河志籍考》十卷："国朝田雯撰。雯字子纶，一字纶霞，号山薑，德州人。康熙甲辰进士，授中书舍人，官至户部侍郎。是集凡文二十二卷，诗十四卷。当康熙中年，王士禛负海内重名，文士无不依附门墙，求假借其馀论，惟雯与任丘庞垲不相辨难，亦不相结纳。垲《丛碧山房集》，格律谨严而才地稍弱；雯则天资高迈，记诵亦博。负其纵横排奡之气，欲以奇丽驾士禛上。故诗文皆组织繁富，锻炼刻苦，不肯规规作常语。赵执信作《谈龙录》尝议其诗中无人，然偏师驰突，终能自成一队，谈艺者弗能废也。"邓之诚《清诗纪事初编》卷六著录田雯《古欢堂集》三十六卷："雯推美七子而诗则不类，赵执信盛致诋诃，且谓其诗空泛，谓之他人作亦可，皆过甚之辞。王士禛讥其好奇，《黔书》或有之，他作皆文从字顺，稍近钟、谭，意在新警。杂著论诗平易近理，其馀劄记，亦耳目习见，未见其能奇也。诗富才气，与士禛途辙不同，而同致盛名。盖由喜接纳后进，遂为士流所归耳。"袁行云《清人诗集叙录》卷一〇著录田雯《古欢堂诗集》十四卷（康熙三十七年刻本）："雯年三十五从申涵光学诗，又从王士禛、施闰章论诗。诗以奇丽见长……清初山左诗家，王士禛、宋琬为先。雯诗才力既高，取材复富，孕含唐、宋、元、明诸名家，近取王士禛，熔铸既久，自成面目。格高气古，不及王、宋，而刻意新丽，为两家所不及。盖雯主才识，不以气韵取胜。《四库提要》本王士禛说，讥其好奇，然奇而不诞，不为病也。"

六月

二十九日，**李良年**（1635—1694）**生**。朱彭寿《清代人物大事纪年》："天聪九年乙亥（明崇祯八年，公元 1635 年），李良年，六月二十九日生（原名李法远，又名李北滢），字武曾，号秋锦。浙江嘉兴人。享年六十。"况周颐《蕙风词话续编》卷二《清词人生日》："六月二十九日李武曾（良年）生（见本集）。"李良年，字符曾，一字武曾，号秋锦，秀水（今浙江嘉兴）人。监生，康熙十八年举博学鸿儒，不遇。工诗词、古文。著有《秋锦山房集》二十二卷（诗、文各十卷，词二卷）、《外集》三卷、《词家辨证》一卷、《词坛纪事》三卷等。

八月

后金多尔衮获"制诰之宝"历代传国玉玺。据蒋良骐《东华录》卷三。

九月

初五日，**沈宜修**（1590—1635）**卒**。叶绍袁《叶天寥自撰年谱》："（崇祯）八年乙亥，四十七岁……内人由是踯躅损神……延至九月初五之夕，长辞去矣。"事迹参见本书顺治五年（1648）"叶绍袁卒"目。

十一月

十六日，**刘侗、于奕正《帝京景物略》刻行**。刘侗《帝京景物略叙》："侗北学而燕游者五年，侗之友于奕正，燕人也，二十年燕山水间，各不敢私所见闻，彰厥高深，用告同轨。奕正职搜讨，侗职摛辞。事有不典不经，侗不敢笔；辞有不达，奕正未尝辄许也。所未经过者，分往而必实之，出门各向，归相报也。所采古今诗歌，以雅、以南、以颂，舍是无取焉，侗之友周损职之。三人挥汗属草，研冰而成书，其卷八，其目百三十有奇。崇祯八年乙亥，冬至后二日，麻城刘侗撰。"

是年

农民军攻破凤阳，焚皇陵。据计六奇《明季北略》卷一一。

冯梦龙在寿宁知县任作传奇《万事足》。据徐朔方《冯梦龙年谱》考证。

金人瑞热衷于扶乩，钱谦益为作《天台泐法师灵异记》。钱谦益《初学集》卷四三《天台泐法师灵异记》："天台泐法师者何？慈月宫陈夫人也。夫人而泐师者何？夫人陈氏之女，殁堕鬼神道，不昧宿因，以台事示现，而冯于乩以告也。乩之言曰：'余吴门饮马里陈氏女也，年十七，从母之横塘桥，上有紫衫纱帽者，执如意以招之，归而病卒，泰昌改元庚申之腊也。其归神之地曰上方，侯曰永宁，宫曰慈月。其职司则总理东南诸路，如古节镇，病则以药，鬼则以符，祈年逐厉，忏罪度冥，则以笺以表。以天启丁卯五月，降于金氏之乩，今九年矣。'……其示现以十二年为期，后四年而大显，时节因缘，皆大师所指授也。乩所冯者金生采，相与新受奉行者戴生、顾生、魏生，皆于台有宿因者也。"

褚人获（1635—1703）**生。**其生卒年据徐朔方《金圣叹年谱》"崇祯八年乙亥"文中括注。褚人获，字稼轩，一字学稼，号石农，又号没世农夫，长洲（今江苏苏州）人。一生未出仕，康熙末尚在世。著有杂录类笔记《坚瓠集》，分十五集六十八卷。前十集每集四卷，又续集四卷、广集、补集、秘集、馀集各六卷，多记社会琐闻与人物事迹，尤以明清间人物轶事为多，卷帙浩繁，为清人笔记小说之巨著。为《坚瓠集》作序者亦多为当时名人，如毛宗岗、洪昇、尤侗、顾贞观、张潮等。又据《隋唐志传》改编《隋唐演义》二十卷一百回。

公元 1636 年（明崇祯九年　丙子　清太宗崇德元年）

四月

十一日，皇太极（1592—1643）**即皇帝位，国号大清，改元崇德，是为清太宗。** 蒋良骐《东华录》卷三："四月，群臣上尊号曰'宽温仁圣皇帝'改天聪十年为崇德元年，定有天下之号曰清……封诸贝勒为亲王、郡王有差。"《清史稿·太宗本纪二》："崇德元年夏四月乙酉，祭告天地，行受尊号礼，定有天下之号曰大清，改元崇德，群臣上尊号曰'宽温仁圣皇帝'，受朝贺。"

五月

陆文声上疏攻复社。文秉《烈皇小识》："太仓民陆文声疏言：'风俗之弊，皆起于士子。'因参庶吉士张溥、前任临川知县张采，倡立复社以乱天下。有旨：'提学仇元琪核奏。'既而元琪回奏，极斥文声之妄。"《明史·张溥传》："里人陆文声者，输赀为监生，求入社不许，采又尝以事挟之。文声诣阙言：'风俗之弊，皆原于士子。溥、采为主盟，倡复社，乱天下。'温体仁方柄国事，下所司。迁延久之，提学御史倪元珙、兵备参议冯元飏、太仓知州周仲连言复社无可罪。三人皆贬斥，严旨穷究不已。"

六月

张溥《七录斋诗文合集》刊行。据陈子龙《陈忠裕公全集》卷二五《七录斋集序》。

七月

二十七日，鹿善继（1575—1636）**卒。**钱谦益《初学集》卷五《太常寺少卿管光禄寺丞事赠大理寺卿赐谥鹿公墓志铭》："崇祯九年七月二十七日，奴酋兵破定兴，太常寺少卿鹿公死之……公讳善继，字伯顺，其先小兴州人也。国初有讳荣者，徙居定兴南之西江村……万历丙午举于乡，过容城，与孙奇逢酌酒切脯，定交杨忠愍墓下。癸丑举进士，与吴郡周顺昌、吴桥范景文襆被萧寺，鸡鸣风雨，以节义相期勉……里居教授，生徒以百数。摄齐升堂，离经辨志，江村之上，有河汾、濂、雒之风。畿南之士，殖学修行，镞砺自好者，不问而知为鹿氏之徒也……所著有《四书说约》三十一卷、文集若干卷。"鹿善继，字伯顺，定兴（今属浙江）人。《明史·鹿善继传》："（崇祯）九年七月，大清兵攻定兴。善继家在江村，白太公请入扞城，太公许之，与里居知州薛一鹗等共守。守六日而城破，善继死。"《四库总目提要》卷三七著录鹿善继《四书说约》："明鹿善继撰……其持论亦颇笃实，然学出姚江，大旨提倡良知，与洛、闽之学究为少异。"同书卷一八〇又著录其《无欲斋诗钞》一卷："明鹿善继撰。善继有《四书说约》，已著录。此乃所作诗稿，称成云洞定本。诗后间有评语，不知何人所选辑也。案李光地有《成云洞诗韵》，或光地所评欤？善继成仁取义，大节凛然，诗笔亦有遒劲之气，而不耐苦吟，未免失之轻率。"陈田《明诗纪事》辛签卷二选鹿善继诗三首，小传云："善继字伯顺，定兴人。万历癸丑进士，授户部主事，以事谪官。起兵部军前赞画，历员外、郎中，告归。崇祯初，起尚宝卿，进太常少卿，再请归。大清兵下定兴，死之。赠大理卿，谥忠节。有《无欲斋诗钞》。"又引孙奇逢《日谱》云："伯顺先生生平有三变，为诸生时，有嗜书之癖，饭不呼之常不应；初登第，一介必严，万人必往，故到处能循职掌，人人惊为破格；事榆关三年，功名之念已灰，生死之关亦破，每以朝闻夕死为谈柄，故能从容就义而神不乱。"又引李光地《榕村集》云："忠节鹿公诗，如操笔直吐者，而宛转曲至，使读之者若亲闻其义形之色、愤慨之声，深情远概，足以敦浇振懦于无穷。"又加按语云："天启间，魏忠节、周忠节缇骑赴狱，道出定兴。鹿太公周旋营救，无微不至，义声侠气，惊动一世。暨忠节以退老之身，守黑子弹丸之邑，城亡与亡。是父是子，江村一片地，遂为节义之乡。炜矣哉！"

八月

吴伟业赴楚任湖广乡试主考官，与分考官龚鼎孳相知。吴伟业《梅村诗话》："丙子余与九青（指宋玫）使楚，而孝升分一经，最得士，相知为深。"

九月

二十九日，卓人月（1606—1636）**卒。**卓发之《漉篱集》卷一一《人间可哀集序》："崇祯九年九月庚午，卓人月卒。"其父卓发之为刊《人间可哀集》。另有诗集《蕊渊集》十二卷、文集《蟾台集》四卷、《晤歌词》十二卷以及杂剧《花舫缘》传世。《女才子集》、《贞元轶事》、《临文订谬》佚。另与徐士俊合辑《古今词统》十六卷。朱彝尊《明诗综》卷七四选卓人月诗二首：《泊乌镇不寐作》、《赠女鬟红衣》，《诗话》云："珂月才情横溢，所撰《续千文》稳帖而奇肆，诗亦不为格律所拘。"陈田《明诗纪事》辛签卷二三选卓人月诗二首：《秦淮竹枝》、《东吴竹枝》。卓人月《蟾台集》卷二《徐卓晤歌引》云："余谓情之所近，其诗最真。拟作何等语，为何等格，未有不失真者。今人争高豪壮，几于村中老塾喜为剑气之歌，使人匿笑不止。若无艳情而为艳语，无岑寂之气而裁岑寂之章，其病累然。我辈率真而已。"王士禛《池北偶谈》卷一五《千人颂》云："昔人欲另编《千文》，有难之者曰：'枇杷二字，如何破用？'遂止。曾见武林卓珂月（人月），崇祯初作《千字大人颂》，错综成章，甚有思理。枇字云：'郁尊黄金，善枇素木。'枇音匕，义取祭用素枇也。杷字云：'姑嫂任绩，夫男秉杷。'杷，田器也。开章云：'大人御天，君子名世，立千秋基，兴诸夏利。高文起家，建景闰地，二百馀年，我皇陟位。河澄实出，凤举毛从，虞云两旦，汉日再中。群黎作乂，列州攸同，可谓高文，典册篇中。岳伯分佐，岁星可招，贡珠盈寸，舍矢五扶。投渊洁耳，何伤盛朝，帐染墨迹，帷集书囊。武功称甲，吉运始丁，诚推韩毂，令赏终缨。'皆警策。"《花舫缘》，全名《唐伯虎千金花舫缘》，明祁彪佳《远山堂剧品·逸品》著录云："此即子若传唐子畏原本，易佣书为奴，易养女为婢。调中别出佳句，欲与孟剧（指孟称舜所作《唐伯虎花前一笑》杂剧）较胜，而风韵正自不减；乃其叶调之严整，更过于孟；而用韵少杂，则二剧同之。"今存《盛明杂剧》本。清邹祗谟《远志斋词衷·卓徐词浸淫元曲》："卓珂月、徐野君《词统》一书，搜奇葺僻，可谓词苑功臣。而珂月《蕊渊》、野君《雁楼》二集，亦复风致淋漓，艳诀竞响。但过于尖透处，未免浸淫元曲耳。"王士禛《花草蒙拾·卓珂月辑〈词统〉》："卓珂月自负逸才，《词统》一书，搜采鉴别，大有廓清之力。乃其自运，去宋人门庑尚远，神韵兴象，都未梦见。"清沈雄《古今词话·词评》下卷《卓人月》："王庭曰：蕊渊于词家独辟生面，但于宋人蕴藉处，不无快意欲尽之病。然《词统》一书，为之规规而矩矩，亦词家一大功臣也。余见其与徐士俊栖睡唱和，有《晤歌》诸篇什。迄今倚声之学遍天下，盖得风气之先者。"

十月

农民军高迎祥（？—1636）被明廷擒杀，其部下拥李自成为闯王，在西南与张献忠各为雄长。据《明通鉴》卷八五。

十四日，阎若璩（1636—1704）生。据张穆《阎潜丘先生年谱》。阎若璩，字百诗，号潜丘，山西太原人，世业盐筴，侨寓淮安。诸生，康熙十八年举博学鸿儒，不遇。康熙四十三年卒，年六十九。著有《古文尚书疏证》八卷、《潜丘劄记》六卷、《毛朱诗说》一卷、《眷西草堂诗》一卷等。《清史列传·儒林传》："阎若璩，字百诗，山西太原人……年十五，以商籍补山阳县生员。研究经史，深造自得。尝集陶弘景、皇甫谧语，题其柱云：'一物不知，以为深耻；遭人而问，少有宁日。'其立志如此……诗有《眷西堂》诸集。"《四库总目提要》卷一二著录阎若璩《古文尚书疏证》八卷，同书卷一八又著录其《毛朱诗说》一卷，同书卷三六又著录其《四书释地》一卷、《四书释地续》一卷、《四书释地又续》二卷、《四书释地三续》二卷，同书卷五九又著录其《孟子生卒年月考》一卷，同书卷一一九又著录其《潜丘劄记》六卷，同书卷一二六又著录其《别本潜丘劄记》六卷。徐世昌编《晚晴簃诗汇》卷四六选阎若璩诗四首，《诗话》云："《潜丘劄记》，其未成之书，亦转相传刻，残膏剩馥，沾溉不少。

诗附《剳记》后，有《眷西堂》、《许剑亭》、《秋山红树阁》、《窈窕居》诸集名。此殆其选录之本。"邓之诚《清诗纪事初编》卷六著录阎若璩《眷西草堂诗》一卷："若璩长于考据，尤善言古地理，著《四书释地》五卷、《潜丘剳记》六卷。尝正顾炎武《日知录》违失，为炎武所许。世遂以顾、阎并称，实非其匹……有诗一卷，附《剳记》末，非其所长。"

是年

王撝（1636—1699）生。邓之诚《清诗纪事初编》卷三著录王撝《芦中集》十卷："卒于三十八年，年六十四。"江庆柏《清代人物生卒年表》据唐绍祖《改堂文钞》卷下有关墓志铭括注汪楫生卒亦为"1636—1699"。王撝，字虹友，号汲园，王时敏第七子。少年即有才子之目，受业于陈瑚之门，又师事钱谦益、吴伟业。著有《芦中集》十卷、《步檐集》一卷（《太仓十子诗选》本）。

汪楫（1636—1699）生。朱彭寿《清代人物大事纪年》："崇德元年丙子（明崇祯九年，公元1636年），生辰：汪楫生，字舟次，号悔斋。江苏江都人（原籍安徽休宁）。享年六十四。"江庆柏《清代人物生卒年表》据唐绍祖《改堂文钞》卷下有关墓志铭括注汪楫生卒年亦为"1636—1699"。钱仲联主编《中国文学家大辞典·清代卷》括注汪楫生卒年为"1623—1689"，《清史列传·文苑传》谓汪楫于康熙"二十八年，卒，年六十四"，吴海林等编《中国历史人生卒年表》同。今皆不从。汪楫，字舟次，号悔斋，原籍安徽休宁，江都（今江苏扬州）人。以岁贡生任赣榆训导，康熙十八年举博学鸿儒，授翰林院检讨，官至福建布政使。著有《悔斋集》五种十卷。

陆次云（1636—1699后）生。邓长风《明清戏曲家考略续编》订陆次云生卒为"1636—1699后"。生平见1679年著录。

陈玉璂（1636—1700以后）生。陈玉璂《学文堂集·诗集》卷一《寿邹母六十秩兼示程村》："恭惟乙巳秋，邹母六秩时……璂年亦三十，生儿过一期。"乙巳为康熙四年（1665），逆推三十年，当为本年。陈玉璂，字赓明，号椒峰，江南武进（今属江苏）人。康熙六年进士，官内阁中书。康熙十八年应博学鸿儒考试，不遇。《四库总目提要》卷一八三著录陈玉璂《学文堂集》四十三卷："国朝陈玉璂撰。玉璂字赓明，号椒峰，武进人。康熙丁未进士，官中书舍人。是集杂文三十一卷，诗八卷，词四卷。其说经之文及辨议诸作，亦颇有源委，不同剿说。然大致迤逦平衍，学宋格而未成。诗则更非所长矣。"同卷又著录其《别本学文堂集》四十七卷："国朝陈玉璂撰。此本凡文四十三卷，诗十卷，词三卷，总五十六卷。然文集之中，有录无书者九卷，实为四十七卷，与前一本大同小异。然两本皆无总目，疑皆随作随刊之本，非其全帙也。王晫《今世说》称玉璂每读书至夜分，两眸欲合如线，辄用艾灼臂，久之成痂，盖亦苦学之士。又称其所为诗文，旬日之间，动辄盈尺，见者逊其俊才，则贪多务博可知，宜其集不一本也。"邓之诚《清诗纪事初编》卷四著录《学文堂文集》十六卷、诗五卷、词三卷云："尝刻当世人所为古文曰《文统》，又以己作与邹祗谟、董以宁、龚百药之文合刻为《毗陵四子文》。撰《学文堂文集》十六卷、诗五卷、诗馀三卷，刻于康熙十二年。《四库》著录两本，一四十三卷本，为杂文三十一卷、诗八卷、词四卷；一五十六卷本，凡文四十三卷、诗十卷、词三卷，文之徒存其目者九卷。盖皆随作随刊，故无定本可言。然诗词卷数，无甚出入，而文则所增倍蓰，知其专致力者文也。是时竞尚古文，玉璂所作，虽不足与魏、汪颉颃，而属词尔雅，无诡激偏颇之习，惜以声华驰骋，议论多而纪事少。诗非当行，然乙巳《杂兴》五十首，《梁溪踏灯词》、《惠山烧香曲》，均有事可据。"袁行云《清人诗集叙录》卷一一著录《学文堂诗集》五卷："陈玉璂撰。玉璂字赓明，号椒峰，江苏武进人。康熙六年进士，官内阁中书。以顺治十七年北闱案黜革。家居拂郁，益发愤著书。康熙三十九年在世，卒年不明。撰《学文堂文集》十六卷、《诗集》五卷、《耕烟词》三卷，刊于康熙十二年。首冯溥、吴伟业、王崇简、周亮工、卢绛、黄与坚、魏际瑞、姜宸英、魏禧、杜濬、林兼山、巢震林、陈维崧序，《四库存目》著录。"

徐釚（1636—1708）生。朱彭寿《清代人物大事纪年》："崇德元年丙子（明崇祯九年，公元 1636 年），生辰：徐釚生，字电发，号拙存、虹亭、枫江渔父。江苏吴江人。享年七十三。"据《清史稿艺文志及补编》与《清史稿艺文志拾遗》著录，徐釚著有《南州草堂集》三十卷、《菊庄词》甲集一卷、二集一卷、《枫江渔夫图咏》一卷、《词苑丛谈》十二卷、《南州草堂词话》三卷、《本事诗》十二卷、《青门集》一卷。《清史列传·文苑传》："徐釚，字电发，江苏吴江人。国学生。康熙十八年，召试博学鸿儒，授翰林院检讨。会当外转，遽乞归，后以原官起用，不就。四十七年，卒，年七十三。釚好古博学，弱冠天才骏发，下笔数千言。其诗始尚华秀，比壮游，与四方豪隽相切劘，格调一变，成《南州草堂集》三十卷。又尝刻《菊庄乐府》，昆山叶方蔼称其绵丽幽深，耐人寻味。朝鲜贡使仇元吉见之，以金饼购去。釚既工倚声，因辑《词苑丛谈》十二卷，援据详明，具有鉴裁。又有《本事诗》十二卷。"徐釚昌编《晚晴簃诗汇》卷四二选徐釚诗十五首，《诗话》云："电发弱冠天才骏发，下笔数千言，龚芝麓极赏之。工倚声，辑《词苑丛谈》十三卷。晚年续唐人孟棨《本事诗》，皆取缘情绮靡之作。"邓之诚《清诗纪事初编》卷三著录徐釚《南州草堂集》三十卷："釚博学多能，其文叙述有法，诗尤华秀。《拟唐人上皇西巡歌》、《凉州词》、《长门怨》诸诗，疑皆为世祖作。与吴伟业《读史》、《清凉山赞佛诗》可以共参。"袁行云《清人诗集叙录》卷一一著录徐釚《南州草堂诗钞》十六卷、附二卷："《诗集》十六卷与《文集》十二卷合刊，所收为康熙元年至三十四年诗，共九百七十五首。附《枫江渔父题词》、《青门赠别诗》，多名人题寄。近年发现洪昇散曲《枫江渔父图题词》，所据为藏件，实即在此书附录中。釚受学于计东，为诗沉思博丽，犹胜过之。"

王晫（1636—1705 以后）生。生年据钱仲联主编《中国文学家大辞典·清代卷》。邓长风《明清戏曲家考略续编》订王晫卒于 1710 年以后。《清史列传·文苑传》："王晫，初名棐，字丹麓，浙江仁和（今杭州）人。诸生。性好博览，聚所藏经史子集数万卷，于霞举堂纵观之，每读一书，必首尾贯穿，始放去。其所论者，终始条贯，斐然成一家言。生平好宾客，客至典衣命酒。士大夫至武林者，多与纳交。当时名士宴集，未尝不在。然束身自下，悃愊如山中人。性至孝，事父严谨，无事必侍左右。父命与幼弟析产，欲更授一屋，以厚适长，固却曰：'已违古人取少之意，敢益多取以重

133

戻耶?'丧葬尽礼，走千里遍告当世能文者，乞为志传成帙，曰《幽光集》。晚辟墙东草堂，吟啸其中。堂内设置书尺，每岁积四方投赠诗文于除夕量之，准以六尺上下。家既落，犹喜刻书。尝刻有《檀几丛书》五十卷。所自著有《遂生集》十二卷、《今世说》八卷、《霞举堂集》三十五卷、《杂著》十种十卷、《墙东草堂词》。其《今世说》，一仿刘义庆书而成，惟载入己事，颇乖体例云。"王晫，号木庵，又号松溪子。袁行云《清人诗集叙录》卷一〇著录王晫《霞举堂集》三十五卷："王晫撰。晫字丹麓，一字木庵，浙江钱塘人。诸生。喜读书，举律历卜筮医学，毕有究知。工古文诗词，家居北墅。康熙时流至西湖者，必先过松溪，因遍交名士。著《今世说》、《广闻录》，与张潮同编《檀几丛书》，甚得文名。诗文杂著初刻曰《墙东杂抄》、《杂著十种》者，均为零什。是集凡文赋、诗词、尺牍、杂著三十五卷，可称足帙。首洪若皋、方象瑛、孙琮序。据吴仪所撰本传云：'晫于癸卯二十八得喉间疾濒死，弃举业。'是为明崇祯六年生（编者按，是说计算有误，当为崇祯九年）。今以郑梁《寒村诗集息尚编·王丹麓以赋得人生七十古来稀为题索其寿言》一诗证之，卒年在康熙四十四年后矣。是集卷二十一至三十为诗，以体区分，共四百二十二首，附《北墅竹枝词二十首》，咏其乡轶事。诗文不免明季标榜之习，然宏览博物，取于神理。七古《十峰堂赠钱础日》、《吴山绝顶看舞双刀》、《采山堂观蓝田叔画壁山水》、《雪滩钓叟歌为顾茂伦赋》、《龙灯行》诸篇，肆意酣歌，秀采外溢。又辑刻《兰言集》二十四卷、《听松园题词》六卷、《墙东志》五卷，为多年朋旧题赠，包括诗词、杂文、像赞、尺牍，收集甚富。其中黄宗羲、洪昇、张纲孙诗，杜首昌、丁澎、毛际可、林云铭填词，颇可拾遗。又散曲六套。《洪昇秋日南屏怀王丹麓》，近见辑出。而尚有沈谦、赵瑜、李式玉、潘云赤、柳葵、毛宗宣、蔡国柱七家套数，未见有人问津。尤可注意者，黄周星杂剧《惜花报》，演王晫为惜花使者事，近人以为佚，亦在《兰言集》中见之。"

　　唐时升（1551—1636）卒。吴荣光《历代名人年谱》："崇祯九年，唐叔达卒（年八十六）。"唐时升，字叔达，嘉定（今属上海）人。《明史·文苑传》："唐时升，字叔达，嘉定人。父钦训，与归有光善，故时升早登有光之门。年未三十，谢举子业，专意古学。王世贞官南都，延之邸舍，与辨晰疑义。时升自以出归氏门，不肯复称王氏弟子。及王锡爵柄国，其子衡邀时升入都，值塞上用兵，逆断其情形虚实，将帅胜负，无一爽者。家贫，好施予，灌园艺蔬，萧然自得。诗援笔成，不加点窜，文得有光之传。与里人娄坚、程嘉燧并称曰'练川三老'。卒于崇祯九年，年八十有六。"钱谦益《列朝诗集小传》丁集中《唐处士时升》："时升，字叔达，嘉定人。少有异才，未三十谢去举子业，读书汲古。通达世务，居恒笑张空拳、开横口者，如木骡泥龙，不适于用。酒酣耳热，往往抚须大言曰：'当世有用我者，决胜千里之外，吾其为李文饶乎！'太原公执政，叔达偕其子辰玉读书邸中……诗皆放笔而成，语不加点，用方寸纸杂写如涂鸦，旋即弃去。遇其得意，才情飙发，虽苦吟腐毫之士，无以加也。叔达之父钦训，为归熙甫之挚友，而嘉定之老生宿儒，多出熙甫之门，故熙甫之流风遗论，叔达与程孟阳、娄子柔皆能传道之，以有闻于世。而叔达之文，纵横踔厉，尤为通人所称。少游琅琊、太原二王之间，元美极称赏之，引以讲析疑义，而叔达自任其师承南丰，一瓣香实在太仆。元美心知之，而不能强也。叔达深恶艰深涂泽之文，自命其集曰《三易》。四明谢三宾为令，合孟阳、子柔、长蘅之诗文镂版行世，曰《嘉定四先生集》，而余为之序。"朱彝尊《静志居诗话》卷一八《唐时升》："唐时升，字叔达，嘉定人。有《三易斋集》。'嘉定四先生'诗文，要当推叔达第一，长蘅、子柔且逊席，矧孟阳乎？钱氏谓其'放笔而成'，绎其辞，乃追而出者。由其欲申孟阳，故有意抑之尔。"沈德潜《明诗别裁集》卷一〇选唐时升诗两首。陈田《明诗纪事》庚签卷四选唐时升诗九首，小传谓其有《三易斋集》二十卷。引《猴山集》云："叔达五言古高闲远淡，以方储、韦，不啻过之。七言古步趋老杜，乃专肖其神情。五、七言律，出入王右丞、刘随州间。"又加按语云："叔达五古拟陶，时有佳境。近体绝句，轩豁中微少涵蓄。牧斋所谓放笔而成，盖亲见之。竹垞疑其有意轩轻，非笃论也。"

董其昌（1555—1636）卒。吴荣光《历代名人年谱》："崇祯九年，董文敏玄宰卒（年八十二）。"《明史·文苑传》："董其昌，字玄宰，松江华亭人。举万历十七年进士，改庶吉士……授编修。皇长子出阁，充讲官……出为湖广副使，移疾归。起故官，督湖广学政……其昌卒谢事归。起山东副使、登莱兵备、河南参政，并不赴。光宗立，问：'旧讲官董先生安在？'乃召为太常少卿，掌国子司业事。天启二年擢本寺卿，兼侍读学士。时修《神宗实录》……书成表进，有诏褒美，宣付史馆。明年秋，擢礼部右侍郎，协理詹事府事，寻转左侍郎。五年正月拜南京礼部尚书。时政在奄竖，党祸酷烈。其昌深自引远，逾年请告归。崇祯四年起故官，掌詹事府事。居三年，屡疏乞归，诏加太子太保致仕。又二年卒，年八十有三。赠太子太傅。福王时，谥文敏。其昌天才俊逸，少负重名。初，华亭自沈度、沈粲以后，南安知府张弼、詹事陆深、布政莫如忠及子是龙皆以善书称。其昌后出，超越诸家，始以宋米芾为宗，后自成一家，名闻外国。其画集宋、元诸家之长，行以己意，潇洒生动，非人力所及也。"钱谦益《列朝诗集小传》丁集下《董尚书其昌》："其昌，字玄宰，华亭人……玄宰天资高秀，书画妙天下，和易近人，不为崖岸，庸夫俗子，皆得至其前……精鉴赏，通禅理，萧闲吐纳，终日无一俗语。米元章、赵子昂一流人也。弘光补谥，以风流文物，继迹承旨，得谥文敏。是时恤典杂乱无章，独议玄宰之谥，庶几无虚美云。"朱彝尊《静志居诗话》卷一六《董其昌》："董其昌……有《容台集》。赵承旨谥文敏，尚书亦谥文敏，两公书画，差足相当。董诗差不如赵，鸥波之亭，戏鸿之堂，风流宏长，一也。"《四库总目提要》卷一七九著录董其昌《容台文集》九卷、《诗集》四卷、《别集》四卷："明董其昌撰。其昌有《学科考略》，已著录。其昌以书画擅名，论者比之赵孟頫。然其诗文多率尔而成，不暇研炼，词章之学盖不及孟頫多矣。"陈田《明诗纪事》庚签卷七上选董其昌诗六首，有按语云："文敏书画集大成，完明一代已残之局，开国朝之先声。四王、吴、恽首推烟客，即文敏指授者也。国初书家，无不学董者。集中小诗题画，亦楚楚有致。"

姚希孟（1579—1636）卒。吴荣光《历代名人年谱》："崇祯九年，姚孟长卒（年五十八）。"《明史·姚希孟传》："姚希孟，字孟长，吴县人。生十月而孤，母文氏励志鞠之。稍长，与舅文震孟同学，并负时名。举万历四十七年进士，改庶吉士……天启初，震孟亦取上第，入翰林，甥舅并持清议，望益重。"朱彝尊《静志居诗话》卷一七《姚希孟》："姚希孟，字孟长，长洲人。万历癸未进士，改庶吉士，授检讨，历左赞善、左谕德，出为南京少詹事。卒，赠礼部右侍郎，谥文毅。有《公槐》、《响玉》、《棘门》、《沆瀣》、《秋旻》、《文远》、《循沧》、《松癭》、《伽陵》、《风吟》等集。"《四库总目提要》卷七八著录姚希孟《循沧集》二卷："是编乃所作游记……其文体全沿公安、竟陵之习，务以纤佻为工，甚至《游广陵记》于全篇散语之中，忽作俪偶一联云：'洞天深处，别开翡翠之巢；笑语微闻，更擘鸳鸯之锁。'自古以来，有如是之文格乎？"陈田《明诗纪事》庚签卷二三选姚希孟诗二首，引《启祯两朝遗诗》云："先生诗春容雅丽，有馆阁风度。"

文震孟（1574—1636）卒。吴荣光《历代名人年谱》："崇祯九年，文文起卒（年六十三）。"文震孟，字文起，号湛持，吴县（今江苏苏州）人。《明史·文震孟传》："文震孟，字文起，吴县人，待诏徵明曾孙也。祖国子博士彭，父卫辉同知元发，并有名行。震孟弱冠以《春秋》举于乡，十赴会试，至天启二年，殿试第一，授修撰……崇祯元年以侍读召，改左中允，充日讲官……八年……七月，帝特擢震孟礼部左侍郎兼东阁大学士，入阁预政……震孟刚方贞介，有古大臣风，惜三月而斥，未竟其用。归半岁，会甥姚希孟卒，哭之恸，亦卒。廷臣请恤，不允。十二年诏复故官，十五年赠礼部尚书，赐祭葬，官一子，福王时，追谥文肃。"朱彝尊《静志居诗话》卷一八《文震孟》："文震孟，字文起，长洲人。天启壬戌赐进士第一，授翰林修撰，以言事镌级。崇祯初，复原官，历中允、谕德，掌司经局，右春坊，进少詹事。以礼部左侍郎兼东阁大学士。卒，谥文肃。有《药圃诗稿》。文氏自温州守以来，累叶风流儒雅，为士林所推。相国晚达早归，崇祯五十辅臣，骨鲠称首。乌衣子姓，名节相继，不愧清门，是难能也。诗颇平缛，《拟古》一章，缠绵婉约，庶几屈、宋、唐、景之遗音乎！"沈德潜《明诗别裁集》卷一〇选文震孟诗一首《拟古远行》。《四库总目提要》卷六二著录文震孟《姑苏名贤小记》二卷。陈田《明诗纪事》辛签卷十八选文震孟诗二首。

李日华（1565—1636）卒。据吴海林等编《中国历史人物生卒年表》。《明史·文苑传》："日华，字君实，嘉兴人。万历二十年进士。官至太仆少卿。恬澹和易，与物无忤。"钱谦益《列朝诗集小传》丁集下："日华，字君实，嘉兴人。万历壬辰进士，除九江推官，降授西华知县，稍迁南仪制郎。天启中，起尚宝司丞。崇祯元年，升太仆寺少卿，告归卒。君实和易安雅，恬于仕进，后先家食二十馀年。能书画，善鉴赏。一时士大夫风流儒雅、好古博物者，祥符王损仲、云间董玄宰为最。君实书画亚于玄宰，博雅亚于损仲，而微兼二公之长，落落穆穆，韵度颓然，可谓名士矣。君实尝自题其画腰曰：'白石翁诗，沉卓雄快，直闯杜陵营垒间，夺其兵符，俯视一时作者，不堪偏裨位置。乃其诗多于所作墨戏，林峦树石、花鸟虫鱼间见之，片语挑焰，生动跃然。石翁澹于取名，无意传其诗，而诗与画皆盛传，是翁之诗以画寿，非以画掩也。'此君实托寄之语，然其谓白石翁之诗，亦可谓之具眼矣。"朱彝尊《静志居诗话》卷一六《李日华》："李日华……有《恬致堂集》。太仆恬澹自持，居官日浅，优游田里，以法书名画自娱。家近春波桥，为吴仲圭旧里，暇写墨竹，兼擅云山。其诗非《选》非唐，别裁风格，颇与王辰玉、陈仲醇同流，微尚纤艳，近《家宴集》语。"《四库总目提要》卷六〇著录李日华《梅墟先生别录》二卷："明李日华、郑琬同撰。日华字君实，号竹懒，嘉兴人。"同书卷六四又著录其《礼白岳记》一卷、《玺召录》一卷，卷八〇又著录其《官制备考》二卷，卷一一四又著录其《竹懒画媵》一卷、《续画媵》一卷，卷一二二又著录其《六研斋笔记》四卷、《二笔》四卷、《三笔》四卷，卷一二八又著录其《紫桃轩杂缀》三卷、《又缀》三卷，卷一三八又著录其《姓氏谱纂》七卷，卷一九七又著录其《恬志堂诗话》三卷："明李日华撰。日华有《梅墟先生别录》，已著录。此编载曹溶《学海类编》中，乃摘其诸杂著中论诗之语，凑合成编……至日华堂名恬致，其集即名《恬致堂集》，而改曰'恬志'，尤耳食之误也。"陈田《明诗纪事》庚签卷七上选李日华诗十一首，小传谓其有"《恬致堂集》四十卷、《竹懒画媵》二卷、《续画媵》一卷、《蓟旋录》一卷"。引《无声诗史》云："君实著述甚富，工于诗，妙于书，精于画。所著《紫桃轩杂缀》及《画媵》诸篇，文虽小品，自足供艺林幽赏。"又加按语云："君实墨戏不多见，观《六研斋笔记》、《紫桃轩杂缀》，论书论画，自是通品。小诗跌宕风流，由其性情通脱，人品高妙，故吐属不凡，虽时近俳体，亦玩世之一端也。余读其《蓟旋录》云：'天启中，接除书补北膳司，俄晋玺丞，趋命受事，五阅月，珰焰日炽。士大夫懦者染濡，强者摧折，亟觅差以出。'此可为处乱世之前鉴也。"

陈仁锡（1579—1636）卒。《明人传记资料索引》谓陈仁锡卒于崇祯七年，吴荣光《历代名人年谱》："崇祯九年，陈明卿卒（年五十六）。"吴海林等编《中国历史人物生卒年表》谓陈仁锡生卒年为"1581—1636"。编者按，其生年据下引《明史》所记中举年龄逆推，当生于1579年，与其享年五十六不合。今卒年姑从吴荣光说。《明史·文苑传》："陈仁锡，字明卿，长洲人。父允坚，进士。历知诸暨、崇德二县。仁锡年十九，举万历二十五年乡试。闻武进钱一本善《易》，往师之，得其指要。久不第，益究心经史之学，多所论著。天启二年以殿试第三人授翰林院编修。时第一为文震孟，亦老成宿学，海内咸庆得人……魏忠贤冒边功，矫旨锡上公爵，给世券。仁锡当视草，持不可，其党以威劫之，毅然曰：'世自有视草者，何必我！'忠贤闻之怒。不数日，里人孙文豸以诵《步天歌》见捕，坐妖言锻炼成狱，词连仁锡及震孟，罪将不测。有密救者，得削籍归。崇祯改元，召复故官。旋进右中允，署国子司业事，再直经筵。以预修神、光二朝实录，进右谕德，乞假归。越三年，即家起南京国子祭酒，甫拜命，得疾卒。福王时，赠詹事，谥文庄。仁锡讲求经济，有志天下事，性好学，喜著书，一时馆阁中博洽者鲜其俦云。"朱彝尊《静志居诗话》卷一八《陈仁锡》："吴中甲第之盛，前数嘉靖壬戌，申文定、王文肃同郡人。后则天启壬戌，文文肃、陈文庄同县人。两公皆老于公车，晚始登第。而文庄为先文恪万历丁酉所拔士，至壬戌，复为先公所录，及殿试，则先公又充读卷官，盖三试皆出先公之门，亦异事矣。文庄以不肯撰魏珰铁券文落职，可谓不负科名。诗非所务，一脔染指，未为不知味也。"《四库总目提要》卷八著录陈仁锡《系辞十篇书》十卷、《易经颂》十二卷，同书卷二三又著录其《重订古周礼》六卷，同书卷三七又著录其《四书考》二十八卷、《四书考异》一卷，同书卷六五又著录其《史品赤函》四卷，同书卷九六又著录其《性理综要》二十二卷、《性理标题汇要》二十二卷，同书卷一七四又著录其《苏文奇赏》五十卷，同书卷一九三又著录其《古文奇赏》二十二卷、《续奇赏》三十二卷、《三续奇赏》二十六卷、《明文奇赏》四十卷、《古文汇编》二百三十六卷。陈田《明诗纪事》辛签卷一八选陈仁锡诗一首，谓其有《无梦园集》四十卷。

刘侗（1593—1636）卒。据上海古籍出版社2001年出版孙小力校注《帝京景物略·前言》括注刘侗生卒年。刘侗，字同人，号格庵，麻城（今属湖北）人。明崇祯七年进士，选吴县知县，未任卒。方逢年《帝京景物略叙》："余门人刘生侗之志燕，异是。其言文，其旨隐，其取类广以僻，其篇幅无苟畔。其刻画也，景若里之新丰，鸡犬可识也；物若偃师之偶，歌舞调笑，人可与娱、可与怒也。粤古作者，未有是矣。爰有于子奕正采厥事，周子损采厥诗，以佐刘子之笔华墨沈。盖周咨于燕者五年，著于秣陵者经年，而成书，曰《帝京景物略》。刘生以质于余，而后乃行之。余得读是书，綦详矣，'略'言之者何？"《四库总目提要》卷七七著录刘侗、于奕正《帝京景物略》八卷："明刘侗、于奕正撰。侗字同人，麻城人，崇祯甲戌进士，官吴县知县。奕正字司直，宛平人，崇祯中诸生。是编详载北京景物，奕正摭求事迹，而侗排纂成文。以京师东西南北各分城内城外，而西山及畿辅并载焉。所列目凡一百二十有九，每篇之末各系以诗，采摭颇疏。王士禛《池北偶谈》尝讥其不考萨都拉集，失载安禄山、史思明所造双塔事。考据亦多不精确，其为朱彝尊《日下旧闻》所驳正者，尤不一而足。其割裂艺、元二字为塑工姓名一条，殆足资笑噱。又侗本楚人，多染竟陵之习，其文皆幺弦侧调，惟以纤诡相矜。至如太学石鼓一条，舍石鼓而颂太学，殊伤冗滥。又首善书院近在同时，泛叙讲学，何关景物？于体例亦颇有乖。所附诸诗，尤为猥杂。方今奉命重辑《日下旧闻》，考古证今，务求传信，朱彝尊所撰，且为大辂之椎轮，侗等吊诡之词，益可为覆瓿用矣。"同书卷一三八又著录其《名物考》十卷："明刘侗撰。侗有《帝京景物略》，已著录。是书分二十三部，附《物理考》、《通微志》二篇，皆采辑类书而成。卷帙无多，搜罗甚隘，不足以供考核也。"陈田《明诗纪事》辛签卷二○选刘侗诗一首，引曹溶《静惕堂集》云："同人以文体矜奇，为学使置下等，愤懑入太学，连举乡、会试。留都亭日，与于司直共辑《帝京景物略》，文笔诡异，盖亦服习竟陵派者。"于奕正（1597—1636），原名继鲁，字司直，宛平（今北京市）人。崇祯初年宛平县学生员，另著有《朴草》、《天下金石志》等书。《帝京景物略》，北京古籍出版社1983年出版整理本，上海古籍出版社2001年出版孙小力校注本。

范文若（1588—1636）卒。据高等教育出版社1999年出版袁行霈主编《中国文学史》第四卷第七编第六章《明代传奇的发展与繁荣》括注范文若生卒年。邓长风《明清戏曲家考略》订范文若生卒为"1590-1637"。庄一拂《古典戏曲存目汇考》卷一○："范文若（？—1643以前），字令香，号吴侬荀鸭。松江（今属上海市）人。所作词曲，结构玄畅，可追元人步武，惜乎不永，一时绝叹。按其所撰《花筵赚》等五种，《新传奇品》作吴石渠撰，误。"共著录范文若所作传奇《千里驹》、《花筵赚》、《花眉旦》、《金明池》、《金凤钗》、《倩画眉》、《斑衣欢》、《勘皮靴》、《晚香亭》、《雌雄旦》、《梦花酣》、《闹樊楼》、《绿衣人》、《鸳鸯棒》、《生死夫妻》、《欢喜冤家》十六种，今传世者《鸳鸯棒》、《花筵赚》、《梦花酣》三种，合称"博山堂三种"。康熙《续修汶上县志》卷四："范文若，江南上海人。崇祯时为汶上令，风神俊异，才智超群。其治汶也，以礼自持，剪恶安良，吏胥守法。时白莲教贼作乱，陷郓城，过汶上，惮若威名，不敢近。任二年，调系浙江秀水县。"康熙《秀水县志》卷四："范文若，上海人，进士。天启壬戌任知县。"乾隆《上海县志》卷一〇："范文若，字更生，初名景文。万历丙午举于乡，与常熟许士柔、孙朝肃、华亭冯明玠、昆山王焕如五人，为拂水山房社，以奇文鸣一时。乙未成进士，除汶上知县，以严察为治，改知秀水，案牍之间不废文翰。再调光化，意不自得，或兼旬不治事，扁舟往来江汉间，以钓简、诗卷自娱。迁南京兵部主事，为考功中伤，左迁，稍移南大理评事，以忧去官，卒年甫四十八。文若美姿容，工谈笑，雅慕晋人风度，好为乐府词章，识者拟之汤临川云。"又同卷著录其《博山堂乐府》。祁彪佳《远山堂曲品》著录《花筵赚》为逸品："洗脱之极，意局皆凌虚而出，真是'语不惊人死不休'。温之痴，谢之颠，此记之空峭，当配之为三。"

公元 1637 年（明崇祯十年　丁丑　清崇德二年）

正月

　　去年，常熟张汉儒疏告钱谦益、瞿式耜贪肆不法，本年正月，逮钱、瞿下刑部狱，旋释归。 计六奇《明季北略》卷一三《温体仁拟旨逮钱瞿》："正月，常熟县民张从儒（编者按，当作张汉儒，下同），讦奏前礼部右侍郎钱谦益、科臣瞿式耜，谓'二臣喜怒操人才进退之权，贿赂握江南死生之柄。三党九族，无不诈之人；兴贩通番，无不为之事。甚至侵国帑，谤朝廷，危社稷。止因门生故旧列于要津，鸣冤无地；宦干豪奴满于道路，泄愤何从。'奏上，温体仁拟旨，逮钱谦益、瞿式耜下刑部狱。先是，奸民陈履谦争产，求二宦关说，不允，怀恨，遂唆从儒讦奏。既奉旨提问，履谦等得志，遂捏造'欺曹和温'等虚词，多方吓诈。'欺曹'者，谓谦益尝作故太监王安祠记，曹化淳出王安门，宜欺之；'和温'者，谓温与谦益有隙，宜和之。曹化淳访知之，愤发其奸。至是，刑部尚书郑三俊审出真情，陈履谦、张从儒各打一百棍，立枷三月死。谦益等寻释归。"

　　冯梦龙为《寿宁待志》作小引。 小引后署"崇祯十年春孟，寿宁令冯梦龙述"。

　　朝鲜国王李倧被迫向清称臣。 据蒋良骐《东华录》卷三。《明史·庄烈帝一》系此事于二月。

二月

　　原苏州通判周之夔入京告张溥、张采且反，词连陈子龙、黄道周、夏允彝、吴伟业等。又有托名徐怀丹者，檄复社十大罪。 陈子龙《陈子龙自撰年谱》卷上："崇祯十年丁丑……会吴中奸民张汉儒讦奏钱牧斋、瞿稼轩以媚政府，有旨逮治。而奸民陆文声又以复社事上书，赑屃张受先天如，报闻。一时无赖恶少年，蜂起飙发，纵横长安中，俱以附会时宰相矜夸，且夕得大官矣。闽人周之夔者，旧司李于吴，险人也。有宿嫌于二张，以病去官。寻丧母家居，揣时宰意，缞绖走七千里，入都门告密，云'二张且反'，天子疑之，下其事抚按……而之夔既上书，因石斋师比之人枭，憾甚，又疑予辈为二张道地，则以黄纸大书石斋师及予与彝仲、吴骏公数人之名，云：'二张辇金数万，数人者为之囊橐。'投之东厂，又负书于背，謷詻行长安街，见贵人舆马过，则举以诉之。蜚声且上闻，人皆为予危之。"

三月

陈之遴考中一甲第二名进士。

曹溶考中三甲第三名进士。

陈子龙考中三甲第十七名进士。

吴继善考中三甲第九十八名进士。

夏允彝考中三甲第一百十八名进士。陈子龙《陈子龙自撰年谱》卷上："崇祯十年丁丑。榜发，予与彝仲俱得隽，素称同心，而予又出于漳浦黄石斋先生之门，生平所师宗也。时人多举庐陵、眉山之事相誉，予深幸得良师友之助，而廷对则予与彝仲俱在丙科，当就外吏。"《云间科甲录》："崇祯十年会试考官：张志发，山东淄川人；孔贞运，南直建德人。"

是年春

谭元春（1586—1637）卒。李明睿《钟谭合传》："而谭子困顿久……丁丑赴公车，抱病卒于长店，所携箧中书散去。予时寓京师，吴骏公来言'友夏死矣'，予哭之恸。"（见《诗慰·岳归堂集选》）《明史·文苑传》："元春，字友夏，名辈后于惺，以《诗归》故，与齐名。至天启七年始举乡试第一，惺已前卒矣。"钱谦益《列朝诗集小传》丁集中所见《谭解元元春》："元春，字友夏，竟陵人。举于乡，为第一人。再上公车，殁于旅店。与钟伯敬共定《诗归》，世所称钟、谭者也。钟、谭之疵病，如上所陈，亦已略见一斑。谭之才力薄于钟，其学殖尤浅，谫略弥甚，以俚率为清真，以僻涩为幽峭，作似了不了之语，以为意表之言，不知求深而弥浅；写可解不解之景，以为物外之象，不知求新而转陈。无字不哑，无句不谜，无一篇章不破碎断落。一言之内，意义违反。如隔燕吴；数行之中，词旨蒙晦，莫辨阡陌。原其初，岂无一知半解、游光掠影，居然谓文外独绝妙处不传，不自知其识之堕于魔，而趣之沉于鬼也。已而名益盛，游日广，识下而心粗，胆张而笔放，遂欲秤量古今，牢笼宇宙。《诗归》之作，金根谬解，鲁鱼讹传，兔园老学究皆能指其疵陋，而举世传习奉为金科玉条，不亦悲乎……伯敬与余为同年进士，又介友夏以交于余，皆相好也。吴中少俊，多訾议钟、谭，余深为护惜，虚心评骘，往复良久，不得已而昌言击排。吾友程孟阳之言曰：'诗之学，自何、李而变，务于模拟声调，所谓以矜气作之者也；自钟、谭而晦，竞于僻涩蒙昧，所谓以昏气出之者也。'孟阳老于诗学，其言最为平允，论近代之诗者，衷之于孟阳斯可矣。友夏诗，贫也，非寒也；薄也，非瘦也；僻也，非幽也；凡也，非近也；昧也，非深也；断也，非掉也；乱也，非变也。"朱彝尊《静志居诗话》卷一八《谭元春》："钟、谭并起，伯敬扬历仕途，湖海之声气犹未广，借友夏应和，派乃盛行。《诗归》既出，纸贵一时，正如摩登伽女之淫咒，闻者皆为所摄，正声微茫，蚓窍蝇鸣，镂肝钋肾，几欲走入醋瓮，遁入藕丝。充其意不读一卷书，便可臻于作者。此先文恪斥为亡国之音也。桐乡钱麟翔仲远友于友夏，恒言'《诗归》本非钟、谭二子评选，乃景陵诸生某假托为之。钟初见之怒，将言于学使除其名，既而家传户习，遂不复言'云。"《四库总目提要》卷一八〇著录谭元春《岳归堂集》十卷："明谭元春撰。元春字友夏，天门人，天启丁卯举人，《明史·文苑传》附见袁宏道传中。隆、万以后，公安三袁始攻击王、李诗派，以清巧为工，风气一变。天门钟惺更标举尖新幽冷之词，与元春相唱和，评点《诗归》，流布天下，相率而趋纤仄。有明一代之诗，遂至是而极弊，论者比之诗妖，非过刻也。元春之才较惺为劣，而诡僻如出一手。日久论定，徒为嗤点之资。观其集，亦足为好行小慧之戒矣。"同卷又著录其《谭友夏合集》二十三卷："是编乃明季苏州张泽合元春诗文而刻之。一卷至五卷为《岳归堂新诗》，六卷至十四卷为《鹄湾文草》，十五卷至二十三卷为《岳归堂已刻诗选》。每篇各有批评，皆刻意摹仿元春语。"同卷又著录其《谭子诗归》十卷，谓"此集乃其选本"。陈田《明诗纪事》庚签卷五选谭元春诗二首，有按语云："友夏乐府，可谓刻画无盐。近体与钟同趣，而不如钟尚多隽句可采。"李慈铭《越缦堂读书记·同治乙丑九月二十三日》："竟陵一派，笑齿已冷，秀水朱氏，至比之泗鼎将沉，魅彪并出，为明社将屋之征。予幼时见坊本有选友夏游记数首者，窃赏其得山水之趣。及阅所评《水经注》，标新嚼奇，时有解悟。前年在京师，见所选《诗归》，虽识堕小慧，而趣绝恒蹊，意想所营，颇多创得。因谓盛名之致，必非无因……今日阅其全集，总其大凡，诗则格囿卑寒，意邻浅直，故为不了之语，每涉鬼趣之言，而情性所嫥，时有名理；山水所发，亦见清思。惟才小气粗，体轻腹陋，俚俗之弊，流为俳谐。故或片语可称，全篇戆取，披沙汰石，得不偿劳，见斥艺林，盖非无故。至其散文之病，亦同诗，传志诸篇，立言无体，几为笑柄，多类稗官。而书牍序言，颇有意致，铭辞游记，尤可取裁。"今人有整理本《谭元春集》，上海古籍出版社 1998 年出版。是书三十四卷，包括《岳归堂合集》十卷、《岳归堂新诗》五卷、《岳归堂未刻诗》四卷、《鹄湾集》九卷、杂著等二卷、《鹄湾未刻古文》二卷、《遇庄》一卷、著者待考文一卷以及附录二种。

四月

祁彪佳、孟称舜等参加枫社活动。祁彪佳《祁忠敏公日记·山居拙录》于"四月十三日"下记云："同汪照邻至山，候枫社诸友。午间，谢嬷云、詹无咎、赵孟迁、孟子塞、张毅儒……至，举酌于四负堂。"

七月

初五日，邵长蘅（1637—1704）生。朱彭寿《清代人物大事纪年》："崇德二年丁丑（明崇祯十年，公元 1637 年），生辰：邵长蘅，七月初五日生（原名邵衡），字子湘，号青门山人。江苏武进人。享年六十八。"《清史列传·文苑传》："邵长蘅，字子湘，江苏武进人。性颖悟，读书目数行下。十岁补诸生，旋因事除名。束发能诗，既冠，则以古文辞名。客游京师，会开博学鸿儒，海内之士，悉集辇下，若施闰章、汪琬、陈维崧、朱彝尊辈，咸与长蘅雅故，时时过从，于喁叠唱。旋入太学，再应顺天乡试，报罢，归。寄情山水，放游浙西，揽湖泖之胜。会苏抚宋荦礼致幕中，讲艺论文，敦布衣之好……王士禛常称为荆州后一人，汪琬则以为文章似柳子厚，人品似陆鲁望。始为诗，浏漓顿挫，步武唐贤，晚乃变而之宋，格律在苏、黄、范、陆间。常选有明何、李、王、李四家诗，矫钱氏偏驳之论，而以程嘉燧诗为纤佻，识者龇之。康熙四十三年，卒，年六十有八。所著自康熙戊午以前，为《青门簏稿》，凡文十卷、诗六卷；己未迄辛未，为《青门旅稿》，文四卷、诗二卷；壬申以后，为《剩稿》，文五卷、诗三卷。长蘅始除诸生名，自署青门山人，因题其集。"《四库总目提要》卷一八三著录邵长蘅《青门簏稿》十六卷、附《邵氏家录》一卷、《青门旅稿》六卷、《青门剩稿》八卷，同书卷一九四又著录其《二家诗钞》二十卷（选王士禛与宋荦两家诗）。张舜徽《清人文集别录》卷三著录邵长蘅《青门簏稿》十六卷、《旅稿》六卷、《剩稿》八卷（康熙刻本）："少即肆力诗、古文辞。及壮北游，其时先达若施闰章、王士禛、徐乾学皆折辈行与定交。与陈维崧、朱彝尊、姜宸英往还尤密，而名动京师……长蘅呕言为文必多读书，以厚植其根底，是矣。观其比事属辞，简练而不芜冗，讲求蕴蓄，极自爱好。传志之文，尤峻洁有法，皆读书之效也。"

是年

明廷起用杨嗣昌，杨嗣昌上"四正"、"六隅"之法，"网张十面"以围剿农民军；又上"因粮"、"溢地"、"事例"、"驿递"四策以措饷。据《明史·杨嗣昌传》。

清人分汉军为左右翼。蒋良骐《东华录》卷三："是年，分汉军为左右翼，旗色皆用元青……四年，分汉军为镶黄、镶白、镶红、正蓝四旗。七年，分八旗。八旗次序：镶黄、正黄、正白为上三旗，正红、镶白、镶红、正蓝、镶蓝为下五旗。"

陈子龙编《白云草》。陈子龙《陈子龙自撰年谱》卷上："予观政刑部，登白云楼，嘉靖中王、李诸子所倡和之地也。予亦集是时所赋诗得百首，曰《白云草》。"周立勋《白云草序》："卧子少而能诗，凤擅雅宗。而又三至帝京，得观齐、鲁、燕、赵之胜；一登泰山，见秦碑汉馆，郁然可纪；今年成进士，更熟悉累朝故事，诸陵风景。以故诗益工奇，益典丽有声，咏之琅琅，真若出金石也。盖卧子之诗，乐府为汉制，古诗源子建，歌行诸体，取则子美。五言律亦本之杜，而风逸过之。七言律兼盛晚之长，音节铿然，华丽清绮。五七言绝句，则吟写性情，不事刻饰。博综风雅，成一家之言，建安而下，少其俦也。"

宋应星（1587—1666?）所著《天工开物》三卷十八篇初刊。是书全面记述中国古代农业、手工业之生产技术与经验，图文并茂。

毛先舒著《白榆堂诗》刊行。毛奇龄《西河合集》卷九《毛稚黄墓志铭》："十八岁，著《白榆堂诗》，镂之板。"

曹禾（1637—1699）生。据邓之诚《清诗纪事初编》卷四。钱仲联主编《中国文学家大辞典·清代卷》括注其生卒年"1638—1700"。曹禾，字颂嘉，号峨嵋，一号未庵，江南江阴（今属江苏）人。康熙三年进士，官内阁中书。康熙十八年举博学鸿儒，授编修，历官国子监祭酒。与田雯、宋荦等有辇下十子之称。著有《未庵初集文集》四卷、《诗集》四卷。

嵇永仁（1637—1676）**生**。朱彭寿《清代人物大事纪年》："崇德二年丁丑（明崇祯十年，公元 1637 年），生辰：嵇永仁生，字匡侯、留山，号抱犊山农。江苏无锡人。享年四十。"嵇永仁，以诸生客福建总督范承谟幕中，同死耿精忠之难，赠国子监助教。著有《抱犊山房集》六卷。

韩菼（1637—1704）**生**。朱彭寿《清代人物大事纪年》："崇德二年丁丑（明崇祯十年，公元 1637 年），生辰：韩菼生，字元少，号葭人、慕庐。江苏长洲人。享年六十八。"《清史列传·大臣传》："韩菼，江南长洲人。康熙十二年，会试、殿试皆第一，授修撰，旋充日讲起居注官……三十九年，充经筵讲官，擢礼部尚书，教习庶吉士，仍著兼掌院学士如故。上尝谕大臣曰：'韩菼天下才，风度好，奏对亦诚实。'又谕：'韩菼学问优长，文章古雅，前代所仅有也。'又谕：'韩菼所撰文，能道朕意中事。'……四十三年四月，再疏乞解任，上仍慰留之。八月，卒于官，年六十有八。赐祭葬如例。乾隆十七年二月，上谕内阁曰：'故礼部尚书韩菼生平种学绩文，湛深经术，其所撰制义清真雅正，实开风气之先，足为艺林楷则。从前未邀易名之典，今著加恩追谥，用示褒荣。'寻赐谥曰文懿。"《四库总目提要》卷一八三著录韩菼《有怀堂诗文稿》二十八卷："国朝韩菼撰。菼字元少，号慕庐，长洲人。康熙癸丑进士第一，官至礼部尚书。乾隆三十年赐谥文懿。是集为菼所自编，凡诗六卷，分《蹢躅》、《归愚》、《病坊》、《槧迷》四集。文二十二卷，菼以制艺著名，其古文亦法度严谨。凡安章宅句，皆刻意研削。然其不能脱然于畦封，亦即在此。诗则又其馀事矣。"

顾贞观（1637—1714）**生**。顾贞观《弹指词》卷下《金缕曲·寄吴汉槎宁古塔》其二："兄生辛未我丁丑。"又朱彭寿《清代人物大事纪年》："崇德二年丁丑（明崇祯十年，公元 1637 年），生辰：顾贞观生，字华封，号远平、梁汾。江苏无锡人。享年七十八。"顾贞观，初名华文，字华峰，号梁汾，江南无锡（今属江苏）人。康熙十一年举人，官内阁中书。著有《弹指词》三卷、《栌塘集》、《积书岩集》。《清史列传·文苑传》："贞观美风仪，才调清丽，文兼众体。能诗，尤工乐府。少与吴兆骞齐名。年二十馀，游京师，题诗寺壁。柏乡魏裔介见之，即日过访，名遂大起。兆骞以事戍宁古塔，贞观悉力为之赎镯，得入关，尝作《金缕曲》二阕以寄兆骞。纳兰性德见之曰：'山阳《思旧》之作，都尉《河梁》之什，并此而三矣。'为人俊爽，敦古谊，闻塞外多暴骨，即募僧敛金，遍历战场，收瘗无算。又游踪所至，赎去乡鬻身者数家。晚岁移疾归，构积书岩，坐拥万卷。临殁时，自选诗一卷，授门人杜诏，不满四十篇。其嗜古淡，不自足如此。所作《弹指词》，声传海外，与陈维崧、朱彝尊称词家三绝云。他著有《栌塘》、《积书岩》等集。"沈德潜《国朝诗别裁集》卷一〇选顾贞观诗七首。《四库总目提要》卷一九四著录顾贞观编《宋诗删》二十五卷："是编搜采宋代之诗，分体纂集，自谓宽于正变，而严于雅俗。删繁就简，得诗二千五百有奇。然采摭既富，颇不能自守其例。"陈廷焯《白雨斋词话》卷三《顾华峰词非上乘》："顾华峰词全以情胜，是高人一著处。至其用笔，亦甚圆朗。然不悟沉郁之妙，终非上乘。"同卷《华峰贺新郎千秋绝调》："华峰《贺新郎》（寄吴汉槎宁古塔以词代书）两阕，只如家常说话，而痛快淋漓，宛转反覆，两人心迹，一一如见。虽非正声，亦千秋绝调也……二词纯以性情结撰而成，悲之深，慰之至。丁宁告戒，无一字不从肺腑流出，可以泣鬼神矣。"徐世昌编《晚晴簃诗汇》卷三七选顾贞观诗八首。袁行云《清人诗集叙录》卷一一已著录顾贞观《顾梁汾先生诗集》（近代排印本）："酬答多名士，而以寄投徐乾学、纳兰性德，怀吴兆骞诸作，关系艺林较重。晚咏江南风景及题画诗，峻洁高朗。朱载震《南浦诗钞》卷三有《题顾梁汾舍人积书岩二首》，记积书岩在无锡九龙山阿，稍可征事。"

余象斗（1560？—1637？）卒。据肖东发《明代小说家刻书家余象斗》考证（载《明清小说论丛》第四辑）。另据官桂铨《明小说家余象斗及余氏刻小说戏曲》（载《文学遗产增刊》第15辑）一文推测："则余象斗生于嘉靖二十九年（1550）。崇祯十年（1637）他刊刻林维松辑《五刻理气纂要详辩三台便览通书正书》时，余象斗已是八十八岁的老人。"余象斗，字文台、子高、元素，号仰止山人，又有三台山人、三台馆主人、余象乌、余世腾、余宗云等别号或别名。福建建阳书坊乡人。因屡试不第，弃儒以编纂小说及刻书为业。万历十九年刻本《新锓朱状元芸窗汇辑百大家评注史记品萃》（中国科学院图书馆有藏）："辛卯之秋，不佞斗始辍儒家业。家世书坊，锓笈为事，遂广聘缙绅先生，凡讲说文笈之神业举者，悉付之梓。"万历辛卯为公元1591年。所刊通俗小说有《列国志传》、《全汉志传》、《西汉志传》、《三国志传评林》、《两晋演义志传》、《唐书志传》、《两宋志传》、《英烈传》、《水浒志传评林》、《忠义水浒全传》、《新刊八仙出处东游记》等。自编有《南游记》（《五显灵官大帝华光天王传》）四卷十八回、《北游记》（《北方真武祖师玄天上帝出身志传》）四卷二十四回等。是二部神魔小说后与吴元泰《东游记》、杨致和《西游记》合刊为《四游合传》，亦名《四游记》。

公元 1638 年（明崇祯十一年　戊寅　清崇德三年）

正月

二十四日，万斯同（1638—1702）生。《清代碑传全集·碑传集补》卷四五刘坊《万季野先生行状》："生于前明崇祯十一年正月廿四日戌时，卒于康熙四十一年四月初八日京邸。"万斯同，字季野，号石园，鄞县（今浙江宁波）人。《清史列传·儒林传》："斯同，字季野，生而异敏。年十四五，取家藏书遍读之，皆得其大意。从黄宗羲得闻蕺山刘氏之学，以慎独为主，以圣贤为必可及……康熙十八年，荐博学鸿儒科，辞不就。会诏修《明史》，大学士徐元文为总裁，欲荐斯同入馆局，斯同复辞，乃延主其家，以刊修委之。元文罢，继之者大学士张玉书、陈廷敬，尚书王鸿绪，皆延之。乾隆初，大学士张廷玉等奉诏刊定《明史》，依据鸿绪稿本而增损之，鸿绪稿实出斯同手……斯同性不乐荣利，见人惟以读书励名节相切劘。康熙四十一年，卒，年六十。所著有《历代史表》六十卷、《儒林宗派》八卷、《丧礼辨疑》四卷……《石园诗文集》二十卷。其《历代史表》稽考列朝掌故，端绪厘然，有助史学。又创《宦者侯表》、《大事年表》二例，为列史所无；儒林宗派，自孔子以下，汉后唐前传经之儒，及两宋周、程、朱、陆各派，一一具列，其持论独为平允焉。"

三十日，皇太极第九子福临（1638—1661）生。朱彭寿《清代人物大事纪年》：

"崇德三年戊寅（明崇祯十一年，公元 1638 年），爱新觉罗·福临，世祖章皇帝，正月三十日生，享年二十四。"《清史编年》所记同。蒋良骐《东华录》卷四："世祖章皇帝，太宗文皇帝九子也……以崇德三年戊寅正月十三日甲午戌时生上于盛京，孕十一月。"所记生日略有不同。

是年春

孟称舜作传奇《节义鸳鸯冢娇红记》（简名《鸳鸯冢》或《娇红记》）。马权奇《鸳鸯冢题词》："今春余里居，子塞以《鸳鸯冢》词掷余，曰：'子不解填词，姑以文字观之可也。'……崇祯戊寅五月雨中，友弟马权奇题于读书台。"

七月

诸生在南京作《留都防乱揭》。《明通鉴》卷八六："是月，南都复社诸生作《留都防乱揭》，攻逆案阮大铖。杨嗣昌之夺情也，时有诸生沈寿民，以荐辟入都，首劾嗣昌。道周闻之，叹曰：'此何等事，在朝者不言而草野言之！昔真希元在朝一月，封事三十六上，吾岂可远愧希元，近惭沈子寿民！'并及大铖，有'妄画条陈，鼓煽丰、芑'语，盖大铖时避皖乱，侨寓南京，而故巡抚宣府坐贿遣戍之马士英亦在焉，相与结纳，谈兵说剑，觊以边才召。于是贵池吴应箕、宜兴陈贞慧草《留都防乱公檄》，推故端文顾宪成之孙杲列名揭首，而吴县杨廷枢、馀姚黄宗羲、芜湖沈士柱等，方聚讲金陵，凡列名者一百四十人。大铖闻之，避居金陵之牛首山，始稍稍敛，而衔之次骨。自是复社之名大起。"

八月

十六日，卓发之（1587—1638）卒。卓发之《漉篱集》卷二五后附《漉篱遗集》一卷，该卷末有《莲旬西归公案》一文，记卓发之病卒时间为崇祯十年戊寅八月十六日。卓发之，字左车，号莲旬，副贡生。仁和（今浙江杭州）人，卓人月之父。著有《水一方诗草》、《漉篱集》、《今文献》、《经世略》等。生前与汤显祖、董其昌、顾宪成、高攀龙、钱谦益、焦竑、陈继儒、袁宏道、袁中道、钟惺、谭元春等有交。《漉篱集》卷首载明李维桢评其诗文语云："琅琊、历下举世所尸祝者，皆莲旬所吐弃。以为翁仲、方相之伦，峨冠博带，都无神明者也；乃近世蹀躞纤谐之气，又莲旬所指为词坛侏儒俳优也。今读《漉篱集》，高文典册中而天真浪漫、不修边幅，如寒山普化，诸子可以脱帽露顶、散发袒胸，作人间散圣，亦可驾象王车，踞狮子座而坐道场，莲旬其度世之英雄乎！"陈田《明诗纪事》卷二九选其《秦淮竹枝词》一首："楚歌湘曲未须哀，遥见灯船趁月开。长笛叫云箫咽水，百千神女弄珠来。"

十一月

八日，南宋郑所南所著《心史》在苏州出井。崇祯庚辰春张国维捐资刊本《心史》

有陆嘉颖《跋》云:"《心史》藏承天寺井中,至我大明崇祯戊寅十一月初八日,因旱浚井,破铁函而出,缄封书'大宋孤臣郑思肖百拜封'十字。古香扑鼻,楮墨如新,计三百五十六春秋矣。"另有文从简《跋》云:"崇祯十有一年,岁戊寅,冬十一月八日,姑苏承天寺狼山中房浚井,启一铁函,中藏胜国郑所南翁《心史》一本,完好如新,正有宋失国时作,皆痛哭流涕之言……获书井中为寺僧达始,亦好修因缘,俱非偶然。"

十日,清兵四路南下,高阳失守,前大学士孙承宗殉难(1563—1638)。据《明史·庄烈帝二》。

十三日,李雯为方以智《流寓草》作序。《序》云:"密之避地金陵,作《流寓草》,其所言者,大约皆悲感乱离、发泄幽愤之作也……戊寅南至前五日云间李雯题。"

二十七日,陈廷敬(1638—1712)生。雍生《山西通志》卷二〇〇载李光地《皇清诰授光禄大夫经筵讲官文渊阁大学士兼吏部尚书说岩陈公墓志铭》,内云:"康熙五十一年四月十九日,大学士泽州陈公疾终京邸……三月廿四,不幸遭疾,越二十六日以终。公生于前戊寅十一月二十七日巳时,年七十有五。配王氏,封一品夫人,侧室李氏以子贵,封孺人子。"朱彭寿《清代人物大事纪年》:"崇德四年己卯(明崇祯十二年,公元1639年),生辰:陈廷敬生(原名陈敬),字子端,号说岩、午亭,山西泽州人。享年七十四。"不从。顺治十五年进士,历官吏部右侍郎、左都御史、工部尚书、户部尚书、礼部尚书、文渊阁大学士,卒谥文贞。著有《午亭文编》五十卷(包括《午亭史评》二卷、《杜律诗话》二卷)、《午亭山人第二集》三卷,曾任《康熙字典》、《佩文韵府》、《明史》、《鉴古辑览》、《大清一统志》总裁官。沈德潜《国朝诗别裁集》卷五选陈廷敬诗十五首,小传云:"泽州居馆阁,典文章,经画论思密勿之地几四十年,故其吐辞可上追燕许。兹特取其典质朴茂者著于卷中。"

十二月

十二日(已交公元1639年1月15日),卢象昇(1600—1639)在巨鹿阵亡。据《明史·庄烈帝二》。

是年

诸名士在苏州虎丘为千英之会。彭师度《彭省庐先生文集》卷首载其子彭士超序:"崇祯戊寅岁,诸名士为千英之会,毕集文人于虎丘。时先君年甫十五,即席立成《虎丘夜宴同人序》,高华典赡。吴梅村先生于千人石上抚掌称绝,诸名士争为识荆,以故梅村先生有江左三凤凰之目,盖谓先君与吴先生汉槎、陈先生其年也。"

徐孚远、陈子龙、宋徵璧等编辑《皇明经世文编》五百四卷成。陈子龙《陈子龙自撰年谱》卷上:"崇祯十一年戊寅……是夏,读书南园。偕阁公、尚木网罗本朝名卿巨公之文,有涉世务国政者,为《皇明经世文编》。岁徐梓成,凡五百馀卷。虽成帙太速,稍病繁芜;然敷奏咸备,典实多有,汉家故事,名相所采,良史必录者也。"宋徵璧《经世文编凡例》:"儒者幼而志学,长而博综,及致治施政,至或本末眩瞀,措置乖方，此盖浮文，无裨实用，泥古未能通今也。唐、宋以来，如《通典》、《通考》暨《奏疏衍义》诸书，允为切要，亦既繁多，乃本朝典故，缺焉未陈。其藏之金匮石室者，闻见局促，曾未得睹记，所拜手而献，抵掌而谈者，若左右史所记，小生宿儒，又病于抄撮，不足揄扬圣美，网罗前后，此有志之士所抚膺而叹也。徐子孚远、陈子子龙，因与徽璧取国朝名臣文集，撷其精英，勒成一书。如采木于山，探珠于渊，多者多取，少者少取。至本集不载，而经国所必须者，又为旁采，以助高深。共为文五百卷有奇，人数称是。志在征实，额曰经世云。"

南浙十馀郡文士创澄社。孙爽《容庵文集》卷下《吕季臣文稿序》："戊寅岁，两浙始创有澄社之举。惟时季臣吕子实称首功。"吕季臣即吕留良之兄吕愿良。吕留良《吕晚村先生文集》卷七《孙子度墓志铭》："崇祯十一年戊寅，余兄季臣会南浙十馀郡为澄社。杂沓千馀人中，重志节，能文章，好古负奇者，仅得数人焉。孙君子度，其一也。"孙爽（1614—1652），字子度，号容庵，浙江石门人。工诗，师事程嘉燧。著有《容庵诗集》十卷、《文集》二卷。

柳如是《戊寅草》不分卷，结集毕，陈子龙为作序。序见谷辉之辑《柳如是诗文集》卷首，上海古籍出版社 2000 年出版。

仇兆鳌（1638—1717）生。据仇兆鳌自撰、仇廷柱等补注《尚友堂年谱》。仇兆鳌，字沧柱，一字知几，号章溪老叟，鄞县（今属浙江）人。康熙二十三年进士，历官编修、内阁学士、礼部侍郎等。著有《杜诗详注》、《两经要义》、《通鉴论断》等。《四库总目提要》卷一四九著录仇兆鳌《杜诗详注》二十五卷、《附编》二卷："每诗各分段落，先诠释文义于前，而征引典故列于诗末……援据繁富，而无千家诸注伪撰故实之陋习。核其大局，可资考证者为多。"

公元 1639 年（明崇祯十二年　己卯　清崇德四年）

是年春

陈子龙编《农政全书》。陈子龙《陈子龙自撰年谱》卷上："崇祯十二年己卯。读书南园，编《农政全书》。故相徐文定公（徐光启）负经世之学，首欲明农。衰古今田里沟洫之制，黍稷桑麻之宜，下至于蔬国渔牧之利，以荒政终焉。有草稿数十卷藏于家，未成书也。予从其孙得之，慨然以富国化民之本在是。遂删其繁芜，补其缺略，粲然备矣。"《四库总目提要》卷一〇二著录《别本农政全书》四十六卷："明徐光启撰，陈子龙删补。子龙有《诗问略》，已著录。初光启作《农政全书》，凡六十卷，光启没后，子龙得本于其孙尔爵，与张国维、方岳贡共刊之。既而病其稍冗，乃重订此本。子龙所作凡例有曰：文定所集，杂采众家，兼出独见，有得即书，非有条贯，故有略而未详者，有重复而未及删定者。中丞公属子龙以润饰之，友人谢廷正、张密皆博雅多识，使任旁搜复校之役，而子龙总其大端。大约删者十之三，增者十之二，其评点俱仍旧观，恐有深意，不敢臆易云云。所谓文定者，光启之谥；所谓中丞公者，即国维也。今原书有刊版，而此本乃出传抄，并其评点失之。核其体例，较原书颇为清整。然农圃之事，本为琐屑，不必遽厌其详，而所资在于实用，亦不必以考核典故为优劣。故今仍录原书，而此本则附存其目焉。"

柳如是《湖上草》一卷，结集毕，题下有"己卯春"三字。集中载《西湖八绝句》，其一有云："垂杨小院绣帘东，莺阁残枝未思逢。大抵西泠寒食路，桃花得气美人中。"此八绝句与崇祯八年陈子龙所作《寒食》三绝句相呼应，系怀念陈子龙之作。"桃花得气美人中"一句，颇受程嘉燧赏识。钱谦益《西湖杂感》二十首其七有句："杨柳长条人绰约，桃花得气句玲珑。"自注："'桃花得气美人中'，西泠佳句，为孟阳所吟赏。"

六月

二十三日，明廷加征练饷。《明史·庄烈帝二》："己酉，抽练各镇精兵，复加征练饷。"

是年秋

陈贞慧、吴应箕在南京结国门广业社。黄宗羲《陈定生先生墓志铭》："崇祯己卯，金陵解试，先生、次尾举国门广业之社，大略（留都防乱）揭中人也。昆山张尔公、归德侯朝宗、宛上梅朗三、芜湖沈昆铜、如皋冒辟疆及余数人，无日不连舆接席，酒酣耳热，多咀嚼大铖以为笑乐。"

陈子龙作《秋兴赋》。陈子龙《陈子龙自撰年谱》卷上："予春秋三十二矣。季秋，禫除之际，感安仁二毛之悲，又以少而孤露，亲年日衰，王室多故，畏婴世难。意欲绝仕宦，供菽水，终老于衡门之下，遂作《秋兴赋》以自寄焉。"

十一月

初一日，方以智、吴应箕等复社同仁集于南京，请有司为张自烈《删定四书大全》镂版付梓。明张自烈《芑山文集》卷三《旅记·四》："（己卯）十一月朔日，四方同学杨廷枢、刘城、吴应箕、陈梁、方以智、周岐、孙临、余垣、余维枢、钱禧、方其义，凡三百四十人，合辞白国子何公楷、周公凤翔，请以予《删定四书大全》咨部，橄江右学使者镂版袁州。"

是年冬

吴伟业为杨廷麟作五古《临江参军》。吴伟业《梅村诗话》："机部（指杨廷麟）自卢公（指卢象昇）死后，其策益不用，无聊生。会诏诘督师死状。贾庄前数日，督师誓必战，顾孤军无援，闻太监高起潜兵在近，则大喜，于真定野庙中倚土锉作书，约之合军。高竟拔营夜遁。督师用无援，故败。机部受诏，直以实对。慈溪冯邺仙得其书，谓余曰：'此疏入，机部死矣。'为定数语。机部闻之则大恨。先是嗣昌遣部役张姓者侦贾庄，而其人谈卢公死状，流涕动色。嗣昌榜笞之，楚毒倍至，口无改辞，呼曰：'死则死耳，卢老爷忠臣，吾侪小人敢欺天乎！'遂以考死。于是机部遗书冯与余曰：'高监一段，竟为删却，后世谓伯祥不及一部役耶？'然机部竟以此得免。余之诗又有曰：'忧深平勃军南北，疏讼甘陈谊死生。'亦实事也。已而机部过宜兴，访卢公子孙。再放舟娄东，与天如师及余会饮十日，嘉定程孟阳为画《髯参军图》，钱牧斋作短歌，余得《临江参军》一章，凡数十韵。以文多忌，不全录……余与机部相知最深，于其为参军周旋最久，故于诗最真，论其事最当。即谓之诗史，可勿愧。"

是年

侯方域、贾开宗等在商丘创雪苑社，与社者吴伯裔、吴伯胤、徐作霖、刘伯愚。据侯方域《壮悔堂文集》卷五《徐作霖张渭传》。

查继佐在海宁合观社、晓社为旦社。沈起《查东山先生年谱》："己卯，先生三十九岁。海昌诸君子稍稍有异同。在邑则范文白、朱近修选观社，龙山则徐邈思、沈闻大亦有晓社之选。先生自吴门归，欲平意见，乃合诸公之文而归于一，名旦社，而两社之刻遂止。"

顾炎武开始撰写《肇域志》。据张穆《顾亭林先生年谱》卷一。

汪懋麟（1639—1688）生。王士禛《比部汪蛟门传》（见《百尺梧桐阁遗稿》卷首）："既得疾弥留，令洗砚磨墨嗅之，复令烹佳茗以进，自谓香沁心骨，口占二绝……大笑呼奇绝而逝。实康熙二十七年四月十一日也，年止五十。"逆推得生年。汪懋麟，字季角，号蛟门，江都（今江苏扬州）人。康熙六年进士，授内阁中书，官刑部主事，入史馆，充纂修官。为王士禛弟子。工诗善词，悉心经学。著有《百尺梧桐阁诗集》十六卷、《文集》八卷、《遗稿》十卷、《锦瑟词》三卷。

陈继儒（1558—1639）卒。据台湾中央图书馆编《明人传记资料索引》。《明史·隐逸传》："陈继儒，字仲醇，松江华亭人。幼颖异，能文章，同郡徐阶特器重之。长为诸生，与董其昌齐名。太仓王锡爵招与子衡读书支硎山。王世贞亦雅重继儒，三吴名下士争欲得为师友。继儒通明高迈，年甫二十九，取儒衣冠焚弃之。隐居昆山之阳，构庙祀二陆，草堂数椽，焚香晏坐，意豁如也。时锡山顾宪成讲学东林，招之，谢弗往。亲亡，葬神山麓，遂筑室东佘山，杜门著述，有终焉之志。工诗善文，短翰小词，皆极风致，兼能绘事。又博闻强识，经史诸子、术伎稗官与二氏家言，靡不较覈。或刺取琐言僻事，铨次成书，远近竞相购写。征请诗文者无虚日。性喜讲掖士类，屡常满户外，片言酬应，莫不当意去。暇则与黄冠老衲穷峰泖之胜，吟啸忘返，足迹罕入城市。其昌为筑来仲楼招之至。黄道周疏称'志尚高洁，博学多通，不如继儒'，其推重如此。侍郎沈演及御史、给事中诸朝贵，先后论荐，谓继儒道高齿茂，宜如聘吴与弼故事。屡奉诏征用，皆以疾辞。卒年八十二，自为遗令，纤细毕具。"钱谦益《列朝诗集小传》丁集下《陈征士继儒》："继儒，字仲醇，华亭人。少为高才生，与董玄宰、王辰玉齐名。年未三十，取儒衣冠焚弃之，与徐生益孙，结隐于小昆山。仲醇为人，重然诺，饶智略，精心深衷，妙得老子《阴符》之学。娄东四王公雅重仲醇，两家子弟如云，争与仲醇为友，惟恐不得当也。玄宰久居词馆，书画妙天下，推仲醇不去口。海内以为董公所推也，咸归仲醇。而仲醇又能延招吴越间穷儒老宿隐约饥寒者，使之

寻章摘句，族分部居，刺取其琐言僻事，荟蕞成书，流传远迩。款启寡闻者，争购为枕中之秘。于是眉公之名，倾动寰宇。远而夷由土司，咸丐其词章，近而酒楼茶馆，悉悬其画像，甚至穷乡小邑，鬻粗粝市盐豉者，胥被以眉公之名，无得免焉。直指使者行部，荐举无虚牍，天子亦闻其名，屡奉诏征用。年八十馀，卒于茶山之精舍。自为遗令，纤细毕具，殁后降乩诗句，预刻时日，贮箧衍中，其井井如此。仲醇通明俊迈，短章小词，皆有风致，智如炙糫，用之不穷。交游显贵，接引穷约，茹吐轩轾，具有条理……余摘录其小诗，取其便娟轻俊，聊可装点山林，附庸风雅。世有评骘仲醇者，亦应作如是观，不徒论其诗也。"陆云龙等《翠娱阁评选皇明十六家小品》选《陈眉公先生小品》一卷，陆云龙《选陈眉公先生小品叙》："云间眉公先生，经纶宗匠，藻绘名流。补天有手，不强售于荆山；淡月多才，乃穷奇于淞水。笑隐居之多事，每魏阙而驰心；悲康斋之何因，几权门而失足。肩风月不肩朱紫，染云烟不染风尘……壬申冬日武林陆云龙雨侯题于翠娱阁。"朱彝尊《静志居诗话》卷二〇《陈继儒》："陈继儒，字仲醇，松江华亭人。有《眉公全集》。仲醇以处士虚声，倾动朝野，守令之臧否，由夫片言；诗文之佳恶，冀其一顾……今遗集具在，未免名不副其实焉。"《四库总目提要》著录陈继儒著述二十种，卷五四著录其《建文史待》，卷六〇著录其《邵康节外纪》四卷，卷六二著录其《逸民史》二十二卷，卷九〇著录其《读书镜》十卷，卷一一四著录其《书画史》一卷，卷一一六著录其《虎荟》一卷，卷一三〇著录其《妮古录》四卷、《岩栖幽事》一卷，卷一三二著录其《笔记》二卷、《读书十六观》一卷、《群碎录》一卷、《珍珠船》四卷、《销夏》四卷、《辟寒》四卷、《古今韵史》十二卷、《福寿全书》，卷一三四著录其《眉公十集》四卷，卷一三八著录其《文奇豹斑》十二卷，卷一三四著录其《见闻录》八卷、《太平清话》四卷，卷一四七著录其《香案牍》一卷、《养生肤语》一卷，卷一九三著录其《古文品外录》十二卷、《古论大观》四十卷、《秦汉文脍》五卷，卷一九七著录其《佘山诗话》三卷。陈田《明诗纪事》庚签卷七下选陈继儒诗八首，小传谓其有《眉公集》六十卷，加按语云："眉公小诗，颇有别趣，鉴赏亦是当家。至其虚名，倾动市朝，孔稚圭所谓林惭涧愧者也。"

公元 1640 年（明崇祯十三年　庚辰　清崇德五年）

正月

颜光敏（1640—1686）生。朱彭寿《清代人物大事纪年》："崇德五年庚辰（明崇祯十三年，公元 1640 年），生辰：颜光敏正月生，字修来、逊甫，号乐圃。山东曲阜人。享年四十七。"康熙六年进士，历官中书舍人、吏部郎中。著有《乐圃集》七卷、《旧雨堂集》、《颜修来杂著》五种七卷等。

三月

金堡考中二甲第四十名进士。
黄周星考中二甲第四十一名进士，榜名周星。

方以智考中二甲第五十四名进士。

周亮工考中三甲第一百二十八名进士。

来集之考中三甲第一百五十三名进士。

赵进美考中三甲第二百三十二名进士。

四月

十六日，蒲松龄（1640—1715）生。路大荒《蒲柳泉先生年谱》："先生姓蒲氏，名松龄，字留仙，一字剑臣，别号柳泉居士，以先生有《聊斋志异》一书，故世多称聊斋先生。生于山东淄川县城东七里许之满井庄……柳泉先生为嫡母董氏所出之次，而于行则为四，兄三人，弟一人，俱见世系……明崇祯十三年庚辰（公历 1640 年），先生生……先生生于四月十六日夜戌刻，生于故宅之北房。先生墓碑碑阴：'父生于崇祯十五年四月十六日戌时。'按十五年系十三年之讹。"蒲松龄，淄川（今属山东淄博）人，十九岁即以县、府、道俱为第一名进学，受知于施闰章。以后久困场屋，乡试屡败，除一度游幕宝应、高邮外，皆以教授生徒自给。直到七十一岁始援例为贡生。一生肆力于诗古文与文言小说之创作，以短篇小说集《聊斋志异》享誉后世。另有文集四卷、诗集六卷，以及聊斋俚曲《墙头记》、《姑妇曲》、《慈悲曲》、《蓬莱宴》、《寒森曲》、《琴瑟乐》、《俊夜叉》、《穷汉词》、《快曲》、《丑俊巴》、《禳妒符》、《增补幸云曲》、《磨难曲》、《翻魇殃》等，此外还有杂著《省身语录》、《日用俗字》、《农桑经》、《药祟书》、《历字文》、《怀刑录》，戏曲《钟妹庆寿》、《闹馆》、《闱窘》等。1962 年中华书局上海编辑所出版路大荒整理本《蒲松龄集》（不包括《聊斋志异》），1986 年上海古籍出版社出版《蒲松龄集》新一版。1998 年学林出版社出版盛伟编校《蒲松龄全集》，包括《聊斋志异》，较为完备。1962 年中华书局上海编辑所出版张友鹤辑校之会校会注会评《聊斋志异》（俗称三会本），1978 年上海古籍出版社又出版三会本之新一版。1989 年人民文学出版社出版朱其铠主编之《全本新注聊斋志异》。2000年齐鲁书社出版任笃行辑校《全校会注集评聊斋志异》。1996 年山东大学出版社出版赵蔚芝笺注《聊斋诗集笺注》。以上几种为有关蒲松龄作品集较为重要的整理本。张元《柳泉蒲先生墓表》："先生讳松龄，字留仙，一字剑臣，别号柳泉。以文章意气雄一时。学者无问亲疏远迩，识与不识，盖无不知有柳泉先生者。由是先生之名满天下。先生初应童子试，即以县、府、道三第一补博士弟子员，文名籍籍诸生间。然如棘闱辄见斥，慨然曰：'其命也夫！'用是决然舍去，而一肆力于古文，奋发砥淬，与日俱新。而其生平之侘傺失志，濩落郁塞，俯仰时事，悲愤感慨，又有以激发其志气，故其文章颖发苕竖，诡恢魁垒，用能绝去町畦，自成一家。而蕴结未尽，则又搜抉奇怪，著有《志异》一书。虽事涉皇幻，而断制谨严，要归于警发薄俗，而扶树道教，则犹是其所以为古文者而已，非漫作也。"徐世昌编《晚晴簃诗汇》卷三八选蒲松龄诗三首，《诗话》云："留仙屡应试，不得志于有司。肆力古文辞，绝去町畦，能自达其所志。又别撰《聊斋志异》，托于狐鬼荒幻，将以警发薄俗。"张舜徽《清人文集别录》卷二著录蒲松龄《聊斋文集》二卷（宣统元年国学扶论社铅印本）："若是集卷上有

《纪灾前编》、《后编》，载康熙四十二年山东被灾情状，历历如绘。而《上布政司救荒策》，胪陈民困，尤哀恸动人。原配《刘孺人行实》，述其妻居贫守约，相夫教子，缠绵真挚，皆佳作也。有与王士禛二札，而不及论学。盖松龄才虽博赡，顾不轻言文事，与诸名士绝殊。卷下《志异自序》，以骈俪行之，亦复斐然可观。固知才士之文，无施不可矣。是集存文不多，皆杂记、书引之属。若卷上《责白髭文》、卷下《祭蜚虫文》，则游戏之作耳。"

五月

初七日，吴之振（1640—1717）生。吴之振《黄叶村庄诗集》卷首顾楷仁《吴孟举墓志铭》："公生于明崇祯庚辰五月初七，其卒也以康熙丁酉二月二十九日，寿七十八。"吴之振，字孟举，号橙斋，别号黄叶村农，石门（今浙江桐乡）人。贡生，历官内阁中书。学诗宗宋，与吕留良交好，曾合作编选《宋诗钞》，出力最多。另选有《八家诗钞》，自著《黄叶村庄诗集》十二卷。《清史列传·文苑传》："吴之振，字孟举，浙江石门人。贡生，官中书科中书。勇于为善，乡人多称之。买名园曰黄叶村庄，自号黄叶村农，有《黄叶村庄集》。康熙初年，山林诗，之振最有名。尝刻《宋诗钞》一百六卷，所采至百数十家，多秘本，掇拾精华，删除冗赘，各以小传冠集首，略如《中州集》之例，而品评考证，其文加详。其诗派亦近宋人，七言绝句尤足自张一军。《课蚕词》十六首，推为绝唱。又选国朝施闰章、宋琬、王士禛、士禄、陈廷敬、沈荃、程可则、曹尔堪八家诗，行世。"

十二月

李自成兵入河南，饥民从者甚众，其势大振。据《明史·庄烈帝二》、计六奇《明季北略》卷一六。

是年

南宋郑思肖《心史》刊行。刘廷鸾《五石瓠》卷五："书曰《心史》，乃连江郑所南于宋德祐癸未中所著……士大夫惊异传诵，为古今所未有。其纸本原稿藏孝廉陆坦家，坦字履常。吴门贾版行之。十三年庚辰，闽人林茂之重加校正，同郡叶益荪、高拱京为之赍，属新安汪骏声锓行金陵。又寓书曹能始学佺为序，序至，茂之卜日于木末亭设位，望祀所南，焚《心史》一部以告其灵。是书始大行于天下。"

杜濬始与吴伟业交游。杜濬《变雅堂遗集》文集卷八《祭少詹吴公文》："濬之辱教于梅村先生也，岁在庚辰，其时先生司业南雍。"

吴伟业识说书家柳敬亭。吴伟业《吴梅村全集》卷五二《柳敬亭传》："余从金陵识柳生。"按，吴伟业时任南京国子监司业。

吴伟业为宋懋澄撰写墓志铭。吴伟业《吴梅村全集》卷四七《宋幼清墓志铭》："崇祯十有三年，吾友云间宋辕生、辕文兄弟葬其先君幼清公偕配杨孺人、施孺人于黄歇浦之鹤泾，而属余以书曰：'子固习知我公者也，不可以无铭。'呜呼！公之亡，距今十八年矣……"

施绍莘（1581—1640）卒。庄一拂《明清散曲作家汇考》："施绍莘（1581—1640），字子野，号峰泖浪仙。华亭（今江苏松江县）人（今当属上海——笔者）。作品有乐府《花影集》行世。"康熙《青浦县志》卷七："施绍莘，字子野，少补诸生，负隽才，跌宕不羁，隐于西佘，就麓山居。工乐府新词，著《花影集》行世。时辈称其才艳。"光绪《青浦县志》卷一九："施绍莘，字子野。父大谏，字叔星，万历十六年举人。年方二十，不乐仕进，闭户注《老》、《庄》，以恬退闻。绍莘少为华亭县学生，负隽才，跌宕不羁，好声伎，工乐府。与华亭沈龙善，世称'施沈'。时陈继儒居东佘，诗场酒座常与招邀来往。初筑丙舍于西佘，又复构别业于南泖西，自号峰泖浪仙。早夭无子，时论惜之。"《花影集》顾胤光序："子野弱冠好词，既工词，积十馀年而不斩，公诸同调，以《花影》名集，则命意远矣。子野有种情多，一切愁缘病缘，大半根华缘得。居平含宫嚼徵，引商刻羽，半生苦心此道，是能脱尽宋元来粉墨习气，而独自登坛，作飞将军者。"《花影集》陈继儒序："峰泖间久无闲人矣。自眉道人开径东佘之阳，施子野从泖上筑墓西佘之阴，帘栊窈窕，花竹参差，远近始有寨裳而游者。而子野严肩镉，以病辞，中酒辞，顾阁上嘈嘈，数闻弦索曲声，则子野所自制词也。子野好日出酣眠，而能读书至夜半，未尝作低迷欠伸态。好与人轰饮恶战，而能数月持酒戒甚坚。好治经术，工古今文，而能旁通星纬舆地与二氏九流之书，掉弄而为乐府诗馀，跌宕驰骋，于古今当行家，意倔强未肯下。诗人人可学，而词曲非才决不能，子野才太俊，情太痴，胆太大，手太辣，肠太柔，心太巧，舌太纤，抓搔痛痒、描写笑啼太逼真、太曲折。当其志敞意得，摇笔如风雨，强半为旁人掣去，或写素屏纨扇，或题邮壁旗亭，或流播于红绡丽人、黄衫豪客之口，而犹未睹子野之大全也。"《四库总目提要》卷二〇〇著录施绍莘《花影集》五卷："明施绍莘撰。绍莘字子野，华亭人，自号峰泖浪仙。是集前三卷为乐府，后二卷为诗馀，多作于崇祯中，大抵皆红愁绿惨之词，所谓亡国之音哀以思也。"

公元 1641 年（明崇祯十四年　辛巳　清崇德六年）

正月

李自成入河南，杀福王朱常洵。据查继佐《罪惟录·帝纪》卷一七。

徐弘祖（1586—1641）卒。钱谦益《徐霞客传》："霞客死时，年五十有六。西游归，以庚辰六月，卒以辛巳正月。葬江阴之马湾。"弘祖，字振之，号霞客，又号霞逸，江阴（今属江苏）人（陈函辉《徐霞客墓志铭》、钱谦益《徐霞客传》）。著有《徐霞客游记》，今人褚绍唐、吴应寿有整理本《徐霞客游记》十卷，卷分上下，上海古籍出版社 1982 年出版。陈函辉《徐霞客墓志铭》："霞客工诗，工古文词，更长于游记。文湛持、黄石斋两师津津赞美，而霞客自怡箧箧，雅不欲以示人。今散帙遗稿，皆载六合内外事，岂长卿《封禅书》乎？有仲昭为之较订，此吾辈他日责也。霞客生于万历丙戌，卒于崇祯辛巳，年五十有六。以壬午春三月初九日，卜葬于马湾之新阡，小寒山陈子为之铭。"钱谦益《徐霞客传》:"霞客生里社,奇情郁然,玄对山水,力耕奉母,践更繇役,蹙蹙如笼鸟之触隅,每思飏去。年三十,母遣之出游,每岁三时出游,秋冬觐省以为常。东南佳山水,如东西洞庭、阳羡、京口、金陵、吴兴、武林,浙西径山、天目,浙东五泄、四明、天台、雁宕、南海落伽,皆几案衣带间物尔。有再三至,有数至,无仅一至者。其行也,从一奴或一僧、一杖、一襆被,不治装,不裹粮;能忍饥数日,能遇食即饱,能徒步走数百里;凌绝壁,冒丛箐,攀援上下,悬度缒级,捷如青猿,健如黄犊;以崟岩为床席,以溪涧为饮沐,以山魅、木客、王孙、玃父为伴侣,儚儚粥粥,口不能道,时与之论山经,辩水脉,搜讨形胜,则划然心开。居未尝辇毂为古文辞,行游约数百里,就破壁枯树,然松拾穗,走笔为记,如甲乙之簿,如丹青之画,虽才笔之士,无以加也。"潘耒《徐霞客游记序》:"霞客之游,在中州者,无大过人;其奇绝者,闽、粤、楚、蜀、滇、黔,百蛮荒徼之区,皆往返再四。其行不从官道,但有名胜,辄迂回屈曲以寻之;先审视山脉如何去来,水脉如何分合,既得大势,然后一丘一壑,支搜节讨。登不必有径,荒榛密箐,无不穿也;涉不必有津,冲湍恶泷,无不绝也。峰极危者,必跃而踞其巅;洞极邃者,必猿挂蛇行,穷其旁出之窦。途穷不忧,行误不悔。瞑则寝树石之间,饥则啖草木之实。不避风雨,不惮虎狼,不计程期,不求伴侣。以性灵游,以躯命游。亘古以来,一人而已!往年钱牧斋奇霞客之为人,特为作传,略悉其生平,然未见所撰《游记》,传中语颇有失实者。余求得其书,知出玉门关、上昆仑、穷星宿海诸事,皆无之,足迹至鸡足山而止。其出入粤西、贵筑、滇南诸土司蛮部间,沿溯澜沧、金沙,穷南、北盘江之源,实中土人创辟之事。读其记而后知西南区域之广,山川多奇,远过中夏也。记文排日编次,直叙情景,未尝刻画为文,而天趣旁流,自然奇警;山川条理,胪列目前;土俗人情,关梁厄塞,时时著见;向来山经地志之误,厘正无遗;奇踪异闻,应接不暇。然未尝有怪迂侈大之语,欺人以所不知。故吾于霞客之游,不服其阔远,而服其精详;于霞客之书,不多其博辨,而多其真实。牧斋称为古今纪游第一,诚然哉!"《四库总目提要》卷七一著录《徐霞客游记》十二卷:"明徐宏祖撰。宏祖,江阴人,霞客其号也。少负奇气,年三十出游,携一襆被,遍历东南佳山水。自吴、越之闽,之楚,北历鲁、燕、冀、嵩、雒,登华山而归。旋复由闽之粤,又由终南背走峨嵋,访恒山,又南过大渡河,至黎、雅,寻金沙江,从澜沧北寻盘江,复出石门关数千里,穷星宿海而还。所至辄为文以志游迹。没后手稿散逸。其友季梦良求得之,而中多阙失。宜兴史氏亦有钞本,而讹异尤甚。此则扬名时所重加编订者也。第一卷自天台雁荡以及五台、恒、华,各为一篇;第二卷以下,皆《西南游记》,凡二十五篇:首浙江、江西一篇,次湖广一篇,次广西六篇,次贵州一篇,次云南十有六篇;所阙者,一篇而已。自古名山大泽,秩祀所先,但以表望封圻,未闻品题名胜;逮典午而后,游迹始盛。六朝文士,无不托兴登临。史册所载,若谢灵运《居名山志》、《游名山志》之类,撰述日繁,然未有累牍连篇,都为一集者。宏祖耽奇嗜僻,刻意远游,既锐于搜寻,尤工于摹写。游记之夥,遂莫过于斯编。虽足迹所经,排日纪载,未尝有意于为文,然以耳目所亲,见闻较确。且黔滇荒远,舆志多疏,此书于山川脉络,剖析详明,尤为有资考证。是亦山经之别乘,舆记之外篇矣。存兹一体,于地理之学,未尝无补也。"

二月

十五日，金人瑞改编《水浒》为第五才子书。明崇祯十四年贯华堂刊本金人瑞《第五才子书水浒传序三》："施耐庵《水浒正传》七十卷，又《楔子》一卷、《原序》一篇，亦作一卷，共七十二卷……皇帝崇祯十四年二月十五日。"另据金昌《叙第四才子书》，金人瑞将《庄子》、《离骚》、《史记》与杜甫诗依次列为才子书，《水浒》居第五。

三月

初一日，杨嗣昌在荆州闻福王被农民军杀死，畏罪自尽。见《明史·杨嗣昌传》。杨嗣昌（1588—1641），字子微，号文弱，湖广武陵（今湖南常德）人。万历三十八年进士，官至礼部尚书兼东阁大学士，预机务，掌兵部事。

四月

张溥《七录斋近集》编成。张采《西铭近集序》："此我亡友张子遗集也。不名遗集者，先是张子哀其古文辞，比次连类，名曰《近集》，授诸史书矣。殁前二日，犹手执雠校，则后死者不忍有芟益，故仍其自名。"

五月

初八日，张溥（1602—1641）卒。见张采《知畏堂集·文存》卷八《庶常天如张公行状》。《吴梅村全集》卷二四《复社纪事》："先生前十日属疾，卒于家，千里内外皆会哭，私谥曰仁学先生。崇祯十四年辛巳五月也。"《明史·文苑传》："至十四年，溥已卒，而事犹未竟（即朝中攻讦复社事）。刑部侍郎蔡奕琛坐党薛国观系狱，未知溥卒也，讦溥遥握朝柄，己罪由溥，因言采结党乱政。诏责溥、采回奏，采上言：'复社非臣事，然臣与溥生平相淬砺，死避网罗，负义图全，谊不出此。念溥日夜解经论文，矢心报称，曾未一日服官，怀忠入地。既今严纶之下，并不得泣血自明，良足哀悼。'当是时，体仁已前罢，继者张至发、薛国观皆不喜东林，故所司不敢复奏。及是，至发、国观亦相继罢，而周延儒当国，溥座主也，其获再相，溥有力焉，故采疏上，事即得解。明年，御史刘熙祚、给事中姜埰交章言溥砥行博闻，所纂述经史，有功圣学，宜取备乙夜观。帝御经筵，问及二人，延儒对曰：'读书好秀才。'帝曰：'溥已卒，采小臣，言官何为荐之？'延儒曰：'二人好读书，能文章。言官为举子时读其文，又以其用未竟，故惜之耳。'帝曰：'亦未免偏。'延儒曰：'诚如圣谕，溥与黄道周皆偏，因善读书，以故惜之者众。'帝额之，遂有诏征溥遗书，而道周亦复官。有司先后录上三千余卷，帝悉留览。溥诗文敏捷。四方征索者，不起草，对客挥毫，俄顷立就，以故名高一时。卒时，年止四十。"张采有《具陈复社本末疏》，见《知畏堂集·文存》卷八。张溥著述宏富，其诗文著作有《七录斋诗文合集》十六卷、《七录斋近集》十六卷，尚有《周易注疏大全合纂》六十八卷、《诗经注疏大全合纂》三十四卷、《四书注疏大全合纂》三十七卷、《春秋三书》三十二卷、《历代史论二编》十卷、《古文五删》五十二卷、《历代名臣奏议》三百五十卷、《汉魏六朝百三名家集》一百十八卷等。《四库总目提要》卷一八九著录《汉魏六朝一百三家集》："明张溥编……自冯惟讷辑《诗纪》，而汉魏六朝之诗汇于一编。自梅鼎祚辑《文纪》，而汉魏六朝之文汇于一编。自张燮辑《七十二家集》，而汉魏六朝之遗集汇于一编。溥以张氏书为根柢，而取冯氏、梅氏书中其人著作稍多者，排比而附益之，以成是集。卷帙既繁，不免务得贪多，失于限断；编录亦往往无法，考证亦往往未明……然州分部居，以文隶人，以人隶代，使唐以前作者遗篇，一一略见其梗概，虽因人成事，要不可谓之无功也。明之末年，中原云扰，而江以南文社乃极盛，其最著者，艾南英倡豫章社，衍归有光等之说而倡其流；陈子龙倡几社，承王世贞等之说而涤其滥；溥与张采倡复社，声气曼衍，几遍天下。然不甚争学派，亦不甚争文柄，故著作皆不甚多。溥所撰述，惟删定名臣奏议及此编为巨帙。名臣奏议，去取未能尽允；此编则元元本本，足资检核。溥之遗书，固应以此为最矣。"朱彝尊《静志居诗话》卷一九《张溥》："天如狎主复社，以附东林，声应气求，龙集风会，一言以为月旦，四海重其人伦，书暑刻而百函，宾昼日而三接。由是青衿胄子，白蜡明经，登李元礼之门，不啻虬户；为柳伯骞所识，胜于笥金。列郡人文，一时风尚，口谈朝事，案置《汉书》。头包露额之巾，足著踏跟之履，和歌《下里》，拥鼻东川。俄而哲人其萎，践康成之妖梦，天子有诏；求司马之遗书，党论日兴。清流酿祸，周之蘷弹之于始，阮大铖厄之于终，而邦国因之殄瘁矣。"陈子龙有《哭张天如先生》七绝诗二十四首，其一曰："江城日日坐相思，尺素俄传绝命辞。读罢惊魂如梦里，千行清泪不成悲。"其十二曰："文章弘丽润岩廊，下笔如云扫七襄。自是才高人莫学，一时枚马有兼长。"可见推崇之意与两人交情。

八月

六日，叶宪祖（1566—1641）卒。 黄宗羲《黄宗羲全集》第十册《外舅广西按察使六桐先生叶公改葬墓志铭》："公讳宪祖，字美度，别号六桐，姓叶氏，宋石林先生梦得之后也，迁于馀姚……公归五年而卒，辛巳八月六日也，年七十六。"叶宪祖，字美度，一字相攸，号六桐、桐柏，别署槲园居士、槲园外史、紫金道人，馀姚（今属浙江）人。明万历四十七年进士，历官新会知县、工部主事、四川顺庆知府、广西按察使，告归。著有《大易玉匙》六卷、《蜀游草》一卷、《入蜀记》、《白云初稿》、《白云续集》、《青锦园集》、《青锦园续集》，创作传奇《四艳记》（《夭桃纨扇》、《碧莲绣符》、《丹桂钿合》、《素梅玉蟾》）、《鸾锟记》、《金锁记》以及杂剧《灌将军使酒骂座记》、《金翠寒衣记》、《北邙说法》、《易水寒》、《团花凤》、《琴心雅调》等。吕天成《曲品》卷下著录叶宪祖所著传奇五种，如著录《玉麟》云："三苏事，旧有《麟凤记》，极俚。美度初为删定，遂尽易其旧。词致秀爽，尤宜喜筵。"又著录《双卿》云："本传虽俗而事奇，予极赏之。贻书促美度，度以新声，浃日而成。景趣新逸，且守韵甚严，当是词隐高足。"又著录《四艳》云："选胜地，按佳节，赏名花，取珍物，而分扮丽人，可谓极情场之致矣。词调俊逸，姿态横生。密约幽情，宛宛如见，却令老颠复发耳。"康熙《绍兴府志》卷五〇："宪祖与同邑孙钅广以古文辞相期许，其填词直追元人，与之上下，有明词家率推玉茗、太乙，宪祖以为浓艳剿袭，失古淡本色，此难为不知者道也。癸卯与同邑沈应文、杨文焕、邵圭同修邑府志。"康熙《浙江通志》卷三七："字美度，馀姚人。万历乙未进士，入为工部尚书。逆阉建祠长安街，宪祖笑谓同官曰：'此天子走辟雍道也，土偶岂能起立乎？'逆阉闻之大怒：'吾乃为郎所谐！'削籍。崇祯间，累官至广西按察使。与孙钅广读书，钅广文师法王槐野；宪祖师法弇州，两人各自为家，而议论则水乳。宪祖长于填词，古淡本色，街谈巷语亦化为神奇。吴炳、袁令昭词家名手，皆从其指授为弟子。"乾隆《馀姚县志》卷三著录叶宪祖"《大易玉匙》六卷、《青锦园集》七卷、《续集》六卷、《白云初稿续集》二卷、《蜀游草》一卷"。佚名《双修记序》："居士精词曲，其所作《玉麟》、《四艳》诸记，皆为世脍炙。精究佛理，笃信净土。假日取《刘香女小卷》，被之声歌，名《双修记》。"

是年

浙江石门（崇德）文士孙爽等十馀人创征书社。吕留良《吕晚村先生文集》卷七《孙子度墓志铭》："崇祯十一年戊寅，余兄季臣会南浙十馀郡为澄社……越三年子度择同邑十馀人为征书社。时余年十三，子度见其文，辄大惊曰：'非吾畏友乎！'社中曰：'稚子耳！'子度曰：'此岂以年论耶？'竟拉与同席。"

浙江石门（崇德）又有曹序等立兰皋社。吕留良《吕晚村先生续集》卷三《质亡集小序》："曹序射侯（同邑）：崇祯时，射侯叔则为兰皋社，与余社友不相契。余兄弟与射侯兄弟，独相得于尘壒之外，不以藩篱间也。"

陈际泰（1567—1641）卒。据台湾中央图书馆编《明人传记资料索引》。《明史·文苑传》："陈际泰，字大士，亦临川人，父流寓汀州武平，生于其地。家贫，不能从师，又无书，时取旁舍儿书，屏人窃诵。从外兄所获《书经》，四角已漫灭，且无句读，自以意识别之，遂通其义。十岁，于外家药笼中见《诗经》，取而疾走。父见之，怒，督往田，则携至田所。踞高阜而哦，虽毕身不忘。久之，返临川，与南英辈以时文名天下。其为文，敏甚，一日可二三十首。先后所作至万首，经生举业之富，无若际泰者。崇祯三年举于乡，又四年成进士，年六十有八矣。又三年除行人。居四年，护故相蔡国用丧南行，卒于道。"《四库总目提要》卷八著录陈际泰《易经说易》七卷、《周易翼简捷解》十六卷附《群经辅易说》一卷，同书卷三四又著录其《五经读》五卷："明陈际泰撰。际泰有《易经说意》，已著录。其平生以制艺传，经术非所专门，故是编诠释五经，亦皆似时文之语，所谓习惯成自然也。"同书卷三七又著录其《四书读》十卷。《明史·艺文志》著录陈际泰《太乙山房集》十四卷。

沈自徵（1591—1641）卒。据庄一拂《明清散曲作家汇考》。康熙《吴江县志》卷三五："沈自徵，字君庸，副使琉之子也。幼自负，好大言……崇祯三年，永平副使张椿闻其名，延至幕府。自徵为椿画甚至……自徵颖悟绝人，为文立就，不录稿，散失莫纪。惟仿元人作《渔阳三弄》曲，其友梓之行世。"乾隆《吴江县志》卷三二："沈自徵，字君庸。国子监生……天启末入京师……居京师十年，为诸大臣筹画兵事，皆中机宜，名声大振……十三年国子监祭酒某荐诸朝，以贤良方正辟……明年卒于家，年五十一……惟仿元人为《鞭歌妓》、《霸亭秋》、《簪花髻》三曲以自寓，友人刊之行世。友人咸目为明以来北曲第一云。"《松陵见闻录》卷五："吴江沈君庸自徵，作《霸亭秋》、《鞭歌妓》二剧，浏漓悲壮，其才不在徐文长下。乃其妻张倩倩，亦才女也，尝有《寄外词》。"朱彝尊《静志居诗话》卷二二《沈自徵》："沈氏多才，自词隐生璟订正《九宫谱》，为审音者所宗。君庸亦善填词，所撰《鞭歌妓》、《灞亭秋》诸杂剧，慨当以慷，世有续《录鬼簿》者，当目之为第一流。诗则嫌其稍平衍也。"按，沈自徵为沈璟侄，其所作三种杂剧总名《渔阳三弄》。

郑之文（约 1572—1641 后）卒于是年以后。据徐朔方《郑之文行实系年》考证。钱谦益《牧斋初学集》卷二〇《长干行寄南城郑应尼是庚戌同年进士榜下一别三十二年矣》，是诗当作于崇祯十四年（1641）。诗中有句云："白夹风流乐府在，青楼薄幸教坊传。"自注云："应尼少游长干，为名妓马湘兰作《白练裙》杂剧，至今流传曲中。"钱谦益《列朝诗集小传》丁集上《郑太守之文》："之文，字应尼，南城人。公车下第，薄游长干。曲中马湘兰负盛名，与王百谷诸公为文字饮，颇不礼应尼。应尼与吴非熊辈，作《白练裙》杂剧，极为讥调，聚子弟演唱，招湘兰观之，湘兰为之微笑。定襄傅司业清严训士，一旦召应尼跪东厢下，出《衔袖》一编，掷地数之曰：'举子故当为轻蛱蝶耶？'收以夏楚，久之乃遣去。应尼举进士，傅公为北祭酒，介余往谢过，公一笑而已。应尼官南部郎，稍迁至某郡太守，免归。崇祯末，余作长歌寄之，有曰：'子弟犹歌白练裙，行人尚酹湘兰墓。'应尼亦次韵相答，是后寂不相闻矣。"乾隆《芜湖县志》卷八："郑之文，江西南城人，进士，郎中。万历四十三年接任。"同治《南城县志》卷八："郑之文，字应尼，一字水濂，号愚公。万历三十八年进士，授南京工部主事，历郎中，出知真定府。为人高简清峻，风流轶群。与黄贞甫、曹能始、钟伯敬、王季重相友善。著有《远山堂集》、《锦研斋集》、《愚庄稿》。居家三十年，足不履公门，乡里重之。"祁彪佳《远山堂曲品》著录郑之文《白练裙》传奇为逸品："豹先为孝廉时，游秦淮曲中，遂携此记，备写当时诸名妓，而已仍作生，且以刺马姬湘兰，并讽及王山人百谷。俄为大司成所诃，仅半本而止。"同书又著录其《旗亭》传奇为能品："曲亦爽亮，但铺叙关目，尤欠婉转；后得清远一序，殊为增色。"庄一拂《古典戏曲存目汇考》卷九著录郑之文所撰传奇《白练裙》、《芍药记》、《旗亭记》三种，前二种失传。小传云："郑之文，字应尼，一字豹先，江西南城人。万历进士，官南部郎，出为知府。《远山堂曲品》谓其词曲可称文人之雄。"

公元 1642 年（明崇祯十五年　壬午　清崇德七年）

正月

二十日，张笃庆（1642—1720）生。张笃庆《厚斋自著年谱》："崇祯十五年壬午春正月二十日巳时，笃庆生。"张笃庆，字历友，号厚斋，又号昆仑山人、昆仑外史，淄川（今属山东淄博）人。拔贡生。早年受知于施闰章，诗宗盛唐，擅歌行。著有

《八代诗选》、《班范肪截》、《五代史肪截》、《两汉高士赞》、《明季咏史百一诗》以及《昆仑山房集》等。《四库总目提要》卷九〇著录张笃庆《班范肪截》四卷、《五代史肪截》四卷，同书卷一八三又著录其《昆仑山房集》三卷："其诗古文颇知名于时，此集乃有文而无诗，疑编次未竟之本也。笃庆才藻富有，洋洋缠缠，动辄千言，风发泉涌，不可节制。"袁行云《清人诗集叙录》卷一二著录张笃庆《昆仑山房诗集》四卷（中国科学院图书馆藏抄本）："明大学士张至发曾孙，康熙间拔贡生，受知于施闰章，就京兆试不遇，乃弃帖括，究博史传……其诗古今体兼擅，千言立就，磊落雄奇。惟未刻专集，仅二卷收入《般阳诗萃》，馀以抄本流传。是集首唐梦赉序，赠施闰章、王士禛诗最多。《岁暮怀人诗六十首》，与劳之辨、曹禾、安致远、张贞、孙勷、梅庚、王原、陈学泳、蒲松龄，或知遇或相契，可见交游。"

二月

十八日，清兵破松山，生擒明总督洪承畴，旋降清。据蒋良骐《东华录》卷四。

是年春

郑元勋、李雯等大会复社社友于苏州虎丘。杜登春《社事本末》："复社自己巳至辛巳，十三年中凡三大会……壬午春，又大集虎丘，维扬郑朝宗先生元勋、吾松李舒章先生雯为主盟，桐城方密之先生以智、直之先生其义……皆与焉。"

四月

十七日，刑科给事中左懋第上疏陈请焚毁《水浒传》。东北图书馆编《明清内阁大库史料》上册："……李青山诸贼啸聚梁山，破城焚漕，咽喉梗塞，二京鼎沸。诸贼以梁山为归，而山左前此莲妖之变，亦自郓城、梁山一带起。臣往来舟过其下数矣，非崇山峻岭，有险可凭。而贼必因以为名，据以为薮泽者，其说始于《水浒传》一书。以宋江等为梁山啸聚之徒，其中以破城劫狱为能事，以杀人放火为豪举，日日破城劫狱，杀人放火，而日日讲招安，以为玩弄将吏之口实。不但邪说乱世，以作贼为无伤，而如何聚众竖旗，如何破城劫狱，如何杀人放火，如何讲招安，明明开载，且预为逆贼策算矣。臣故曰：此贼书也……《水浒传》一书，贻害人心，岂不可恨哉！"

六月

明廷严禁《浒传》。东北图书馆编《明清内阁大库史料》上册："兵部为梁山寇虽成擒等事该本部题前事等因，崇祯十五年六月囗日，本尚书陈等具题。十五日，奉圣旨：降丁各归里甲，勿令仍有占聚，着地方官设法清察本内，严禁《浒传》……凡坊间家藏《浒传》并原板，速令尽行烧毁，不许藏匿。"

清分汉军由四旗变为八旗。据蒋良骐《东华录》卷四。

九月

初六日，李光地（1642—1718）**生。**朱彭寿《清代人物大事纪年》："崇德七年壬午（明崇祯十五年，公元1642年），生辰：李光地，九月初六日生，字晋卿，号厚庵、榕村，福建安溪人，享年七十七。"李光地，康熙九年进士，改庶吉士，授编修，升侍讲学士，晋内阁学士，以荐施琅为将收复台湾，深得康熙帝信任，官至直隶巡抚、文渊阁大学士，卒谥文贞。精于理学，校理《周易折中》、《性理精义》诸书。亦能诗文，著有《榕村集》四十卷、《周易通论》、《洪范说》、《诗所》、《二程遗书》、《古文精藻》、《榕村诗选》等。徐世昌编《晚晴簃诗汇》卷三十六选李光地诗三首，《诗话》云："文贞以经术事景陵，易数、律历尤被契商。以程、朱之学，成韩、范之业，立朝巍然，如古大臣。当时讥其卖友，弹及夺情，颇不慊于异同之口。要其存正论，全善类，康熙之世，自据乱入升平，自有赞襄之绩，固不可厚诬也。诗不甚措意，凝重称其为人。"

十一月

清兵大举入塞。计六奇《明季北略》卷一八："（崇祯）十五年十一月，清兵大举入塞，二十四日庚寅，入蓟州。"

是年

明廷改称诸儒先贤。《明通鉴》卷八八："是岁，诏以左丘明亲授经于圣人，改称先贤。并改宋儒周、二程、张、朱、邵六子亦称先贤，位七十子下，汉、唐诸儒之上。然仅国学更置之，阙里庙廷及天下学宫未遑颁行也。"

左都御史刘宗周上疏禁赌、禁娼、禁戏曲。刘宗周《刘蕺山集》卷五《申明巡城执掌疏》："不法之类，轻者拿问，如赌博盗贼；又轻者径行驱逐，不许潜往京师，如私娼、小唱、戏子、游僧、游尼之类，所不令行而禁止者，未之闻也。"

张玉书（1642—1711）**生。**朱彭寿《清代人物大事纪年》："崇德七年壬午（明崇祯十五年，公元1642年），生辰：张玉书生，字素存，号润浦。江苏丹徒人。享年七十。"张玉书，顺治十八年进士，改庶吉士，授编修，历官内阁学士、刑部尚书、兵部尚书、文华殿大学士兼户部尚书，卒谥文贞。善古文辞，春容大雅。曾任《康熙字典》总阅官，著有《张文贞集》十二卷、《张文贞公文录》二卷、《张文贞公外集》二卷等。徐世昌编《晚晴簃诗汇》卷三一选张玉书诗五首，《诗话》云："文贞早以制义名，人推为'曲江风度'。遗集高文典册，多关掌故，和平宽博，允为盛世元音。诗不载集中，仅见者吉光片羽。归愚称其诗品亦与文同，以风度胜，读者如饮醇醪。洵笃论也。"

沈德符（1578—1642）**卒。**据吴荣光《历代名人年谱》。沈德符，字景倩，一字景伯，又字虎臣，浙江嘉兴人，万历四十六年举人。自幼随祖父、父亲居住北京，熟悉朝章故事，见闻颇广，著有《万历野获编》三十卷，另有其后人《补遗》四卷。中华书局 1959 年出版《万历野获编》断句本。钱谦益《列朝诗集小传》丁集下《沈先辈德符》:"德符,字景倩,嘉兴人,故太史自邠之子也。自王、李之学盛行,吴越间学者拾其残沈,相戒不读唐以后书,而景倩独近搜博览,其于两宋以来史乘别集、故家旧事,往往能敷陈其本末,疏通其端绪。家世仕宦,习闻国家故事,且习见嘉靖以来名人献老,讲求掌故,网罗放失,将勒成一家之言,以上史馆,惜其有志而未逮也。其论诗宗尚皮、陆及陆放翁,与同时钟、谭之流,声气翕合,而格调迥别,不为苟同。年四十,始上春官,累举不得志而死。"朱彝尊《静志居诗话》卷一七《沈德符》:"沈德符,字虎臣,一字景倩,秀水人。万历戊午举人,有《清权堂集》。孝廉生禀异志,日读一寸书,所撰《万历野获编》,事有左证,论无偏党,明代野史,未有过焉者。其诗宁取公安、竟陵,欲尽反历下、琅琊之弊。故多艳字侧辞,雪飒星碎,未免病于才多也。"《四库总目提要》卷八三著录沈德符《秦玺始末》一卷,同书卷一三〇又著录其《飞凫语略》一卷,同书卷一四四又著录其《敝帚轩剩语》三卷、《补遗》一卷,同书卷一九九又著录其《顾曲杂言》一卷:"明沈德符撰……此书专论杂剧、南北曲之别……虽间有小疵,然如论北曲以弦索为主,板有定制;南曲笙笛,不妨长断其声以就板。立说颇为精确。其推原诸剧牌名,自金元以至明代,缕析条分,征引亦为赅恰。词曲虽伎艺之流,然亦乐中之末派,故唐人《乐府杂录》之类,至今尚传。存此一编,以考南北曲之崖略,未始非博物之一端也。"陈田《明诗纪事》庚签卷二三选沈德符诗六首,有按语云:"景倩有《与谭友夏夜话诗》云……其倾倒钟、谭如此。惟其早岁博综,渔猎词藻,与钟、谭之专尚枯槁、镂刻肝肾者微别。余戏谓《清权堂稿》一编,著色竟陵诗也。"

公元 1643 年(明崇祯十六年 癸未 清崇德八年)

是年春

　　吴伟业在苏州结识名妓卞玉京。吴伟业《吴梅村集》卷一〇《过锦树林玉京道人墓》有传云:"玉京道人,莫详其所出,或曰秦淮人。姓卞氏,知书,工小楷,能画兰,能琴。年十八,乔虎丘之山塘。所居湘帘棐几,严净无纤尘,双眸泓然,日与佳墨良纸相映彻。见客出亦不甚酬对,少焉谐谑间作,一座倾靡。与之久者,是见有怨恨色,问之辄乱以它语,其警慧虽文士莫及也。与鹿樵生(吴伟业自称)一见,遂欲以身许,酒酣拊几而顾曰:'亦有意乎?'生固为若弗解者,长叹凝睇,后亦竟弗复言。"以后吴伟业曾为卞玉京作诗词多首。《吴梅村全集》卷五八《梅村诗话》:"女道士卞玉京,字云庄,白门人也。善画兰,能书,好作小诗。曾题扇送余兄志衍入蜀一绝云:'剪烛巴山别思遥,送君兰楫渡江皋。愿将一幅潇湘种,寄与春风问薛涛。'后往南中,七年不得消息……余有《听女道士弹琴歌》及《西江月》、《醉春风》填词,皆为玉京作。"

　　孟称舜作传奇《二胥记》。孟称舜《二胥记题词》:"余昔谱《鸳鸯冢》事,申生、娇娘两人慕色之诚,与二胥报仇复国之诚等……此二记者,皆所以言道焉可也。崇祯癸未春日,会稽小蓬莱卧云子题。"另马权奇《二胥记题词》后署"崇祯癸未夏六月,友弟马权奇题"。

四月

李自成改襄阳为襄京，设官分职，自称"倡义大元帅"。据计六奇《明季北略》卷一九。

八月

初九日，清太宗皇太极（1592—1643）卒。蒋良骐《东华录》卷四："崇德八年……八月初九日，上厌代（年五十有二），庙号太宗，葬昭陵。"《清史稿·太宗本纪二》："（崇德）八年春正月丙申朔，上不豫……八月……庚午，上御崇政殿。亥时，无疾崩，年五十有二，在位十七年。九月壬子，葬昭陵。"

二十六日，清太宗第九子福临（1638—1661）即位，是为清世祖，以次年为顺治元年。据《清史编年》。蒋良骐《东华录》卷四："世祖章皇帝福临，太宗皇帝第九子也……六岁即嗜书史。至是，礼亲王代善等奉上嗣位，王贝勒大臣等共为誓书，昭告天地。以郑亲王济尔哈朗、睿亲王多尔衮辅政，亦与诸王大臣誓告天地。"

是年明廷会试改为八月。归庄《归庄集》卷三《送兄尔复会试序》："崇祯十六年，改会试于八月。"

陈名夏考中一甲第三名进士。

黄淳耀考中二甲第三十一名进士。

宋徵璧考中三甲第五名进士。

魏学濂考中三甲第七名进士。

十月

二十六日，黄百家（1643—?）生。黄炳垕《黄氏旧谱》："十月丙戌季子主一公生（讳百学，后改百家）。"又黄庆曾等《竹桥黄氏宗谱》卷末下云："主一公，崇祯十六年十月廿六日生。"《清史列传·儒林传》："百家，字主一，国子监生。传宗羲学，又从梅文鼎问推步法，著《勾股矩测解原》二卷。康熙中，《明史》馆开，宗羲以老病不能行，徐乾学延百家入史馆，成史志数种，其《天文志》、《历志》，则百家稿本也。又著有《失馀稿》、《希希集》。"《四库总目提要》卷九七著录黄百家《二程学案》二卷："国朝黄宗羲撰，其子百家续成之。"同卷又著录黄百家《体独私钞》四卷、《王刘异同》五卷，同书卷一〇七又著录其《勾股矩测解原》二卷，同书卷一八三又著录其《幸跌草》三卷。张舜徽《清人文集别录》卷一著录黄百家《学箕初稿》二卷（康熙间箭山铁镗轩刊本）："馀姚黄百家撰……百家自少饫闻庭训，习其通核，故治学能规乎远大。观其论学有曰……若此诸论，皆洞察当时承明末空言讲学之弊，与夫士夫不尚实学之失，思有以振之。识议通达，自足箴当时末流之膏肓，亦可谓卓尔不群者矣。"

十二月

初一日已交公元 1644 年 1 月 10 日。

程嘉燧 (1565—1644) 卒。据郑威《程嘉燧年表》（载上海书画社刊行之《朵云》1986 年第十期)。《明史·文苑传》："程嘉燧，字孟阳，休宁人，侨居嘉定。工诗善画。与通州顾养谦善。友人劝诣之，乃渡江寓古寺，与酒人欢饮三日夜，赋《咏古》五章，不见养谦而返。崇祯中，常熟钱谦益以侍郎罢归，筑耦耕堂，邀嘉燧读书其中。阅十年返修宁，遂卒，年七十有九。谦益最重其诗，称曰松圆诗老。"钱谦益《列朝诗集小传》丁集下《松圆诗老程嘉燧》："嘉燧，字孟阳，休宁人。侨居嘉定。少学制科不成，去学击剑，又不成，乃折节读书。刻意为歌诗，三十而诗大就。孟阳之学诗也，以为学古人之诗，不当但学其诗，知古人之为人，而后其诗可得而学也。其志洁，其行芳，温柔而敦厚，色不淫而怨不乱，此古人之人，而古人之所以为诗也。知古人之所以为诗，然后取古人之清词丽句，涵泳吟讽，深思而自得之。久之于意言音节之间，往往若与其人遇者，而后可以言诗。盖孟阳之诗成，而其为人已邈然追古人于千载之上矣。其为诗主于陶冶性情，耗磨块垒，每遇知己，口吟手挥，缠缠不少休……在里中，兄事唐叔达、娄子柔，肩随后行，不失跬步。与人交，婉娈曲折，临分执手，口语刺刺。至其责备行谊，引经据古，死生患难，慷慨敦笃，古节士无以过也。万历戊午，故人方方叔令长治，邀之入潞，居三年，从方叔入燕。诸公争物色，孟阳皆避不与见。祥符王损仲博雅名士，时时过余邸舍，就孟阳谈，孟阳未尝一往也。崇祯中，余罢官里居，搆耦耕堂于拂水，要与偕隐，晨夕游处，修鹿门、南村之乐。后先十年，辛巳春，孟阳将归新安，余先游黄山，访松圆故居，题诗屋壁。归舟抵桐江，推篷夜语，泫然而别。又明年，癸未十二月，孟阳卒于新安，年七十有九。卒之前一月，为余序《初学集》，盖绝笔也。逾年而有甲申三月之事，铭旌大书曰明处士某，岂不幸哉！孟阳读书不务博涉，精研简练，采掇菁英，晚尤深老、庄、荀、列、《楞严》诸书，钩纂穿穴，以为能得其用。其诗以唐人为宗，熟精李、杜二家，深悟剽贼比拟之谬。七言今体约而之随州，七言古诗放而之眉山，此其大略也。晚年学益进，识益高，尽览中州、遗山、及国朝青丘、海叟、西涯之诗，老眼无花，炤见古人心髓……遗山题《中州集》后云：'爱杀溪南辛老子，相从何止十年迟？'世无裕之，又谁知余之论孟阳，非阿私所好者哉！余故援中州之例，谥之曰松圆诗老，庶几千百世而下，有知吾孟阳如裕之者。"王士禛《渔洋诗话》卷下："明末七言律诗有两派：一为陈大樽，一为程松圆。大樽远宗李东川、王右丞，近学大复；松圆学刘文房、韩君平，又时时染指陆务观。此其大略也。"朱彝尊《静志居诗话》卷一八《程嘉燧》："程嘉燧，字孟阳，休宁布衣，侨居嘉定。有《松圆浪淘集》。孟阳格调卑卑，才庸气弱，近体多于古风，七律多于五律，如此伎俩，令三家村夫子，诵百篇兔园册，即优为之，奚必读书破万卷乎？蒙叟深惩何、李、王、李流派，乃于明三百年中，特尊之为诗老。六朝人语云：'欲持荷作柱，荷弱不胜梁。欲持荷作镜，荷暗本无光。'得毋类是欤？姑就其集中，稍成章者，录得八首。"沈德潜《明诗别裁集》卷一〇选程嘉燧诗四首，小传云："孟阳诗亦娟秀少尘，自钱牧斋訾謷李、何、王、李诸人，推孟阳为一代宗主，几与高季迪、李

宾之前后相埒矣。而阳羡邵子湘有心矫枉，摘其累句云'争倚画桡冲妓席，独横朱袖占歌筵'，'亦知终去婚和嫁，且恋闲来弟劝兄'，'近逐歌喉须闯席，闲开笑靥待歌船'，'闲偎串迹圆留面，戏剧鞋痕曲印肩'，'年去贫来不自由，暗伤颜面向交游'等句，谓其秽亵俚俗，几于身无完肤矣。予录其气清格整，去风雅未远者四章，见孟阳自有真诗，勿因牧斋之过许而毛举其疵以掩之也。"《四库总目提要》卷七七著录程嘉燧《破山兴福寺志》四卷。陈田《明诗纪事》庚签卷四选程嘉燧诗三十二首，小传云其有《松圆浪淘集》十八卷、《偈庵集》二卷、《耦耕集》五卷。引《明三十家诗选》云："虞山选明诗，伐异党同，纰谬百出，惟推重孟阳一事，未可厚非。孟阳近体，秀逸浏亮，宗范随州、丁卯，不失为名家。朱竹垞谓孟阳格调卑卑，才庸气弱。邵子湘摘其累句，呵为秽亵俚俗。沈归愚谓其纤词浮语，仅比于陈仲醇。是皆因虞山毁誉失实，迁怒孟阳，过事丑诋，惩羹吹齑，徒取快一时，何以昭信千古哉！"又加按语云："孟阳诗，清丽温婉，诵之令人意消。在万、天间，可自成一家。"

是年

冯梦龙寿七十，钱谦益有诗相祝。钱谦益《牧斋初学集》卷二○《东山诗集四》（起癸未正月，尽十二月）有《冯二丈犹龙七十寿诗》："晋人风度汉循良，七十年华齿力强。七子旧游思应阮，五君新咏削山王（冯为同社长兄，文阁学、姚宫詹皆社中人也）。书生演说鹅笼里，弟子传经雁瑟旁。纵酒放歌须努力，莺花春日为君长。"按，文阁学即文震孟，姚宫詹即姚希孟。

冯梦龙改编余邵鱼《列国志传》为《新列国志》成。苏州叶敬池刻本墨憨斋新编《新列国志》扉页题云："正史之外，厥有演义，以供俗览，然亦非庸笔能办。罗贯中小说高手，故《三国志》与《水浒传》并称二绝。《列国》、《两汉》仅当具臣。墨憨斋向纂《新平妖传》及《明言》、《通言》、《恒言》诸刻，脍炙人口，今复订补二书。本坊恳请先镌《列国》，次当及《两汉》……"又祁彪佳《祁忠敏公日记》于崇祯十七年十二月十七日日记有云："舟中无事，阅冯犹龙所制《列国传》。"此前尚未见诸书提及《新列国志》。

陈子龙、李雯、宋徵舆所辑《皇明诗选》十三卷刊行。据《郘园读书志》卷一五。

公元 1644 年（明崇祯十七年 甲申 大顺永昌元年 清世祖顺治元年）

正月

初一日，清廷改元顺治。计六奇《明季北略》卷二○《清朝改元（正月初一）》："建州定国号曰'大清'，改元顺治。清主立，尚幼，叔九王理国，称摄政王。以辽人范文程为大学士。"

初三日，李自成在西安称帝，国号大顺，年号永昌。据计六奇《明季北略》卷二○。

十二日，凌濛初（1580—1644）卒。嘉庆十年乙丑刊《凌氏宗谱》卷六谓凌濛初"生于万历庚辰五月初七日未时……卒于崇祯甲申正月十二日未时，寿六十五"。凌濛初字玄房，号初成，一号稚成，亦名凌波，又字波斥，别署即空观主人，乌程（今浙江湖州）人。副贡生，曾官徐州判、楚中监军佥事。以编撰《拍案惊奇》、《二刻拍案惊奇》驰名后世。另有诗文杂著、曲学论著以及杂剧、传奇多种。同治《湖州府志》卷七八录郑龙采《凌君墓志》："凌濛初，字元房，号初成。乌程人，迪知子。案旧志误作稚隆子。崇祯中以副贡选授上海丞，署海防事，清盐场积弊，擢徐州判。居房村治时，会何腾蛟备兵淮、徐御流寇，慕其才名，征入幕，献《剿寇十策》，竟单骑诣贼营，谕以祸福，贼率众来降。腾蛟曰：'此凌别驾之功也。'上其功于朝，授楚中监军佥事，不赴，仍留房村。甲申正月，李自成薄徐境，誓与百姓死守。曰：'生不能得保障，死当为厉杀。'言与血俱，大呼'无伤百姓'者三而卒。众皆恸哭，自死以殉者十馀人，房村建祠祀之。"乾隆《乌程县志》卷一六著录凌濛初著述"《圣门传诗嫡冢》十六卷、《言诗翼》六卷、《诗逆》四卷、《诗经人物考》、《左传合鲭》、《倪思史溪异同补评》、《嬴滕剖》、《荡栉后录》、《国门集》一卷、《国门乙集》一卷、《鸿讲斋诗文》、《乙编蠹涎》、《燕筑讴》、《南音三籁》、《东坡禅喜集》三卷、《合评选诗》、《陶韦合集》"。乾隆《湖州府志》卷四五著录凌濛初著述"《禅喜集评》、《朱批选诗》七卷、《选赋》□卷"。光绪《乌程县志》卷三一著录凌濛初著述"《后汉书纂评》、《删定宋史补遗》、《剿寇十策》"。《四库总目提要》卷一七著录凌濛初《圣门传诗嫡冢》十六卷、《附录》一卷、《言诗翼》六卷、《诗逆》四卷。同书卷一七四又著录其编《东坡禅喜集》十四卷。同书卷一八〇又著录其《国门集》一卷、《国门乙集》一卷："明凌濛初撰。濛初有《圣门传诗嫡冢》，已著录。是集以皆入国门以后所作，故谓之国门，再入再刻，故有乙集也。二集并于诗末附杂文数篇，盖屡踬场屋之时，故颇多抑郁无聊之作云。"同书卷一九三又著录其编《陶韦合集》十八卷。庄一拂《古典戏曲存目汇考》卷六著录凌濛初杂剧《红拂三传》、《刘伯伦》（佚）、《祢正平》（佚）、《穴地报仇》（佚）、《颠倒姻缘》（佚）、《蓦忽姻缘》（佚）、《宋公明闹元宵》。同书卷一〇又著录其传奇《合剑记》（佚）、《雪荷记》（佚）、《乔合衫襟记》。

三月

十九日，李自成攻破京师，明崇祯帝自缢死（1611—1644）。《明通鉴》卷九〇："丁未，帝崩于万岁山之寿皇亭，中官王承恩从殉焉。"

十九日，户部尚书倪元璐（1593—1644）卒。据倪会鼎《明倪文正公年谱》。《明通鉴》卷九十："户部尚书倪元璐，上虞人，闻难，整衣冠拜阙，大书几上曰：'南都尚可为。死，吾分也，勿以衣衾敛，暴我尸，志我痛。'遂南向坐，取帛自经死，一门殉者十三人。"倪元璐，字玉汝，号鸿宝，一号园客，上虞（今属浙江）人。天启二年进士，授编修，历官国子祭酒、兵部侍郎、户部尚书，李自成陷京师，自缢死，年五十二。谥文正，清谥文贞。著有《儿易内外易》、《鸿宝应本》、《倪文贞集》。《明史·倪元璐传》："倪元璐，字玉汝，上虞人……天启二年，元璐成进士，改庶吉士，授编修……元璐寻进侍讲。其年四月请毁《三朝要典》……雅负时望，位渐通显……李自成陷京师……遂南向坐，取帛自缢而死。赠少保、吏部尚书，谥文正。本朝赐谥文正。"朱彝尊《静志居诗话》卷二〇《倪元璐》："倪元璐，字玉汝，号鸿宝，上虞人。天启壬戌进士，改庶吉士，授编修，历侍讲、南京国子监司业、右中允、左谕德、右庶子、国子监祭酒，升兵部右侍郎，改户部尚书，兼礼部尚书、翰林院学士。京师陷，自缢死。初谥文正，定谥文贞。有《忆草》。"沈德潜《明诗别裁集》卷一〇选倪元璐《皇极门颁历作》一首。陈田《明诗纪事》辛签卷三选倪元璐诗二首，小传谓其有"文集十七卷、奏疏十二卷、诗集二卷"，又加按语云："公始释褐，不轻造谒。首辅福清尝曰：'三年无片刺及吾门者，只一倪君也。'思陵登极，诛锄阉寺，朝端水火未尽廓清。公戊辰三疏，雪东林，焚《要典》。石斋谓：'公每一疏出，如撞朝钟，上震廊序。骎骎向用，一扼于乌程，再扼于井研，伟抱硕画，讫不得展，卒抱日与虞渊同陨。哀哉！'工诗，颇近公安一派，余择其词旨隽雅者录二首，尝鼎一脔，可知其味矣。"

四月

二十九日，李自成在北京称帝，次日弃城西奔。据计六奇《明季北略》卷二〇。

魏学濂（1608—1644）**自尽。**《明通鉴》卷九〇："故赠太常卿魏大中之次子学濂，中癸未进士，擢庶吉士，是年，贼逼京师，学濂与同官吴尔埙慷慨有所论建，大学士范景文以闻，先帝特召见两人，将任用。无何，京师陷，学濂不能死，受贼户部司务职，颓其家声。已，自成西奔，学濂将出，自惭，遂赋《绝命词》二章，自缢死。"魏学濂，字子一，号内斋，学洢弟。崇祯十六年进士。

五月

初一日，多尔衮入京师。《明通鉴》附编卷一上："戊子朔，我大清兵定京师。李自成西奔，大军追之于芦沟，于庆都，皆败之。"

初三日，明南京兵部尚书史可法、凤阳总督马士英等在南京拥立福王朱由崧，先称监国，旋即帝位。《明通鉴》附编卷一上："是日，明臣立福王由崧于南京……庚申，王监国……壬寅，明福王称帝于南京，仍称崇祯十七年，以明年为弘光元年。"

六月

初六日，南明马士英举荐阮大铖，东林、复社中人极力反对，党争复起。据计六奇《明季南略》卷一。

初六日，定崇祯帝谥号。计六奇《明季南略》卷二："六月初六壬戌，谥大行皇帝曰思宗烈皇帝，皇后曰孝节皇后。"

七月

初二日，清廷采用汤若望以西洋新法所修之历法，名曰《时宪历》，自顺治二年颁行全国。据《清史编年》。

八月

初九日，张献忠攻破成都。据彭孙贻《流寇志》卷一三。

弘光帝大选淑女于苏、杭，民间嫁娶一空。据计六奇《明季南略》卷二。

九月

初一日，以阮大铖为兵部右侍郎。据计六奇《明季南略》卷一。

十九日，清世祖福临至京师，自正阳门入宫。据《清史编年》。

廖燕（1644—1705）生。曾璟《廖燕传》："廖燕，字人也，号柴舟，曲江人。生甲申九月，乃顺治元年也……年六十二，卒于家，时康熙四十四年也。"王源《廖柴舟墓志铭》："处士讳燕，字柴舟，广之曲江人。生于崇祯甲申，时值鼎革，广东尚为明守，其后数更离乱，破产食贫，卒于乙酉，是为康熙四十四年，得年六十有二。"《二十七松堂集》二十二卷本高纲序："丁巳秋，莅任韶州，得廖柴舟所著《二十七松堂集》于其家簿书填委中，披览残编，为之狂喜。好友沈樗庄方卧病，倚枕读之，亦跃然以起也。文章有神，固如是乎！然吾因之有感矣。以柴舟之文，瑰奇雄伟，驰逐昌黎、眉山间，宜其不胫而走，不翼而飞，乃蠹简尘封，谁为拂拭……乾隆三年岁在戊午秋七月高密高纲撰。"光绪《曲江县志》卷一四："廖燕，初名燕生，字柴舟，曲江人。邑诸生。抗志不羁，不苟为制举。尝言：'时当泽及生民曰功，死而不朽曰名，专事科第亦陋矣。'卜居水西门，榜其门曰二十七松堂。闭门读书，日事著作。郡守陈廷策躬礼其庐，交款洽，为刻其集行世。偕之北游，适舟次金陵，以病留，得览江山之胜，归而究通儒之学，文益恣横。善草书，状如古木寒石，笔有奇气。人得尺幅，什袭珍之。康熙丁卯，分纂郡邑志。乙酉，卒于家。著有《二十七松堂集》，梓行东洋，遗诗入选。"李慈铭《越缦堂日记》"光绪八年十月十五日"有记云："夜半不睡，阅廖柴舟《二十七松堂文集》。柴舟名燕，国初曲江布衣。集凡十六卷，其文颇疏隽，欲以幽冷取胜，自负甚高。前题宁都魏和公阅，文后多系评语。盖山野声气之士，而议论偏谲，读书无本，不脱明季江湖之习。其为《金圣叹传》，极口推服，称为先生，则宗尚可知矣……又有《祭澹归和尚文》，首题庚申十一月二十八日。澹归即金道隐（释名性因，澹归其字），是道隐卒于康熙十九年冬也。皆足以资考证。"邓之诚《清诗纪事初编》卷八著录廖燕《二十七松堂集》二十二卷："廖燕，本名燕生，字某。弃诸生后，改字梦醒，后字人也，号柴舟，曲江人。卒于康熙四十四年，年六十二。事具曾璟《廖燕传》、王源《廖处士墓志铭》。撰《二十七松堂集》二十二卷，凡文十八卷、诗四卷，乾隆三年，高纲官韶州府知府，始为之刊行。纲以刊《偏行堂集》，获罪身后，此集幸未波累。嘉庆中，日本人为选刻其文十六卷，以拟侯、魏，谓为朱明之殿，而不知甲申（崇祯十七年）明亡之年，燕始堕地也。清季邓承修尝得日本刻本，祈李慈铭为序，欲重刻之粤中未果，慈铭序亦亡失。燕自负经世之略，善持议论。谓汤、武篡弑而后可以顺天应人，司马炎、刘裕不得援以自比。明太祖以八股取士，等于秦之焚书。皆有创见。不敢菲薄孔子，于孟子有微词，程、朱更非所喜。最善金堡，与陈元孝论交，附北田诸子之后，因得识魏礼，有同气相求之雅。礼颇称其文，实则雅

167

驯尚不及元孝及屈大均，特稍能驰骋。命题用字，有极可笑者。慈铭称其《南阳李公传》杂采野记而成，非别有见闻也。《金圣叹传》则瓣香所在，而自居何等，亦可知矣。王源称其议论间有高明之过，然实可继魏先生以不朽。诗新警雄逸，亦非今人所能及。今观其集，《山居诗》七律三十首，襟怀淡宕，寄托遥深，实足继屈、陈而起。诗之造诣，或在文上。"张舜徽《清人文集别录》卷三著录廖燕《二十七松堂文集》十六卷（日本刻本）："曲江廖燕撰。燕字柴舟，清初布衣。为文颇疏隽，而议论见解，尽有佳者。如言六经之理，自具于未有文字之先（是集卷三《春秋厄言序》）……又言古文与时文有异，古文多成于未有题目之先，时文有题目，始寻文章，古文则先有文章，偶借题目耳（卷九《复翁源张泰亭明府书》）。此皆洞达著述本源、非有通识卓见者不能道……凡此所言，悉皆透辟，大抵是集史论诸篇，均有新意，能发人所未发，以其识解甚高，非庸常文士所能逮也。"今人有廖燕《二十七松堂文集》（十六卷）整理本，上海远东出版社 1999 年出版，有附录足资考证。

十月

初一日，清世祖在北京即皇帝位。蒋良骐《东华录》卷五："九月庚寅，睿亲王多尔衮遣甲喇章京顾纳代等自燕迎驾。甲午，上入山海关。壬子，供奉太祖武皇帝、孝慈武皇后、大行皇帝神主，安入太庙。十月乙卯朔，上定鼎燕京。"

十一月

十六日，张献忠在成都称帝，国号大西，改元大顺，定成都府为西京。据吴伟业《绥寇纪略》卷一一、徐鼒《小腆纪年附考》卷八。

二十五日，吴继善（1606—1644）卒。吴伟业《吴梅村全集》卷五二《志衍传》："其弟事衍徒跣万里，望家而哭曰：'吾兄以甲申十一月二十五日遇害，骂不绝口，贼脔而割之。一门四十馀人，同日并命。'嗟乎，何其酷也。"又："志衍博闻辩智，风流警速，于书一览辄记，下笔洒洒数千言，家本《春秋》，治三《传》，通《史》、《汉》诸大家，继又出入齐、梁，工诗歌，善尺牍，尤爱图绘，有元人风。下至樗蒲、六博、弹琴、蹴鞠，无不毕解。"乾隆《镇洋县志》卷一二："吴继善，字志衍，崇祯丁丑进士。为人博学辨智，书一览辄记，文体秾丽，取法汉魏，千言立就，四方通问。名稍亚于张溥。事亲孝谨，笃于友生，通有无，急患难，终始弗倦。谒选得四川成都令。时寇陷荆襄，间道之官。见蜀事棘，以启谒蜀藩，请发帑金备寇，不应。张献忠破成都，被执，全家三十六口俱遇害，时甲申十一月二十五日也。"

二十九日，卓尔康（1570—1644）卒。钱谦益《有学集》卷三二《卓去病先生墓志铭》："去病，姓卓氏，名尔康。其为人，孝于亲，忠于君，笃厚于朋友。以通经术、讲经济为能事。孤峭介特，以世道为己任。虽其生值叔季，身沉下僚，天下之士，识与不识，皆信之无异词。去病，杭之塘西里人……去病卒甲申十一月廿九日，年七十有五。妻李氏，侧室刘氏、詹氏。子三：人向、人伊、人皋，女一。"卓尔康，字去病，号农山，仁和（今浙江杭州）人。万历四十年（1612）举人，历官大同谏官、两淮分司。著有《诗学全书》四十卷、《易学全书》五十卷、《春秋辨义》三十八卷、《农山全集》三十卷，另有《修馀堂集》。《四库总目提要》卷八著录其《易学残本》十二卷："明卓尔康撰。尔康字去病，仁和人，万历壬子举人，官至工部屯田司郎中，谪常州府检校，后终于两淮盐运通判。"同书卷二八又著录其《春秋辨义》三十九卷："强为之辞，则皆明白正大，足破诸说之拘牵，在明季说《春秋》家，犹为有所阐发焉。"朱彝尊《静志居诗话》卷一七《卓尔康》："去病康济之才，著书等身，惜不甚传，诗特雾豹一斑尔。《招友吉祥寺看梅》云：'言别长干久，相思积雨重。忽惊梅蕊发，如与故人逢。入寺幽香绕，方春冷艳浓。怜君疏傲似，相对益情钟。'"

十二月

南明翻逆案，重颁《三朝要典》。《明通鉴》附编卷一上："明重颁《三朝要典》，追恤逆案诸臣。"

清廷行圈地法，多铎渡黄河南下。据《清史编年》。

南明阮大铖献弘光帝《燕子笺》。《明通鉴》附编卷一上："阮大铖以乌丝栏写己所作《燕子笺》杂剧进之。"

毛宗岗评点《三国志演义》，有序托名金人瑞，后署"时顺治岁次甲申嘉平朔日，金人瑞圣叹氏题"。其序有云："余尝集才子书者六，其目曰《庄》也，《骚》也，马之《史记》也，杜之律诗也，《水浒》也，《西厢》也。已谬加评定，海内君子皆许余以为知言……见毛子所评《三国志》之稿，观其笔墨之快，心思之灵，先得我心之同然，因称快者再。而今而后知第一才子书之目，又果在《三国》也。"

是年

吴伟业与陈子龙在南京相互赞赏对方诗歌。吴伟业《吴梅村全集》卷五八《梅村诗话》："卧子眼光奕奕，意气笼罩千人，见者无不辟易，登临赠答，淋漓慷慨，虽百世后犹想见其人也。尝与余宿京邸（此处当指南京），夜半谓余曰：'卿诗绝似李颀。'又诵余《雒阳行》一篇，谓为合作。余曰：'卿诗固佳，何首为第一?'卧子曰：'苑内起山名万岁，阁中新戏号千秋。此余中联得意语也。祠官流涕松风路，回首长陵出塞车。又，李氏功名犹带砺，断垣落日海云黄。此余结法可诵者也。'余赞叹久之。"

谈迁作五古《答友人》，以上景泰帝庙号"代宗"为非。朱彝尊《静志居诗话》卷二二："南都议上景皇帝庙号曰代宗，一时以为当，仲木（谈迁）独以为非，有《答友人》五古云：'成周作谥法，大小行乃传……景皇承大业，即阼凡七年。多难固邦国，文武要略全……谥说十五家，秉礼恐不然。盈庭以为是，横议臣谈迁。'辞虽未工，有关典故，特录之。"

冯梦龙作《甲申纪闻》，编刊丛书《甲申纪事》。据徐朔方《冯梦龙年谱》考证。

钮琇（1644?—1704）生。据陆林、戴春花《清初文言小说〈觚剩〉作者钮琇生年考略》，载《文学遗产》2006 年第一期。又薛洪勣《传奇小说史》（浙江古籍出版社 1998 年版）则括注钮琇生卒为"1641—1704"。钮琇行实，参见本书康熙十一年

（1672）纪事。

　　吴雯（1644—1704）生。据翁方纲《莲洋吴征君年谱》。《清史列传·文苑传》："吴雯。字天章，山西蒲州人，原奉天辽阳籍。诸生……康熙十八年，召试博学鸿儒，报罢。雯少明慧，流览群籍，自《六经》、《三史》外，先秦、两汉，下逮六朝、唐、宋、元、明四部之书，旁及释老、内典、秘笈，皆能钩贯旨趣，含咀英华，所得一发之于吟咏。既屡试不售，游京师，谒父执梁熙、刘体仁、汪琬，皆激赏之，尤以诗见知于王士禛，目为仙才……四十三年，卒，年六十一。著有《莲洋集》二十卷。莲花洋在普陀山下，雯据《名山记》华岳山下有莲洋村，因取以名其集云。"吴雯，字天章，号莲洋，又号玉溪生。蒲州（今山西永济）人。沈德潜《国朝诗别裁集》卷一四选吴雯诗十九首，小传云："征君诗清挺生新，赵秋谷宫赞谓千顷之陂不可清浊，天姿国色、粗服乱头亦佳，恰称其诗之分量。征君诗名因新城尚书揄扬而重，然新城之诗牢笼众有，熔铸群言，而征君不使才，不逞博，不尚声华，不求娟好，固各行其是者。而新城赏之，不啬口出，意所合者在神理意味，而不在途辙之同途者耶？"《四库总目提要》卷一七三著录吴雯《莲洋诗钞》十卷，同书卷一八三又著录其《别本莲洋集》二十卷。邓之诚《清诗纪事初编》卷六著录吴雯《莲洋集》十二卷、《莲洋诗钞》十卷、《莲洋诗钞》二十卷、《晋两征君诗钞》："士禛赏其诗，谓有仙才。未刻者千馀篇，为删存若干篇，皆卓然可传。赵执信颇不满士禛，而独善雯，深以士禛不能留布其诗为恨。雯实才人，语必求工，异于同时噉名者。然其体不类士禛，相去甚远。"

　　章世纯（1575？—1644）卒。据谭正璧编《中国文学家大辞典》。《明史·文苑传》："章世纯，字大力，临川人。博闻强记。举天启元年乡试。崇祯中，累官柳州知府，年已七十矣，闻京师变，悲愤，遘疾卒。"《四库总目提要》卷三六著录章世纯《四书留书》六卷，同书卷九六又著录其《留书别集》二卷、《己未留》二卷。《明史·艺文志》著录章世纯《留书》八卷。工时文，与艾南英、陈际泰、罗万藻齐名，有"章罗陈艾"之称。

公元1645年（清顺治二年　乙酉　大顺永昌二年　南明福王弘光元年　唐王隆武元年）

正月

　　十二日，南明睢州总兵许定国诱杀兴平伯高杰，渡河降清。据黄宗羲《弘光实录钞》卷三、计六奇《明季南略》卷七。

　　十三日，清兵攻破潼关。十八日，清兵入西安，李自成败走商州。据吴伟业《绥寇纪略》卷九。

二月

　　初六日，南明以阮大铖为兵部尚书兼督察院左副都御史。据徐鼒《小腆纪年附考》卷九。

三月

初五日，清廷命多铎由河南督师南下。据《清史编年》。

二十五日，左良玉以"清君侧"之名，从武昌举兵东下讨伐马士英。据计六奇《明季南略》卷七。

四月

初四日，左良玉兵陷九江，旋卒（1599—1645），其子左梦庚统其众。据徐鼒《小腆纪年附考》卷一〇。

二十一日，清多铎军渡淮，南明刘泽清降。据徐鼒《小腆纪年附考》卷一〇。

二十五日，清兵攻破扬州，南明督师史可法（1601—1645）被执，不屈死。清兵在扬州屠城十天，史称"扬州十日"。据王秀楚《扬州十日记》。

五月

初二日，左良玉子左梦庚降清，清兵渡江。据《清史编年》。

十二日，弘光帝逃往芜湖黄得功营中。南明刘良佐降清。据徐鼒《小腆纪年附考》卷一〇。

十四日，多铎至南京，南明忻城伯赵之龙、礼部尚书钱谦益等迎降。据佚名《江南闻见录》。

二十二日，黄得功（1594—1645）兵败自杀。清兵俘获弘光帝于芜湖，挟入南京。弘光帝朱由崧（1607—1646）次年五月在北京被杀。据《清史编年》。

夏完淳作《大哀赋》。《大哀赋》："粤以乙酉之年，壬午之月……"

六月

十三日，清兵入杭州，明潞王朱常淓降清。据黄宗羲《弘光实录钞》卷四。

是月，清廷薙发令下，江南官绅纷纷起兵抗清，后皆溃败。据温睿临《南疆逸史》卷六、卷八。

闰六月

初一日，江阴围城战开始，阎应元、陈明遇率众抗清。据韩菼《江阴城守纪》卷上。

初六日，祁彪佳（1602—1645）卒。《明史·祁彪佳传》："明年五月，南都失守，六月，杭州继失，彪佳即绝粒。至闰月四日，给家人先寝，端坐池中而死，年四十有四。"祁熊佳《行实》："（闰六月）初五日，携子理孙出山，抵家，已绝粒三日……晚，命具酒。给其子暨坐中弟侄辈曰其就寝……东方渐白，见梅花阁前水际露角巾寸许，亟就视，先生正襟跏趺而坐，水才过额，衣冠俨然，面若有笑容。盖绝笔中有

'含笑入九泉，浩气留天地'句，先生乃预志之矣。"其卒期当以后说为准。祁彪佳《曲品叙》："予素有顾误之僻，见吕郁蓝《曲品》而会心焉。其品所及者，未满二百种；予所见新旧诸本，盖倍是而且过之。欲赞评于其末，惧续貂也，乃更为之，分为六品；不及品者，则以杂调黜焉。品成作而叹曰：词至今日而极盛，至今日而亦极衰。学究、屠沽，尽传子墨；黄钟、瓦缶杂陈，而莫知其是非。予操三寸不律，为词场董狐，予则予，夺则夺，一人而瑕瑜不相掩，一阕而雅俗不相贷，谁其能幻我以黎丘哉。"朱彝尊《静志居诗话》卷二〇："祁公美风采，夫人商亦有令仪，闺门唱随，乡党有金童玉女之目……公尝治别业于寓山，极林壑之胜。乙酉闰月六日，坐园中，题其案曰：'图功为其难，洁身为其易。吾为其易者，聊存洁身志。含笑入九泉，浩然留天地。'又书曰：'已治棺寄蕺山戒珠寺，可取以殓我。'是夜兄子鸿孙侍侧，夜分不寐。公第曰：'君子之爱人也以德。'逮鸿孙倦隐几，步至放生碶下投水，昧旦犹整襟带立水中。子理孙、班孙葬之园旁，舍池馆为寺，塑公像于堂，至今存焉。"

初七日，南明福建巡抚张肯堂、礼部尚书黄道周、南安伯郑芝龙等奉唐王朱聿键称监国于福州，二十七日于福州即帝位，以隆武纪年，改福州为天兴府，以黄道周、苏观生等为大学士，晋郑芝龙等为侯，赐郑芝龙子郑森姓朱，名成功，封御营中军都督。据佚名《思文大纪》卷一、二。

初八日，刘宗周（1578—1645）卒。《明史·刘宗周传》："闰六月八日卒，年六十有八。"《四库总目提要》卷八著录刘宗周《周易古文钞》二卷，同书卷三六又著录其《论语学案》十卷，同书卷九三又著录其《圣学宗要》一卷、《学言》三卷，同书卷九六又著录其《证人社约言》一卷，同书卷一七二又著录其《刘蕺山集》十七卷："明刘宗周撰。宗周有《周易古文钞》，已著录。讲学之风，至明季而极盛，亦至明季而极弊。姚江一派，自王畿传周汝登，汝登传陶望龄、陶奭龄，无不提倡禅机，恣为高论。奭龄至以因果立说，全失儒家之本旨。宗周虽源出良知，而能以慎独为宗，以敦行为本。临没犹以诚敬诲弟子，其学问特为笃实。东林一派，始以务为名高，继乃酿成朋党，小人君子，杂糅难分，门户之祸，延及朝廷，驯至于宗社沦亡，势犹未已。宗周虽亦周旋其间，而持躬刚正，忧国如家，不染植党争雄之习。立朝之日虽少，所陈奏……皆切中当时利弊。一阨于魏忠贤，再阨于温体仁，终阨于马士英，而姜桂之性，介然不改，卒以首阳一饿，日月争光。有明末叶，可称皭皭完人，非依草附木之流所可同日而语矣。是集为乾隆壬申副都御史雷铉所刊，冠以《人谱》、《学言》诸书，至第八卷乃为奏疏，然诸书本自别行，且宗周所著亦不止于此，摘录数种，殊为挂漏。今并删除，惟以奏疏以下十七卷为一编，而他书则仍别著录焉。"陈田《明诗纪事》辛签卷四选刘宗周诗三首，小传云："宗周字启东，绍兴山阴人。万历辛丑进士，授行人，请告归。天启初，起礼部主事，擢光禄寺丞，未赴，进尚宝少卿，改太仆少卿，移疾归。起右通政，以忤魏忠贤削籍。崇祯初，起顺天府尹，移疾归。廷推授工部侍郎，以劾温体仁，斥为民。起吏部侍郎，未至，擢左都御史，再以论事忤旨，斥为民。福王立，起故官，疏论马、阮，不听，告归。杭州陷，绝食死。唐王赠少师、大学士，兼吏部尚书，谥忠正。乾隆中赐谥忠介。有《蕺山集》二十四卷。"又加按语云："刘公蕺山与黄公石斋以道德之节名，海内仰之如泰山北斗。刘公以忤魏忠贤削籍归，举证人社于塔山旁，执经门下者常数百人。黄公以劾周延儒、温体仁削籍，退而讲学于浙之大涤山、闽之榕坛，执经者至千人。卒之社屋国墟，二公皆致命遂志。明季道德完人，二公为称首焉。"

十二日，故明刑部员外郎钱肃乐、举人张煌言等表迎鲁王朱以海监国。二十八日，朱以海称监国于绍兴，以明年为鲁监国元年，以张国维、朱大典等为大学士。据徐鼒《小腆纪年附考》卷一〇。

十三日，昆山令阎茂才下薙发令，归庄等杀之。《昆新合志》："顺治乙酉（闰）六月，县丞阎茂才摄令事，下薙发令，士民不从，噪于县，縶茂才，庄白众杀之。"据张穆《顾亭林先生年谱》卷一，"顺治乙酉六月"当为"闰六月"。

七月

初一日，洪昇（1645—1704）生。据章培恒《洪昇年谱》。又丁丙《杭城坊巷志》引姚礼《郭西小志》："稗畦生于七月一日。黄兰次，其中表妹也，迟生一日。康熙甲辰，二十初度，有人为赋《同生曲》。"又陆繁弨《善卷堂四六》卷五《同生曲序》："兹者七月一、二日，为贤夫妇双诞之辰。"洪昇，字昉思，号稗畦，又号稗村、南屏樵者，钱塘（今浙江杭州）人。传奇《长生殿》的作者。《清史列传·文苑传》："洪昇，字昉思，浙江钱塘人，国子生。游京师时，始受业于王士禛，后复得诗法于施闰章。其论诗引绳切墨，不顺时趋，与士禛意见亦多不合，朝贵轻之，鲜与往还。见赵执信诗，惊异，遂相友善。所作高超闲淡，不落凡境。兼工乐府，宫商不差唇吻，旗亭画壁，往往歌之。以所作《长生殿传奇》。国恤中演于查楼，执信罢官，昇亦斥革。年五十馀，备极坎壈。道经吴兴浔溪，堕水死。著有《稗村集》。"洪昇著述宏富，传世者有《诗骚韵注》、《啸月楼集》七卷、《稗畦集》、《稗畦续集》、杂剧《四婵娟》、传奇《长生殿》。沈德潜《国朝诗别裁集》卷一五选洪昇诗十二首。邓之诚《清诗纪事初编》卷七著录洪昇《稗畦集》一卷、《续集》一卷："《稗畦集》一卷，为自康熙初至三十三年之诗，《续集》一卷，则五言律也。其诗颇有寄托，时与贵游龃龉，惟与赵执信论诗相得。尤工制曲子，《长生殿》最有名。盖谱顺治中董鄂妃，所谓温成皇后，而成狱则由党争，世多不详其事。观于同时诗人所咏者，可以得其梗概。"朱彝尊《长生殿序》："钱塘洪子昉思，不得志于时，寄情词曲，所作《长生殿》传奇，三易稿而后付梨园演习，匪直曲律之精而已。其用意，一洗太真之秽，俾观览者只信其为神山仙子焉。方之元人，盖不啻胜三十筹也，秀水弟朱彝尊题。"吴梅《长生殿跋》："此记始名《沉香亭》，盖感李白之遇而作，因实以开天时事，继以排场近熟，遂去李白入李泌，辅肃宗中兴，更名《舞霓裳》。又念情之所钟，帝王罕有，马嵬之变，势非得已，而唐人有玉妃归蓬莱仙院、明皇游月宫之说，因合用之，更易名《长生殿》，盖历十馀年，经三易稿而始成，宜其独擅千秋也。曲成，赵秋谷为之制谱，吴舒凫为之论文，徐灵昭为之定律，尽善尽美，传奇家可谓集大成者矣。初登梨园，尚未盛行，后以国忌装演，得罪多人，于是进入内廷，作法部之雅奏，而一时脍炙四方，无处不演此记焉。"

173

初四日，清兵攻破嘉定，对嘉定三次屠城，史称"嘉定三屠"。据《嘉定屠城纪略》。

二十四日，黄淳耀（1605—1645）卒。《明史·儒林传》："黄淳耀，字蕴生，嘉定人。为诸生时，深疾科举文浮靡淫丽，乃原本《六经》，一出以典雅。名士争务声利，独澹漠自甘，不事征逐。崇祯十六年成进士。归益研经籍，缊袍粝食，萧然一室。京师陷，福王立南都，诸进士悉授官，淳耀都不赴选。及南都亡，嘉定亦破。怆然太息，偕弟渊耀入僧舍，将自尽。僧曰：'公未服官，可无死。'淳耀曰：'城亡与亡，岂以出处贰心。'乃索笔书曰：'弘光元年七月二十四日，进士黄淳耀自裁于城西僧舍。呜呼！进不能宣力王朝，退不能洁身自隐，读书益寡，学道无成，耿耿不寐，此心而已。'遂与渊耀相对缢死，年四十有一。淳耀弱冠即著《自监录》、《知过录》，有志圣贤之学。后为日历，昼之所为，夜必书之。凡语言得失，念虑纯杂，无不备识，用自省改。晚而充养和粹，造诣益深。所作诗古文，悉轨先正，卓然名家。有《陶庵集》十五卷。其门人私谥之曰贞文。"朱彝尊《静志居诗话》卷二○《黄淳耀》："陶庵精于书义，融会九经诸史审裁而出之。当崇祯之季，方以骈丽相尚，不知者以为陈言。予叔父苕园先生，独赏心击节，尽以其稿授予读之，久之而渐有称焉者……乃迩来选家，以其未尽合乎朱子之《集注》、《章句》，痛加涂抹，是何异于下士之闻道乎？诗亦坚厚无懦响，由不惑于楚人之咻然也。"沈德潜《明诗别裁集》卷一一选黄淳耀《野人》诗三首。《四库总目提要》卷七七著录黄淳耀《山左笔谈》一卷，同书卷一七三又著录其《陶庵全集》二十二卷："明黄淳耀撰。淳耀有《山左笔谈》，已著录。淳耀湛深经术，刻意学古，所作科举之文，精深纯粹，一扫明季剽剿谲怪之习。而平日力敦古义，尤能以躬行实践为务，毅然不为荣利所挠。如《吾师》、《自监》著录，皆其早年所订论学之语，趋向极其醇正。而平易可近，绝无党同伐异之风，足以见其所得之远。文章和平温厚，矩矱先民。诗亦浑雅天成，绝无懦响，于王、李、钟、谭徐派，去之惟恐若浼，可谓矫然拔俗。卒之致命成仁，垂芳百世，卓然不愧其生平，可以知立言之有本矣。集为其门人陆元辅所辑，见于《明史》者十五卷。此本为文七卷、文补遗一卷、诗八卷、诗补遗一卷、《吾师录》一卷、《自监录》四卷，共二十二卷，乃后人续加增辑以行者也。"陈田《明诗纪事》辛签卷五选黄淳耀诗十九首，引其《自监录》云："近之为诗者，承李、何七子之弊，或变而之郊、岛，或变而之宋、元，险怪诞纤，无所不至。而竟陵二子起而矫之，学之者复将至于为凿为俚，如唐之沈千运、孟云卿其人，已不可得，况进而之李、杜耶？"又加按语云："归季思以'陶庵'名集，黄公亦以'陶庵'名集，二人古诗皆拟陶，然归诗真率，黄诗俊爽，又各不同。大抵归有忘世之意，黄有用世之意，遭时多难，殉节成仁，岂徒以诗人自命耶？"

八月

初三日，王鸿绪（1645—1723）生。《清代碑传全集》卷二一张伯行《皇清诰授光禄大夫经筵讲官户部尚书加七级王公鸿绪墓志铭》："公生于顺治二年乙酉八月初三日午时，薨于雍正元年癸卯八月十五日申时，享年七十有九。"王鸿绪，初名度心，字季友，号俨斋，又号横云山人，华亭（今上海松江）人。康熙十二年进士，授编修，曾任《明史》总裁、《大清会典》副总裁，官至户部尚书。工诗善词，长于史学。著有《明史稿》、《横云山人集》二十六卷、《横云山人词》等。

夏完淳之父夏允彝（1599？—1645）卒。宋徵舆《夏瑗公私谥说》："乙酉秋八月，华亭夏瑗公先生自沉于渊以死。"王弘撰《夏孝子传》："乙酉松江之难，忠惠赋绝命辞，以九月十七日自沉于淞塘死。"此从前者。允彝字彝仲，号瑗公，松江华亭（今属上海）人。王鸿绪《明史稿·夏允彝传》："弱冠举于乡。"侯玄涵《夏允彝传》："举万历戊午孝廉。"戊午为万历四十六年（1618），故知是年夏允彝二十岁，中举人，并可推知其生年为 1599 年左右。王鸿绪《明史稿·夏允彝传》："允彝学务经世，历朝制度暨昭代典章，无所不谙习。独处一室，志常在天下。名即高，四方人士争走其门，书问往来，酬答无暇晷。好奖励后进，有片善，称之不容口，多因以成材。与子龙齐名，晚节亦略相似。人谓'白首同所归'云。"《明史·夏允彝传》："未几，南都失，彷徨山泽间，欲有所为。闻友人侯峒曾、黄淳耀、徐汧等皆死，乃以八月中赋绝命词，自投深渊以死。"侯玄涵《夏允彝传》："公为人孝友淳至，聪明捷给。少读书，日积寸，为文章如不经思。对客操简，数千言立成。与同郡陈子龙齐名，子龙为童子，未有名闻，而公已为名孝廉，折节友之，延誉公卿间，世遂称夏陈。壬、癸间，云间古文词遂甲天下……凡兵礼大政，邦国利弊，皆洞晰本末。尝私制策三十篇，识者谓公遭遇明圣，处公辅之职，必能弭兵革，安苍生，其于长乐，第小试为兆云。虽名盖四海，而所施未竟，天下痛之。尝著《四传合论》一卷、《私制策》一卷、《禹贡合注》十卷，修《长乐志》并梓保甲及同善会征粮法等书，世传之。及乙酉八月，著《幸存录》，为绝笔。文集散佚，询其家，无存者。"

陈子龙寄身寺院。王澐续《陈子龙年谱》卷下："顺治二年乙酉，八月，先生在陶庄之水月庵，托为浮屠。庵僧衍门深研梵学，甚相敬礼。同避地者，娄东张受先先生也。案：先生为僧，名信衷，字瓢粟，又号颍川明逸。"

九月

李自成（1606—1645）卒。《明史·流贼传》："顺治二年……自成走咸宁、蒲圻，至通城，窜于九宫山。秋九月，自成留李过守寨，自率二十骑略食山中，为村民所困，不能脱，遂缢死。或曰村民方筑堡，见贼少，争前击之，人马俱陷泥淖中，自成脑中钼死。剥其衣，得龙衣金印，眇一目，村民乃大惊，谓为自成也。"

是年秋

冯梦龙编《中兴伟略》。据徐朔方《冯梦龙年谱》考证。

十二月

吴应箕（1594—1645）卒。据刘世珩《吴次尾先生年谱》。《明通鉴》附编卷一上：

"是冬，明监纪推官吴应箕兵败于池州，死之。应箕起兵应金声，比声败被执，应箕方治兵于距郡十里之泥湾，有怨家侦得之，以告。大兵进攻，应箕败，走山中，寻被执至郡，不屈，赋《绝命词》，从容就戮，其受刑处血迹，洗之不去，观者异之。应箕为诸生，尚气节，与复社诸生倡逐阮大铖。南都立，大铖柄用，逮周镳狱中，应箕身至江宁视镳，几被获；亡命归，卒以国事死。归德侯方域为文祭之云：'读万卷书，识一字是；明三百年，独养此士。'"朱彝尊《静志居诗话》卷二〇《吴应箕》："吴应箕，字次尾，贵池人。县学生，乙酉死于难。有《楼山堂》前后集。先生罗九经二十一史于胸中，洞悉古今兴亡顺逆之迹。当崇祯中，预虑燕都之必不能守，闻者皆笑其迂，而先生持论侃侃不阿也。名虽不登朝籍，而人材之邪正、国事之得失，了如指掌。撰有《熹朝忠节传》二卷、《两朝剥复录》十卷、《留都见闻录》三卷、《东林本末》六卷、《续骩不骩录》二卷，其书或传或不传，览者可以当龟鉴矣。分宜张尔公称'先生人文，似陈同甫'，是诚知言。闻先生授命处，血迹至今犹存，洗之不去，苌弘、嵇绍而后，不多得也。"《四库总目提要》卷一三二著录吴应箕《读书止观录》五卷："明吴应箕撰。应箕字次尾，贵池人。崇祯壬午副榜贡生。顺治元年，大兵破南京，殉节死。事迹附见《明史·邱祖德传》。明末称复社五秀才，应箕为首。其克全晚节，犹不愧完人。然是书乃袭陈继儒《读书十六观》之馀绪，推而衍之，杂引古人论读书作文之语，而稍以己意为论断。语意㒓侻，颇类明末山人之派。又每条之末必终以'读书者必观此'六字，五卷皆然，盖仿《十六观》中'读书者当作是观'之例，尤病于效颦。"陈田《明诗纪事》辛签卷六上选吴应箕诗十五首，小传云："应箕字次尾，贵池人。崇祯壬午副榜。唐王立，除池州推官，监纪军事，兵败被执，不屈死。乾隆中赐谥忠节。有《楼山堂集》二十七卷。"又引《陈忠裕集》云："次尾博极群书，通世务，善古文，独慷慨负大略，此其可以诗人目之哉？顾天下之善诗，未有如次尾者，尝与于酒酣细论，其言曰：'弘、嘉诸君之失也以拘礼法而诗在，今人之得也以言性情而诗亡；岂性情之言足以亡诗？饰其未尝学问者，以为诗人之妙不过如是。呜呼！与其得也，则宁失而已。次尾之诗，其学问可考而知也，岂与今之人同日语哉！"又加按语云："楼山诗，五言朴老，长于咏史。复社中殉节诸公，义魄鬼雄，如楼山、维斗、日生、存古、武公、公旦辈，虽更仆难数，可以雪结社亡国之耻矣。"

是年

吴伟业作《永和宫词》，咏崇祯帝之田贵妃事。苍雪《南来堂诗集补编》卷二有《读吴太史〈永和宫词〉》云："永和词读罢，国史忆江东。御水流红字，宫阶怨草虫。行云惊梦断，飞燕写生工。话到豪华尽，昭陵夕照中。"

高士奇（1645—1703）生。朱彭寿《清代人物大事纪年》："顺治二年乙酉（公元1645 年），生辰：高士奇生，字澹人，号瓶庐、江村。浙江钱塘人。享年五十九。"钱仲联主编《中国文学家大辞典·清代卷》括注高士奇生卒年为"1643—1702"。其说或源于邓之诚。邓之诚《清诗纪事初编》卷七著录高士奇《清吟堂全集》七十三卷："高士奇，字澹人，号竹窗，钱塘人。康熙初由监生供奉内廷，赐第西安门内。十七年，以典密谕诗文勤劳赐金，屡官至詹事府少詹事。与徐乾学、王鸿绪结党，揽权纳贿，为都御史郭琇严劾，休致回籍。三十三年，再值南书房，三十六年告终养，擢詹事。四十一年再起礼部侍郎，未赴官，是年卒，年六十。谥文敏。撰《清吟堂全集》七十三卷……他所撰述，有《左传纪事本末》、《春秋地名考略》、《天禄识馀》、《金鳌退食笔记》、《北墅抱瓮录》、《松亭行记》、《江村销夏录》、《塞北小钞》，皆不在全集之列。士奇才华赡敏，诗文各具体格，诗中自注，尤足征一时掌故。"

文震亨（1585—1645）卒。据吴海林等编《中国历史人物生卒年表》。钱谦益《列朝诗集小传》丁集中《王秀才留附见文舍人震亨》："留，字亦房，伯谷之少子也……亦房之妹婿文震亨，字启美，待诏之曾孙，阁学文起之弟也。风姿韵秀，诗画咸有家风。为中书舍人，给事武英殿。先帝制颂琴二千张，命启美为之名，又令监造御屏，图九边厄塞，皆有赏赉。逾年请告归，遇乱而卒。"朱彝尊《静志居诗话》卷一九《文震亨》："文震亨，字启美，长洲人。崇祯中，官武英殿中书舍人。有《文生小草》。启美，相君介弟，名挂党人之籍，后以善琴，供奉思陵。迹其生平，于闽则周章甫为赋长歌，于皖则阮集之为作诗序，王尚书觉斯有言：'湛持忧谗畏讥，而启美浮沉金马，吟咏徜徉，世无嫉者，由其处世固有道焉。'"《四库总目提要》卷一二三著录文震亨《长物志》十二卷："明文震亨撰。震亨字启美，长洲人，徵明之曾孙。崇祯中官武英殿中书舍人，以善琴供奉。明亡殉节死。是编分室庐、花木、水石、禽鱼、书画、几榻、器具、位置、衣饰、舟车、疏果、香茗十二类。其曰长物，盖取《世说》中王恭语也。凡闲适玩好之事，纤悉毕具。大致远以赵希鹄《洞天清录》为渊源，近以屠隆《考槃馀事》为参佐。明季山人墨客，多以是相夸，所谓清供者是也。然矫言雅尚，反增俗态者有焉。惟震亨世以书画擅名，耳濡目染，与众本殊，故所言收藏赏鉴诸法，亦具有条理。所谓王谢家儿，虽复不端正者，亦奕奕有一种风气欤！且震亨捐生殉国，节概炳然，其所手编，当以人重，尤不可使之泯没，故特录存之，备杂家之一种焉。"陈田《明诗纪事》辛签卷六下选文震亨诗五首，小传云："震亨字启美，长洲人，大学士震孟弟。贡生，官武英殿中书舍人。国变后，投水死。乾隆中赐谥节愍。有《金门集》、《一叶稿》。"

公元 1646 年（清顺治三年　丙戌　南明隆武二年　鲁监国元年　唐王绍武元年）

三月

五日，黄道周（1585—1646）卒。据吴荣光《历代名人年谱》。《明通鉴》附编卷三："明督师大学士黄道周殉节于江宁。报至，唐王痛哭辍朝。先是道周被执至江宁，幽别室中，囚服著书。闻当刑，书《绝命词》衣带间，过东华门，坐不起，曰：'此与高皇帝陵寝近，可死矣！'监刑者从之……道周学冠古今，所至学者云集。铜山在孤岛中，有石室，道周自幼坐卧其中，学者称石斋先生。精天文、历数、皇极诸书，所著《易象正》、《三易洞玑》及《太函经》，学者穷年不能通其说，而道周用以推验治乱。没后，家人得其小册，自谓'终于丙戌，年六十二'，始信其能知来也。"吴伟业《吴梅村全集》卷四五《工部都水司主事兵科给事中天愚谢公墓志铭》："余向以后进得交于漳浦黄先生，先生用直谏忤时宰，余与其及门诸生几以罹党祸。最后先生用国事殉，诸门人或存或亡，又更二十年，不可以复识……余之从黄先生游也，窃尝记其遗事一二。先生好《易》，而尤工楚词。居长安，食不能具一肉，酒醑，间出于围棋书画以自愉快。受诏进经义于承华宫，援据详洽，篇帙甚富。入其室，见床头有废簏败纸，不知先生所考订何书也。"谈迁《北游录·纪文·黄石斋先生遗事》："秋日过吴骏公先生所，时伏枕语次往事。及漳浦，叹曰：'吾登朝见诸名流，如钱牧斋、陈卧子、夏彝仲，即才甚，可窥其迹；惟漳浦吾不能测，殆神人也。'"《明史·黄道周传》："黄道周，字幼平，漳浦人。天启二年进士，改庶吉士，授编修，为经筵展书官……崇祯二年起故官，进右中允……道周抗疏……乃永戍广西……居久之，福王监国，用道周吏部左侍郎……南都亡，见唐王聿键于衢州，奉表劝进。王以道周为武英殿大学士……道周请自往江西图恢复，以七月启行，所至远近响应，得义旅九千馀人，由广信出衢州，十二月至婺源，遇大清兵，战败，被执至江宁，幽别室中，囚服著书。临刑，过东华门，坐不起，曰：'此与高皇帝陵寝近，可死矣！'监刑者从之……道周学贯古今，所至学者云集。铜山在孤岛中，有石室，道周自幼坐卧其中，故学者称为石斋先生。精天文、历数、皇极诸书。所著《易相正》、《三易洞玑》及《太函经》，学者穷年不能通其说，而道周用以推验治乱。"朱彝尊《静志居诗话》卷二〇《黄道周》："黄道周，字幼元，一字螭若，漳洲镇海卫人。天启壬戌进士。改庶吉士，授编修，历中允，以言事镌级，俄落职，寻起官，以谕德掌司经局，再迁少詹事，协理府事，与经筵讲随，谪江西布政司都事，逮至京，廷杖，下诏狱，遣戍。福藩称制，进礼部尚书。南京既下，犹督师出婺源。师溃，执系故尚膳监，不屈。丙戌二月，死于市。有《大涤函书浩然咏》。词臣无言责，居无咎无誉之地，需次待迁而已。迨石斋先生入翰苑，与上虞同年倪文贞公俱自任天下之重，崇正去邪，尽忠补过，引裾折槛，九死不回。先生诗所云：'亲从霹雳推车过，又得滂沱自在春。'盖实录也。及退而讲学，于杭则大涤洞天，于闽则蓬莱峡，少长咸集，遐迩具来，监史主宾，琴瑟钟磬，庶几濂、雒之遗风焉。先生玑象之学，辞义深奥，后生或昧其指归。诗才亦未免蹉驳，要其光焰，不啻万丈也。"《四库总目提要》卷五著录黄道周《易象正》十六卷，同书卷一二又著录其《洪范明义》四卷，同书卷二一又著录其《月令明义》四卷、《表记集传》二卷、《坊记集传》二卷、附《春秋问业》一卷、《缁衣集传》四卷、《儒行集传》二卷，同书卷三〇又著录其《春秋揆》一卷，同书卷三二又著录其《孝经集传》四卷，同书卷九三又著录其《榕坛问业》十八卷，同书卷一〇八又著录其《三易词玑》十六卷，同书卷一九三又著录黄宗周与叶挺秀、董养河倡和诗《西曹秋思》一卷。陈田《明诗纪事》辛签卷四选黄道周诗十八首，小传云："被执，死于市。赠太师、文明伯，谥忠烈，改谥文忠。乾隆中赐谥忠端。道光五年，从祀孔庙。有《漳浦集》五十卷。"又有按语云："先生论诗，不薄李、王，而时蹈竟陵之习。有明末派，如文太青、倪鸿宝皆堕落此趣，豪杰亦不免。余抉择集中合作，英词浩气当引星辰而上，不仅凌躐魏、晋而合辙盛唐也。"

十二日，蒋景祁（1646—1699）生。据蒋寅《王渔洋事迹征略》"康熙二十一年壬戌"中括注生卒年。况周颐《蕙风词话续编》卷二《清词人生日》:"三月十二日蒋京少(景祁)生。(见《罨画溪词》题)"另据张慧剑《明清江苏文人年表》引《在陆草堂文集》,谓蒋景祁生于清顺治三年。又据 1986 年版《中国大百科全书·中国文学》括注蒋景祁生卒年为"1659—1695"。江庆柏《清代人物生卒年表》据蒋景祁《东舍集》储欣序、宋荦序括注蒋景祁生卒为"1644—1697"。不从。蒋景祁,字京少,一字荆少,宜兴(今属江苏)人。贡生。官至府同知。著有《东舍集》五卷、《梧月词》二卷、《罨画溪词》一卷,又辑《瑶华集》二十二卷及《辇下和鸣集》。

李霡考中三甲第五十四名进士。

魏裔介考中三甲第六十二名进士。

魏象枢考中三甲第一百三十四名进士。

吴伟业在王时敏南园听琵琶,作《琵琶行》以纪。吴伟业《吴梅村全集》卷三《琵琶行》有序云:"去梅村一里,为王太常烟客南园。今春梅花盛开,予偶步到此,忽闻琵琶声出于短垣丛竹间。循墙侧听,当其妙处,不觉拊掌。主人开门延客,问向谁弹,则通州白在湄子或如,父子善琵琶,好为新声。须臾花下置酒,白生为予朗弹一曲,乃先帝十七年以来事,叙述乱离,豪嘈凄切。坐客有旧中常侍姚公,避地流落江南,因言先帝在玉熙宫中,梨园子弟奏水嬉、过锦诸戏,内才人于暖阁赏镂金曲柄琵琶弹清商杂调。自河南寇乱,天颜常惨然不悦,无复有此乐矣。相与哽咽者久之。于是作长句纪其事,凡六百二言,仍命之曰《琵琶行》。"

六月

清兵由博格统率攻破绍兴,鲁王朱以海逃亡入海至舟山。据徐鼒《小腆纪年附考》卷一二。

八月

博格率清兵入闽,隆武帝败走汀州,被俘遇害。据徐鼒《小腆纪年附考》卷一二。

艾南英(1583—1646)卒。徐鼒《小腆纪年》卷一三"丙戌八月":"辛丑我大清兵入汀州,明唐王殂,后曾氏及福清伯周之藩、给事中熊纬等死之……王与曾后遇害于汀州之府堂,时八月二十八日辛丑也……御史艾南英、郎中赖垓皆以闻难后死。"艾南英,字千子,号天佣子,江西东乡人。《明史·艾南英传》:"艾南英,字千子,东乡人。七岁作《竹林七贤论》。长为诸生,好学无所不窥。万历末,场屋文朽烂,南英深疾之,与同郡章世纯、罗万藻、陈际泰以兴起斯文为任,乃刻四人所作行之世。世人翕然归之,称为章、罗、陈、艾。天启四年,南英始举于乡。座主检讨丁乾学、给事中郝土膏发策诋魏忠贤,南英对策亦有讥刺语。忠贤怒,削考官籍,南英亦停三科。庄烈帝即位,诏许会试。久之,卒不第,而文日有名。负气陵物,人多惮其口。始王、李之学大行,天下谈古文者悉宗之,后钟、谭出而一变。至是钱谦益负重名于词林,痛相纠驳。南英和之,排诋王、李不遗馀力。两京继覆,江西郡县尽失,南英乃入闽。唐王召见,陈十可忧疏,授兵部主事,寻改御史。明年八月卒于延平。"《四库总目提要》卷一四著录其《禹贡图注》云："杨陆荣《三藩纪事本末》则以为殉节自经，传闻异辞，莫之详也。"著有《天佣子集》二卷，另有道光间《天佣子集》十卷本，可见其排击"后七子"之拟古处。周亮工《因树屋书影》卷一："艾千子曰：'弘治之世，邪说兴，劝天下士无读唐以后书，骄心盛气，不复考韩、欧大家立言之旨。又以所持既狭，中无实学，相率取司马迁、班固之言，摘其字句，分门纂类，因仍附和。太仓、历下两生，持北地之说而又过之，持之愈坚，流弊愈广；后生相习为腐剿，至今未已。南城圭峰罗文肃公，当邪说始兴之日，矫俗自正，力追古大家体裁，当时以为直逼柳州。天下后进读公之集，始知刻励为文，不袭陈言，不厌薄韩、柳以为可师者，皆公之力也。'"又同书卷六："艾千子又曰：'今人痛诋当代之推宋人者，如荆川、震川、遵岩三君子，嗟夫！古文至嘉、隆之间，坏乱极矣；三君子当其时，天下之言，不归王则归李，而三君子寂寞著书，傲然不屑；受其极口丑诋，不少易志，古文一线，得留天壤；使后人尚知读书者，三君子之力也。今人无故而苛求之，其文纵不能如韩、如欧，乃遂不如王、李受今人一盼耶！'……近日论古文词者，当以艾天佣为正。"《四库总目提要》卷一七二著录王世贞《弇洲山人四部稿》有云："故艾南英《天佣子集》有曰：'后生小子不必读书，不必作文，但架上有前后《四部稿》，每遇应酬，顷刻裁割，便可成篇。骤读之，无不浓丽鲜华，绚烂夺目，细案之，一腐套耳。'云云，其指陈流弊，可谓切矣。"雍正《江西通志》卷八二："按南英究心史学，为《古今全史》千馀卷，编集甫竣，遂罹兵火，与他著述俱散佚无存。今惟时艺行于世。"

九月

王思任（1575—1646）卒。据王鼎起等校订《王季重先生自叙年谱》。唐九经《文饭小品序》："先生弃家入山，仅携书一卷、棋一枰而已。比有直指雪园王公移咨督抚，敦趣先生，复檄行守宪，请之至再……惟是总漕王清远公受先生大恩，无以为报，业启奏于贝勒诸王，将大用先生耳。先生闻是言，愈跼蹐无以自处，复作手书遗经曰：'我非偷生者，欲保此肢体以还我父母尔，时下尚有旧谷数斛，谷尽则逝，万无劳相逼为。'迫至九月旬初，而先生正寝之报至。"张岱《王谑庵先生传》："偶感微疴。遂绝饮食，僵卧时常掷身起，弩目握拳，涕洟哽咽，临暝连呼高皇帝者三，闻者比之宗泽濒死三呼过河焉。"陆云龙等《翠娱阁评选皇明小品十六家》入选王思任小品，陆云龙《王季重先生小品叙》："若夫弱冠策名，人每易为骄心浮气所乘，而先生又何如异哉！吾则谓人巧自可以天工夺，又宁受天异也。"钱谦益《列朝诗集小传》丁集中《王金事思任》："思任，字季重，山阴人。万历乙未进士，知兴平、当涂、青浦三县，袁州推官。所至皆被镌降，稍迁刑、工二部，出为九江金事。罢归，卒。季重有隽才，居官通脱自放，不事名检。性好谑浪，居恒与狎客纵酒，谈笑大噱。遇达官大吏，疏放绝倒，不能自禁。好以诙谐为文，仿《大明律》制《弈律》，吾以为必传，枚皋、郭舍人之流也。乱后，踉跄避兵，犹负一棋局以往，遂死于山中。季重为诗，才情烂漫，无复持择，入鬼入魔，恶道岔出，如《天长道中》云：'地懒无文章，天愚多暗云。'……此皆胡钉铰、张打油之所不为也。季重颇负时名，自建旗鼓，钟、谭之外又一旁

派也。余痛加芟薙，仍标举之如此。"朱彝尊《静志居诗话》卷一六《王思任》："季重
滑稽太甚，有伤大雅。"《四库总目提要》卷一一四著录王思任《弈律》一卷，同书卷
一九三又著录其《百家论钞》十二卷："明王思任撰。思任字季重，山阴人。万历乙未
进士，官至江西九江道按察使金事。是书所取皆有明一代议论之文，前有思任自序曰：
'宋不如唐，唐不如汉，汉不如三代，此文谈旧唾也。吾以为文章至明而始妙。'是何
言欤？"陈田《明诗纪事》庚签卷七上选王思任诗三首，小传云："思任字季重，绍兴
山阴人。万历乙未进士，除兴平知县。改当涂、青浦，迁袁州推官。征授南刑部主事，
改工部，历郎中，出为江西金事。鲁王时，除礼部侍郎，兼翰林学士。有《避园拟
存》、《律陶》、《庐游咏》。"又引《无声诗史》云："季重好为古文词，湔涤尘桕，务
臻险秀，东南髦俊，推为风雅宗盟。出其藻思，写山水林屋，皴染瀜郁，超然笔墨之
外。"又加按语云："季重诗扬竟陵之馀波，如入幻国，诡变莫穷，如游深山，魑魅出
现，真亡国之音也。阅竟《避园拟存》，惟《于忠肃墓》'社稷留还我，头颅掷与君'
二语，差堪把玩耳。《庐游》诗稍近人。录三首。"《明史·艺文志》著录《王思任集》
三十卷，张岱《石匮书·艺文志》著录王思任《清晖阁集》二十卷，皆未见。另有其
子王鼎起所编《谑庵文饭小品》五卷，存；近世又有《王季重十种》，上海良友图书公
司出版。

十月

十四日，南明两广总督丁魁楚、广西巡抚瞿式耜等奉桂王朱由榔监国于肇庆，以
明年为永历元年，桂王任丁魁楚、瞿式耜等为大学士。据王夫之《永历实录》卷一。

十一月

初五日，南明大学士苏观生等奉隆武帝之弟朱聿鐭为监国于广州，改元绍武。据
刘湘客《行在春秋》卷上。

十五日，郑芝龙降清，其子郑成功不从，入海。据徐鼒《小腆纪年附考》卷一三。

十八日，南明监国桂王朱由榔在肇庆即皇帝位，是为南明永历政权。据刘湘客
《行在春秋》卷上。

二十七日（已交公元 1647 年 1 月 2 日），张献忠（1606—1647）卒。据《清世祖
实录》卷二九豪格等奏报。《明史·流寇传》："顺治三年，献忠尽焚成都宫殿庐舍，夷
其城，率众出川北，又欲尽杀川兵。伪将刘进忠故统川兵，闻之，率一军逃。会我大
清兵至汉中，进忠来奔，乞为乡导。至盐亭界，大雾，献忠晓行，猝遇我兵于凤凰坡，
中矢坠马，蒲伏积薪下。于是我兵擒献忠出，斩之。"

十二月

十五日（已交公元 1647 年 1 月 20 日），佟养甲、李成栋率清兵攻破广州，绍武帝
唐王朱聿鐭、大学士苏观生兵败自缢死。绍武政权至此仅维持四十一天。据刘湘客

《行在阳秋》卷上。

是年

潘耒（1646—1708）生。朱彭寿《清代人物大事纪年》："顺治三年丙戌（公元1646年），生辰：潘耒生，字次耕，号稼堂。江苏吴江人。享年六十三。"又沈彤《潘先生行状》："（潘）耒，字次耕，又字稼堂，自号止止居士。康熙十七年朝廷征博学鸿词之士，召试体仁阁，推二等第二，除翰林院检讨。四十七年九月二十九日病卒。"《清史列传·文苑传》："潘耒，字次耕，江苏吴江人。幼孤，生而宿慧，读书目数行下。受业于同郡徐枋、顾炎武，能成其教。群经诸史，旁及算术、宗乘，无不贯通。嘉定陆元辅、平湖陆陇其交口许为淹洽。康熙十八年，以布衣召试博学鸿儒，授翰林院检讨。与修《明史》……生平嗜山水。历游罗浮、天台、雁荡、武夷、黄海、匡庐、中岳，尽穷其胜，各纪以诗文。有《遂初堂诗集》十六卷、《文集》二十卷、《别集》四卷。诗不事雕饰，直抒所见，登临怀古诸作，一时名流多折服。文蹊径较平，而气体浑厚，空所依傍……四十七年，卒，年六十三。"徐世昌编《晚晴簃诗汇》卷四二选潘耒诗十五首，《诗话》云："稼堂诗皆遗宿……诗以议论胜，硬语盘空，纵横曲折，无不如志。犹能纬以声律，泽以文藻，固不至落以文为诗料白也。"邓之诚《清诗纪事初编》卷三著录潘耒《遂初堂集》诗十二卷、文十五卷、《遂初堂诗集》十六卷、《文集》二十卷、《别集》四卷："潘耒，原名栋吴，字次耕，号稼堂，晚号止止居士，吴江人。兄柽章罹庄史之祸，家累戍边，嫂沈任身就道，耒年十七，徒步送之。至燕山，遗孤不育，沈引药自决。耒读书二十馀年而未应试。初师戴笠，继则徐枋，最后始从顾炎武游，因识徐乾学兄弟，为所牵引，举康熙十八年鸿博，授职检讨，非顾炎武所愿也……诗文不事模拟，根柢深厚，有朴茂之美……诗文皆不轻作，未尝以语言泛爱人，可谓奉行师教惟谨者矣。炎武之学，终赖耒以传，奖与为不虚焉。"

冯梦龙（1574—1646）卒。据徐朔方《冯梦龙年谱》。其生前遗嘱，将《墨憨词谱》未完稿送交沈自晋。沈自晋《重定南词全谱·凡例续纪》："重修词谱之役，昉于乙酉仲春……丙戌夏始得侨寓山居……渐尔编次，乃成帙焉。春来病躯，未遑展卷，拟于长夏，将细订之。适顾生来屏寄语，曾入郡访子犹先生令嗣赞明，出其先人易箦时手书致嘱，将所辑《墨憨词谱》未完之稿及他词若干，畀我卒业。六月初，始携书并遗笔相示。翰墨淋漓，手泽可挹。展玩怆然，不胜人琴之感。"冯梦龙，字犹龙，又字子犹，别号龙子犹、墨憨斋主人、顾曲散人、古吴词奴等，长洲（今江苏苏州）人。明崇祯三年贡生，历官丹徒县训导，升福建寿宁县令，任满归乡里居，从事小说、戏曲编纂工作。编有民间歌曲集《挂枝儿》、《山歌》，编纂"三言"，即《喻世明言》、《警世通言》、《醒世恒言》。评纂《古今谭概》、《太平广记钞》、《智囊》、《情史》，选辑散曲曰《太霞新奏》以及《笑府》等笑话集，增补《平妖传》、《新列国志》，创作传奇《双雄记》、《万事足》等，更定传奇如汤显祖的《牡丹亭》、李玉的《一捧雪》、《人兽关》、《永团圆》、《占花魁》等达十五种，题曰《墨憨斋定本》。另有诗集《七乐斋稿》与散曲集《宛转歌》，皆已失传。朱彝尊《静志居诗话》卷二〇《冯梦龙》：

"冯梦龙，字犹龙，长洲人。由贡生选授寿宁知县，有《七乐斋稿》。明府善为启颜之辞，间入打油之调，虽不得为诗家，然亦文苑之滑稽也。《冬日湖村即事》云：'兼葭一望路三叉，遥认庄窝去路斜。舟响小溪过蟹舍，屋颓高岸露牛车。轻霜堤柳馀疏叶，暖日村桃放早花。平野萧条聊极目，远天寒影散群鸦。'"《四库总目提要》卷一三二著录冯梦龙《智囊》二十八卷："明冯梦龙编。梦龙有《春秋衡库》，已著录。是编取古人智术计谋之事，分为十部，亦间系以评语，佻薄殊甚。"同卷又著录其《智囊补》二十八卷："明冯梦龙撰。梦龙先于天启丙寅成《智囊》一书，以其未备，复辑此编。其初刻补遗一卷，亦散入各类。"同卷又著录其《谭概》三十六卷："明冯梦龙撰。是编分类汇辑古事，以供谈资。然体近俳谐，无关大雅。"康熙《寿宁县志》卷四："冯梦龙，江南吴县人，由岁贡崇祯七年知县事，政简刑轻，□尚文学。遇民以恩，待士有礼。所著有《四书指月》、《春秋指月》、《智囊补》等书，为世脍炙。"嘉庆《梨里志》卷首："冯梦龙，字犹龙，长洲人。贡生，官寿宁知县。有《春秋衡库》、《古今谭概》、《七乐斋集》。"道光《苏州府志》卷九九："冯梦龙，字犹龙，才情跌宕，诗文藻丽，尤工经学。所著《春秋指月》、《衡库》二书，为举业家正宗。崇祯时，以贡选寿宁知县。"光绪《苏州府志》卷六七著录冯梦龙"《春秋衡库》二十卷、《智囊补》二十七卷、《古今谭概》三十四卷、《寿宁县志》二卷、《情史》二十四卷、《七乐斋集》"。民国《吴县志》卷五六著录冯梦龙"《春秋指月》、《别本春秋大全》三十卷、《古今谭概》（《四库总目》三十六卷），所著曲四种：《双雄》、《万事足》、《风流梦》、《新灌园》"。可观道人《新列国志叙》："墨憨氏重加辑演，为一百八回，始乎东迁，迄于秦帝。东迁者，列国所以始；秦帝者，列国所以终。本诸《左》、《史》，旁及诸书，考核甚详，搜罗极富。虽敷演不无添彩，形容不无润色，而大要不敢尽违其实……墨憨氏补辑《新平妖传》，奇奇怪怪，邈若河汉，海内惊为异书。兹编更有功于学者，浸假两汉以下，以次成编，与《三国志》汇成一家言，称历代之全书，为雅俗之巨览，即与二十一史并列邺架，亦复何愧？余且日夜从臾其成，拭目俟之矣。吴门可观道人小雅氏撰。"

阮大铖（1587—1646）卒。据吴海林等编《中国历史人物生卒年表》。阮大铖，字集之，号圆海，一号石巢，又号百子山樵，安庆府怀宁（今属安徽）人，一说桐城人。万历四十四年进士，明末以投靠魏忠贤名列逆案。南明弘光朝，与马士英相勾结，党同伐异，迫害忠良。后降清，死于仙霞关。一生创作传奇十一种，今仅传《春灯谜》、《牟尼合》、《双金榜》、《燕子笺》四种，另有《井中盟》、《老门生》、《忠孝环》、《桃花笑》、《狮子赚》、《翠鹏图》、《赐恩环》七种散佚。另有《咏怀堂诗文集》传世。《明史·奸臣传》："大铖机敏滑贼，有才藻。天启初，由行人擢给事中，以忧归。同邑左光斗为御史有声，大铖倚为重。四年春，吏科都给事中缺，大铖次当选，光斗招之。而赵南星、高攀龙、杨涟等以察典近，大铖轻躁不可任，欲用魏大中。大铖至，使补工科。大铖心恨，阴结中珰寝推大中疏。吏部不得已，更上大铖名，即得请。大铖自是附魏忠贤，与霍维华、杨维垣、倪文焕为死友，造《百官图》，因文焕达诸忠贤。然畏东林攻己，未一月即请急归。而大中掌吏科，大铖愤甚，私谓所亲曰：'我犹善归，未知左氏何如耳。'已而杨、左诸人狱死，大铖对客诩诩自矜。寻召为太常少卿，至先生植立不屈，神色不变。锦问：'何官？'先生曰：'我崇祯朝兵科给事中也。'问：'何不薙发？'先生曰：'吾惟留此发，以见先帝于地下也。'又诘之，先生瞠目不答，乃引去，絷诸舟中，令卒守之。先生俟守者懈，猝起投水。卒出不意，大惊群呼，奔流汹涌，令善泅者入水索之，良久乃出，已气绝矣。即舟次殊其元，弃尸水中。时五月十三日也。"《明史》本传："子龙与同邑夏允彝皆负重名，允彝死，子龙念祖母年九十，不忍割，遁为僧。寻以受鲁王部院职衔，结太湖兵。欲举事。事露被获，乘间投水死。"编有《皇明诗选》十三卷，今有华东师范大学出版社1991年影印本。《湘真阁稿》，又有辽宁教育出版社2001年校点本。《陈子龙文集》，今有华东师范大学出版社1998年影印本。《陈忠裕公全集》三十卷，清嘉庆八年（1803）刊本，王昶辑。《陈大樽先生集》十八卷，清刻本，吴光裕辑。《诗问略》一卷，清道光刊本。《陈子龙诗集》十八卷，校点本，上海古籍出版社1983年出版。《安雅堂稿》十八卷，校点本，辽宁教育出版社2003年出版。另有《三子新诗合稿》九卷（三子为陈子龙、李雯、宋徵舆）。宋徵璧《抱真堂诗话》："大樽严于论诗，凡献诗者踵相接，大樽意态傲岸，若不足当一顾者。予语大樽：'前辈好推挽人，那得尔尔？'然大樽未尝不虚心，尝向予道律诗如'春城夜出人皆醉'及'罗绮晴娇绿水洲'之句，诗余如'无处说相思，背面秋千下'一词，生平竭力摹拟，竟不能到。有味乎其言也。"夏允彝《岳起堂稿序》："卧子年弱冠，而才高天下。其学自经、史、百家，无言不窥；其才自骚、赋、诗歌、古文词以下，迨博士业，无不精造而横出。天下之士，亦不得不震而尊之矣。"宋徵璧《陈李倡和集序》："陈卧子子龙，其源出于太白，文多超逸之风；若其凉壮明秀，则龙标、右丞之流亚也。"宋徵璧《平露堂集序》："陈子成进士归，读《礼》之暇，刻其诗草名《白云》者，体格高浑，固已卓然盛唐大家之作矣。已又哀乙亥、丙子两年所撰，著为《平露堂集》。刻成，命予序之……陈子诗文，兼诸家之长，既足冠冕一代，而又志在竹帛，其所表树，方将驾前贤而上之。使后人读陈子之诗，与其致恨于所传者少也，夫宁多乎哉！"王士祯《分甘馀话》卷二："明末暨国初歌行，约有三派：虞山源于杜陵，时与苏近；大樽源于东川，参以大复；娄江源于元、白，工丽时或过之。"王士祯《古夫于亭杂录》卷五："陈大樽《明诗选》，于弘、正间持择甚精，嘉靖以来，便稍皮相，十得七八耳。至《拟早朝》应制之体阑入，未免可厌。万历以下，如汤义仍、曹能始，不愧作者，概置之邾下无讥之列，此则大误。须合牧斋《列朝诗集》观之。弘、嘉间，虞山先生之论不足为据，当以陈为正。"王士祯《渔洋诗话》卷下："明末七言律诗有两派：一为陈大樽，一为程松圆。大樽远宗李东川、王右丞，近学大复；松圆学刘文房、韩君平，又时时染指陆务观，此其大略也。"沈德潜《明诗别裁集》卷一〇选陈子龙诗十九首，小传云："诗教之衰，至于钟、谭，剥极将复之候也。黄门力辟榛芜，上追先哲，厥功甚伟。而责备无已者，谓仍不离七子面目，将蜩螗齐鸣，不必有钧韶之响耶？"沈雄《古今词话·词评》下卷："《兰皋集》曰：有赞大樽，文高两汉，诗轶三唐，苍劲之色，与节义相符者。乃《湘真》一集，风流婉丽如此。传称河南亮节，作字不胜绮罗；广平铁心，梅赋偏工清艳，吾于大樽益信。"《四库总目提要》卷一七著录陈子龙《诗问略》一卷："此篇乃其读诗札记之文，曰诗问者，取问诸有道之意；又所解皆偶标己意，随拈各条，非说全经，故谓之略。《明史·艺文志》不著录，见于曹溶《学海类编》中。其说不主朱子《集传》，亦不主毛诗郑笺，大抵因小序而变其说。如'有女同车'，序以为刺忽，子龙则以为美忽；以《箨兮》'狡童'为刺祭仲。率以意为解，不必有据。观其自序，知其学从郝敬入也，宜其臆断矣。"

是年夏

龚鼎孳为丁耀亢《化人游》传奇作序。是序后署"丁亥夏日，淮南芝麓主人龚鼎孳题于海陵寓园"。

是年秋

夏完淳为陈子龙不屈死作《细林夜哭》，为吴易（日生）不屈死作《吴江夜哭》。据今本《夏完淳集》诗题下小注。

夏完淳被清兵俘获，系南京狱中，作《狱中上母书》、《遗夫人书》。

九月

夏完淳（1631—1647）卒，年十七。汪端明《三十家诗选》："巡抚土国宝按籍而求，凡三吴名士数十人，无得免者。逮存古赴金陵，存古慨然曰：'天下岂有畏人避祸夏存古哉！我得归骨于高皇帝孝陵，千载无恨。'在途吟咏不绝。既至就鞠，经略某欲活之，存古不屈，遂与刘进士曙就义西市，顺治丁亥九月也，年十七。同郡杜登春、沈羽霄共敛存古尸，归葬曹浜考功墓侧。乾隆中通谥节愍。妻钱夫人，遗腹得男而殇，遂为尼。考功竟无后。存古所著，有《玉樊堂集》、《内史集》、《南冠草》，嘉庆丁卯，郡人庄师洛、何其伟等编辑付梓，凡十卷，补遗二卷，王少司寇昶序之。又有《代乳集》，存古九岁时作，及《续幸存录》八卷，今多散佚。"王弘撰《夏孝子传》："余读君遗文而为之喟然叹也，曰此其古所谓圣小儿者乎！使不遭变，以永其年，其所著述，当轶唐宋而上，以是为君惜。然忠义郁勃，矢志殉决，彼骆丞之以隐去者，君固有所不为也。"方授《南冠草序》："向余过武林蒋氏兄弟，见存古有《大哀赋》，有狱中上太恭人书、寄钱孺人书，有示同事诸友书，有自订诗近千首，此存古之文也。已又得其《南冠草》，因出示诸子，诸子请歌之。余为之歌《别云间》，诸子曰：'壮哉！往而不返者也，何鹤唳之足悲乎！'为之歌《辞恭人》，曰：'哀而不怨，太恭人有子，复何恨？'为之歌《寄内》，曰：'严而婉，责其妇以程婴乎？'余辍歌曰：'存古死而遗腹得一子一女，天之报施不爽哉（按：《紫隄邨志》云：完淳有异才，年止一十有七，遗腹子仍不育，允彝之后遂亡）！'为之歌寄姊及甥，曰：'甚矣哉！大仇其可忘乎？'为之歌《寄半邨》及《闻大鸿讣》，曰：'其皆死心乎？是知生而知死者也。'为之歌《细林》，曰：'知大夏者，其孟公乎？非孟公而细林之哭谁能若是？'为之歌遇九高及辕文，曰：'真可以告朋友乎！又何知友之明乎？'为之歌入京及被鞠诸什，曰：'至矣哉！烈而醇，苦而甘，怨而温，直而不屈，勇而不惧，静而不乱，思而不贰，求仁而仁，取义而义，惟故国之伤也，以忘其身与家。如存古者，忠孝兼之矣，而以十七传，古今未尝有也。《南冠草》者，可以名存古之人，可以名存古之文矣。'因手订之而命余为序。桐城方授子留。"何其伟《夏节愍全集跋》："《夏节愍集》十卷，盖综其生平所为《玉樊堂集》、《内史集》、《南冠草》三种，汇录成编者也。《玉樊堂集》作于甲申、乙酉；《内史集》作于从军以后，始丙戌，迄丁亥四五月间；《南冠草》则皆临难时途中、狱中所作也。然节愍年九岁，曾撰《代乳集》，惜不传。而《续幸存录》自序所云'《南都大略》一卷、《杂志》二卷、《节义大略》一卷、《先忠惠行状》一卷、《死节考》一卷，俱未搜采入集'，是文体虽备，尚非全璧。补阙拾遗，姑俟诸异日。嘉庆丁卯寒食日青浦何其伟识。"钱谦益、杜登春、王澐、宋徵璧、计东、王昶等文人皆有题诗或挽诗。朱彝尊《静志居诗话》卷二一《夏完淳》："存古，南阳知二，江夏无双，束发从军，死为毅魄。其《大哀》一赋，足敌兰成。昔终童未闻善赋，汪踦不见能文，方之古人，殆难其匹。"沈德潜《明诗别裁集》卷一一选夏完淳诗四首，计《秋怀》二首、《精卫》、《秋夜感怀》各一首，小传云："存古十五从军，十七授命，生为才人，死为鬼，汪踦不足多也。诗格亦高古罕匹。"沈雄《古今词话·词评》下卷："《柳塘词话》曰：夏存古《玉樊堂词》向得之曹顾庵五集中，见其词致，慷慨淋漓，不须易水悲歌，一时凄感，闻者不能为怀。留此数阕，以当《东京梦华录》也。"

十二月

周亮工撰《自触》六卷成。据其自撰序例。

是年

李雯（1607—1647）**卒。**卒年从邓之诚《清诗纪事初编》说，详后。侯方域《大寂子诗序》："彭孝廉宾与夏考功彝仲、陈黄门子龙、周太学立勋、徐孝廉孚远、李舍人雯互相唱和，声施满天下，当时谓之云间六子。"沈德潜《明诗别裁集》卷一二选吴骐《书李舒章诗后》一诗："胡笳曲就声多怨，破镜诗成意自惭。庾信文章真健笔，可怜江北望江南。"后评云："惜其清才，哀其遭遇，言下无限徘徊。"杨际昌《国朝诗话》卷一："李舒章（雯）诗宗王弇州、李于鳞，不无郛廓，然天才自俊。如《送江谷尚归长沙作》：'长沙才子拂征衣，沦落京华客渐稀。楚玉深怀人不见，江云高卷雁同飞。霜流湘浦兼葭薄，月冷昭潭橘柚肥。只为君家传《别赋》，消魂尤在送将归。'《早春游万驸马白石庄作》：'白石桥边御路堤，沁园池馆向清溪。花分洛苑香犹静，树拟长杨叶未齐。金井床寒妆阁后，玉楼箫断凤城西。青山半入朱轩里，门外春风听马嘶。'细腻风光，非凡手可效，天固生之，以备圣朝鼓吹。"邓之诚《清诗纪事初编》卷四著录李雯《蓼斋集》四十七卷、《蓼斋后集》五卷："李雯，字舒章，青浦人。诸生（编者按，钱仲联主编《中国文学家大辞典·清代卷》谓李雯为'明崇祯十五年举人'）。入清荐为内阁中书舍人。卒于顺治四年，年四十（编者按，当为年四十一）。雯负才名，官中书，一时诏诰书檄，多出其手，《致史可法书》，其最著者也。近从内阁大库检出摄政王致唐通马科书稿各一通，亦其手笔。是时草创方始，舍人之职綦重，多擢卿寺方面。龚鼎孳尝疏荐雯，称为文妙当世，学追古人之李雯，国士无双，名满江左，石禄天禄，实罕其俦。陈名夏尤交相引重，非无腾骧之路。又其时给假至难，雯卒前一年，南归葬父，期以经年，颇称异数，必有大力左右之者。乃忧伤憔悴以卒。挚交陈子龙，以顺治四年五月十九日就义，雯方北行道病，抵京即卒。同一死也，而有轻重之分。撰《蓼斋集》四十七卷、《后集》五卷，刻于顺治十四年，为诗三十二卷、文十五卷；《后集》诗四卷、文一卷。少与子龙齐名，倡云间诗派，高拟三唐，极才情思致之妙。然集中乐府遂至六卷，不脱七子窠臼，所谓规北地而祖信阳，盖犹实录；祖昭明而祢李杜，则夸语也。入清之诗，眷念平生，摧抑不堪卒读。文摹六朝，尚有才调。摹《左》、《国》、《史》、《汉》则支矣；秦汉韵文，无一字之似，大约与子龙同病。撰册盈至五卷之多，颇有见道语。顾炎武引其策盐就场征税，天下无公盐亦无私盐，意颇重之。"

　　曹学佺（1574—1647）卒。据吴荣光《历代名人年谱》。《明史·文苑传》："曹学佺，字能始，侯官人。弱冠举万历二十三年进士，授户部主事。中察典，调南京添注大理左寺正。居冗散七年，肆力于学。累迁南京户部郎中，四川右参政、按察使。蜀府毁于火，估修资七十馀万金，学佺以《宗藩条例》却之。又中察典，议调。天启二年起广西右参议。初，梃击狱兴，刘廷元辈主疯癫。学佺著《野史纪略》，直书事本末。至六年秋，学佺迁陕西副使，未行，而廷元附魏忠贤大幸，乃劾学佺私撰野史，淆乱国章，遂削籍，毁所镂板……崇祯初，起广西副使，力辞不就。家居二十年，著书所居石仓园中，为《石仓十二代诗选》，盛行于世。尝谓'二氏有藏，吾儒何独无'，欲修儒藏与鼎立。采撷四库书，因类分辑，十有馀年，功未及竣，两京继覆。唐王立于闽中，起授太常卿。寻迁礼部右侍郎兼侍讲学士，进尚书，加太子太保。及事败，走入山中，投缳而死，年七十有四。诗文甚富，总名《石仓集》。万历中，闽中文风颇盛，自学佺倡之，晚年更以殉节著云。"陆云龙等《翠娱阁评选皇明十六家小品》载陆云龙《曹能始先生小品题词》云："乃今则有曹能始先生也者，先生弱冠通籍，栖迟冷署，得恣览古今；又以大行拥相如之传，迹几半天下。足之所诣，目诣焉；足之所不至，而书所志者，目注而神会焉。既集有一统胜志，复有十二代选诗，业得一世之人物土风、川岳形胜，更又质千古兴衰治忽，臧否是非，以大吾见，远吾思，畅吾议论，方寸之中，千古四海具足。其为文章，宁在子长下哉！集不胜录，仅拔其小品之佳者，要亦融千古冶四海而出之者也。是崇祯壬申冬日，钱塘雨侯陆云龙漫题。"钱谦益《列朝诗集小传》丁集下《曹南宫学佺》："能始美秀而文，安雅有志节，新建相为座师，以馆选待能始，能始弗往。新建罢相，门人故吏莫敢往视，能始为部郎，追送舟次，为庀车马粮糗。言官恶之，故有南评之谪……能始具胜情，爱名山水，卜筑匡山之下，将携家往居，不果。家有石仓园，水木佳胜，宾友翕集，声伎杂进，享诗酒谈谑之乐，近世所罕有也。著述颇富，如《海内名胜志》、《十二代诗选》，皆盛行于世……为诗以清丽为宗，程孟阳苦爱其《送梅子庚》'明月自佳色，秋钟多远声'之句。其后，所至各有集。自谓以年而异，其佳境要不出于此。而入蜀以后，判年为一集者，才力渐放，应酬日烦，率易冗长，都无持择，并其少年面目取次失之。"朱彝尊《静志居诗话》卷二一《曹学佺》："明三百年诗凡屡变，洪、永诸家称极盛，微嫌尚沿元习。迨'宣德十子'一变而为晚唐，成化诸公再变而为宋，弘、正间三变而为盛唐，嘉靖初，八才子四变而为初唐，皇甫兄弟五变而为中唐，至七才子已六变矣。久之公安七变而为杨、陆，所趋卑下，竟陵八变而枯槁幽冥，风雅扫地矣。独闽、粤风气，始终不易，闽自十才子后，惟少谷小变，而高、傅之外，寥寥寡和。若曹能始、谢在杭、徐惟和辈，犹然十才子调也。粤自五先生后，惟兰汀小变，而欧桢伯、黎维敬、欧用孺辈，犹是五先生之调也。能始与公安、竟陵往还唱和，而能皭然不淄，尤人所难。"沈德潜《明诗别裁集》卷一〇选曹学佺诗八首。《四库总目提要》卷八著录曹学佺《易经通论》十二卷、《周易可说》七卷，同书卷一四又著录其《书传会衷》十卷，同书卷三〇又著录其《春秋阐义》十二卷，同书卷七〇又著录其《蜀中广记》一百八卷，同书卷七二又著录其《舆地名胜志》一百九十三卷，同书卷七六又著录其《蜀中名胜记》三十卷，同书卷一二八又著录其《西峰字说》三十三卷，同书卷一八九又著录其《石仓历代诗选》五百六卷："明曹学佺撰。学佺有《易经通论》，已著录。是编所选历代之诗，上起古初，下迄于明，凡古诗十三卷、唐诗一百卷、拾遗十卷、宋诗一百七卷、金元诗五十卷、明诗初集八十六卷、次集一百四十卷。旧一名《十二代诗选》，然汉、魏、晋、宋、南齐、梁、陈、魏、北齐、周、隋实十一代。既录古逸，乃缀于八代之末，又并五代于唐，并金于元，于体例名目，皆乖剌不合。故从其版心所题称历代诗选，于义为谐。所选虽卷帙浩博，不免伤于糅杂，然上下二千年间，作者皆略存梗概。又学佺本自工诗，故所去取，亦大都不乖风雅之旨，固犹胜贪多务得、细大不捐者。惟金代只录元好问一人，颇为疏漏。意其时毛晋所刊《中州集》、河汾诸老诗犹未盛行，故学佺未见欤？其冠于元诗之首，亦以一代只一人，不能成集故也。据《千顷堂书目》，学佺所录明诗，尚有三集一百卷、四集一百三十二卷、五集五十二卷、六集一百卷，今皆未见，殆已散佚。然自万历以后，繁音侧调，愈变愈远于古，论者等诸自郐无讥。是本止于嘉、隆，正明诗之极盛，其三集以下之不存，正亦不足惜矣。"同书卷一九三又著录其《凤山郑氏诗选》二卷。陈田《明诗纪事》辛签卷一选曹学佺诗三十二首，小传云："乾隆中，赐谥忠节。有《金陵集》、《挂剑篇》、《海色篇》、《游房山稿》、《藤山看海诗》、《续游藤山诗》、《玉华篇》、《苕上篇》、《钱塘看春诗》、《游太湖诗》、《芝杜诗》、《天柱篇》、《春别篇》、《豫章稿》、《江上篇》、《潞河集》、《武林草》、《巴草》、《蜀草》、《雪桂轩草》、《湘西纪行》、《浮山堂稿》、《福庐游稿》、《听泉阁稿》、《夜光堂稿》、《森轩诗》、《林亭轩诗》、《桂林集》、《更生篇》、《赐环篇》、《西峰集》、《西峰六四草》等集。"又加按语云："忠节诗，不矜才气，音在弦外。其兴到之作，有羚羊挂角、香象渡河之妙。"

公元 1648 年（清顺治五年　戊子　南明永历二年　鲁监国三年）

正月

五日，邵廷采（1648—1711）生。邵廷采《思复堂文集》附录龚廷麟《文学邵念鲁先生墓志铭》："先生姓邵氏，讳廷采，字念鲁，宋康节雍之后，绍兴馀姚人也……先生生于顺治戊子正月五日，卒于康熙辛卯五月二十六日，年六十四。"邵廷采，本名行中，更名廷采，或作"廷宷"，字允斯，一字念鲁，馀姚（今属浙江）人。尝从毛奇龄、黄宗羲学，诸生。召修《一统志》，以老辞归。著有《东南纪事》、《西南纪事》、《姚江书院志略》，又有《思复堂文集》。《清史列传·儒林传》："邵廷采，字念鲁，浙江馀姚人。诸生。曾可孙……从韩当受业，又问学于黄宗羲……生平于历算、占候、阵图、击刺无不学，尝与将军施琅纵谈沿海要害，琅奇之。既游西北，走潼关，讲学于黄冈之姚江书院；复入京师，商丘宋荦、鄞万经欲招入《一统志》馆，以老辞。思托著述以自见……有《东南纪事》十二卷、《西南纪事》十二卷。康熙五十年，卒，年六十四。弟子刻其文为《思复堂文集》二十卷，又《姚江书院志略》四卷。"《四库总目提要》卷一八三著录邵廷采《思复堂集》十卷："国朝邵廷采撰。廷采字念鲁，馀姚人，康熙初诸生。尝从毛奇龄游。是集刊于康熙壬辰，以龚翔麟所撰《墓志》、邵思渊所撰《墓表》、万经所撰《小传》冠诸编首。"

是年夏

小说《七峰遗编》（一名《海角遗编》）二卷六十回刊行，题"七峰樵道人撰"。七峰樵道人《七峰遗编序》后署"时大清顺治戊子夏月，七峰樵道人书于朱泾佛堂之书屋"。小说记清兵南下破常熟等事。

八月

郑成功（仍用隆武年号）通表于永历帝。据徐鼒《小腆纪年附考》卷一五。
陈贞慧撰《秋园杂佩》一卷成。见其自识。
孙奇逢撰《畿辅人物考》八卷成。见其自序。

九月

十七日，孔尚任（1648—1718）生。据袁世硕《孔尚任年谱》。又孔尚任《桃花扇》卷下续四十出《馀韵》，有副末老赞礼白云："今乃戊子年九月十七日，是福德星君降生之辰。"又唱［问苍天］曲云："新历数，顺治朝，五年戊子，九月秋，十七日，嘉会良时。"其上有作者同时人之眉批云："九月十七日，福德财神生辰也，云亭山人亦降祥于此日，但清福浊福之不同耳！"孔尚任，字聘之，又字季重，号东塘，又号岸堂，自称云亭山人，为孔子六十四代孙，山东曲阜人。康熙二十年以捐纳为国子监生，康熙二十三年，玄烨南巡，返经曲阜，孔尚任被荐讲经称旨，录为国子监博士。迁户部主事，升户部员外郎，不久罢官，七十一岁卒于家。著有《石门山集》一卷（收文五篇）、《出山异数记》一卷、《人瑞录》一卷、《湖海集》十三卷、《岸堂稿》一卷、《长留集》十二卷等，传奇有《小忽雷》（与顾彩合作）、《桃花扇》，并以后者享名后世。今人汪蔚林编有《孔尚任诗文集》，中华书局 1962 年出版。沈德潜《国朝诗别裁集》卷一三选孔尚任诗二首。《四库总目提要》卷六三著录孔尚任《人瑞录》一卷，同书卷六八又著录其《节序同风录》无卷数，同书卷一三三又著录其《会心录》四卷，同书卷一八三又著录其《湖海集》十三卷："尚任官国子监博士时，随侍郎孙在丰在淮阳疏浚海口，因辑其入淮以后诗文，自编此集，故以湖海为名。"徐世昌编《晚晴簃诗汇》卷三九选孔尚任诗七首，《诗话》云："东塘作《汉铜尺记》、《周尺考》、《周尺辨》三篇，极精核。工乐府，有《桃花扇》、《小忽雷》传奇。以国子博士奉命阅河，驻淮阳三载，东南遗献，缟纻争投。《拜明陵》诗宛然邓孝威、杜于皇一辈人口吻，可见国初风俗之厚。"邓之诚《清诗纪事初编》卷六著录孔尚任《湖海集》十三卷："孔尚任……撰《湖海集》，凡诗七卷、文六卷，自丙寅迄己巳，盖奉使扬州时所作。己巳以后诗，见蒋景祁《辇下和鸣集》，曰《岸堂稿》，凡古今体诗六十五首。尚任以《桃花扇》曲子负一时盛名。诗极清丽，而骨格未遒，然情致缠绵，颇亦可诵。文则具体而已。"黄元治《桃花扇传奇题辞》："有明三百年结局，君臣相得，奸佞忠良，其间可褒可诛、可歌可泣者，虽千百万言，亦不能尽。兹独借管弦拍板，写其悲感，缠绵之致。又从最不要紧几辈老名士、老白相、老青楼，饮啸诙谐、祸患离合终始之际，而寄国家兴亡、君子小人、成败死生之大，故贯穿往复，挥洒淋漓，大旨要归，眼如注矢，凄音楚调，声似迴澜。纪事处，忽尔钟情；情尽处，忽尔见道。战争付之流水，儿女归诸空花。作史传观可，作内典观亦可。宁徒慷慨悲歌、听者坠泪而已乎！桃源逸叟黄元治。"吴梅《桃花扇跋》："东塘此作，约十馀年之久，凡三易稿而成，自是精心结撰。其中虽科诨亦有所本，观其自述《本末》，及历记《考据》各条，语语可作信史，自有传奇以来，能细按岁月，确考时地者，实自东塘为始。传奇之尊，遂得与诗词同其声价矣。通部布局，无懈可击。至《修真》、《入道》诸折，又破除生旦团圆之成例，而以中原建醮收科，排场亦不冷落。此等设想，更为周匝。故论《桃花扇》之品格，直是前无古人。所惜者通本无耐唱之曲，除此选诸套外，恐亦寥寥，不足动听矣。马、阮诸曲，固不必细腻风华，而生旦则不能草草也。《眠香》、《却奁》诸齣，世皆目为妙词，而细唱曲不过一二支，亦太简矣。东塘《凡例》中，自言曲取简单，多不过七八曲，而不知其非也（此病《长生殿》所无）。云亭尚有《小忽雷》一种，谱唐人梁生本事，皆顾天石为之填词，文字平庸，可读者只一二套耳。又为云亭作《南桃花扇》，使生旦团圆，以厌观场者之目，更无谓矣。霜崖。"

是年秋

叶绍袁（1589—1648）卒。叶燮《西华阡表》（见中华书局1998年出版冀勤辑校《午梦堂集附录一》）："府君生于明万历己丑，卒于顺治戊子，享年六十。"又叶绍袁《叶天寥自撰年谱》："神宗显皇帝万历十七年己丑，十一月建丙子，二十四日戊辰生。"又叶小纨《存馀草》有七律《哭父》诗云："吴山越水渺天涯，到处霜枫点泪花。"可知其父卒于是年秋日。雍正《江南通志》卷一六五："叶绍袁，字仲韶，吴江人。天启乙丑进士，除武学教授，迁工部主事。明亡，薙发为僧，感怆成疾，卒。诗词韶秀，忠君爱国，间出《香奁》，有韩偓之遗风焉。子燮，字星期，以嘉兴籍中康熙庚戌进士，选宝应知县。"殷增《松陵诗徵前编》卷八："叶绍袁，字仲韶，号鸿振，一号天寥，一号粟庵。尚宝绅玄孙。天启乙丑进士，官工部虞衡司主事。有《天寥》、《桐塵》

二集。按，先生幼育于袁尚宝家，故名绍袁，通籍后，以不耐吏职假归，与夫人宛君、三女、五子唱和自得。《午梦堂》一集，海内流传殆遍矣。已而死亡相继，家国俱非，形影自依，声泪并切。甚至祝发山中，依人庑下，卒以幽愤而死。哀哉！"孙静庵《明遗民录》卷一〇《叶仲韶》："明叶仲韶，字绍袁，吴江人。国变后，披缁行遁。所著有《江行日记》。"凌景埏《鞠通先生年谱及其著述》（见齐鲁书社 1988 年出版《诸宫调两种》一书）："绍袁字仲韶，号天寥道人，天启五年进士，选南京武学教授，迁国子助教，虞衡司主事。念母在家，又不耐吏职，遂乞终养，归居汾湖之滨，与宛君菽水邀亲欢。一门子女，并有文藻，更相倡和以自娱。无何，母及其女相继殁，幽忧憔悴，杜门如枯衲。乙酉后，弃家入馀杭之径山，祝发为僧。顺治五年卒。著有《纬学辨义》、《参同契注》、《金刚经注》、《楞严集解》、《读史碎金》、《天寥集》、《桐塵集》、《风庐纪事诗》、《湖隐外史》、《甲行日注》、《自撰年谱》等书。"崇祯九年，叶绍袁为其妻及子女编有《午梦堂全集》，包括《鹂吹》（沈宜修）、《愁言》（叶纨纨）、《返生香》（叶小鸾）、《鸳鸯梦》（叶小纨）、《百旻草》（叶世偁）、《灵护集》（叶世俗）、《窈闻》、《续窈闻》（叶绍袁）、《伊人思》（沈宜修辑）、《秦斋怨》（叶绍袁）、《屺雁哀》（叶绍袁辑）、《彤奁续些》（叶绍袁辑）、《琼花镜》（叶绍袁）、《存馀草》（叶小纨），共七人十三种诗文、戏曲集。中华书局 1998 年出版冀勤辑校《午梦堂集》，较为完备。钱谦益《列朝诗集小传》闰集《沈氏宛君》："沈宜修，字宛君，吴江人，山东副使沈珫之女，工部郎中叶绍袁仲韶之妻也。仲韶少而韶令，有卫洗马、潘散骑之目。宛君十六来归，璚枝玉树，交相映带，吴中人艳称之。生三女，长曰纨纨，次蕙绸，幼曰小鸾。兰心蕙质，皆天人也。仲韶偃蹇仕宦，跌宕文史。宛君与三女相与题花赋草，镂月裁云。中庭之咏，不减谢家；娇女之篇，有逾左氏……小鸾十七字昆山张氏，将行而卒。未几，纨纨以哭妹来归，亦死。叶氏宛君神伤心死，幽忧憔悴，又三载而卒。仲韶于是集宛君之诗曰《鹂吹》，纨纨之诗曰《愁言》，小鸾之诗曰《返生香》，及哀挽伤悼之什，都为一集，而蕙绸《鸳鸯梦》杂剧伤姊妹而作者，亦附见焉，总曰《午梦堂十集》，盛行于世。"同书同卷《叶氏纨纨》："纨纨，字昭齐，其相端妍，金辉玉润。生三岁，能朗诵《长恨歌》。十三能诗，书法遒劲，有晋风。归赵田袁氏七载，悒悒不得志。戊申秋，幼妹将嫁，作催妆诗，甫就而讣至，归哭妹过哀，发病而卒。"同书同卷《叶小鸾》："小鸾，字琼章，一字瑶期，宛君第三女。四岁能诵楚辞……十二岁，发已覆额，娇好如玉人。工诗，多佳句。十四能弈，十六善琴，能模山水，写落花飞蝶，皆有韵致……林下之风，闺房之秀，殆兼有之。"雍正《江南通志》卷一七六："叶绍袁妻沈宜修，字宛君，吴江人。绍袁官工部郎中，风流韶令，宜修年十六来归，生三女。长曰纨纨，次曰蕙绸，幼曰小鸾。兰心蕙质，皆女秀也。宜修与三女题花赋草，中庭之咏，不减谢家。纨纨、小鸾皆不永年，宜修神伤心死，未几卒。绍袁合妻女所著诗曰《午梦堂集》，行于世。叶纨纨，字昭齐，生三岁，能朗诵《长恨歌》，十三能诗书法，遒劲有晋风。归赵田袁氏。幼妹小鸾殇，哭妹过哀，发病，卒年二十有三。叶小鸾，字琼章，四岁能诵楚辞，十岁与母宜修初寒夜坐，母云：'桂寒清露湿。'即应云：'枫冷乱红凋。'善琴，能模山水，写落花飞蝶，皆有致。将婚而殁，年十七。"胡文楷《历代妇女著述考》卷五著录沈宜修《鹂吹集》二卷、《绣垂馆遗稿》一卷、《梅花诗》一卷、《伊人思》一卷，引《宫闺氏籍艺文考略》云："沈宜修，字宛君，吴江人，副使珫女，工部叶绍袁妻。所著有《鹂吹集》二卷、《梅花诗》一卷，又辑近代名媛诗文为《伊人思》一卷。《玉镜阳秋》云：叶夫人诗，绮缛有馀，微乏清峭，精掇数篇，颇殊世赏。五古如《金陵秋夜》一章，可谓弹丸脱手。律句如'高林一叶人初去，短梦三更感乍生'，足为高亮之词；'遥思羌笛吹残月，此际寒光正落霜'，不乏清遥之思，并其警策也。连珠数首，亦娴丽可诵。三赋一招，苦乏精语。传云善作字，端丽可爱。"同书卷六著录叶纨纨《愁言》一卷："是书一名《芳雪轩遗集》，刊入《午梦堂全集》中。前有叶绍袁序，后有附集一卷，为哀祭之作。凡五古四首、七古五首、五律十一首、七律四首、五绝七首、七绝六十四首、词四十七首。"又引《宫闺氏籍艺文考略》云："叶纨纨，字昭齐，绍袁长女，归赵田袁氏，早卒。遗集一卷曰《愁言》。《玉镜阳秋》云：昭齐七绝及诗馀诸调，殊有清丽之词也。顾世于诸叶，独誉琼章，犹称陈思者，过抑子桓，岂平允之论？从母沈大荣序《鹂吹集》云：昭齐书法遒劲，有晋人风致。"同卷又著录叶小纨《鸳鸯梦》："小纨，字蕙绸，吴江人，叶绍袁女，诸生沈永祯妻。是书《午梦堂全集》之一，正名《三仙子吟赏凤凰台，吕真人点破鸳鸯梦》，凡四齣，前后无序跋。"又引《宫闺氏籍艺文考略》云："叶小纨，字蕙绸，工部绍袁仲女，所著有词一卷，又作《鸳鸯梦传奇》，舅氏沈自徵序云：词曲盛于元，未闻擅能闺秀者。蕙绸出其俊才，补从来闺秀所未有，其俊语韵脚，不让贯酸斋、乔梦符，即其下里，犹是周宪王金梁桥下之声。"同卷又著录叶小纨《存馀草》："是书其弟燮为刻遗诗，附《午梦堂集》后。'存馀'之名，即燮所命。"同卷又著录叶小鸾《返生香》一卷："小鸾，字琼章，一字瑶期，吴江人，叶绍袁女，昆山张立平妻。是书一名《疏香阁遗集》，刊入《午梦堂全集》中，前有沈自炳序，后有附集一卷，为哀祭之作。《十洲记》曰：西海中洲上有大树芳华，香数百里，名为返魂，亦名返生香。笔墨精灵，庶几不朽，亦死后之生也，故取以名集。凡五古六首、五律十二首、七律六首、五绝六首、七绝五十七首、偈一首、词九十首、曲一首、续七绝二首、拟连珠序一首、记二首。"又引《宫闺氏籍艺文考略》云："叶小鸾，字琼章，一字瑶期，绍袁第三女，早卒。母宜修为传，遗集一卷曰《返生香》。《玉镜阳秋》云：二叶并无五言古，琼章近体亦鲜善篇，七古及绝句，视姊为胜。诗馀清丽相当，而时有至语。拟其恣制，正如花红雪白，光悦宜人。而一语缠绵，复耐人寻咀。骈俪之文，涉笔便工。《秋思》一序，及连珠数篇，并为妍妙。《汾湖石记》，亦颇仿欧。虽小用传奇体，然漾洄秀复，不可一读而置，尤是佳文。"

是年

宋琬为丁耀亢《化人游》传奇撰《总评》。《总评》："《化人游》非词曲也，吾友某渡世之寓言，而托之乎词者也……顺治戊子，莱阳玉叔甫宋琬题。"

毛先舒撰《唐人韵四声表》与《南曲正韵》成。毛先舒《韵学通旨自序》："戊子岁抄，先舒撰《唐人韵四声表》及《南曲正韵》既成，适同郡柴子虎臣撰《柴氏古韵通》，沈子去矜撰《沈氏词韵》，钱雍明先生撰《中原十九韵说》，其书皆综次精核，可以为词家之宗法。即予之所撰，虽才谫识陋，亦颇信而有征。"

张采（1596—1648）卒。据吴海林等编《中国历史人物生卒年表》。《明史·文苑传》："采，字受先，与溥善。溥性宽，泛交博爱。采特严毅，喜甄别可否，人有过，尝面叱之。知临川，摧强扶弱，声大起。移疾归，士民泣送载道。知州刘士斗、钱肃乐严重之，以奸蠹询采，片纸报，咸置之法。福王时，起礼部主事，进员外郎，乞假去。南都失守，奸人素衔采者，群击之死，复用大锥乱刺之。已而苏，避之邻邑，又三年卒。"朱彝尊《静志居诗话》卷一九《张采》："张采，字受先，太仓州人。崇祯戊辰进士，除临川知县，升补礼部主事。娄东二张，狎主复社盟书，吉士身后，诏求遗书，通邑大都，家守其学。仪部名虽少逊，然里门作志，留都议礼，考文征献，比于吉士功多。"《四库总目提要》卷二三著录张采《周礼注疏合解》十八卷。陈田《明诗纪事》辛签卷二二选张采诗一首，小传谓其有《知畏堂文存》十一卷、《诗存》四卷。引《复社纪事》云："天如先生同里最亲善者曰张受先采，海内所目为娄东两张者也。受先筮仕临川，纲维张设，一以古循吏为师。谢病归，遇同辈多所磨切，敢为激发之行，数以古法治乡党闾左，铢两之奸，辄诵言诛之，惟恐其人不闻知者。南都覆，受先为邑蠹里猾乘乱摽击，刺剟无完肤，绝而复苏。又两年，而病没于遯迹之荒野。"

吴炳（1595—1648）卒。《中国大百科全书·戏曲曲艺卷》马美信撰吴炳词条，括注吴炳生卒年"？—1647"。庄一拂《古典戏曲存目汇考》卷十括注吴炳生卒年"？—1650"。蔡毅《中国古典戏曲序跋汇编》卷一一括注吴炳生卒年"？—1650"。张月中主编《中国古代戏剧辞典》谓吴炳"生年不详，卒年为1647年"。蒋星煜《中国戏曲史探微·吴炳降清后死于痢疾考》："他卒于永历二年（1648）是没有问题的了。至于生年，假定他万历四十（1612）中乡举时为二十五岁，则应生于万历十五年（1587）前后。"李修生主编《古本戏曲剧目提要》郭英德撰《绿牡丹》词条，括注吴炳生卒年"1595—1648"。今从。吴炳，字石渠，又字可先，号粲花主人，宜兴（今属江苏）人。明万历四十七年（1619）进士，历官蒲圻知县、江西提学副使。明亡后，随永历帝入桂，擢兵部侍郎兼东阁大学士。兵败被清兵所俘，病死。著有《说易》及传奇《绿牡丹》、《画中人》、《疗妒羹》、《西园记》、《情邮记》，总名《粲花斋五种曲》。《明史·吴炳传》："吴炳，宜兴人。万历末进士。授蒲圻知县。崇祯中，历官江西提学副使。江西地尽失，流寓广东。永明王擢为兵部右侍郎，从至桂林，令以本官兼东阁大学士，仍掌部事。又从至武冈。大兵至，王仓促奔靖州，令炳扈王太子走城步，吏部主事侯伟时从之。既至，城已为大兵所据，遂被执，送衡州。炳不食，自尽于湘山寺，伟时亦死之。"康熙《常州府志》卷二四："吴炳，字可先，宜兴人。进士，授蒲圻县令，辨冤狱，均田赋，升刑部主事。时魏忠贤用事，屡起大狱。炳乞政工部，都水司，值三殿采石湑县，恤工匠之困。知福州府时，抚军某兵败，舟焚欲投洋，贾金以偿，嘱炳文致其狱，炳曰：'杀人媚吾何忍。'病告归。后督江西，播迁闽粤，不食而死。所著乐府五种行世，《说易》一编失稿。"吴梅《〈粲花五种〉总跋》："《粲花五种》，吴石渠（炳）著。石渠，宜兴人，贞毓相国之族叔，永历时官至东阁大学士。武冈陷，为孔有德所执，不食死。虽立朝无物望，顾不失为殉节焉。王船山仕永历时，与五虎交好。所著《永历实录》痛诋贞毓，并石渠死节亦矫诬之，谓强餐牛肉下痢死。

明人党同伐异之风，贤如船山，且不能免，故略辨于此（乾隆中，石渠赠谥忠节）。石渠少时即能制曲。焦里堂《剧说》云：'石渠十二三时，便能填词。《一种情》传奇，乃其幼年作也，恐为父呵责，托名槃花。槃花者，其司书小隶也。'此说昔人所未发，不知何据。石渠与石巢齐名，而人品则薰莸矣。五种中《情邮》最胜。世皆推崇《疗妒羹》，盖未见《情邮》故。《疗妒》本朱介人《风流院》改作之。《疗妒羹》之扬不器，即《风流院》之舒洁郎。使小青地下蒙垢，皆不可为训。《西园》、《画中人》，有意摩玉茗之垒，未脱窠臼。独《绿牡丹》一剧，几兴大狱。当张天如创兴复社也，湖州孙孟朴为司邮。介绍两浙贵介子弟。乌程温育仁者，相国体仁弟也，欲入社不得，遂请石渠作此剧消之。浙中梨园争相搬演。社中人诉诸学臣黎元宽，究作者主名，下育仁仆于狱。桁杨书贾，出示厉禁，而娄江、乌程遂开大衅矣。书中柳五柳、车尚公、范思词，盖指王元祉、陈章侯辈，而吴兴沈重，则影射张天如、周介生等也。详见《复社纪事》、《冬青馆集》（中有《绿牡丹跋》一首）。明季党人以文字为戈铤，亦一奇事也。因志其颠末，以告后之读是书者。己未季冬下旬，长洲吴梅书于斜街寓斋。"

公元 1649 年（清顺治六年　己丑　南明永历三年　鲁监国四年）

三月

施闰章考中二甲第二十六名进士。

七月

永历帝封郑成功为延平公。据《明通鉴》。

是年冬

吴郡慎交社与同声社成立。两文社本松江几社之流脉，慎交社由宋实颖、宋德宜、宋德宏三人主之，尤侗、吴兆骞、计东、顾有孝、王摅等人参与。同声社由章在兹兄弟与王发主之，王昊、田茂遇等人参与。见朱倓《明季社党研究·几社始末》。

是年

冯舒（1593—1649）卒。据钱仲联主编《中国文学家大辞典·清代卷》。江庆柏《清代人物生卒年表》据冯舒《默庵遗稿》卷一《感旧诗赠钱履之》序，附录冯孝威等"具揭"括注冯舒生卒年亦为"1593—1649"。冯舒，字已苍，号默庵，江南常熟（今属江苏）人，明诸生，为冯班之兄，入清不仕。钱谦益《初学集》卷四〇《冯已苍诗序》："吾党冯生已苍，早谢举子业，枕经藉史，肆志千古。其为学尤专于诗，其治诗尤长于搜讨遗佚，编削讹缪，一言之错互，一字之异同，必进而抉其遁隐，辨其根核。当其朽编断简，纷披狼藉，鲁鱼点定，青丹勾抹，梦梦然若未视也，怅怅然若有求而弗得也。已而疑滞通，胶午释，忽然而睡，焕然而兴，若逐寇者之得首虏也，若案盗者之获赃证也。盖本朝之论诗，所推专门肉谱，无如杨用修。已苍独能抉摘其踌驳，曰此伪撰也，曰此假托也，凿凿乎有所援据，而疏通证明其所以然。虽用修复起，不能自解免也。若近世之《诗归》，错解别字，一一举正。宾筵客座，辨论锋起，援古证今，矫尾厉角，自以为冯氏一家之学，论者无以难也。已苍顾不鄙余，而以其诗卷请叙。"《清史列传·冯班传》附："舒，字已苍。幼承父教，笃志读书。年四十，谢去诸生，与弟班并自为冯氏一家之学。吴中称'二冯'。其学肆力于古，含咀经史，穿穴百家，尤邃于诗。宾筵客坐，辨论锋起。凡当世所推尚，若前后七子，悉受掊击。嘉定程嘉燧时目为诗老，而舒涂抹其集几尽。家多藏书，皆宋元善本，丹黄甲乙，手自雠勘，构小阁，设两厨，各题一铭，以宝藏之。娄东张溥倡为复社，屡招舒，舒以社名犯父偏讳，谢弗往。平生抗直，遇事敢为，不避权势，小人嫉之如仇。明崇祯丁丑，邑绅钱谦益、瞿式耜为奸民张汉儒诬讦，舒委曲营救。汉儒党陈履谦，窜舒名于捕檄中，遂并逮舒，下锦衣狱，移刑部，讼系经冬，诵读不辍。会汉儒等败，舒乃得释，归里。邑中漕粮诸弊，惟舒洞悉其详，思苏民困，顺治初屡上书争之邑令。时邑令瞿四达性贪酷，憾甚，群小又构衅其间，指所选《怀旧集》为谤讪，曲杀之，士林痛焉。所著有《空居集》、《北征》、《浮海》诸诗，《空居阁杂文》二卷、《炳烛斋文》一卷、《文毂》二卷、《历代诗纪》一百卷。又有《诗纪匡谬》一卷、《校订玉台新咏》十卷，犹子武校而刊之。"王应奎《柳南随笔》卷一："吾邑冯舒，字已苍，嗣宗先生（复京）子也。尝以议赋役事语触县令瞿四达，瞿深衔之。会已苍诗有'胡儿尽向琵琶醉，不识弦中是汉音'之句，卷末载徐凤《自题小像》诗有'作得衣裳谁是主，空将歌舞受人怜'之句，语涉讥谤，瞿用此下已苍于狱，未几死，盖属狱吏杀之也。已苍之孙修与余善，为述其颠末如此。又闻已苍在狱中，梏拳而桎，友人往候之，已苍自顾笑曰：'此特冯长作戏耳！'盖已苍颀然长身，人以'冯长'呼之，冯长与'逢场'同音，故云耳。"《四库总目提要》卷一八九著录冯舒《诗纪匡谬》一卷："国朝冯舒撰，舒字已苍，号默庵，又号癸巳老人，常熟人。舒因李攀龙《诗删》、钟惺、谭元春《诗归》所载古诗，辗转沿讹，而其源总出于冯惟讷之《古诗纪》，因作是书以纠之，凡一百一十二条……所抉摘多中其失，考证精核，实出惟讷之上。原原本本，证佐确然，固于读古诗者大有所裨，不得议为吹求，虽谓之羽翼《诗纪》可矣。"同书卷一九一又著录其《冯氏校订玉台新咏》十卷，入"总集类存目"。徐世昌编《晚晴簃诗汇》卷一五选其诗五首，《诗话》云："已苍与弟定远并负诗名，善持论，为钱牧斋所推许。近体以晚唐为宗，古风才气，视定远差纵逸。晚年以《怀旧集》被文字之狱祸。先在崇祯中，因牧斋狱事牵连被逮，所著《虞山妖乱志》叙述最详。"邓之诚《清诗纪事初编》卷一著录冯舒《默庵遗稿》十卷："冯舒，字已苍，常熟人，诸生。与弟班皆擅文学，以《玉台新咏》、《才调集》教人。又多藏书，校勘异同，极有识解。县志称舒直肠快口，躯干伟然，遇事敢为，不避强势，小人嫉之如仇。顺治初相与搆衅于县，指所选《怀旧集》为谤讪，曲杀之。《后虞书》则云：'瞿知县四达杀诸生冯舒于狱。邑中各项钱粮，惟舒独知其弊，诸生黄启耀等合辞上瞿贪状，瞿以贿饰，疑辞出舒手，故杀之。子亦诸生，默默而已。'按《后虞书》所言为得实，盖姑以《怀旧集》为罪名耳。舒遗诗止于己丑，时为顺治五年（当为六年），遭祸当即其时。以遗稿和钱履之诗推之，卒年五十有七。所撰《墨庵遗稿》十卷，凡《空居集》二卷、《北征集》二卷、《浮海集》一卷、《避人集》二卷、《幽违集》一卷、杂文二卷三十五首。《避人》、《幽违》两集，作于乙酉（弘光元年）以后，为县志所未及，集当刻于康熙初。诗多缺字，以避忌讳，然抵触尚时有之。《怀旧集》有传抄本，别撰《虞山妖乱志》，述崇祯十年钱谦益、瞿式耜为张汉儒所讦下狱始末，兼及翁顾淫乱事，事奇文奇。然文秉《烈皇小识》称舒为谦益持四万金赂冯铨，事始得解。遗稿《北征集》有《至涿州诗》，《小识》所言未为无因，舒独讳之，安得为直笔乎！书中历述在事诸人皆不得其死，而不知己亦不免。与人翻覆之局，鲜不败者，舒于谦益可谓厚矣。独怪瞿四达素附谦益为门人，舒之死，谦益竟无一言解之何也？张溥倡复社，招舒不往，是秀才争闲气，耻居人后，不得言志节。"

公元 1650 年（清顺治七年　庚寅　南明永历四年　鲁监国五年）

正月

清颁行满译《三国演义》。据俞正燮《癸巳存稿》卷九。

五月

七日，查慎行（1650—1727）生。陈敬璋《查他山先生年谱》："国朝世祖章皇帝顺治七年庚寅五月七日酉时，先生生于海宁花溪龙尾山故里。"查慎行，初名嗣琏，字夏重，后更名慎行，字悔馀，号他山，又号查山，以晚筑初白庵以居，学者称初白先生，海宁（今属浙江）人。康熙四十二年进士，授编修，以病乞归。著有《敬业堂集》五十卷、《敬业堂续集》六卷、《敬业堂诗钞》二卷、《初白庵诗评》三卷、《人海记》等。

是年秋

余怀至太仓，初识吴伟业等。王昊《硕园诗稿》卷八（原注：庚寅）载《白门余澹心来娄，同昭苣、子俶、九日、圣符、周臣、端士、异公集梅村先生梅花庵》诗云："邺下翩翩会胜流，平原杯酒共淹留。高歌明月人谁壮，芳草浮云意自愁。震泽烟波千顷暮，秣陵花雨六朝秋。江南牢落无穷恨，欲付樽前一笛收。"

余怀《三吴游览志》成书，吴伟业为作序。序文见 1696 年纪事。

十月

吴伟业至常熟访钱谦益，遇卞玉京，作《琴河感旧》四诗，钱谦益亦成四律和之。《吴梅村全集》卷五八《梅村诗话》："女道士卞玉京……后往南中，七年不得消息。忽过尚湖，寓一友家不出。余在东涧宗伯坐，谈及故人，东涧云：'力能致之。'呼舆往迎，续报至矣。已而登楼，托以妆点始见。久之云痁疾骤发，请以异日访余山庄。余诗云：'缘知薄倖逢应恨，恰便多情唤却羞。'此当日情景实语也。又过三月，为辛卯初春，乃得扁舟见访，共载横塘，始将前四诗书以赠之。而东涧读余诗有感，亦成四律。"钱谦益晚年自号东涧遗老，上引文故称东涧宗伯。《吴梅村全集》卷六有《琴河感旧四首》，其序云："枫林霜信，放棹琴河。忽闻秦淮卞生赛赛到自白下，适逢红叶，余因客座，偶话旧游，主人命犊车以迎来，持羽觞而待至。停骖初报，传语更衣，已托病痁，牵延不出。知其憔悴自伤，亦将委身于人矣。予本恨人，伤心往事。江头燕子，旧垒都非；山上蘼芜，故人安在？久绝铅华之梦，况当摇落之辰。相遇则惟看杨柳，我亦何堪；为别已屡见樱桃，君还未嫁。听琵琶而不响，隔团扇以犹怜，能无杜秋之感、江州之泣也！漫赋四章，以志其事。"诗其二有云："油壁迎来是旧游，尊前不出背花愁。缘知薄倖逢应恨，恰便多情唤却羞。故向闲人偷玉筋，浪传好语到银钩。五陵年少催归去，隔断红墙十二楼。"

闰十一月

十七日，瞿式耜（1590—1650）**卒。**瞿式耜生于明万历十八年（1590）八月初八日。生卒年月日据瞿果行编《瞿式耜年表》。（见上海古籍出版社 1981 年出版《瞿式耜集·附录》）瞿式耜，字伯略，一字起田，别号稼轩，常熟（今属江苏）人。著有《虞山集》，清道光间有《瞿忠宣公集》刊行，1981 年上海古籍出版社出版整理本《瞿式耜集》。《明史·瞿式耜传》："瞿式耜，字起田，常熟人。礼部侍郎景淳孙，湖广参议汝说子也。举万历四十四年进士，授吉安永丰知县，有惠政……崇祯元年擢户科给事中……十七年，福王立于南京。八月起式耜应天府丞，已，擢右佥都御史……明年夏，甫抵梧州，闻南京破……唐王擢式耜兵部右侍郎……式耜不入朝，退居广东。顺治三年九月，大兵破汀州，式耜与魁楚等议立永明王由榔，乃迎王于梧州，以十月十日监国肇庆。进瞿式耜吏部右侍郎、东阁大学士，兼掌吏部事……七年正月，南雄破……十一月……（桂林）城中无一兵，式耜端坐府中，家人亦散。部将戚良勋请式耜上马速走，式耜坚不听，叱退之。俄总督张同敞至，誓偕死……黎明，数骑至，式耜曰：'吾两人待死久矣。'遂与偕行，至则踞坐于地。谕之降，不听，幽于民舍。两人日赋诗倡和，得百馀首。至闰十一月十有七日，将就刑，天大雷电，空中震击者三，远近称异，遂与同敞俱死。同敞，大学士居正孙，事见《居正传》。"朱彝尊《静志居诗话》卷二一《瞿式耜》："瞿公生长华门，屏游闲之习，自临八桂，尽瘁行间。既系狱中，与江陵张公同敞，悲歌酬和，互作草书，笔飞墨舞，联为行看子，往尝见之于吴下，所谓'鼎镬甘如饴'者。"《四库总目提要》卷一三二著录瞿式耜《愧林漫录》十卷："明瞿式耜撰。式耜字起田，常熟人。万历丙辰进士，官至右佥都御史，巡抚广西，晋文渊阁大学士，兼兵部尚书。大兵下广西，抗节死之。事迹具《明史》本传，乾隆四十一年，赐谥忠节。是编成于崇祯丙子，杂钞诸儒之言，分为学问、居心、规家、酬世、在位、积德、读书、究竟、摄生、依隐十篇，儒墨兼陈，盖林居时录以自警，大旨归于为善而已，非辨别学术之书也。"陈田《明诗纪事》辛签卷九上选瞿式耜诗一首。

是年

松江原社成立，为几社馀脉，杜登春等主之，董含、董俞参与。据朱偰《明季社党研究·几社始末》。

毛先舒等《西陵十子诗选》十六卷刊行。 毛先舒《思古堂集》卷三《万里志序》："庚、辛间，余辈有西陵十子之选。"今国家图书馆藏有是书顺治七年还读斋刊本。

顾彩（1650—1718）生。 据钱仲联主编《中国文学家大辞典·清代卷》。顾彩，字天石，一字湘槎，号补斋，无锡（今属江苏）人，贡生。曾与孔尚任合著《小忽雷》传奇，为曹寅题《楝亭夜话图》。工词曲，著有《往深斋诗集》八卷、《辟疆园文稿》、《鹤边词》一卷、《草堂嗣响》四卷（又名《往深斋词》），又撰《楚辞谱》、《南桃花扇》、《后琵琶记》等传奇，以及《第十一段锦词话》弹词。嘉庆《无锡金匮县志》卷二二："顾宸，字修远，嘉舜子，崇祯十二年举人。操文场选柄数十年，每辟疆园新本出，一悬书林，不胫而遍海内。好藏书，插架充栋，后厄于焚。尝注杜诗，补辑宋文三十卷，皆东莱《文鉴》所未及。为诗文丰蔚典赡。子彩，字天石，有异才，尤工词曲。客曲阜，制乐府百馀种。彩子忠，亦工诗。"叶恭绰《全清词钞》卷六选顾彩词四首，小传云："顾彩，字天石，一字湘槎，号补斋，江苏无锡人。有《鹤边词》一卷、《草堂嗣响》四卷，一名《往深斋词》。"

张潮（1650—1709）生。 生卒年据宁稼雨《中国文言小说总目提要》（齐鲁书社1996年出版）。张潮，字山来，号心斋，又号三在道人，江南歙县（今属安徽）籍，江都（今属江苏）人（或谓江西新安人，见河北人民出版社1983年出版《虞初新志·出版说明》）。与孔尚任、冒辟疆、陈维崧皆有交。乾隆《歙县志》卷一二："张潮，字山来，康熙初岁贡，授翰林院孔目。平生好学，所著有《檀几丛书》、《昭代丛书》、《虞初新志》、《古文尤雅》、《四书会意》、《解心斋诗钞》、《聊复集》、《友声集》、《尺牍偶存》、《笙诗外辞》、《咏物诗》、《心斋杂俎》、《奚囊寸锦》行世。"民国《歙县志》卷一五著录张潮著述多种："《四书会解》六卷、《焦山古鼎考》一卷、《昭代丛书》一百五十卷、《檀几丛书》五十卷、《虞初新志》十二卷、《心斋杂俎》四卷、《幽梦影》二卷、《奚囊寸锦》四卷、《心斋诗钞》四卷、《古文尤雅》、《聊复集》一卷、《友声集》一卷、《咏物诗》一卷。"另据《中国丛书综录》小说家著录，张潮尚有《贫卦》、《书本草》、《花鸟春秋》、《补花底拾遗》、《酒律》等。

公元1651年（清顺治八年　辛卯　南明永历五年　鲁监国六年）

正月

卞玉京著道士装访吴伟业，为鼓琴，吴伟业为作《听女道士卞玉京弹琴歌》。《吴梅村全集》卷一〇《过锦树林玉京道人墓》诗有序云："（玉京）寻遇乱别去，归秦淮者五六年矣。久之，有闻其复东下者，主于海虞一故人，生偶过焉。尚书某公者，张具请为生必致之，众客皆停杯不御，已报曰至矣，有顷，回车入内宅，屡呼之终不肯出。生悒怏自失，殆不能为情，归赋四诗以告绝，已而叹曰：'吾自负之，可奈何！'逾数月，玉京忽至，有婢曰柔柔者随之。尝著黄衣作道人装，呼柔柔取所携琴来，为生鼓一再行，泫然曰：'吾在秦淮，见中山故第有女绝世，名在南内选择中，未入宫而乱作，军府以一鞭驱之去。吾侪沦落，分也，又复谁怨乎？'坐客皆为出涕。"《吴梅村全集》卷三《听女道士卞玉京弹琴歌》有云："月明弦索更无声，山塘寂寞遭兵苦。十年同伴两三人，沙董朱颜尽黄土。贵戚深闺陌上尘，吾辈飘零何足数。坐客闻言起叹嗟，江山萧瑟隐悲筋。莫将蔡女边头曲，落尽吴王苑里花。"邓汉仪评曰："有此等恨事，却有此等好诗。千载伤心，一时掩泪。"

三月

二十九日，开八旗子弟科举。《清史稿·世祖本纪二》："八年……三月……丙午，许满洲、蒙古、汉军子弟科举，依甲第除授。"蒋良骐《东华录》卷六："顺治八年……三月，吏部言：'各旗子弟率多英才，可备循良之选，但学校与制科未行耳。先帝在盛京，爱养人才，开科已有成例，今日正当举行。臣等酌议，满洲、蒙古、汉军各旗子弟有通文义者，提学御史考试，取入顺天府学，乡试作文一篇，会试作文二篇，优者准其中式，照甲第除授官职。则人知向学。进取有阶矣。'报可。"

五月

五日，小说《定鼎奇闻》（又名《新世弘勋》、《盛世宏勋》、《新史奇观》）二十二回成书刊行，题"蓬蒿子编"，记明末李自成反明与清兵入关事。蓬蒿子《定鼎奇闻序》后署"顺治辛卯天中令节，蓬蒿子书于耨云斋中"。古人称五月五日端午节为天中节。

九月

旧题陶贞怀长篇弹词《天雨花》三十卷问世。嘉庆九年遗音斋刊本《天雨花原序》："余生长乱离，遭时患难，每读英雄之传，慨然忠孝之才……家大人有水镜知人之明，抱辋川卷怀之首。惜余缠足，许以论心，谓余有木兰之才能，曹娥之志行，深可愧焉……顺治八年岁次辛卯九月二十九日，梁溪陶贞怀自叙。"按，陶贞怀当为明清之际无锡（今属江苏）的一位闺秀作家，此恐系化名。胡文楷《历代妇女著述考》卷一五著录《天雨花》三十卷："（清）陶贞怀撰，《中国俗文学史》著录（见）。贞怀，梁溪人。是书光绪十六年（1890）庚寅刊本。扉页题《绣像天雨花全传》三馀堂藏版。前有顺治八年自序。左维明、桓清闰、左永正、桓楚卿、左仪贞、左德贞画像六幅。自序称：'别本在清河张氏嫂、莒城张氏嫂、同里蒋氏姨、高氏姨、管氏妹，并多传抄讹脱，身后庶将此本丁宁太夫人，寄往清河。'光绪二十二年丙申（1896）上海书局石印本。民国十一年（1922）广雅启新石印本。"又引《闺媛丛谈》云："《天雨花弹词》共三十馀卷，而一韵到底，洵乎杰作也。其署名为梁溪女子陶贞怀，而近谓实出浙江徐致和太守之手。"《中华文史论丛》1979 年第四辑载熊德基《〈天雨花〉作者为明末奇女子刘淑英考》，认为《天雨花》为明末受阉党迫害而死的扬州知府刘铎之女刘淑英所作。按，刘淑英，当作刘淑，详本书 1620 年、1627 年有关刘淑、刘铎记事。

是年

吴伟业作《秣陵春》传奇，借南唐故事发抒亡国之痛，感慨良多。余怀《五湖游稿·石湖》有《至娄东吴骏公宫尹留饮廓然堂同周子俶剧饮》四首，其四云："愁深沧海月，醉杀秣陵春。"自注："宫尹有《秣陵春》传奇。"

吴伟业作《圆圆曲》。冯其庸、叶君远《吴梅村年谱》"顺治八年"下有注云："此诗之作期众说不一，顾《谱》系于顺治元年，而程穆衡《吴梅村编年诗笺注》系于顺治十六年，铃木《谱》则'疑作于顺治十六年以后'。今人冯沅君先生系于顺治七年（见《文史》第四辑《吴伟业〈圆圆曲〉与〈楚两生行〉的作期》），钱仲联先生系于顺治八年（见《社会科学战线》1981 年第一期《吴梅村诗补笺一勺》）。此诗之叙事及于吴三桂顺治元年之后事，故作于顺治元年之说显误。其馀数说，以顺治八年说最合理。"

侯方域应清廷乡试，中副榜。据侯洵《侯朝宗年谱》。

公元 1652 年（清顺治九年　壬辰　南明永历六年　鲁监国七年）

三月

曹尔堪考中二甲第十五名进士。

汤斌考中三甲第一百六十七名进士。

十五日，查继佐为丁耀亢《赤松游》传奇作序。序云："壬辰之春，遇野鹤子燕市，相把唏嘘，为余言亡匿故事，若有十日，索不可得者也……野鹤子初有《化人游》，情词悬幻，龚芝麓已为之叙，有曰'知非悠悠之论也'。余得是意而更为《赤松游》作赞如左。时壬辰三月之望，东山钓史不省之初名继佐姓查氏初字伊璜题于燕市之菜市。"

四月

清两江总督马国柱疏荐吴伟业，吴伟业上书马国柱以病辞。《清史列传·贰臣传》："本朝九年，两江总督马国柱遵旨举地方品行著闻及才学优长者，疏荐伟业来京。"《吴梅村全集》卷五十四《上马制府书》："伟业学行一无所取，固不待言，而患病则实迹也，共见共闻者也。伏祈祖台即于确查之中，将伟业患病缘由详列到部。"

十月

侯方域致书吴伟业，力劝吴伟业勿仕清廷，吴伟业以"不负良友"答之。侯方域《壮悔堂文集》卷三《与吴骏公书》："十月朔日，域再拜致书骏公学士阁下……近见江南重臣推毂学士，首以姓名登之启事。此自童蒙求我，必非本愿。学士必素审，无俟鄙言。然而学士之出处将自此分，天下后世之观望学士者亦自此分矣。窃以为达权救民、有志匡济之士或不须尽守硁硁，独学士之自处不可出者有三，而当世之不必学士之出者有二，试言之而学士垂听之。"此书之后有侯方域之友贾开宗语云："余见学士复侯子书，尤慷慨，自矢云'必不负良友'。"

十二月

诗僧苍雪访吴伟业，吴伟业盛赞其诗。《吴梅村全集》卷五八《梅村诗话》："苍雪师，云南人……苍公年老有废疾，然好谈诗。以壬辰腊月过草堂，谓余曰：'近世狐禅盛行，一大藏教，将坠于地矣。且无论义学，即求一诗人不可复得。乃幸与子遇。我襆被来，不曾携诗卷，当为子诵之。'是夜风雨大作，师语音伧重，撼动四壁，痰动喉间，咯咯有声，已，呼茶复话，不为倦。漏下三鼓，得数十篇，视阶下雨深二尺矣。当其得意，轩眉抵掌，慷慨击案。自谓平生于此证入不二法门，禅机诗学，总一参悟。其诗苍深清老，沉著痛快，当为诗中第一，不徒僧中第一也……师虽方外，于兴亡之际，感慨泣下，每见之诗歌。"

是年

禁刻琐语淫词。魏晋锡纂修《学政全书》卷七《书坊禁例》："顺治九年题准，坊间书贾，只许刊行理学政治有益文业诸书；其他琐语淫词，及一切滥刻窗艺社稿，通行严禁。违者从重究治。"

毛先舒《诗辩坻》四卷成书。毛先舒《诗辩坻自叙》："《诗辩坻》四卷，作于乙之首春，成于壬之杪冬，首尾八年。"

陈洪绶（1599—1652）卒。据黄涌泉《陈洪绶年谱》。来新夏《近三百年人物年谱知见录》著录此谱云："谱主生年，其说纷纭。是谱据宣统辛亥重修宅埠陈氏宗谱所记，谱主生于万历二十六年十二月二十七日（已交公元 1599 年 1 月 23 日）。惟谱主所撰《吕吉士诗序》一文中有云：'吉士与余同年生，余长其十馀日'，是谱主之生日至少应在十二月二十日以前。谱主生年有据，生日尚待深考，故公元对照，仍依年换算，而未计其生日。"陈洪绶，字章侯，幼名莲子，一名胥岸，号悔迟、老迟、弗迟、悔僧、云门僧、九品莲台主者、小净名，老年称老莲，浙江诸暨人，明国子监生。入清，曾一度为僧，后以卖画为生。《清史列传·文苑传》："陈洪绶，字章侯，浙江诸暨人。工诗善画，与莱阳崔子忠齐名，号'南陈北崔'……崇祯末，入赀为国子生，寻归里。既，遭乱，混迹浮图，纵酒自放，醉后恸哭不已。有求画者靳不与，及酒间召妓，即自索笔墨，小夫稚子，无弗应也……其绘事本天纵，尤工人物，得李公麟法，论者谓在仇、唐之上。诗有逸致，为画所掩，朱彝尊、王士禛皆赏之。尝与毛奇龄约某时萧山相访，以年暮畏死先期至。晚亦称老迟。著有《宝纶堂集》。"朱彝尊《静志居诗话》卷一九《陈洪绶》："余每睹其真迹，所画美女，妖冶绝伦，今则赝本纷纭，多系其徒严水子、山子、司马子雨辈所仿，率皆遴篹垔戚施矣。诗颇饶逸致，惜流传者寡。"袁行云《清人诗集叙录》卷一著录陈洪绶《宝纶堂集》不分卷（光绪十四年取斯家塾活字本）："其子陈字为搜辑生平诗文共十卷，传本几如星凤。光绪间会稽董金鉴补辑遗文佚事，以活字版摆印，即此本。《清诗纪事初编》未收。全书不分卷，有康熙间罗坤、胡其毅旧序，董金鉴跋。其诗不脱公安之习，而涉及明末清初时事，固自奇崛不凡。题画咏梅之什亦多拔俗。洪绶受知于刘宗周，入清与周亮工、张岱有交。"

公元 1653 年（清顺治十年　癸巳　南明永历七年　鲁监国八年）

三月

鲁王朱以海去监国之号。据徐鼒《小腆纪年附考》卷一八。

三日至四日，慎交、同声二文社大会于虎丘，以吴伟业为宗主。王抃自编《王巢松年谱》："（顺治十年）是年上巳，郡中两社俱大会于虎丘，慎交设席在舟中，同声设席在五贤祠内。次日，复于两社中拔其尤者，集半塘寺订盟。四月中，复会于鸳湖，归途在弘人斋中宴饮达曙，此后始稍得宁息。两社俱推戴梅村夫子，从中传达者，研德、子傲两君，专为和合之局，大费周旋。"杜登春《社事始末》："时吴梅村出山就道，次虎丘，讲求慎、同合局。"董含《三冈识略》卷二《虎丘修禊》："吴阊宋既庭实颖、章素文在兹，上巳日飞笺订客，大会于虎丘阜。江浙二省及自远赴者凡二千人，吾乡与会者二十馀人。先一日，布席山顶。次夕，联巨舰数十，飞觞赋诗，歌舞达曙。翌日，各挟一小册，汇书籍贯姓名而散。真修禊以来一盛事也。吴祭酒以诗记之……"编者按，《吴梅村全集》卷六有《癸巳春日禊饮社集虎丘即事四首》七律，即为两社盛会而作。

十八日，戴名世（1653—1713）**生。**《潜虚先生文集》卷首附戴钧衡《潜虚先生年谱》："顺治十年癸巳，先生生于是年三月十八日吉时。先生曾祖孟庵先生犹在堂，年五十八。祖古山先生，年四十。父霜崖先生，年二十一。"戴名世，字田有，一字褐夫，号南山，又号药身、忧庵、意园等，被杀后，学者私称"宋潜虚先生"，江南桐城（今属安徽）人。《清史稿·戴名世传》："先是门人尤云鹗刻名世所著《南山集》，集中有《与余生书》，称明季三王年号，又引及方孝标《滇黔纪闻》。当是时，文字禁网严，都御史赵申乔劾奏《南山集》语悖逆，虽逮下狱。孝标已前卒，而苞与之同宗，又序《南山集》，坐是方氏族人及凡挂名集中者皆获罪，系狱两载。九卿覆奏，名世、云鹗俱论死，亲族当连坐，圣祖矜全之。又以大学士李光地言，宥苞及其全宗。申乔有清节，惟兴此狱获世讥云。名世为文善叙事，又著有《孑遗录》，纪明末桐城兵变事，皆毁禁，后乃始传云。"戴兴《潜虚先生墓表》："呜呼！此故太史潜虚先生之墓也。先生之死，距今百三十年……先生姓□氏，讳□□，字□□，一字褐夫，桐城人也，世人今隐其姓名，称之曰宋潜虚先生。先生生一岁能言，六岁从塾师受学，凡五年《四书》、《五经》读已毕。少长，嗜周、秦、汉、唐以来诸家之史，俯仰凭吊，论其成败得失，时作为古文，以自抒其意。年二十，授徒他方，始习为科举之业。是时时文风气不振，先生忧之，乃融会经史诸子百家之言，自辟一经而行。里忠潘木崖先生奇之，曰：'此文章风气所关也。'年二十八，补县学生。康熙二十四年，行选贡法，先生以廪生考得贡，前后督学使者为诸城刘公、吉水李公，二公俱以国士相待。岁丁卯，补正蓝旗教习，考授知县，厥后往来燕赵、齐鲁、河洛、吴越之间，所至名公卿争相引重，而常州韩菼，同里方舟、方苞、刘捷，长洲汪份，无锡刘齐，江浦刘岩，宿松朱书，吴趋吴士玉，北平王源，此数人者尤心折先生。先生与诸人讨论经史，倡明文章之学，每有作，咸嗟叹，以谓不可及。岁乙酉，中式顺天举人。己丑会试，中式一名进士。时安溪李文贞公为总裁，揭晓，文贞喜曰：'此天下一人也，今出吾门下矣。'殿试一甲二名，授翰林院编修。越辛卯，文字祸发，以癸巳二月十日卒，享年六十有一。"徐宗亮《戴先生传》："戴先生讳名世，字田有，一字褐夫，世居桐城南山，以孝弟力田闻。先生少负奇气，不可一世，文章学行，争与古人相后先，尤以史才自负，喜网罗明代逸事。既穷而游，多愤世嫉俗之论，以是积学之士皆慕其才与之交，而持声利挟权势者，则畏其口而忌其能，先生由是益困。"马其昶《戴南山先生传》："戴先生讳名世，字田有，一字褐夫，南山其别号也，世人隐其名，称曰宋潜虚。上世以赀雄，父讳硕，字孔万，诸生，为人退让长者，顾善忧，坎坷不偶。为诗百馀卷，尝曰：'读书为善欲报，如捕风影，如吾等者岂宜至此？'及生先生，而好学不事生产，曰：'是将复为我也，吾终以忧死，我死其及汝乎？然甚勿效吾忧也。'先生才隽辨异，既孤，授徒自赡。以精制举业发名，文稿脱手，贾人随刊布之，于是天下皆诵其时文，先生曰：'此非吾之文也。'康熙二十四年，行选贡法，以廪生考得贡，补正蓝旗教习，授知县。厥后往来燕赵、齐鲁、河洛、吴越之间，所至方闻宿学之士，闻声钦慕，而长洲韩慕庐、汪武曾，无锡刘言洁，江浦刘大山，宿松朱字绿，吴县吴荆山，大兴王昆绳，及同里方百川、望溪，尤心折先生。其学长于史，喜考求明季逸事，时时著文以自抒湮郁，气逸发不可控御，于是天下又翕然称其古文，而望溪曰：'此犹非褐夫之文也。'先生既负才自喜，睥睨一世，世亦多忌之。尝遇望溪京师，言曰：'吾非役役于是而求有得于时也。吾胸中有书数百卷，其出也，自忖将由异于人人，非屏居深山，足衣食，使身无所累而一其志于斯，未能诱而出之也。'因太息别去。其后屡相见，必以是为忧。年五十三，始举顺天试，逾四年为康熙四十八年，会试中式第一名进士，总裁李文贞公喜得士。殿试一甲二名，授翰林院编修。越二年，都御史赵公申乔劾《南山集》悖逆，逮系狱。五十二年二月，论死。无子，从弟辅世，以枢归葬于居宅之南。先生素负文誉，久游公卿间，及垂老搆祸，虽无肯有道其为人者。上尝问文贞：'自王霖死，谁能为古文者？'对曰：'为戴名世案内方苞能。'叩其次，即以名世对，上亦不之罪也。先生平生酷慕司马子长之文，每引以自况。留心先朝文献，网罗略备，将欲成一家之言，卒莫能遂其志以死。"张舜徽《清人文集别录》卷四著录《潜虚先生文集》十四卷、补一卷："桐城戴名世撰。名世字田有，一字褐夫，号药身，又自号忧庵。身后，其乡人及四方学者皆称之曰宋潜虚先生。以宋为戴族所自出也。少苦家贫，课徒自给。初以制义发名，后乃肆力经史……桐城经学文章之绪，开自钱澄之，方苞与名世继起，有志昌大，而学问识力，皆不逮澄之远甚。名世与苞，治学途径，又有不同。苞勤于治经。于《易》、《春秋》训诂不依傍前人，辄时有独得。而名世平居好言史法，每论古人成败得失，往往悲涕不能自已。是集卷三《方灵皋序》中，亦已自言之矣。盖名世自少而留心明代史事，其后往来南北，搜访遗书，网罗故老传闻，浩然有著述之志。尝言自朱子没后，群史繁秽，意中时时欲勒成一书，以继《纲目》之后。而有明一代之史，世无能命笔者，更经一再传，则终沦散放失，莫可稽考。当依仿《太史公书》，网罗论次，既成，则以藏之名山，传之其人。平生之志，如此而已（见是集卷六《赠刘言洁序》）。又自言生平尤留意先朝文献，二十年来，搜求遗编，讨论掌故，胸中觉有百卷书，怪怪奇奇、滔滔汩汩，欲触喉而出，而自以为此古今大事，不敢聊且为之。将欲入名山中，洗涤心神，餐吸沆瀣，息虑屏气，久之乃敢发凡起例（卷五《与刘大山书》）。又自言有志欲上下古今，贯穿驰骋，以成一家之言。然家无藏书，不足以资其观览；又其精神心力，困于教授生徒，而又无相知有气力者振之于泥途之中，恐遂废业，不能有所成就（卷二《初集原序》）。大抵名世处境至困，而其志常郁郁莫得申，故所为文，多发愤激昂之辞。其时大兴刘献廷，亦究心旧事，驰骋南北，购求佚文秘籍，以及稗官碑志、野老遗民之所记载，得数千卷，将归老洞庭，著书以终。名世即有意与王源偕归洞庭，读其所购书，而献廷家无担石之储，无以供客，遂不果行（详卷六《送刘继庄还洞庭序》）。然其志事之坚、嗜学之笃，信非庸常所能及矣。《南山集》原刻本，流传已稀，今所见十四卷本，乃其乡人戴钧衡所裒辑者。凡违禁之文，悉已删汰，无复旧观。又有《孑遗录》一卷，纪明末桐城兵变事，旧皆禁毁，此本乃编入末卷，足以考见其长于叙事，且具史裁。集中文字，亦以传志、游记之作为最佳云。"戴名世生前自编文集有《芦中集》、《困学集》、《天问集》、《柳下集》、《岩居川观集》、《周易文稿》以及《时文全集》、《意园制义》等八股文集，又有诗集《齐讴集》，皆早佚。其门人尤云鹗于康熙四十年（1701）刊行之《南山集偶钞》收文百十馀篇，不分卷，今存残本；单行之《孑遗录》，今存。道光间，桐城戴钧衡编有《潜虚先生文集》十四卷，此后又有《南山先生古文全集》、《南山全集》、《戴南山先生全集》、《戴褐夫集》问世。今人整理本有王树民编校之《戴名世集》，后附《戴文系年》与《戴南山先生年谱（订补）》，中华书局1986年出版；又有王树民等编校之《戴名世遗文集》，中华书局2002年出版。

是年秋

　　吴伟业闻征辟诏书下，大病，作《贺新郎·病中有感》以明志。《吴梅村全集》卷二二《贺新郎·病中有感》有句云："脱屣妻孥非易事，竟一钱不值何须说。人世事，几完缺。"又《吴梅村全集》卷五七《与子暻疏》："改革后，吾闭门不通人物，然虚名在人，每东南有一狱，长虑收者在门，及诗祸、史祸，惴惴莫保十年。危疑稍定，谓可养亲终身，不意荐剡牵连，逼迫万状，老亲惧祸，流涕催装。同事者有借吾为剡矢，吾遂落彀中，不能白衣而返矣。先是，吾临行时，以怫郁大病。"

　　吴伟业北上过淮阴，作《过淮阴有感二首》，沉痛万分。《吴梅村全集》卷一五《过淮阴有感二首》其二有云："我本淮王旧鸡犬，不随仙去落人间。"

是年

　　王士禛与徐夜定交。王士禛《渔洋山人自撰年谱》卷上："东痴为季木先生外孙，顺治癸巳年，山人始与定交。"

　　吕留良与吴之振定交。吴之振《黄叶村庄诗集》卷首顾楷仁《吴孟举墓志铭》："十三岁应童试，即与□□□定交试席间。"

　　吴伟业《秣陵春》传奇付梓。卷首自序，见《吴梅村全集》卷三二《秣陵春序》。另有寓园居士序，后署"癸巳孟秋七日寓园居士书于尹绿楼"。寓园居士即李宜之。光绪《嘉定县志》卷十九《文学》："李宜之，字缁仲，诸生。居南翔，庶常名芳子。三岁孤，长负异才，博综今古，尝言二十一史或纪、志、表、传不符，或官爵、姓名谬误，或年月、时世互差，拟删其烦复，乐为一编。未就，遭变，家破子歼。时宜之客金陵，归寓侯氏东园。世祖曾于海淀览其参定《秫陵春》曲，问寓园主人何姓名，祭酒吴伟业以嘉定生员李宜之对，而宜之已前卒。"

公元 1654 年（清顺治十一年　甲午　南明永历八年）

正月

吴伟业在京师访梁维枢，为梁所著《玉剑尊闻》作序。《吴梅村全集》卷三二《梁水部玉剑尊闻序》有云："水部真定梁公慎可，别十八年矣，今年春，再相见于京师，出所著《玉剑尊闻》集以示余曰：子为我序之。"

二月

二十三日，谈迁在京与吴伟业开始交往。谈迁《北游录·纪邮》上："甲午……二月……甲申，仍访吴太史，语移时。晚招饮，以《国榷》近本就正，多所裁订，各有文相证也。太史不善饮，余颇酣。"

三月

二日，谈迁访吴伟业，吴伟业出示近作《萧史青门曲》。谈迁《北游录·纪邮》上："甲午……三月辛卯朔……壬辰，午过吴太史，读近诗，其《萧史青门曲》曰……"

十日，陈名夏（1605—1654）卒。朱彭寿《清代人物大事纪年》："顺治十一年甲午（公元 1654 年），卒岁：陈名夏，前少保、秘书院大学士。三月十日以罪处绞（注：以结党怀奸），年五十。"邓之诚谓其卒年五十四（详后），则当生于 1601 年。蒋良骐《东华录》卷七："顺治十一年……三月，大学士宁完我劾大学士陈名夏结党怀奸，情事叵测。其略曰：'陈名夏痛恨我朝薙发，鄙弃我国衣冠，曾谓臣曰：要天下太平，只须留头发复衣冠。臣思我国能一天下，以衣服便于骑射之故也，今名夏欲宽衣博带，是计弱我国也……'云云，吏部等衙门会鞠俱实，著处斩。"《清史列传·贰臣传》："陈名夏，江南溧阳人。明崇祯十六年进士，官翰林修撰，兼户、兵二科给事中。福王时，以名夏曾降附流贼李自成，定入从贼案。本朝顺治二年七月，名夏抵大名投诚，以保定巡抚王文奎疏荐，复原官。旋擢吏部左侍郎，兼翰林院侍读学士……十年，复补秘书院大学士……仍命署吏部尚书……十一年，大学士宁完我列款劾奏名夏……遂下廷臣会勘，名夏辩诸款皆虚，惟'留发、复衣冠'，所言属实。完我复与大学士刘正宗共证名夏揽权市恩欺罔罪，谳成，论斩。上以名夏久任近密，改处绞。"吴伟业《吴梅村全集》卷二七《陈百史文集序》："溧阳陈先生以诗古文词名海内者二十馀年，余也草野放废，未尝一及先生之门，先生顾寓书余曰：'吾集成，子为我序之。'夫先生之文，衣被四海，乃于三千里外，欲得穷老疏贱者之一言，此其通怀好善，诚不可及，而余则逡巡未敢也。今年春，始进谒于京师，会先生刻其集初就，余得受而卒读，凡诗文若干卷，不揣为之序曰……明初宋文宪公以大儒而膺佐命，上自诏敕训令，下至于碑铭序记之文，援据六经，熔铸百氏，几与三代比隆。今国家鼎新景运，皇上亲儒重学，而先生膺密勿心膂制寄，高文大册，咸出其手，《诗》有之：'倬彼云汉，为章于天。'其先生之谓哉……先生勤劳经国大业，能出其馀力为文章，且自文宪公后三百年来，绍修绝学者不过数家，剽窃摹拟，抽青媲白者，榛芜塞路，先生慨然起而厘正之，此其视文宪为尤难也已。"《四库总目提要》卷一八一著录陈名夏《石云居士集》十五卷、《诗》七卷："国朝陈名夏撰。名夏字百史，溧阳人。前明崇祯癸未进士，授翰林院编修。入国朝，官至大学士，缘事伏诛。此集卷首有名夏顺治三年自序，而集中贺成青毡冢宰序称顺治九年，则集成之后又有所增续矣。集中祭其师项煜文，历称煜之智与煜之忠，又云吾师不死于仇而死于贼，殊乖公论。厥后归命国朝，弃瑕录用，复以怙权罹法。《御制人臣警心录》即为名夏所作，至今为鉴。其立身盖不足称，特以当时著作，商榷典制，足资考核，故遗集流布，尚在人间。今亦姑存其目，而并辨其颠倒是非之失，俾来者无惑焉。"徐世昌编《晚晴簃诗汇》卷二二选陈名夏诗九首，《诗话》云："百史飙历清要，雅负时名。梅村作序，至拟之宋文宪。徒以律身不慎，晚节隳败，《御制人臣警心录》，著以为鉴。《石云居文集》十五卷、《诗集》七卷。"邓之诚《清诗纪事初编》卷四著录陈名夏《石云居士文集》十五卷："陈名夏，字百史……顺治二年七月，投成克巩于大名，克巩告保定巡抚王文奎荐之于朝，复原官，旋擢吏部左侍郎。五年，擢尚书。八年，授弘文院大学士，晋少保，兼太子太保。九年，解任入旗，给俸随朝。十年，复补秘书院大学士，兼吏部尚书。是时有南北党之争，北人冯铨、刘正宗为之魁，南则名夏及陈之遴也，各倚满人自固，复通中贵以结主知。名夏初为多尔衮所赏，后倚谭泰。谭泰诛，名夏屡为铨所阨，赖世祖护持得免于死。十一年三月，宁完我举发名夏'留发复衣冠立致太平'之言，首劾其奸贪十二款。宁完我自负能文，为名夏所轻，又名夏方以擅改御批失帝眷，故严劾之。廷鞫，铨、正宗证之，遂于是月十二日赐名夏死，年五十四。幸帝知其冤，置诛连南士四十一人不问。翌年，之遴亦败，事具《贰臣传》。所撰《石云居士文集》十五卷，约刻于十年。《四库》著录有《诗》七卷，今未见。名夏以制艺得名，自负能为欧、曾之文。今观其文，冗滞无法。冯铨谓举业有名，馀亦易见，实为公评。然朝局社事，未尝不可窥见一二。《寄王中丞书》云：'仙霞之事，想见塘报矣，奸人厚毒当世，善类凋落，真足泣下。今既陨于厉鬼，江南老少，莫不欢舞相告。'盖谓阮大铖也。又《答韩圣秋书》，自述为举子时，与阎尔梅绝交始末甚悉。鲁一同撰《尔梅年谱》，载名夏屡招之书，孰为失实，二者必居其一矣。"

十八日，爱新觉罗·玄烨（即清圣祖康熙帝，1654—1722）**生。**蒋良骐《东华录》卷七："顺治十一年……三月……戊申，圣祖仁皇帝生。"

是年春

吴兆骞与顾贞观定交。《秋茄馀韵》卷上载顾贞观壬寅十月致吴兆骞书云："追忆曩时，相识在甲午之春，相别在丁酉之秋。"

七月

谈迁在京师遇《西湖二集》撰者周楫。谈迁《北游录·纪邮上》于甲午（顺治十一年）七月记云："壬辰，观西河堰书肆，值杭人周清源，云虞德园先生门人也，尝撰西湖小说。噫！施耐庵岂足法哉。"《西湖二集》首署"武林济川子清原甫纂，武林抱膝老人讦谟甫评"。湖海士《西湖二集序》："西湖经长公开浚而眉目始备，经周子清原之画而眉目益妍。然则周清原其西湖之功臣也哉！即白、苏赖之矣。予览胜西湖而得交周子。其人旷世逸才，胸怀慷慨，朗朗如百间屋。至抵掌而谈古今也，波涛汹涌，雷震霆发，大似项羽破章邯，又如曹植之谈，而我则自愧邯郸生也。快矣乎！余何幸而得此。咄咄！清原，西湖之秀气将尽于公矣。乃谓余曰：'余贫，不能供客……予亦甘之。而所最不甘者，则司命之厄我过甚，而狐鼠之侮我无端……'"可知作者姓周，一般认为即周楫（？—1654 以后），字清源，号济川子，武林（今浙江杭州）人。据谈迁所记，当卒于顺治十一年以后。鲁迅《中国小说史略》第二十一篇《明之拟宋市人小说及后来选本》："《西湖二集》三十四卷附《西湖秋色》一百韵，题'武林济川子清原甫纂'。每卷一篇，亦杂演古今事，而必与西湖相关。观其书名，当有初集，然未见。前有湖海士序，称清原为周子，尝作《西湖说》，馀事未详……其书亦以他事引出本文，自名为'引子'。引子多至三四，与他书稍不同；文亦流利，然好颂帝德，垂教训，又多愤言。"

九月

钱谦益在常熟拂水山房为李玉传奇《眉山秀》题词。今传本《眉山秀》载钱谦益之题词，后署"顺治甲午岁菊月□□□□□题于拂水山房并书"。拂水山房或作拂水山庄，为钱谦益所构，康熙《常熟县志》卷一："拂水山庄，钱谦益构。"编者按，五"□"当为"虞山钱谦益"，乾隆三十四年六月，钱谦益文集禁毁，故此后之刻本将其名号概行删去。《题词》有云："元玉词满天下，每一纸落，鸡林好事者争被管弦。如达夫、昌龄，声高当代，酒楼诸妓，咸歌其诗……丙戌岁（即顺治三年，1646），余寓郡城拙政园居，得尽读其奚囊中秘义。即使延年协律，当亦赏其清柔；善顾周郎，无能摘其纰缪。"

十一月

吴伟业再遇优人王紫稼，作《王郎曲》。《吴梅村全集》卷一一《王郎曲》诗后自注："王郎名稼，字紫稼，于勿斋徐先生二株园中见之，髫而晰，明慧善歌。今秋遇于京师，相去已十六七载，风流儇巧，犹承平时故习。酒酣一出其伎，坐上为之倾靡。余此曲成，合肥龚公芝麓口占赠之曰：'蓟苑霜高舞柘枝，当年杨柳尚如丝。酒阑却唱梅村曲，肠断王郎十五时。'"谈迁《北游录·纪邮》上："甲午……十一月丁亥朔……

壬子，过吴太史所。太史近作《王郎曲》。吴人王稼，本徐勿斋歌儿也，乱后，隶巡抚土国宝，怙恃自恣。国宝死，逃入燕。今再至，年三十，而江南荐绅好其音不衰，强太史作《王郎曲》……先是太史善病，每强坐晤对。今病良已，诗绘自娱。因曰：'文词一道，今人第辨雅俗，似矣；然有用一语，似雅实俗；有出于俗而实雅，未易辨也。先儒讲道学，尝浅视之，就其所撰著，往往文人所未逮者，理彻则不须辞而传也。'余闻之瞿然有省。"

十二月

是月初一日已交公元 1655 年 1 月 8 日。

十二日（时已交公元 1655 年 1 月 19 日），纳兰性德（1655—1685）生。纳兰性德《通志堂集》卷一九附录上徐乾学《通议大夫一等侍卫进士纳兰君墓志铭》："君生于顺治十一年十二月，卒于康熙二十四年五月己丑，年三十有一。"朱彭寿《古今人生日考》卷一二："十二月十二日，一等侍卫纳兰性德，《名人生日表》，顺治十二年壬辰。"（编者按，当作顺治十一年甲午）纳兰性德，初名纳兰成德，以避废太子嫌名改性德，字容若，号楞伽山人，满洲正黄旗人，太傅明珠长子。康熙十五年进士，官至一等侍卫。善诗工词，著有《饮水诗词集》、《通志堂集》等。

侯方域（1618—1655）卒。侯洵《侯朝宗年谱》："顺治十一年十二月，公卒。"吴伟业有诗吊之，其《怀古兼吊侯朝宗》云："河洛风烟万里昏，百年心事向夷门。气倾市侠收奇用，策勋宫娥报旧恩。多见摄衣称上客，几人刎颈送王孙。死生总负侯生诺，欲滴椒浆泪满樽。"诗后自注："朝宗，归德人，贻书约终隐不出，余为世所逼，有负夙诺，故及之。"《清史列传·文苑传》："侯方域，字朝宗，河南商丘人。祖执蒲，明太常寺卿；父恂，户部尚书；季父恪，祭酒。皆以东林忤阉党。方域少问业于上虞倪元璐，元璐谓文必驰骋纵横，务尽其才而后轨于法。尝游江左，寓金陵，司业山阴周凤翔得其所撰策，立造访之。谈谑弥日。是时主复社者，太仓张溥，贻书推为领袖；主几社者，青浦陈子龙，赠诗曰：'汉家宣室为君开。'其他海内清望，胥缔附之。性豪迈不羁，尝与杨廷枢、夏允彝醉登金山，临江悲歌，指评当世人物，而料事尤多奇中……怀宁阮大铖，故魏阉义儿也，屏居金陵，谋复用。诸名士共檄大铖罪，作《留都防乱揭》，宜兴陈贞慧及贵池吴应箕主之。大铖愧且恚，然无可如何，知方域与二人者相善也；私念因方域以交于二人，事当已，乃嘱其客来交懽。方域觉之，谢客弗与通。大铖乃大怒，恨次骨。甲申，南都拥立，大铖骤柄用，兴大狱，将尽杀党人，捕贞慧入狱。方域夜出，渡扬子江，依镇帅高杰，得免。生平颇以经济自诩，任侠使气，然一语合，辄吐肝肺，誉之不容口。既负才不试，以明经累举于乡，辄报罢。顺治八年，中式副榜。初放意声伎，已而悔之，发愤为诗古文，倡韩、欧学于举世不为之日。尝游吴下，将刻集，集中文未脱稿者，一夕补缀立就，人益奇之。顺治十一年，卒，年三十七。方域健于文，与宁都魏禧、长洲汪琬并以古文擅名。禧策士之文，琬儒者之文，而方域则才人之文。盖其天才英发，吐气自华，善于规橅，绝去蹊径，不戾于古，而亦不泥于今。当时论古文，率推方域为第一，远近无异词。所著有《壮悔堂文集》、《四忆堂诗集》。"《清史稿·文苑传》："方域健于文，与魏禧、汪琬齐名，号'国初三家'。有《壮悔堂集》。"王士禛《西山倡和集序》："近日论古文，率推侯朝宗第一，远近无异词。顾朝宗不工于诗，如唐李习之、皇甫持正、宋苏明允、陈同义之属尽然，未足为朝宗多憾也。"邓汉仪《诗观二集》："朝宗所制《壮悔堂文集》，雄视一时。独其诗世罕推之。要其阔思壮采，皆规模杜家而出者，但未免阴袭华亭之声貌。"沈德潜《国朝诗别裁集》卷六选侯方域诗一首《寄李舍人雯》，小传云："朝宗以古文鸣，诗特其寄兴，识者比之皇甫持正、李习之、苏明允，最为惬当。"徐世昌编《晚晴簃诗汇》卷一二选侯方域诗十首，《诗话》云："朝宗生长世家，开朗通博。明季尝佐史忠正幕，世传忠正《答睿忠亲王书》为朝宗笔，以《壮悔集》中文例之，良信。辛卯入试，已拟置解首，为忌者所沮。然朝宗特以全门户，俯首从有司，得失非所计也。诗仍沿云间馀派，声采蔚然。"邓之诚《清诗纪事初编》卷八著录侯方域《壮悔堂文集》十卷、《补遗》一卷、《四忆堂诗集》八卷："方域文实有才气，早负盛名。或讥其有小说气，此宗八家义法之说也，若如其言，则左、马当受讥弹。诗非当行，亦患才多。汪琬轻方域，题《壮悔堂集》，举末年来吴下，欲刻其集，集文有未脱稿者，一夕补辍立就一事，以讥其文。方域目中何尝有汪琬，而汪琬心中时时有一侯方域，论者或谓以是知汪定不及侯。《壮悔堂文集》十卷、《补遗》一卷、《四忆堂诗》八卷，刻于顺治十年癸巳，后一年卒。其子辑遗文与诗附于集后。嘉庆十九年甲戌，裔孙资灿重刻本，删《马伶传》、《豫省试策》、《拟致祭阙里谢表》、《拟追复杨涟等官爵谢表》、《为吴氏祷子疏》、《悯獐》、《卢告》、《蹇千里传》、《定鼎说书》、《练贞吉日记》后凡十四首，别从三家文钞增《宋牧仲文序》、《雪园六子社序》、《与方密之书》、《正百姓》、《额胥史》、《重学校》凡七首，盖未见《补遗》。"张舜徽《清人文集别录》卷二著录侯方域《壮悔堂文集》十卷、《遗稿》一卷（康熙刊本）："方域热中荣利，入清后，犹汲汲赴乡试，中顺治副榜，士论以此少之。然健于为文，与魏禧、汪琬齐名，号清初三家。其文气势飞舞，纵横恣肆，惜根底太浅，无学养之功，故徒驰骋其辞，以空辩相矜尚，非文之至也。方域尝自言少年溺于声伎，未尝刻意读书，以此文章浅薄，不能发明古人之旨（见是集卷三《与任王谷论文书》），此最为自知之言矣……吾观其文之病，亦正坐能巧不能拙耳，使以方域之才，益以读书积理养气之功，聪明睿达，守之以愚，而一沉潜于学问之中，则所诣当不止此。又况盛年早夭，志业未就，固不能与并时硕学老儒校短长也。虽然，邵长蘅论及明末文风有曰：'明季古文辞，自嘉隆诸子貌为秦汉，稍不压众望，后乃争矫之。而矫之者，变逾下。明文极敝，以讫于亡。方域始创韩、欧之学于举世不为之日，遂以古文雄视一世。'（见邵氏所撰《侯方域魏禧传》，载《青门剩稿》卷六）然则方域在当时，能不为风气所转移，反欲有以转移风气，要不失为一时振奇之士矣。"袁行云《清人诗集叙录》卷六著录侯方域《四忆堂诗集》六卷、《遗稿》一卷（同治十三年刻本）："此集为同里宋荦、徐作肃选，首贾开宗、宋荦、练贞吉、彭宾序。初刻顺治十二年，二刻康熙五十一年，乾隆间其玄孙必昌本为三刻，嘉庆十九年侯资灿本只刻文集。此同治间翻乾隆本，极通行。又有光绪四年红杏山房重刻本，与此本同。甲申前后诗如《天寿山陵》、《蓬蒿行》、《寄宁南侯左良玉》、《村西草堂歌》、《得姑苏消息》、《从兴平侯高杰北征》、

《咏怀二十一首》、《高都督凯歌》、《行路难》、《遇姜如须》等诗，蓄目时艰，大都身世间语，而平生意气，已略具于斯。《哀辞九章》多咏抗清义士。馀则丘壑花月之吟。方域之诗由明七子而宗杜，多豪迈语，特能驱使壮丽耳。"

公元 1655 年（清顺治十二年　乙未　南明永历九年）

正月

汤右曾（1655—1721）生。方苞《方苞集集外文》卷七《翰林院掌院学士兼礼部侍郎汤公墓志铭》："公生于顺治十二年正月，享年六十有七。"朱彭寿《清代人物大事纪年》："顺治十三年丙申（公元 1656 年），汤右曾正月生，字西淮（当作西厓），浙江仁和人。享年六十七。"不从。汤右曾，字西厓，或作西崖、西涯，仁和（今浙江杭州）人。康熙二十七年进士，改庶吉士，授编修，官至吏部右侍郎，兼掌院学士。少即工诗，为王士禛入室弟子，继朱彝尊主浙中诗派，著有《怀清堂集》二十卷。《四库总目提要》卷一七三著录汤右曾《怀清堂集》二十卷："是集刻于乾隆乙丑。论者谓浙中诗派，前推竹垞，后推西厓，两家之间，莫有能越之者。今观二家之集，朱彝尊学问有馀而才力又足以运掉，故能熔铸变化，惟意所如；右曾才足肩随，而根柢深厚则未免稍逊，齐驱并驾似未易言。然亦近人之卓然挺出者也。"

三月

王士禛会试中式第五十六名，未与殿试而归。见王士禛《渔洋山人自撰年谱》卷上。

丁澎考中二甲第十二名进士。

汪琬考中二甲第四十六名进士。

王揆考中三甲第五十三名进士。

冯云骧考中三甲第八十八名进士。

秦松龄考中三甲第一百二十三名进士。

王士禄考中三甲第二百二十一名进士。

六月

十九日，清廷从浙闽总督屯泰议，严海禁，不许片帆入海，违者立置重典。据《清史编年》。

二十八日，顺治帝设内十三衙门铁牌，以防内监干政。据《清史编年》。

吴伟业作《临淮老伎行》。谈迁《北游录·纪邮》下："乙未……六月甲寅朔……庚辰，午过吴太史所，太史作《临淮老伎行》，甫脱稿。云良乡伎冬儿，善南歌，入外戚田都督弘遇家，弘遇卒，都督刘择清购得之，为教诸姬四十馀人，冬儿尤殊丽。甲申国变，择清欲侦二王存否，冬儿请身往，易戎饰而北，至田氏，知二王不幸，还报择清。因从镇淮安。择清渔于色，书佐某亡罪，杀之，收其妻。明年，择清降燕，而摄政王赐侍女三人，皆经御者，择清不避也。居久之，内一人告变，摄政王录问及故书佐之妻，择清谓书佐罪当死，故妻明其非罪，且摘择清私居冠角巾诸不法事，择清诛，下冬儿刑部。时尚书汤□□尝饮刘氏，识之，以非刘氏家人，原平康也，得不坐，外嫁焉。吴太史语讫，示以诗曰……"

是年

查继佐讲学敬修堂，始著《罪惟录》。沈起《查东山先生年谱》："乙未，先生年五十五岁。讲学敬修堂，始著《罪惟录》，历二十年始成。"

王士禛初交吴伟业。吴伟业《吴梅村全集》卷二九《程昆仑文集序》："吾友新城王贻上为扬州法曹，地殷务剧，宾客日进……余因以追溯旧游，盖识贻上在十年之前。"吴伟业此序写于康熙四年（1665）上巳前五日，见程康庄《自课堂集》卷首所载吴序。

吴伟业作《田家铁狮歌》、《雁门尚书行》、《松山哀》、《画中九友歌》、《海户曲》、《恭纪圣驾幸南海子遇雪大猎》诸诗，《风流子》（掖门感旧）词。据冯其庸、叶君远《吴梅村年谱》。

公元 1656 年（清顺治十三年　丙申　南明永历十年）

五月

十九日，陈贞慧（1605—1656）卒。黄宗羲《黄宗羲全集》第十册《陈定生先生墓志铭》："生于万历甲辰十二月九日，卒于顺治丙申五月十九日，年五十三。"《清史稿·遗逸传》："陈贞慧，字定生，宜兴人，明都御史陈于廷子。于廷，东林党魁。贞慧与吴应箕草《留都防乱檄》，摈阮大铖。党祸起，逮贞慧至镇抚司，事虽解，已濒十死。国亡，埋身土室，不入城市者十馀年。遗民故老时时向阳羡山中一问生死，流连痛饮，惊离吊往，闻者悲之。顺治十三年，卒，年五十三。著有《皇明语林》、《山阳录》、《雪岑集》、《交游录》、《秋园杂佩》诸书。子维崧，见《文苑传》。"

闰五月

二十二日，读彻（苍雪大师，1588—1656）卒，据陈乃乾《苍雪大师行年考略》。吴伟业作诗哭之。《吴梅村全集》卷一六有《哭苍雪法师二首》。苍雪即释读彻，本姓赵，字见晓，又字苍雪，号南来，云南呈贡人。钱谦益《牧斋有学集》卷三六《中峰苍雪法师塔铭》："万历中，苍雪法师自滇适吴，得法巢、雨，为雪浪之玄孙。一灯再焰，人谓滇南万里，邈若天外，两师代兴，交光继照，岂非华严法界中分身接踵，乘愿轮而至者耶？师自号苍雪，又自号南来，非偶然也。师滇省呈贡赵氏子。父碧潭为都讲僧，母杨氏。幼从鸡足山水月道人为沙弥，管书记。年十九，慨然远游，孤筇万里，叩印《楞严》于天衣，受十戒于云栖，受满分戒于古心律师……师面目刻削，神观凝晬，所至贤士大夫希风礼足。博涉内外典，赋诗多新警句。住中峰，建殿买田，伽蓝一新。在他人以为能事，师未尝有所作也。示化宝华，实丙申闰五月廿二日，世寿七十。"邓之诚《清诗纪事初编》卷八著录释读彻《南来堂诗集》四卷、《补编》四卷、《附录》四卷："释读彻，字见晓，又字苍雪，号南来，云南呈贡赵氏子。幼落发于妙湛寺。年十九，入吴受法诸高僧，奉通润为师，继主中峰，善讲《华严》。尤工诗。卒于顺治十三年，年六十九。事具钱谦益撰《苍雪大师塔铭》。著《南来堂集》，有云南刻本四卷。近王培荀以康熙十七年陆汾所辑，及顾茂伦选刻残本，校其异同，为《补编》四卷、《附录》四卷，而后乙酉（弘光元年）以后之诗始备，犹惜未得其书启序跋。培荀复为之注，采撷甚勤，微嫌辞费。通润好学能诗，故读彻诗学益进，吴伟业称为苍深清老，沉著痛快，当为诗中第一，不徒僧中第一。盖赏其无浮辞，亦不作禅语也。有句云：'谁能甘饿死，自喜比夷齐。'故谦益谓师虽方外，于兴亡之际，感慨泣下，每见之诗。全祖望直目为僧中遗老。是时雨淋、道忞被特征为王者师，礼部行文取天下高僧二十馀人入直万善殿，读彻独不与，可谓远于势力者也。"入选其诗四首。

十一月

初七日，顺治帝谕礼部禁无为、白莲、闻香等"邪教"。据《清史编年》。

是年

金人瑞评点《西厢记》为第六才子书。佚名《辛丑纪闻》："丙申批《西厢记》，亥子间方从事于杜诗，未卒业而难作。"

公元1657年（清顺治十四年　丁酉　南明永历十一年）

是年春

王抃师从吴伟业。王抃自编《王巢松年谱》："癸卯三十六岁……丁酉之春，梅翁奔丧归里，余始执经于其门。"

八月

王士禛与诸名士集济南大明湖畔，举秋柳社。王士禛《蚕尾续集》卷二《菜根堂诗集序》："顺治丁酉秋，予客济南。时正秋赋，诸名士云集明湖。一日，会饮水面亭，亭下杨柳十馀株，披拂水际，绰约近人。叶始微黄，乍染秋色，若有摇落之态。予怅然有感，赋诗四章，一时和者数十人。又三年，予至广陵，则四诗流传已久，大江南北和者益众，于是《秋柳》诗为艺苑口实矣。"《阮亭诗选》卷四有王士禛《社集明湖即席赋送圣企圣美还济宁兼寄圣宜》诗四首七律。《渔洋精华录集注》卷一《秋柳四首》后惠栋注引陈允衡《国雅》评云："和者甚多，以元倡为白雪，凡次韵诗，多强合之。若昔元、白、皮、陆已犯此病。书家云'偶然欲书'，大抵咏物，亦从偶然得之乃妙。彼极力刻画者，皆俗笔也。"又云："元倡如初写《黄庭》，恰到好处，诸名士和作皆不能及。"

十月

顺天科场案发。孟森《明清史论著集刊·科场案·顺天闱》引《东华录》："顺治十四年十月甲午，先是给事中任克溥参奏：'北闱榜发后，闻中式举人陆其贤用银三千两，同科臣陆贻吉送考试官李振邺、张我朴，贿买得中。北闱之弊，不止一事，乞皇上集群臣会讯。'事下吏部都察院严讯，得实奏闻。得旨：'贪赃坏法，屡有严谕禁饬，科场为取士大典，关系最重，况辇毂重地，系各省观瞻，岂可恣意贪墨行私！所审受贿过付种种情实，目无三尺，若不重加惩处，何以警戒来兹？李振邺、张我朴、蔡元禧、陆贻吉、项绍芳、举人田耜、邬作霖，俱著立斩，家产籍没，父母兄弟妻子俱流徙尚阳堡，主考官曹本荣、宋之绳，著议处具奏。'"

十一月

谕顺天乡试中式举人来京复试。孟森《明清史论著集刊·科场案·顺天闱》引《东华录》："十一月己酉，谕礼部：'国家登进才良，特设科目，关系甚重。况京闱乃天下观瞻，必典试各官皆矢忠矢慎，严杜弊窦，遴拔真才，始不辱求贤大典。今年顺天乡试，发榜之后，物议沸腾，同考官李振邺等，中式举人田耜等，贿赂关节，已经审实正法；其馀中式各卷，岂皆文理平通，尽无情弊？尔部即将今年顺天乡试中式举人速传来京，候朕亲行复试，不许迟延规避。'"

江南科场案发。孟森《明清史论著集刊·科场案·江南闱》引《东华录》："顺治十四年壬戌，给事中阴应节参奏：'江南主考方犹等弊窦多端，物议沸腾，其彰著者，如取中之方章钺，系少詹事方拱乾第五子，悬成、亨咸、膏茂之弟，与犹联宗有素，乘机滋弊，冒滥贤书，请皇上立赐提究严讯。'得旨：'据奏南闱情弊多端，物议沸腾，方犹等经朕面谕，尚敢如此，殊属可恶。方犹、钱开宗并同考试官，俱著革职，并中式举人方章钺，刑部差员役速拿来京，严行详审。本内所参事情，即闱中一切弊窦，著郎廷佐速行严查明白，将人犯拿解刑部，方拱乾著明白回奏。'"

十二月

十一日（已交公元 1658 年 1 月 14 日），谈迁（1594—1658）卒。见下引吴骞《枣林诗集序》。谈迁，初名以训，号射父，明亡，易名迁，字孺木，一字仲木，号观若，海宁（今属浙江）人。明末诸生，入清后以遗民终。钱朝玮《谈孺木先生传》："先生讳以训，字观若。未弱冠补弟子员，食廪饩。遭鼎革，既脱去如敝屣。易其名曰迁，字孺木……岁丁酉，予同先生应平阳司理沈公聘，遂偕往……忽于季冬八日遘疾，越三日遽践两楹之奠于汾阳署，呜呼痛哉……时盖季冬十有一日申刻也。"朱克勤《枣林集跋》："《枣林集》者，明谈孺木先生迁遗著也。先生初名以训，号射父，继字孺木，号观若。"黄宗羲《谈孺木墓表》:"君谈氏,名迁,字孺木,海宁县人。初为诸生,不屑场屋之僻固狭陋,而好观古今之治乱,其尤所注心者在明朝之典故。以为史之所凭者《实录》耳,《实录》见其表,其在里者已不可见。况革除之事,杨文贞未免失实;泰陵之盛,焦泌阳又多丑正。神、熹之载笔者,皆宦逆奄之舍人。至于思陵十七年之忧勤惕励,而太史遁荒,皇寇烈焰,国灭而史亦随灭,普天心痛。于是汰十五朝之实录,正其是非,访崇祯十七年之邸报,补其缺文,成书名曰《国榷》。当是时,人士身经丧乱,多欲追述缘因,以显来世,而见闻窄狭,无所凭借,闻君之有是书也,私欲窃之以为己有。君家徒四壁立,不见可欲者,夜有盗入其室,尽发藏稿以去。君喟然曰:'吾手尚在,宁遂已乎?'从嘉善钱相国借书,复成之。阳城张太宰、胶州高相国皆以君为奇士,折节下之。其在南都,欲以史馆处君,不果。亡何,太宰、相国相继野死,君亦弃诸生。北走昌平,哭思陵,西走阳城,欲哭太宰,未至而卒,丙申岁冬十一月也。"朱彝尊《静志居诗话》卷二二《谈迁》:"谈迁,字仲木,一字观若,海宁人。仲木留心国史,考证累朝实录宝训,博稽诸家撰述,于万历后尤详,号为《国榷》。"著有《国榷》一百卷、《续国榷》二卷、《史论》六卷、《金陵对泣录》一卷、《海昌外志》八卷、《枣林杂俎》八卷、《枣林艺篑》一卷、《枣林外索》六卷、《北游录》八卷、《西游录》二卷、《枣林集》四卷、《枣林诗集》一卷等。辽宁教育出版社1998年出版校点本《谈迁诗文集》,计诗一卷、文四卷。吴骞《枣林诗集序》:"考先生身后,有黄晦木宗羲之《墓表》、朱近修一之《墓志铭》,今复见钱大球朝玮传,彼此相较,互有详略。至其卒也,黄氏《墓表》以为丙申十一月,无日;依朱、钱二家作丁酉十二月十一日为当。且大球亲与偕游平阳幕,其卒又躬视其含,所记必可信也。先生毕生学问,专意于史,而于有明三百年尤殚极心力。虽屡经患难,苦志转笃,自谓可以信今而传后。即其为阳城、胶州二公所知重,亦以此。至高公力荐于朝,固辞不就,盖见时事日非,不足有为,实其高识。迨二公相继野死,先生悒悒徒抱遗民之恫,拜思陵,哭故人,终于旅馆,良可悲矣……先生之诗,初不欲以之自名。读其诸作,激昂感慨,寄托遥深,即目之为杜老哀时之史,皋羽恸哭之记,亦奚所不可哉。"《清史稿·遗逸传》多录自黄宗羲《墓表》,后有赞云:"明末遗逸,守志不屈,身虽隐而心不死,至事不可为,发愤著书,欲托空文以见志,如迁者,其忧愤岂有已耶?故以附于各省遗逸之末。"《四库总目提要》卷七四著录其《海昌外志》:"国朝谈迁撰。迁字孺木,一字仲木,海宁人。是志题曰海昌,以海宁为吴海昌郡,从古名也。书不分卷帙,所列凡舆地、食货、职官、建置、选举、人物、丛谈、艺文八门。以篇页计之,当为八卷,偶未标题耳。迁学颇博涉,较旧志多所考证,而人物琐分门类,典籍不详卷帙,犹沿地志之积习焉。"又卷一九七著录其《枣林艺篑》一卷:"是编载曹溶所辑《学海类编》中,实迁《枣林杂俎》之一卷也。所谈诗文,皆不出明人门径,其载张弼推尊《洪武正韵》一条,尤为纰缪。"陈田《明诗纪事》辛签卷一六:"孺木博综旧典,诗亦长于咏古,多哀艳之音。"录其诗七首,如《广陵怀古》:"南朝旧事一芜城,故国飘零百感生。柳影天涯随去辇,扬花江上变浮萍。远山依旧横新黛,断岸还看散冷萤。今日广陵思往事,十年前亦号承平。"徐世昌编《晚晴簃诗汇》卷一七选谈迁诗七首,《诗话》云:"孺木孝友贞介,南渡时,以布衣佐高砥斋相国幕,砥斋欲荐为中书，力辞不就。乱后间关跋涉，客死平阳。平生深于史学，纪十五朝实录，并访求崇祯十七年中邸报，撰《国榷》，为明别史，今尚有传抄本。诗忧生念乱，多哀艳之音。"邓之诚《北游录跋》："迁诗文皆拙，然思慕先朝，以泪和墨，语语凄人肝肺。文字之效，固不当以工拙论。走昌平，哭思陵，走阳城，哭张慎言，君臣朋友之间，实有至性，而后始可以言著史，而其史亦始可取信。今《国榷》传写本尚存，惜能读者鲜矣。《墓表》言迁卒于丙申十一月，当据其子祺《行述》，而《县志》则谓卒于丁酉夏，年六十四。"

是年冬

醉耕堂本《评论出像水浒传》刊行。桐庵老人（王仕云）《五才子水浒序》："吴门金圣叹反而正之，列以第五才子，为其文章妙天下也。其作者示戒之苦心，犹未阐扬殆尽。余则补其所未逮，曰《水浒》百八人，非忠义皆可为忠义，是子舆氏祖述孔子性相近之论，而创为性善之意也夫！时顺治丁酉冬月，桐庵老人书于醉耕堂墨室。"

是年

叶小纨（1613—1657）卒。冀勤辑校《午梦堂集·前言》谓叶小纨卒年四十五岁。事迹参见本书顺治五年（1648）"叶绍袁卒"目。

公元 1658 年（清顺治十五年　戊戌　南明永历十二年）

正月

复试丁酉顺天乡试举人。孟森《明清史论著集刊·科场案·顺天闱》引《东华录》："十五年正月甲寅，上亲试丁酉科顺天举人，谕曰：'顷因考试不公，特亲加复阅，尔等皆朕赤子，其安心毋畏，各抒实学。朕非好为此举，实欲拔取真才，不获已尔。'众皆顿首称万岁。"

二月

丁酉顺天乡试举人米汉雯等仍准会试。孟森《明清史论著集刊·科场案·顺天闱》引《东华录》："二月庚辰，谕礼部：'前因丁酉科顺天中式举人多有贿买情弊，是以朕亲加复式。今取得米汉雯等一百八十二名，仍准会试；苏洪瀹、张元生、时汝身、霍于京、尤可嘉、陈守文、张国器、周根郜等八名文理不通，俱著革去举人。'"

三月

复试丁酉江南乡试举人。孟森《明清史论著集刊·科场案·江南闱》引《东华录》："（十五年）三月庚戌，上亲复试丁酉科江南举人。戊午，谕礼部：'前因丁酉江南中式举人情弊多端，物议沸腾，屡见参奏，朕是以亲加复式。今取得吴鸣珂三次试

217

卷，文理独优，特准同今科会试中式，一体殿试。其汪溥勋等七十四名，仍准做举人。史继偀、詹有望、潘之彪、洪济、黄枢、秦广之、陈遹潢、许允芳、张允昌、何亮功、曹汉、马振飞、朱扶上、万世俊、黄中、董粤固、韩揆策、谢金章、许凤、杨大鲲、周篆、沈鹏举、史奭等，亦准做举人，停罚会试二科。方域、林大节、杨廷章、张文运、汪席、陈珍、华廷樾、顾元龄、刘师汉、夏允光、程牧、孙弓安、叶甲、孙长发等十四名，文理不通，俱著革去举人。'"

陈玉璂在京师初交王士禛。《阮亭甲辰诗》陈玉璂跋："戊戌春，余客长安，得交阮亭先生饮酒赋诗，匪朝伊夕。"

王士禛考中二甲第三十六名进士。

毛际可考中二甲第七十八名进士。

邹祗谟考中三甲第三十一名进士。

李天馥考中三甲第一百〇九名进士。

陈廷敬考中三甲第一百九十五名进士。

是年春

毛奇龄撰《天问补注》一卷成。据其春日自识。

四月

丁酉顺天乡试案结。孟森《明清史论著集刊·科场案·顺天闱》引《东华录》："四月辛卯，谕刑部等衙门：'开科取士，原为遴选真才，以备任使，关系最重，岂容做弊坏法！王树德等交通李振邺等，贿买关节，紊乱科场，大干法纪，命法司详加审拟。据奏王树德、陆庆曾、潘隐如、唐彦曦、沈始然、孙旸、张天植、张恂俱应立斩，家业籍没，妻子父母兄弟流徙尚阳堡；孙伯龄、郁之章、李贵、陈经在、邱衡、赵瑞南、唐元迪、潘时升、盛树鸿、徐文龙、查学时俱应立斩，家产籍没；张旻、孙兰苗、郁乔、李苏霖、张绣虎俱应立绞；余赞周应绞监候秋后处决等语。朕因人命至重，恐其中或有冤枉，特命提来，亲行面讯。王树德等俱供作弊情实，本当依拟正法，但多犯一时处死，于心不忍，俱从宽免死，各责四十板，流徙尚阳堡；馀依议。董笃行等本当重处，朕面讯时皆自任委悉溺职，故从宽免罪，仍复原官。曹本荣等亦著免议。'"

七月

小说《平山冷燕》二十回刊行，题"荻岸散人编次"。天花藏主人《平山冷燕序》后署"时顺治戊戌立秋月，天花藏主人题于素政堂"。顺治十五年七月九日立秋。是书作者天花藏主人，系明末清初人，其所编订、著述或撰序之小说尚有《玉娇梨》、《飞花咏》、《两交婚》、《金云翘》、《麟儿报》、《玉支玑》、《画图缘》、《定情人》、《赛红丝》、《幻中真》、《人见乐》、《锦疑团》、《鸳鸯媒》等才子佳人小说，以及《梁武帝西来演义》、《济颠大师醉菩提全传》等。戴不凡认为天花藏主人即嘉兴徐震。徐震，字秋涛，号烟水散人，嘉兴人，撰有《合浦珠》等小说。

九月

初七日，曹寅（1658—1712）生。朱彭寿《清代人物大事纪年》："顺治十五年戊戌（公元 1658 年），曹寅，九月初七日生，字子清，号楝亭、荔轩。汉军正白旗，享年五十五。"康熙二十九年，曹寅以父荫出任苏州织造，两年后又兼任江宁织造，官至通政使。能诗文，善词曲，与吴之振、姜宸英、朱彝尊、施闰章、叶燮、尤侗、赵执信、洪昇、毛奇龄、钱澄之诸多文士皆有交往。资助刻印《全唐诗》、《佩文韵府》以及施闰章《学馀堂集》、朱彝尊《曝书亭集》，有功学术。戏曲存世有《北红拂记》、《表忠记》、《续琵琶》、《太平乐事》，诗文有《楝亭集》，包括诗八卷、文一卷、词一卷，1978 年上海古籍出版社有影印本出版。《清史列传·文苑传》："曹寅，字子清，汉军正白旗人。父玺，官工部尚书。寅官通政使、江宁织造，兼巡视两淮盐政。性嗜学，校刊古书甚精，尝刊《音韵》五种及《楝亭》十二种。工诗，出入白居易、苏轼之间。著有《楝亭诗钞》八卷。又好骑射，尝谓读书射猎，自无两妨。又著有《诗钞别集》四卷、《词钞》一卷。"

十月

谷应泰撰《明史纪事本末》八十卷成。据其十月自序。

十一月

丁酉江南乡试案结。孟森《明清史论著集刊·科场案·江南闱》引《东华录》："十一月辛酉，刑部审实江南乡试作弊一案，正主考方犹拟斩，副主考钱开宗拟绞，同考官叶楚槐等拟责遣尚阳堡，举人方章钺等俱革去举人。得旨：'方犹、钱开宗差出典试，经朕面谕，务令简拔真才，严绝弊窦，辄敢违朕面谕，纳贿作弊，大为可恶。如此背旨之人，若不重加惩治，何以警戒将来！方犹、钱开宗俱著即正法，妻子家产籍没入官。叶楚槐、周霖、张晋、刘延桂、田俊民、郝惟训、商显仁、朱祥光、文银灿、雷震声、李上林、朱建寅、王熙如、李大升、朱茞、王国桢、龚勋俱著即处绞，妻子家产籍没入官。已死卢铸鼎，妻子家产亦籍没入官。方章钺、张明荐、伍成礼、姚其章、吴兰友、庄允堡、吴兆骞、钱威，俱著责四十板，家产籍没入官，父母兄弟妻子并流徙宁古塔。程度渊在逃，责令总督郎廷佐、亢得时等速行严缉获解，如不缉获，伊等受贿作弊是实。尔等承问此案，徇庇迟至经年，且将此重情问拟甚轻，是何意见？作速回奏。馀如议。'"

吴伟业送吴兆骞流徙宁古塔，作诗赠别。《吴梅村全集》卷一〇《悲歌赠吴季子》，有句云："人生千里与万里，黯然销魂别而已。君独何为至于此，山非山兮水非水，生非生兮死非死……"孟森《明清史论著集刊·科场案》："丁酉科场案，向来以吴兆骞之名而脍炙人口。兆骞固才士，然《秋笳集》亦非有绝特足以不朽者在，其时以文字为吴增重者，实缘梅村一诗、顾梁汾两词耳。梅村于科场案中，赠陆庆曾有诗，赠孙承恩而及其弟旸亦有诗，故皆不及其《悲歌赠吴季子》一首，尤为绝唱。兆骞得此，乃其不朽之第一步。"

陈维崧至如皋访冒辟疆，有《小三吾亭唱和诗》。据冒辟疆辑《同人集》卷一陈维崧《小三吾唱和诗序》。

是年

项圣谟（1597—1658）**卒**。朱彭寿《清代人物大事纪年》："顺治十五年戊戌（公元 1658 年），卒岁：项圣谟，明万历二十五年生。字孔彰，号易庵、胥山樵。浙江秀水人。秀水县布衣。卒年六十二。"《清史稿·艺术传》："项圣谟，字孔彰，嘉兴人，元汴之孙。初学文徵明。后益进于古，董其昌称其与宋人血战，又得元人气韵。"陈田《明诗纪事》辛签卷二七上选项圣谟诗一首，有按语云："孔彰画长于仿古，余见其册页数事，山头耸峭，怒涛飞立，得力于北宋大家，而别饶气韵，可称能手。"著有《朗云堂集》。

公元 1659 年（清顺治十六年　己亥　南明永历十三年）

二月

朱鹤龄撰《李义山诗集笺注》二卷成。据其自序。

三月

再复试丁酉科江南举人。孟森《明清史论著集刊·科场案·江南闱》引《东华录》："十六年三月戊子，再复试丁酉科江南举人。"《明清史论著集刊·科场案》又云："丁酉案蔓延几及全国，以顺天、江南两省为钜，此则河南，又次则山东、山西，共五闱。明时江南与顺天俱有国子监，俱为全国士子之所萃，非一省之关系而已也。清兵下江南，虽已改应天府为江宁，废去南雍，然士子耳目，尚以顺天、江南为观瞻所系。是年科场大狱，即以此两闱为最惨，同时并举，以耸动迷信科举之汉儿，由以至为明显。"

徐元文考中一甲第一名进士。

彭孙遹考中二甲第六名进士。

黄与坚考中二甲第三十九名进士。

闰三月

二十四日，李塨（1659—1733）**生**。冯辰《李恕谷先生年谱》卷一："己亥顺治十六年闰三月二十四日卯时，先生生。"李塨，字刚主，号恕谷，河北蠡县人。康熙二十九年举人，后屡上春官不第，以著述授徒终老乡里。其学师承颜元，讲求实习、实行、实用，为颜李学派创始人之一。兼擅诗文，著述宏富，著有《恕谷后集》十卷、《续刻》三卷等。

五月

郑成功北上围南京，震动东南，旋败走。《清史列传·逆臣传》："十六年五月，成功连艘北犯，逾崇明，陷镇江，顺流犯江宁。八月，舟至观音门，值贵州凯旋大军浮江下，败其前锋，成功率水陆贼数万围江宁，列巨舰阻江南北要路。江苏巡抚蒋国柱、总兵梁化凤赴援夹攻，贼大败……成功南遁。"

六月

二十三日，宋敬舆（1617—1659）卒。宋徵舆《林屋文稿》卷一〇《亡兄太学生辕生府君墓志铭》："雅爱音乐，家童数人，皆能度南北九宫。晨起坐斋中，必披览史集一二卷，临古法帖数十行。日晡后辄与宾客弹棋饮酒，听新声为乐。"又云："年三十以后不复以功名为事，丙申北游，因入太学为国子生，寻复南归。己亥夏，棹舟至东郊，暴得末疾，亟扶还舍，翌日竟不起。生于天命丁巳六月十六日，卒于顺治己亥六月二十三日，享年仅四十有三。"吴伟业《吴梅村全集》卷二九《宋辕生诗序》："吾友宋子辕生，世为云间人，膏粱世族，风流籍甚，而能折节读书。其所为诗，古风则排宕而壮往，近体则妍丽而清切，绰然有大家之风。生平好声伎，间作小词，授侍者歌之，皆中音节。遭遇兵火，经营别墅，茶铛酒碗，与宾客徜徉其间。使得遇杨、袁两君子，当推为铁门巨擘，不止与李五峰、周易痴、钱曲江辈递相唱和而已也。辕生昆季皆仕于朝，子弟以诗文为四方所推重，故得以其身优游啸傲，有廉夫之乐而不罹其忧，无海叟之官而兼享其逸，于以腾掉翰墨之林，脱落畦径之外，其所诣又宁有量哉？遂书数语以归之。"著有《芳洲集》。

七月

二十七日，毛晋（1599—1659）卒。钱谦益《有学集》卷三一《隐湖毛君墓志铭》："子晋初名凤苞，晚更名晋。世居虞山东湖。父清，孝弟力田，为乡三老。而子晋奋起为儒，通明好古，强记博览，不屑俪花斗叶，争妍削间。壮从余游，益深知学问之指。意谓经术之学，远本汉、唐，儒者远祖新安，近考馀姚，不复知古人先河后海之义。代各有史，史各有事有文，虽东莱、武进以钜儒事钩纂，要以歧枝割剥，使人不得见宇宙之大全。故于经史全书，勘雠流布，务使学者穷其源流，审其津涉。其他访佚典，搜秘文，皆用以裨辅其正学。于是缥囊缃帙。毛氏之书走天下，而知其标准者或鲜矣。经史即竣，则有事于佛藏。军持在户，贝多滥儿。捐衣削食，终其身芒芒如也。盖世之好学者有矣，其于内外二典世出世间之法，兼营并力，如饥渴之求饮食，殆未有如子晋者也。余老归空门，拨弃世间文字，每思以经史旧学，朱黄油素之绪言，悉委付与子晋。子晋晚思入道，观余笺注《首楞》、《般若》，则又思刊落枝叶，回向文字因缘，以从事于余，而今皆不可得矣。悠悠人世，可为兴悲，岂但东阡北陌而已哉！子晋为人，孝友恭谨，迟重不泄。交知满天下，平生最受知者，故令应山杨忠烈公，所庄事者，缪布衣仲淳、张冢宰金铭、萧太常伯玉也。与人交，不翕翕热。

抚王德操之孤，恤吴去尘、沈璧甫之亡，皆有终始。著书满家，多未削稿……生于己亥岁之正月五日，卒于己亥岁之七月二十七日，年六十有一。越三年，辛丑十一月朔，葬于戈庄之祖茔。"《清史列传·文苑传》："毛晋，原名凤苞，字子九，后改名晋，字子晋，号潜在，江苏常熟人。明诸生，以布衣自处。父清以孝弟力田起家。杨涟宰常熟时，择县中有干识者十人，每有大役，倚以集事，清其首也。晋奋起为儒，好古博览，构汲古阁、目耕楼，藏书数万卷，延名士校勘，刻《十三经》、《十七史》、古今百家及从未梓行之书，天下购善本书者，必望走隐湖。毛氏所用纸，岁从江西特造，厚者曰毛边，薄者曰毛太，至今犹沿其名。晋为人孝友恭谨，与人交有终始，好施予。遇岁歉，载米遍给穷家。水乡桥梁，往往独立成之。推官雷某赠诗曰：'行野渔樵皆谢赈，入门童仆尽钞书。'盖纪实也。所著有《和古今人诗》、《野外诗题跋》、《虞乡杂记》、《隐湖小志》、《海虞古今文苑》、《毛诗名物考》、《宋词选》、《明诗纪事》、《词苑英华》、《僧弘秀集》、《隐秀集》、《汲古阁书目》，共数百卷。其所藏秘籍，以宋本、元本以椭圆印别之，又以甲字印钤于首，其馀藏印，用姓名及'汲古'字者以十数。别有印曰'子孙永宝'，曰'子孙世昌'，曰'在在处处有神护持'，曰'开卷一乐'，曰'笔研精良人生一乐'，曰'旅溪'，曰'弦歌草堂'，曰'仲雍故国人家'，曰'汲古得修绠'。子五，俱先晋卒。"《四库总目提要》卷一五著录毛晋《毛诗陆疏广要》二卷云："吴陆玑撰，明毛晋注。晋原名凤苞，字子晋。常熟人。家富图籍，世所传影宋精本，多所藏收。又喜传刻古书，汲古阁版至今流布天下。故在明季，以博雅好学名一时。尝刻《津逮秘书》十五集，皆宋元以前旧帙。惟此书为晋所自编。陆玑原书二卷，每卷又分二子卷。盖储藏本富，故征引易繁，采摭既多，故异同滋甚，辨难考订，其说不能不长也。"

十月

汪琬撰《说铃》一卷成。据其自序。

十一月

二十七日（时已交公元 1660 年 1 月 9 日），**函可**（1612—1660）**卒。**据函可《千山诗集》附录函昰、郝浴等撰《奉天辽阳千山剩人可禅师塔铭》。屈大均《广东新语》卷一二："祖心，博罗人，宗伯韩文恪公长子。少为名诸生，才高气盛，有康济天下之志。年二十六，忽弃家为僧。禅寂于罗浮、匡庐者久之。乙酉至南京，会国再变，亲见诸士大夫死事状，纪为私史，城逻发焉。被拷治惨甚，所与游者忍死不一言。傅律殊死既得减，充戍沈阳。痛定而哦，或歌或哭，为诗数十百篇，命曰《剩诗》。其痛伤人伦之变，感慨家国之亡，至性绝人，有士大夫所不能及者。读其诗而君父之爱油然以生焉。"卓尔堪《明遗民诗》卷一六选函可诗四首。沈德潜《国朝诗别裁集》卷三二选函可诗一首《丁亥春将归罗浮留别黄仙裳》，小传云："函可，字祖心，广东南海人。"徐世昌编《晚晴簃诗汇》卷一九五选函可诗二十首，《诗话》云："剩人，为韩文恪曰缵子，少负才名，既丧父母，一意学佛。崇祯己卯年二十九，入匡山为僧。乙酉至南都请经，值国变，咏歌凭吊，致亡国之戚。及将南还，为门者所持，逮京师下狱。洪文襄，文恪门下士也，颇左右之，乃以此登弹事，狱具，戍沈阳。初至入普济寺读经，既历主广慈、大宁、永安、慈航诸大刹，苦行精修，暇辄为诗。自谓：‘绕塔高歌，正如风吹铃鸣，塔又何曾经意?’竹垞录七篇入《明诗综》，然集刻于康熙癸未，竹垞未及见。兹用明遗民例，复采竹垞所未录者著于篇。剩人在沈阳久，顺治间，李吉津呈祥、魏昭华琯、李龙衮裀、季天中开生、郝雪海浴，先后以言事谪戍，剩人皆从之游，故其诗中屡见诸君子踪迹。所咏李公赎陈氏妇，则不知为吉津，为龙衮也。”孙静庵《明遗民录》卷四七《祖心大师》：“祖心大师函可，博罗人，尚书韩日缵子。少为诸生，国变后，弃家入罗浮山。清兵破江南，函可坐事戍沈阳。所著有《剩人诗》。”袁行云《清人诗集叙录》卷三著录函可《千山诗集》二十卷（道光间重刻本）：“函可撰。函可本名韩宗騋，字祖心，号剩人，广东博罗海人。明礼部尚书韩日缵子。崇祯十二年祝发，旋值世变，走金陵。顺治五年以藏官人舟下刑部狱，发沈阳。主千山龙泉寺，与庐山栖贤寺主持函昰，并闻名于时。顺治十六年卒，年四十九。事具本书卷首函昰、郝浴所撰《辽阳千山剩人可禅师塔铭》。是集初刻于康熙间，乾隆间列为禁毁，道光间又有重刻本出，与函昰《瞎堂诗集》合刊，署‘博罗剩人可禅师著，书记今羞编’。集中与各地沙弥赠别最多。入沈后，剩公之名，远播朝鲜。清初流徙东北官员文士，如李呈祥、魏琯、季开生、李龙衮、郝浴、陈心简皆从之游。末卷《冰天诗社唱和》及游千山诗，多见诗社诸名士踪迹。清初高僧诗，以粤东为冠，慷慨任气，磊落使才，怨而近怒，哀而至伤，可印证世事者亦多，特不收史乘耳。”

是年

蒲松龄、张笃庆等在淄川结郢中社。张笃庆《厚斋自著年谱》：“顺治十六年己亥，余年十八岁……暇日与鹿瞻、留仙、希梅赋诗，结郢中社，标壮采，抽藻思矣。”

王苹（1659—1720）生。朱彭寿《清代人物大事纪年》：“顺治十六年己亥（公元1659年），生辰：王苹生，字秋史，山东历城人。享年六十二。”《清史列传·文苑传》：“王苹，字秋史，山东历城人……好读书，负奔轶之才，嗜古好奇，视乡里间举无足当意者，人以狂士目之。尤致力于诗，闭门苦吟，绝交游。王士禛赏其诗，并奇其人……有‘乱泉声里才通屐，黄叶林间自著书’，‘黄叶下时牛背晚，青山缺处酒人行’之句，时称为王黄叶。康熙四十五年成进士，授知县，以母老，改就成山卫教授……岁馀，以养母乞归……所居近望水泉，元于钦所编七十二泉之第二十四也，自称七十二泉主人。五十九年，卒，年六十（编者按，当作六十二）。所著曰《二十四泉草堂集》，又有《蓼村文集》四卷。”

公元 1660 年（清顺治十七年　庚子　南明永历十四年）

正月

严禁立社盟誓。蒋良骐《东华录》卷八：“顺治十七年正月，礼部议覆给事中姚延启，请照例再行严禁大小官员私交私宴及庆贺馈送。允之。给事中檅雍建言：‘今之妄立社名纠集盟誓者，所在多有，而江南之苏州、松江，浙江之杭、嘉、湖为尤甚。其始由于好名，因之植党。请敕学臣严禁，不得妄立社名，投刺往来，亦不许用同社、同盟字样。'得旨：严行禁止。"《清世祖实录》卷一三一上疏者作"杨雍建"。

金人瑞作《春感》八首，对顺治帝感激涕零。金人瑞《沉吟楼诗选·春感八首》有序云："顺治庚子正月，邵子兰雪从都门归，口述皇上见某批才子书，论词臣'此是古文高手，莫以时文眼看他'等语，家兄长文具为某道。某感而泣下，因北向叩首敬赋。"其四云："一江春水好行船，二月春风便到天。尽卷残书付儿子，满沽清酒酌长年。半生科目沉山外，今日长安指日边。借问随班何处立，香炉北上是经筵。"

陈维崧至太仓请吴伟业为冒襄五十岁撰寿序。《吴梅村全集》卷三六《冒辟疆五十寿序》："如皋有孝友易直之君子曰冒君辟疆，能文章，善结纳，知名天下垂三十年，其生平踪迹，于金陵，于吴郡，遍择其豪长者与游，顾于余独未邂逅，然心向往之。今年辟疆偕其配苏孺人春秋五十，二子谷梁、青若介阳羡陈其年以余言为请。其年奇士也，其自为之文以寿辟疆者，足以张之矣，而勤勤余一言何哉？虽然，余三十年知辟疆，未得一见，因其年见于吾文，相赠以言，亦犹行古之道也。"

六月

工部右侍郎张缙彦（1599—1669以后）流徙宁古塔，罪名之一为"编刊《无声戏》二集"。编者按，《无声戏》为李渔作。《清史列传·贰臣传》："十七年二月，上甄别三品以上大臣，谕曰：'张缙彦自擢升侍郎，不能实心任事，且耽情诗酒，好结纳交游，沽名取悦，殊失人臣靖共之义。著降四级调外用。'寻补江南徽宁道。是年六月，左都御史魏裔介劾大学士刘正宗罪恶，言缙彦与为莫逆友，序其诗称以将明之才，词诡谲而心叵测。均革职逮讯，御史萧震复疏劾缙彦曰：'明之亡也，始于士大夫之朋党，终于奸臣之卖国。缙彦仕明为尚书，在籍时即交通闯贼。及闯贼至京，开门纳款，犹曰事在前朝，已邀上恩赦宥。乃自归诚后，仍不知洗心涤虑，官浙江时，编刊《无声戏》二集，自称"不死英雄"，有"吊死在朝房，为隔壁人救活"云云。冀以假死涂饰其献城之罪，又以不死神奇其未死之身。臣未闻有身为大臣，拥戴逆贼，盗窃宗社之英雄；且当日抗贼殉难者有人，阖门俱死者有人，岂以未有隔壁人救活逊彼英雄，虽病狂丧心，亦不敢出此等语。缙彦乃笔之于书，欲使乱臣贼子相慕效乎？是其在明季则倾覆天下以利身家，在本朝则煽惑人心，为害风俗。假令已死，尚当鞭戮其尸，示戒将来，岂容生存漏网？请敕明正典刑，以肃纲常于万世。'疏并下王大臣察议，以缙彦诡词惑众，及质询时又巧辩欺饰，拟斩决；上贷缙彦死，褫其职，追夺诰命，籍没家产，流徙宁古塔。寻死。"孙楷第《李笠翁与〈十二楼〉》（亚东图书馆重印《十二楼》序）有云："笠翁《无声戏》小说，给别人惹起这样大的风波，这在小说史上也是一段重要的掌故。"中国人民大学清史研究所编《清史编年》第一卷，系湖广道监察御史萧震弹劾张缙彦事于是年八月初九日，并云："十一月初十日，张缙彦被革职、籍没，流徙宁古塔。"

吴伟业至常熟访钱谦益，并以其诗集求序。钱谦益《钱牧斋尺牍》卷上《致梅村书》:"荒村草具,樵苏不爨,昔贤岘山夜宿,以乳羊博市沽,比之吾辈,岂非华筵高会乎?别后捧持大集,坐卧吟啸,如渡大海,久而得其津涉……讽诵久之,不禁技痒,遂放笔为叙引。非谓朴学谀闻,足以遂尽来美,亦聊于唱叹之馀,少抒其领略,使人知天人之际,可学不可学之介,出自心神,本乎习气。"

七月

丁耀亢撰成小说《续金瓶梅》六十四回,时作者六十三岁,病卧西湖。参见小说卷首《太上感应篇阴阳无字解序》中文字,后署"时顺治庚子孟秋,西湖鸥吏惠安令琅琊丁耀亢谨序",以及小说第六十二回有关文字。

吴伟业选同里周肇、王揆、许旭、黄与坚、王撰、王昊、王抃、王曜升、顾湄、王摅之诗为《太仓十子诗选》,为之作序,并邀钱谦益、程邑为序。《吴梅村全集》卷三○《太仓十子诗序》:"今此十人者,自子俶以下,皆与云间、西泠诸子上下其可否,端士、惟夏兄弟则为两王子孙,乃此诗晚而后出,雅布欲标榜先达,附丽同人,沾沾焉以趋一世之风气。《书》曰:'诗言志。'使十子者不矜同,不尚异,各言其志之所存,诗有不进焉者乎?吾不知世之称诗者,其有当于余言否也?亦聊与十子交勉之而已矣。十子为周肇子俶、王揆端士、许旭九日、黄与坚庭表、王撰异公、王昊惟夏、王抃怪民、王曜升次谷、顾湄伊人、王摅虹友。序之者梅村吴伟业也。"钱谦益《有学集》卷二○《娄江十子诗序》:"娄江有十子者,英年华胄,含章秀发,相与磨砺为声诗,都人士望风却避。顾以余为可与言也,相与鼓箧而请事焉。余读之卒业,欣欣然有喜色,而告之曰:古之为学者,莫先于学《诗》,《诗》也者,古人之所以为学也,非以《诗》为所有事而学之也。古之人,十有三年学乐诵《诗》舞勺,成童舞象,春诵夏弦,秋学《礼》,冬学《书》。其于学诗也,没身而已矣……今吾观十子之诗也,直而不倨,曲而不屈,抑之而奥,扬之而明,曲直繁瘠,廉肉节奏,非放心邪气所得而犯干也。其为人也,威仪庠序,发言有气,离经辨志,相观而善,非有意为谀闻动众者也。是夫也,其有志于古之学诗者乎?赵邠卿之叙《孟子》曰:'帝王公侯,遵之则可以致隆平,颂清庙。卿大夫士蹈之,则可以尊君父、立忠信。守志厉操者仪之,则可以崇高节、抗浮云。'此古学之典要,亦救世之针药也。吾老矣,窃有厚望于诸子,故为其序以勉焉。"程邑《太仓十子诗叙》(见顺治刊本《太仓十子诗选》):"昔建安中,有王粲、刘桢辈,称建安七子;大历中,有卢纶、钱起辈,称大历十子;嘉靖中,有王、李、边、吴辈,称嘉靖七子;以至香山之九老、竹溪之六逸,各有诗篇,掩映今古。然生虽同时,产则异地。聚四方之英隽,成一代之国华,为力甚易,未有生同时、产同地,如太仓十子者也。十子者,或系出乌衣,或情闲白社,并以高才,吐兹伟韵。每当春花秋月,送远将归,曲燕浮觞,伤今吊古,莫不云诡于笔区,波谲于艺苑。故掇其华实,可以衔山川而拾香草;表其铿锵,足以变丝簧而感金石也。然十子之体格风韵,亦自不同。子俶沉骏,故兴踔而藻清;端士雅懿,故思深而裁密;九日淹茂,故气杰而音翔;庭表雄赡,故志博而味深;异公笃挚,故才果而趣昭;惟夏俶傥,故响矜而采烈;怪民赡逸,故言远而旨微;次谷静迈,故锋发而韵流;伊人淡荡，故情深而调远；虹友颖厚，故骨重而神寒。以十子之性情，持一方之风气，文明以健，表里相符，于以环四始而炳六义，岂出建安、大历、嘉靖群公之下乎！异日者，展其才猷，黼黻皇业，行以一州，名四海也，岂独诗人也哉！抑娄江诗才，推梅村先生为领袖，十子晨夕奉教，故能各臻胜境，斯编亦其手订者。先生之诗，不独冠娄江，因不入十子之列，然则娄江信多才哉！顺治庚子初秋白钟年家弟程邑题于吴门之翼经堂署中。"

　　王曜升（生卒年不详），字次谷，江南太仓（今属江苏）人，王昊之弟，诸生。著有《东皋集》一卷（《太仓十子诗选》本）。《清史列传·文苑传》："（王昊）弟曜升，字次谷，诸生。与昊皆有文名，以奏销罣误，悒悒出游，入都客死。著有《东皋集》。"沈德潜《国朝诗别裁集》卷一四选其诗《登北固山》、《端午先忌》二首。王豫《江苏诗征》引《文学录》："曜升性豪迈跌宕，文史脱略公卿，与兄昊皆有文名。以奏销罣误，悒悒出游，遇酒辄或歌或泣。暮年入都，遂客死。"袁行云《清人诗集叙录》卷九著录《东皋集》一卷（《太仓十子诗选》本）："王曜升撰。曜升字次谷，江苏太仓人。诗受业于吴伟业，与兄昊齐名，尤长文史。顺治间以逋粮案罣误，暮年游京师卒。王氏昆季为明王世懋曾孙，俱受学于吴伟业。昊有《硕园集》，单刻，曜升诗仅存此卷，为伟业选，刊入《娄东十子集》中。《寄吴梅村先生》、《赠余澹心》长歌，足以明志。与杜濬、邓汉仪亦有寄答。《秋风篇》、《初秋杂感》，古意泠然。游金焦、北固、燕子矶诸篇，清腴简远。《垓下行》、《出塞行》，尤为高响。清初士夫尤争气骨，故无趁时趋世之作也。"

是年夏

　　李渔至太仓访吴伟业。吴伟业《吴梅村全集》卷一六《赠武林李笠翁》诗题下自注："笠翁名渔，能为唐人小说，兼以金、元词曲知名。"诗云："家近西陵住薜萝，十郎才调岁蹉跎。江湖笑傲夸齐赘，云雨荒唐忆楚娥。海外九州书志怪，坐中三叠舞回波。前身合是玄真子，一笠沧浪自放歌。"李渔《笠翁一家言全集·诗集》卷六《梅村吴骏公太史别业》："不似东山太傅家，但闻人语隔桑麻。林逋客去惟调鹤，杜老诗闲却浣花。万树寒梅千树古，十竿修竹九竿斜。更宜绿水穿林过，时向其中泛一槎。"另李渔《笠翁馀集》卷八有《满庭芳·十馀词》，题为"吴梅村太史席上作，词中限有十馀字"。李桓《国朝耆献类征》卷四二六："李渔，字笠翁，钱唐人（一作兰溪）。流寓金陵，著《一家言》，能为唐人小说。吴梅村所称精于谱曲，时称李十郎，有《风筝误》等传奇十种及《芥子园画谱》初、二、三集行世。"

八月

　　吴伟业在苏州为李渔《尺牍初征》撰序。李渔《尺牍初征》卷首载吴伟业序，后署"时顺治庚子中秋前五日，梅村道士题于金阊舟次"。李渔《笠翁一家言全集·文集》卷三《与吴梅村太史书》云："揽胜名园，身去魂留者累日……归装已束，刻日解维，所求元晏（编者按，古人对'序'的代称），知已脱稿，拜惠正在此时。"

吴伟业在苏州访李玉，并为其《北词广正谱》与传奇《清忠谱》作序。李玉《北词广正谱》卷首载吴伟业序有云："……李子元玉好奇学古之士也，其才足以上下千载，其学足以囊括艺林，而连厄于有司，晚几得之，仍中副车。甲申以后，绝意仕进。以十郎之才调，效耆卿之填词，所著传奇数十种，即当场之歌呼笑骂以寓显微阐幽之旨，忠孝节烈，有美斯彰，无微不著，间以其馀闲采元人各种传奇散套及明初诸名人所著中之北调，依宫按调，汇为全书，复取华亭徐于宝所辑参而订之，此真骚坛鼓吹，堪与汉文、唐诗、宋词并传不朽矣。予至郡城，尝过其庐，出以相示，喜其能成前人未有之书也，为序其始末云。娄东吴伟业书。"李玉《一笠庵汇编清忠谱传奇》卷首载吴伟业序有云："……逆案既布，以公（即指周顺昌）事填词传奇者凡数家，李子玄玉所作《清忠谱》最晚出，独以文肃与公相映发，而事俱按实，其言亦雅驯，虽云填词，目之信史可也……余老矣，不复见他年事，不知此后填词者亦能按实谱义，使百千岁后观者泣、闻者叹，如读李子之词否也。梅村吴伟业题。"

九月

王昊因钱粮案，自苏州被逮北上，吴伟业作《送王子惟夏以牵染北行》及《别惟夏》诗，后者有云："惆怅书生万事非，赭衣今抵旧乌衣。六朝门第鸦啼绕，九月关河木叶飞。"据《吴梅村全集》卷一七。

十月

初一日，钱谦益为吴伟业诗集作序毕。吴伟业《吴梅村全集》附录三钱谦益《梅村诗集序》："余老归空门，不复染指声律，而颇悟诗理。以为诗之道，有不学而能者，有学而不能者；有可学而能者，有可学而不能者；有学而愈能者，有愈学而愈不能者；有天工焉，有人事焉：知其所以然，而诗可以几而学也。间尝趣举其说，而闻者莫吾信。顷读梅村先生诗集，喟然叹曰：嗟乎，此可以证明吾说矣……窃尝谓诗人才子，皆生自间气，天之所使以润色斯世，而本朝则多出词林。然自高青丘以降，若李宾之、杨用修者，未易一二数也。丰水有芑，生材不尽，而产梅村于隆平之后，以锦绣为肝肠，以珠玉为咳吐，置诸西清东序之间，俾其鲸铿春丽，眉目一世……顺治庚子十月朔，虞山蒙叟钱谦益再拜谨序。"

是年冬

昆腔艺人苏昆生访吴伟业，吴为之作《楚两生行》以送，兼寓柳敬亭。又作四绝句赠苏昆生。《吴梅村全集》卷一〇《楚两生行》有序云："苏州苏昆生、维扬柳敬亭，其地皆楚分也，而又客于楚。左宁南驻武昌，柳以谈、苏以歌为幸舍重客。宁南没于九江舟中，百万众皆崩溃。柳以先期东下。苏生痛哭，削发入九华山，久之出从武林汪然明；然明亡，之吴中。吴中以善歌名海内，然不过啴缓柔曼为新声，苏生则于阴阳抗坠，分刌比度，如昆刀之切玉，叩之栗然，非时世所为工也……生亦落落难合，到海滨，寓吾里萧寺风雪中。以余与柳生有雅故，为立小传，援之以请曰：'吾浪迹三十年，为通侯所知，今失路憔悴而来过此，惟愿公一言，与柳生并传足矣。'柳生近客云间帅，识其必败，苦无以自脱，浮湛敖弄，在军政一无所关，其祸也幸以免。苏生将渡江，余作《楚两生行》送之，以之寓柳生，俾知余与苏生游，且为柳生危之也。"

公元 1661 年（清顺治十八年 辛丑 南明永历十五年）

正月

初七，清世祖福临（1638—1661）卒。《玉林禅师年谱》："顺治十八年正月初三，中使马公二次奉旨至万善殿云：'圣躬少安。'师集众展礼御赐金字《楞严经》，绕持大士名一千，为上保安。初四，李近侍言：'圣躬不安之甚。'初七亥刻，驾崩。"

顺治帝福临第三子爱新觉罗·玄烨（1654—1722）八岁即位，以明年为康熙元年，是为清圣祖。蒋良骐《东华录》卷八："顺治十八年正月，遗诏命内大臣索尼、苏克萨哈、遏必隆、鳌拜为辅臣，保翊冲主，佐理政务。初七日丁巳夜子刻，上崩于养心殿。"《清史稿·世祖本纪二》："十八年春正月壬子，上不豫。丙辰，大渐。赦死罪以下。丁巳，崩于养心殿，年二十四。"又同书《圣祖本纪一》："圣祖……讳玄烨，世祖第三子也。母孝康章皇后佟佳氏，顺治十一年三月戊申诞上于景仁宫……顺治十八年正月丙辰，世祖崩，帝即位，年八岁，改元康熙。遗诏索尼、苏克萨哈、遏必隆、鳌拜四大臣辅政。"

金人瑞闻顺治帝去世，赋诗感怀。金人瑞《沉吟楼诗选·辛丑春感》："入春春望转萧条，龙卧春寒不自聊。正怨灵修能浩荡，忽传虞舜车箫韶。凌云更望何人读，封禅无如连夜烧。白发满头吾甚矣，还馀几日作渔樵。"

吴伟业闻顺治帝死讯，作《清凉山赞佛诗四首》，《读史有感八首》。孟森《明清史论著集刊续编·世祖出家事考实》对此考之甚详，如云："世祖崩于大内，无行遁之说，诸证已明。而世乃以吴诗《清凉山赞佛四首》为疑。因其为赞佛，则疑五台之涉及世祖，必有出家五台之举，因其一再用董姓入诗，又疑董妃为冒氏姬人董小宛。夫世祖媚佛之据甚多，疑为出家，犹非无故。至董姓何必即为小宛？董鄂之董，在诗人何必辨其为非汉姓之董，而不以董姓故事附丽之？抑向来学者，于清代故事太不留意，并不知端敬皇后之出董鄂氏耶？昔年为小宛辨诬，曾有专考，行世二十馀年，可不复述。"又云："重释吴诗，首以学者共疑之《清凉山赞佛诗》为急。此诗程编于庚子、辛丑间，是也。但必其在辛丑，即顺治十八年，顺治遗诏已颁之后。""第一首先从五台山说起，而以金莲花叶同根映发，引起董妃，喻其承恩缱绻。""第二首入董妃之薨，蟋蟀凉风，其时令亦本不似新秋七夕。""第三首正叙清凉山灵境为仙佛所往来，宜为礼佛荐亡之地。""第四首用周穆、汉武帝王留情于内宠之事，以明礼佛之由来。"又云："吴诗有《读史有感八首》……当咏殉葬之董鄂贞妃。"

二月

二十七日，何焯（1661—1722）生。据吴荣光《历代名人年谱》。《清史列传·文苑传》："何焯，字屺瞻，江苏长洲人。先世曾以'义门'旌，学者因称义门先生。焯少读书，数行并下，为文才思横溢。性耿介，廉于财，虽晨炊未具，不计也。康熙四十一年，圣祖南巡，驻涿州，召直隶巡抚李光地语，询草泽遗才，光地以焯荐，召直南书房。明年，赐举人，试礼部，下第，复赐进士，改翰林院庶吉士，仍直南书房。寻命侍读皇八子府，兼武英殿纂修官……焯与方苞论文不甚合，然苞有作，必问其友曰：'焯见之否？是能纠吾文之短者！'晚岁益有见于儒者之大原，尝叹王伯厚虽魁宿，尚未脱词科习气，因欲然自附于不贤识小之徒，欲因文见道，以探本于儒术。今世所传《义门读书记》旧雕本，止六卷。同邑蒋维钧嗜何氏学，博搜遐访，扩至十数种。康熙六十一年，卒，年六十二。上曰：'何焯修书勤，学问好。朕正欲用之，不意骤殁，甚可悯恻！'赠侍讲学士，赐金，给符传归丧；复命有司存恤其孤。门人著录甚众，吴江沈彤、长洲陈景云为尤著。"何焯，初字润千，号元勇，后改字屺瞻，晚号茶仙。长洲（今江苏苏州）人。康熙四十二年进士，改庶吉士，授编修。自幼好读书，勤于猎古，精校勘之学，著有《义门先生集》十二卷。

三月

董含考中二甲第二名进士。
张玉书考中二甲第十二名进士。
孙蕙考中二甲第四十二名进士。

是年春

王猷定（1598—1661）卒。沈起《查东山先生年谱》："辛丑，先生六十一岁。春，豫章王公于一捐馆西湖，先生偕同人为治丧。"朱彭寿《清代人物大事纪年》谓王猷定卒于康熙元年（1662），年六十五。江庆柏《清代人物生卒年表》据《疑年录汇编》卷九括注王猷定生卒年为"1598—1662"，不从。《清史列传·文苑传》："王猷定，字于一，江西南昌人。拔贡生。父时熙，明进士，官太仆寺卿。天启中，名在东林。猷定工诗古文，为人倜傥自豪，对客断断讲论，每举一事，辄原其本末，听之醉心。少时驰骋声伎、狗马、陆博、神仙迂怪之事，无所不好，故产为之倾。史可法闻其贤，征为记室。可法迎立福王，传檄四方，情文动一时，皆猷定为之谋也。袁继咸奉命江楚，亦疏荐猷定可大用，猷定坚卧，复书累千言，道不乐仕进意。既入国朝，遂绝意人世，日以诗文自娱。晚寓浙中西湖僧舍，大吏重其人，皆虚左事之。按察使宋琬尤与相契。已而琬以事被逮，宾客散亡，猷定独周旋患难中。所为文多郁勃如殷雷未奋；又如崩崖压树，枒槎盘礴，旁枝得隙，突然干霄。自明季公安、竟陵之说盛行，文体日琐碎。猷定能独开风气，名与方域相埒。论者谓其自出机杼，成一家言，然如《义虎》、《汤琵琶》等传，颇苦其诞而不经云。其行书楷法，亦自通神。所著曰《四照堂集》。"卓尔堪《明遗民诗》卷一选王猷定诗三十一首，小传云："王猷定，字于一，号轸石，江西南昌人。文学，性伉直。遭乱移家，多历艰险，与杜茶村称性命交。精楷法，以古文自雄。著《四照堂集》。"朱彝尊《静志居诗话》卷二一《王猷定》："于一以诗古文词自负，对客断断讲论，每举一事，辄原其本末，听之霁心，盖兼有笔札喉舌之妙者。其行书楷法，亦自通神。《北固》一律云：'大江东北望，半壁有孤城。古寺风烟积，春涛日月生。人稀知径小，帆远觉潮平。午夜招提梦，三山空外行。'"沈德潜《国朝诗别裁集》卷七选王猷定诗一首《螺川早发》，小传云："于一遭乱居广陵，以诗古文自负。书法亦在晋唐之间。"陈田《明诗纪事》辛签卷二四选王猷定诗十首，引王晫《今世说》云："于一遭乱居广陵，穷愁著书，力追大雅。海内能文之士翕然推之。客死西湖，篇帙散失，大梁周司农刻其遗稿行世。"又加按语云："于一诗，骚情古意，跌宕萧寥；五律一体，尤哀咽动人。"徐世昌编《晚晴簃诗汇》卷一八选王猷定诗八首，《诗话》云："于一长身玉立，意气豁如，议论风发，谈天下事如视掌上纹。与梁公狄、史蘧庵友善，杜茶村尤性命交。诗沉郁萧森，五言近体雅近杜老乱中诸作。"邓之诚《清诗纪事初编》卷二著录王猷定《四照堂文集》十二卷、《诗集》四卷："王猷定，字于一，号轸石，江西南昌贡生。太仆卿止敬之子。明亡，以遗老终于康熙壬寅。《潜丘劄记》有《壬寅至邗上哭亡友王于一兼营归榇》诗云：'我友昨客死，杭人多哭声。'又陆莘行《老父云游始末》：'康熙元年壬寅春二月，父友王于一者，自闽至浙，寓昭庆寺，忽疾作，父亟为调治，昼夜不息。王竟不起。父为敛资棺敛，并出床头十金，令其仆扶柩归里。'是猷定以壬寅客死于杭。《今世说》所载亦同。《漑堂前集·哭王于一》五言二律，列于辛丑，似误。其集为周亮工所刻者，文五卷，诗二卷。此为其子汉卓所辑，凡文十二卷，诗四卷。《明诗综》谓猷定以诗古文自负，对客断断讲论。今观其文学三苏，微不及艾千子，过于陈氏父子远矣。或谓钱谦益所不喜，非也。猷定为益门人，谦益与人书，谓其学四家文，往往有合者，劝刻其文。岂不喜而肯言此乎？王士禛讥其《寒碧琴记》，谓东坡未贬登州司户参军，失于不检。凡有才气，信笔为文者，率犯此病。所以方、姚争言义法，其实特不读书之过。观其与顾炎武书，与争文格，多见其不知量也。其集《四库》未收亦未禁。"袁行云《清人诗集叙录》卷一著录王猷定《四照堂诗集》四卷（咸丰五年刻本）："猷定乡贡不试，史可法征为记室。顺治二年，自扬州还南昌，与喻宣仲、丁仲阳号'三隐君'，自号轸石老人，以诗古文名。晚寓浙中西湖僧舍。康熙元年卒，年六十五。《诗集》初刻为玉蔬轩本，校刻不精，康熙二十三年其子汉章辑本，凡文五卷、分体诗二卷。是集四卷晚出，为胡思敬校刻，有周亮工原序，王珙、陈僖、饶宇朴序。猷定为谦益门人，与杜濬为性命交。同万寿祺、顾炎武、屈大均亦有往还。集中寄赠，如龚鼎孳、周亮工、宋琬、，皆故交……顺治间诗家由明七子学唐，亦偶有超迈之作。康熙中叶，举世宋调，内容无奇不备，而求通篇无疵者，不经见矣。又有《听柳敬亭谈史》、《姑山草堂歌》、《听杨太常弹琴》，深寄怀抱。丁有煜有《读四照堂集》诗，见《双薇阁集》。"

四月

郑成功驱逐荷兰人，收复台湾。见徐鼒《小腆纪年附考》卷二〇。

十六日，小说《醒世姻缘传》一百回成书付梓，题"西周生编辑，燃藜子校订"。环碧主人《醒世姻缘传弁语》后署"环碧主人题，辛丑清和望后午夜醉中书"。古人称农历四月为"清和"。"辛丑"还可以是康熙六十年（1721）、乾隆四十八年（1781），此问题与是书作者问题皆有争议，西周生是谁？即有蒲松龄、丁耀亢、贾凫西、陕西人士、章丘人士、河南人士六种说法，参见段江丽《醒世姻缘传研究》（岳麓书社2003年出版）。本书姑系于顺治十八年，以便提出有关作者的争议问题。

六月

奏销案起，吴伟业等多受牵连。《清圣祖实录》卷三："（顺治十八年六月）庚辰，江宁巡抚朱国治疏言：苏、松、常、镇四府属并溧阳县未完钱粮文武绅衿共一万三千五百一十七名，应照例议处；衙役人等二百五十四名，应严提究拟。得旨：绅衿抗粮，殊为可恶，该部照定例严加议处。"王家祯《研堂见闻杂记》："乃抚臣更立奏销法，岁终，将绅衿所欠，造册申朝……既达于朝，部臣议覆，吏部先议：绅既食禄，不当抗粮，现任降二级调用；在籍者提解来京，送刑部从重议处；已故者提家人；其革职废绅，则照民例，于本处该府发落。吾州在籍诸绅，如吴梅村、王端士、吴宁周、黄庭表、浦圣卿、曹祖来、吴元祐、王子彦，俱拟提解刑部，其馀不能悉记。时诸生惴惴恐，乃礼臣议覆，俱革去衣顶，照依户部所定则例处分。"董康《三冈识略》卷四《江南奏销之祸》："江南赋役，百倍他省，而苏松尤重。迩来役外之征，有兑役、里役、该年、催办、捆头等名，杂派有钻夫、水夫、牛税、马豆、马草、大树、钉麻、油铁、箭竹、铅弹、火药、造仓等项，又有黄册、人丁、三捆、军田、壮丁、逃兵等册。大约旧赋未清，新饷已迫，积逋常数十万。时司农告匮，始十年并征，民力已竭，而逋欠如故。巡抚朱国治强愎自用，造欠册达部，悉列江南绅衿一万三千馀人，号曰抗粮。既而尽行褫革，发本处枷责，鞭扑纷纷，衣冠扫地。如某探花欠一钱，亦被黜，民间有'探花不值一文钱'之谣。士大夫自宜急公，乃轩冕与杂犯同科，千金与一毫同罪，仕籍学校，为之一空。至贪官蠹吏，侵役多至千万，反置不问。吁，过矣！后大司马龚公特疏情宽奏销，有'事出创行，过在初犯'等语，天下诵之。"孟森《明清史论著集刊·奏销案》考证此案最详，有云："整理赋税，原属官吏职权，特当时以故明海上之师，积怒于南方人心之未尽帖服，假大狱以示威，又牵连逆案以成狱。易世之后，言之尚有馀恫焉。"

杭人陆銮借"通海案"上书攻讦吴伟业及慎交、同声两社。吴伟业《吴梅村全集》卷五七《与子暻疏》："吾归里得见高堂，可为无憾。既奉先太夫人之讳，而奏销事起。奏销适吾素愿，独以在籍部提牵累，几至破家；既免，而又有海宁之狱，吾之幸而脱者几微耳。无何陆銮告讦，吾之家门骨肉当至糜烂，幸天子神圣，烛奸反坐，而诸君子营救之力亦多，此吾祖宗之大幸，而亦东南之大幸也。"杜登春《社事始末》："两社（即指慎交社、同声社）同朝数辈，文章、声教实为海内亘古所未睹。同社之在里门者竞举大会，声动江表。江上之得免者，赖主盟皆在朝列。惟梅村忧居，岿然灵光，争相推重，梅村亦以身自任，为合局计。幸素不讲海南事，两社得以屏息偷生，无及于难。而他郡之人不与两社者无虑百数，大约绝之已甚，遂成厉阶。有杭人陆銮者，借江上以倾梅村而击两社，上书告密，首及梅村，云系复社馀党，兴举社事，大会虎丘，

知者》云："东西南北海天疏，万里来寻圣叹书。圣叹只留书种在（儿子雍），累君青眼看何如。"今人有整理本《金圣叹文集》，巴蜀书社 1997 年出版。

八月

清廷为孤立郑成功，下"迁界令"。规定福建、广东、江南、浙江四省滨海居民各向内地迁移三十里，寸板不许下海。据《清圣祖实录》卷四。

十二月

缅人献桂王（永历帝）于清吴三桂。蒋良骐《东华录》卷八："康熙元年二月，吴三桂、爱星阿奏：奉命征缅，两路进兵，于顺治十八年十一月会师木邦，伪晋王李定国奔景线，伪巩昌王白文选遁据锡波江，官兵造筏将渡，文选复奔茶山，遣总兵马宁等追及于孟养，文选降。三桂、爱星阿自趋缅城，伪永历桂王朱由榔遗三桂书曰……十二月初一日，大军至缅城，缅酋（莽应时）执朱由榔献军前，杀伪华亭侯王维恭等一百馀人，滇南平。"

十八日，清廷严通海之禁。据《明清史料》丁编第三册。

顾炎武撰《山东考古录》一卷成。据其自序。

是年

钱谦益为王士禛诗集作序，有"代兴"之期许。钱谦益《牧斋有学集》卷一七《王贻上诗序》："余八十昏忘，值贻上代兴之日，向之镵砺知己，用古学劝勉者，今得于身亲见之，岂不有厚兴哉！书之以庆余之遭也。"王士禛《居易录》卷一〇："牧翁于予有知己之感，顺治辛丑序予渔洋诗集，有代兴之语。"王士禛《古夫于亭杂录》卷三："予初以诗贽于虞山钱先生，时年二十有八，其诗皆丙申后少作也。先生一见，欣然为序之，又赠长句，有'骐骥奋蹴踏，万马喑不骄'，'勿以独角麟，俪彼万牛毛'之句，盖用宋文宪公赠方正学语也……今将五十年，回思往事，真平生第一知己也。"

吴伟业为宋琬诗文集作序。吴伟业《吴梅村全集》卷五九《宋玉叔诗文集序》："玉叔天才儁上……今被简命来长臬于浙，浙为东南都会，湖山秀美，由来风月之奥区。而廉宪古观察也，官以采风为职……玉叔既之官，邮示其所刻前后集俾余序之。"

第二章

清康熙元年至康熙三十九年（1662—1700）共39年

·引 言·

《四库总目提要》卷一七三著录汪琬《尧峰文钞》五十卷：古文一脉，自明代肤滥于七子，纤佻于三袁，至启、祯而极敝。国初风气还醇，一时学者时复讲唐宋以来之矩矱，而琬与宁都魏禧、商丘侯方域称为最工。宋荦尝合刻其文以行世。然禧才杂纵横，未归于纯粹；方域体兼华藻，稍涉于浮夸。惟琬学术既深，轨辙复正，其言大抵原本六经，与二家迥别。其气体浩瀚，疏通畅达，颇近南宋诸家，蹊径亦略不同。庐陵、南丰，固未易言，要之接迹唐、归，无愧色也。

方宗诚《桐城文录序》：桐城文学之兴，自唐曹孟征……逮于我朝，人文遂为海内宗，理势然也。盖自方望溪侍郎、刘海峰学博、姚惜抱郎中三先生相继挺出，论者以为侍郎以学胜，学博以才胜，郎中以识胜，如大华三峰，矗立云表。虽造就面目，各自不同，而皆足继唐、宋八家文章之正轨，与明归熙甫相伯仲，乌呼盛哉……望溪同时友戴潜虚先生（即戴名世——笔者），文颇得司马子长、欧阳永叔之生气逸韵，其空灵超妙，往往出人意表。惟蕴蓄渊懿、沉深高洁逊三家，而愤时疾俗之作尤多，用此不逮古作者。先生又以文字得祸，未能深用力如望溪，而名亦遂湮没矣。

张舜徽《清人文集别录自序》：间尝以为有清二百六十馀年间，学凡数变。开国之初，诸儒多明季遗民，操危虑深，坚贞自矢，大抵博学笃行，有志匡济。故其为学，原本经史，不忘经世。非特有殊于宋、明理学诸儒之空谈，复不同于后来乾、嘉经师之琐碎，体用兼该，气象博大。此一期也。迨康、雍、乾三朝迭兴文字之狱，学者相率不复治近史，且不敢论涉政治以干时忌，然后举世之心思才力，乃一窜于穷经考礼，而乾嘉朴学以兴。科条极精，门庭渐褊。此又一期也。降至嘉、道，禁网渐疏，学者始稍稍为论证之文。自鸦片战争后，外侮迭乘，志士扼腕，尤思以致用自见。于是依附《公羊》今文之学，盛张微言大义之绪。后之鼓吹变法维新者，卒托此以行其说，力辟墨守，广揽新知。此晚期也。若论儒效之弘纤，则清初与清末诸儒，规为浩大，识议明通。视夫穷经考礼、终其身劳精疲神于训诂名物间者，固有间矣。

顾有孝《江左三大家诗钞叙》：有明之时，高季迪、杨孟载、袁海叟、徐幼文启秀于前，顾华玉、徐昌谷、文徵仲嗣音于后，王元美兄弟出，遂蹶中原之垒而独建蚩弧。

自时厥后，寥落不振者将百载。迨至今日，风雅大兴，虞山、娄东、合肥三先生其魁然者也。虞山诗如掣鳌巨海，决溜洪河，不与翡翠兰苕争柔斗艳；娄东诗如绛云卷舒，晖烛万有，又如四瑚八琏，宝炎陆离；合肥诗如天女铢衣，仙璈凤管，新声绮制，非复人间。虽体要不同，莫不源流六义，含咀三唐，成一家之言，擅千秋之目……康熙六年冬日吴江顾有孝撰。

王士禛《漷津草堂诗集序》：田子子益，邹、鲁之文学，而漪亭司寇之介弟也。一旦怀其近诗一编质予，予亟赏之。昔司空表圣作《诗品》凡二十四，有谓冲澹者曰："遇之匪深，即之愈稀。"有谓自然者曰："俯拾即是，不取诸邻。"有谓清奇者曰："神出古异，淡不可收。"是三者品之最上，而子益之诗有之，视世之滔滔不返者不可同日而语矣。

叶燮《三径草序》：盖尝溯有明之季，凡称诗者咸尊盛唐；及国初，而一变诎唐而尊宋，旋又酌盛唐与宋之间，而推晚唐，且又有推中州以逮元者，又有诎宋而复尊唐者。纷纭反覆，入主出奴，五十年来，各树一帜。

翁方纲《神韵论下》：诗以神韵为心得之秘，此义非自渔洋始言之也，是乃自古诗家之要眇处，古人不严而渔洋始明著之也。神韵者，非风致情韵之谓也。吾谓神韵即格调者，特专就渔洋之承接李、何、王、李而言之耳。其实神韵无所不该，有于格调见神韵者，有于音节见神韵者，亦有于字句见神韵者，非可执一端以名之也。有于实处见神韵者，亦有于虚处见神韵者，有于高古浑朴见神韵者，亦有于情致见神韵者，非可执一端以名之也。此其所以然，在善学者自领之，本不必讲也。

《四库总目提要》卷一九○著录王士禛撰《唐贤三昧集》三卷：初，士禛少年，尝与其兄士禄撰《神韵集》，见所作《居易录》中。然其书为人改窜，已非其旧。故晚订此编，皆录盛唐之作。名曰"三昧"，取佛经自在义也。诗自太仓、历下以雄浑博丽为主，其失也肤；公安、竟陵以清新幽渺为宗，其失也诡。学者两途并穷，不得不折而入宋，其弊也滞而不灵，直而好尽，语录、史论，皆可成篇。于是士禛等重申严羽之说，独主神韵以矫之。盖亦救弊补偏，各明一义，其后风流相尚，光景留连。赵执信等遂复操二冯旧法，起而相争，所作《谈龙录》，排诋是书，不遗馀力。其论虽非无见，然两说相济，其理乃全，殊途同归，未容偏废。

陈廷焯《白雨斋词话》卷一：词兴于唐，盛于宋，衰于元，亡于明，而再振于我国初，大畅厥旨于乾、嘉以还也。国初诸老，多究心于倚声。取材宏富，则朱氏（彝尊）《词综》；执法精严，则万氏（树）《词律》。他如彭氏（孙遹）《词藻》、《金粟词话》（同上）、《西河词话》（毛奇龄）、《词苑丛谈》（徐釚）等类，或讲声律，或极艳雅，或肆辨难，各有可观……明代无一工词者，差强人意，不过一陈人中而已。自国初诸公出，如五色朗畅、八音和鸣，备极一时之盛。然规模虽具，精蕴未宣，综论诸公，其病有二：一则板袭南宋面目，而遗其真，傅色揣称，雅而不韵；一则专袭北宋小令，务取秾艳，遂以为晏、欧复生，不知晏、欧已落下乘，取法乎下，弊将何及？况并不如晏、欧耶！反是者一陈其年，然第得稼轩之貌，蹈扬湖海，不免叫器。樊榭窈然而深，悠然而远，似有可观；然特一丘一壑，不足语于沧海之大、泰、华之高也。

徐珂《近词丛话》：明崇祯之季，诗馀盛行，人沿竟陵一派。入国朝，合肥龚鼎孳、真定梁清标，皆负盛名。而太仓吴伟业尤为之冠，其词学屯田、淮海，高者直逼东坡，王士禛以为明黄门陈子龙之劲敌。自馀若钱塘吴农祥、嘉兴王翃、周篁，亦有名于时。其后继起者，有前七家、后七家，前十家、后十家之目。前七家者，华亭宋徵舆、钱芳标，无锡顾贞观，新城王士禛，钱塘沈丰垣，海盐彭孙遹，满洲性德也。徵舆字辕文，其词不减冯、韦。芳标字葆馚，原出义山，神味绝似淮海。贞观字华峰，号梁汾，考声选调，吐华振响，浸浸乎薄苏、辛而驾周、秦。士禛字贻上，号阮亭，别号渔洋山人，尤工小令，逼近南唐二主。丰垣字遹声，其词柔丽，源出于秦淮海、贺方回。孙遹字羡门，多唐调，士禛选《倚声集》，推为近今词人第一，尝称其吹气若兰，每当十郎，辄自愧伧夫。性德原名成德，字容若，其品格在晏叔原、贺方回间。更益以华亭李雯、钱塘沈谦、宜兴陈维崧三家，遂为十家。雯字舒章，语多哀艳，逼近温、韦。谦字去矜，步武苏、辛，而以五代、北宋为归。维崧字其年，郁青霞之奇气，谱乌丝之新制，实大声宏，激昂善变者也。同时与其年齐名者，为秀水朱彝尊。彝尊字锡鬯，号竹垞，当时《朱陈村词》，流遍宇内，传入禁中。彝尊又别出新意，集唐人诗成数十阕，名《蕃锦集》，殊有妙思，士禛见之，以为殆鬼工也。然彝尊词一宗姜、张，其弟子李良年、李符辅佐之，而其传弥广。康、乾之际，言词者几莫不以朱、陈为范围。惟朱才多，不免于碎；陈气盛，不免于率。故其末派，有俳巧奋末之病。

陈忱《水浒后传原序》：昔人云：《南华》是一部怒书，《西厢》是一部想书，《楞严》是一部悟书，《离骚》是一部哀书。今观《后传》之群雄激变而起，是得《南华》之怒；妇女之含愁敛怨，是得《西厢》之想；中原陆沉，海外流放，是得《离骚》之哀；牡蛎滩、丹霞宫之警喻，是得《楞严》之悟。不谓是传而兼四大奇书之长也！

蒲松龄《聊斋志异自序》：才非干宝，雅爱搜神；情类黄州，喜人谈鬼。闻则命笔，遂以成篇。久之，四方同人，又以邮筒相寄，因而物以好聚，所积益夥……集腋为裘，妄续幽冥之录；浮白载笔，仅成孤愤之书。寄托如此，亦足悲矣！嗟乎！惊霜寒雀，抱树无温；吊月秋虫，偎栏自热。知我者，其在青林黑塞间乎！柳泉自题。

洪昇《长生殿自序》：从来传奇家非言情之文，不能擅场。而近乃子虚乌有，动写情词赠答，数见不鲜，兼乖典则。因断章取义，借天宝遗事，缀成此剧。凡史家秽语，概削不书，非曰匿瑕，亦要诸诗人忠厚之旨云尔。然则乐极哀来，垂戒来世，意即寓焉。且古今来逞侈心而穷人欲，祸败随之，未有不悔者也。玉环倾国，卒至陨身，死而有知，情悔何极。苟非怨艾之深，尚何证仙之与有。

孔尚任《桃花扇小引》：传奇虽小道，凡诗赋、词曲、四六、小说家，无体不备。至于摹写须眉，点染景物，乃兼画苑矣……《桃花扇》一剧，皆南朝新事，父老犹有存者。场上歌舞，局外指点，知三百年之基业，隳于何人，败于何事，消于何年，歇于何地，不独令观者感激涕零，亦可惩创人心，为末世之一救矣。

吴梅《中国戏曲概论·清总论》：今自开国以迄道光，总述词家，亦可屈指焉。大抵顺康之间，以骏公、西堂、又陵、红友为能，而最著者厥惟笠翁。翁所撰述，虽涉俳谐，而排场生动，实为一朝之冠。

公元1662年（清圣祖康熙元年　壬寅）

四月

吴三桂杀永历帝父子于昆明。据刘湘客《行在阳秋》卷下。

五月

初八日，郑成功（1624—1662）卒。见徐鼐《小腆纪年附考》等。《清史稿·郑成功传》："康熙元年……五月朔，（郑成功）尚据胡床受诸将谒，数日遽卒，年三十九。"其子郑经（1643—1681）嗣为延平郡王。

十六日，盛符升为王士禛刊《渔洋山人诗集》（又名《阮亭诗选》）蒇事。是书有盛符升跋语，后署"康熙壬寅五月既望"。前有李元鼎、林古度、汪琬、施闰章、冒辟疆、陈维崧、杜濬、王士禄等二十馀人所作序。

六月

初一日，魏耕（1614—1662）卒。《雪翁诗集》卷一七《附录下》魏霞《明处士雪窦先生传》："甲申之变，先生悬衣冠于堂上，北面稽首曰：'予虽在草莽，亦君臣也。'闻钱忠介公移檄会诸乡老迎监国鲁王于天台，遂挟策往从之。江宁之败，先生遮道说张忠烈：'焦湖入冬水涸，不可驻军。英霍山寨，耕皆识其魁，请入说以迎公。'乃焚舟登陆，士卒愿从者尚数百人。入霍山寨，已受抚不纳。乃次英山，甫渡东溪岭，而追至被获。康熙元年六月一日殉节于会城官巷口……碣题曰'慈溪魏长白山人夫妇之墓'。先生著述甚多，有《道南集》、《息贤堂初后集》、《吴越诗选》，今皆仅有存者。"全祖望《鲒埼亭集》卷八《雪窦山人坟版文》："雪窦山人魏耕者，原名璧，字楚白，甲申后改名，又别名甦，慈溪人也。世胄，顾少失业，学为衣工于苕上。然能读书，有富家奇其才，客之，寻以赘婿居焉，因成诸生，国亡弃去。先生所交，皆当世贤豪义侠，志图大事，与于苕上起兵之役。事败，亡命走江湖，妻子满狱，弗顾也。久之，事解，乃与归安钱缵曾居苕溪，闭户为诗，酷嗜李供奉……久之，先生又遣死士致书延平，谓海道甚易，南风三日可直抵京口。己亥，延平如其言，几下金陵。已而退军，先生复遮道留张尚书，请入焦湖，以图再举。是役也，江南半壁震动，既而闻其谋出于先生，于是逻者益急。缵曾以兼金赂吏，得稍解。癸卯，有孔孟文者，从延平军来，有所求于缵曾不餍，并怨先生，以其蜡书首之。先生方馆于祁氏，逻者猝至，被执至钱唐，与缵曾俱不屈以死，妻子尽殁。"魏耕卒年从魏霞说，全祖望所记有误。朱彝尊《静志居诗话》卷二二《魏璧》："魏璧，字楚白，慈溪人。崇祯中，补归安县学生，后更名甦，字白衣。有《息贤堂前后集》。白衣侨居吴兴别鲜山，为晋沈祯、沈聘避地所居，有渡曰'息贤'，遂以名其堂。其论诗云：'诗以达情，情贵极其所至，故乐必尽乐，哀必尽哀……'故其中年专学子美，末年专学太白，惜乎未见其止也！"全祖望《鲒埼亭集外编》卷四四《奉万西郭问魏白衣锡贤堂集书》："闻近得魏白衣《息贤堂集》，不胜狂跃。沧桑抢攘，文献凋落，至有并姓氏不得传者，何况著述……白衣少负异才，性轶荡，傲然自得，不就尺幅。山阴祁忠敏公器之，为遍注名诸社中。其诗远摹晋、魏，下暨景纯《游仙》、支遁《赞佛》，游行晋、宋之间，近律纯祖杜陵，已复改宗太白……其生平诗有前后集，仆所见者不过数十首，未知先生所得乃全豹否？"陈田《明诗纪事》辛签卷六上选魏耕诗五首，引全祖望《雪窦山人坟版文》与朱彝尊《静志居诗话》为传。邓之诚《清诗纪事初编》卷一著录魏耕《雪翁诗集》十七卷："魏耕，原名时珩，又名璧，字楚白。入清，更名耕，字野夫，号雪窦居士，或曰甦，慈溪人。幼随父忠显游学归安，富人凌某义渠（《秋室集》作凌祥宇）从子也，以女妻之，遂占籍为诸生。甲乙后，弃衣冠。浙东义师起，钱肃乐迎鲁王监国，耕以义渠故，得与其事。尝入海，与张煌言会，遂为煌言东道主人，力说煌言与郑成功以舟中入长江，南京可唾手而得。于是有己亥江上之师，不幸而败。耕方在煌言军中，将自焦湖入英霍山寨，不果，乃间道出浙。自后数往来吴越间，同游者，钱缵曾、朱士稚、钱瞻百、朱彝尊、祁理孙、班孙、潘廷聪、陈三岛、朱近道，皆有才气，能文章，上世多显官，有馀资可以解客。诸人率水田衣、荷叶巾，或毡帽缀玉瓶若蜜结于旁，曳朱履，竞以气节相尚，无所顾忌。钱谦益与吴伟业书，谓耕及沈祖孝、顾万三子者，李翱、曾巩之亚，今世上士流，罕有其畴。而朴厚谨直，好义远大，可以深信。其推重如此。时海上新败，方别有所图，盖未尝一日忘故国也。会孔和尚告密事起……康熙元年，狱成，耕、瞻百、缵曾、廷聪论斩。六月朔日，磔于会城观巷口，耕妻凌同日自经死……彝尊欲走宁波入海，事解乃已……耕与瞻伯共选《今诗粹》十五卷，刻于庚子（顺治十七年），耕所撰《息贤堂集》附之以行。比事败，人竞毁其书，故今不易得。近人得写本《雪翁诗集》十四卷，改为十五卷，附录二卷。写本大约即钞自刻本，更名以避时忌。有耕丁酉（顺治十四年）自序，谓崇、弘后所作，然录诗自庚子止，殆最后定本。朱彝尊称耕诗早年学杜，后复学李，未见其止境；屈大均最服耕诗。大均颇以李白自拟，今观耕诗较大均为自然，此境殊不易致，或才气犹过之欤！"今人有整理本《雪翁诗集》十七卷，纳入《两浙作家文丛》，浙江古籍出版社 1985 年出版。

　　十五日，王士禛与袁于令、杜濬、陈维崧诸名士泛舟扬州红桥，王士禛赋《浣溪沙》三阕，诸公唱和，编《红桥唱和词》一卷。王士禛《红桥游记》："壬寅季夏之望，与籜庵、茶村、伯玑诸子偶然漾舟，酒阑兴极，援笔成小词二章，诸子倚而和之。籜庵继成一章，予亦属和。"王士禛《香祖笔记》卷一二："昔袁荆州籜庵（于令）自金陵过予广陵，与诸名士泛舟红桥，予首赋三阕，所谓'绿杨城郭是扬州'者，诸君皆和，袁独制套曲，时年八十矣。曲载《红桥唱和》。"王士禛《渔洋诗话》卷上："余少时在广陵，每公事暇，辄招宾客泛舟红桥，与袁荆州（于令）诸词人赋诗，有'绿杨城郭是扬州'之句，江淮间取作画图。"

七月

　　庄廷鑨私著《明史》案发。详见吴江翁广平海村《书湖州庄氏史狱》一文。（见

《查继佐年谱》附录）

王士禛寓居真州闵园，作《真州绝句五首》。其四云："江干多是钓人居，柳陌菱塘一带疏。好是日斜风定后，半江红树卖鲈鱼。"王士禛《渔洋诗话》卷中："又在真州作绝句云：'好是日斜风定后，半江红树卖鲈鱼。'……江淮间多写为图画。"

八月

十四日，小说《赛花铃》十六回刊行，题"白云道人编次，烟水散人较阅"。烟水散人《赛花铃题辞》后署"时康熙壬寅岁仲秋前一日，携里烟水散人漫书于问奇堂中"。烟水散人即嘉兴徐震。

小说《春柳莺》四卷十回刊行，题"南北鹖冠史者编，石庐拚饮潜夫评"。拚饮潜夫《春柳莺序》："康熙壬寅秋八月，吴门拚饮潜夫题"。

十月

二十一日，赵执信（1662—1744）生。汪由敦《文林郎前右春坊右赞善兼翰林院检讨赵先生执信墓志铭》："先生名执信，字伸符，号秋谷，又号饴山，姓赵氏……先生质颖悟绝伦，九岁捉笔为文，辄以奇语惊其长老。里中为文社，先生初不与通，辄自携纸笔入座。众人以其幼也，易之；移暑，立就数艺，乃大惊，号为圣童。同里相国孙文定公奇其才，命作《海棠赋》，曰：'远大器也。'以女孙字之。乙卯，年十四，补博士弟子。戊午，举于乡。明年，中会试第六，殿试二甲进士，选翰林庶吉士，散馆授编修。甲子春，命典山西试事。丙寅，迁右春坊右赞善兼翰林院检讨，充《明史》纂修官。兼预修《大清会典》。方先生馆选时，召试博学鸿词之士，拔授馆职，当世所称能诗者麇集輦下。新城王尚书，久以诗古文雄长坛坫，声华倾动朝右，一时鸿生俊才多出门下。先生掉臂其间，自树一旗帜。古诗自汉魏六朝以至唐初诸大家，各成韵调，谈艺者多忽不讲，往往聱牙，与古人戾。新城公自负妙契，先生著为《声调谱》以发其秘。至所著《谈龙录》，持论显与新城龃龉，而新城心折先生才，首肯之，不以为忤也。同时如秀水朱检讨、河中吴天章、南海陈元孝两征士，皆折辈行与先生交。先生诗绝去雕饰，有'初日芙蓉'之目……先生生康熙元年十月二十一日，卒于乾隆九年十一月二十四日，享年八十有三。所著《饴山堂文集》六卷、《诗集》十七卷、《诗馀》一卷、杂著若干卷。"《清史列传·文苑传》："赵执信，字伸符，山东益都人，福建按察使进美从孙。进美诗名甚著，有《清止阁集》。执信承其家学，少颖慧，工吟咏……二十八年，以国恤中在友人寓宴饮观剧，为给事中黄仪所劾，遂削籍，时年未三十也……执信诗自写性真，力去浮靡。生平服膺常熟冯班遗书，称私淑弟子。娶王士禛甥女，初犹相重，以求作《观海集》诗序，士禛屡失其期，遂相诟厉。尝问古诗声调于士禛，士禛靳之。执信乃发唐人诸集，排比钩稽，竟得其法，为《声调谱》一卷。又因士禛与门人论诗，谓'如神龙见首不见尾，或云中露一鳞一爪而已'，遂著《谈龙录》。有云'诗以言志'，'诗之中须有人在，诗之外尚有事在'；又云'文以意为主，语言为役，主强而役弱，则无令不从矣'。虽意诋士禛，实通论也。大抵士禛诗以神韵缥缈为宗，执信诗以思路劗刻为主。士禛之规模阔于执信，而流弊伤于肤廓；执信之才力锐于士禛，而末派亦病于纤巧。论者谓两家互救其短，乃益见所长云。执信手订《因园集》十三卷，后人有裒其所著为《饴山文集》六卷、《诗馀》一卷。"沈德潜《国朝诗别裁集》卷一三选赵执信诗十五首，小传云："赞善以宴饮观剧去官，时年尚未壮也。高才被放，纵情于酒，酣嬉淋漓，嫚骂四座，借以发其抑郁不平之概，君子可以谅其志焉。生平服虞山冯氏定远，称私淑弟子，而于渔洋王氏著《谈龙录》以贬之。然责人斯无难，未必服渔洋之心也。诗品奔放有馀，不取蕴酿。兹所录者半属《观海集》中之作，馀略见云。"《四库总目提要》卷一七三著录赵执信《因园集》十三卷："国朝赵执信撰。执信字伸符，号秋谷，晚号饴山老人，益都人。雍正中分益都置博山县，今为博山人……则是集为执信晚年定本，手授之者矣。十三集者，一曰《并门集》，二曰《闲斋集》，三曰《还山集》，四曰《观海集》，五曰《鼓枻集》，六曰《涓流集》，七曰《葑溪集》，八曰《红叶山楼集》，九曰《浮家集》，十曰《金鹅馆集》，十一曰《回帆集》，十二曰《怀旧集》，十三曰《礠庵集》。集各一卷，以存其旧，不复以篇页多寡为分也。"徐世昌编《晚晴簃诗汇》卷四七选赵执信诗三十首，《诗话》云："秋谷娶渔洋甥女，恃才不相下。《四库提要》称其因求作《观海集》序屡失约，渐相诟厉，龃龉终身。按《闲斋集》中《送冯大木》及《七夕饮松亭舍人》二篇，论诗皆隐诋渔洋。《还山集》中《平原道中咏东方朔》云：'却忆汉廷人，齐国何草草。孙宏倪宽田舍翁，臣才兼之羞与同。'语尤轻傲。其诗皆在《观海集》之前，盖与渔洋龃龉已久，所谓因乞序搆衅者，特其决裂绝交之显迹耳。《谈龙录》为诗家一大公案，归愚偏袒渔洋，讥秋谷诗奔放有馀，不取酝酿，说亦未允。纪文达《滦阳消夏录》谓：'明季诗唐音杂奏，故渔洋救之以清新；今人诗浮响日增，故秋谷救之以刻露。二家宗派当调停相济。'最为通论。撰《提要》仍主此旨云。"邓之诚《清诗纪事初编》卷六著录《饴山诗集》二十卷、《文集》十二卷、《礼俗权衡》二卷、《声调谱》一卷、《后谱》一卷、《谈龙录》一卷："执信与王士禛异趣，所以角立树名。其诗劗刻清新，归于浑厚，斯为可贵。文有才思，而气格未醇。王鸣盛遽推其掩过王士禛、宋琬、田雯，则好奇之论。词多赠妓之作，颓老放废，故寄情于醇酒妇人，然皆清约可诵。自云，尝助洪昇成《长生殿》，知于词曲是当行也。《谈龙录》专诋士禛，谓士禛祭告南海出都诗云'卢沟桥上望，落日风尘昏'，不知孤臣谪官，更作何语，足令士禛无词以对。执信南游，拜冯班墓，以其论诗于己有合也。求吴乔《围炉诗话》未得，乔为徐乾学挚交，执信放废，即由乾学兄弟修怨，幸未与乔相见，否则论诗有合，论乾学则必不合矣。书痴意气，思之哑然。"张舜徽《清人文集别录》卷四著录赵执信《饴山文集》十二卷、《附录》一卷（乾隆三十九年甲午写刻本）："清初北方之学，山左为盛。其起家科目，掉鞅文苑者，顺治则宋琬、王士禛，康熙则田雯、赵执信也。四人之中，士禛名尤大，而执信不与相能。尝问声调于士禛，士禛靳不肯言，执信乃发唐人诸集，排比钩稽，竟得其法，因著《声调谱》以宣之。士禛与门人论诗，谓当作云中之龙，时露一鳞一爪。执信乃著《谈龙录》以排之。则其所以自立者，必有在矣。今观是集，喜其识大之言，往往而是，固未可徒目为文士也。如卷二《钝吟集序》，于文辞升降利钝，畅发靡遗。《毛诗名物疏钞自序》，则又详述治诗之流别得失，不啻启乾嘉诸师宗尚汉学之先声。卷四《送晋二生归应乡试序》，于当时伪托理学、悬牛头而卖马脯者，诋斥尤厉，切中当时病痛，皆非拘墟之士所能梦见。执信早识阎若璩于京邸，后过淮上，屡主若璩家，引与谈议，许为忘年交。友朋濡渐既异庸常，宜其所见甚卓，自非世俗文士所可及也。"齐鲁书社 1993 年出版《赵执信全集》校点本。

十一月

二十一日，南明监国鲁王朱以海（1609—1662）卒于台湾。全祖望《鲒埼亭集》卷九《明故权兵部尚书兼翰林院侍讲学士鄞张公神道碑铭》："壬寅冬十一月，鲁王薨于台。"又据徐鼒《小腆纪年》卷七。

是年

黄宗羲著《明夷待访录》数章。黄宗羲《明夷待访录·题辞》："前年壬寅夏，条具为治大法，未卒数章，遇火而止。"

吕抚（1662？—1732 后）生。《中国通俗小说家评传》载周华斌《吕抚》："吕抚（1662？—1732 后），字安世，浙江新昌人，生活在清康熙、雍正朝。他出身于儒学世家。"著有《二十四史通俗演义》二十六卷四十四回。

公元 1663 年（清康熙二年 癸卯）

是年春

顾炎武至太原访傅山，至代州，游五台，与李因笃订交。据张穆《顾亭林先生年谱》卷二。

五月

二十六日，庄廷鑨《明史》案结。吴江翁广平海村《书湖州庄氏史狱》："是狱也，死者七十馀人，遣戍者百馀人。"顾炎武挚友吴炎、潘柽章受牵连遇害，顾炎武有《书吴潘二子事》，见《顾亭林诗文集·亭林文集》卷五。是案告密者吴之荣后官至右佥都御史。

是年夏

吴之振、吕留良、吴自牧开始编选《宋诗钞》。《宋诗钞·凡例》："癸卯之夏，余叔侄与晚村读书水生草堂，此选刻之始也。"

八月

乡会考试停用八股文。《清史稿·本纪六·圣祖本纪》："二年癸卯……八月癸卯，诏乡、会试停制义，改用策论，复八旗翻译乡试。"王士禛《池北偶谈》卷三："康熙二年，以八股制艺始于宋王安石，诏废不用，科举改三场为二场，首场策五道，二场《四书》、《五经》各论一首、表一道，判语五条，起甲辰会试迄丁未会试皆然。"

十月

初一，顾炎武至陕西盩厔（今名周至）访李颙，二人订交。见张穆《顾亭林先生年谱》卷二。又见吴怀清《二曲先生年谱》："康熙二年癸酉，三十七岁……十月朔，东吴顾宁人来访，博物宏通，学如郑樵。先生与之从容盘桓，上下古今，靡不辩订。"

是年

禁止私刻琐语淫词。魏晋锡纂修《学政全书》卷七《书坊禁例》："康熙二年议准，嗣后如有私刻琐语淫词，有乖风化者，内而科道，外而督抚，访实何书系何人编造，指名题参交与该部议罪。"

公元 1664 年（清康熙三年　甲辰）

正月

施闰章撰《砚林拾遗》一卷成。据其自序。

三月

初九日清明，王士禛在扬州与林古度、杜濬、孙枝蔚、吴嘉纪、程邃、孙默诸名士修禊红桥，赋《冶春诗》二十四首，诸人和之。《吴嘉纪诗笺校》卷二《冶春绝句和王阮亭先生》八首，题下注："甲辰清明作。"另据郑鹤声《近世中西史日对照表》，甲辰清明为农历三月初九日。所作诗后汇刻为《阮亭甲辰诗》一卷。

田雯考中二甲第四名进士。

曹贞吉考中三甲第八十三名进士。

曹禾考中三甲第八十五名进士。

是年春

吴伟业寓书王士禛，称赞王士禛《戏仿元遗山论诗绝句三十二首》并推荐许旭。王士禛《古夫于亭杂录》卷三："余少奉教于虞山、娄江两先生，五十年来书尺散佚，偶从鼠蠹之馀得两先生赤牍手书，不胜感叹，谨录左方……吴梅村先生书一通：增城渡江一札，想已得候见竹西，正求传示。论诗大什，上下今古，咸归玉尺。当今此事，非得公孰能裁乎！江表多贤，正恐不鸣不跃者，或漏珊瑚之网。如吾友许九日兄，为寒斋二十年酬唱之友，十才子推第一，篇什流传，定蒙鉴赏。近诣益进，私心畏且服之，而独苦其食贫无依，即宿春办装，亦复不易，而出门求友之难也。今春坐梅花树

243

下读《阮亭集》，跃起狂叫曰：'当吾世而不一谒王先生，谁知我者！'襆被买舟，素筝浊酒，特造门下。虽幸舍多贤，谁复出九日上者乎？其姿神吐纳、书法之妙，见者倾倒，当以为长史、玉斧之流，不徒继美乎丁卯桥也。门下延华揽秀，或亦倦于津梁，然如此客，急宜收之夹袋，咳唾所及，增光长价。且此君青鞋布袜，由是而始，无使寥落，便增旅况，则皆名贤传中佳话耳。"编者按，此书信，《吴梅村全集》中不载，属佚文。

四月

吴伟业至苏州，尝访问尤侗，与之唱和《满江红·生日自题小影》词，并为尤侗杂剧作序。尤侗自撰《尤悔庵年谱》："康熙三年甲辰，四十七岁，海盐彭骏孙孙遹寓南园，其客张子游远为予图小像，甚似，适予生日，调《满江红》二阕题其后，自梅村而下和者数十人，予又作《黑白卫》北剧，骏孙合四种点定之，曰：'此足压《四声猿》矣。'梅村先生为之序。"尤侗《西堂全集》于其杂剧前载有吴伟业所为序有云："展成既退归吴门，修闲居养亲之乐，诗文为当代所称。以其馀暇操为北音，清壮侇宕，听者无不以为合节。予十年前，喜为小词，晋江黄东崖贻之以诗曰：'征书郑重眠餐损，法曲凄凉涕泪横。'今读展成之词而有感于余心也。后之人有追论其世者，可以慨然而叹矣。"编者按，此序，《吴梅村全集》中不载，属佚文。

五月

二十四日，钱谦益（1582—1664）卒。葛万里《牧翁先生年谱》："三年甲辰，八十三岁，五月二十四日卒。"黄宗羲《南雷诗历》卷二《钱宗伯牧斋》："四海宗盟五十年，心期末后与谁传。凭栖引烛烧残话，瞩笔完文抵债钱。红豆俄飘迷月路，美人欲绝指筝弦。平生知己谁人是，能不为公一泫然。"钱仲联主编《清诗纪事·顺治朝卷》："钱谦益，字受之，一字牧斋，晚号蒙叟，自称绛云老人、东涧遗老，江南常熟人。明万历三十八年庚戌进士，由翰林院编修历官礼部右侍郎、翰林院侍读学士。福王时为礼部尚书。入清，以礼部右侍郎管秘书院事，充修《明史》副总裁。有《初学集》一百十卷、《有学集》五十卷、《投笔集》二卷、《苦海集》一卷及《外集》、《补遗》等。"《清史列传·贰臣传》："钱谦益，江南常熟人。明万历三十八年一甲三名进士，授翰林院编修。天启元年，充浙江乡试正考官。五年，听勘御史崔呈秀作《东林党人同志录》，列谦益名，御史陈以端亦疏劾之，罢归。崇祯元年，起官，不数月，洊擢詹事、礼部侍郎。会推阁臣……乃坐杖论戍……十年，常熟人张汉儒讦谦益贪肆不法，巡抚张国维、巡按路振飞交章白其冤，乃下刑部逮讯，谦益尝为太监王安作碑文，为司礼曹化淳所知，及狱急，求救于化淳……自请按治，刑毙汉儒……狱乃解。谦益削籍归……及福王由崧立，谦益惧得死罪，上书颂士英功，士英乃引谦益为礼部尚书。谦益复力荐阉党为阮大铖等讼冤，大铖遂为兵部侍郎，而憾东林仍不时，会捕获妖僧大悲，欲引谋立潞王事，尽诛东林诸人，谦益亦预焉，士英不欲兴大狱，乃已。本朝顺治二年五月，豫亲王多铎定江南，谦益迎降。寻至京候用。三年正月，命以礼部侍郎管秘书院事，充修《明史》副总裁。六月，以疾乞假，得旨驰驿回籍，令巡抚、巡按，视其疾痊具奏。五年四月，凤阳巡抚陈之龙擒江阴人黄毓祺于通州法宝寺，搜出伪总督印及悖逆诗词，以谦益曾留黄毓祺宿其家，且许助赀招兵，入奏，诏总督马国柱逮讯。谦益至江宁诉辩……会首告谦益从逆之盛名儒逃匿不赴质，毓祺病死狱中，乃以谦益与毓祺素不相识，定谳……于是得释归。越十年死于家。乾隆三十四年六月，谕曰：'钱谦益本一有才无行之文人，在前明时身跻膴仕。及本朝定鼎之初，率先投顺，洊陟列卿。大节有亏，实不足齿于人类……而伊既为本朝臣仆，岂得复以从前狂吠之语，列入集中？其意不过欲借此以掩其失节之羞，尤为可鄙可耻！钱谦益已身死骨朽，姑免追究。但此等书籍，悖理犯义，岂可听其流传？必当早为销毁……'四十一年十二月，诏于国史内增立《贰臣传》，谕及钱谦益反侧贪鄙，尤宜据事直书，以示传信。"沈德潜《国朝诗别裁集》卷一选钱谦益诗三十二首，小传云："尚书天资过人，学殖鸿博，论诗称扬乐天、东坡、放翁诸公，而明代如李、何、王、李，概挥斥之。馀如二袁、钟、谭，在不足比数之列。一时帖耳推服，百年以后，流风馀韵，犹足耸人也。生平著述大约轻经籍而重内典，弃正史而取稗官，金银铜铁不妨合为一炉。至六十以后，颓然自放矣。向尊之者几谓上掩古人，而近日薄之者又谓渐灭唐风。贬之太甚，均非公论。兹录其推激气节、感慨兴亡、多有关风教者，馀靡曼噍杀之音略焉。见《初学》、《有学》二集中，有焯然可传者也。至前为党魁，后逃禅悦，读其诗者应共悲之。"徐世昌编《晚晴簃诗汇》卷一九选钱谦益诗七十首，《诗话》云："牧斋才大学博，主持东南坛坫，为明、清两代诗派一大关键。誉之者曰'别裁伪体，转益多师'，毁之者曰'记丑言博，党同伐异'。要其驱使百家，雕镂众象，非一丘一壑者比。所编明《列朝诗集》于北地、信阳过事裁抑，为后人所议。今录牧斋诗，当蠲门户之见，以持其平焉。"邓之诚《清诗纪事初编》卷三著录钱谦益《牧斋初学集》一百十卷、《有学集》五十卷、《牧斋有学集》五十一卷、《投笔集》一卷、《牧斋全集》一百六十三卷、《牧斋初学集笺注》二十卷、《有学集笺注》十四卷："钱谦益，字受之，号尚湖，又号牧斋，晚号蒙叟，又曰东涧遗老，常熟人……撰《初学集》一百卷，刻于崇祯末；《有学集》五十卷，康熙初刻于粤中……《牧斋有学集》定本五十一卷，苏州坊估所刻，以增录遗文一卷为号召，实则任意删节篇章，几不成文，以省刻资，最为误人……《投笔集》一卷，江西有刻本。钱曾《牧斋初学集笺注》二十卷、《有学集笺注》十四卷，诗与本集，微有出入。曾为谦益从孙，尝从之受学，故于诗中典故，皆能得其出处，与扣槃扪烛者有异。相传注中时事，为谦益自注，不然局外人绝难详其委曲若此。倘录之成帙，可作别史观。曾注未尽刻，今尚有原稿流传也。谦益诗早年局度精整，沧海之后，善能造哀。文闳肆奇恣，经史百家，旁及佛乘，悉供驱使，是以一时推为文宗。然其人奔竞热中，反复无端，方苞抵之曰'其秽在骨'，不得谓苛。清高宗禁毁所著书，特立《贰臣传》，令入乙编，示不得与洪承畴伍。然孙廷铨、王崇简、姚文然诸人，皆迎降者，又不入《贰臣传》，则体例之疏也。谦益生有异禀，老而劬学，著述不辍。《太祖实录辨证》最精，入《初学集》。《杜诗笺注》，不免牵附，亦自成一说。《开国群雄事略》近始有刻本，皆屡禁不绝者。"张舜徽《清人文集别录》卷一著录钱谦益《牧斋初学集》一百十卷、《有学集》五十卷（《四部丛刊》影印原刊本）："谦益富于藏书，构绛云楼以贮之，涉览极广，所学遂浩博无涯涘。当时阎若璩以学问雄海内，而生平所最钦服者三人，自顾炎武、黄宗羲外，则谦益也（见阎氏所撰《黄南雷哀词》）。又曾列谦益之名冠十四圣人之首（见《潜丘劄记·与戴唐器书》），其推崇谦益至矣。余细读《初学集》、《有学集》，始知谦益湛深经史，学有本原，故论议通达，多可取者……凡此诸论，与顾、黄所言，如出一辙，宜昔人取与并论。后世薄其为人，遂轻其书，过矣。《初学集》为崇祯十六年其门人瞿式耜所刻，大抵皆明末亡时所作，凡诗二十卷、文八十卷、《太祖实录辨证》五卷、《读杜小笺》三卷、《读杜二笺》二卷。《有学集》为康熙三年邹镠所刻，乃入清以后之作。凡诗三十卷、文三十七卷。二集在乾隆时，以语涉诽谤，板被禁毁，故传本不多。清末始复有印行者。"袁行云《清人诗集叙录》卷一著录钱谦益《有学集》诗十四卷（康熙三年刻本）、《投笔集》二卷（宣统间排印本）："又撰《列朝诗集》一百卷，存一代诗史。《杜诗笺注》，生前已刻，《国朝群雄事略》，近年始行世……集中可见交游为林古度、顾梦游、朱鹤龄、归庄、金孝章、吴伟业、龚鼎孳、周亮工诸名人，与柳如是寄诗亦多。《投笔集》上下卷，当时未及行世。其间《秋兴》诗百首，较《有学集》所言薙发、满语二事，更为刻露。如'杂虏横戈倒载斜，依然南斗是中华'；'世难相寻如鬼痤，国恩未报是心魔'，不胜摘录。此集与《初学》、《有学》诗，均有钱曾笺注本。乾隆间诸刻俱禁，《投笔》一集，至清末始为人知。谦益为诗，不喜明七子摹唐，故参以宋调，为明末清初诗风变局。论诗于后世影响益大，惟于明诗，去取失伦。偏门户，轻视遗民，抨击七子、钟、谭，体无完肤，无复公论矣。"上海古籍出版社 1985 年出版《牧斋初学集》整理本，2003 年出版《牧斋有学集》整理本，近年又有《钱牧斋全集》整理本出版。

六月

二十八日，柳如是（1618—1664）卒。范锴《华笑庼杂笔》卷一顾苓《河东君小传》："癸卯秋，下发入道……明年五月二十四日，宗伯薨。族子钱曾等为君求金，于六月二十八日自经死。"同书又云："河东君者，柳氏也。初名隐雯，继名是，字如是。为人短小，结束俏丽，性机警，饶胆略。适云间孝廉为妾，孝廉能文章，工书法，教之作诗写字。婉媚绝伦，顾倜傥好奇，尤放诞。孝廉谢之去。游吴越间，格调高绝，词翰倾一时……崇祯庚辰冬，扁舟访宗伯，幅巾弓鞋，著男子服，口便给，神情洒落，有林下风。宗伯大喜，谓天下风流佳丽，独王修微、杨宛叔与君鼎足而三，何可使许霞城、茅止生专国士名姝之目。流连半野堂，文燕浃月。越舞吴歌，旋举递奏；香奁玉台，更唱迭和。既度岁，与为西湖之游。刻《东山酬和集》，集中称河东君云。君之湖上，遂别去，过期不至，宗伯使客搆之乃出。定情之夕在辛巳六月初七日，君年二十四矣……乙酉五月之变，君劝宗伯死，宗伯谢不能。君奋身欲沉池水中，持之不得入。"葛昌楣《蘼芜纪闻》卷上沈虬《河东君传》："但河东君所从来，余独悉之。我邑盛泽镇有名妓徐佛者，能诗，善画兰，虽居乡镇，而士大夫多有物色之者。丙子年间，娄东张西铭先生慕其名，至垂虹亭，易小舟访之，而佛已于前一日嫁兰溪周侍御之弟金甫矣。苑中惟留其婢杨爱。杨色美于徐，诗字亦过于徐，因携至垂虹，余于舟中见之，听其音，禾中人也。及长，豪宕自负，有巾帼须眉之论。易姓名为柳。归钱之后，稍自敛束，在绛云楼校雠文史。牧斋临文，有所检勘，河东君寻阅，虽牙签万轴，而某册某卷，立时翻点，百不失一。所用事或有舛误，河东君颇为辨正，故虞山甚重之。常衣儒服，飘巾大袖，间出与四方宾客谈论，故虞山又呼为柳儒士。"邹漪《柳如是诗小引》："予论此闺阁诸名家诗，必以河东君为首……盖闲情淡致，风度天然，尽洗铅华，独标素质。而又日侍骚雅巨公，扬扢古今，吐纳珠玉，宜其遗众独立，令粉黛无色尔尔。"徐世昌编《晚晴簃诗汇》卷一八四选柳是诗七首，小传云："柳是，初名隐斐。字如是，小字影怜。常熟钱谦益侧室。"《诗话》云："如是事迹详见顾苓《河东君小传》、沈虬《河东君记》、徐芳《柳夫人小传》。馀如《钱氏家变录》、《安雅堂集·严武伯诗序》、《扫轨闲谈》、《三冈识略》、《觚剩》诸书，语多从同。王义士《虞山柳枝词》，似伤忠厚。高安朱芷汀孝廉龄有诗云：'家变独能持大义，虞山身后有家姬。'洵是史笔。先后名作如林，皆费词矣。"陈寅恪著《柳如是别传》，上海古籍出版社 1980 年出版。今人谷辉之有整理本《柳如是诗文集》，收罗有关材料甚备，上海古籍出版社 2000 年出版；中国美术学院出版社 2002 年出版《柳如是集》、《柳如是事辑》。

七月

顾炎武至河南辉县访孙奇逢。据张穆《顾亭林先生年谱》卷二。

九月

初七日，张煌言（1620—1664）卒。全祖望《鲒埼亭集》卷九《明故权兵部尚书兼翰林院侍讲学士鄞张公神道碑铭》："甲辰……九月初七日，公赴市，遥望凤凰山一带，曰'好山色'，赋绝命词，挺立受刑，子木等三人殉焉。"《明通鉴》附编卷六："秋，七月，丙午，明兵部尚书张煌言被执于南田之悬岙……浙督系之狱中，劝之降，卒不屈。九月，乙未，赴市，遥望凤凰山一带，曰：'好山色。'赋《绝命词》，挺立受刑，子木等三人殉焉。"全祖望《鲒埼亭集外编》卷二五《张尚书集序》："尚书诗古文词，皆自丁亥以后，才华横溢，藻采缤纷，大略出华亭一派。明人自公安、竟陵狎主齐盟，王、李之坛，几于陇塞，华亭陈公人中，出而振之，顾其于王、李之绪言，稍参以神韵，盖以王、李失之廓落也。人中为节推于浙东，行其教，尚书之薪传出于此。及在海上，徐都御史阇公故与人中同主社事，而尚书壬午齐年也。是以尚书之诗古文词，无不与之合。虽然尚书之集，日星河岳所钟，三百年元气所萃也。而予以艺苑之卮言，屑屑考其源流之自，陋矣……乃为铨次审定，其奏疏、书檄诸种，曰《冰槎集》；其古今体诗曰《奇零草》，曰《采薇吟》；其己亥纪事曰《北征录》，共十二卷，附以《乡荐经义》一卷，予又为作《诗话》二卷、《年谱》一卷，已详其集中赠答之人与其事云。"朱彝尊《静志居诗话》卷二一《张煌言》："闻公就执，制府赵清献公待之以礼，慰劝再三，卒以不屈，含笑受刑，敛而葬之雷峰之右，至今有包麦饭而祭者。清献之宽仁，足以颂矣。"陈田《明诗纪事》辛签卷八上选张煌言诗五首，有按语云：

"明社之屋久矣，公犹以残兵支撑于天涯海角之间迄二十年，艰阻崎岖，百折而不悔，呜呼烈矣！史不立传，盖有待也。至乾隆四十一年，得与奖忠之典，通谥忠烈，仁矣哉！"中华书局上海编辑所1959年出版断句本《张苍水集》。

是年秋

孙默汇刻王士禛《衍波词》、彭孙遹《延露词》、邹祗谟《丽农词》为《三家诗馀》。杜濬有序，后署甲辰秋日。

十二月

黄宗羲撰《今水经》一卷成。据其自序。

是年

张岱《石匮书》初稿成。据《石匮书自序》。

陆圻至娄东，与吴伟业游，且有诗相赠。王抃《王巢松年谱》于康熙三年云："陆丽京在娄，盘桓甚久。"又魏耕等《吴越诗选》卷一六载陆圻《寄太史吴骏公先生》诗，有云："日月光应旦，风云道不穷。洛阳谁贾谊，荐达仰吴公。"

陆圻（1613—1667以后）。《清史列传·文苑传》："陆圻，字丽京，浙江钱塘人。少与弟培并有盛名。父运昌知江西吉水县，尝曰：'圻温良，培刚毅，他日当各有所立。'事亲孝，尝刲股疗母病，久而知医。居丧执礼，人拟之高子皋。与陈子龙等为登楼社，世号西泠十子体。十子者，圻与同里丁澎、柴绍炳、毛先舒、孙治、张丹、吴百朋、沈谦、虞黄昊、陈廷会也。少明敏，善思误书。尝闻《韩非子》'至一从而咸危'，曰：'是一徙而成邑也。'其诗文采组六朝，医方口令，出口悉成俪语。性喜成就人，门生后辈下至仆隶，苟具一善，称之不容口。或问卿自比毛先舒、吴任臣如何，曰：'志伊学海，稚黄雅宗，故当不及。'遭乱匿海滨，寻至越，入闽为浮屠，母趣之归。尝卖药长安市上，适湖州庄廷铙私撰《明史》，以圻名高，列之卷首，与查继佐、范骧皆被株连。事白，叹曰：'今幸得不死，奈何不以馀生学道邪？'先遁之黄山，子寅徒步入山，号泣请归，曰：'昔者所以归，以汝大母在。今大母亡矣，何所归？'以祭墓请，诺之。既归，弟培患心痛，留治之八月馀，与弟同室卧，终不入内。既愈，遂游岭南。会金堡遯迹浮屠，南雄知府陆世楷为营丹崖精舍居之，絙铁锁上下，圻因依焉。忽易道士服遁去，遂不知所终。或云隐武当山为道士，莫得其详也。子寅，既举进士，释褐后，往来万里，寻数年不得，竟以死，时称其孝。圻著有《从同集》、《威凤堂集》、《西陵新语》、《诗礼二编》、《灵兰堂墨守》。培，字梯霞，少与兄圻、培为复社之冠，称'陆氏三龙门'。与陈子龙相友善，以经济文章自任。国变后，培避兵横山，自经死。圻奉母隐于河渚，以佃渔为食。圻每月一归省，归则牵一舟奉母居其中，饮食欢笑以为乐。圻以史事被逮，圳走京师力为营救，旋得释。归授徒，从游者如市。同郡贫士伪圳名投闽中，闽士争辟馆舍委贽焉。继知其故，圳笑曰：'彼亦名士，以贫故借仆名，且安见仆非伪也？'浙抚张鹏翮闻揩名，构书院于万松山，集十一郡学士读书其中，延为师，每会，赴者千人。因辑所讲《四书》录为《大全》六十卷。年八十三卒。又著有《白风楼记》四十卷。"《清史稿·文苑传》亦有传，简而略同。毛先舒《西泠十子诗评》："陆景宣（圻）如濯龙甲第，苑落康逵，流水游龙，轩盖脸映。"柴绍炳《西陵十子诗选序》："景宣经史论序藻密淹通，翰墨之勋，先驱有路。诗则绮丽为宗，符采昭烂，云津龙跃，不厌才多。"朱彝尊《静志居诗话》卷二一《陆圻》："崇祯间，文社四起，执牛耳者，娄江张吉士溥也。岁辛巳，吉士卒，丽京束刍絮酒往会葬，赋五言长律，一时传抄，以为杰作。兵后，卖药长安市上，其诗文采组六朝，医方酒令，出口悉成俪语，粗饭冷菜，扪虱而谈，相对者忘其秽也。晚因史祸牵连，既得释，访澹公于丹霞精舍，转入武当为道士，不知所终。里人洪昇有《答友》绝句云：'君问西陵陆讲山，飘然一钵竟忘还。乘云或化孤飞鹤，来往天台雁宕间。'讲山，丽京别字，杭有西陵十子诗，丽京居其首云。"吴振棫《国朝杭郡诗钞》："讲山年德既升，领袖群彦，王渔洋推为西陵十子之冠。十子者，讲山与柴虎臣绍炳、陈际叔廷会、孙宇台治、张祖望纲孙、丁飞涛澎、吴锦雯百朋、沈去矜谦、毛稚黄先舒、虞景明黄昊也。"阮元《两浙𬨎轩录》："黄模曰：讲山与弟培、揩咸以文章经济自任，海内称曰三陆，与娄东、云间倡道东南。陈黄门大樽曰：'吾与陆氏交，如孔融在纪、群间矣。'"陈田《明诗纪事》辛签卷二三选陆圻诗四首，有按语云："西陵十子，理李、何之坠绪，矫钟、谭之颓波。观虎臣自序首简云：'《三百》而降，厥体屡变，根极情性，缘以文藻，轨因带殊，要归雅则。是故骚词、乐府，长句胚胎；《十九》、河梁，五言堂构；陈、隋、唐李，则律绝褙袷也。然祖构相沿，折衷论定。古风极于元嘉，近制断自大历。人代更始，邺下无讥……明初四家，扫除不尽，廓清于何、李，再振于嘉、隆，斯道嗣兴，斌乎大雅。然七子颓流，驯趋浮滥，竟陵矫之，枯率狷浅，尤恶斐然，自馀纷纷，无关商较者矣。'景宣诸体，劲健不及祖望，藻丽不如去矜，而当时推为风雅领袖，岂不以名德足重，有在言语文字之外者耶？"陈去病《五石脂》："丽京在明季即有文誉，与夏存古（即夏完淳）交极契。国变后，入惊隐诗社，又周旋于慎交社中。故与赤暝（即吴炎）、汉槎（即吴兆骞）皆有投赠之作。自脱罪（即庄廷𨭾《明史》案）后，心有所歉，因被缁远游，不知所之。女名莘行，七岁即能诗，著有《云游始末》，以纪其事。"邓之诚《清诗纪事初编》卷二著录陆圻《威凤堂文集》："陆圻，字丽京，又字景宣，号讲山，钱唐人，明贡生。少与弟揩、培齐名，人称三陆。培成崇祯十三年庚辰进士，官行人，死乙酉（弘光元年）之难。圻走海上，参义军，不得当，归隐于医。黄宗羲《感旧诗》云：'桑间隐迹怀孙爽，药笼偷生忆陆圻。浙西人物真难得，屈指犹云某在斯。'庄史之狱，圻与查继佐、范骧列名参校，先以自首，后被名捕。继佐尝识吴六奇微时，六奇方官潮州总兵，喜与故明遗臣往还，以数万金为继佐行赇，圻亦输五千，关通要津，得免究，且依首告例，给赏庄、朱半产。圻耻于苟全，推之与范、查。还宗羲前诗，自贬三等，请改月旦。遂于康熙六年丁未弃家，披缁齐云，年五十五矣，不知所终。子寅成进士，往来万里，零丁寻父不得，呕血死。女莘行作《老父云游始末》，以寄哀思，闻者伤之。圻少共陈子龙结登楼社，文行为西泠十子之冠。撰《威凤堂文集》，有刘鲁桧序，作于康熙五年丙午。施闰章《重建永丰陆侯祠堂记》，作于丁未，陆侯谓圻父运昌也。集分论部、记部、俪语部、祭文部、诗部。诗唯拟古乐府、古乐府、五言古、五言律，未知得其全否。然《千顷堂书目》未见著录，恐此册已为世间孤本矣。堦有《青凤堂集》，培有《白凤堂集》，皆不传。"袁行云《清人诗集叙录》卷四著录陆圻《威凤堂集》不分卷（康熙六年刻本）："陆圻撰。圻字丽京，号景宜，一号讲山，浙江钱塘人，明贡生。少结诗社，为西泠十子之冠。北都覆，参加抗清军，既败，隐于禅。顺治七年，在嘉兴与吴炎、潘柽章、周灿、归庄、顾炎武、陈济生、钱肃润、计东、宋实颖等结惊隐诗社。庄廷𨰾《明史》狱列名参校，先已自首，被系后，得释。康熙六年，年五十五，遁去，不知所终。著《威凤堂集》，分论部、记部、俪语部、祭文部、诗部。有康熙五年刘鲁桢序、曾子愉序，康熙六年施闰章撰《祠堂记》，刻书当为此时，已庄史狱后五六年矣。诗仅拟古乐府、古乐府、五古、五律四体，华腴隽永，毛先舒为之评。《百一诗》、《咏史七首》、《十八滩舟行记事》十首，俱可诵览。记部载《李笠翁新居记》，有目无文，未悉有他本可补否？朱一是《为可堂初集》有赠圻诗多首。圻子寅字冠周，康熙二十七年进士，工诗，见沈德潜《别裁》。"

吴伟业为冒襄亡姬董小宛遗像题诗数首。吴伟业《吴梅村全集》卷五九《与冒辟疆书》之二（自注：甲辰）："题董如嫂遗像短章，自谓不负尊委，因大篇追悼，缠绵哀艳，文生于情，俾读之者涉笔亦有论次，倘其可存，亦梦华佳话也。灯下率楮，临发依依。"又《吴梅村全集》卷二〇有《题冒辟疆名姬董白小像八首》，当是上序中所谓"题董如嫂遗像短章"者；上序中所谓"大篇追悼"，当指冒襄所撰《影梅庵忆语》。余怀《板桥杂记》卷中："董白，字小宛，一字青莲。天资巧慧。容貌娟妍。七八岁时，阿母教以书翰，辄了了。稍长，顾影自怜。针神曲圣、食谱茶经，莫不精晓……后卒归辟疆为侧室。事辟疆九年，年二十七，以劳瘁死。死时，辟疆作《影梅庵忆语》二千四百言哭之。同人哀词甚多，为吴梅村宫尹十绝句，可传小宛也。存其四首云：'珍珠无价玉无瑕，小字贪看问妾家。寻到白堤呼出见，月明残雪映梅花。'又云：'《念家山破》《定风波》，郎按新词妾按歌。恨杀南朝阮司马，累侬夫婿病愁多。'又云：'乱梳云髻下妆楼，尽室仓皇过渡头。钿盒金钗浑抛却，高家兵马在扬州。'又云：'江城细雨碧桃村，寒食东风杜宇魂。欲吊薛涛怜梦断，墓门深更阻侯门。'"董小宛（1624—1651），秦淮名妓，为所谓"秦淮八艳"之一，后归冒襄为侧室，卒年二十八岁。董小宛死后，冒襄友人撰写悼念诗文者甚多，如吴绮、宋之绳、黄虞稷、杜濬等人，在所多有。后人根据吴伟业《清凉山赞佛诗》（详见"顺治十八年"记事）捕风捉影，喧传董小宛未死，而是为顺治皇帝掠入宫中，流传甚广。如晚清罗瘿公（1872—1924）《宾退随笔》有云："辟疆《影梅庵忆语》追述小宛言动，凡一饮食之细，一器物之微，皆极意缕述；独至小宛病时作何状，永诀时作何语，绝不一及。死后若何营葬，亦不详书。仅于哀词中有'今子幽房告成，素旐将引，谨卜闰二月之望日，安香魂于南阡'数语而已，未足信据也。《忆语》中'余每岁元旦，必以一岁事卜签于关圣帝君前'至'到底不谐，则今日验矣'一节，按小宛若以病殁，则当作悼亡语，不当云'到底不谐，今日验矣'语也。"陈寅恪《柳如是别传》亦持"劫掠说"，针对吴伟业"欲吊薛涛怜梦断，墓门深更阻侯门"诗句，议论说："此绝后半十四字，深可玩味。盖'侯门'一辞,出《云溪友议》上《襄阳杰》条,崔郊诗'侯门一入深如海,从此萧郎是路人'。然则小宛虽非董鄂妃,但亦是被北兵掠去。冒氏之称其病死,乃讳饰之言欤?"又云:"董白死时,董年先死。董白虽称死,然实未死。"又云:"别有一可注意之事,即顺治七年末、八年初,清人似有点取强夺秦淮当时及旧日乐籍名姝之举,此举或与世祖之喜爱戏剧有关。"又云:"清世祖征歌选色,搜取江南名姝,以供耳目之娱。"(分别见《柳如是别传》,上海古籍出版社1980年版,第777页、第496页、第1122页)孟森有《董小宛考》一文,对董小宛病故事考之甚详,见《明清史论著集刊续编》,可参见。

洪昇《诗骚韵注》成书。毛先舒《潠书》卷二《诗骚韵注序》:"同郡洪昇,从余游,性近韵学。往辄穷其源委。以为韵文滥觞于《三百篇》,而放于《骚》。六义而外,楚人其在《国风》、《小雅》之间乎?夫古乐不可追矣,可求者文而已。文之弗韵,犹弗文也。于世穷究元古,旁参博稽,作《诗骚韵注》六卷……今昇为是役,其为便于吐属啸歌已也,抑将有以进于此欤?余也且深望之。"章培恒《洪昇年谱》:"案,先舒《潠书》所收诸篇,有年代可考者,以康熙丙午为最迟,此序之作,当亦不至迟于丙午。又,张竞光《赠洪昉思》:'洪子方弱冠,著书不可算。'是昉思于弱冠之年,已著书立说,《诗骚韵注》盖亦弱冠前后所作。"

陈忱《水浒后传》梓行。原刊本《水浒后传》扉页题"康熙甲辰镌",甲辰即康熙三年(1664)。

公元 1665 年(清康熙四年 乙巳)

二月

二十六日,沈自晋(1583—1665)**卒。**《吴江沈氏家谱》:"沈自晋,字伯明,晚字长康,号西来,又号鞠通。万历癸未年九月十八日生,治《书》,补邑庠生。康熙乙巳年二月二十六日卒,年八十三岁,葬西原无字圩先茔。"沈自友《鞠通生小传》:"生名自晋,字伯明,又字长康,鞠通则别号也。少而颖朗,饬躬清谨,纯孝性成,色养无怠。赴'鹡鸰'之难,感泣路人;敦'葛藟'之恩,谊深急难。懿行难悉书,书其概耳。为人悃悃,弱不胜衣,无王、谢轻浮风气。骤即之,落落穆穆也;徐而察之,温如也。已征其谭说古谊,扬搉风雅,亹亹忘倦,令人眉舞肉飞。弱冠补博士弟子员,声噪黉序,不屑俯首帖括,深沉好古,旁及稗官野乘,无不穷搜。乃若宿世心通,毕生偏嗜,天授非人力者,则词曲一途,固鞠通所以自命者也。海内词家,旗鼓相当,树帜而角者,莫若吾家词隐先生与临川汤若士。水火既分,相争几于怒詈,生蝉缓其间。锦囊彩笔,随词隐为东山之游,虽宗尚家风,著词斤斤尺矱而不废绳简,兼妙神情,甘苦匠心,朱碧应度,词珠宛如露合,文冶妙于丹融,两先生亦无间言矣。一时名手,如范、如卜、如袁、如冯,互相推服,卜与袁为作传奇序,冯所选《太霞新奏》推为压卷,范有'新推袁沈擅词场'及'幸有钟期沈袁在'之句,诸君子之心折何如!其牙室利灵,笔颠便倩,安腔稳贴,押韵尖新,名优爱唱起辞,如'黄河远上'诸什,壁不胜划矣。鞠通者,岂独聪于琴哉?实能聪人之耳……所著文辞甚富,《翠屏山》、

《望湖亭》二剧，久行世，散曲如《赌墅馀音》、《越溪新咏》、《不殊堂近稿》及《续词隐九宫谱》、《耆英会》诸剧，亦将次刊行，老笔常新，撰述正无纪极也。"《吴江沈氏诗集录·沈自晋传》："公名自晋，字伯明，晚字长康，太常公玄孙。弱冠补诸生，乙酉弃去，隐吴山，别字号鞠通生。鞠通者，古琴中食桐蛀，有之能令弦自和曲者也。公善度曲，故以自况云。初，族父词隐先生为乐府，精于法律，临川汤若士先生则尚意趣，两家相胜也而不相善。公谨守家法而词旨加秀润，若士亦击赏无间言。一时词家如上海范香令、秀水卜大荒、吾吴冯梦龙、袁令昭诸君，并推服之。著《广缉词隐先生南词谱》等书行世，诗未成集。"乾隆《吴江县志》卷三三《隐逸》："沈自晋，字伯明，别字号鞠通生，太常汉玄孙。明诸生，为人谦和孝谨，工诗词，通音律，乙酉后隐居吴山，年八十三卒。所著有《广辑词隐先生九宫十三调词谱》二十六卷，较原本益精详，至今词曲家通行之。"2004年中华书局出版整理本《沈自晋集》。

三月

初五日，陈弘绪（1597—1665）**卒**。施闰章《施愚山集·文集》卷二〇《故征君晋州知州陈公墓志铭》："陈征君者，南昌之新建人也，讳弘绪，字士业。用征辟得官，仕不称志，四方多称之曰陈征君……君博闻强记，长于文辞，下笔辄千百言。少补诸生，以父荫当得仕京朝，不就，曰吾自取之。所与交同郡万茂先时华、徐巨源世溥、刘士云斯陛、万美叔曰佳、余小星正垣辈凡十馀人，皆知名。君进而折衷于道德，学益醇。其文章闳达浩衍，出入欧、曾诸大家，以其馀溢为诗，风雨驰骤。士大夫逊畏其才，而卒以不售……康熙甲辰六月病噎，明年乙巳三月五日端坐卒，享年六十有九。所著《石庄集》、《恒山存稿》、《寒崖集》、《鸿桷编》、《留书》，凡若干卷行世；其藏于家者，《周易备考》、《诗经群义》、《尚书广录》、《山房读书跋》、《江城名迹记》、《峿斋诗》、《荷锄杂志》等书又十馀种。君性疾恶，议论侃侃，及发诸文辞，罕所刺讥。服官清慎，俸入辄购书累车，舁还家人发之，咸相视叹笑。家居食贫，客至未尝不留。当事有造庐者，指陈古今利病，以经术自任，语终日不及私。有得辄记，谓之病榻剩语。最后咯血，将殁前数日，犹为王祠部士禛作诗序，盖绝笔云。君生万历丁酉十一月十有二日……"《明史·陈道亨传》："子弘绪，字士业。为晋州知州，以文名。"《四库总目提要》卷七〇著录陈弘绪《江城名迹》二卷："国朝陈宏绪撰。宏绪字士业，新建人，明末以荐授晋州知州……鼎革后终于家。"同书卷一八一又著录其《陈士业全集》十六卷："国朝陈宏绪撰。宏绪有《江城名迹录》，已著录。是编凡分六种，曰《石庄初集》六卷、《寒崖近稿》二卷、《敦宿堂留稿》二卷、《鸿桷集》二卷、《鸿桷续集》二卷、《恒山存稿》二卷。《石庄集》断自甲申以前，馀集多甲申以后之作。"孙静庵《明遗民录》卷三《陈宏绪》："明陈宏绪，字士业，一名石庄，新建人。父道亨，官兵部尚书。杨忠烈涟以劾魏阉削籍，公抗疏申救，不纳，遂投劾归。卒，赠太子少保，谥清襄。宏绪性警敏，家集书万卷，昼夜讲肄。以任子荐授晋州牧，时真定属邑多被兵，阁臣刘宇亮出督师，欲移师入晋州，宏绪拒不纳，遂被劾，缇骑逮问，士民哭阙下，颂其保城功，得释，谪湖州经历，署长兴、孝丰二县事，有惠政，寻免归。国变后，屡荐不起，移居章江。辑《宋遗民录》以见志。著有《石庄集》、《恒山存稿》、《寒衣集》、《周易备考》、《诗经尚书义》等书。"

五月

二十九日，顾嗣立（1665—1722）生。朱彭寿《古今人生日考》卷五："五月二十九日，侯选知县前任翰林院庶吉士顾嗣立，《侠君年谱》，康熙四年乙巳。"顾嗣立，字侠君，长洲（今江苏苏州）人。康熙五十一年进士，改庶吉士，散馆授知县，后以疾归，里居从事著述。著有《秀野草堂诗集》六十八卷、《闾丘诗集》六十卷，编《元诗选》初集、二集、三集，为一代诗歌总集。顾嗣立《寒厅诗话自序》："余少孤失学，年二十始学诗。上自汉、魏、六朝、唐、宋、金、元、明以迄于今，诗家源流支派，略能言之。尝浪游南北，遍访名儒故老。闲居小圃，辄与当代名流往还，侧闻前辈长者之绪论。诗盟酒社，哀益不少。"郑方坤《国朝名家诗钞小传》："（顾嗣立）家有秀野园，梁妙严公主冢在焉。水木亭台之胜，实甲吴下。少长读书其中，染翰题笺，往往自署秀野，人亦以秀野呼之，故秀野之名满天下。秀野性嗜书，尤耽吟咏。弟兄五六人，如汉鱼、迁客辈，皆振藻扬声，名满上国。秀野颉颃其间，称白眉焉。尝笺注温飞卿、韩昌黎诗行世，又谓诗本天籁，人借以道性情，是以千百劫光景常新。自明人倡谓唐以后无诗，欧、梅、苏、陆概从芟薙，又何论乎大德、元贞以还暨玉山、铁崖诸君子哉？因锐意搜集元人诗集，自元遗山而下，汇为百家。未已也，有广之为三百家，凡四集，合千二百卷，次第刊布，几于家有其书。石室礼堂，借钞翻阅，诸生都讲，给值酬庸，以至梨枣之资、装潢之费，计不下数万金。秀野固雄于赀，至是而耗散殆尽，然元人之真面目至是乃出，一代才士之英华，不至与陈根宿草同归澌灭，亦可谓功在百世也已。"《四库总目提要》卷一五一著录《温飞卿集笺注》九卷："明曾益撰，顾予咸补辑，其子嗣立又重订之。凡注中不署名者，益原注；署补字者，予咸注；署嗣立案者，则所续注也……曾注谬讹颇多……嗣立悉为是正，考据颇为详核，然多引白居易、李贺、李商隐诗为注……是亦一短也。"同书卷一八四又著录其《闾丘诗集》六十卷："国朝顾嗣立撰。嗣立有《温飞卿诗注》，已著录。《江南通志·文苑传》称，嗣立博学有才名，尤工诗。所居秀野草堂，尝集四方知名士，觞咏无虚日，风流文雅，照映一时。曾撰《元诗选》四集，采摭略备，盖其性之所近，故诗亦往往似之。"沈德潜《国朝诗别裁集》卷二三选顾嗣立诗十首，小传云："秀野选元人诗集，搜罗殆遍，使百年文献不至沦没，皆其功也。素以文酒友朋为性命，有名人过吴下者，惟恐不诣其宅，至家道中落，犹以不能酬赠为愧，于前明葛震甫之爱客正复相类。今三十年馀，此风歇绝矣。诗品初仿金、元，继跻昌黎，后臻王、孟、韦、柳，垂老以不能步趋李、杜为憾。盖其诗得江山之助，游历愈广，风格愈上，《桂林》、《嵩岱》二集，尤为生平之冠云。"徐世昌编《晚晴簃诗汇》卷四八选顾嗣立诗八首，《诗话》云："侠君选元人诗，最称赅洽。相传书成，梦古衣冠者甚众，望门而拜。发潜阐幽，功德无量。集中《赠竹垞》诗有云：'出其家藏书，龙宫炫海宝。云此续百家，一代事可了。'盖竹垞许以藏籍借录也。平生爱客好事，一时名流，多通缟纻。又豪于酒，推为江左第一，在京师亦无敌者。诗出入韩、苏，才力健举，五七言古体纪游诸作，最为擅场，在同时吴门诸老中，与潘次耕差相近，非摹拟格调者可比。"邓之诚《清诗纪事初编》卷三著录顾嗣立《闾丘诗集钞》十卷、《秀野草堂集》六十八卷："顾嗣立，字侠君，长洲人。康熙四十四年，以举人荐入三馆修书。五十一年特赐进士，选庶吉士。后三年，以不习清书，改归班知县。卒于六十一年，年五十八。事具自撰《闾丘年谱》及杨绳武所撰《外舅顾秀野先生墓志铭》。撰《秀野草堂集》六十八卷，至道光时始尽刻之。先是其曾孙达尊尝合已刻、未刻稿，选古今诗八百六十八首，编为《闾丘诗钞》十卷，未刻。嗣立诗才赡敏，颇拟韩、苏，诗集之富，甚罕其匹。惜乏讽谏，兼少顿挫之致。所著有昌黎、飞卿诗注、《元诗选》四集，采过千家，多见本集，颇足为读《元史》之助。"袁行云《清人诗集叙录》卷十八著录顾嗣立《秀野草堂诗集》六十五卷（道光二十八年浔州官署刻本）："顾嗣立撰。嗣立字侠君，号闾丘，江苏长洲人。予咸子，嗣协弟。康熙三十八年举人，以进呈自辑《元诗选》一千二百卷，选至京师，任《佩文韵府》宋、金、元、明四朝诗纂修。五十一年特赐进士，改庶吉士，复授四川西充知县，移疾归。笺注《韩昌黎集》、《温飞卿集》，皆属赅洽。卒于六十一年，年五十八。生前诗分集梓行，道光二十年玄孙凯始刻画之，凡六十五卷，有张大受旧序。分《小秀野》、《金焦》、《山阴》、《大小雅堂》、《啖荔》、《梧语轩》、《秋查》、《双井书屋》、《枣下》、《春树草堂》、《罗浮》、《书馆续吟》、《河西》、《殿西》、《秋风櫂歌》、《寒厅》、《长干》、《畅轩》、《话雨轩》、《芜城》、《学诗楼》、《桂林》、《嵩岱》、《宜静居》、《病闲吟》诸集，诗共三千五百九十七首，附《寒厅诗话》及《自订年谱》。《四库存目》著录《闾丘诗集》六十卷。《金焦集》又有宋荦、朱彝尊序，《大小雅堂集》魏坤、朱彝尊序，《桂林集》徐永宣序，自序，《嵩岱集》王莘序。嗣立于康熙二十七年卜居秀野草堂，郑簠题额，四方名士觞咏其间（家有酒器三，大者容十勺，其次递杀。凡入社者，各先尽三器，然后入座。在京师日聚酒人，分曹较量，亦无敌手。见阮葵生《茶馀客话》），宫鸿历有《秀野堂谯集时侠君止酒以诗先之》，乔崇烈有《秀野草堂观灯歌》，可见当日盛况。嗣立尝从徐乾学、韩菼游，集中唱和为南北名人。遗老则钱澄之、杜濬、曾灿、费密，翰林名士则王士禛、徐昂发、尤侗、查慎行、查嗣瑮、杜诏、张云章、蒋廷锡、汪士铉、陈鹏年、庄楷、王式丹、周起渭，学者画师则惠周惕、郑芷畦、李必恒、禹之鼎、方苞、戴名世、黄鼎。酬赠诗篇甚多。其诗取法韩、苏，饶有气韵。《海昌煮盐行》、《日观峰》、《十番行》、《祭书行》、《大水行》、《串月歌》、《江郎山》、《度仙霞关》、《弥陀滩》、《黯淡滩》、《望接笋峰》、《谒禹陵》，游吼山、富春、箬簧、鼓山、洞庭、匡庐诸胜，均不乏佳制。晚游桂林、嵩岱，尤得江山之助。题图之作，亦推作手。《读元史八首》、《和元人咏物诗》、《题元百家诗集》，言元史者足可参资。嗣立风雅好事，倩王原祁效董其昌庐鸿草堂图笔记为绘《秀野草堂图》，朱彝尊为之记，作歌征和甚众。"

八月

丁耀亢以撰写小说《续金瓶梅》被逮下狱，关押一百二十天后"蒙赦放还"。小说被焚。丁耀亢《归山草》有诗记此事，诗题："乙巳八月以续书被逮，待罪候旨，至季冬蒙赦得放还山，共计一百二十日。狱司檀子文馨，燕京名士也，耳予名，如故交，率诸吏典各酿酒，三日一集，或至夜半，酣歌达旦，不知身在笼中也。各索诗纪事，予眼昏作粗笔各分去，寄诗志感。"又《归山草》另有《焚书》一诗云："帝命焚书未可存，堂前一炬代招魂。心花已化成焦土，口债全消净业根。奇字恐招山鬼哭，劫灰不灭圣王恩。人间腹笥多藏草，隔代安知悔立言。"

小说《吴江雪》四卷二十回成书刊行，题"蘅香草堂编著"。顾石城《吴江雪序》后署"乙巳八月，顾子石城氏题于蘅香草堂"。郑振铎、刘修业等认为是书撰者即为顾石城，苏州人，馀不详。

是年秋

顾炎武至山东曲阜，游孔林，与颜光敏订交。据张穆《顾亭林先生年谱》卷二。

是年冬

毛先舒为宋琬《安雅堂文集》作序。毛先舒《潠书》卷一《安雅堂文集序》："前臬宪牟国宋公，按浙而治未一年，中蜚语去。事已大白。复来浙游湖上，自去年冬月至今年冬，乃去。将行，出文若干篇，命先舒叙。"

公元 1666 年（清康熙五年　丙午）

三月

归庄撰《观梅日记》一卷成。据其自记。

是年春

顾炎武游太原，遇朱彝尊，与订交。又遇南海屈大均自关中来会。据张穆《顾亭林先生年谱》卷二。

八月

吕留良与黄宗羲因购祁氏淡生堂藏书事，发生龃龉。详见徐定宝主编《黄宗羲年谱》"康熙五年"注七。

虞黄昊乡试中举。虞黄昊（生卒年不详），字景明，钱塘（今浙江杭州）人。康熙五年举人，官临安教谕。西泠十子之一。《清史列传·文苑传》："虞黄昊，字景明，亦钱塘人。康熙五年举人，官临安教谕。十岁善属文，尝薄柳州《乞巧》，更作《辞巧文》，人知其远到。五言古体，尤号独步，比于毛先舒。"沈德潜《国朝诗别裁集》卷八选虞黄昊诗《杨柳枝辞》一首，小传云："字景明，浙江石门人。"徐世昌编《晚晴簃诗汇》卷三五选虞黄昊《杨柳枝辞》一首，小传亦云："虞黄昊，字景明，浙江石门人。"

十月

顾炎武著《韵补正》成。据张穆《顾亭林先生年谱》卷二。

林古度（1580—1666）卒。王士禛《林茂之诗选序》："余官京师，翁遂以丙午下世。"另据蒋寅《王渔洋事迹征略》："方文《嵞山续集》卷四《哭林茂之先生》，次于《九月十五夜即事》与《笠山禅师初度》之间。后诗云'清霜徐步出城来'，为初冬景象，当为十月作。"《清史列传·文苑传》："林古度，字茂之，福建福清人。寓居江宁。工诗，少赋《挝鼓行》，为东海屠隆所知。与曹学佺相友善，所为诗，清绮婉缛，亦复相似。后楚人钟惺、谭元春游金陵，古度悦之，诗格一变。旧家华林园侧，有亭榭池馆之美。明亡，胥化为车库马厩，别卜居真珠桥南，陋巷窭门，贫甚。暑无蚊帱，冬夜眠败絮中，或遗之帷帐，则举以易米。施闰章怜之，谓古度曰：'暑无螂病，于寒无毡，君能守之，当为计。'古度笑谓愿守之以虎，客皆绝倒。乃制纮帐，书绝句其上，嘱同志各题一诗以寄之，虑其不能守也。儿时一万历钱，终身佩之。尝寓法水寺，诗人袁孟逸死，胥寄寺旁，古度吊之，取折扇画停棺败室状，题诗其上以授僧，卒为募葬。晚年与王士禛唱和于红桥、平山堂间，诸名流咸集。古度携其诗稿嘱士禛曰：'千秋之事，一以付子。'士禛选其辛亥以前诗不入楚音者二卷，为《茂之诗选》。又著有赋一卷。年八十七，卒。"徐世昌编《晚晴簃诗汇》卷一六选林古度诗九首，引王士禛云："茂之居金陵，年八十馀，贫甚，冬夜眠败絮中，其诗有'恰如孤鹤入芦花'之句。方尔止寄诗云：'积雪初晴鸟晒毛，闲携幼女出林皋。家人莫怪儿衣薄，八十五翁犹缊袍。'"《诗话》云："茂之早年曾与曹能始、钟伯敬、谭友夏诸公抗手论诗。年逾九十，至康熙初始卒。诗不为钟、谭所囿，风华处尽有六朝遗韵。"邓之诚《清诗纪事初编》卷二著录林古度《林茂之诗选》二卷："林古度，字茂之，号那子，福清人，流寓金陵。古度父子皆有奇节，父举人章，崇祯中上书言事下狱，有声海内。古度曾序刻铁函《心史》，顺治中又刻布洞庭女子诗十章。晚岁卜居金陵珍珠桥南陋巷中，贫甚。暑无蚊帱，冬夜卧败絮中，犹以年辈为东南名士魁硕。儿时一万历钱，佩之终身，吴嘉纪为赋《一钱行》。康熙五年卒，年八十七。事具《清史列传·文苑传》。古度少以《挝鼓行》受知屠隆，与曹学佺、吴非熊唱和，后遇钟惺、谭元春，诗格一变。遗诗数千篇，王士禛尽去天启甲子以后之作，谓刊落楚风，归于正始。于是古度故君故国之思、凭吊兴亡之作，胥不传矣。士禛此选盖惧以文字贻祸，托言标格，以欺当世之人耳。"袁行云《清人诗集叙录》卷一著录林古度《林茂之诗选》二卷（康熙四十九年刻本）："林古度撰……纂《高淳县志》十八卷。殁后无以为敛，周亮工为葬之钟山。古度父章，为明万历间闽中诗人，钱谦益《有学集》有《题林孝廉遗像》，并赠古度诗多首。邢昉、顾炎武、方拱乾亦有赠诗。施闰章有《林茂之自作生圹诗纪之》，见《学馀堂集》。其诗刻意六朝，与曹学佺、吴非熊相唱和。后遇钟惺、谭元春，乃濡染楚派。遗诗数千首，经王士禛删定，歙县程哲刊版，仅存此二卷，《渔洋诗话》并摘其佳句数首。旧作经钟、谭丹黄者删削殆尽，晚作亦所存无几，只留风华近六朝者。节概亮洁，其诗亦如之，而无可征事矣。名士选诗之弊，令人嗟惜。"

是年

陈之遴（1605—1666）卒。江庆柏《清代人物生卒年表》据《海宁渤海陈氏宗谱》卷七括注陈之遴生卒年为"1605—1666"。阮元《两浙轖轩录》引俞宝华曰："之遴少善诗，谪后益工。康熙丙午卒于谪所。后五年之遴妻徐婉疏请归骨，许之。"《清史列传·贰臣传》："陈之遴，浙江海宁人。明崇祯十年进士，授编修，迁中允。本朝顺治二年，投诚，授秘书院侍读学士。五年，迁礼部右侍郎……八年，擢礼部尚书……九年，授弘文院大学士……十二年……二月，复授弘文院大学士，加少保兼太子太保……十五年，之遴以贿结内监吴良辅，鞫讯得实，拟即处斩。得旨：'……姑免死，著革职流徙，家产籍没。'后死徙所。"《四库总目提要》卷一八一著录陈之遴《浮云集》十一卷："国朝陈之遴撰。之遴字素庵，海宁人，太学进士题名作海盐人，疑其寄籍也。前明崇祯丁丑进士，授编修，升中允。国朝官至弘文院大学士。顺治十三年，以交结近侍拟斩，免死，谪戍尚阳堡。是集前有自序，起康熙丙午，盖戍所编次也。其诗才藻有馀，而不出前后七子之格。"徐世昌编《晚晴簃诗汇》卷二一选陈之遴诗二十四首，小传云："陈之遴，字彦升，号素庵，海宁人。"《诗话》云："素庵子容永，为吴祭酒女夫。梅村诗所谓'一女家破归间关，良人在北愁戍边'者。又有《赠辽左故人八首》为素庵作也。《浮云集》诗十一卷、词一卷，自序康熙丙午书于旋吉堂。《两浙轖轩录》称别有《旋吉堂诗草》，盖误。集中七律，才情飙举，实过梅村。《燕京》五言百韵，感慨兴亡，尤称玮制，前人选本仅采一二小诗，殆犹多忌讳也。"邓之诚《清诗纪事初编》卷七著录陈之遴《浮云集》十二卷："康熙初，没于戍所。盖始终依附陈名夏，结党与北人冯铨、刘正宗相抗。同以文学受上知，名夏既败，之遴自不能免。于此见当时党争之烈。撰《浮云集》十二卷，有康熙五年之遴自序……其人不足道，而诗词则意捷语新，稍嫌才累。诗格颇似吴伟业，《白头宫女行》，置之《梅村集》中，几不能辨。《永和宫词》，以少许胜多许……颇与文人周旋，尤厚张遂辰、吴兆骞，人遂以好士目之。其妻徐婉素工词翰，闺房唱酬，屡见集中，为世人艳羡。孰意同谪冰天，独归寒鹄，繁华尽散，画佛奉母以终。"

徐灿（生卒年不详），陈之遴继室。《清史稿·列女传》："陈之遴妻徐，名灿，字明霞，吴县人。之遴自有传。徐通书史，之遴得罪，再遣戍，徐从出塞。之遴死戍所，诸子亦皆殁。康熙十年，圣祖东巡，徐跪道旁自陈。上问：'宁有冤乎？'徐曰：'先臣惟知思过，岂敢言冤？伏惟圣上覆载之仁，许先臣归骨。'上即命还葬。徐晚学佛，更号紫箺，有《拙政园诗词集》。词尤工，陈维崧推为南宋后闺秀第一。画得北宋法。"施淑仪《清代闺阁诗人征略》卷二《徐灿》："灿字明霞，号湘蘋，江苏吴县人。光禄丞子懋女，大学士陈之遴继室，封一品夫人……工诗，尤善为长短句，以《燕京元夜词》著称于时。素庵居政府时，手为编辑为《拙政园诗馀》。善画宫妆美人，笔法古秀，衣纹如莩菜叶，间亦点染作花草。"胡文楷《历代妇女著作考》卷一三著录徐灿《拙政园诗集》二卷："是书嘉庆八年癸亥（1803）吴氏拜经楼刊本，列入《海昌丽则》。有吴骞题辞，从孙敬璋跋。凡诗二百四十六首。"又著录其《拙政园诗馀》三卷："是书嘉庆八年癸亥（1803）吴氏拜经楼刊本，列入《海昌丽则》。有素庵居士序，男坚永、容永、奋永、堪永跋。"

公元 1667 年（清康熙六年　丁未）

三月

汪懋麟考中二甲第十一名进士。
颜光敏考中二甲第十三名进士。
陈玉璂考中三甲第十一名进士。

四月

江南沈天甫等逆诗案发。 蒋良骐《东华录》卷九："康熙六年……四月，江南奸民沈天甫、吕中、夏麟奇等撰逆诗二卷，诡称黄尊素等百七十人作，陈济生编辑，故明大学士吴甡等六人为之序。沈天甫使夏麟奇诣吴甡之子中书吴元莱所索诈财物，元莱察其书非父手迹，控于巡城御史。以闻，下所司鞫讯，沈天甫等皆弃市，其被诬者不问。"

七月

初七日，康熙亲政。《清史稿·圣祖本纪一》："六年……秋七月己酉，上亲政，御太和殿受贺，加恩中外，罪非殊死，咸赦除之。是日，始御乾清门听政。"

宋徵舆 （1617—1667） **卒。** 生年详见万历四十五年（1617）记事。朱彭寿《清代人物大事纪年》："康熙六年丁未（公元 1667 年），卒岁：宋徵舆，都察院左副都御史。七月卒，年五十。"陈子龙《安雅堂稿》卷二《宋辕文诗稿序》："宋子梓其诗，成以授予曰：'某雅好之而未知所尚也，子为我论之。'予读之竟而叹曰：'思致哉，其有情也，烨乎其有文也……今子之诗大而悼感世变，细而驰赏闺襜，莫不措思微茫，俯仰深至，其情真矣。上自汉魏，下迄三唐，斟酌揣摩，皆供麈染，其文和矣。卓然为盛明之一家，何颖焉。'"吴伟业《吴梅村全集》卷二八《宋直方林屋诗草序》："往余在京师，与陈大樽游，休沐之暇，相与论诗，大樽必取直方为称首，且索余言为之序。当是时，大樽已成进士，负盛名，凡海内骚坛主盟，大樽睥睨其间无所让，而独推重直方，不惜以身下之。余乃知以直方之才，而大樽友道为不可及也已。于是天下言诗者辄首云间，而直方与大樽、舒章齐名，或曰陈李，或曰陈宋，盖不敢有所轩轾也。大樽既前死，舒章得一官，又不究其用，直方乃以名位大发闻于时，既跻显要、进卿贰，为天子之大臣矣，复不幸早没……直方于兄弟最友爱。子建以明经高隐著书，尝拟唐人数百家，未就而卒。让木为二千石于岭表，其近诗益进，每邮筒寓余。余虽老，实借君兄弟以不孤。噫嘻！此大樽所称三宋也。"沈德潜《国朝诗别裁集》卷二选宋徵舆诗五首，小传云："云间诗家推陈卧子、宋辕文、李舒章，卧子蹈海后，宋、李并名于时，未尝有所轩轾。"《四库总目提要》卷一八一著录宋徵舆《林屋文集》十六卷、《诗集》十四卷："徵舆为诸生时，与陈子龙、李雯等倡几社，以古学相砥砺，所作以博赡见长。其才睥睨一世，而精炼不及子龙，故声誉亦稍亚之云。"王豫《江苏诗征》：

"副宪督学福建时，辑《全闽诗选》。又与卧子、舒章共选《明诗》行世。"徐世昌编《晚晴簃诗汇》卷二四选其诗六首，《诗话》云："直方少与陈卧子、李舒章齐名，亦几社后劲。歌行沉郁，其七律《古意》一首，归愚谓酷似杨升庵《塞垣鹧鸪词》。"王绍曾《清史稿艺文志拾遗》著录其《广平杂记》一卷、《琐闻录》一卷、《别录》一卷、《东村记事》一卷、《海间倡和香词》一卷。此外，上海图书馆藏有其《林屋文稿》十六卷、《林屋诗稿》十四卷，与《四库》著录者略同。

是年夏秋之际

刘璋（1667—1745）生。江庆柏《清代人物生卒年表》据《山西文献总目提要》卷九括注刘璋生卒为"1667—1745"。《中国通俗小说家评传》载王青平《刘璋》云："刘璋，字于堂，号介符，别号烟霞散人、樵云山人，太原阳曲县人。约生于康熙六年（1667）夏秋之间，乾隆初尚在世，卒年不详。康熙三十五年中举，雍正元年任深泽县令，雍正四年'以前任亏米谷挂累'卸深泽令。以其笔名题署的小说有：《斩鬼传》、《飞花艳想》、《幻中真》、《凤凰池》、《巧联珠》五种。其中前两种为刘璋所作无疑，后三种很可能亦为其所作。"

是年冬

顾有孝、赵澐为钱谦益、吴伟业、龚鼎孳三人编定《江左三大家诗钞》。是书卷首顾有孝叙云："有明之时，高季迪、杨孟载、袁海叟、徐幼文启秀于前，顾华玉、徐昌谷、文徵仲嗣音于后，王元美兄弟出，遂蹶中原之垒而独建蛮弧。自时厥后，寥落不振者将百载。迨至今日，风雅大兴，虞山、娄东、合肥三先生其魁然者也。虞山诗如掣鳌巨海，决溜洪河，不与翡翠兰苕争柔斗艳；娄东诗如绛云卷舒，晖烛万有，又如四瑚八琏，宝炎陆离；合肥诗如天女铢衣，仙璈凤管，新声绮制，非复人间。虽体要不同，莫不源流六义，含咀三唐，成一家之言，擅千秋之目……余不敏，于三先生无能为役，每读其诗，辄口呿目张，舌挢不下，此欧阳率更见索靖碑，驻马坐观三日而不忍去者。因与赵子山子谋付剞氏，传布通都大邑，使海内之称诗皆以三先生为准的……康熙六年冬日吴江顾有孝撰。"赵澐序云："我江左之有牧斋、梅村、芝麓三先生也，卓然为人文宗主，声教德业，且满天下，文章特其馀事耳，而诗又其文章之馀也，乌足以尽三先生之大？第就诗而言，而三先生之为大家无疑也……余未学寡识，幸生三先生之乡，又尝亲承三先生之教，窃不自揣，与茂伦顾子共诠次三先生之诗以公之天下，而庶几其不我咎焉者，则恃三先生之道大。时康熙六年阳月望日，吴江赵澐撰。"

是年

龚鼎孳、王士禛、刘体仁、程周量、汪琬、梁清标、董文骥、李天馥、陈廷敬等在京师为文社。《渔洋山人自撰年谱》卷上："是年，与汪、程、刘、梁及董御史文骥

玉虹、李翰林天馥湘北、陈翰林廷敬子端、程翰林邑翼苍辈，为文社，兵部尚书合肥
龚公，实为职志。宋别驾荦牧仲，自黄州入觐京师，始定交。"

顾炎武《音学五书》三十八卷付梓。据张穆《顾亭林先生年谱》卷二。

公元 1668 年（清康熙七年　戊申）

三月

顾炎武因受山东莱州黄培诗狱牵连，下济南狱。是年十月，狱始解。据张穆《顾
亭林先生年谱》卷二。

吴雯谒见王士禛，王士禛为延誉京师。王士禛《渔洋文略》卷七《吴林颖墓表》：
"戊申三月，苍头通宾客，视其刺则雯也，跃起相见。稍稍与谈艺，多微中……自是与
雯数饮酒赋诗，欢相得也。"吴雯《莲洋集》卷首载王士禛《序》云："昔在丁戊间，
生来京师，予脚其箧，得蠹简数十番，读而骇叹，谓非流俗所应有。以示刘吏部（体
仁）、汪户部（琬）、梁侍御（曰缉），三君方柄文章海内，其骇叹复不减予。"

四月

十五日，方苞（1668—1749）生于六合之留稼村。据苏惇元辑《方苞年谱》。（见
上海古籍出版社 1983 年出版《方苞集》附录）方苞，字凤九，一字灵皋，老年自号望
溪，学者称望溪先生。江南安庆府桐城县（今属安徽）人。《清史列传·大臣传》："方
苞，江南桐城人，寄籍上元。康熙四十五年，由举人会试中式，以母病，未预殿试。
五十年十月，副都御史赵申乔劾编修戴名世所著《南山集》、《孑遗录》，有大逆语，下
刑部拟名世凌迟，词连苞从祖孝标曾降吴逆，所著《滇黔纪闻》亦不法，请戮尸。子
登峰、云旅、孙世樌缘坐。苞为名世作序，论斩。命九卿详议。五十二年二月，谕曰：
'戴名世从宽免凌迟，著即处斩。方登峰、方云旅、方世樌俱从宽免死，并伊妻子充发
黑龙江。此案内干连人犯，俱从宽免治罪，著入旗。'是月苞隶旗籍。三月，上知苞文
学，特命入值南书房。八月，直蒙养斋，编校《御制乐律》、《算法》诸书。六十一年
六月，命为武英殿修书总裁。十一月，世宗宪皇帝嗣位，颁恩诏，其一以族人犯罪牵
连入旗者，赦归籍。时入旗合诏条者，惟戴名世案，而原谳例不得援赦，刑部特请，
上肆赦苞及其族人。"《清史稿·方苞传》："方苞，字灵皋，江南桐城人。父仲舒，寄
籍上元，善为诗，苞其次子也。笃学修内行，治古文，自为诸生，已有声于时。康熙
三十八年举人，四十五年，会试中式，将应殿试，闻母病，归侍。五十年，副都御史
赵申乔劾编修戴名世所著《南山集》、《孑遗录》有悖逆语，辞连苞族祖孝标。名世与
苞同县，亦工为古文，苞为序其集，并逮下狱。五十二年，狱成，名世坐斩。孝标已
前死，戍其子登峰等。苞及诸与是狱有干连者，皆免罪入旗。圣祖夙知苞文学，大学
士李光地亦荐苞，乃诏苞直南书房。未几，改直蒙养斋，编校《御制乐律》、《算法》
诸书。六十一年，命充武英殿修书总裁。世宗即位，赦苞及其族人入旗者归原籍……
高宗命苞选录有明及本朝诸大家时艺，加以批评，示学子准绳，书成，命为《钦定四
书文》。苞欲仿朱子学校贡举立科目程式，及充教习庶吉士，奏请改定馆课及散馆则

例，议格不行。苞老多病，上怜之，屡命御医往视……苞为学宗程、朱，尤究心《春秋》、《三礼》，笃于伦纪。既家居，建宗祠，定祭礼，设义田。其为文，自唐、宋诸大家上通《太史公书》，务以扶道教、裨风化为任。尤严于义法，为古文正宗，号'桐城派'。"戴钧衡《重刻方望溪先生全集序》："六经四子皆载道之文，而不可以文言也。汉兴，贾谊、董仲舒、司马迁、相如、刘向、扬雄之徒，始以文名，犹未有文家之号。唐韩氏、柳氏出，世乃界以斯称。明临海朱右取宋欧、曾、王、苏四家之文以辈韩、柳，合为六家，归安茅氏又析而定之为八，而后此数人者，相望于上下千数百年，若舍是莫与为伍。自是天下论文者，意有专属，若舍数人，即无以继贾、马、刘、扬之业。夫自东汉以迄于明，其间学士词人蚁聚蜂屯，不可计数；一二名作先后传诵宇内者，亦如流水之相续于大川；而其为之数百十篇，沛然畅然，精光照人间不可磨灭，则自汉、柳、欧、曾、王、苏外，终莫得焉。呜呼，盖其难哉！余尝闻其故矣：其所受者不优，无以轶乎众也；其所入者不邃，无以遗乎今也；其所得者不广，无以肆其用也；其所养者不充，无以盛其发也；其所践者不实，无所立其诚也。日星之所以长明，江海之所以不竭，万物之所以发生，古之精且神于文者，盖必实有侔于此焉，非是不足以与于作者。是以古文之学，北宋后绝响者几五百年，明正、嘉中，归熙甫始克赓之。然归熙甫生程、朱后，圣道闿明，其所得乃不能多于唐、宋诸家。我朝有天下数十年，望溪方先生出，其承八家正统，就文核之，亦与熙甫异境同归。独其根柢经术，因事著道，油然浸溉乎学者之心而羽翼道教，则不惟熙甫无以及之，即八家深于道如韩、欧者，亦或犹有憾焉。盖先生服习程、朱，其得于道者备，韩、欧因文见道，其入于文者精。入于文者精，道不必深，而已华妙而不可测；得于道者备，文若为其所束，转未能恣肆变化。然而文家精深之域，惟先生掉臂游行。周、汉、唐、宋诸家义法，亦先生出而后揭如日月，而其文之谨严朴质，高浑凝固，又足以缉学者之客气，而湔其浮言。以故百数十年来，奉而守者，各随其才学高下深浅，皆能薪乎古不掉于正；背而驰者，则虽高才广学，亦虚矫浮夸，半为曜冶之金而已。"《四库总目提要》卷一七三著录方苞《望溪集》八卷："国朝方苞撰。苞所作《周官集注》已著录。其古文杂著，生平不自收拾，稿多散失。告归后门弟子始为裒集成编，大抵随得随刊，故前后颇不以年月为诠次。苞于经学研究较深，集中说经之文最多，大抵指事类情，有所阐发。其古文则以法度为主，尝谓周秦以前，文之义法无一不备；唐宋以后，步趋绳尺而犹不能无过差。是以所作上规史汉，下仿韩欧，不肯少轶于规矩之外，虽大体雅洁，而变化太少，终不能绝去町畦，自辟门户。然其所论古人矩度与为文之道，颇能沉潜反复，而得其用意之所以然，虽蹊径未除，而源流极正。近时为八家之文者，以苞为不失旧轨焉。"朱庭珍《筱园诗话》卷四："近来古文，天下盛宗桐城一派。其持法最严，工于修饰字句，以清雅简静为主。大致不外乎神韵之说，亦如王阮翁论诗，专主神韵，宗王、孟、韦、柳之意也。而自相神圣，谓古文正宗，自秦汉以后，唐宋八家继之，八家以后，明归太仆有光继之，太仆以后，则桐城三家方侍郎灵皋、刘广文海峰、姚郎中姬传继之。此外文人，皆不得与文章之统。如国初三大家侯朝宗、魏叔子、汪尧峰诸人，概斥为伪体，所见殊谬。夫文章公器，虽有宗派，无所谓统也。其人理纯粹，叙事精严，措词雅洁，运气深厚，法度完密，而意味高古者，即系文章正宗，初不以人地时代限也。必欲秘为绝诣，据作一家私传，不惟诞妄，抑且孤陋矣。此不过拾宋儒唾馀，仿道统之说，以自撑门户耳。习气相沿，未免可笑，殊不足与深辨。予《论诗绝句》中一首云：'乾嘉文章重桐城，方氏刘姚各有名。我向蓬莱看东海，一盂不爱鉴湖清。'深于文者，当与吾言契合也。"徐世昌编《晚晴簃诗汇》卷五七选方苞诗《陶渊明》一首，《诗话》云："桐城古文家海峰、惜抱，诗并杰出，他如王悔生、刘孟涂、方植之、姚实甫诸人，虽所造各有深浅，皆传作斐然。望溪尝曰：'童时侍先君子，与钱、杜诸先生以诗相唱和，欲窃效焉。先君子诫曰："是虽小道，非尽心以终世，不能企其成，而耗少壮有用之心力，非躬自薄乎？"遂绝意于诗。'"张舜徽《清人文集别录》卷四、著录方苞《望溪先生文集》十八卷、《集外文》十卷、《集外文补遗》二卷（咸丰元年戴钧衡汇刻全集本）："桐城方苞撰。苞字凤九，号灵皋，亦号望溪，康熙四十五年进士，累官礼部侍郎。为文谨守古文义法，上规史、汉，下仿韩、欧，实开桐城文派之先，有大名于当时。《四库全书》著录《望溪集》八卷，《提要》复称其于经学研究较深，集中说经之文最多，大抵指事类情，有所阐发。（见《四库提要》卷一七三）今观其读经诸篇，言及《古文尚书》，则疑其文名畅易晓，必秦汉间儒者得古文原本，苦其奥涩，而稍以显易之辞更之，其大体则固经之本文（见是集卷一《读古文尚书》）。言及《周礼》，乃谓非圣人不能为，汉何休、宋欧阳修、胡宏皆疑为伪作。盖休耳熟于新莽之乱，而修与宏近见夫熙宁之敝。而乃疑是书为伪，是犹惩颠覆而废舆马也（同卷《读周官》）。此二论皆发前人所未发，亦后来治经者所不能道。抑苞论及治经有曰：'近世治经者有二患，或未尝一涉诸经之樊，前儒之说，罕经于目，而自作主张，以为心得。不知皆肤学旧说，前贤已辨而绌之矣。或撦拾陈言，少变其辞气，而漫无所发明。'（《集外文》卷五《与顾震沧书》）斯言实切中当时浅尝浮慕者之病，而苞寝馈宋元经说为尤深，故揭橥大义，每多自得之言，此固清初诸儒治经风尚如此，与后来专事考订名物训诂者异趣也。苞治经之外，究心宋贤义理之学，俨然以卫道自任。其时颜、李之学方昌，王源年将六十，尽弃所学而师事颜元，苞力与之辨。李塨丧子，苞复遗书警之，至谓自阳明以来，凡极诋朱子者，多绝世不祀。斯则过激之言，无乃已甚，有同于悍妇之斗口舌，非儒者所宜出。其大旨见于是集卷六《与李刚主书》及卷十《李刚主墓志铭》者，至为明切矣。尔后为桐城派古文者，莫不耽心义理，服习程朱，皆苞导其先路。"王绍曾主编《清史稿艺文志拾遗·集部》著录方苞《望溪文集再续补遗四卷三续补遗三卷》、《望溪文集补遗》一卷、《抗希堂十六种》（一名《望溪全集》，又名《抗希堂全集》）一百四十四卷。今人有整理本《方苞集》，上海古籍出版社 1983 年出版；又有《方望溪遗集》，黄山书社 1990 年出版。

五月

十三日，小说《济公全传》三十六则刊行，题"**西湖香婴居士重编，鸳湖紫髯道人评阅**"。香婴居士《济公全传小引》后署"康熙戊申竹醉日，香婴居士题于西湖禅近斋中"。古人以农历五月十三日为竹醉日。是书撰者王梦吉，字长龄，号香婴居士，杭州人。

吴伟业应归庄请，致书季振宜，商讨刊刻归有光遗集事。吴伟业书已佚，其事见归庄《归庄集》卷三《吴梅村先生六十寿序》："文章之道，宋元以前无论，论近代。自宋金华开一代之风气，其后作者多有，至嘉靖而其派杂，至万历而其途塞。先太仆府君（指归有光），当嘉靖横流之时，起而障之，回狂澜以就安流，而晋江、常州，其协力堤防者也。虞山钱牧斋先生，当万历芜秽之后，起而辟之，剪荆棘以成康庄，而嘉定之娄子柔，临川之艾千子，其同心扫除者也。顾府君晚达位卑，压于同时之有盛名者，不甚彰显，虞山极力推尊，以为三百年第一人，于是天下仰之如日月之在天，后进缀文之士，不为歧途所惑，虞山之力为多。虞山既殁，能由其路、践其域、拓其疆者，为我梅村先生。府君文集，尚多藏本，后人力不能付梓，先生悼其不尽传于世，致书海陵季侍御，欲其镂板流传。虞山殁，肉未寒，小夫琐才，辄以平生纤芥之嫌，妄加訾议，而时彦亦多惑之。盖后起之士，于前人往往吹毛索瘢，振暴其短，以自标位置。所谓文人相轻，自古然也，而先生独非之。其致侍御书有云：'当今文字榛芜，前后代兴，自应共相鼓吹，以修明风雅，不当訾謷先达。'先生之维持文运，爱惜前辈，可谓度越寻常矣……戊申五月甲子，为先生六十诞辰。某方奉先生之书渡江至海陵，留滞逾时，不能以时踧进一觞……故特举文章一事，与先生之所以推扬先达、下交晚进者，叙述其略。冀先生之一笑而举其觞，知先生当不以世俗之所以为寿者责我也。"又《归庄集》卷五《与季沧苇侍御书》："先太仆遗文，不尽流传于世，兹蒙阁下慨然许为刻全集，甚盛心也……仆之千里相访，以梅村先生为之先容，阁下授之馆，饩之粟，时招之饮，馈之酒肴，意甚勤也；已而礼貌渐衰……因而窃叹梅村先生之失言，先生书中以张华、任昉之好贤下士相期，今世之茂先、彦升乃如此乎？仆之见辱于阁下，高贵贫贱相悬绝，是固宜然。"

七月

清廷诏乡会试仍恢复八股取士。印鸾章《清鉴》卷四："秋七月，诏乡、会试复以八股文取士。"

九月

吴伟业至无锡，经卜玉京墓，以诗凭吊。吴伟业《吴梅村全集》卷一〇有《过锦树林玉京道人墓（并传）》："玉京道人，莫详所自出，或曰秦淮人。姓卞氏。知书，工小楷，能画兰，能琴。年十八，侨居虎丘之山塘……与鹿樵生（即吴伟业）一见，遂欲以身许，酒酣拊几而顾曰：'亦有意乎？'生固为若弗解者，长叹凝睇，后亦竟弗复言。寻遇乱别去，归秦淮者五六年矣。久之，有闻其复东下者，主于海虞一古人……逾两年，渡浙江，归于东中一诸侯，不得意，进柔柔奉之，乞身下发，依良医保御氏于吴中。保御者，侯之宗人，筑别宫资给之良厚……凡十徐年而卒，墓在惠山祇陀庵锦树林之原。""良医保御氏"即郑钦谕，字三山，与吴伟业为中表亲，《吴梅村全集》卷五〇有《保御郑三山墓表》。邓汉仪《慎墨堂笔记》云："卞生字云庄，名噪吴下，侍儿柔条亦善解人意。云庄后归郑民部应皋（即东中一诸侯其人）。癸巳冬日，仆同赵编修玉森饮汪然明之不系园，编修云：'云庄近以柔条与郑君，且出千金奁物为赠，偏舟独影，已去之吴门，掩关学佛，不复作人世想矣。'然明未之信。甲午春，仆同钱宗伯牧斋访之郑三山家，果然，然终不出见宾客。"冯其庸、叶君远《吴梅村年谱》谓："据汉仪之记载，玉京依郑三山乃在顺治十年（癸巳）。'又十馀年而卒'，则玉京之卒断不容早于康熙二年矣。玉京之墓在无锡惠山，而康熙二年之后，伟业本年九月首次至无锡，疑《过锦树林玉京道人墓》即作于此时，诗中有'龙山山下茱萸节'之句，时令亦合。"所言极是。另李金堂校注余怀《板桥杂记》卷中有注云："卞玉京死于顺治十七年（1660）。"

是年

黄宗羲开始编《明文案》。黄宗羲《明文案序上》："某自戊申以来，即为明文之选，中间作辍不一，然于诸家文集蒐择亦已过半。"

吴伟业为宋徵璧《抱真堂诗集》作序。《吴梅村全集》卷二八《宋尚木抱真堂诗序》："吾友云间宋子尚木刻其《抱真堂诗》成，君方官岭表，邮书数千里问序于余……君累不得志……崎岖岭海……七年不得调。"另据乾隆《潮州府志》卷三一《职官表》，宋徵璧于康熙元年任潮州知府，既"七年不得调"，则此序当作于康熙七年。

吴伟业为宋徵舆《林屋诗草》作序。《吴梅村全集》卷二八《宋直方林屋诗草序》："直方乃以名位大发闻于时，既跻显要，进卿贰，为天子之大臣矣，复不幸早没，其少子舜纳哀其父平生之作，取首简属余。"又云："让木（即尚木，指宋徵璧）为二千石于岭表，其近诗益进，每邮筒寓余。"可知此序与《宋尚木抱真堂诗序》约作于同时。

吴伟业《梅村集》四十卷编成，凡诗十八卷、词二卷、文二十卷。诗卷首署："太仓吴伟业骏公著，后学许旭九日、顾湄伊人订。"文集卷首署："后学周瓒编。"又署："太仓吴伟业骏公著，后学周肇子俶、王昊惟夏订，侄晓省初校。"是集卷首有陈瑚序："往岁戊戌，梅村先生年五十，瑚尝颂之以诗，而窃拟先生于子美、退之，时人闻之，皆以瑚为知言也。越十年而为戊申，先生著作日富，门弟子顾伊人辈裒集其诗文四十卷，刻而行之。工将竣，先生以书来告曰：'君知我深，序莫如君宜。'先生之诗文，向固以为子美、退之者也，世有子美、退之其人，而得弁言于文字之首，可不谓大荣欤？而又何敢以不文辞。"

公元 1669 年（清康熙八年　己酉）

四月

钱曾撰《述古堂藏书目》四卷成。据其自序。

潘永因撰《宋稗类钞》八卷成。据李渔四月序。

吴伟业至苏州，与宋荦谦集，此前，吴伟业曾为宋荦作《宋牧仲诗序》。宋荦《漫堂年谱》："康熙八年己酉，余三十六岁……四月由锡山抵吴门，游虎丘、支硎、虞山，所至谦集无虚日，吴祭酒伟业、计孝廉东尤为倾倒……刻《将母楼诗集》。"吴伟业《吴梅村全集》卷二九《宋牧仲诗序》："往余在京师，从大司农归德侯公以尽交宋中诸贤。诸贤方以雪园文社相推许，公仲子朝宗遇余特厚……已而酒酣，抵掌剧谈海内奇士，辄又跃然起曰：吾雪园近有年少轶才，若之所未见者，为宋君牧仲。牧仲，相国太保公之子也。相国向官御史时识余，比余再入京师，相国久致政归，中州人称牧仲者不容口，朝宗之言益信，余心向慕之……才如牧仲，生平所愿见者，远在江山千里之外，焉得而与之游乎？牧仲顾犹不弃而索其一言，余乃为之序曰……"吴伟业此序又见宋荦《西陂类稿》卷首，题为《将母楼诗序》，另据前引《漫堂年谱》，《将母楼诗集》刻成于康熙八年，则吴序当作于二人相见前不久。

五月

卢绖为吴伟业《梅村集》撰序。《吴梅村全集》附录三卢绖《梅村集序》："顾子湄，名宿之裔，亦娄东人，夙游司成公之门，密迩私淑，居恒每得嘉言懿行，必笔而书之，珍藏于笥。积有年，得诗若干首，得文若干篇，既成帙，谋梓而行之，公诸海内，以绖既受知于公，且适宦兹土，表章之责，抑无容辞，乃推与分任，且见属以题辞。昔尼山之门人，虽英敏秀达，所受不过一经，乃顾子固能兼而缉之，反复校定，历经数岁，灿然明备，可谓勤矣。至删定笔削，虽游、夏尚不能赞一辞，序述之功，绖奚敢任？惟是古今斯文之运，兴始西北，渐迄东南。自江左风流，微肇其端，迄乎紫阳，则道谊文章，实备厥美。近三吴数百年间，若琅琊，若虞山，鼓吹其间，后先不绝。司成公集以有成，文信在兹，匪阿所好。夫天子既以为人师，于是海内师之，传之后世，亦莫不师之，绖与顾子亦惟共仰以为岳之高，共沐以为河之深而已，又何能复赞一辞哉！时康熙八年，岁次己酉仲夏，分管漕务督理苏松常镇粮储兼巡视漕河江南布政使司左参政，加六级，楚蕲受知及门卢绖顿首谨撰。"

是年

吴伟业《梅村集》刊竣。计东《改亭集》卷一〇《上太仓吴祭酒书一》："闰二月朔，前国子监率性堂恩拔贡监生计东谨再拜。旧冬，东度岁江宁，于友人倪闇公家见老师新刻文集，内有《复社纪事》一篇数千言，友人互相传诵，以为非老师大手笔不能作……先师西铭先生，自辛巳殁后，迄今三十年。"编者按，辛巳为明崇祯十四年（1641），三十年后当为清康熙九年（1670），是年闰二月，"旧冬"则当指本年，即康熙八年之冬日。

董以宁来娄东谒见吴伟业，吴伟业评点其《蓉渡词》。沈受宏《白溇先生文集》卷一《赠董文友归晋陵序》："丧乱以来，风流歇绝，而旧史吴梅村先生、大儒陆桴亭先生并以文章、理学为时宗师，天下挟笈担囊，争相请益，而四方君子之至娄者为再盛……以予所见君子众矣，而其中之号称贤者得二人焉，自丙午岁得姜子一人，曰西溟……越四年己卯，又得董子一人，曰文友。董子，晋陵之贤者也。往桴亭先生讲《易》晋陵，交董子，其归也，尝为予言董子才。今由晋陵至娄东，省其叔父御史玉虬公家，且操文谒梓亭、梅村两先生。予见之，既而得其古文诗词读之，又乐甚。"以上有关考证，详见冯其庸、叶君远《吴梅村年谱》。

方文（1612—1669）卒。王概《跋嵞山续集后》："嵞山先生，余外舅也，殁既二十一年，概始克检镂遗诗……己巳六月朔，婿王概拜手识。"己巳为康熙二十八年（1689），可知方文卒于康熙八年，符合'殁既二十一年'之数。李楷《嵞山集序》："方子于诗无所不学，而归宗无二。其诗必自成一家，故其言曰：朴老真至，诗之则也。予观草木之华，香艳沁人；结而为果，坚确可举。方子之诗，诗之果也；朴老真至，则果之熟时也。方子以嵞山名集，本于《离骚天问》'何娶彼嵞山，而通之于台桑'，该嵞山即《尚书》之涂山也，其地或云在会稽，以在钟离者为正。方子之意远矣。"朱彝尊《静志居诗话》卷二二《方文》："尔止间作可笑诗句，颇为时论揶揄。然如嘉谷登场，或舂或揉，秕糠终少于粒米。"沈德潜《明诗别裁集》卷一二选方文诗一首《摄山绝顶》。徐世昌编《晚晴簃诗汇》卷一六选方文诗十一首，《诗话》云："尔止以己壬子生，倩武林戴葭湄作《四壬子图》。中为陶渊明，次杜子美，次白乐天，皆高坐，而己伛偻于前，呈其诗卷。钱湘灵《题嵞山续集》云：'壬子同年作者同，陶公杜公与白公。若修岁谱兼诗谱，又记嵞山江以东。'……案，渊明生晋兴宁乙丑。子美，鲁訔《诗谱》谓生于先天元年壬子，盖沿吕汲公之旧；赵子栎《年谱》谓生于开元元年癸丑。是渊明并非生壬子，子美之壬子亦尚有异议。叶调生辨之綦详。"邓之诚《清诗纪事初编》卷一著录方文《嵞山集》十二卷、《续集》四卷、《再续集》五卷："方文，字尔止，号嵞山，桐城人。入清，弃诸生，自题其像云：'山人一末字明农，别号淮西又忍冬。年少才如不羁马，老来心似后凋松。藏身自合医兼卜，涸世谁知鱼与龙。课板药囊君莫笑，赋诗行酒尚从容。'可抵一篇自传。遨游四方，康熙八年，客死无锡。或云入鄂道卒，年五十八。所著《嵞山集》，为崇祯九年丙子至顺治十三年之诗。曰《续集》四卷，亦曰《四游草》，四游者，北游、徐杭游、鲁游、西江游。为顺治十四年丁酉至康熙元年壬寅之诗。曰《再续集》五卷，为康熙元年壬寅至八年己酉之诗。文明季即以工诗著，钱谦益为序其集，后与孙枝蔚、姚佺合刻为《三家诗》，三人诗格略相近，皆由香山以窥杜陵。王士禛既赏其'乌衣巷口多芳草，明日重过是早春'，以为名句，又讥其流为俚鄙浅俗，如所谓打油、钉铰者。惟陈维崧'字字精工费剪裁，篇篇陶冶极悲哀'之句，为能得文真际。盖专櫵汪水云，真情实事，皆见诗中，不烦自注，且有深识。如《燕京竹枝词》云：'雄心尽向蛾眉老，争肯捐躯入战场。'独能窥八旗劲旅已衰，后来平三藩之乱，卒赖张勇、赵良栋之力。使中国有人，恢复之事，当非甚难。以此知文非忘世者也。其他篇章，时作深语。禁书书目，只禁《续集》，而不知《前集》抵触尤多。文有《抱鸳图》，遍征题咏。盖闺人金鸳，为豪宗夺田所殴，堕胎而死。鸳者冤也，不能报冤，而报之以图咏。海宇鼎沸之际，似此横逆，当复不少，世间正有荼苦耳。钱秉镫年谱，颇诋文与阮大铖交好，秀才争是非，似不足据。"袁行云《清人诗集叙录》卷三著录方文《嵞山集》十二卷、《续集》四卷、《再续集》五卷（康熙间刊本）："诗学白居易，欹曲如话。清初诗坛，独树一帜……《续集》一名《四游草》……诸草有王泽弘、王潢、李楷、李明睿、吴百朋、李长祥、杜濬、林古度、康范生、陈允衡、陈宏绪、施闰章、徐芳、周体观、周亮工等序。最后刻《再续集》，为康熙元年至八年诗，其中《红豆诗》八首及赠诗，为钱谦益知许。"

董以宁（1629—1669）卒。据钱仲联主编《中国文学家大辞典·清代卷》。《清史列传·文苑传》："董以宁，字文友，江苏武进人。诸生，少明敏，为古文诗歌数十万言，尤工填词，以是声誉蔚起。同里结国仪社，其启札皆以宁为之。与邹祇谟齐名，时称'邹董'。又与陈维崧及祇谟有才之目。今所传《国仪集》，皆以宁少作也。性豪迈，慷慨不可一世。喜交游，急然诺。缠绵婉笃，比于胶漆。魏裔介未一识以宁面，而倾倒欲绝。以宁于历象、乐律、方舆之指，多所发明。晚年弃词章之学，专肆力于经，于《易》阐错综之妙，于《春秋》则欲参《三传》，别为一书。执经弟子，恒数百人。其学盖与任元详相埒云。著有《正谊堂集》、《蓉渡词》。"王晫《今世说》谓董以宁："少负才望，豪迈感慨，不可一世。然当其恤交游，急然诺，辄复缠绵婉笃，比于胶漆。博览强识，著书满家。执经问难，弟子恒数百人。"杨际昌《国朝诗话》卷二："武进董文友（以宁）《陇头流水歌词》：'白日欲落，北风大作。'八字为一首，凄凉寥廓之况，宛然在目，真有汉魏遗风。"徐世昌编《晚晴簃诗话》卷三三选董以宁诗四首，《诗话》云："文友少负文誉，与邹祇谟讦士齐名。工诗词兼通天算、乐律，晚年悉弃去，专事穷经。尤长于《易》、《春秋》。"邓之诚《清诗纪事初编》卷四著录董以宁《董文友全集》："董以宁，号宛斋，少与陈维崧、邹祇谟、黄永有'毗陵四才子'之目。三人皆取科第，以宁独以诸生终。后弃词章专研律历兵农经世之学，聚徒授经，终无成书。传世者文选百馀篇、诗集二十卷、《蓉渡词》三卷，编为《董文友全集》。以宁才大如海，著意为文，甚有笔舌。誉者以为可与侯方域并步，则非公论。乐府诸篇，皆有为而作。其他投赠，大都有事足征。以宁早卒，据本集《寄惠州沈推官》诗：'岁在戊子（顺治五年）秋，时余方弱冠。'则以宁当生于崇祯二年；据陈其年《覃怀杂诗》作于康熙庚戌云：'董既丧家宝，邹亦殒国珍。'自注：'时新闻程邨讣。'则以宁当卒于康熙九年。证以其子大伦卒于康熙四十年辛巳，年三十六，云生四岁而孤，亦复相合。然则以宁卒年仅四十二，本集有宋荦所为序，乃谓方域年三十七卒于顺治甲午（十一年），后十年而以宁亡，年四十，实甚差误。以宁长子大儒撰《楸坪集》，次子大伦撰《梅坪诗钞》，皆早卒。《蓉渡词》语过狭媟，《倚声集》附刻《蓉渡词话》，自谓好作空中语。所刻《琴言》六卷，意欲焚之。今《琴言》不传。"袁行云《清人诗集叙录》卷九著录董以宁《正谊堂诗集》二十卷（康熙三十九年刻本）："董以宁撰。以宁字文友，号宛斋，江苏武进人，贡生。工诗词兼通天算、乐律，与陈维崧、邹祇谟、黄永称'四才子'。康熙八年卒，年四十一。著有《正谊堂文钞》、《诗集》及《蓉渡词》，合刻为《董文友全集》。诗集分体，古乐府为汤斌、陆圻选，邹祇谟程邨评，谢良琦序。五古为杜濬、王士禛选，陈维崧评。七古王士禄、彭师度选。其中《拟邺中公讌诗》、《咏建安七子》、《遥寄吴汉槎戍宁古塔》、《戊申纪事百韵》、《襄阳元宵行》、《永乐八骏图歌》、《挽恽中书香山先生》、《放生池歌为冒辟疆赋》，五排《赠王太常烟客先生》，才情骏发，足与同时名家驱驾。五律《襄阳杂感》六首、《奉承王觉斯先生》、《赠林古度茂子》，七律《杜于皇先生见访》、《观荷兰国贡使》，七绝《为周栎园先生题画册》十首、《吴锦雯席上看登郎重系三弦子歌》四首，亦尽所长。《题杨龙友画》、《题项孔彰画》、《题龚半千画》称其：'画树以直取妍，画山以枯见腺，论者赏其骨重神寒，比之魏徵妩媚。'可以画史资料目之。以宁有子大儒、大伦，皆能诗。大伦著《梅坪诗钞》，在'毗陵六逸'中。诗文俱不以腺词取世，虽《四库》不著录，其书终当传之后来也。"沈雄《古今词话·词话》下卷《蓉渡诸词》："王阮亭曰：羡门于广陵旅舍，读蓉渡诸词，曰：'得不为秀老所呵耶，若此泥犁，安得有空日？'余应之曰：'山谷迄今泥犁，尽如我辈，便无俗物败人意。'"李调元《雨村词话》卷四："'金作勒，玉为羁。小马惊香何处嘶。红板桥头扉半掩，几丝杨柳挂黄鹂。'此武进董文友以宁《捣练子》词也，挂字殊新颖。其弟董俞亦有句云：'独坐数归禽，疏钟逗远林。'挂、逗二字俱妙。"毛大瀛《戏鸥居词话·董以宁丑奴儿令》："《蓉渡词》有《闺怨》一阕，调寄《丑奴儿令》云：'欢情别恨匆匆换，欢是前宵。别是今朝。一样轻魂两样消。梦来梦去迢迢觅，去梦郎招。来梦奴邀。两处轻魂两处飘。'毛稚黄曰：'两末句绝调。'"又《董以宁青儿曲》："《蓉渡词》有《青儿曲》，调寄《愁春未醒》。引云：青儿者，邑先达杨中丞家妓也。今作余家仆妇，嗟哉憔悴矣。然犹记旗亭旧曲，适文夏、右文、艾庵、程邨诸子，同其旧主人过饮，因索清歌。渠有羞见江东之意，其音瑟瑟，似听浔阳江上声，词以伤之。还恐才人老大，都如是耳。'千金不惜，歌舞教成。似燕离巢后。呢喃犹作画梁声。自分年逾，弦索笙箫让后生。今宵何事，重闻呼唤，几度如醒。欲奏清音，花檀乍拍，泪已盈盈。幸得非牙郎买绢，不受伊轻。但觉歌馀，芦花枫叶满中庭。最堪怜、是卿犹既嫁，我未成名。'"冯金伯《词苑萃编》卷八《董文友词似易安》："董文友《一剪梅》云：'惯得相携花下游。苏大风流。苏小风流。而今别况冷于秋。燕去南楼。人去南楼。等闲平判十分愁。侬在心头。卿在眉头。少年心事总悠悠。一曲扬州。一梦苏州。'商丘宋牧仲谓其酷似李易安。"同书卷二二《董文友善为情语》："董文友以宁善为情语，尝有词云：'倘若负情惊。来生左太冲。'人多传之。又赋《忆萝月》一调云：'已将身许。敢比风中絮。可奈檀郎疑又虑。未肯信侬言语。便将一缕心烟。花间敛衽告天。若负小窗欢约，来生丑似无盐。'予谓此无盐正堪与太冲作匹。"陈廷焯《白雨斋词话》卷三《董文友苏幕遮诸篇词中之妖》："董文友《苏幕遮》诸篇，皆能曲折传神，扑入深处，词中之妖也。学词者一入其门，念头差错，终身不可语于大雅矣。同时如梅村、阮亭、迦陵、菌次、蛟门、程邨、西堂、西铭、荔裳、顾庵辈，多心折《蓉渡词》，每首下各缀以评语，亦不可解。"同书卷六《董文友词》："董文友词只能言情，不堪论事。其《望梅花·过鹦鹉洲》、《贺新郎·淮阴词》两调，偶为慷慨之词，立见其蹶。措语固不能圆健，平仄亦有颠倒处。"同书卷七《竹垞言情胜文友》："竹垞艳情，言情者远胜文友。而体物诸篇，则文友为工。此亦各有所长，不可相强。如美人额、美人齿等篇，竹垞非不工巧，然不及文友之精。"

公元 1670 年（清康熙九年　庚戌）

正月

　　柴绍炳（1616—1670）卒。沈谦《东江集钞》附毛先舒《沈谦墓志铭》："先舒自己酉春病剧，困甚。乃明年正月虎臣死。"《清史列传·文苑传》："柴绍炳，字虎臣，浙江仁和人。生而端重，甫入塾，闻正心诚意之旨，欣然若有会。及长，与同里汪沨、应扨谦相切劘，自天文、舆地、乐律、典礼、农田、水利、兵制、赋役，无不涉其崖略。明亡，弃诸生，隐居南屏山，以实学开群蒙。著《考古类编》十二卷，尤究心音韵，著《古韵通》八卷。同时毛先舒擅长音学，绍炳辄掎摭其疵病，先舒无以难也。性忼直，不能容人过，与人辨疑必归于正，虽十往反不惮，时有创异说。论诗于广坐者，绍炳之友陈廷会面斥其非，其人愕而反走，问门者曰：'彼其柴先生耶？'其为人敬惮如此。教子弟悉本躬行，自言有得于曾子省身之学，题其居为省轩。痛父卒于官，不及含饭，丧将终，犹哭泣，友人规之曰：'礼有卒哭，谓何？'答曰：'谓不设行哭礼也，哀至泪随，岂能忍耶？'既葬，犹时过墓林唏嘘，见者哀之。与兄同居，终身不析箸。工诗文，西泠十子中，绍炳名最著。尝与先舒为《十子诗选》，斟酌论次，力追渊雅。康熙八年，诏举山林隐逸之士，巡抚范承谟将荐之，力辞不就。逾年卒，年五十五。他著有《省过记年录》、《家诫》、《明理论》各二卷，《省轩文钞》十卷、《诗钞》二十卷、《白石轩杂稿》八卷。"《清史稿·文苑传》："先是陈子龙为登楼社，圻、澎及同里柴绍炳、毛先舒、孙治、张丹、吴百朋、沈谦、虞黄昊等并起，世号西泠十子。绍炳，字虎臣，在十子中名最著。持躬尤端谨，有《省轩集》。"陈子龙《安雅堂稿》卷四《柴虎臣青凤轩文稿序》："武林柴虎臣，年在英茂，深湛有思致，众推其雅才。好为古文，文多渊赡，赋诗合于作者。虽在被褐，意量广远，诚东南之奇士……今观虎臣之文，立体大雅，归旨忠爱，而又砥躬修行，攻瑕去颣，进乎昭明，瑰宝在椟，大贾若虚，贞臣淑女，同其玮丽，其干文苑之盟，抗艺林之宗，为无疑也。"沈德潜《国朝诗别裁集》卷八选柴绍炳诗二首，小传云："西泠十子诗选，虎臣与毛稚黄为主，悯诗教陵夷而斟酌论次，以期力追渊雅也。虎臣诗营构精坚，时嫌过密。"《四库总目提要》卷一三八著录柴绍炳《考古类编》十二卷："国朝柴绍炳撰。绍炳有《古韵通》，已著录，是书分三十三门，凡有关典章制度者，皆摘其指要，贯串成篇。自序谓取便童蒙，比于《小学绀珠》之类，盖为举业后场设也。原名《通考纂要》，雍正甲辰，华亭姚培谦为之评注，改题今名。"又同书卷一八一著录柴绍炳《省轩文钞》十卷："国朝柴绍炳撰。绍炳有《古韵通》已著录。此集前有程其成引，称《古韵通》卷帙浩繁，艰于付梓，因先以部首诸作载于五卷，盖刻在《古韵通》之前也。绍炳在西泠十子中，文名最著，持躬亦复端谨。集首有朱协咸所作小传，至称其殁后为冥官，盖当时重其行谊，故造作是说。其文大抵轻快有馀，而根柢较薄，金石之文尤无法……盖长于持论，而短于叙事云。"陈田《明诗纪事》辛签卷二八选柴绍炳诗四首，引毛际可《西陵五君子传》云："虎臣博闻强记，下笔辄数千言。华亭陈子龙负重名，为序其《青凤轩集》以传，曰'东南奇士也'。性纯孝，闻父卒于官，号擗欲绝，见者陨涕。里中儿以父笞出亡，虎臣向之流涕曰：'仆虽欲如受父小杖，讵可得哉！'作《游子遇孤儿行》示之，其人感悔自责。"又加按语云："虎臣以行谊重，小诗却自绮丽。"

二月

张尔岐撰《嵩庵闲话》成。据其自序。

十三日，沈谦（1620—1670）卒。沈谦《东江集钞》附毛先舒《沈谦墓志铭》："先舒自己酉春病剧，困甚。乃明年正月虎臣死，二月十三日去矜讣来。"《清史列传·文苑传》："沈谦，字去矜，亦仁和人。少颖慧，六岁能辨四声，长益笃学，尤好诗古文，隐于临平东乡。尝谓其友张丹曰：'居山食贫，亦能不改其乐。所憾无黔娄之妇、颖士之奴，声名藉藉，户外车辙恒满耳。'性孝友。父殁，毁瘠呕血，东乡盗起，毁其堂。堂故属兄，既烬，割己宅居之。兄欲徙，谦念兄贫苦，僦屋居，留以让兄。人以此益重之。与柴绍炳、毛先舒皆长于韵学。绍炳作《古韵通》，先舒作《南曲正韵》，谦作《东江词韵》，皆为时所称。诗初喜温、李，后乃由盛唐以窥汉、魏。尤工于词，海盐彭孙遹见谦及董士骧词，俱极推许。著有《东江草堂集》。"《清史稿·文苑传》："谦，字去矜。工诗，初喜温、李后乃循汉、魏以窥盛唐。有《东江草堂集》。谦与绍炳、先舒皆精韵学。绍炳作《古韵通》，先舒作《韵学通指》、《南曲正韵》，谦作《东江词韵》。陆圻叹曰：'恨孙偭、周德清曾无先觉。'"朱彝尊《静志居诗话》卷二二《沈谦》："'西陵十子'，多以格调自高，去矜兼采组于六朝，故特温丽。"《四库总目提要》卷一八〇著录沈谦《东江集钞》九卷、《别集》一卷："明沈谦撰。谦字去矜，仁和人。崇祯末，杭州有西陵十子之称，谦其一也。所著文集数十卷，晚年手自删汰，仅存诗文八卷、《杂说》一卷，名曰《集钞》，末附填词南北曲为《别集》一卷，大半皆香奁之作。其《杂记》末一条云：'彭金粟在广陵，见余小词及董文友《蓉渡集》，谓邹程村曰，泥犁中皆若人，故无俗物（按，此盖指宋僧法秀戒黄庭坚以小词诲淫，当入泥犁狱事）。夫韩偓、秦观、黄庭坚及杨慎辈，皆有郑声，既不害诸公之品，悠悠冥报，有则共之'云云，其放诞可见矣。"陈田《明诗纪事》辛签卷二八选沈谦诗十三首，引《今世说》云："去矜少颖慧，六岁能辨四声，长益笃学。尝自言著作须手定自刻，庶保垂远，若以俟子孙，恐故纸斤不足当二分直也。僻处杭之东偏，声名藉藉；吴、越、齐、楚之士过鼓村，车辙恒满。"又引《西陵十子诗选》："柴虎臣曰：'去矜诗如秦川佚女，巧弄机杼，心手既调，花鸟欲活；聆其哑轧之声，皆中矩度。又如金簧初炙，脆而不裂。'"又加按语云："去矜乐府，安雅中节，五律高朗，七律雄丽，洵是才人之隽。"徐世昌编《晚晴簃诗汇》卷一七选沈谦诗八首，《诗话》云："去矜于崇祯壬午补县学弟子，鼎革后，绝口不及时事。与毛稚黄、张祖望、陆丽京、吴锦雯、柴虎臣、陈际叔、孙宇台、丁飞涛、虞景铭称西泠十子。"邓之诚《清诗纪事初编》卷二著录沈谦《东江集钞》九卷、《东江别集》五卷："沈谦，字去矜，居傍临平湖，《水经注》又名东江，因筑东江草堂，自号东江子。仁和人，明诸生，隐于医。华亭蒋平阶称其文行并高。刻励向学，择交取友，皎然自异于流俗，守不字之贞者二十年。《易》称乾之初九，确乎不可拔者。推许可谓备至。与毛稚黄（先舒）、张祖望（丹）称南楼三子。又与陆丽京（圻）、柴虎臣（绍炳）、吴锦雯（百朋）、陈际叔（廷会）、孙宇台（治）、丁飞涛（澎）、虞景铭（黄昊）称西泠十子。卒于康熙九年庚戌，年五十一。事具应㧑谦所撰传。此集其子圣昭刻于丙辰（康熙十五年），曰《东江集钞》，凡诗五卷、文三卷、杂说一卷。《别集》五卷，则词曲也。其全集诗二十一卷，文十卷，词四十二卷，选刻者仅三之一，馀皆散佚。别撰传奇六种，亦佚。本集有《美唐风》传奇自序，盖其一也。诗初学温、李，陆圻授以陈子龙集，始效其体，故多乐府之篇。而以摹《诗经》者为风雅体，名目可笑。十子皆工七律，谦亦最擅此体，唯局促乡里，又绝口不谈世务，故乏登临感慨之作。文无明季纤仄之习，而体格未遒。《愁城记》、《答应㧑谦书》，戒勿卖卜，知是时文士皆窘生计。《金云儿传》，隐以寄慨，馀多无聊之作，俪体尤卑弱。词曲喜作闺语，自谓愿受冥报作泥犁中人。一时风气如此。谦在十子中，颇富才名，与先舒同年生，而与绍炳、百朋同岁卒，圻则其师也。皆恨读书不多，非著作才。集半不传，是集仅存，为甚幸矣。"袁行云《清人诗集叙录》卷六著录沈谦《东江集钞》诗五卷（康熙十五年刻本）："沈谦撰。谦字去矜，号东江，一号研雪子，又号东江渔夫，浙江仁和人。少颖慧，六岁能辨四声。长益笃学，尤好诗古文，旁及词曲。明亡，曾起义兵，事败，隐于临平东乡，自托迹方技，绝口不谈世务。与毛先舒、张纲孙、陆圻、柴绍炳、孙治、吴百朋、陈廷会、丁澎、虞黄昊，称西泠十子。康熙九年卒，年五十一。应㧑谦为撰传，其子圣昭撰《行状》。刻《东江集钞》九卷，卷一至五为诗，卷六为序记，卷七为书，卷八为论，卷九为杂说。又刻《别集》五卷为词曲。辑《古今词选》，亦有刻本行世。《集钞》为蒋平阶、陆圻、毛先舒、祝文襄序，《四库》入明别集《存目》。其诗初学温、李，后乃由汉唐以窥汉魏。集中与七子唱和较多。晚与洪昇交密，有《月华寺同洪昉思作》、《寒夜戏赠昉思》等诗。洪昇《稗畦集》亦有《为沈去矜先生悼亡诗四首》。又多交禅林画师……又有以所撰《兴福宫剧本授吴伶因寄伯揆商霖》、《题袁令昭先生虹桥新曲兼呈王阮亭使臣》，均属戏曲资料。令昭名于令，吴县人，明末诸生，清兵南下尝作降表进呈，叙荆州知府，为清初戏曲家之首推。谦所作剧本，见于《集钞》，有《美唐风》传奇自序，又卷七《与李东琪书》云：'布于旗亭者有《胭脂婿》、《对玉环》等曲，吴伶不知音律，取其学浅，便入齿牙，多习而演之。'姚燮《今乐考证》著录《卖相思》、《翻西厢》二种，并《兴福宫》，已有六本矣。惜皆不传。杨钟羲《雪桥诗话》记沈谦避乱舟中手书诗卷，录律诗四十四首，可补此集阙佚。"

吴百朋（1616—1670）卒。朱彭寿《清代人物大事纪年》："康熙九年庚戌（公元1670年），卒岁：吴百朋，直隶南和县知县。二月卒。入《国史·文苑传》。"吴百朋，为西泠十子之一，著有《朴庵集》。《清史列传·文苑传》："吴百朋，字锦雯，浙江钱塘人。少奇敏，读书五六行并下，操笔为文，数千言立就，未尝起草。博物洽闻，与徐世臣辈创为瑰丽奇伟之文，天下诵之。陆圻目之曰：'天下经纶徐世臣，天下青云吴锦雯。'尝游寓兰陵，酒徒剑客，及弄阮咸、拨箜篌者，盈座上，日解缊袍贳酒。酒酣，对客挥毫，诗才斐娓，兼有气势。崇祯十五年举于乡，入国朝，久乃谒选，两为苏州推官，改令南和，有异政。病殁于官，百姓建祠祀之，儿童亦叠瓦砾为小屋，祠吴公云。所著有《朴庵集》。"徐世昌编《晚晴簃诗汇》卷二二选其《赠宋荔裳》诗一首。

闰二月

初一，计东致书吴伟业，与吴伟业商榷《复社纪事》之疏漏。计东《改亭集》卷一〇《上太仓吴祭酒书一》："闰二月朔，前国子监率性堂恩拔贡监生计东，谨再拜。

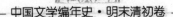

"无可大师幼禀异慧，生名门，少年举进士。自诗文词曲、声歌书画、双勾填白、五木六博，以及吹箫挝鼓、优俳平话之技，无不极其精妙。三十岁前，备极繁华。甲、乙后，薙发受具，耽嗜枯寂；粗衣粝食，惟意兴所适。或诗或画，，偶一为之，多作禅语，自喻而已。施尚白云：'予昔同无道人自苍梧抵庐山，见其乘兴作画多用秃笔，不求甚似。尝戏示人曰：若猜此何物？此正无道人得处也。'"又引《无声诗史》："密之山水得元人派，淡烟点染，笔入三昧。"又引《柳亭诗话》："方以智《题正学先生祠》句：'十族可怜无姓字，三杨终不是功名。'为一时传诵。"沈德潜《明诗别裁集》卷一一选方以智《看月》诗一首。卢见曾《渔洋感旧集·小传》："检讨张中峻若需云：密之十岁能为诗文，工书画。庚辰成进士，授检讨。父孔炤抚楚剿贼，忤时相，系狱。密之伏阙上疏讼冤，乃得解。与陈卧子、吴次尾、侯朝宗诸公接武东林，主盟复社，为马、阮所中伤，几不免。晚隐于释。著《通雅》、《易袯》、《古今性说》、《合观小识》、《炮庄》等书。"

十一月

二十八日，吴伟业病中作《与子暻疏》，述平生忧苦，嘱托后事。吴伟业《吴梅村全集》卷五七《与子暻疏》："吾少多疾病，两亲护惜，十五六不知门外事。应童子试，四举而后入觳。不意年逾二十，遂掇大魁，福过其分，实切悚栗……于是升宫允、宫谕，吾绝意仕进，而天下乱矣。南中立君，吾入朝两月，固请病而归。改革后吾闭门不通人物，然虚名在人，每东南有一狱，长虑收者在门，及诗祸、史祸，惴惴莫保。十年，危疑稍定，谓可养亲终身，不意荐剡牵连，逼迫万状。老亲惧祸，流涕催装，同事者有借吾为剡矢，吾遂落觳中，不能白衣而返矣……今二十年来，得安林泉者，皆本朝之赐。为是吾以草茅诸生，蒙先朝巍科拔擢，世运既更，分宜不仕，而牵恋骨肉，逡巡失身，此吾万古惭愧，无面目以见烈皇帝及伯祥诸君子，而为后世儒者所笑也。吾归里得见高堂，可为无憾。既奉先太夫人之讳，而奏销事起。奏销适吾素愿，独以在籍部提牵累，几至破家；既免，而又有海宁之狱，吾之幸而脱者几微耳。无何陆鏊告讦，吾之家门骨肉当至糜烂，幸天子神圣，烛奸反坐，而诸君子营救之力亦多，此吾祖宗之大幸，而亦东南之大幸也……吾同事诸君多不免，而吾独优游晚节，人皆以为后福，而不知吾一生遭际，万事忧危，无一刻不历艰难，无一境不尝辛苦，今心力俱枯，一至于此，职是故也。岁月日更，儿子又小，恐无人识吾前事者，故书其大略，明吾为天下大苦人，俾诸儿知之而已。辛亥冬十一月二十八日书。"顾湄《吴梅村先生行状》："先生属疾时作令书，乃自叙事略曰：'吾一生遭际，万事忧危，无一刻不历艰难，无一境不尝辛苦，实为天下大苦人。吾死后，敛以僧装，葬吾于邓尉、灵岩相近，墓前立一圆石，题曰诗人吴梅村之墓，勿作祠堂，勿乞铭于人。'又敕三子：'若能效陈、郑累世同居之义，吾死且瞑目。'呜呼！先生之心事可悲也已。"

朱鹤龄《愚庵小集》十五卷梓行。计东《愚庵小集序》："先生于少陵老人心摹手追，咀英漱润，宜其比兴体制有远胜之者……康熙辛亥仲冬内侄甫里计东序。"

278

十二月

八日，计六奇撰《明季南略》十六卷成。其自序后署"辛亥季冬八日九峰居士题"。

二十三日，吴伟业作《临终诗四首》。《吴梅村全集》卷二〇《临终诗四首》其一："忍死偷生廿载馀，而今罪孽怎消除。受恩欠债应填补，总比鸿毛也不如。"其二："岂有才名比照邻，发狂恶疾总伤情。丈夫遭际须身受，留取轩渠付后生。"其三："胸中恶气久漫漫，触事难平任结蟠。块垒怎消医怎识，惟将痛苦付汍澜。"其四："奸党刊章谤告天，事成糜烂岂徒然。圣朝反坐无冤狱，纵死深恩荷保全。"

二十四日，吴伟业（1609—1671）卒，年六十三。顾湄《吴梅村先生行状》："先生生于明万历己酉五月二十日，卒于康熙辛亥十二月二十四日，享年六十有三。"《清史列传·贰臣传》："吴伟业，江南太仓人，明崇祯四年一甲二名进士，授编修。八年，大学士温体仁罢，张至发柄国，极诵体仁孤直不欺。伟业疏言：'体仁性阴险，学无经术，狎昵小人。继之者正宜力反所为，乃转盛称其美，势必因私踵陋，尽袭前人所为。将公忠正直之风，何以复见海宇？祸患何日得平？'疏入，不报。寻充东宫讲读官，又迁南京国子监司业，转左庶子。福王时，授少詹事，与大学士马士英、尚书阮大铖不合，请假归。本朝顺治九年，两江总督马国柱遵旨举地方品行著闻及才学优长者，疏荐伟业来京。十年，礼部侍郎孙承泽荐伟业学问渊深，器宇凝弘，东南人才，无出其右，堪备顾问之选。十一年，大学士冯铨复见其才品足资启沃。俱下部知之。寻诏授秘书、侍讲。十二年，恭纂太祖、太宗《圣训》，以伟业充纂修官。十三年，迁国子监祭酒。寻丁母忧，归。康熙十年卒。"《清史稿·文苑传》："伟业学问博赡，或从质经史疑义及朝章国故，无不洞悉原委。诗文工丽，蔚为一时之冠，不自标榜。性至孝，生际鼎革，有亲在，不能不依违顾恋，俯仰身世，每自伤也。临殁，顾言：'吾一生遭际，万事忧危，无一时一境不历艰苦。死后敛以僧装，葬我邓尉、灵岩之侧。坟前立一圆石，题曰诗人吴梅村之墓。勿起祠堂，勿乞铭。'闻其言者皆悲之。著有《春秋地理志》、《氏族志》、《绥寇纪略》及《梅村集》。"顾湄《吴梅村先生行状》："先生讳伟业，字骏公，姓吴氏。吴为昆山名族……先生有异志，少多病，辄废读，而才学辄自进；迨为文，下笔顷刻数千言。时经生家崇尚俗学，先生独好三史，西铭张公溥见而叹曰：'文章正印，其在子矣。'因留受业，相率为通经博古之学。年二十补诸生，未逾年，中崇祯庚午举人。辛未会试第一，殿试第二。西铭公乡、会皆同榜，文风为之丕变……先生之学，博极群书，归于至精，有问经史疑难、古今典故与夫著作原委，旁引曲正，洞若指掌，多先儒之所未发。诗文炳燿铿锵，其词条气格，皆足以追配古人，而虚怀推分，不务标榜，尤人所难。自虞山没后，先生独任斯文之重，海内之士与浮屠、老子之流以文为请者，日集于庭，麾之弗去。一篇之出，家传人诵，虽暇方绝域，亦皆知所宝爱。雅善书，尺蹄便面，人争藏弄以为荣。所著《梅村集》四十卷、《春秋地理志》十六卷、《春秋氏族志》二十四卷、《绥寇纪略》十二卷，又乐府杂剧三卷。"陈廷敬《吴梅村先生墓表》："苏州郡治西南三十里西山之麓，有圹窣如者，诗人吴梅村先生之墓也。先生宦达矣，行事卓卓著于官，而以诗人表其墓者，从先生志也……先生少聪敏，年十四能属文。里中张西铭先生以文章提倡后学。四方走其门，必投文为贽，不当意即谢弗内。有嘉定富人子，窃先生塾中稿数十篇投西铭，西铭读之大惊，后知为先生作，固延至家，同社数百人皆出先生下。"钱谦益《有学集》卷一七《梅村先生诗集序》："梅村之诗，其殆可学而不可能者乎？夫诗有声焉，宫商可叶也。有律焉，声病可案也。有体焉，正变可稽也。有才焉，良楛可攻也。斯所谓可学而能者也。若其调至铿然，金舂而石戛也；气之能然，剑花而星芒也；光之耿然，春浮花而夏侵月也；情之盎然，草碧色而水绿波也。戴容州有言：'蓝田日暖，良玉生烟，可望而不可置于眉睫之间。'以此论梅村之诗，可能乎，不可能乎？文繁势变，事近景遥，或移形于跬步，或缩地于千里。泗水秋风，则往歌而来哭；寒灯拥髻，则生死而死生。可能乎，不可能乎？所谓可学而不可能者信矣。而又非可以不学而能也，以其识趣正定，才力宏肆，心地虚明，天地之物象，阴符之生杀，古今之文心名理，陶冶笼挫，归乎一气，而咸资以为诗。"尤侗《西堂杂俎》二集《祭吴祭酒文》："呜呼！先生之文，如江如海；先生之诗，如云如霞；先生之词与曲，烂兮若锦，灼兮如花。其华而壮者如龙楼凤阁，其清而逸者如雪柱冰车，其美而艳者如宝钗翠钿，其哀而婉者如玉笛金筝。其高文典册可以经国，而法书妙画亦自名家。岂非才人大手，死而不朽者耶！"杜濬《变雅堂文集·祭少詹吴公》："呜呼！濬之辱教于梅村先生也，岁在庚辰，其时先生司业南雍，而濬以贡入北雍。旧制南、北雍相为一体，故濬与先生有师生之谊，忘形尔汝自若也。濬之别先生也，岁在己亥，其时先生以北祭酒归甫弥年，而濬之自废则自乙酉矣。师生之谊，至是相视默然……嗟乎，先生不可忘，己亥之别，尤不可忘也。自是以来，无岁不思再访五亩之园，与先生极论曩昔，而先生遂殁焉！呜呼痛哉……闻诸顾伊人曰：先生之且诀也，多里言，语多不具述，独记自论其诗云，吾之于此道，遂为世士所宗，然镂金错彩，未到古人自然高妙之极地。疑其不足以自传，而不知此语已足以传，甚矣，先生之不自满假如此矣。又闻诸秦留仙曰：先生去年游梁溪，客有称其五言近体者，先生谢曰：吾于此体，自得杜于皇《金焦》诗而一变，然犹以为未逮若人也。秦乐天亦云。余于是悚然，先生位高名大，而能为此言，此其巍巍不可及，有岂第在篇什间哉！"尤侗《西堂杂俎》三集卷三《梅村集序》："近日虞山号诗文宗匠，其词仅见《永遇乐》数首，颓唐殊极。兼人之才，吾目中惟见梅村先生耳。先生文章仿佛班、史，然犹谦让未遑，尝谓予曰：'若文则吾岂敢，于诗或庶几焉。'今读其七言古、律诸体，流连光景，哀乐缠绵，使人一唱三叹，有不堪为怀者；及所谱《通天台》、《临春阁》、《秣陵春》诸曲，亦于兴亡盛衰之感，三致意焉，盖先生之遇为之也。词在季孟之间，虽不多作，要皆合于《国风》好色、《小雅》怨悱之旨。故予尝谓先生之诗可为词，词可为曲；然而诗之格不坠，词曲之格不抗者，则下笔之妙，非古人所及也。"沈德潜《国朝诗别裁集》卷一选吴伟业诗二十八首，小传云："梅村七言古专仿元白，世传诵之。然时有嫩句、累句。五、七言近体，声华格律，不减唐人，一时无与为俪，故特表而出之。梅村故国之思时时流露，《遣闷》云：'故人往日燔妻子，我因亲在何敢死，不意而今至于此。'又《病中词》云：'故人慷慨多奇节，为当年沉吟不断，草间偷活。脱屣妻孥非易事，竟一钱不值何须说。'读者每哀其志。若虞山不著一辞矣，此二人同异之辨。"《四库总目提要》卷一七三著录吴伟业《梅村集》四十卷："国朝吴伟业撰。伟业有《绥寇纪略》，已著录。此集凡诗十八卷、诗馀二卷、文二十卷。其少作大抵才华艳发，吐纳风流，有藻思绮合、清丽芊眠之致。及乎遭逢丧乱，阅历兴亡，激楚苍凉，风骨弥为遒上。暮年萧瑟，论者以庾信方之。其中歌行一体，尤所擅长。格律本乎四杰，而情韵为深；叙述类乎香山，而风华为胜。韵协宫商，感均顽艳，一时尤称绝调。其流播词林，仰邀睿赏，非偶然也。至于以其馀技度曲倚声，亦复接迹屯田，嗣音淮海。王士禛诗称'白发填词吴祭酒'，亦非虚美。惟古文每参以俪偶，既异齐梁，又非唐宋，殊乖正格。黄宗羲尝称《梅村集》中《张南垣》、《柳敬亭》二传，张言其艺而合于道，柳言其参宁南军事，比之鲁仲连之排难解纷，此等处皆失轻重，为倒却文章家架子。其纠弹颇当。盖词人之作散文，犹道学之作韵语，虽强为学步，本质终存也。然少陵诗冠千古，而无韵之文率不可读，人各有能有不能，固不必一一求全矣。"清高宗弘历《题吴梅村集》："梅村一卷足风流，往复披寻未肯休。秋水精神香水句，西昆幽思杜陵愁。裁成蜀锦应惭丽，细比春蚕好更抽。寒夜短檠相对处，几多诗兴为君收。"赵翼《瓯北诗话》卷九："高青丘后，有明一代竟无诗人。李西涯虽雅驯清澈，而才力尚小。前、后七子，当时风行海内，迄今优孟衣冠，笑齿已冷。通计明代诗，至末造而精华始发越。陈卧子沉雄瑰丽，实未易才；义理粗疏处，尚未免英雄欺人。惟钱、吴二老，为海内所推，入国朝称两大家。顾谦益已仕我朝，又自托于前朝遗老，借陵谷沧桑之感，以掩其一身两姓之惭，其人已无足观，诗亦奉禁，固不必论也。梅村当国亡时，已退闲林下，其仕于我朝也，因荐而起，既不同于降表签名；而自恨濡忍不死，踽天踏地之意，没身不忘，则心与迹尚皆可谅。虽当时名位声望，稍次于钱；而今日平心而论，梅村诗有不可及者二：一则神韵悉本唐人，不落宋以后腔调，而指事类情，又宛转如意，非如学唐者之徒袭其貌也；一则庀材多用正史，不取小说家故实，而选声作色，又华艳动人，非如食古者之物而不化也。盖其生平，于宋以后诗，本未寓目，全濡染于唐人，而己之才情书卷，又自能澜翻不穷；故以唐人格调，写目前近事，宗派既正，词藻又丰，不得不推为近代中之大家。若论其气稍衰飒，不如青丘之健举；语多疵累，不如青丘之清隽；而感怆时事，俯仰身世，缠绵凄婉，情馀于文，则较青丘觉意味深厚也。"又云："梅村身阅鼎革，其所咏多有关于时事之大者。如《临江参军》、《南厢园叟》、《永和宫词》、《雒阳行》、《殿上行》、《萧史青门曲》、《松山哀》、《雁门尚书行》、《临淮老妓行》、《楚两生行》、《圆圆曲》、《思陵长公主挽词》等作，皆极有关系。事本易传，则诗亦易传。梅村一眼觑定，遂用全力结撰此数十篇，为不朽计，此诗人慧眼，善于取题处。白香山《长恨歌》、元微之《连昌宫词》、韩昌黎《元和圣德诗》，同此意也。"又云："王阮亭选梅村诗共十二首，陈其年选十七首，此特就一时意见所及，尚非定评。梅村之诗最工者，莫如《临江参军》、《松山哀》、《圆圆曲》、《茸城行》诸篇，题既郑重，诗亦沉郁苍凉，实属可传之作。其他闲情别趣。如《松鼠》、《石公山》、《缥缈峰》、《王郎曲》，摹写生动，及于色飞眉舞。《直溪吏》、《林顿儿》、《芦州》、《马草》、《捉船》等，有可与少陵《兵车行》、《石壕吏》、《花卿》等相表里，特少逊其遒炼耳。"又云："梅村古诗胜于律诗，而古诗擅长处，尤妙在转韵。一转韵，则通首筋脉，倍觉灵活。"又云："梅村熟于两《汉》、《三国》及《晋书》、《南北史》，故所用皆典雅，不比后人猎取稗官丛说，以炫新奇者也。"又云："梅村诗本从香奁体入手，故一涉儿女闺房之事，辄千娇百媚，妖艳动人。幸其节奏全仿唐人，不至流为词曲。然有意处则情文兼至，姿态横生；无意处虽镂金错彩，终觉腻滞可厌。"暖红室本《汇刻传剧》卷首况周颐《汇刻传剧序》："紧维鸿达，有若骏公，以沉博绝丽之才，兼慷慨温柔之笔。搔首成今古恨，台通天而可呼；扫眉亦文武才（张贵妃、冼夫人），阁临春而谁主？续文箫之佳话，写秣陵之芳春。其间左丞醉哭数言，郁伊善感；女将边愁一曲，悱恻动人。乃至云和引凤之妍词，曲传玉润乘龙之韵事。置之词山曲海，宜有玉价珠声（国朝吴伟业《通天台》、《临春阁》、《秣陵春》）。"徐世昌编《晚晴簃诗汇》卷二〇选吴伟业诗五十二首，《诗话》云："梅村十四能属文，张西铭见而叹曰：'文章正印，在此子矣。'遂受业西铭之门，专治《春秋》，熟于两《汉书》、《三国志》、《晋书》、《南北史》。作诗原本唐人，不涉宋以后一语。古胜于律，尤善歌行，胎息初唐，不囿于长庆。陈卧子谓其诗似李颀，又极称其《雒阳行》一篇，盖集中最深厚之作。他如《临江参军》、《遇南厢园叟》、《殿上行》、《永和宫词》、《萧史青门曲》、《松山哀》、《雁门尚书行》、《临淮老妓行》、《楚两生行》、《圆圆曲》、《思陵长公主挽诗》诸篇，皆志在以诗为史，而事实舛误，及俗调浮词亦所不免。后来摹拟成派，往往无病而呻，令人齿冷。甚至以委巷见闻形容宫掖，谰言自喜，雅道荡然，则非梅村所及料也。"邓之诚《清诗纪事初编》卷三著录吴伟业《梅村先生集》十卷、《梅村集》四十卷、《吴梅村家藏稿》五十八卷、靳荣藩《吴诗集览》二十卷、吴翌凤《梅村诗集笺注》二十卷、程穆衡《梅村诗笺》十二卷、词一卷、诗话一卷、补一卷、印光奇《吴诗校正》二十卷："吴伟业……其诗竟风行一代，初娄东与云间分派，皆取径唐贤。伟业谓陈子龙始崇右丞，后拟太白；子龙谓伟业诗似李颀。所不同者，伟业渐涉宋人藩篱而已。其诗以七言歌行自成一体，事固足传，而吐辞哀艳，善于开阖，读之使人心醉。然以拟元白，则不免质薄而味醨。喜用口语，亦是一蔽。钱陆灿指《萧史青门曲》'自家兄妹话辛酸'句云，可付盲女弹词也。七绝颇有佳篇，五古学杜有率尔者，七律只谋佳句，五律则陆灿所谓直布袋……《梅村先生诗集》刻于顺治十七年，托之门人所编。首载谦益序及书。伟业声望辈行在谦益后，故倚之为重；而谦益以伟业复社党魁，亦颇推之。及谦益既没，宋徵璧乃述伟业之言，以谦益所修史及《列朝诗集》，尽出程嘉燧手，朱长孺作书诘之，伟业不答，是果有其语矣。竞名或心有不满，二者必居一于此，然其言甚诬，未足取信于人也。《梅村集》四十卷，当是晚年自定，卢绋为之刻于康熙九年，犹及观成。别有《梅村家藏稿》五十八卷，近人以其诗文多溢出本集而刻之，不知十卷本尚有六十馀首，为《藏稿》所无。《江左三大家诗》中亦有绝无仅有者。靳荣藩始为之作注，《吴诗集览》二十卷刻于乾隆四十年，称为详赡，颇征旧闻，唯沧桑间事，讳莫如深。吴翌凤继之有《梅村诗集笺注》二十卷，刻于嘉庆十九年，益征用典所出。翌凤搜求清初往事甚力，不应此独阙如，或有所避，临时抽出耶？程穆衡《梅村诗笺》十二卷、词一卷、补一卷，成书于嘉庆三年，自序唯贵夥今，无烦征古。穆衡素以博洽闻，留心乡邦文献，著《娄东耆旧传》、《焉吟》，他所撰著甚众。此笺注事，十已得其五六，可谓难能。改分体为编年，虽未能毫厘不失，而大体无误。唯据钱陆灿批本，题曰'钱笺'，钱批不传，世遂以贵钱者贵程。"张舜徽《清人文集别录》卷一著录吴伟业《梅村家藏稿》五十八卷、补一卷（宣统三年武进董氏本）："太仓吴伟业撰……诗尤工丽，为一时之冠。所为长歌，制兼赋体，法合史裁……如高山大河，如惊风骤雨，间之以平原沃衍，尤与少陵为近，流播词林，为世所重……伟业文不及诗，而亦甚雅健，由其久习词翰，故散文亦多间以俪语，与当时规规于八家矩矱者，复不同科也。康熙中，顾湄、周瓒编刊《梅村集》四十卷，即《四库全书》据以著录之本。后来靳、严、吴诸家诗注，与顾师轼所辑年谱，皆据此本。宣统初，武进董康得旧钞吴氏《家藏稿》六十卷，一至八为诗前集，九至二十二为诗后集，仍各自分体，殿以诗馀。二十三至五十九为文集，终以诗话。以较旧刻，多诗七十三首、诗馀五首、文六十一首及诗话。其刻本有而稿本无者，诗文各八首。稿中溢出诸篇，皆世所未见。其他标题，字句亦视刻本为详。董氏厘全稿为五十八卷，旧刻所增诗文，复补录于后，并取年谱附其尾。有此新刊，则旧刻可废矣。"郑振铎《梅村乐府二种跋》："伟业诗文负一时重望，诗与钱谦益、龚鼎孳并称江左三大家。所作于诗文集外，有《秣陵春》传奇一种及《临春阁》等杂剧二种，诸剧皆作于国亡之后，故忧愤慷慨，寄寓极深。《临春阁》本于《隋书·谯国夫人传》，以谯国夫人冼氏为主，而写江南亡国之恨。陈氏之亡，论者每归咎于张丽华诸女宠，伟业力翻旧案，深为丽华鸣不平，此剧或即为福王亡国之写照欤！以'毕竟妇人家难决雌雄，则愿你决雌雄的放出个男儿勇'云云为结语，盖骂尽当时见敌则退之诸悍将怯兵矣。《通天台》本于《陈书·沈炯传》，叙炯流寓长安，郁郁寡欢。一日郊游，偶过汉武帝通天台，乃登台痛哭，草表奉于武帝之灵。醉卧间，梦武帝召宴，并欲起用之。炯力辞，帝乃送之出函谷关外，醒时却见自身仍在通天台下一酒店中。或谓炯即作者自况，故炯之痛哭，即为作者之痛哭。盖伟业身经亡国之痛，无所泄其忧愤，不得已乃借古人之酒杯，浇自己之块垒，其心苦矣。《通天台》第一折炯之独唱，悲壮愤懑，字字若杜鹃之啼血，其感人盖有过于《桃花扇·馀韵》中之《哀江南》一曲也。"袁行云《清人诗集叙录》卷三著录吴伟业《梅村家藏稿》诗前集八卷、诗后集十四卷（宣统间诵芬室刻本）："吴伟业撰……自编《诗文集》四十卷，周肇、王昊、许旭、顾湄校，卢綋、陈瑚序，生前已有刻本。清末董康得吴氏旧钞《家藏稿》六十卷，内《诗前集》八卷、《诗后集》十四卷，钱谦益序，较旧刻多得七十三首，刊版又将旧刻所多诗文附于后，世以为后来者居上矣。清朝初立，诗坛门户全仗明季汉族士夫。入仕者，则以钱、吴为首推。吴诗词芊丽绵，富有日新，于云间诗派外，别树一帜，称娄东诗派。集中五七古歌行，胎息初唐，尤所擅长。《临江参军》、《阆州行》、《遇南厢园叟》、《殿上行》、《永和宫词》、《松山哀》、《雁门尚书行》、《临淮老妓行》、《楚两生行》、《萧史青门曲》、《雒阳行》、《田家铁狮歌》、《圆圆曲》、《思陵长公主挽歌》、《读吴旭庵手钞宋谢翱西台恸哭记》诸篇，走笔叙事，长歌当哭，皆志在以诗存史。《赠苍雪诗》、《避乱六首》、《矾清湖》、《听女道士卞玉京弹琴歌》、《阆州行》、《捉船行》、《马草行》、《汲古阁歌》、《后东皋草堂歌》、《木棉行》、《王郎曲》、《芦洲行》、《海户曲》、《打冰词》、《画中九友歌》，多以沧桑亲历，寓之于歌，感叹无穷。近体七言高华精整，唯五言律稍伤率直，世以讥之。方其入都前，仍称明代为昭代，寄怀故国，与遗老无异。受官后，既而悔之，以为误尽平生，只可草间偷活，一篇之中，三致志焉。喜咏史。《读史杂感十首》，皆咏南渡后事。又多咏时事，《清凉山赞佛诗》，谓世祖出家，最为牵强。后人据诗中曰双成，曰千里草，傅会为董妃，益不可索解矣。《读史偶述三十二首》、《行路难十八首》，实指当道，亦不徒辞章之工也。伟业身仕二朝，人多比之庾信。胡介句云：'归心更渡桑干水，伏枥重登郭隗台。'吴祖修句云：'悲歌自觉高官误，读史应知名士难。'王藻句云：'百首淋漓长庆体，一生惭愧义熙民。'沈德潜句云：'蓬莱宫里旧仙卿，自别青山悔远行。'无不寄以悔恨之意。乾隆间修《四库全书》，下旨查毁钱谦益诗文，于伟业特为优宥。《梅村集》既著录《四库》，复有御制题诗。未几靳荣藩作注，成《吴诗集览》二十卷。嘉庆间，程穆衡撰《梅村编年诗笺》十二卷，吴翌凤撰《梅村诗集笺注》二十卷，吴诗风行一代矣。嘉、道时，诗人忠君，于钱、吴贰臣指责最多。如柯振岳书《吴梅村诗集》云：'问他君父伦常外，更有诗书气韵无。'（《兰雪集》）甚至成媚世之言，亦不足据耳。林昌彝《论诗绝句》云：'三家江左非同调，只在衙官屈宋间。'（《衣裓山房诗集》）褫钱、吴正统矣。然伟业究竟清初大家，《梅村集》似亦应有汇注本问世。杨凤苞《秋室集》卷三有《某氏读梅村艳诗书后笺》，沈丙莹《春草堂集》附刻《读吴诗随笔》二卷，于梅村咏史诗，多为索隐，犹不失为研究吴诗之参考品也。"

是年

禁唱秧歌妇女。延煦等编《台规》卷二五："康熙十年又定，凡唱秧歌妇女及堕民婆，令五城司坊等官，尽行驱逐回籍，毋令潜在京城。若有无籍之徒，容隐在家，因与饮酒者，职官照挟妓饮酒例治罪；其失察地方官，照例议处。"

禁内城开设戏馆。延煦等编《台规》卷二五："康熙十年又议准，京师内城，不准开设戏馆，永行禁止。城外戏馆，如有恶棍借端生事，该司坊官查拿。"

丁耀亢（1599—1671）**卒**。有关丁耀亢之生卒年：鲁迅《中国小说史略》第十九篇《明之人情小说》上讨论《续金瓶梅》之作者云："耀亢字西生，号野鹤，山东诸城人，弱冠为诸生，走江南与诸名士联文社，既归，郁郁不得志，作《天史》十卷。清顺治四年入京，由顺天籍拔贡，充镶白旗教习，诗名甚盛。后为容城教谕，迁惠安知县，不赴，六十后病目，自署木鸡道人，年七十二卒（约1620—1691），所著有诗集十馀卷，传奇四种（乾隆《诸城志》一三及三六）。《天史》者，类历代吉凶诸事而成，焚于南都，未详其实，《诸城志》但云'以献益都钟羽正，羽正奇之'而已。"叶德均《戏曲小说丛考》卷中《小说琐谈·续金瓶梅》："郑骞《善本传奇十种提要》（《燕京学报》二十四期）引正德刊本《李杜合集》丁氏跋文云：'顺治癸巳，余卜居海村，借而读之。甲午赴容城教署，携为客笥……感而书之。琅琊丁耀亢题于容之椒轩，时年五十六。'按甲午为顺治十一年，时年五十六，则生于万历二十七年己亥；乾隆《诸城县志》卷三十六谓'卒年七十二'，当为康熙九年庚戌。故生卒年代应是：1599—1670。"邓之诚《清诗纪事初编》卷六谓丁耀亢"卒于康熙十年，年七十三"。庄一拂《古典戏曲存目汇考》卷一一著录丁耀亢所撰传奇《化人游》、《西湖扇》、《赤松游》、《非非梦》、《星汉槎》、《蚺蛇胆》六种，小传括注其生卒年为"1607—1678"。

蔡毅《中国古典戏曲序跋汇编》卷一二括注丁耀亢生卒年“约1607—1678”。张慧剑《明清江苏文人年表》于“1669 己酉康熙八年”下著录：“山东丁耀亢死，年七十一。《江干诗卷小引》参《李杜合刻藏跋》。耀亢所著还有《西湖扇》、《化人游》、《赤松游》等传奇；《续金瓶梅》六十四回、《丁野鹤诗钞》十卷、《逍遥游》一卷、《鱼龙卷》、《天史》十卷。”朱彭寿《清代人物大事纪年》亦谓丁耀亢卒于康熙八年（1669）。黄霖《金瓶梅续书三种前言》（齐鲁书社 1988 年出版）括注丁耀亢生卒年为 1599—1671，有注云：“乾隆《诸城县志》云‘年七十二’，叶德均据此定为康熙九年庚戌卒。而丁耀亢实卒于康熙十年，故当为七十三岁。”与邓之诚说同，今从。康熙《青州府志》卷一八：“丁耀亢，字野鹤，诸城人。少颖异，有智略。弱冠走吴会，与董思白、乔剑浦游。屡试不第。丁亥游京师，与王宗伯觉斯、龚司马孝升辈，讲论风雅。任容城博士，升福建惠安知县，以疾归，卒于家。公之诗骏发雄杰，成一家言。所著《陆舫》、《椒丘》、《听山亭集》二十卷行世。”乾隆《诸城县志》卷三六：“少孤贫，负奇才，倜傥不羁。弱冠为诸生，数千里去江南游董其昌门，与陈古仁、赵凡夫、徐阁公联文社。既归，郁郁不得志，取历代吉凶诸事，著《天史》十卷，以示益都钟羽正，羽正奇之。明季乡国盗起，益都王遵坦用刘泽清兵捕土寇。耀亢素遵坦遇于日照，更为募数千，解安丘围。顺治四年，入京师，由顺天籍拔贡，充镶白旗教习，诗名大噪。后为容城教谕，迁惠安知县，以母老不赴。六十后病目，自署木鸡道人。其诗蹈厉风发，开一邑风雅之始。新城徐夜，尝于道旅见一客，裤褶急装据大嚼，见徐年少，呼就语曰：‘我东武丁野鹤也。顷有诗数百篇，苦无人知，子为我定之。’因掷一巨编示徐。尚书王士禛传其事以为美谈。著有《野鹤诗钞》（《四库全书》录之），又有《表忠记》诸传奇行世。”乾隆《诸城县志》卷一三著录丁耀亢：“《野鹤诗钞》十卷（见《四库全书总目》）、《陆舫诗草》五卷、《逍遥游》一卷、《椒丘诗》五卷、《江干草》一卷、《归山草》二卷、《天史》十卷、《西湖扇传奇》一卷、《化人游传奇》一卷、《蚺蛇胆传奇》一卷、《赤松游传奇》一卷。”光绪《三续掖县志》卷四：“李渔村（澄中）著《丁野鹤耀亢小传》略云：莱有大泽社，当明末时，天下方争门户，先生独与王子房讲求经世之学。”沈德潜《国朝诗别裁集》卷一四选丁耀亢诗三首。《四库总目提要》卷一八二著录丁耀亢《丁野鹤诗钞》十卷：“国朝丁耀亢撰。耀亢字西生，号野鹤，诸城人。顺治中由贡生官至惠安知县。是集凡分五种，曰《椒丘集》二卷，起甲午，终戊戌，官容城教谕时所作；曰《陆舫诗草》五卷，起戊子，终癸巳，皆其入都以后所作；曰《江干草》一卷，起己亥，终庚子；曰《归山草》一卷，起壬寅，终丙午；曰《听山亭草》一卷，起丁未，止己酉。自《陆舫诗草》以前，耀亢所自刻，《江干草》以下，皆其子慎行所续刻也。耀亢少负隽才，中更变乱，栖迟羁旅，时多激楚之音。自入都以后，交游渐广，声气日盛，而性情之故亦日薄。王士禛《池北偶谈》载其‘陶令儿郎诸葛妻’一律，谓野鹤晚游京师，与王文安诸公倡和，其诗亢厉，无此风致，盖亦有所不满矣。”徐世昌编《晚晴簃诗汇》卷三二选丁耀亢诗五首，《诗话》云：“野鹤为少滨侍御子，犹及华亭董文敏之门，与陈古白、赵凡夫、徐阇公结文社。归与莱州宋子房讲经世之学，子房死难，野鹤入国朝，诣京师充教习。筑室米市，与王觉斯、傅掌雷、薛行屋、张坦公诗酒相过从。初除校官，旋迁宰县，以母老投劾归。诗逸宕有风致，兼通词曲，有《赤松游》、《表忠记》诸传奇行世。"邓之诚《清诗纪事初编》卷六著录丁耀亢《丁野鹤集》十二卷、附乐府三种："撰《丁野鹤集》十二卷，为《逍遥游》二卷、《陆舫诗草》五卷、《椒丘集》二卷、《江干草》、《归山草》、《听山亭草》各一卷，附《化人游》、《赤松游》、《西湖扇》乐府三种。大约自崇祯六年至康熙八年先后三十七年之诗，略备于此矣。据《故山游序》，壬申（崇祯五年）以前，有《问天》一刻。其子慎行跋《西湖扇》，历数先人著述，尚有《天史》、《漆园草》、《表忠记》、《非非梦》、《星汉槎》，并以刊行，今皆未见。又近人有藏所撰《出劫纪略》、《家政须知》者。耀亢家世甚盛，父维宁，从兄自劝，皆成进士，仕宦有声。弟耀心、从子大谷，崇祯中乡举，独耀亢不第。少从董思白、乔剑圃游，尝与陈古白、赵凡夫结山中社，又与王子房同负经世大略。自言丁亥（顺治四年）于役淮上，《逍遥》一集，惟缺《山阳游》未刻，或虑触时禁，故讳言之。既不得志，乃泛海北游，为升斗计，有'无聊生理缺，奴仆请逢迎'之句。晚以著书被祸入诏狱，仅而得免，丧明逃禅，文人之遇，斯为最酷。《自述年谱以代挽歌》一诗，不止悉其生平，亦当闵其厄运。王士祯称许'陶令儿郎诸葛妻'一首，为后来诗格，无此风致。此诗不见诸集，《逍遥》之作，尚相仿佛，或在《问天》一刻中欤？集中纪事诸篇，颇可参证时事。有赠贾凫西诗，乃知为兖州人，且以微官候补京师，非遗老也。"袁行云《清人诗集叙录》卷一著录丁耀亢《丁野鹤集》十二卷（顺治至康熙刻本）："丁耀亢撰……所著《丁野鹤集》，《四库存目》著录……作序者为龚鼎孳、沈复曾、丁乾和、赵进美、王铎、孙廷铨、高珩、孙奇逢、张侗、李澄中，多为大员。《赤松游》为查伊璜序，伊璜名继佐，其《东山遗集》中有《野鹤吟为丁郡长作》。又同里丘志广为李澄中之舅，官长清教谕，所著《柴村诗钞》有《次丁野鹤落叶诗三十首》。安丘刘正宗为崇祯元年进士，入清由国史馆编修官至文华殿大学士，所著《逋斋诗》亦有《骑驴行柬丁野鹤》。当时大臣无歌颂升平之习，而耀亢门第甚高，故争与之交也。今观此集是，如《畏人柬贾凫西》……可见交往无分朝野。又有《自述年谱代挽歌》、《癸巳初度赤松词曲新成》、《题西湖扇传奇曲末》，颇载佚闻。耀亢于康熙四年八月以续书被逮，蒙赦得放，为脱骖者乃傅掌雷，见《哭傅掌雷尚书》。《偶读四子各为一绝》……是瓣香于前后七子。其诗亦闳肆健雅，错综尽变。中更变乱，栖迟羁旅，时多激楚之音。"

冯班（1604—1671）卒。根据明万历三十二年（1604）冯班生年记事。《清史列传·文苑传》："少为诸生，与兄舒齐名。连蹇不得志，遂弃去。发愤读书，工诗。其诗沉酣六代，出入温、李、小杜之间。其论诗，谓王、李死拟盛唐，戒不读唐以后书，诗道因是大坏。爱穷流溯源，自《三百篇》以下，一一考其根底，明其变化。又尝与兄舒评点《才调集》，以国初风气矫太仓、历城之习，竞尚宋诗，遂借以排斥江西，尊崇昆体。又著《严氏纠谬》，辨《沧浪诗话》之非。班博雅善持论，为文亦考据精确，了无牵合附会。尝谓韩史部之文，古文也；欧公之文，只是今文；不如唐人四六，尚有古意古语。所著《钝吟杂录》十卷，凡《家诫》二卷、《正俗》一卷、《读古浅说》一卷、《严氏纠谬》一卷、《日记》一卷、《诫子帖》一卷、《遗言》一卷、《通鉴纲目纠谬》一卷、《将死之鸣》一卷。其论事多达物情，论文皆究古法，虽间有偏驳，而所得为多。性不谐俗，意所不可，掉臂去。胸有所得，曼声长吟，旁若无人。然当其被酒无聊，抑郁愤闷，辄就座中恸哭。班行第二，时目为"二痴"。赵执信于近代文章家，多所訾謷，独折服班，一见班所著，即叹为至论，至具朝服下拜。尝谒班墓，以私淑门人入刺，焚于墓前，倾倒甚至。书四体皆精，尤工小楷，有晋唐人风致。顺治十年卒。著有《冯氏小集》、《钝吟诗文稿》。"钱谦益《初学集》卷三二《冯定远诗序》："定远，吾友嗣宗子也，而游于吾门。其为人悠悠忽忽，不事家人生产，衣不掩骭，饭不充腹，锐志讲诵。亡失衣冠，颠坠坑岸，似朱公叔；燎麻诵读，昏睡爇发，似刘孝标；阔略眇小，荡佚人间，似其家敬通。里中以为狂生，为嵩愚，闻之愈益自喜。其为诗，沉酣六代，出入于义山、牧之、庭筠之间。其情深，其调苦，乐而哀，怨而思，信所谓穷而能工者也。"陆贻典《冯定远诗序》："定远长余十五年，折辈行，与余为兄弟交，盖三十馀年矣。定远朴略易直，以诗书为性命，贯穿百氏，兼精四体。论古人，如坐堂上而亲决其是非，无少贷。与长公已苍称冯氏学，定远犹折其中。余同游且久，未尝见其手持一镪，身与一户外，斯可以知定远矣……其为诗，敦厚温柔，秾丽浓稳，乐不淫，哀不伤，美刺有体，比兴不坠。古之称杜者，谓无字无来历，此定远之长也。若其学问渊源，才情意象，牧翁先生序之既详且尽，试取其文而掩其姓，覆其字，伸纸疾读，亦断知为吾定远也。"《四库总目提要》卷一二三著录冯班《钝吟杂录》十卷："班著述颇多，没后大半散佚，其犹子武，搜求遗稿，仅得九种，裒而成编……大抵明季诸儒，守正者多愚，骛名者多诈。明季诗文，沿王、李、钟、谭之馀波，伪体竞出。故班诸书之中，诋斥或伤之激，然班学有本源，论事多达物情，论文皆究古法，虽间有偏驳，要所得者为多也。"同书卷一八一又著录其《冯定远集》十一卷："班与其兄舒，皆以诗名一时，称海虞二冯。其侄冯武，作所评《才调集》凡例，称舒之论诗，讲起承转合最严，而班之论诗，则欲化去起承转合，定法微有不同。然二人皆以晚唐为宗，由温、李以上溯齐梁，故《才调集》外，又有《玉台新咏》评本。盖其渊源在二书也。其说力排严羽，尤不取江西诗派，持论亦时有独到，然所作则不出昆体。大抵情思有馀，而风格未高，纤佻绮靡，均所不免。是集凡《定远小集》二卷、《钝吟集》三卷、《别集》一卷、《钝吟馀集》一卷、《集外诗》一卷，又《乐府》一卷、《游仙诗》一卷、《钝吟文稿》一卷，亦附于末。其中论诗之说多可取。惟《日记》所论《吴械韵补》一条，推为奥入鬼神，则失之远矣。"同书卷一九一又著录冯舒、冯班《二冯评点才调集》十卷："此书去取大旨，具见武所作凡例中。凡所持论，具有渊源，非明代公安、竟陵诸家所可比拟，故赵执信祖述其说。然韦縠之选是集，其途颇宽，原不专主晚唐，故上自李白、王维，以至元白《长庆》之体，无不具录。二冯乃以国初风气矫太仓、历城之习，竞尚宋诗，遂借以排斥江西，尊崇昆体。黄、陈、温、李，断断为门户之争。不知学江西者其弊易流于粗犷，学昆体者其弊亦易流于纤秾，除一弊而生一弊，楚固失之，齐亦未为得也。王士禛谓赵执信崇信是书，铸金呼佛，殊不可解。杭世骏《榕城诗话》亦曰：'戚进士孹言，德清人，每为二冯左祖。予跋其《才调集》点本后曰：固哉，冯叟之言诗也，承转开合提唱不已，乃村夫子长技。缘情绮靡，宁或在斯，古人容有细心通才，必不当为此迂论。右西昆而黜西江，夫西昆盛于晚唐，西江盛于南宋，今将禁晋宋之不为齐梁，禁齐梁之不为开元、大历，此必不得之数。风会流转，人声因之，合三千年之人为一朝之诗，有是理乎？二冯可谓能持诗之正，未可谓遂尽其变也云云。其论颇当，惟谓承转开合乃村夫子长技，则又主持太过。孟子曰，梓匠轮舆能与人规矩，不能使人巧。巧在规矩之外，而亦不能出乎规矩之中。故诗必从承转开合入，而后不为泛驾之马。久而神明变化，无复承转开合之迹，而承转开合自行乎其间。譬如毛嫱、西子，明眸纤步，百态横生，要其四体五官之位置，不能与人有异也。岂有眉生目下，足著臂旁者哉！王士禛《蠡勺亭观海诗》曰，春浪护渔龙，惊涛与汉通。石华秋散雪，海扇夜乘风。竟不知士禛斯游为在春、在秋、在昼、在夜？岂非但标神韵，不讲承转开合之故哉！'世骏斯言，徒欲张新城之门户，而不知又流于一偏也。"吴乔《围炉诗话》卷二："问曰：'定远好句如何？'答曰：'好句何足以论定远？弘、嘉人岂无好句耶？唐人妙处，在于不著议论而含蓄无穷，定远有之。其诗曰："禾黍离离天阙高，空城寂寞见回潮。当年最忆姚斯道，曾对青山咏六朝。"金陵、北平事尽在其中。又有云："隔岸吹唇日沸天，羽书惟道欲投鞭。八公山色还苍翠，虚对围棋忆谢玄。"马、阮、四镇事尽在其中。又有云："席卷中原更向吴，小朝廷又作降俘。不为宰相真闲事，留得丹青夜宴图。"以韩熙载寓讥刺时相也。又有云："王气消沉三百年，难将人事尽凭天。石头形胜分明在，不遇英雄尽枉然。"以孙仲谋寓亡国之戚也。所谓不著议论声色而含蓄无穷者也。论定远诗甚难，若直言六百年无是诗，闻者必以为妄，若谓六百年中有是诗，则诗集具在，有好句之佳作有之，未有无好句之佳作如定远者也。'"同书同卷："（冯班）又云：'钱牧斋教人作诗，惟要识变。余得此论，自是读古人诗，更无所疑，读破万卷，则知变矣。'乔曰：'皎然《诗式》言作诗须知变复，盖以返古为复，以不滞为变也。金正希举业之于王家之，最得此意。变而不复，成、弘至启、祯矣。定远见处实胜牧斋，见者每惑于名位。'冯定远又云：'多读书，则胸次自高，出语皆与古人相应，一也；博识多知，文章有根据，二也；所见既多，自知得失，下笔知取舍，三也。'"朱彝尊《静志居诗话》卷二二《冯班》："启、祯诗人，善言风怀者，莫若金沙王次回，定远稍后出，分镳并驱。次回以律胜，定远以绝句见长，大都次回全学温、李，而定远多师，其源出于《才调集》也。"王士禛《古夫于亭杂录》卷五："常熟冯班，字定远，著《钝吟杂录》，多拾钱宗伯牙慧，极诋空同、沧溟，于弘、正、嘉靖诸名家，多所訾謷。其自为诗，但沿《香奁》一体耳，教人则以《才调集》为法。余见其兄弟（兄名舒）所评《才调集》，亦卑之无甚高论，乃有皈依顶礼，不啻铸金呼佛者，何也？"赵执信《谈龙录序》："余幼在家塾，窃慕为诗，而无从得指授。弱冠入京师，闻先达名公绪论，心怦怦焉每有所不能惬。既而得常熟冯定远先生遗书，心爱慕之，学之，不复至于他人。新城王阮亭司寇，余妻党舅氏也，方以诗震动天下，天下士莫不驱风，予独不执弟子礼。闻古诗别有律调，往请问，司寇靳焉。余宛转窃得之，司寇大惊异。更睹所为诗，遂厚相知赏，为之延誉。然余终不肯背冯氏。且以其学绳人，人多不堪，间亦与司寇有同异。既家居，久之，或搆诸司寇，浸见疏薄。司寇名位日盛，其后进门下士，若族子侄，有借余为诟者，以京师日亡友之言为口实。余自惟三十年来，以疏直招尤，固也，不足与辩。然厚诬亡友，又虑流传过当，或致为师门之辱。私计半生知见，颇与师说相发明。向也匿情避谤，不敢出，今则可矣。乃为是录，以所借口

288

者冠之篇，且以名焉。康熙己丑夏六月，赵执信序。"《谈龙录·十九》："司空表圣云：'味在酸咸之外。'盖概而论之，岂有无味之诗乎哉！观其所第二十四品，设格甚宽，后人得以各从其所近，非第以'不著一字，尽得风流'为极则也。严氏之言，宁堪并举？冯先生纠之尽矣。"王应奎《柳南随笔》卷一："益都赵宫赞秋谷（执信），少负才名，于近代文章家多所訾謷，独折服于冯定远（班）。一见其《杂录》，即叹为至论，至具朝服下拜焉。尝至吾邑谒定远墓，遂以私淑门人刺焚于冢前。新城《夫于亭录》中所谓'世人于冯定远，乃有皈依顶礼，不啻铸金呼佛'者，盖谓宫赞也。"又云："某宗伯（指钱谦益）诗法受之于程梦阳，而授之于冯定远。两家才气颇小，笔亦未甚爽健，纤佻之处，亦间有之，未能如宗伯之雄厚博大也。然梦阳之神韵，定远之细腻，宗伯亦有所不如。盖两家是诗人之诗，而宗伯是文人之诗。吾邑之诗有钱、冯两派。余尝序外弟许曰滉诗，谓：'魁杰之才，肆而好尽，此又学钱而失之；清俊之徒，巧而近纤，此又学冯而失之。'长洲沈确士（德潜）深以为知言。"陈田《明诗纪事》辛签卷一二选其诗五十五首，按语云："定远博学多闻，《钝吟杂录》十卷，推为独绝。诗于齐、梁及唐人温、李，无所不仿，丽藻中别有古韵，固由才笔殊绝，亦是学古功深。观其论古今乐府，独见分晓。"徐世昌编《晚晴簃诗汇》卷一五选其诗十八首，《诗话》云："定远论诗力排严沧浪之说，故为秋谷所倾倒。其诗以晚唐为宗，时复溯源六代，胎息齐梁。尤不喜江西派，谓熟读义山，自见其弊。所作虽于义山具体，而堂宇未闳，每伤纤仄，则才之限也。竹垞所录多风怀之作，今取其意较深挚者。《游仙》下编出于沧桑之后，殆进一境焉。"邓之诚《清诗纪事初编》卷一著录冯班《钝吟全集》二十三卷："冯班，字定远，号钝吟居士，明诸生。少与兄舒齐名，称'海虞二冯'。卒于康熙十年辛亥，年六十有八。《清史列传·文苑》有传。撰《钝吟全集》三十二卷：曰《冯氏小集》三卷，毛子晋所刻，有钱牧斋序；曰《钝吟集》三卷，曰《钝吟别集》一卷，曰《钝吟馀集》一卷，曰《钝吟老人集外诗》一卷，曰《钝吟乐府》一卷，曰《游仙诗》二卷，曰《钝吟文稿》一卷，皆陆敕先编刻。敕先为《钝吟集》序，在戊申（康熙七年），其《馀集》序则在定远方没之时。曰《钝吟杂录》十卷，犹子武所编，刻于己未（康熙十八年），距定远没且八年矣。牧斋称其沉酣六代，出入温、李、小杜，以《玉台新咏》教人。今观其诗，字字锤炼，无一浅率语，置之中晚唐人集中，几无可辨，功候深纯，一时无二。盖矫七子、钟、谭之穷，而不堕宋人之直率者也。宜吴殳、赵执信服膺不忘，然通知其意而已，不能继嬇也。《杂录》论诗文，识解精辟，经史小学，极有根底……然已开清初汉学风气之先矣……定远卒于辛亥，明见陆敕先序及严熊《白云诗集》，而《钝吟文稿·书吴浩然逸事》，署壬子（康熙十一年）八月，为不可解。"张舜徽《清人文集别录》卷一著录冯班《钝吟文稿》一卷（铅印《二冯先生集》本）："以诗文名于清初，论诗宗晚唐，不取严羽妙悟之说。尝谓熟观义山诗，可免江西粗俗槎枒之病。王士禛服其博雅，而阎若璩《潜丘劄记》，取与黄宗羲、顾炎武、朱彝尊等，并目为一时圣人。所著《钝吟杂录》，论学品文，多发前人所未发。"袁行云《清人诗集叙录》卷四著录冯班《钝吟老人遗稿》诗十一卷（康熙间刻本）："卒于康熙二十年，年六十八。所撰《钝吟全集》三十二卷，刻成于康熙十八年……作者论诗受钱谦益影响最深，不喜明代前、后七子摹拟之习。"

陈忱（1615—1671？）卒。生卒年参见本书万历四十三年（1615）记事。朱彝尊《静志居诗话》卷二二《陈忱》："陈忱，字遐心，乌程人。唐罗隐诗中称钱镠为尚父。遐心诗云：'馀杭山水役精魂，末世才人眼界昏。憔悴感恩依尚父，可怜尚父事朱温。'"咸丰《南浔镇志》卷一二："陈忱，字遐心，号雁荡山樵。其先自长兴迁浔，阅数传至忱（《研北居琐录》），读书晦藏，以卖卜自给（《范志》）。究心经稗，编野乘，无不贯穿（《董志》）。好作诗文，乡荐绅咸推重之。惜老贫以终，诗文杂著，俱散佚不传（《琐录》）。"同书卷三五："《南浔备志》：陈雁宕忱，前明遗老。韩纯玉《近诗兼逸集》以身名俱隐称之，生著述并逸。惟《水浒后传》一书，乃游戏之作，托宋遗民刊行。"同书卷三〇："曲本则有陈忱《痴世界》……此类旧志不免阑入，今悉不载。"同治《湖州府志》卷五九："《雁宕诗集》诗兼小序：忱字遐心，号雁宕，乌程人。诗人隐逸者，唐如张志和、陆鸿渐；宋如林君复、魏仲先；明如孙太初、吴孺子辈，身虽隐而名自彰。未有身名俱隐，如吾乡陈君雁宕者。雁宕与予同处城阛间，相去止里许，生平未识其末面，并不闻。没后，始见其诗及杂著，小说家言，驱策史册典故，若数家珍，而郁郁无聊，肮脏不平之气，时复盘旋于楮墨之上。亟觅其全集，已零落不能多得矣。夫以同为遯世之人，同居桑梓之地，尚不能一接其音容言笑，则其埋名匿影于古诗人之隐者何如也。"雁宕山樵《水浒后传序》后署"万历戊申秋杪雁宕山樵撰"，万历戊申为公元1608年，显系假托。陈田《明诗纪事》辛签卷一四选陈忱诗二十四首，有按语云："遐心苦吟类郊、岛，大节似柴桑。集中《九歌》，激烈悲壮，声出金石。《诗综》仅录一诗，安足见所长？韩子蓬序遐心诗，致叹于同居桑梓，不能一接其音容言笑，影匿声沉，言之痛心。古今诗人淹于荒烟蔓草而无只字以传，此采诗者之责也。"朱彭寿《清代人物大事纪年》："顺治十一年甲午（公元1654年），科第：中式副榜贡生：陈忱，字用宣，号遐心。浙江秀水人。"

李玉（1591？—1671以后）卒。据吴新雷《李玉生平、交游、作品考》（《中国戏曲史论》，江苏教育出版社1996年出版）："李玉约生于明神宗万历十九年（1591）左右，卒于清圣祖康熙十年（1671）以后。"另苏宁《李玉和清忠谱》认为李玉生卒为1596—1676；张庚、郭汉城主编《中国戏曲通史》认为李玉生卒为1600左右—1767以后；欧阳代发《李玉生卒年考辨》认为李玉生卒为1611—1677以后；颜长珂、周传家《李玉评传》认为李玉生卒为1620—1681；胡忌、刘致中《昆剧发展史》认为李玉生卒为1602左右—1676左右；康保成《苏州剧派研究》认为李玉生卒为1610—1677以后；袁行霈主编《中国文学史》第四卷括注李玉生卒为1610—约1671。李玉，字玄玉，号一笠庵、苏门啸侣，江南吴县（今属江苏）人，或谓长洲（今江苏苏州）人。民国《吴县志》卷七五："李玉，字玄玉，吴县人。明崇祯间举于乡，入清不再入公车。著有《北词广正谱》，取华亭徐于室原稿改编，吴伟业为作序。淹雅博洽，出原书上。又著传奇三十二种，最著者曰'一、人、永、占'，谓《一捧雪》、《人兽关》、《永团圆》、《占花魁》也。"焦循《剧说》卷四："李元玉一笠庵二十九本：《一捧雪》、《人兽关》、《永团圆》、《占花魁》、《五高风》、《双龙凤》、《昊天塔》、《两须眉》、《三生果》、《牛头山》、《武当山》、《麒麟阁》、《虎丘山》、《长生像》、《千里舟》、《眉山秀》、《连城璧》、《千忠会》、《挂玉带》、《意中缘》、《凤云翘》、《洛阳桥》、《太平桥》、《万里缘》、《风云会》、《罗天醮》、《麒麟种》、《万民安》、《禅真会》。元玉系申相国家人，为孙公子所抑，不得应科试，因著传奇以抒其愤，而《一》、《人》、《永》、《占》尤盛传于时。其《一捧雪》极为奴婢吐气，而开首即云：'裘马豪华，耻争呼贵家子。'意固有在也。"吴新雷《李玉生平、交游、作品考》："李玉一生的戏剧创作，其名目可知者总计为四十二种。经过多方面细致的调查访问，李玉作品现今尚有整本留存于世者，计有十八种：《一捧雪》、《人兽关》、《永团圆》、《占花魁》、《牛头山》、《太平钱》、《眉山秀》、《两须眉》、《清忠谱》、《千钟禄》、《万里圆》、《麒麟阁》（以上十二种有《古本戏曲丛刊》三集的影印本）；《七国记》、《昊天塔》（以上二种傅氏碧蕖馆藏康熙间抄本）；《风云会》（北京图书馆藏乾隆间内府精抄本）；《五高风》（首都图书馆藏马氏不登大雅之堂传抄本）；《连城璧》（中国戏曲学院图书馆藏旧抄本）；《一品爵》（见清初抄本《环翠山房集十五种》之四，藏于法国巴黎国家图书馆）。存有散出者二种：（一）《洛阳桥》，今存三出：《神议》、《戏女》（上海图书馆藏）及《下海》（即《夏得海》，别题《下海投文》，北京图书馆藏）。（二）《埋轮亭》，北京图书馆藏升平署曲本，残存第一出至第八出：《起复》、《忠志》、《义赠》、《虐民》、《引荐》、《谏降》、《埋轮》、《拿印》。存有逸曲者一种：《千里舟》，见《传奇汇考》卷一，载末出〔尾声〕'茶船久拨琵琶调，编出新词逸韵飘'二句。此外二十一种独已失传，其零出残文亦不可见。但如《双龙佩》、《万民安》、《长生象》、《武当山》、《罗天醮》等五种，《曲海总目提要》中载有剧情梗概；《秦楼月》、《铜雀台》、《洪都赋》等七种历史性剧目，可以从典籍中考知内容；至于《三生果》等九种，则连内容也无从探索了。"另著有《北词广正谱》十八卷，为北曲词谱较为完备者，吴伟业作序极称之。详见顺治十七年（1660）记事。上海古籍出版社 2004 年出版整理本《李玉戏曲集》，内含残本，共录传奇十七种。

公元 1672 年（清康熙十一年　壬子）

正月

　　二十日，陆世仪（1611—1672）**卒**。朱彭寿《清代人物大事纪年》："康熙十一年壬子（公元 1672 年），卒岁：陆世仪，字道成，号桴亭。江苏太仓人。江苏太仓州诸生。正月二十日卒，年六十三。从祀孔庙（从祀在光绪元年），入《国史·儒林传》。"编者按，卒年六十三，当作六十二。全祖望《鲒埼亭集》卷二八《陆桴亭先生传》："桴亭先生，姓陆氏，讳世仪，字道威，明南直隶苏州府太仓人也。少尝从事于养生之说而喜之，有所得矣，既而翻然曰：'是其于思虑动作皆有禁，甚者涕唾言笑皆有禁，凡皆以秘惜此精神也。如此则一废人耳，纵长年何用？'乃亟弃之，作《格致编》以自考……国亡，尝上书南都不用，又尝参人军。事既解，凿池宽可十亩，筑亭其中，不通宾客，桴亭之名以此。风波既定，至四明哭忠介，归家始应诸生之请，庚子讲于东林，已而讲于毗陵，复归讲于里中。当事者累欲荐之，力辞不出。"《清史列传·儒林传》："陆世仪，字道威，江南太仓州人。年十六，父勖之曰：'一饮一食，常维经义，可以收放心；或坐或卧，如对圣贤，可以却邪念。'世仪揭之座隅。年二十七，为主敬之学，虑敬之或至散漫，时奉一天以临之，功乃大进。尝欲从刘宗周问学，不果。后与同里陈瑚、盛敬、江士韶诸人倡明正学，虑惊世骇俗，深自韬秘……世仪之学笃守程朱……生平于象纬、律历及礼乐、政事异同，无所不究。所著《思辨录》，疏证剖析，盖数百万言，分小学、大学、立志、居敬、格致、诚正、修齐、治平、天道、人道、诸儒、异学、经史、子籍十四门，凡三十五卷。大旨主于敦守礼法，不虚谈诚敬之旨；施行实政，不空为心性之功。于近代讲学诸家最为笃实……明亡，不复出。凿地十亩，筑亭其中，不通宾客，自号桴亭。顺治十五年，始应学政张能鳞聘，为辑《儒宗理要》。十七年，应诸生之请，讲学东林。康熙五年，复讲学毗陵，已复归讲。里中当事屡欲荐之，力辞。十一年，卒，年六十二。他著有《论学酬答》、《宗礼典礼折衷》、《礼衡》、《易窥》、《诗鉴》、《书鉴》、《春秋考论》等四十馀种。国初诸儒恪守程朱家法者，世推二陆，谓世仪及陇其也。光绪元年，礼部议复江苏巡抚张树声疏奏，奉旨从祀文庙。"陈田《明诗纪事》辛签卷一三选陆世仪诗十六首，引陈瑚《确庵集》："桴亭古风，取裁汉、魏，近体得法李唐，不屑为卑弱不振之调。"又加按语云："桴亭古体取达词意，不专摹拟；五七律格调轩爽、音节苍凉。其讲学立言，不与当世之分门户、涉标榜者角名争胜，而没后名乃益彰。盖能为潜龙，乃能为利见，不在一时，在千古矣。"徐世昌编《晚晴簃诗汇》卷一一一选陆世仪诗二十二首，《诗话》云："桴亭年十二能诗歌，其父振吾命题《百鸟朝凤图》，应声曰：'独向高冈择木栖，更无鹓鹭与相齐。一声叫彻虞廷日，四海鸥鸦不敢啼。'十七岁与同里陈言夏定交，招盛圣传、钱蕃侯、过在兹辈为文会。言夏序其诗，谓古风取材汉、魏，近体得法李唐。弱冠以后，潜心明体达用之学，诗歌非其大志所存。间一有作，则能抒写其中之所独得，而为寻常思虑之所不及。平日论诗，以《三百篇》为主。故一字一句必有合于兴、观、群、怨之旨，非若世之以剽窃词华、拟议声病为能者。中年遭值国变，忧愁幽思，时近《离骚》，然淋漓感慨之中，仍不失温柔敦厚之义，则又足征其学养也。"邓之诚《清诗纪事初编》卷一著录陆世仪《桴亭先生文集》六卷、《诗集》十卷："世仪为学，务求实用，自天文地理、礼乐农桑、井田学校、封建郡县，以至河渠贡赋、战阵刑法、乡饮宾射、祭祀丧纪，无不源流毕贯……瑚称其善为诗歌，有汉、唐之遗音。其遇乱有《感遇诗》，而近日则有《梅花叹》、《芍药叹》诸作，以伤物变；有《庚戌（康熙九年）大水歌》以志天灾，皆可备国风、陈太史，不徒如世之以风云月露为工者也。自今观之，诗笔特明秀，不类学人之作，而语语怆恻，悲悯之怀如见。匿不授梓，殆即由此。文极平实有法，惜原本为张伯行所刻，凡志传纪事之作，皆已削去，或亦为避忌讳欤？"张舜徽《清人文集别录》卷一著录陆世仪《桴亭先生文集》六卷、《补遗》一卷、《论学酬答》四卷："世仪之学，宗主程朱，而亦不废陆王。尝言陆象山人物甚伟。其语录议论甚高，气象甚阔，初学读之，可以开拓心胸……故世仪之学，既殊腐儒之空疏，而亦不同俗士之泛滥，有体有用，不卑不亢。论者多取陆陇其以与世仪并称二陆，然陇其实非世仪比也。是集卷帙无多，而《论学酬答》，与相表里，实文集之外编，相辅而行，可资互证。至于论学论治，其精粹多在《思辨录》中。是集文字，特其绪论之馀耳。"袁行云《清人诗集叙录》卷三著录陆世仪《桴亭先生诗集》十卷（光绪二十六年刻本）："诗文集原刻未见。同治二年，安道书院刻《诗钞》八卷、

《文集》六卷。光绪二十六年，唐受祺刻《桴亭先生遗书》二十二种，内诗集为十卷本。同光间学人刊布清初遗老著述，以为知耻，一时风气也。是集有陈瑚、周西臣旧序，附《年谱》与陈瑚所撰《行状》。其诗古风效汉魏，有《感遇诗》寄寓亡恨。又多悯民生艰苦。《江宁谣》十首、《水田谣》十首、《钱塘行》、《水没头歌》、《前旱》、《后旱》、《前雪》、《后雪》诸篇，目睹顺康间饥民惨状，形之诗歌，抨击权贵，感慨极深。康熙六年，作《大雪口号》十首，小注系娄中赋役之苦，皆当诗史……顾炎武持重其为人……世仪与陈瑚同为理学名家，皆明遗民诗之巨擘。"

宋荦撰《筠廊偶笔》二卷成。 据《漫堂年谱》。

五月

吕留良与陆陇其初会嘉兴。 陆陇其《松阳钞存》："余于壬子五月，始会东庄于郡城旅舍，谆谆以学术人心为言。"

六月

二十三日，周亮工（1612—1672）卒。 周亮工《赖古堂集》附录钱陆灿《周栎园墓志铭》："公讳□□，字元亮，号栎园，又称减斋先生……生于万历壬子年四月初七日，卒于康熙壬子年六月二十三日，享年六十有一。"《清史列传·贰臣传》："周亮工，河南祥符人。明崇祯十三年进士，官御史。流贼李自成陷京师，亮工间道南奔，从明福王朱由崧于江宁。本朝顺治二年，豫亲王多铎兵下江南，亮工诣军门降，奏授两淮盐运使。三年，调扬州兵备道。四年，迁福建按察使，寻迁布政使。十一年，授左副都御史。十二年……迁亮工户部右侍郎。亮工任按察司时，福建武举王国弼及贡生马际昌、穆古子、蔡秋浦、蔡开南、史东来等创立南社、西社、兰社，党类繁众，作奸犯科。亮工申请督抚勘明定罪，勒石南台，列际昌及馀党姓名。寻际昌、秋浦、国弼、开南四人毙于狱。是年五月，督臣佟岱抵任，际昌等亲属具牒辩冤。佟岱列亮工贪酷诸款以闻，命亮工回奏，寻解任……十六年，部议亮工被劾各款……计赃累万，情罪重大，仍应立斩，籍没……恩诏予减等，改徙宁古塔，未行，会赦得释……康熙元年，部议复亮工佥事道职，起补山东青州海防道。五年，调江南江安粮道。八年，漕运总督帅颜保劾亮工纵役侵扣诸款，得旨革职逮问，论绞。九年，复遇赦得释。十一年，死。"沈德潜《国朝诗别裁集》卷二选周亮工诗五首，小传云："栎园爱才，比于芝麓，众望归之。诗或未能相埒矣。兹录其情真韵远者。"《四库总目提要》附录《四库撤毁书提要》著录周亮工《闽小记》四卷、《读画录》四卷、《印人传》三卷、《书影》十卷。徐世昌编《晚晴簃诗汇》卷二〇选周亮工诗二十一首，《诗话》云："栎园豪迈好士，尝置一簿于座上，与客言海内人材，辄疏记之。尤嗜画及印章，搜罗著录，奖借成名，好事风流，盖出天性。诗如其人，权奇磊落，语语皆见性情。《渔洋诗话》载其《锐杨秀才》绝句云：'唾地新词破锦囊，高楼君自拜沧浪。文人命薄将军死，谁赋城南旧战场。'刘海峰《历朝诗选》亦取之，而集中未见。"邓之诚《清诗纪事初编》卷八著录周亮工《赖古堂集》二十四卷："周亮工……钱陆灿所为《墓志》，姜宸英所为

《墓碣》。撰《赖古堂集》二十四卷,凡诗十二卷、文十二卷。亮工诗文未能成家,才名稍亚钱、吴。好才怜士,一时遗老多从之游。屡踬屡起,由刘正宗恶之。当时满汉相倾,成为风气,亮工不死,属有天幸。初亮工知潍县,值满洲兵南下,齐东诸城皆破,独潍以坚守获全,潍人德之,为建生祠。及再起青州道,过潍见生祠,大哭而去。殆有痛于作两截人耶?刻书最多,晚年尽焚之,知虚名之无益也。此集为其子重刻。"张舜徽《清人文集别录》卷二著录周亮工《赖古堂集》二十四卷:"是集卷首有魏禧一序,称亮工博极群书,而未尝好征引故实,以自侈其富。笔之所至,浩浩瀚瀚,若江河之放,一曲千里,而不可止。每命一文,必深思力索,戛戛乎务去其陈言习见,而皆衷于理义。无诡僻矫激之辞,以惊世骇俗云云。若禧所言不误,则亮工之文,必气积势盛,辞旨繁复,有使人读之不可以已者。今观是集所载文字,短篇为多,殊与禧言不类。盖亮工晚而自焚其著述,今所存者,仅其残篇剩简,不足以概其全也。此本乃道光己丑其裔孙銮收拾遗佚裒录而成。前十二卷为诗,卷十三以下为各体杂文,而以诗序、寿序为多。尺牍皆言凌杂,题跋但品书画,皆非亮工撰述之精华。考《贩书偶记》有《赖古堂文集》二十四卷、《附录》一卷,康熙十四年乙卯刻本。是编卷数,虽于康熙刊本相符,而彼本但为文集,此则诗文合刊,多寡不侔,出入甚大,二者固非一物也。姜宸英尝称亮工为文及诗,机杼必自己出,语矜创获,不蹈袭前人一字,刿鉥渊濯,而归之大雅。尤嗜绘事及古篆籀法,每天明盥漱,出外舍,从容谈说古人图史书画、方名彝器,皆条分节解,尽其指趣。客退,则手一卷,灯荧荧然,至夜分归寝,以为常(见姜氏所撰《墓志铭》,载《湛园未定稿》卷六),则其博涉多通、嗜学不倦,在清初自是淹雅之士。然即是集所存诸文观之,固不足以窥其所学也。"袁行云《清人诗集叙录》卷四著录周亮工《赖古堂诗钞》十二卷(康熙十四年刻本):"周亮工撰……著书甚多,有《书影》、《闽小记》、《读画录》、《字触》、《印人传》等。乾隆间修《四库全书》以《读画录》语有违碍,悉遭查毁。《诗集》十二卷与《文集》十二卷为其长子在浚刻,魏禧、钱陆灿、毛甡序。乾隆二十一年怀德堂本、道光九年周銮本,均据此翻印。上海新印《清人别集丛刊》本有钱谦益、吕留良序,为他本所无。亮工身仕两朝,诗中多记兵燹人祸……亮工与钱谦益、龚鼎孳为友,而与布衣素食如纪映钟、龚贤、孙默、罗牧、王翚缔交。其中,尤与吴嘉纪知好,《陋轩诗》初刻,即由亮工删定。先后官山左,于齐东海隅,时有讴歌。诗趋时尚,而格调仍去明不远。龚鼎孳《定山堂诗集》有《大风行为周栎园作》,可参稽。"

七月

小说《麟儿报》(全称《新编绣像簇新小说麟儿报》,又名《葛仙翁全传》)四卷十六回刊行。天花藏主人《麟儿报序》后署"时康熙壬子孟秋月,天花藏主人题于素政堂"。天花藏主人,参见本书顺治十五年(1658)七月记事。

九月

初九日,张廷玉(1672—1755)生。《清代碑传全集》卷二二汪由敦《光禄大夫太保兼太子太保保和殿大学士致仕谥文和桐城张公廷玉墓志铭》："公生康熙壬子九月九日，薨于乾隆乙亥三月二十日，年八十有四。"张廷玉，字衡臣，号研斋，又号澄怀主人，大学士张英次子，桐城（今属安徽）人。康熙三十九年进士，改庶吉士，授编修，历事康、雍、乾三朝，官至文华殿、保和殿大学士、吏部尚书，卒谥文和，配享太庙。为《明史》总裁，著有《澄怀园全集》，包括《澄怀园文存》十五卷、《澄怀园载赓集》六卷、《澄怀园语》四卷、《澄怀老人自订年谱》六卷等。

是年

邓汉仪编竣《诗观初集》。据康熙十一年刊本《诗观初集·凡例》。

钮琇（1644？—1704）考取拔贡生。朱彭寿《清代人物大事纪年》："康熙十一年壬子（公元 1672 年），科第：考取拔贡生：钮琇，字书成，号玉樵。江苏吴江人。河南知县，广东高明县知县。"钮琇，初名泌。《清史列传·文苑传》："钮琇，字玉樵，江苏吴江人。康熙十一年拔贡生，历知河南项城县、陕西白水县，兼摄沈丘、蒲城事，后终广东高明县……卒于官，旅榇萧然，越数年，乃得归葬。高明人祀之名宦祠。琇博雅工诗文，簿书之暇，不废笔墨。宰高明时，成《觚剩》一书，记明末国初杂事，能举见闻异词者折衷之，可补正史之阙。其文幽艳凄动，有唐人小说之遗。诗少作，惊才绝艳，方驾齐梁。中岁则婉丽悲激，长于讽谕。如《和杜秋雨叹》、《泣柳词》，皆有关理乱，足备诗史。著有《白水县志》十四卷、《临野堂集》十三卷、《文集》十卷、《诗馀》二卷。"《四库总目提要》卷一四四著录钮琇《觚剩》八卷、《续编》四卷："国朝钮琇撰。琇字玉樵，吴江人，康熙壬子拔贡生，历官至陕西知府。是编成于康熙庚辰，皆记明末国初杂事，随所至之地，录其见闻。凡《吴觚》三卷、《燕觚》、《豫觚》、《秦觚》各一卷，《粤觚》二卷。《续编》成于康熙甲午，分类排纂为《言觚》、《事觚》、《人觚》、《物觚》四卷，体例与初编略殊。各有琇自序。琇本好为俪偶之词，故叙述是编，幽艳凄动，有唐人小说之遗。然往往点缀敷衍，以成佳话，不能尽核其实也。"同书卷一八三又著录其《临野堂文集》十卷："国朝钮琇撰。琇有《觚剩》，已著录。是集前有潘耒序，盛推其四六之工。今观所撰，疏隽颇胜近人，而浑雅终不逮古人。其外篇俳谐诸作，如《商陆侯传》之类，则不可作也。"

陈允衡（1622—1672）卒。卒年据邓之诚《清诗纪事初编》。徐世昌编《晚晴簃诗汇》卷一八选其诗二首，小传云："陈允衡，字伯玑，号玉渊，南昌人。有《爱琴馆诗集》。"《诗话》云："玉渊寄寓芜湖，体甚弱，虽盛暑犹毡巾絮帽。性嗜书，枕席舟车，缥缃环左右。尝选诗号《国雅》，又有《诗慰》，传本甚稀。"邓之诚《清诗纪事初编》卷二著录陈允衡《爱琴馆集》二卷、《勤补堂愿学集》一卷："陈允衡，字伯玑，南城人。少从遗老游，顺治十一年甲午忽赴秋试，既而悔之，以母命为解。因刻是岁诗，以'爱琴'为名，言'吾犹爱吾琴'也，示不再出之意。未几，即选《诗慰》以表贞固之节。其诗镂肝刻肺，能为苦吟。王士禛乃赏其五言，谓非韦苏州、倪元镇不能道，未为真知也。《爱琴馆集》二卷，传世甚稀……王舟瑶尝刻豫章陈子《勤补堂愿学集》一卷，为文二十三首，《遗民诗》所称《愿学堂文集》，或即因此集而讹。允衡……初有《琅琊二王合刻》，士禄所著曰《表微堂诗存》，久佚。继有《十笏草堂诗选》九卷，自丙申（顺治十三年）迄庚子（十七年）之诗，凡三百九十七首。《无题》摹玉溪，几于神似。《辛甲集》七卷，为辛丑（十八年）春诗。《西辕集》辛丑五月以后作。《尘馀集》壬寅、癸卯（康熙元、二年）两岁作。《拘幽集》甲辰（三年）秋诗。《上浮甲集》甲辰冬诗。凡分体诗四百一十二首，以《奉和龚总宪二月二日恭送大行皇帝梓宫移景山》五律四首、《恭和严给事哭大行皇帝》七律四首，为人所称。七古《长安驿亭后四古槐歌》、《飞龙宫行》颇有笔仗。《上浮集》四卷，为《乙集》（乙巳四年）编年诗二百一十八首，《丙集》（丙午五年）编年诗一百八十九首。以《广陵春游曲》十首、《焦山古鼎歌》、《西湖竹枝词》二十首、《湖墅竹枝词》四首为擅场。皆其弟士禛选定，不知丙午以后诗何以未刻。颇工填词，有《炊闻词》二卷。士禄及弟士禧、士祜、士禛皆工诗有集，惟士禧不第，士禛高位耆年，为一世所宗，主诗坛者五十年。士禄修洁不及士禛，而笔力劲健过之，若谓士禛大家，则士禄当为名家。然皆早达，回翔仕路，撄情好爵，刻画多而感叹少，去风人之旨有间矣。"袁行云《清人诗集叙录》卷八著录王士禄《十笏草堂诗选》九卷、《辛甲集》七卷、《上浮集》四卷（康熙间刻本）："士禄与士禛共读，自相师友，有句云：'一从时世矜高唱，谁识襄阳孟浩然。'生平所得不减二千馀篇。初有《表微堂诗存》二卷，《四库存目》著录时犹见之。继刻《十笏草堂诗选》九卷，为顺治十三年至十七年诗，汪琬序。《辛甲集》七卷，包括《辛丑春诗》、《西辕集》、《尘馀集》、《拘幽集》、《上浮甲集》五种，为顺治十八年至康熙三年诗，林嗣环、雷士俊、王岩、陈维崧、毛先舒、王士禛序。又刻康熙四、五年诗，曰《上浮集》，杜濬、孙枝蔚、宗元鼎、雷士俊、李长祥、邓汉仪序，自序。三集所刻，已逾千首，以后诗未见刻。王士禛尝汰存十之二三，刻为《考功集选》四卷。道光间王相信芳阁刊《国初十大家诗钞》有《十笏草堂诗》四卷，大抵无出已刻三种范围。其诗不为七子肤润及钟、谭纤仄之体，盖以萧淡简远为宗……士禄工词，有《炊闻歌》，多艳体。遍交名士，见于集中者尚有程周量、吴嘉纪、龚鼎孳、谈迁、姜埰、宋荦、顾苓等人。而以与士禛唱寄，称埙篪相应云。陈廷敬《午亭集》有《挽王西樵宋荔裳》诗，以士禄与宋琬前后官吏部下诏狱，用合传体，概括生平。"

八月

十五日，归庄（1613—1673）卒。赵经达《归玄恭先生年谱》："癸丑（康熙十二年），六十一岁。元日，有七律一首。仲秋，先生卒。葬金潼里太仆墓旁。（案）先生著书之可考者：《西汉地理志注》（有自序，书未成而失之），《自考录》（《昆新合志著述目》无卷数，佚），《悬弓集》三十卷（《苏州府志》，佚），《恒轩文集》十二卷（《归曾祁记》，佚），自订时文一百六十篇（有自序，佚），《恒轩诗集》十卷（《归曾祁记》，佚），《寻花日记》上下卷（顾氏小石山房刻本误作一卷），《归文考异驳》（驳钝翁也，《钝翁类稿》中止有《归诗考异》），《孔庙两庑位次考》（见《亭林文集》，佚），《哀江南赋补王注》（刻《昭代丛书》中），《尺牍》一卷（《归曾祁记》，佚），

《山游诗》（《苏州府志》，佚），《落花诗》（共十二首，佚其半），《看牡丹诗》（有自序，佚），《苏城东望》（《昆新合志》，佚），《看花杂咏》（小石山房刻本），《甲辰唱和集》三册（《与侯大年书》，佚），《病言》一册（《与侯彦舟书》，佚），《杂著》一卷，《随笔》二十四则（附《文续钞》后），《万古愁》（原名《击筑馀音》，颇有忌讳语，清世祖闻其名而求之，因删改进呈，世祖大加叹赏，命乐工奏以侑食。又满楼校刻本）。"《清史列传·文苑传》："归庄，字元恭，江苏昆山人。明诸生，太仆寺丞有光曾孙。负才使气，善骂人。少入复社，于书无所不窥。古文得有光家法。工诗，善行草。与顾炎武相友善，尝题其斋柱云：'入其室，空空如也；问其人，嚚嚚然曰。'时皆笑之，有'归奇顾怪'之目。福王时，仲兄昭，字尔德，参史可法幕，死扬州。叔兄继登，亦为长兴乱民所害。昆山破，嫂陆氏、张氏俱死焉。庄父亦寻卒。乱定，奉母隐居，寻兄骨归葬，遂不出。尝作《万古愁》曲子，瑰瓖恣肆，于古之圣贤君相无不诋诃，而独痛哭于桑海之际，为世所传诵，拟之《离骚》、《天问》。魏禧至吴门，庄访之，出所为文相攻谪。禧初以为狂，至是始心折焉。崇祯中，尝请于学使，改名祚明。自是之后，或称'归妹'，或称'归来乎'。表字或称元功，或称园公、悬弓。没后，其婿金侃辑其遗诗及文，名字一从其旧。炎武有赠庄诗云：'如君节行真古人，一门内外惟孤身。出营甘旨入奉母，崎岖州里良辛苦。'庄死，哭以诗云：'弱岁始同游，文章相砥砺。中年共墨衰，出入三江沩。悲深宗国墟，勇画澄清计。不获骋良图，斯人竟云逝。'其见重如此。著有《恒轩集》、《山居诗》。"赵允怀《归玄恭文钞序》："玄恭先生当新故乘除之际，家忧国恤，祸患迭膺，窜身刀途血路之中，削迹荒江老屋之下，托于遗民，诡为头陀，不死不生，亦狂亦狷。顾时时为文，而精神意气，乃毕露于文，亦几晦矣……其文不立间架，不事涂泽，浩浩落落，苍苍莽莽，或谓其与太仆家法绝异。余曰，此正所以为玄恭也……道光十七年丁酉春三月，常熟赵允怀序。"陈田《明诗纪事》辛签卷二七上选归庄诗一首《落花》。徐世昌编《晚晴簃诗汇》卷一五选归庄诗二首，《诗话》云："善行草书，工画竹。尝作《万古愁》曲子，自古圣君贤相无不诋诃，而独痛哭流涕于存亡兴废之际，辞极恣肆。后传入宫中，世祖甚赏之，以授乐工，命歌以侑食。遗民之歌哭，播于兴代之宫悬，全谢山得沈绛堂所记，以为一异事也。近人据旧抄本定为熊鱼山作。"邓之诚《清诗纪事初编》卷一著录归庄《归元恭文续钞》七卷、《归玄恭遗著》不分卷："顺治二年六月，县丞阎茂才摄县事，下令薙发，庄白众杀之，婴城固守，事败亡命，自谓首难之人，逃窜久之乃免。欲求全身济世之策，又云，投笔仗剑之志，无日无之（《上吴鹿友阁老书》）。与顾炎武最相善，称为同里同学，一心一向。炎武至淮上招纳豪杰，庄亦屡诣之。又训蒙万寿祺家，实觇北来消息。事不得当，乃教授以给衣食，犹援朱祜都讲自比。世言庄喜骂人。炎武与叶方恒搆难，庄为书责方恒，揭其奸谋。钱谦益身后家难作，不保妻子，谦益，庄之师也，为书责钱曾，使钱朝鼎不敢为恶。此所谓仗义执言，非寻常人所能为，不得谓之为骂……其文胎息深厚，不务纡徐有致，可谓善于学有光者。诗述家难，意酸辞苦。至于登临游览，神气飞腾，奇乃在骨。《万古愁》据魏禧所撰《恒轩寿言》，乃知为庄所作，禧能击鼓歌之，或庄亲授。今传世本，辞多变易。徐树丕《识小录》所载有遍数者，当是最先传本。"袁行云《清人诗集叙录》卷四著录归庄《归玄恭遗著》

不分卷（1923 年排印本）、《归庄手写诗稿》（1959 年影印本）："所著诗文集皆失传，道光间季锡畴始辑其文，诗仅四十八首。近代邑人复辑其遗著，包括文百七十七篇，诗二百二十七首，附《万古愁》曲，稍可传述矣。解放后，又发见手写诗稿，及《山游诗》，多《归玄恭遗著》所未收。合此两集，《伤家难作》、《避难》、《悲昆山》、《断发》、《读郑所南心史》诸篇，足以见志。与万寿祺、徐枋、陈瑚、顾炎武往还酬答，已可见交游。证诸钱谦益、阎尔梅等人集中赠题，生平境遇益明。旧日但称其《落花诗》十二首，究未深知也。"

九月

十二日，龚鼎孳（1615—1673）**卒**。据董迁《龚芝麓年谱》。严正矩《大宗伯龚端毅公传》："癸丑八月，疾益难支，痛切乞骸归，上念其情恳特允之……未及一月卒。"《清史列传·贰臣传》："龚鼎孳，江南合肥人。明崇祯七年进士，授兵科给事中……及流贼李自成陷京师，鼎孳从贼，受伪直指使职，巡视北城。本朝顺治元年五月，睿亲王多尔衮定京师，鼎孳迎降，授吏科右给事中，寻改礼科……十年，擢刑部右侍郎……明年二月，转户部左侍郎。五月，迁督察院左都御史……上以鼎孳自擢任左都御史，每于法司章奏，倡生议论，事涉满汉，意为轻重，敕令回奏。鼎孳具疏引罪，词复支饰，下部议应革职，诏改降八级调用……十七年，诏甄别京员，以鼎孳素行不孚众论，复降三级调用，罢署丞。康熙元年，谕部以侍郎补用。明年，起督察院左都御史……三年，迁刑部尚书……五年，转兵部，八年转礼部。九年，充会试正考官。十二年，再充会试正考官。八月，以疾致仕，九月，死。赐祭葬如例，谥端毅。"彭孙遹《金粟词话·清初长调作者》："长调之难于小调者，难于语气贯串，不冗不复，俳徊宛转，自然成文。今人作词，中小调独多，长调寥寥不概见，当由兴寄所成，非专诣耳。惟龚中丞芊绵温丽，无美不臻，直夺宋人之席。"沈德潜《国朝诗别裁集》卷一选龚鼎孳诗二十四首，小传云："合肥声望与钱、吴相近，又真能爱才，有以诗文见者，必欲使其名流布于时，又因其才品之高下而次第之。士之归往者遍宇内。时有合钱、吴为《三家诗选》，人无异辞。惟谶饮酬酢之篇多于登临凭吊，似应稍逊一筹。"徐世昌编《晚晴簃诗汇》卷二〇选龚鼎孳诗三十九首，《诗话》云："芝麓诗与牧斋、梅村鼎足并称，感慨兴亡，声情悲壮，有不可一世之概。姚薑坞谓其'军中转粟青天上，使者论功大夏西'，胜于梅村之'使者自征沧海粟，将军轺费水衡钱'。七绝多杰作，渔洋独举其'流水青山送六朝'为才人语，似未足尽之。"邓之诚《清诗纪事初编》卷五著录龚鼎孳《定山堂集》四十三卷、《诗馀》四卷："龚鼎孳，字孝升，号芝麓，合肥人。崇祯元年（？）进士，官兵科给事中，以敢言著。降清，起吏科，转礼科，逾年擢太常寺少卿，屡迁左都御史。与冯铨、刘正宗争门户，为所中，骤降十一级，补上林苑蕃育署署丞，再降三级调用。康熙元年，突以侍郎候补。明年，再起左都御史，官至礼部尚书。十二年卒，年五十九。事具《清史列传·贰臣传乙》。撰《定山堂集》四十三卷、《诗馀》四卷。先有《过江》、《尊拙》、《香严》诸集，身后吴兴祚为刻此集。其诗纯恃才气，以好客故，为士流所归。因有'江左三大家'之刻，以与钱谦益、吴伟业并重，实非匹敌。李清《三垣笔记》数称其反覆。顺治初为孙昌龄所劾，谓日惟饮酒醉歌，俳优角逐。前在江南，用千金置妓名顾眉生，恋恋难割，多为奇宝异珍，以悦其心，淫纵之状，哄笑长安。眉生即此集所谓善持君，一时名士称为善持夫人者。鼎孳为人，实无本末，惟好集令誉。时兵饷严集，赋敛繁兴，屡疏为江南请命，复请宽奏销案之被革除者。官刑部尚书，宛转为傅山、陶汝鼐、阎尔梅开脱，得免于死。艰难之际，善类或多赖其力。又颇振恤孤寒，钱谦益所谓长安三布衣，累得合肥几死；吴伟业谓倾囊橐以恤穷交，出气力以援知己。以是遂忘其不善而著其善，得享重名，亦由此矣。"袁行云《清人诗集叙录》卷五著录龚鼎孳《定山堂诗集》四十二卷（康熙十二年刻本）："龚鼎孳撰……乾隆时名列《贰臣传》，书自《四库全书》划除。古文、诗词俱工。今所见《定山堂文集》六卷，为近代裔孙重辑。《诗馀》为孙默原刻，《四库》收《十五家词》亦行撤出。《诗集》乃吴兴祚刻，分体，未标卷数，有钱谦益旧序，吴伟业、周亮工、尤侗、吴兴祚序，王铎等人题词。集中十九为甲申以后作……诗与钱、吴合称'江左三大家'，声名相近，才华差逊。鼎孳于明崇祯十六年以弹劾权贵下狱，降清后，大节已亏。然广纳寒士，结好遗民。阎尔梅陷狱，屡为开脱，倖免于死，又营救傅山等人。与万寿祺、杜濬、纪映钟、姜垛、方以智、邓汉仪、周容多有往还。性放达，朱野云赠诗有'田蚡骂座非关酒，江敩移床那算狂'，不以为迕。时人每以恋名妓顾眉而讥之，不知鼎孳扶助善类正多也。王揆为李可汧《花聚庵诗集》作序云：'合肥龚公方公宿望领大司寇，适有投匦者撏拾怨家扇头诗句为谤讪，时当穷论伪史后，文网峻密，将上其事，祸且不测。元仗（可汧字）抱牍而争曰：此诗出唐人某家集中，坐以指斥非是。狱遂解。合肥素号淹博，心折以为弗如。自是动必周咨，倚元仗如左右手。'是庄史狱后，尚为士子保全。开清初文学风气，士之归往者遍宇内焉。余怀有《褚河南枯树赋歌为孝升作》。"

十月

十九日，普荷（担当，1593—1673）卒。冯甦（再来）《担当禅师塔铭（有序）》："癸亥孟冬示微疾，十有九日辰起，端坐辞众，书偈曰：'天也破，地也破，认作担当便错过。舌头已断谁敢坐。'掷笔而去，身顶暖热。一日入龛。"担当，俗姓唐，名泰，字大来，法名普荷，晚又名通荷，号担当。幼工诗文，曾拜董其昌、陈继儒为师。明亡，受戒于无住禅师，法名普荷。著有《翛园集》七卷、《橛庵草》七卷以及《罔措斋联语》、《拈花颂百韵》等。今人有点校合刻本《担当诗文全集》，云南人民出版社、云南美术出版社 2003 年出版，附录担当有关传记与年谱等。李维桢《翛园集序》："余谓杨用修先生居滇，滇士尸而祝之。所与论诗，则张愈光为最，然先生于唐诗中自成一家，愈光亦不能越其范围。今滇无杨、张两君子为倡，子独能做开元、大历以前人语，清而不薄，婉而不伤，法古而不袭迹，卑今而不吊诡。后来之彦，如子诗典雅温淳，指不数偻也……大泌山人李维桢本宁撰。"陈继儒《翛园集序》："唐大来才名噪滇中，以明经入对大廷，游于吴楚。楚中本宁太史以及吾乡董宗伯玄宰，脍炙其文不释手。万里论交，遇合亦已奇矣。而大来顾独深沉于诗，赏读其《翛园集》，灵心道响，丽藻英词，调激而不叫号，思苦而不呻吟，大雅正始而不入于鬼诗、童谣、俚语、方言之俳陋。即长吉、玉川复生，能惊四筵，岂能惊大来之独坐乎……云间眉道人陈继儒撰。"董其昌《翛园集引》："滇中太学唐大来自辇下至，以其诗为贽。读其诗温淳典雅，不必赋《帝京》而有四杰之藻，不必赋前、后《出塞》而有少陵之法。予所求之六馆而不得者，此其人也……华亭董其昌玄宰撰。"冯甦《担当禅师塔铭（有序）》："师讳普荷，号担当，云南普宁州唐氏子。其先浙之严州人，明初徙滇。祖廷俊，举乡书第一，屡上春官不第，遂弃去，专研精古文辞。父讳世修，亦以孝廉，仕终临洮郡丞。母宜人郭氏，梦白鹤入怀，娠而生师，时万历癸巳三月十有二日也。生而颖悟，初名泰，字大来。读书善属文，年十三，补弟子员，尤工诗赋，才名噪海内。天启中，以明经入对大廷。遍游五岳，曾执贽于李本宁太史、董玄宰宗伯两先生之门……其见重于海内巨公如此。至会稽，参云门湛然禅师于显圣寺中，觑而相承，授以禅旨。时因母在，遂回滇。及母养告终，中原寇盗蜂起，知明祚将终尽，复修出世之志。从无住禅师受戒律，结茅鸡足山，息机养静，十年览藏，十年面壁。由博而约，由约而化。不上堂说法，无非法者。师素工书翰，得玄宰家法。画不取似，有笔外意。一时碑碣，及贵家屏障图册，咸借之以为重，求者麇至，师亦如意应之。晚居点苍山之感通寺门。宦游叶榆者，无不就寺谒师。师不避客，报谒如常礼，惟绝口不及世事。词色蔼然，无诗僧相，并无禅师相。以是人人乐从师游，恨相见晚也。所著有《翛园》、《橛庵草》、《罔措斋联》、《诗杂偈》，最后为《拈花颂百首》。"孙静庵《明遗民录》卷六《担当和尚》："明担当和尚，名普荷，云南晋宁州人。旧为唐氏子，名泰，号大来。年十三，补弟子员。天启中，以明经入对大廷。回滇后，值中原板荡，祖国沉沦，担当痛之，乃剃发，从无住禅师受戒律，结茅鸡足山。工诗善画，著有《橛庵草》。"

十一月

二十一日，吴三桂举兵反，自称天下都招讨兵马大元帅，国号周，以明年为周元年。巡抚朱国治不从被杀。云南提督张国柱、贵州提督李本深从叛。据《清圣祖实录》卷四四。

十七日，沈德潜（1673—1769）生。据《沈归愚诗文全集》附《沈归愚自订年谱》。沈德潜，字确士，号归愚，长洲（今江苏苏州）人。乾隆元年以廪生举博学鸿词，不遇，乾隆四年始成进士，年已六十七岁。历官翰林院编修、左中允、侍讲学士、詹事、内阁学士、礼部侍郎。以文学受知于乾隆帝，加礼部尚书衔，卒赠太子太师，谥文悫。少受诗法于叶燮，论诗主盛唐，倡"格调说"。曾选评《古诗源》十四卷、《唐诗别裁集》二十卷、《明诗别裁集》十二卷、《国朝诗别裁集》三十六卷，广行于世。著有《竹啸轩诗钞》十八卷、《归愚诗文钞》五十八卷、《说诗晬语》二卷等。《清史列传·大臣传》："沈德潜，江南长洲人。乾隆四年进士，改庶吉士。七年，授编修。八年，迁左中允。累迁侍读、左庶子、侍讲学士，充日讲起居注官。九年，充湖北乡试正考官，迁少詹。十年，晋詹事，充武会试副考官。十一年三月，授内阁学士……（乾隆）三十四年……九月，德潜病卒……赐祭葬如例，谥文悫。"

公元 1674 年（清康熙十三年　甲寅）

正月

胡文学、李邺嗣同编《甬上耆旧诗》四十卷成。据胡文学自序。

三月

十六日，耿精忠据福建反，江西、浙江大震，总督范承谟不从被幽禁。据《清圣祖实录》卷四六。

宋琬（1614—1674）卒。齐鲁书社 2003 年出版《宋琬全集·点校后记》："康熙九年北去京师，两年后起用为四川提刑按察使，康熙十三年三月赴京述职时卒，葬于莱阳古城。"朱彭寿《清代人物大事纪年》、江庆柏《清代人物生卒年表》皆谓宋琬卒于康熙十二年（1673）。今不从。《清史列传·文苑传》："宋琬，字玉叔，山东莱阳人。父应亨，明天启中进士，官直隶清丰县知县，有惠政，罢归。崇祯十六年，殉节莱阳，赠太仆寺卿。琬少负俊才，著声誉。顺治四年进士，授户部主事。七年，监督芜湖钞关，洁己恤商，税额仍溢。累迁吏部郎中。十年，授陕西陇西道。十一年，道出清丰县，民扶老携幼，遮邀至所建应亨祠下，追述往绩，相持泣恋。琬益自刻励，期不坠先绪。十八年，擢按察使。时登州于七为乱，琬同族子因宿憾，思陷琬，遂以与闻逆谋告变，立逮下狱，阖门缧系者三载。缘坐中有需外讯，下督抚治之，巡抚蒋国柱鞫得诬状，上闻，颇与部谳牴牾，命复质，得申雪。康熙三年冬，得旨免罪，放归。流寓江南，寄孥邗上，往来秦淮、钟阜，陟金焦，揽武林山水以自适。十年，有诏起用，复来京师。琬始官吏曹，与给事中严沆、部郎施闰章、丁澎辈相唱和，有'燕台七子'之目。既出任外台，猝瘁无妄，凡所遭丰瘁，一发之于诗。王士禛点定其《安雅堂集》为三十卷。十一年，授四川按察使。十二年，入觐，值吴三桂叛，成都陷，琬家属皆在蜀，闻变惊恸，遂以疾卒，年六十。所为诗零落略尽。越二十馀年，族孙邦宪仅缀辑为《拾遗》六卷。琬诗格合声谐，明靓温润，抚时触绪，类多凄清激宕之调，而境事既极，亦复不戾于和平。王士禛尝举施闰章相况，目为南施北宋云。"钱谦益《有学集》卷一七《宋玉叔安雅堂集序》："莱阳宋先之，与余为缟纻交。先之称其家世勋有二才子，玉叔尤雄骏。陵谷迁改，宋氏长老，取次凋谢，玉叔遂以文章气谊，羽仪当世。辛丑夏，余过武林，俯仰今昔，凄然有雍门之悲。已得尽读其诗文，而玉叔属予为其序……吴门叶向圣野，吾徒之知言者也。其序玉叔之诗曰：'天才俊朗，逸思雕华，风力既遒，丹彩弥润。陶写性灵，抒寄幽愤。声出宫商，情兼《雅》、《颂》，其诗人之雄乎？'圣野之颂玉叔，可谓信而有征矣。"吴伟业《吴梅村全集》卷五九《宋玉叔诗文集序》："玉叔天才儁上，接闻父兄典训，胚胎前光，甘嗜文学，自九青之存，骎骎乎欲连镳而竞爽。弱冠，南逾大江，薄游吴会，日寻英儒，酌酒倡和，长歌短赋，春容寂寥，他文皆庬蔚炳朗，濯濯其英，烨烨其光。盛年值际兴运，绾绶登朝，羽仪京国，不可谓不遭时也。而仍见龁跲，用诬浮系于理，凡浃月而获湔被；还官郎署，践跂计铨，仅循年出调外省。远迹穷边绝徼，人咸谓非所宜，而玉叔不然，当夫履幽忧，乘亭障，羁缧憔悴，浮沉迁次之感，一假诗文以发之。其才情隽丽，格合声谐，明艳如华，温润如璧，而抚时触事，类多凄清激宕之调，又如秋隼盘空，岭猿啼夜，境事既极，亦复不盩于和平，庶几乎备文质而兼稚怨者。"蒋超《安雅堂诗集序》："荔裳年弱冠，诗赋动海内。洎为进士，在郎署古文辞随手倾出，学者奉为虬珠拱璧。予时弩下骑款段马，随众出入馆舍，谑浪嬉戏，受其书不能成读。乙丑乞假归，先君从行箧中得之，慨然叹曰：今日诗宗乃在莱阳，汝辈真愧死矣。予时愧之，然犹不肯读书。距今十年，开帙缅咏，绀珠宝母，空青一色，其言备四气，协三灵，所为和平之音，猗那清庙之奏，撞华鱼锦，安行庠序，至其幽悲困蹙落寞之言，则又如戛夜琴，按霜刀，情词凄紧，溢水满山。其心思可以钓渊弋云，握微连昊，真词路之八门五花也。"彭启丰《安雅堂未刻稿序》："先生早岁登籍，中丁家难，晚遭逆变，燕、秦、越、蜀，游历殆遍。仕进龃龉，卒未得如其志，人争惜之。而吾谓此正不足惜，盖不及天下苦硬之境，不能道天下秀杰之句……当日所历山川险要，戎马倥偬，其所以增先生者不少，又乌足为先生病哉！先生名振海内者百年，所著诗多凄清激宕之音。"叶矫然《龙性堂诗话初集》："莱阳宋荔裳初年心仪王、李，时论以七子目之，信然。中年所作诸体，大非曩制，澹远清新，揆之古人，无所不合，真豪杰也。"王士禛《池北偶谈》卷一一《施宋》："康熙已来，诗人无出南施北宋之右，宣城施闰章愚山，莱阳宋琬荔裳也。昔人论古诗十九首以为惊心动魄，一字千金。施五言云：'秋风一夕起，庭树叶皆飞。孤宦百忧集，故人千里归。岳云寒不散，江雁去还稀。迟暮兼离别，愁君雪满衣。'此虽近体，岂愧十九首耶？己未在京师，登堂再拜，求予定其全集。宋浙江后诗，颇拟放翁，五古歌行，时闯杜、韩之奥。康熙壬子春在京师，求予定其诗笔为三十卷。其秋，与予先后入蜀。予归之明年，宋以臬使入觐。蜀乱，妻孥皆寄成都，宋郁郁殁于京邸。此集不知流落何地矣！"王士禛《渔洋诗话》卷上："余论当代诗人，目曰南施北宋。施谓愚山，宋谓荔裳。二君集皆经余删定。又尝取愚山五言近体诗为《主客图》一卷。今施集尚存其家，未能版行。宋集经蜀乱，失其本矣。"又同书卷下："康熙辛亥，宋荔裳（琬）、施愚山（闰章）皆集京师，与余兄弟倡和最久。明年壬子，荔裳补官蜀臬，余典蜀试，先后出都门。既而余以十月下峡，荔裳以明年春上峡，遂不相见。是岁荔裳入觐，殁于京师。后二十八年庚辰，余官刑部尚书，荔裳之子思勃来京师，以《入蜀集》相示，呕录而存之。集中古选歌行，气格深稳，余多补入《感旧集》。略其二三短章于此。《次黄州》云：'赋成赤壁人如梦，江到黄州夜有声。'《忆故乡海错绝句·银刀（一名八带鱼）》云：'银花烂缦委筠筐，锦带吴钩总擅场。千载专诸留侠骨，至今匕箸尚飞霜。'《笔管蛏》云：'雕虫小技旧知名，食邑由来号管城。曾与江郎书《恨赋》，莫将刀笔博公卿。'《题督邮争界石》云：'蜀国至今悲杜宇，楚人终是恋鸿沟。'可谓精切著题。"徐釚《本事诗后集》："荔裳先生负海内文章重名，遭逢坎壈，情词哀艳，曼声引满。如新筝乍调，客乱絮乱，不数齐梁《子夜》诸歌曲矣。"伍涵芬《说诗乐趣》："宋荔裳先生诗有雄悍之气，万夫莫当之勇，而又归于流利。"沈德潜《国朝诗别裁集》卷二选宋琬诗二十六首，小传云："观察天才俊上，跨越众人。中岁以非辜系狱，故时多悲愤激宕之音，而溯厥指归，仍不戾于中正。此诗中之变雅也。王新城称为南施北宋，惟愚山足以俪之，洵为定论。"杨际昌《国朝诗话》卷一："莱阳宋荔裳（琬）、宣城施愚山（闰章），渔洋所推南施北宋者也。施太夫人遭蒸梨之变，终身孺慕。莅外任，以循良称。膺鸿词科，入史馆，临殁犹草《冯恭定传》，其勤职如此。宋故家令子，当景运维新，擢登仕版。遭浮谤颂系，事旋雪，补官郎署。外调蜀臬，入觐殁于京师。渔洋以先后入蜀，不一见为恨，其人可知。曩四负老人为予言：'客江右时，与流寓吕逸田、释心壁论康熙诗人，曾举渔洋推施宋语，揣量未定。子以为如何？'予未及应，藏于心十年。今寻绎二先生集，施骨清，宋才俊。施古今体擅长尤在五言，宋古今体擅长尤在七言。施如良玉之温润而栗，宋如丰城宝剑，时露光气。要其陶冶唐、宋，自抒性情，成昭代雅音则一，分镳南北，殊非溢美。今老人不可作矣，予于二先生妄附末议。"《四库总目提要》卷七四著录宋琬传《永平府志》二十四卷，谓："琬与施闰章齐名，时号南施北宋。而此志不见所长，卷端题永平知府萧山张朝琮重修，其窜乱失真欤？"同书卷一八一又著录其《安雅堂诗》、《安雅堂拾遗诗》（皆无卷数）、《安雅堂拾遗文》二卷、附《二乡亭词》四卷，多引王士禛评语（见上引），后云："今三十卷之本，久已散佚，所谓《入蜀集》者，其后人亦无传本。此本题《安雅堂诗》者，不分卷数，有来集之、蒋超二序，皆题顺治庚子，盖犹少作。题《安雅堂拾遗诗》者，与其文集、词集皆乾隆丙辰其族孙邦宪所刻，掇拾残剩，非但珠砾并陈，亦恐真赝莫别，均不足见琬所长。其视闰章，盖有幸不幸矣。"今齐鲁书社 2003 年出版有整理本《宋琬全集》，收录宋琬著作七种二十卷（包括杂剧《祭皋陶》）。林昌彝《射鹰楼诗话》卷三："国初莱阳宋荔裳《安雅堂诗》，风骨浑雄，气韵深厚。其七言古尤为沉郁，直接少陵，为同时诸老之冠。《瓯北诗话》谓'荔裳全学晚唐，无深厚之力'，蜉蝣撼树，真瞽说也。光泽何金门茂才《论诗》云：'荔裳声调匹崆峒，真是泱泱大国风。不似晚唐家数小，雌黄休信赵云菘。'按金门以荔裳比李崆峒，尚非其匹。余谓荔裳与崆峒诗，有骨肉之分，上下床之别耳。"朱庭珍《筱园诗话》卷二："顺治中海内诗家称南施北宋，康熙中称南朱北王，谓南人则宣城施愚山、秀水朱竹垞，北人则新城王阮亭、莱阳宋荔裳也。继又南取海宁查初白，北取益都赵秋谷益之，号六大家，后人因有《六家诗选》之刻。宋荔裳诗歌老成，笔亦健举。七古法高、岑、王、李，整齐雅炼，时有警语，篇幅局阵最为完密。五律亦是高、岑、王、李一派。七律遂不脱七子面目，往往堕入空声，至其合作，固北地、信阳之俦也，所少者变化之妙耳。然而宗法既正，规格复整，固是节制之师，唐贤典型，于斯未坠。晚年入蜀，诗格一变，苍老雄肆，异于平时，可为《安雅堂集》之冠。选家多未采及，岂未见全诗耶？"徐世昌编《晚晴簃诗汇》卷二四选宋琬诗六十首，《诗话》云："康熙初，传刻《燕台七子诗》，荔裳与愚山称最，因有南施北宋之目，海内推之无异辞。愚山诗朴秀深厚，味之弥永。荔裳则融才情与《骚》怨，音节动人。托体不同，要皆原本性情，力追正《雅》，此其所以并为大家也。《安雅堂集》乃在浙时所编，渔洋所定全集已佚，未刻稿出于后人搜辑。附《入蜀集》一卷，乃晚作，雄健别开一境。渔洋所为直闯杜、韩者，于此见之。"邓之诚《清诗纪事初编》卷六著录宋琬《安雅堂集》七种十八卷："宋琬，字玉叔，莱阳人，顺治四年进士，官至四川按察使。卒于康熙十三年，年六十，事具《清史列传·文苑传》及王熙所撰《墓志》。其集《安雅堂诗集》无卷数，《文集》二种各二卷，康熙五年罢官寓吴中时所刻。《二乡亭词》则孙默松阁《国初名家诗馀》之一。《安雅堂书启》一卷、《祭皋陶乐府》一卷，皆自刻。《安雅堂未刻稿》（止于庚戌）十卷，刻于乾隆丙戌，凡为七种。琬之所著，或以此为最全矣。琬与玫为兄弟行，才名早著。故一官累踬，庚寅（顺治七年）、壬寅（康熙元年）两为人诬告，系狱困顿。十年再起蜀臬，三藩变作，遂以入觐卒于京师。一生遭遇，丰少屯多，故其诗多愁苦之音。世与愚山并称，然才气充沛，似过于施。文则仍明季之习，未见其足以加人也。"张舜徽《清人文集别录》卷一著录宋琬《安雅堂文集》二卷、《未刻稿》八卷："莱阳宋琬撰。琬字玉叔，号荔裳，顺治四年进士，官至四川按察使。康熙十二年卒，年六十。始琬在京师，与严沆、施闰章、丁澎辈相唱和，有'燕台七子'之目。而王士禛《池北偶谈》尝取琬与施闰章并论，谓康熙以来诗人，无出南施北宋之右。盖琬雅工吟咏，有大名于清初，故论者常举闰章相况，至于学问识议，则琬固不逮闰章也。集中文字，以序诗之篇较多而较精，其次题跋、书启，亦不鲜隽逸之作。文集有初刻、重刻二本，而文之多寡不同。如初刻文集卷二《题曹古百牛图》，巧于状物，万象毕显。杂记之文，斯称上乘矣。未刻稿卷七《寄吴梅村先生书》、《约王仲昭张邺仙看花书》、与李镜月、孙无言诸札，雅饬而有情韵，上者已近晋宋人风致，皆佳构也。琬虽文士，而所为散文，不病萎弱。杜濬序是集，称其文雄骏而精切，包举气势，按之有故，而出之有本，非溢美也。初刻文集凡五十五篇，前有康熙五年丙午金之俊、尤侗、赵昕、黄与坚、杜濬、宋实颖、程康庄七序。重刻文集凡五十篇，前有康熙三十八年己卯王熙周、金然、张重启、严虞惇四序。未刻稿乃其孙仁若所刊，前有乾隆三十一年丙戌彭启丰序，凡诗五卷、文三卷。《四库存目》但著录《安雅堂诗》及拾遗诗、拾遗文，而无文集之目。《提要》谓掇拾残剩，非但珠砾并陈，亦恐真赝莫别，其视闰章，有幸有不幸。盖其生平述造，散佚多矣。"袁行云《清人诗集叙录》卷四著录宋琬《安雅堂诗集》不分卷（康熙五年刻本）、《未刻稿》五卷、《入蜀集》二卷（乾隆三十一年刻本），谓宋琬"康熙三十三年卒于北京，年八十一"，未知何据。又云："琬诗才情隽丽，早为'燕台七子'之一。与施闰章齐名，王士禛推为南施北宋。撰《安雅堂集》，全集已佚。今所见康熙五年吴中刻本，包括诗文集、《二乡亭词》、《祭皋陶乐府》。《诗集》无卷数，来集之、蒋超序，仅存五七古四十一首，五七律一百八十首，五七排十三首，绝句五十首。王士禛点定三十卷本，《入蜀》后已佚。乾隆见其族宋仁若刊《未刻稿分体诗》五卷及《入蜀集》二卷，于前刻未尽，稍补其阙。而清初诸选集，尚存残篇，卢见曾《山左诗钞》引钱谦益、吴伟业、王士禛、赵进美序，亦此集所未登。《四库存目》著录本附《拾遗》诗皆无卷数，因谓《拾遗》乃'掇拾残剩，非但珠砾并陈，亦恐真赝莫别'，盖未见后刻诗。至后刻有无赝作，亦不敢定。集中如《白鸟行》、《钓台图歌赠马兰台山人》、《题萧尺木画杜子美诗册》、《宿五峰山》、《冯唐墓》、《铜雀台》、《刘越石闻鸡处》、《华岳》诸篇，沉郁顿挫，气格沉稳。绝句《马嵬》、《舟中见猎犬有感》、《刀鱼》，皆当日脍炙，后世传诵。琬于顺治间为诬告，缧狱三年。《庚寅狱中感怀》、《张举之再直西省伤余在系之久赋诗感怀》、《病榆行》、《咏诗八首》、《纪愁诗》、《诏狱行》，多凄凉激宕之音。李天馥《容斋集》载《送宋荔裳按察四川》诗有云：'多君客邸偏好客，自谱新词骇鬼伯。'自注：'在狱谱剧，脍炙人口。'当指作《祭皋陶乐府》。五古《送宋牧仲之黄州》、《寄怀施愚山》、《赠方尔止》、《栈道平歌为贾胶侯汉复尚书作》、《题吴渔山仿吴仲圭画》，七古《送孙无言归黄山歌》、《罗篁庵先生生日歌》、《赠郑汝器歌》、《长歌赠陈其年》、《东园歌为王烟客作》、《放歌行赠吴锦雯》，风力遒尚，逸思雕华，自不当以寻常酬题而视之。与姜垓结儿女姻。《长歌寄怀姜如须》叙家国沧桑，两家遭变故，可与姜垓赠诗相互参观。又有《挂剑台》、《竹罂草堂歌》、《古银槎行》、《泊舟夷陵作》、《南津关》、《黄茅滩》、《捕鱼行》、《新滩行》、《天生桥歌》，其中入蜀之诗，尤令人心摇目眩。清初山左多名家，商盘论诗云：'纵横齐粤各争雄，分道扬镳士论公。毕竟新城作盟主，岭南原不及山东。'可谓笃论。查慎行有七古《中山尼为宋荔裳女而作》，见《敬业堂诗集》卷三。"杜陵睿水生《并语》评宋琬《祭皋陶》杂剧云："大约以辛辣之才，搆义激之调，呼天击地，涕泗横流，而火焰万丈，未尝少减。作者其有忧患乎，其有忧而无患乎？夫无孟博之忧患，决不能形容孟博之真气，使千载之上，宛在目前至于如此也，亦足见杂剧之功伟矣。"

七月

二十八日，张履祥（1611—1674）卒。苏惇元《张杨园年谱》："康熙十三年甲寅，先生六十四岁……秋七月庚寅，终于正寝，庚寅二十八日也……二十八日时加戌，命具衣冠，居正寝，恬然而逝。"朱彭寿《清代人物大事纪年》："康熙十三年甲寅（公元1674年），卒岁：张履祥，字考夫，号念慈。浙江桐乡人。桐乡县故诸生。五月二十八日卒，年六十四。从祀文庙（从祀在同治十年十二月），入《国史·文苑传》。"卒月有差。《清史列传·儒林传》："张履祥，字考夫，浙江桐乡人。九岁丧父，哀毁如成人。家贫，母沈教之，曰：'孔、孟亦两家无父儿也，只因有志，便做到圣贤。'及长，与同里颜统、钱寅，海盐吴蕃昌辈以文行相砥。时东南社事方兴，各立门户，统与履祥戒勿往。年三十二，见漳浦黄道周于杭州，道周以近名为戒，履祥谨志之。年三十四，受业刘宗周之门。归而自谓有得。年三十九，友人规之曰：'欲诚其意，先致其知。'因觉《人谱》独体犹染阳明，遂一意程朱之学……其学大要以仁为本，以修己为务，而以中庸为归，穷理居敬，宗法考亭，知行并进，内外夹持，无一念非学问，无一事非学问……晚为汝霖评王氏《传习录》，以为读其书使长傲文过，轻自大而无得……他著有《愿学记》、《读易笔记》、《读史偶记》、《言行见闻录》、《经正录》、《初学备忘》、《近鉴》、《近古录》、《训子语》、《补农书》、《丧葬杂说》、《训门人语》及《诗文集》，凡五十四卷。履祥少有大志。明亡，乃避世，畏声利若浼。以训蒙自给，交友尽规，而不喜讲学。来学之士，一以友道处之……康熙三十年，卒，年六十四。同治十年，礼部奏请从祀文庙，在东庑先儒孙奇逢之次，奉旨依议。"《四库总目提要》卷一〇二著录《沈氏农书》一卷。同书卷一三四又著录其《杨园全书》三十四卷、《张考夫遗书》五卷，俱入"子部杂家类存目"。徐世昌编《晚晴簃诗汇》卷一一选张履祥诗十一首，《诗话》云："杨园践履笃实，所学务在躬行。尝言：'凡人只有养德、养身二事。教学则开卷有益，可以养德，通功易事，可以养身。'又谓：'治生以稼穑为先。'刊补涟川沈氏《农书》，于《初学备忘》、《训子语》中，谆谆以耕、读二字教后人。晚年写《寒风佇立图》以见志。自题云：'行己欲清，恒人于浊；求道欲勇，恒病于怯。'噫！君之初志岂不亦曰古之人。古之人老斯至矣，其仿佛乎何代之民？著述甚多，殁后百数十年，乃大传于世。存诗一卷，音旨和雅，亦见寓托。"邓之诚《清诗纪事初编》卷二著录张履祥《杨园先生全集》五十四卷："张履祥，字考夫，号念芝，桐溪人。世居县之清风乡炉镇杨园村，故学者称杨园先生……不喜阳明之学，谓'吝、骄'二字，足以概《传习录》。黄宗羲撰《明儒学案》，多奉王说。吕留良愤而与争，因迎履祥至家，刊行《朱子遗书语类》，以抗宗羲。一时学者，颇右张、吕。暨留良身后获罪，不至波及履祥，犹有公论。卒于康熙十三年，年六十四，事具《清史列传·儒林传上》。撰《杨园先生全集》五十四卷，凡《骚诗》一卷、《文集》二十二卷、《补遗》一卷、《愿学集》三卷、《读易笔记》一卷、《读史读史记读诸文集偶记读许鲁斋心法偶记读厚语偶记》一卷、《言行见闻录》四卷、《经正录》一卷、《初学备忘》二卷、《备忘录》四卷、《近古录》四卷、《训子语》三卷、《补农书》二卷、《丧葬杂录》一卷、《训门人语》三卷。"张舜徽《清人文集别录》卷一著录张履祥《杨园先生文集》五十四卷（同治十年江苏书局刊本）："桐乡张履祥撰……明末诸生，潜心义理之学，少嗜姚江，中师蕺山，晚乃一归于洛闽。以为三代以上，折衷于孔孟；三代以下，折衷于程朱。践履笃实，不欲以空言著书。在清初诸儒中，最为醇朴正大。至于处境艰困，志行卓绝，暗然自修，持论通达，又非自来言理者所能逮也……是集前二十四卷为诗、骚、书启、序记、论辩、题跋、传志、杂文，后三十卷则有《愿学集》、《读书笔记》、《言行见闻录》、《经正录》、《初学备忘》、《近鉴》、《备忘录》、《近古录》、《训子语》、《补农书》、《丧葬杂录》、《训门人语》诸种。大抵致详于庸言庸行之际，不越乎日用伦常之外。不尚高奇，一归平实。论者多取履祥与陆陇其并称，目为洛闽正传。余则以为力辟王学，固两家所同，至于履道坚贞，不惑于物，则陇其固非履祥比也。"袁行云《清人诗集叙录》卷三著录张履祥《杨园先生诗》一卷《同治十年江苏书局刻本》："此同治十年江苏书局重刻本，存诗一卷。《观物偶占》三十九首发抉其哲理要义。《答友人见规》四首，一以议论为诗。《感遇》、《酬友人》、《有感偶成》，具见性情。履祥为人，好学、力行、知耻。发为诗歌，味淡而理腴。《和程巽隐先生惜日短诗》四首，尤为警永。间有讽世、悯农之什，语亦真切。《四库》子部《存目》著录《杨园全书》三十四卷，为雷铉所梓，无诗。"

是年

王士禛编《感旧集》八卷成，自为序。据王士禛《渔洋山人自撰年谱》卷上。其自序有云："自考功云亡，倏及半载，恒欲编缀遗文，以报地下……辄取箧衍所藏平生师友之作，为之论次，都为一集。自虞山而下，凡若干人，诗若干首。又取向撰录《神韵集》一编，芟其什七附焉，通为八卷，存殁悉载。"

袁于令（1592—1674）卒。袁于令《南音三籁序》后署"康熙戊申仲春书于白门园寓，七十七龄老人箨庵袁于令识"，康熙戊申为康熙七年（1668），逆推七十七年，袁于令生年当为明万历二十年（1592）。又董含《三冈识略》卷七（甲寅至戊午）有《口舌报》一则，言袁于令自嚼其舌而死事，在《弑逆》一则之前（文前明记"乙卯"

二字），可知袁于令当卒于甲寅年。陆萼庭《清代戏曲家丛考·谈袁于令》订其卒年为1672 年。章培恒《洪昇年谱》第 98 页谓袁于令卒于 1669 年。庄一拂《明清散曲作家汇考》括注袁晋生卒年为"1599—1674"。江庆柏《清代人物生卒年表》据《吴门袁氏家谱》卷六括注袁于令生卒为"1592—1674"。袁于令，原名韫玉，一名晋，字于令，后以字行；又字令昭、凫公，号箨庵、白宾，又号幔亭仙史、幔亭峰歌者、吉衣道人、吉衣主人等，江南吴县（今属江苏）人。明末诸生，顺治二年，以迎清师草降表，仕于清，历官荆州知府。善诗文，尤工戏曲，亦创作小说。著有《及音室稿》、《留研斋稿》，小说《隋史遗文》六十回，传奇《剑啸阁八种》，包括《西楼记》、《金锁记》、《玉符记》、《珍珠记》、《骕骦裘》、《长生乐》、《瑞玉记》、《红梅记》，以《西楼记》为代表作；另有杂剧《双莺传》、《北曲语》等。乾隆《江陵县志》卷一七："（袁于令）长洲人，贡生，荆州府知府。"乾隆《梅里志》卷一八："袁韫玉作《西楼记》，夜持百金就正于冯犹龙，冯曰：'尚少一齣，今已为增入矣。'乃《错梦》也。"民国《吴县志》卷七九："袁箨庵于令居因果巷，以妓女穆素徽一事褫革衣衿。顺治乙酉，苏郡绅士投诚者，浼袁作表赉呈，以京官议叙荆州太守，数年不调，惟纵情诗酒，不理公事。监司谓之曰：'闻公署中有三声：弈声、唱曲声、骰子声。'袁答曰：'闻明公署中，亦有三声：天平声、算盘声、板子声。'监司大怒，揭参云：'大有晋人风度，绝无汉官威仪。'由是落职。其著《西楼记》传奇，讥吴江沈同和、赵铭凤也。因素徽从同和之撮合，故衔之。西楼在四通桥，穆妓旧居也。沈亦作《望湖亭》传奇，嘲袁麻子。今《金锁记》、《长生乐》、《玉麟符》、《瑞玉》等传奇，皆袁所作。沈系万历丙辰会元，赵系六名会魁。初赵与沈会试同号，沈求观书义，窃录之，赵遂别构。榜发，物议沸然，有诏复试。沈遭戍，赵得末减。苏人语曰：'丙辰会录，断幺绝六。'赵有才，风檐之下，元魁出一人手，亦奇矣。"民国《吴县志》卷七八："袁箨庵于令，作《瑞玉》传奇，描写逆珰忠贤私人毛一鹭及织局太监李实构陷周忠介事甚悉，词曲工妙。甫脱稿，即授伶人，郡绅士约期邀袁，集公所观演唱。是日，群公毕集，而袁尚未至。伶请曰：'剧中李实登场，尚少一引子，乞足之。'于是各拟一调，俄而袁至，告以故，袁笑曰：'几忘之。'即索笔书《卜算子》云：'局势趋东厂，人面翻新样，织造平添一段忙，待织就，弥天网。'群公叹服，各毁其作。一鹭闻之，持厚币致袁祈请，袁乃易一鹭曰'春锄'。"乾隆《苏州府志》卷七六著录袁于令《音室稿》、《留砚斋稿》。民国《吴县志》卷七九著录袁于令《北曲谱》。陈继儒《题西楼记》："天上无云霞，则人间无才子；天上无雷霆，则人间无侠客。余尝持此仰世，世鲜足当者。晚得袁白宾，不愧斯语。袁氏家世多循吏文范，白宾继之公车，言极灵极快，其游戏而为乐府，极幻极怪，极艳极香。近出《西楼记》，凡上衮名流，冶儿游女，以至京都戚里，旗亭邮驿之间，往往抄写传诵，演唱多遍。想望西楼中美少年，何许风流眉目，而不知出于金闾白宾氏。笔力可以扛九鼎，才情可以荫映数百人。特其身心热血，尚留此心，忠孝男儿耳。"

季振宜（1630—1674）卒。据钱仲联主编《中国文学家大辞典·清代卷》。《清史稿·季开生传》："弟振宜，字诜兮。顺治四年进士，授浙江兰溪知县。行取刑部主事，迁户部员外郎、郎中。十五年，考选浙江道御史……寻命巡视河东盐政。乞归，卒。"

钱谦益《有学集》卷一七《季沧苇诗序》："甲午中秋，余过兰江，沧苇明府访余舟次，谈余所辑《列朝诗集》，部居州次，累累如贯珠。人有小传，趣举其词，若数一二。余恤然心异之，砚祥告我曰：'沧苇购得此集，缃阅再三，手自采缬，成大掌簿十帙，虽书生攻《兔园册》，专勤无如也。视事少间，发愤读书，丹铅金矢，案牍交互。午夜伊吾，与铜签声相应。其为诗，刿心鉥肾，茹古吐今，必欲追配作者。愿就正于夫子，而未敢轻出也。'余问诸沧苇，弗应。从砚祥再索得之，信沧苇之雄于诗也……沧苇之诗，意匠深，发脉厚，才情飙迅，意思霞举，策骥足于修途，可以无所不骋，而迁辔弭节，退而欲自负于古人。世之无真诗也久矣，以沧苇之才，好学深思，精求古人之血脉，以追溯《国风》、《小雅》之指要，诗道之中兴也，吾有望焉。"邓汉仪《诗观初集》："丙午秋，与宋荔裳把晤于福缘僧舍。荔裳极口沧苇诗不置……其诗专务创辟，而又无处不法古人。真令我叹赏不置，知荔裳之言不我欺也。"沈德潜《国朝诗别裁集》卷二选季振宜《潼关有感》诗一首。王豫《江苏诗征》："侍御巡按山西盐课，弹章数十上，以风节著。所藏宋板书及影宋抄本书甲于海内。"徐世昌编《晚晴簃诗汇》卷二四选季振宜诗四首，《诗话》云："沧苇与兄天中先后官谏垣，同以风节著，诗才亦相伯仲。其《梦兄》五言长篇，语语真挚，皆至性所流出。沧苇风流好事，藏书之富，甲于海内。虞山毛氏汲古阁宋板精钞，悉归延陵，乃未久转入徐氏传是楼。聚散云烟，古今同慨。"邓之诚《清诗纪事初编》卷四著录其兄季开生《憨臣诗稿》二卷，有云："泰兴季氏自寓庸始兴，寓庸字因是，以天启二年进士官吏部主事。其子开生、振宜先后登第官科道。归庄谓四衙门贵要，季氏有其三。寓庸名在逆案，致资无虑钜万。其时言富者，恒数北亢南季。亢，晋人米商，季则行盐，尝斥十万金卖书画古籍。振宜字沧苇，多买宋板书，至今为人称道。然归庄讥其骄，王时敏家书言其刻。"王绍曾主编《清史稿艺文志拾遗》著录钱谦益、季振宜同编《唐诗》七百一十六卷稿本。此书为以后曹寅编《全唐诗》所本。另著有《季沧苇藏书目》一卷、《听雨楼集》二卷、《静思堂稿》二卷。

公元 1675 年（清康熙十四年　乙卯）

是年春

　　查继佐《罪惟录》成书。沈起《查东山先生年谱》："乙丑，先生七十五岁。春，《罪惟录》成。《拜经楼藏书题跋记》：'万季野先生所撰《明史稿》五百卷，周公霭大令云："此即查东山之《罪惟录》，故有朱康流、张待轩及海昌俞子久事。"'然余未见《罪惟录》，不敢悬断，识之以俟知者。"

四月

　　二十一日，孙奇逢（1585—1675）卒。《清代碑传全集》卷一二七魏象枢《征君孙钟元先生墓表》："康熙十有四年四月二十一日，征君前明举人孙钟元先生卒。其年冬十月，葬于辉县夏峰之东原，又八年，蔚州魏象枢表其墓曰：先生讳奇逢，字启泰，钟元其号，保定之容城人。"《清史列传·儒林传》："孙奇逢，字启泰，直隶容城人。

少倜傥，好奇节，而内行笃修。负经世之学，欲以功业自著……年十七，举明万历二十八年乡试。与定兴鹿善继讲学，一室默对，以圣贤相期许……国朝顺治二年，祭酒薛所蕴具疏让官，以元许衡、吴澄相拟，有旨征为国子监祭酒，奇逢以病辞。三年，移居新安县。七年，南徙辉县之苏门。九年，工部郎中马光裕奉以夏峰田庐，乃辟兼山堂，读《易》其中，率子弟躬耕自给，四方来学愿留者亦授田使耕，所居遂成聚。居夏峰二十五年，屡征不起。奇逢之学，原本象山、阳明，而兼采程、朱之旨，以弥阙失。其论学，以慎独为宗，以体认天理为要，以日用伦常为实际，而其大本主于穷则励行，出则经世。其治身务自刻励，而于人无町畦……著《读易大旨》四卷……著《四书近旨》二十卷……别为《诸儒考》附之，著《理学宗传》二十四卷。他著有《尚书近指》、《圣学录》、《两大案录》、《甲申大难录》、《乙丙纪事》、《孙文正年谱》、《岁寒居文集》、《答问》、《日谱》、《畿辅人物考》、《中州人物考》、《孝友堂家乘》、《四礼酌》等书，凡百馀卷。奇逢之学，盛于北方，与李颙、黄宗羲鼎足。年逾耆耋，讲道不倦。尝自言六十以后，工夫每十年而较密……康熙十四年，卒，年九十二。河南北学者祀之百泉书院，容城与刘因、杨继盛同祠，保定与孙承宗、鹿善继并祠。道光八年，奉上谕：'孙奇逢学术中正醇笃，力行孝弟。其讲学著书，以慎独存诚，阐明道德，实足扶持名教，不愧先儒。著从祀文庙西庑，以崇儒术而阐幽光。'"《四库总目提要》卷六著录孙奇逢《读易大旨》五卷，同书卷一四又著录其《尚书近指》六卷，同书卷三六又著录其《四书近指》二十卷，同书卷五八又著录其《中州人物考》八卷，同书卷九七又著录其《理学传心纂要》八卷、《岁寒居答问》二卷、《附录》一卷。徐世昌编《晚晴簃诗汇》卷一一选孙奇逢诗七首，《诗话》云："夏峰，理学大儒，不以诗名。当明之亡，年已六十有一。旧有《岁寒集》三十卷，诗文在焉，皆鼎革前作。后三十年编为续集，其前集触时讳语已颇删去。今所存诗二卷，皆随事寓怀，有闲澹自适之趣。"邓之诚《清诗纪事初编》卷二著录孙奇逢《夏峰先生集》十六卷："所撰诗文，六十以前，有《岁寒堂集》三十卷，六十以后，有《岁寒堂续集》若干卷，有文无诗。康熙三十八年，其孙淦取十之二三，刻为《夏峰先生集》十四卷。道光中，钱仪吉重刻为十六卷，移语录于编首，别辑补遗二卷，而删去文之涉于禁忌者。奇逢诗文，不事藻缋，而胎息深厚，情意真挚，似南宋人所作。《题饿夫墓》诗文，至今读之，犹令人鼓舞。《乙丙纪事》，述周旋左魏事甚悉。其《高阳述闻》、《守容纪略》、《扫盟馀话》，有关旧闻，俱未见，必为仪吉所删，可惜也。"张舜徽《清人文集别录》卷一著录孙奇逢《夏峰集》十六卷（道光廿五年大梁书院重刊本）："居京师与左光斗、魏大中、周顺昌以气节相尚。当魏阉乱政，东林党狱起，左、魏、周三人先后被逮。奇逢百计营救，不得，卒经纪其丧，以各归于其乡，而义声震一时……是集卷一、卷二为语录，卷三为记、论、说、辨、议，卷四、卷五为序、跋，卷六、卷七为书，卷八至十为传、志、行述，卷十一为杂著，卷十二为赞、铭、杂文，卷十三、四为诗，末二卷为补遗。其论学精粹之语，皆入语录矣。"袁行云《清人诗集叙录》卷一著录孙奇逢《夏峰集》诗二卷（道光二十五年大梁书院重刻本）："晚作闲适抒情，《述怀诗》有云'日用优游老遗民'颓然降格矣。又时以哲理及琐事入诗，措词矜慎。清初大儒，固不以诗鸣世也。顾炎武有《赠孙征君奇逢》诗，见《亭林诗集》。"中华书局 2004

311

年出版《夏峰先生集》整理本，十四卷。

五月

洪昇《啸月楼集》编成，黄机为之序。洪昇《啸月楼集》卷首载黄机序云："余孙婿洪昉思，少负英绝之材，性耽吟咏，于古近体靡不精究，悲凉慷慨之中，有冠冕堂皇之气，决非久于贫贱者。自此海宇清晏，歌咏功德，非昉思孰任之？独念余备位有年而才质薄劣，无以赞颂皇猷，退又无名山之藏。讽览斯编，不绝兴感，勉旃昉思，其无负学诗之训矣夫。时康熙乙卯端阳后五日题于怀古堂。"

七月

黄宗羲《明文案》编撰完成。黄宗羲《明文案序上》："某自戊申以来，即为明文之选。乙卯七月，《文案》成。"

是年秋

洪昇在京师因李天馥之介，从王士禛受业。王士禛《香祖笔记》卷九："昇，予门人，以诗有名京师。"章培恒《洪昇年谱》于是年有注云："昉思既以天馥之介而识士禛，后遂从之受业。又，王士禛《渔洋山人续集》卷一〇丁巳稿《送洪昉思由大梁之武康》：'我衰于世百无用……汝何爱此频来过。'足征过从之密。且士禛此诗，纯为尊长口吻；士禛于康熙十六年作此诗时，昉思当已从之受业。则昉思之执贽士禛，要在此一二年间。"

十月

二十日，陈瑚（1613—1675）卒。朱彭寿《清代人物大事纪年》："康熙十四年乙卯（公元1675年），卒岁：陈瑚，江苏太仓州故举人。十月二十日卒，年六十三。入《国史·文苑传》。"陈瑚，字言夏，号确庵，学者私谥安道先生。《清史列传·儒林传》："陈瑚，字言夏，亦太仓州人。明崇祯十六年举人。世仪作《格致篇》，首提'敬天'二字。瑚由此用力，遂得要领……著《圣学入门》，书分《小学》为六：《入孝》、《出悌》、《谨行》、《信言》、《亲爱》、《学文》；《大学》为六：《格致》、《诚意》、《正心》、《修身》、《齐家》、《治国》。谓《小学》先行后知，《大学》先知后行。《小学》之终，即《大学》之始。瑚之学博大精深，尤讲求经济大略。暇则横槊舞剑，弯弓注矢，其击刺妙天下……明亡，绝意仕进。奉父寓昆山之蔚村，田沮洳……康熙八年，诏举隐逸，知州白登明将以其名上，瑚力辞乃已。游其门者，多俊伟英略之士。十四年，卒，年六十三。卒后，村人立祠祀之。巡抚汤斌即其居为安道书院。他著有《求道录》、《淮云问答》、《筑围说》、《治病说》、《救荒定议》等书。其孙搜辑汇编，为五十八卷。"王绍曾主编《清史稿艺文志拾遗》著录陈瑚《确庵文稿》四十卷（清初毛氏汲古阁刻本）、《确庵文稿》十一卷（康熙至雍正陈溥抄本）、《确庵先生文钞》六卷、《诗钞》八卷（《陆陈两先生诗文钞》本）、《顽潭诗话》二卷、《补遗》一卷、

《附录》一卷（《峭帆楼丛书》本）。钱谦益《牧斋有学集》卷二〇《陈确庵集序》："嘉、隆之年，吴中文章家以声华浮艳为能事，昆山归熙甫守其朴学，言称古昔，与其韦布弟子，端拜雍诵，倡道于荒江寂寞之滨，于是吴中有归氏之学。逮及百年，而确庵陈子挺生于百里之内，磨砻名行，镞砺经术，学者确然奉为大师。人皆曰：'确庵子，今之熙甫也。'确庵子顾不自以为足，捧其所为诗文，过而问于蒙叟……确庵子居今之世，抱遗经以道古昔，志勤言征，其道大备。后百馀年，人将以娄江一水为疏属之南、汾水之曲，然后知余言之不徒也。"陈田《明诗纪事》辛签卷一三选陈瑚诗九首，按语云："娄东诗派，桴亭诗以浑灏胜，确庵诗以沉雄胜，工力悉敌。"徐世昌编《晚晴簃诗汇》卷一三选陈瑚诗二十首，《诗话》云："确庵少承家学，通五经。凡天文、河渠、兵农、礼乐以及壬奇诸书，无不贯串。避乱，躬耕养父。村田沮洳，道乡人筑垒蓄水，岁获丰穰。又与陈说孝弟之义及为善三约，远近向风游其门者，多俊伟英略之士，论者比之河汾。诗与桴亭相近，桴亭以浑灏胜，确庵以沉雄胜，在明季遗民诗中，皆当推为巨擘。确庵又尝辑当时隐君子诗为《离忧集》，集及门之诗为《从游集》，亦足见其挖扬风雅之盛心也。"邓之诚《清诗纪事初编》卷一著录陈瑚《确庵诗钞》八卷、《文钞》六卷："瑚之学博大精深，尤讲求经济大略，以天下为己任，惜非其时。间出绪馀，如救荒治水，小试无不效……兼工诗文，毛子晋尝刻《确庵诗文集》，今不易得。同治中叶裕仁合辑为《确庵诗钞》八卷、《文钞》六卷，诗有去取，文仅七十九篇，所谓安道书院本，非其全也。诗辞酸意苦，寄托深远。其文廉悍，尤善纪事。"袁行云《清人诗集叙录》卷四著录陈瑚《确庵先生诗钞》八卷（光绪二年安道书院刻本）："自明崇祯十年，与同里陆世仪为迁善改过之会，以天下多故，讲求经济之学。明亡，绝意仕进，隐居昆山……著作甚富，均收入《确庵先生全书》。《诗文钞》十四卷，有毛晋汲古阁本。此集为叶裕仁所刻《陈陆二先生集》本，附瑚自辑《顽潭诗话》二卷、《从游集》二卷。各卷诗以《顽潭》、《隐湖》、《玉山》、《娄江》、《邓尉》、《淮南》、《楚江》、《蚁桥》、《破山》、《苕溪》、《山楼》、《西郊》、《后蚁桥》、《东野》、《紫阳》、《双凤》名集。瑚于顺治三年避地任阳，自号无闷道人，作《无闷谣》。六年，讲《易》，作《斯有堂诗百韵》，又讲经作《鲁国图诗》，仿谢皋羽意。瞿式耜就义，有《挽辞》并序哀之……瑚与王时敏交善，时敏子掞、抃、撰均出其门。又与汲古阁主人毛晋相笃，晋死，有《和陶挽辞三首》并序吊之，晋子宸、衮、表，俱从受业。寄赠归庄、李沂、冒襄、杜濬，亦遗民隐逸……此本附录缪荃孙辑，颇切实用，正集则往往有目无诗，未能称善也。"

是年

　　清廷开生员捐纳之例。 邹弢《三借庐笔谈》卷一一："康熙十四年乙卯，先有廪、增、附，准其一体捐纳作贡生之令，十六年复有援例纳生员之例。"

　　在京师，田雯、宋荦、曹贞吉等十子唱和。 田雯自撰《蒙斋年谱》："乙卯，四十一岁。从王公士禛、施公闰章论诗，每从末座，时接微言。苟有会心，强名悬解。风格屡经变化，体裁几别赝真。诗道之大，盖戛戛乎难之。时同人唱和，叶封、林尧英、宋荦、曹贞吉、王又旦、颜光敏、曹禾、汪懋麟、谢重辉，刻有《十子诗略》。论诗而外，棋枰酒碗，呼卢博簺，殆无虚日。"

魏裔介撰《鉴语经世编》二十七卷成。据其自序。

计东（1624—1675）卒。朱鹤龄《愚庵小集》卷五《丙辰元旦》"愁说泉台半故人"句下自注："眉生、筜在、确庵、孝章、甫草相继讣至。"又叶舒颖《叶学山先生诗稿》卷四丙辰稿有《春正月三日安宜署中闻计子甫草凶问至中元后始得往吊》一诗，皆可证计东卒于康熙十五年丙辰正月以前，非如一般记述卒于丙辰（1676）也。《清史列传·文苑传》："计东，字甫草，江苏吴江人，寄籍浙江嘉兴。工为文，年十五为诸生，声誉日起。举顺治十四年乡试。十八年，以江南奏销案，被黜。大学士王熙器重东，屡欲荐之，未果。会诏举博学鸿儒，而东已前一年卒，年五十二。东少负经世才，意气勃发，常自比王猛、马周。始遭世变，著《筹南五论》，经画明晰，持谒史可法，可法奇之，以时势所值，弗能用也。伏匿里门，深自韬晦。既，贫无以养，始出就举。已而复黜，益放废，矢志纵游四方，自京师北走宣、云，南历漳、洛、邢、魏，东之济、兖，览山川之形胜，所至交其贤士大夫，相与投分赠言而去。外若不羁，内行修谨。事母至孝，尝从睢州汤斌讲学，寓书柏乡魏裔介论《圣学》、《知统录》，历指程朱见知、闻知诸子之当补入者，又以统有正必有闰，陆氏之徒亦当择其行谊及论说近正者存之，以大著其防。若举而去之，其学终不可泯，宗之者反得藉为口实。所论殊有确见。又从长洲汪琬受欧、曾义法，故作文具有本源，而一出以醇正和雅。初游河南时，见商丘宋荦，辄引重，目为严武、李德裕一流人。既，荦巡抚江苏，东殁已二十馀年，特序其遗文刊之，为《改亭集》十六卷，又《诗集》六卷。"《清史稿·文苑传》："既废不用，贫无以养，纵游四方，所至交其豪杰。过郏城，寻明诗人谢榛葬处，得之南门外二十里，为修墓立石，请有司禁樵牧。又憩顺德逆旅，念归有光昔尝佐郡，集中有《厅壁记》，求其遗址不得，乃即署旁废圃中设瓣香，再拜流涕而去，观者骇其狂……同邑友人吴兆骞流徙出关，为恤其家，且以女许配其弱子。"宋荦《改亭集序》："君亦能文章早负盛名，交游皆海内知名士。顺治丙申客游中州，过予邑，交徐恭士，恭士予石友也，予亦因以定交。明年君举于京兆。后四年，江南奏销案起，绻黜籍，遂绝意仕宦。而君家故贫，母老，势不能不糊口于外。故自京师北走宣、云，南历洛、漳、邢、魏，东之济、兖。所至虚馆设席，争以礼下之。故宗伯王文贞公与今相国宛平公子间尤器重君，常欲荐君……君常谒吾乡汤潜庵讲程、朱之学，又从长洲汪钝翁讲欧、曾之学，故论有原本。其文醇正和雅，已足自不朽于世。"沈德潜《国朝诗别裁集》卷五选计东诗五首，小传云："甫草负奇气，过郏下见谢茂秦墓圮坏，尽橐中金为修墓。过顺德，知归震川尝佐郡，有《厅记》二篇，求遗址不得，乃入署旁废圃中，瓣香再拜。至吴，称门生于黄孝子向坚，人共贤之。诗不苟作，时露胸中抱负。"选其《郏城吊谢茂秦山人》七律云："郏中怀古正秋风，词赋深惭谢氏工。生欲移家辞白雪，没随疑冢对青枫。诸王礼数何尝绝，七子交期竟不终。自是贯游无远识，布衣未必叹飘蓬。"诗后有评云："王、李始推茂秦为盟长，后称眇山人而黜之，见交道之不古也。后半大为布衣吐气。予有《论诗绝句》云：'眇目山人足性灵，诗盟寒后苦飘零。后来谁吊荒坟者，只有吴江计改亭。'改亭，甫草别号也。"《四库总目提要》卷一八一著录计东《改亭诗集》六卷、《文集》十六卷:"国朝计东撰。东字甫草,吴江人。顺治丁酉举人,以江南奏销案被黜。又十馀年而殁。东少负奇气,中年出游四方,遍览山川之胜,诗文日富。康熙癸酉,宋荦巡抚苏州,为刻其文集。其诗集则刻于戊子,王廷扬所助成也。王晫《今世说》载其客邺城日,尝访谢榛之墓,为树碣表之。盖以游食四方,行踪相近,故用以寄意。其生平事迹,具见尤侗所作《计孝廉传》,亦载卷首云。"邓之诚《清诗纪事初编》卷三著录计东《改亭诗集》六卷、《文集》十六卷:"计东,字甫草,吴江人。顺治十四年举人。以奏销案除名。尝从汪琬问古文法,故以文鸣。所刻集曰《甫里》,曰《汝颖》,曰《竹林》,曰《中州》。宋荦抚吴,为删存其文,刻改亭集诗,初名《狂山吟》,至康熙四十七年王廷扬始为刻之。后五十年,乾隆戊辰从孙瑸重为校刻《改亭诗集》六卷、《文集》十六卷。其文凌厉直前,略近眉山,与琬文颇不类,顾于钱谦益盛所推许。集中《与人书》,诋正钱录之非,辨朱鹤龄《杜诗注》与钱《笺》不相违背,皆有关系。竟客游不遇以死,年五十二。尤侗为之作传云。卒后三载,天子开博学鸿儒之科,而宋荦所为序则云不幸先一年没矣,荦荒髦,纪事多误。计东之卒在康熙十四年乙卯。弟子中徐钒、刘凡,皆有文采,能自树立。"张舜徽《清人文集别录》卷三著录计东《改亭集》十六卷(康熙三十二年刻本):"吴江计东撰。东字甫草,顺治十四年举人。少负奇气,中年出游四方,遍览山川之胜,诗文日富。后乃折节读书,尝从汤斌讲学,又因斌而获奉手于孙奇逢。复从汪琬受欧、曾古文义法,故其为文,具有本原,而一出以和厚温雅。是集卷十二有《答诸弟子论诗》二十五则,劝学者探源于《三百篇》、楚辞,下逮建安、黄初、正始诸家之作,以正其趋;旁涉汉魏乐府,以厚其气。所论多有识之言,知其于文辞之外,故自擅长吟咏也。顾终东之身,不欲以诗文自见,故其自道则曰:'布衣失职坎壈无聊之士,忍辱好奇计,勃勃有飞扬之气,能上下千古人物事会得失成败之数,及经世救时之大略,若古王猛、马周辈者。天下之大,如东比者,亦不可多得。'(是集卷十《与宋牧仲书》)东之自许乃至此,然卒不得一试用于当时,其抑郁愁忧,亦可知矣。是集卷十一有《筹南论》五篇,乃崇祯甲申年所著:一、总论先固东南要害;二、论应天根本;三、论两淮门户;四、论全楚形势;五、论四川要害。洋洋巨篇,非洞究形势险要、熟悉历代用兵之迹者不能为。而惜乎持此以谒史可法,可法奇之而未能用也。在清初诸文家中,自不失为才气纵横之士。始商丘宋荦微时,东一见许为伟人,荦愕不敢应。及东没后二十年,荦开府江南,声施灿然,是皆称东有知人鉴。荦为刻其文集,即此本也。"袁行云《清人诗集叙录》卷八著录计东《改亭诗集》六卷(康熙四十七年刻本):"计东撰。东字甫草,号改亭,江苏吴江人。明崇祯十二年年十五,补诸生。著《筹南论》五篇,上史可法。入清,从汪琬游,又谒汤斌,讲程朱之学,与王士禛为忘形交,《分甘馀话》记。顺治十四年举人,后四年以江南奏销案挂名落籍。游食四方。尝至禾中金门寺,上书陶朱翁,自称世通家,索其始祖计然七策,以为致富之方,而家益贫,母老,饔飧不继。卒于康熙十五年,年五十二。尤侗为撰《计孝廉传》。康熙三十六年,宋荦巡抚苏州,为刻《文集》,内《宣城施氏义田记》、《宋既庭五十寿序》、《胡宛委先生传》、《从弟谏草家传》,多为清初人物传记资料。《诗集》曾为中州胡观察某缮写将付剞劂,以罢官遂寝其事。此集为其子默编,王廷扬助刻并序,《四库》列入《存目》。诗分体,均作于明亡后。与遗民阎尔梅、魏禧、王岩、邓孝威、申涵光多有赠和。《容城哭孙征君十四韵》,含音激楚。《娄东王奉常召集某公园亭过苏昆山有感旧事即席成二首》云:'二十四年前此日,布帆曾共楚天游。朱门灯下重相见,不道何戡已白头。''当时急难在龙门,楚客秦庭欲断魂。风义只今摇落尽,新声美酒又黄昏。'《赠阎古古》诗云:'皓首朱颜望若仙,双瞳岩电照当筵。那堪醇酒三升后,话尽风波四十年。''午梦堂前荒草长,能诗家婢数何方。八龙独有慈明在,摇落京华泪数行。'皆有风致。又赠汪琬、施闰章、宋荦、周亮工、沈荃、陈维崧诗,哭侯朝宗诗,只合利钝互陈。其论诗,主张:'从古体入,若先学近体,骨必单薄,气必寒弱,材必俭陋,调必卑微。故探源风骚,下逮六朝唐宋,肆力而为。'然亦不脱明七子馀绪。七古《过沧溟先生墓》,奉重李攀龙。客邺访谢榛墓,为树碣表之……吴祖修《柳塘诗集》、姜西溟《苇间诗集》均有《哭计甫草先生诗》。子默字希深,副贡生,有《菉村诗钞》,未见刊本,内《后论文十首绝句》兼论诗,在《江苏诗征》卷一百三十七。"

公元 1676 年(清康熙十五年 丙辰)

正月

二十日,查继佐(1601—1676)卒。沈起《查东山先生年谱》:"丙辰,先生七十六岁。元旦,先生于辰时整衣冠登堂……二十日戌时,先生终于正寝。"道光《海昌备志》卷三〇:"查继佐,继仲弟,字伊璜,号与斋,又号左尹,自号东山钓叟。崇祯癸酉举人,浙东授职方主事,后不复出。晚辟敬修堂于杭之铁冶岭,著书其中,学者称敬修先生。"民国《杭州府志》卷一四四引吴颢《杭郡诗辑》:"查继佐,字伊璜,海宁人。举人。少有异才,漳浦黄道周推重之。尝识吴六奇于未遇时,后湖州庄廷鑨私史事发,继佐名在参阅之列,六奇奏辩得免。筑敬修堂于铁冶岭下,讲学其中,自称敬修子,人称东山先生。书法颜平原,画学黄一峰。乞挥写者,缣素恒堆积,多以所作诗书之。"民国《海宁州志稿》卷一二著录查继佐:"《五经说》、《四书说》、《通鉴严》八卷、《罪惟录》(志三十二卷、帝纪二十二卷、列传三十五卷)、《知是录》、《兵榷》、《国寿录》四卷、《南语》、《北语》、《敬修堂说外》、《敬修堂说造》、《敬修堂同学出处偶记》、《敬修弟子目录》一卷、《豫游记》、《独指直喤》、《诗可》、《敬修堂诗集》十七卷、《说疑》、《粤游杂咏》一卷、《史论》。"吴修《昭代名人尺牍小传》:"继佐甲申后家居,极文酒声伎之乐。因吴六奇事,蒋心馀为制《雪中人》传奇。书法奇逸可爱。"徐世昌编《晚晴簃诗汇》卷一三选查继佐诗二首,《诗话》云:"伊璜负文名,南浔庄氏史狱连染,仅乃获免。相传吴葛如六奇微时,乞食至其家,伊璜深器重之。葛如已建节岭南,狱方急,赖其周旋,始解。然伊璜于明代文献自有述作,今尚传《罪惟录》稿本,纪传皆用正史体,多述闲闻逸事,亦颇及稗官杂记。撷拾甚富而别择未精,行文尤近钟、谭纤隽一派,盖明代习尚如此也。"袁行云《清人诗集叙录》卷一著录查继佐《东山遗集》二卷(近代景印手稿本):"查继佐撰。继佐字伊璜,号与斋。又号左尹,自号东山钓叟。浙江海宁人。崇祯六年举人,与同邑范骧、朱一是、葛定远、朱嘉征等结社。逢世变,鲁王监国,官职方主事,未几归里。为人所诬,几入狱，经杨思圣、周亮工周旋始解。五十二岁入燕，返归东山，筑茅庵于万石窝，肆意著述。著《罪惟录》，历二十年始成。康熙元年，庄廷钺明史案起，以自首而获免。复开讲敬修堂于铁冶岭下，从学者甚众。卒于康熙十五年，年七十六。学者称东山先生。著述甚富，多未刊行，惟《罪惟录》稿本今犹及见，又《鲁春秋》、《续西厢》、《九宫谱定总论》，近亦出。诗集仅见二种，一曰《敬修堂钓业》，间附古文、诗馀，为继佐在明时手钞。一曰《粤游杂咏》，专系诗歌。原稿今藏北京图书馆，近代古书流通处有景印本。沈起《查东山年谱》引《自著书目》有《变风集》、《钓业》、《先甲集》、《后甲集》，而无《粤游杂咏》，则是集与《年谱》正可互相补充。集中寄酬杨子犹龙云：'与君未一见，何劳梦中思。驰书千万言，戈戈托深知（自注：余时迕误，犹龙适以书投当事云：读书种子，定宜呵护）。去秋偶行役，始识君光仪。恨我水中桴，无能益高卑。所以答隆情，手上五言诗。登我椒桂堂，饫我琥珀卮。四座纷动酬，犹与平生私。怜我形影卑，为结燕山缡。燕女幼且骄，妇事无所宜。烹鱼失滋味，懒作吴山眉。顾我弗怒诧，念自谁贻之。'诗中自注，可知顺治间被祸之由。此诗标题《杨子为我买十五女归》，杨思圣、丁耀亢诗集皆咏其事。《岩门诗话》云：'继佐家童侍婢解音律者十人，以"些"呼之，时称"十些"。'毛奇龄《濑中集》记继佐家蓄女伎数部，有'独有柔些频顾影，倩人不欲近阑干'之句，柔些，歌伎之尤者也。明季江南名士好尚声伎，清初犹然。顺、康间屡兴大狱，此风渐泯矣。"庄一拂《古典戏曲剧目汇考》卷八著录查继佐杂剧《续西厢》云："《今乐考证》著录。《杂剧新编三十四种》本。《曲考》、《曲录》并见著录。全剧计《应酬填词》、《因风托素》、《白马坚盟》、《紫纶合玉》等四折，谓关汉卿有《续西厢》，仿佛其意为之。"同书卷十一又著录查继佐传奇《三报恩》、《非非想》、《眼前因》、《梅花谶》、《鸣鸿度》五种，除《非非想》外，全佚。

二月

二十一日，驻守广东尚之信劫持其父尚可喜叛附吴三桂，易服改制，为招讨大将军。据《清圣祖实录》卷六〇。

三月

三日，小说《孤山再梦》六回成书，题"渭滨笠夫编次，姑苏游客校集"。惊梦主人《孤山再梦序》后署"时康熙丙辰岁桃花月上巳日，惊梦主人题于龙山邸中"。春风文艺出版社整理本校点者褚家伟谓小说撰者王羌特，字冠卿，号梦醒主人、惊梦主人、伏羌（今甘肃甘谷县）人。顺治四年拔贡，康熙九年授云南顺宁府，十二年以军职赴荆州，六十六岁卒于军中。另著有《怕猿闻诗》。今有春风文艺出版社整理本。

纳兰性德考中二甲第七名进士。

九月

十七日，嵇永仁（1637—1676）卒。朱彭寿《清代人物大事纪年》："康熙十五年

317

丙辰（公元 1676 年），卒岁：嵇永仁，江苏无锡县廪生。九月十七日于福建福州殉难，年四十。追赠国子监助教（追赠在四十七年十二月）。"《清史列传·忠义传》："嵇永仁，江苏无锡人。廪膳生。闽浙总督范承谟之幕客也。承谟事见专传。永仁策耿精忠将煽乱，劝承谟早为备。乃议拨饷补兵，安置逃弁，兴屯田，并轻兵驻上游以备。诸大吏多中贼饵，挠之，计不行，贼尤衔之。康熙十三年三月，贼劫承谟，幽别室，胁永仁及其幕僚王龙光、沈天成，承谟族弟承谱降，不从；诱以官，均奋骂，系狱三年，志气弥厉，终不屈。承谟在幽室闻之，喜曰：'吾相知有素也。'十五年，承谟被害，永仁、龙光、天成并见戕。"《四库总目提要》卷一七三著录《抱犊山房集》六卷："国朝嵇永仁撰。永仁字留山，别号抱犊山农，无锡人。康熙十三年耿精忠作乱，永仁在总督范承谟幕，同被拘系。承谟遇害，永仁亦死难。四十七年，追赠国子助教。是集前三卷曰《吉吉吟》，曰《百苦吟》，皆其陷狱时与承谟及同难诸人唱和诗。曰《和泪谱》，则为同难诸人所作小传也。第四卷曰《葭秋集》，第五卷曰《竹林集》，乃其旧刻。第六卷附录同难会稽王龙光、华亭沈天成二人之诗文。雍正中，其子曾筠编次付梓，并以诰敕及谕祭文等编于卷首。永仁以诸生佐幕，尚未授官，而抗节殒身，义不从逆，可以愧刘秉政等于九泉（按，逆藩耿精忠叛时，刘秉政以巡抚降贼）。其所为诗文，皆缕叙当时实事。狱中不得笔墨，以炭屑书于四壁，闽人重其人品，录而传之，得存于世。今诵其词，奕奕然犹有生气。与承谟书壁诸诗，同为忠臣孝子之言，争光日月，不但以文章论矣。"邓之诚《清诗纪事初编》卷四著录嵇永仁《抱犊山房集》六卷："嵇永仁，字匡侯，改字留山。无锡人，诸生……《葭秋堂》诗中所往还着多前朝遗老，诗皆五律，末附《初秋杂咏》七绝十二首，咏顺治己亥郑成功江上之师，集或刻于此时。有金人瑞书云……又有徐曾题语。永仁尝作《游戏三昧》、《扬州梦》、《珊瑚鞭》、《续离骚》、《双报应》诸曲子，以才人自命，故与金、徐如针芥之投也。"

十月

初四日，耿精忠兵败降清。据《逆臣传》卷二。

洪昇作《迴龙记》传奇。据章培恒《洪昇年谱》。

十二月

初九日，尚之信密疏清大将军喇布请降。据《清史编年》。

是年冬

顾贞观以词代书，为吴兆骞赋《金缕曲》两首。顾贞观《弹指词》卷下《金缕曲》词题"寄吴汉槎宁古塔，以词代书，时丙辰冬寓京师千佛寺冰雪中作"，其一云："季子平安否。便归来、生平万事，那堪回首。行路悠悠谁慰藉，母老家贫子幼。记不起、从前杯酒。魑魅搏人应见惯，总输他、覆雨翻云手。冰与雪，周旋久。　泪痕莫滴牛衣透。数天涯、依然骨肉，几家能够。比拟红颜多命薄，更不如今还有。只绝塞、苦寒难受。廿载包胥承一诺，盼乌头、马角终相救。置此札，君怀袖。"其二云："我亦飘零久。十年来、深恩负尽，死生师友。宿昔齐名非忝窃，试看杜陵消瘦，曾不减、夜郎僝僽。薄命长辞知己别，问人生、到此凄凉否。千万恨，从君剖。 兄生辛未我丁丑。共些时、冰霜摧折，早衰蒲柳。词赋从今须少作，留取心魂相守。但愿得、河清人寿。归日急翻行戍稿，把空名、料理传身后。言不尽、观顿首。"词后自注云："二词容若见之，为泣下数行。曰：'河梁生别之诗，山阳死友之传，得此而三。此事三千六百日中，弟当以身任之，不俟兄再嘱也。'余曰：'人寿几何？请以五载为期。'恳之太傅，亦蒙见许。而汉槎果以辛酉入关矣。附书志感，兼志痛焉。"纳兰性德亦有《金缕曲》简顾贞观，见《通志堂集》卷七，中有句云："绝塞生还吴季子，算眼前、此外皆闲事。知我者，梁汾耳。"陈廷焯《白雨斋词话》卷三："华峰《贺新郎》（寄吴汉槎宁古塔以词代书）两阕，只如家常说话，而痛快淋漓，宛转反复；两人心迹，一一如见，虽非正声，亦千秋绝调也。"

是年

戴名世作《响雪亭记》、《意园记》、《钱神问对》、《左忠毅公传》等文。据王树民《戴文系年》。（见中华书局 1986 年出版《戴名世集》附录）

柳敬亭（1587—约 1676）卒。据吴海林等《中国历史人物生卒年表》。《中国大百科全书·戏曲曲艺卷》括注柳敬亭生卒年为"1587—约 1670"。何龄修《试论柳敬亭的生年问题》（《清史论丛》第六辑）谓柳敬亭当生于 1592 年。余怀《板桥杂记》下卷《轶事》："柳敬亭，泰州人。本姓曹，避仇流落江湖，休于树下，乃姓柳。善说书，游于金陵，吴桥范司马、桐城何相国引为上客。常往来南曲，与张燕筑、沈公宪俱。张、沈以歌曲，敬亭以谭词，酒酣以往，击节悲吟，倾靡四座。盖优孟、东方曼倩之流也。后入左宁南幕府，出入兵间。宁南败亡，又游松江马提督军中，郁郁不得志。年已八十馀矣。间过余侨寓宜睡轩中，犹说《秦叔宝见姑娘》也。"《续本事诗》卷八载顾开雍《柳生歌序》曰："扬之泰州柳生，名遇春，号敬亭。"王士禛《分甘馀话》卷二："左良玉自武昌称兵东下，破九江、安庆诸属邑，杀掠甚于流贼，东林诸公快其以讨马、阮为名，而并讳其作贼。左幕下有柳敬亭、苏昆生者，一善说评话，一善度曲，良玉死，二人流寓江南，一二名卿遗老，左袒良玉者，赋诗张之，且为作传。余曾识柳于金陵，试其技，与市井之辈无异。而所至逢迎恐后，预为设几焚香，瀹芥片，置壶一、杯一；比至，径踞右席，说评话才一段而止，人亦不复强之也。爱及屋上之乌，憎及储胥，噫！亦愚矣。"夏荃《退庵笔记》卷七《柳敬亭》："新城尚书言语妙天下，好雌黄。其诋左良玉作贼，目其幕客柳敬亭、苏昆生为左党，甚尤明季诸老为良玉左袒，并贬柳老技，谓与市井无异。其论极不允……敬亭热肠侠骨，求之士大夫中不可多得，故当时通侯上相、东林诸君子极重之，匪如丁、苏辈（指丁继之、苏昆生）仅以其技鸣也。技极工，果足以尽柳老哉？渔洋官扬州司李时，年甚少，华胄早达，负其才气，凌铄一时，何有于柳老？而柳老周旋明季诸贤，迹其生平，长揖公侯，平视卿相，无丝毫婢婉，又何肯为渔洋下，此情事之逼真者。渔洋特创为此说，抹宁南兼抹敬亭。耳食老遂谓柳技平平，且目为左党，冤乎！"当时文人士大夫如吴伟业、黄宗羲、周容、张岱等皆为柳敬亭撰写传记；曹贞吉、龚鼎孳、王懋麟三人在京师皆各有《沁园春》、《贺新凉》两首词赠柳敬亭，传为一时盛事。其中以曹贞吉《贺新凉》一首最为有名："咄汝青山叟。阅浮生、繁华萧索，白衣苍狗。六代风流归抵掌，舌下涛飞山走。似易水、歌声听久。试问于今真姓字，但回头、笑指芜城柳。休暂住，谈天口。 当年处仲东来后。断江流、楼船铁锁，落星如斗。七十九年尘土梦，才向青门沽酒。更谁是、嘉荣旧友。天宝琵琶宫监在，诉江潭、憔悴人知否。今昔恨，一搔首。"

贾应宠（1595—1676?）**卒**。袁世硕《孔尚任年谱》于是年下按语云："贾应宠生于明万历二十三年，卒年不可确考。《澹圃恒言》卷二《杂著》自谓：'贾子六十悬车，八十犹生，但老来穷耳！'知贾应宠享年八十馀。本年八十二岁，姑假定卒于本年。"贾应宠，字退思，一字晋藩，号凫西，又号木皮散客，祖籍山西洪洞，其先明中叶移居山东曲阜。以明经历官固安县令、户部主事、刑部郎中。入清，顺治八年入京师以原官补，后引疾乞休。著有《木皮鼓词》、《澹圃恒言》、《诗纲》等，是明末清初著名鼓词作家。孔尚任《木皮散客传》（见《孔尚任诗文集》卷六）："木皮散客，喜说稗官鼓词。木皮者，鼓板也，嬉笑怒骂之具也。说于诸生塾中，说于宰官堂上，说于郎曹之署。木皮随身，逢场作戏，身有穷达，木皮一致。凡与臣言忠，与子言孝，皆以稗词证，不屑引经史。经史中帝王师相，别有评驳，与诸儒不同，闻者咋舌，以为怪物，终无能出一语折之。其道似老庄，亦婚亦官，亦治亦产，有良田、广宅，肥牛、骏马，疏果、鸡豚之属，俱非常种。尝曰：'吾好利，能自生之，不夺窃，夺窃，盗也。吾好势，吾竟使之不谬为谦恭，不仗人，谬为谦恭，娟也；仗人，犬也。'崇祯末，起家明经，为县令，擢部曹。迁革后，高尚不出。有县尉数挟之，遂翻然起，仍补旧职，假王事过里门，执县尉扑于阶下以为快。不数月，引疾乞放。不得请，乃密告主者曰：'何弗劾我？'主者曰：'汝无罪。'曰：'吾说稗词，废政务，此一事也，可释西伯，何患无辞乎！'果以是免。里居常着公服，以临乡邻。催租吏至门，令其跪，曰：'否则不输。'与故旧科跣相接，拱揖都废。予髫年，偶造其庐，让予宾座，享以鱼肉，曰：'吾自奉廉，不惜鱼肉啖汝者，为汝慧异凡儿，吾老矣，或有须汝处，非念汝故人子也。'……临别，讲《论语》数则，皆翻案语。居恒取《论语》为稗词，端坐市坊，击鼓板说之。其大旨谓古今圣贤，莫言非利，莫行非势，而违心欺世者，乡愿也。木皮之嬉笑怒骂，有愤心矣！行年八十，笑骂不倦。夫笑骂人者，人恒笑骂之，遂不容于乡里，自曲阜移家滋阳，闭门著书数十卷，曰《澹圃恒言》。文字雅俚，庄谐不伦，颇类明之李卓吾、徐文长、袁中郎者，乡人多不解。有沛县阎古古、诸城丁野鹤，为之手订付其子。盖阎、丁亡命时，尝往来其家云。"

公元 1677 年（清康熙十六年　丁巳）

六月

初六日，**申涵光**（1619—1677）**卒**。张玉书《张文贞集》卷一一《处士凫盟申君墓志铭》："会闻客至，遄归，忽一仆而逝，康熙十六年六月六日也，距生前明万历四十七年十一月三十日，年五十有九。"《清史列传·文苑传》："申涵光，字和孟，直隶永年人。明太仆寺丞佳胤子。少颖异，博涉经史，为文章高洁宕逸，尤长于诗。闻父殉国难，痛不欲生，徒步走都门，于抢攘中扶柩归里，郡人为之感动。顺治间，世祖诏访故明死事诸臣，或误列佳胤为自缢，涵光复麻衣经带入京师，具述投井状。遂蒙特恩谕祭，赐墓田，予谥节愍。辇下士大夫高涵光孝行，争折节订交。既归，则杜门奉母，足迹绝于城市。自髫龄嗜为诗，吐纳百氏，不名一家，而音节顿挫沉郁，一以少陵为师。早与杨思圣、殷岳为石交，后又与岳及同里张盖称'畿南三才子'。里居十馀年，乃襆被出游，陟泰山，过历下，登李攀龙白雪楼，复访杨思圣于太原。既而偕殷岳谒孙奇逢于夏峰，执弟子礼，自是获闻天人性命之旨，不复作诗。康熙七年，诏征山林隐逸之士，大学士魏裔介欲荐之，力辞乃止。涵光玩味诸先儒之书不释手，尝曰：'主静不如主敬，敬自静也。'又曰：'求放心，只是敬。'又曰：'士人要有岸然自命之气，又有欿然若不足之心。'皆格言也。晚年学益进，悔名之为累也，蓬蒿满径，长吏式庐者，逊避不出。卒，年五十九。著有《聪山集》十四卷。"沈德潜《明诗别裁集》卷一二选申涵光诗二首。《四库总目提要》卷一八一著录申涵光《聪山集》十四卷："国朝申涵光撰。涵光字孚孟，亦作符孟，又曰孟和，复自号曰凫盟，取与符孟字音近也。永年人，明太仆寺丞佳胤之子。顺治中恩贡生。是编首列年谱、传志一卷，次文三卷、诗八卷，附《荆园小语》一卷、《荆园进语》一卷，皆所作语录也。"徐世昌编《晚晴簃诗汇》卷一四选申涵光诗二十七首，《诗话》云："凫盟性简傲，以诗名河朔间。尝游苏门，以弟子礼谒夏峰，获闻天人性命之旨，遂不复为诗。渔洋《怀人》绝句：'广平申大今词杰，未识容颜眼便青。远寄新诗向隋苑，怀人偏在竹西亭。'"邓之诚《清诗纪事初编》卷二著录申涵光《聪山诗选》八卷、《文集》三卷、《荆园小语》一卷、《荆园进语》一卷："申涵光，字凫盟，永年人。入清后决计弃诸生入山，格于母命而止。自后屡应试，然贡入太学，则不就，征山林隐逸，复力辞之……与殷岳、张盖齐名，称'三高'……盖涵光负盛名，王崇简父子、梁清标、杨犹龙皆引以为重。魏裔介赋《五子咏》，以涵光与魏象枢、杨犹龙、曹本荣、郝浴并列，谓其性情与人远矣，才学又足以济之。卒于康熙十六年，年五十九。事具魏裔介撰《申凫盟传》，及魏象枢所为《墓志铭》……论诗谓七子不免依附，钟谭矫枉过正，近时人人雷同。诗必开元，文必《史》、《汉》，遂成生吞活剥世界。有明诸大家，大约南人功纯气薄，北人朴简，而以真山民、苏子瞻、萨天锡自出手眼，尚有一段精光。可以知其宗旨所在。然涵光学杜，功力最深，一时作手，无能及之者，特浑厚不为激楚之音……文集自定于康熙十三年甲寅。其文深淳有法，自谓胆小才窄，不愿寄人篱下，而又不能自辟蹊径……《荆园小语》以教子弟，皆阅历有得之言；《进语》则辨及问学修养，语简而赅，不争门户，不立异同。是时为理学者众矣，而如涵光之朴实者盖寡。"张舜徽《清人文集别录》卷二著录申涵光《聪山集》三卷："涵光为诗，宗法杜甫。尝谓诗之必唐，唐之必盛，盛必以杜为宗，定论久矣。近乃创为无分唐宋之说，于是少陵、青莲、眉山、放翁相提并论，其意谓不必专宗唐耳。久之潜移默化，恐遂专于宋，而不觉失唐（是集卷一《青箱堂近诗选》），其趋向固可知矣……盖涵光生平所肆力而堪自信者，亦在诗而不在文……涵光既不常为文，故文之存者甚少，文辞流畅洁润，又不似全不能文者所可出也。"袁行云《清人诗集叙录》卷六著录申涵光《凫盟集》八卷："著《聪山集》，其弟涵煜、涵盼订次，《四库》列为存目。《诗集》八卷，王崇简序，范士楫题。始甲申，内多流离忧患泽畔之音……涵光重气节，名分甚高，田雯三十五岁犹从其学。诗能得其深处，清初河朔中当为首推。王士禛《渔洋癸亥稿》有《与赵秋水话申凫盟遗事感赋诗》。"

七月

二十四日，陈确（1604—1677）卒。吴骞辑《陈乾初先生年谱》："（康熙）十六年丁巳，七十四岁。七月二十四日，以老疾卒于杨桥之居。其年冬，葬沈家石桥西祖茔之次穆。子翼书先生行状，走乞黄梨洲先生志其墓。"《清史列传·儒林传》："陈确，字乾初，明诸生。少读书卓荦，不喜理学家言，如是者四十年。已，问学宗周，乃刮磨旧习。宗周卒，确得其遗书尽读之，憬然而喻。著《性解》、《禅障》、《大学辨》……尝与馀姚黄宗羲书曰：'世儒习气敢于诬孔孟，必不敢背程朱，言之痛心。'宗羲称其于圣学已见头脑，惟主张太过，不善会诸儒意者有之……明亡，杜门息影，足不及中庭者十五年。康熙十六年，卒，年七十四。"陈田《明诗纪事》辛签卷三一选陈确诗一首。邓之诚《清诗纪事初编》卷二著录陈确《乾初先生文钞》二卷、《遗诗》一卷："陈确，本名道允，字非玄，号乾初，海昌人。与祝渊通事刘宗周，为性命之学，称高第弟子。尤深于《礼》，善属文，工议论，诗有情韵。入清后，弃诸生，读书深山……晚而病废，不出门者十五年……确有未刻诗文集三十卷、别集十九卷，光绪中尚存其家。羊复礼得其《文钞》二卷、《诗钞》一卷，刻入《海昌备览》。"袁行云《清人诗集叙录》卷二著录陈确《乾初先生诗钞》一卷（光绪十三年刻本）："嘉庆间，六世孙陈鳣访求遗书，久而未得其全。光绪间羊复礼藏有陈敬璋编《乾初先生文集》十八卷、《别集》十九卷、《诗集》十二卷，并《大学辨》、《葬书》钞本，惟仅刻《文钞》二卷、《诗钞》一卷，入《海昌丛载》。是集即羊刻本，诗仅三十馀首，清真旷逸。自具面目，然编年已不能辨。幸钞本犹存，今中华书局整理出版《陈确集》，已有全集可资。内诗十二卷，尚多质实可采也。"

十月

十四日，魏际瑞（1620—1677）卒。朱彭寿《清代人物大事纪年》："康熙十六年丁巳（公元1677年），卒岁：魏际瑞，江西宁都县故诸生。十月十四日遇害，年五十八。入《国史·文苑传》。"《清史列传·文苑传》："际瑞，原名祥，字善伯，禧兄。学使侯峒曾见其文，亟赏之。国变后，禧、礼并谢诸生，际瑞叹曰：'吾为长子，祖宗祠墓，父母尸饗，将谁责乎？'遂出就试。顺治十七年，岁贡生……康熙十六年，滇将韩大任踞赣，当事议抚之，久未就。大任曰：'非魏际瑞至，吾不信也。'……遂往，甫入营，官兵遽从东路急攻，大任疑卖己，谓际瑞曰：'先生将为贾林乎，抑郦食其也？'际瑞无以应，因拘留之八月。大任变计走降闽，拔营之日，际瑞遂遇害，年五十八。"

子世杰殉焉。际瑞笃治古文,喜漆园《太史公书》。著有《文集》十卷、《五杂俎》五卷。"邓之诚《清诗纪事初编》卷二著录魏际瑞《魏伯子文集》十卷:"魏际瑞,原名祥,字善伯,号伯子……有《魏伯子文集》十卷,不斤斤绳墨,喜读庄子、坡集。为文复不求似,能道人胸膈间事。或即物穷理,为修己治人之资。诗亦激越悲壮。"张舜徽《清人文集别录》卷二著录魏际瑞《魏伯子文集》十卷(宁都三魏全集本):"际瑞率两弟禧、礼,与南昌彭士望、林时益、同邑李腾蛟、丘维屏、彭任、曾灿等九人,为易堂学,皆躬耕自食,切劘读书……际瑞阅历险阻,深谙世情。是集卷四所载《偶书》百馀则,论及饬躬治学之法,涉世任事之方,中多精粹之言,亦非世俗文士所能梦见也。"袁行云《清人诗集叙录》卷六著录魏际瑞《魏伯子诗集》二卷(道光二十五年重刻《宁都三魏全集》本):"宁都三魏,俱以诗文名世,际瑞文不及禧,诗则沉雄激越,气韵特异……伯子文集共十卷,诗在卷七、八,大都随得随志,无时代先后,而长短错综,敷陈曲畅,亦可见其丰格矣。"

十二月

顾贞观、纳兰性德选《今词初集》三十八家成。《今词初集》卷首载鲁超序,末署"康熙丁巳嘉平月"。三十八家词包括陈子龙二十九首、龚鼎孳二十七首、朱彝尊二十二首、李雯十八首、王士禛十三首。

二十八日(时已交公元 1678 年 1 月 20 日),张尔岐(1612—1678)卒。《清代碑传全集》卷一三〇钱载《张处士尔岐墓表》:"生于万历壬子七月二十二日,殁于康熙丁巳十二月二十八日。"《清史列传·儒林传》:"张尔岐,字稷若,山东济阳人。祖以上皆力农,父行素教以儒业,遂笃守程朱之说。逊志好学,著《天道论》、《中庸论》、《笃终论》,为时所称。又著《学辨》五篇,曰辨志,曰辨术,曰辨业,曰辨成,曰辨徽。又著《立命说辩》,斥袁氏《功过格》立命说之非。明季,行素官石首县丞,罹兵难。尔岐欲身殉,以母老止。年三十,覃心《仪礼》……著《仪礼郑注句读》十七卷,附以《监本正误》、《石经正误》二卷。昆山顾炎武游山东,交尔岐,读而善之,曰:'炎武年过五十,乃知不学礼无以立。济阳张尔岐作《仪礼郑注句读》一书,根本先儒,立言简当。以其不求闻达,故无当世名,然书实可传。使朱子见之,必不仅谢监狱之称许矣。'尔岐又著《周易说略》八卷、《诗说略》五卷、《夏小正注》一卷、《弟子职注》一卷、《老子说略》一卷、《蒿庵集》三卷、《蒿庵闲话》二卷。所居败屋不修,艺疏果养母。集其弟四人讲说三代古文与母前,愉愉如也。妻朱婉娩执妇道,劝尔岐勿出,遂教授乡里终其身。康熙十六年,卒,年六十六。"《四库总目提要》卷九著录张尔岐《周易说略》四卷,同书卷二〇又著录其《仪礼郑注句读》十七卷附《监本正误》、《石经正误》二卷,同书卷三一又著录其《春秋传议》四卷,同书卷一二九又著录其《蒿庵闲话》二卷,同书卷一四六又著录其《老子说略》二卷,同书卷一八一又著录其《蒿庵集》三卷:"国朝张尔岐撰。尔岐有《周易说略》,已著录。是集尔岐所自定,凡杂文七十篇,大抵才锋骏利,纵横曼衍,多似苏轼。而持论不免驳杂,盖尔岐之专门名家究在郑氏学也。"徐世昌编《晚晴簃诗汇》卷一四选张尔岐诗六首,

《诗话》云："沉沦诸生间，为王裒不为嵇绍，终不欲自明。亭林推为独精《三礼》，卓然经师。其殁，又为诗吊之曰：'从此山东问《三礼》，康成家法竟无传。'其重之至矣。"张舜徽《清人文集别录》卷一著录张尔岐《蒿庵集》三卷（乾隆三十八年刻本）："是集为尔岐所自定，凡杂文七十篇。卷三有《蒿庵处士自叙墓志》，质朴简净，无一闲语。盖耻身后谀墓之文，言逾其实，故自豫为之。一生笃实不欺，可见于此矣。"袁行云《清人诗集叙录》卷三著录张尔岐《蒿庵集诗》一卷、附《补遗》（北京图书馆藏抄本）："诗未刻，仅赖抄本以传。此北京图书馆藏伦明抄本，跋云：'近见山东新刊本附罗有高序，序云文集二卷，亦无诗。'尔岐以经学理学著，不以诗名。诗仅一卷、附词二阕……《补遗》有《列仙诗十首》，附自书遗嘱，乃近代自潍县陈介祺家录出。自挽诗云：'六十年来老书生，与人无竞物无争。心期一点终难了，不作天边处士星。'顾炎武有挽诗。"

是年

王士禛编竣《十子诗略》，并付梓京师。王士禛《渔洋山人自撰年谱》卷上："是年，宋牧仲（荦）、王幼华（又旦）、曹升六（贞吉）、颜修来（光敏）、叶井叔（封）、田子纶（雯）、谢千仞（重辉）、丁雁水（炜）、曹颂嘉（禾）、汪季角（懋麟），皆来谈艺。先生为定《十子诗略》，刻之。"另据王士禛《居易录》卷五，亦言及此事，谓为"丙辰、丁巳间"。

孙默编《十五家词》成。据邓汉仪序。

卓人皋（1625—1677）**卒。**据潘承玉《明清之际杭州卓氏四作家生平事迹考补——从〈全清词〉顺康卷的一个失误谈起》（《绍兴文理学院学报》2004年第二期）。毛际可《安序堂文钞》卷四《卓有枚文选序》："仁和卓子有枚以传经名堂，尊人农山公谌深经术，著述凡数十万言。陈卧子先生为越州司李，欲请长假西渡江，就公卒业。予齐年生邹程村特诣其家，手抄浃旬，至不忍去。有枚渊源家学，于汉笺朱注之外，独抒义蕴，涣然节解而冰融，士不敢以文士目之。予出仕浚议，有枚远来视予，出其《修馀堂文集》见示。予读之穷日晷不倦，至于把酒篝灯，反覆辩晰，不觉膝西而请益也。"清李邺嗣《杲堂文钞》卷六《卓有枚墓志铭》："有枚生有异禀，（卓尔康）先生比诸枚少孺，因名曰人皋……先生（卓尔康）卒后，虞山钱牧斋先生一见有枚极喜，谓故人有子。因与溯文章宗派及作者大义，务合于法，以是有枚能治古文词。"今有《卓有枚文选》传世。

公元 1678 年（清康熙十七年 戊午）

正月

二十三日，清廷欲开博学鸿儒科。《康熙实录》卷七一载"上谕"云："自古一代之兴，必有博学鸿儒，振起文运，阐发经史，润色词章，以备顾问著作之选……凡有学行兼优、文词卓越之人，不论已仕未仕，令在京三品以上及科道官员、在外督抚布按，各举所知，朕将亲试录用。其馀内外各官，果有真知灼见，在内开送吏部，在外开报督抚，代为题荐。务令虚公延访，期得真才，以副朕求贤右文之意。"王士禛《池北偶谈》卷二："时阁部以下，内外荐举者一百八十六人。"

徐釚在杭州编辑《词苑丛谈》成。《词苑丛谈·自序》后署："时康熙戊午正月，菊庄徐釚书于西湖舟次。"后又有康熙二十七年补记云："是书之辑，始于癸丑，迄于戊午，凡六年。所抄撮群书，不下数百馀种。"

三月

初一日，吴三桂在衡州（今湖南衡阳）称帝，国号周，建元昭武，改衡州为定天府，置百官。据《清史稿·吴三桂传》。

王夫之居湘西草堂，拒为吴三桂草《劝进表》，逃入深山，作《祓禊赋》。据王之春《船山公年谱》。编者按，是谱系此事于是年闰三月，误。

闰三月

纳兰性德撰《纳兰词》五卷成。据《纳兰词》顾贞观序，后署闰三月。

五月

二十八日，孙默（1613—1678）卒。据汪懋麟《百尺梧桐阁集》卷五《孙处士墓志铭》。卓尔堪《明遗民诗》卷一一选孙默诗四首，小传云："孙默，字无言，一字柽庵（正文作柽荨），布衣。著《留松阁诗》。欲归隐黄山，遍索赠诗，志竟未就。"王士禛《渔洋文略》卷一一《祭孙无言文》："予与无言交二十年，悉其为人，大抵忘机而认真，尚名义而鄙荣利；弃妻子如脱屣，而于文章朋友之嗜，不啻饥渴之于饮食。故无言一穷老布衣，而名闻天下。"《四库总目提要》卷一九九著录孙默《十五家词》三十七卷："国朝孙默编。默字无言，休宁人。是编所辑国朝词共十五家：吴伟业《梅村词》二卷、梁清标《棠村词》三卷、宋琬《二乡亭词》二卷、曹尔堪《南溪词》二卷、王士禄《炊闻词》三卷、尤侗《百末词》二卷、陈世祥《含影词》二卷、黄永《溪南词》二卷、陆求可《月湄词》四卷、邹祗谟《丽农词》二卷、彭孙遹《延露词》三卷、王士禛《衍波词》二卷、董以宁《蓉渡词》三卷、陈维崧《乌丝词》四卷、董俞《玉凫词》二卷。各家以小令、中调、长调为次，载其本集原序于前，并录其同时人评点……盖其初刻在康熙甲辰，为邹祗谟、彭孙遹、王士禛三家，即《居易录》所云，杜濬为之序；至丁未，续以曹尔堪、王士禄、尤侗三家，是为六家，孙金砺为之序；戊申又续以陈世祥、陈维崧、董以宁、董俞四家，汪懋麟为之序；十五家之本，定于丁巳，邓汉仪为之序。凡阅十四年，始汇成之。虽标榜声气，尚延明末积习，而一时倚声佳制，实略备于此，存之可以见国初诸人文采风流之盛。"徐世昌编《晚晴簃诗汇》卷三九选孙默诗二首，《诗话》云："无言客维扬，工诗，广交游，一时士大夫过淮南者无不与过从。晚欲归黄山，海内能文者作诗以送。渔洋、荔裳、愚山诸老皆有诗。竹垞一绝句曰：'芜城客散乱乌啼，别业黄山路不迷。后夜相思秋色远，月明三十二峰西。'"

七月

初七日，邓汉仪刊《诗观二集》成。据卷首例言，

八月

十七日，吴三桂（1612—1678）卒于湖南衡州，年六十七。其子吴世璠即帝位。据《逆臣传》卷一。

戴名世作《芝石记》、《老子论》二首等文。据王树民《戴文系年》。（见中华书局1986 年出版《戴名世集》附录）

是年

朱彝尊编《词综》三十四卷成。据《词综》汪森序。《四库总目提要》卷一九九著录《词综》三十四卷："国朝朱彝尊编，其同时增定者，则休宁汪森也。彝尊有《经义考》，森有《粤西诗载》，并以著录。是编录唐、宋、金、元词通五百馀家，于专集及诸选本外，凡稗官野纪中有片词足录者，辄为采掇，故多他选未见之作。其词名、句读为他选所淆舛，及姓氏爵里之误，皆详考而订正之。其去取亦具有鉴别。"

康熙帝第四子爱新觉罗·胤禛（1678—1735）生。朱彭寿《清代人物大事纪年》："康熙十七年戊午（公元 1678 年），爱新觉罗·胤禛，世宗宪皇帝生。享年五十八。"

公元 1679 年（清康熙十八年　己未）

正月

十五日，应博学鸿儒诸多文士齐集京师。元夕，王士禛、施闰章、吴雯、洪昇等访孙枝蔚，作踏歌之游。孙枝蔚《溉堂后集》卷二己未有诗《元夕早寝，施尚白使君、王贻上侍读同梅耦长、吴天章、洪昉思诸子过访，颇见怪讶，且拉之作踏歌之游，灯火萧然，败兴而返，因成二绝》，其二云："踏歌朝士最能文，鸥鹭鸳鸯许作群。不见开元诸子弟，方知战伐久纷纭。"

在京师，洪昇向施闰章求问诗法。王士禛《渔洋诗话》卷中："洪昇昉思问诗法于施愚山，先述余凤昔言诗大指。愚山曰：'子师言诗，如华严楼阁，弹指即现；又如仙人五城十二楼，缥缈俱在天际。余即不然，譬作室者，瓴甓木石，一一须就平地筑起。'洪曰：'此禅宗顿、渐二义也。'"章培恒《洪昇年谱》于是年下注云："案，此不知何年事，要在闰章应鸿博入京之后；姑一并系此。"今从。

三月

清廷试博学鸿儒。《清圣祖实录》卷七九：康熙十八年"三月丙辰朔，试内外诸臣荐举博学鸿儒一百四十三人。"取中一等彭孙遹、李因笃、陈维崧、汪楫、朱彝尊、汤斌、汪琬等二十人，取中二等潘耒、施闰章、米汉雯、黄与坚、徐釚、尤侗、毛奇龄、

曹禾、严绳孙等三十人。

陆次云（1636—1699 后）**举鸿博，未遇。**徐乾学《澄江集序》："陆次云，字云士，钱塘人。康熙己未，以鸿博征，复报罢。寻作吏郏县，丁父忧，去之日，民走送累百里。复知江阴县。诗极排奡，独出新意。"光绪《江阴县志》卷一五："服阕，补江阴……以修学、濬河、葺城垣诸大役，挪垫罣误，闻者伤之。所著有《澄江集》、《玉山词》及选辑《五朝诗善鸣集》、《古今行绘》行世。"乾隆《杭州府志》卷五九："《北墅绪言》五卷，江阴知县钱塘陆次云著，《玉山词》、《尚论持平》三卷、《析义待正》二卷、《事文标异》一卷、《湖壖杂记》。"民国《杭州府志》卷九五著录陆次云"《唐诗善鸣集》三卷、《五代诗善鸣集》一卷、《宋诗善鸣集》二卷、《金诗善鸣集》一卷、《元诗善鸣集》一卷、《明诗善鸣集》二卷、《皇清诗选》十二卷"。同书卷九一又著录其："《澄江集》一卷、《北墅绪言》五卷，钱塘陆次云撰。《澄江集》无卷数，今佚。"庄一拂《古典戏曲剧目汇考》卷一一著录陆次云《升平乐》传奇一本："《曲录》著录。《曲录》据《传奇汇考》著录。《曲海总目提要》有此本。一名《圆圆曲》，演吴三桂、陈圆圆事。"《四库总目提要》卷七七著录陆次云《湖壖杂记》一卷："国朝陆次云撰。次云字云士，钱塘人。康熙初由拔贡生官江阴县知县。是书盖续田艺蘅《西湖志馀》而作。如庆忌塔夹城之类，亦颇有考辨，而近于小说者十之七八。盖艺蘅之书，体例亦如是也。"同书卷七八又著录其《八纮译史》四卷《纪馀》四卷、《八纮荒史》一卷、《峒溪纤志》三卷、《志馀》一卷，同书卷一二九又著录其《尚书持平》二卷、《析疑待正》二卷、《事文标异》一卷，同书卷一八二又著录其《澄江集》无卷数："是集皆古今体诗，盖其官江阴时所作，故以澄江为名。集中五古短篇及宫词之类，颇能自出新裁，而蹊径不免于太狭。尤侗序称次云尚有《玉山集》附此以传，此本无之，殆偶失欤？"同卷又著录其《北墅绪言》五卷："是集皆所作杂文，而俳谐游戏之篇居其大半。盖尤侗《西堂杂俎》之流也，世俗所谓才子之文也。"同书卷二〇〇又著录其《玉山词》无卷数："是集凡小令五十九，长调十八，中调九。尤侗、秦松龄为之选评……高士奇称其自处甚高，今观所作，乃往往多似元曲，不能如书中所称周、秦、苏、辛体也。"

开局编修《明史》。王士禛《池北偶谈》卷二："十八年三月朔，御试体仁阁下（《璇玑玉衡赋》、《省耕二十韵诗》），中选者彭孙遹等五十人。有旨俱以翰林用，开局编修《明史》……以原任翰林院掌院学士徐元文为监修官，翰林院掌院学士叶方蔼、右春坊庶子兼侍讲张玉书为总裁官，开局内东华门外。"

赵执信考中二甲第六名进士。

洪昇见赵执信诗，好之，与定交。赵执信《饴山堂集》卷一六《怀旧集·洪昇小传》："携家居长安中……见余诗，大惊服，遂求为友。"

是年春

蒲松龄《聊斋志异》大体已就。蒲松龄《聊斋自志》："才非干宝，雅爱搜神；情类黄州，喜人谈鬼。闻则命笔，遂以成篇。久之，四方同人，又以邮筒相寄，因而物以好聚，所积益夥……康熙己未春日。"铸雪斋抄本《聊斋志异》另有高珩序，后署"康熙己未春日谷旦"。高珩（1612—1697），字葱佩，号念东，别署紫霞道人，淄川（今属山东淄博）人。明崇祯十六年进士，入清，授检讨，仕至刑部侍郎。善诗，工词曲，著有《栖云阁诗文集》等。

王士禛于《聊斋志异》未脱稿时，曾为"点志其目"。王培荀《乡园忆旧录》卷二："吾淄蒲柳泉《聊斋志异》未尽脱稿时，渔洋每阅一篇寄还，按名再索。来往札，余俱见之。亦点正一二字，顿觉改观……或传其愿以千金易《志异》一书，不许，其言不足信也。《志异》有渔洋顶批、旁批、总批；坊间所刻，亦云王贻上士禛评，所载评语寥寥，殊多遗漏。"又蒲松龄《与王司寇阮亭先生书》："十年前一奉几仗，入耳者宛在胸襟……前拙《志》蒙点志其目，未遑缮写。今老卧蓬窗，因得暇以自逸，遂与同人共录之，辑为二册，因便呈进。"

施闰章为颜光敏作《颜修来诗序》（见《施愚山文集》卷七）："今年己未春，修来录寄古体诗来属论叙，时微雪洒庭，读之终帙，知其诗之不肯轻出，益可畏也。"

六月

王夫之《庄子通》撰成。据其《庄子通序》："是岁伏日，南岳卖姜翁自序。"

十月

初三日，浦起龙（1679—1752以后）生。朱彭寿《清代人物大事纪年》："康熙十八年己未（公元1679年），生辰：浦起龙，十月初三日生，字二田。江苏金匮人。享年七十□。"浦起龙，字二田，晚号山伧，无锡（今属江苏）人。雍正八年进士，官苏州府教授。著有《三山老人不是集》一卷，撰《读杜心解》、《史通通释》。杨钟羲《雪桥诗话续集》："浦二田教授居金匮之前洞，肆力于古，有《史通通释》、《读杜心解》、《古文眉诠》诸书，诗曰《不是集》。"

十一月

二十六日，阎尔梅（1603—1679）卒。鲁一同《白耷山人年谱》："十八年，七十七岁。山人晚多病……后十日卒，实己未岁十一月二十六日也。"《清史稿·遗逸传》："阎尔梅，字用卿，号古古，沛县人。崇祯庚午举人。李自成陷北京，尔梅上书请兵北伐，并散尽家财，结死士，为前驱……及可法殉节，尔梅走淮安，就刘泽清、田仰，画战守策，复不听……乃散其众，遁海上，祝发，称蹈东和尚。复走山东，联络四方魁杰，谋再举。又至河南，至京师，以山东事发被捕，下济南狱，脱走还沛。名捕急，弟尔羹、侄御九皆就逮，妻妾同自缢。尔梅乃托死夜遁，变名翁深，字藏若，历游楚、蜀、秦、晋九省。过关中，与王弘撰等往还。北至榆林，从宁夏入兰州。凡十年，狱解，始还。未几，为仇家所攀，复出亡，龚鼎孳救之，得免。北谒思陵，又东出榆关。还京，会顾炎武。复游塞外。至太原，访傅山，结岁寒之盟。尔梅久奔走，历艰险，不少阻。后见大势已去，知不可为，乃还沛。寄于酒，醉则骂座。常慨然曰：'吾先世未有仕者，国亡，破家为报仇，天下震动。事虽终不成，疾风劲草，布衣之雄足矣！'遂高歌起舞，泣数行下。居数岁卒，年七十有七。尔梅博学善诗，有《白耷山人集》。"卓尔堪《明遗民诗》卷三选阎尔梅诗九十一首，小传云："破产养死士，罹狱几濒于死，手刃爱妾亡去。历齐、楚、蜀、粤、秦、晋、燕塞，被株连者数十百家，时有不及附范孟博之叹。著《蹈东》、《白耷山人》两集。"沈德潜《明诗别裁集》卷一〇选阎尔梅诗《重过兖州》一首，小传云："诗有奇气，每近粗豪，兹择其尤雅者。"徐世昌编《晚晴簃诗汇》卷一三选阎尔梅诗六首，《诗话》云："古古在明季尝入史阁部幕，劝以视师淮、徐，号召规复。及明亡，破产养士，坐是亡命，南游川、粤，北出燕、代，久之事解，还乡里。诗颇有新意，然渊源仍自七子出，渔洋诵其《云中怀古》一篇，以为可追空同'黄河水绕汉宫墙'之作，古古许为知言。可见其瓣香所在也。"邓之诚《清诗纪事初编》卷一著录阎尔梅《白耷山人诗集》十卷、《文集》二卷："阎尔梅……为复社魁硕，有重名，埒于二张。甲乙之间，屡以奇计说史可法，不能用。乃散家财万金，结豪杰，往来山东、河南，数有兵起，旋皆破灭。事连尔梅。顺治九年，官发兵执之至大名质证，移济南狱。再逾年，有左右之者，得回籍听勘。明年携子出亡，十馀年间，遍游西北。会事解乃归，复为人所告。康熙四年，入京师，援恩诏诣诏狱自首，龚鼎孳时为刑部尚书，与有旧，为之疏通，竟得宽免。是狱言者不详，黄宗羲谓以诗祸亡命，尔梅亦有'贾祸诗文尽数删'之句。然被逮时，其弟尔羹父子同下江宁狱，经年始释。亡命之先，妻妾自杀，虑发冢，预先平墓。狱情严急，知与诗未尝无关，而不尽由于诗。性不耐家居，岁岁出游，年七十始不再出，犹以足迹未至闽、粤、滇、黔为憾。同时顾炎武营营秦、晋间，出入关塞；魏禧徘徊吴越，瞻眺及于粤闽。尔梅踪迹视炎武尤远且久，而各不相谋，皆有所待。卒于康熙十八年己未，年七十四。事具其孙圻所撰《文节公白耷山人家传》。尔梅有《白耷山人诗集》十卷、《文集》二卷，刻于康熙十四年乙卯，多所芟削，出于手定。诗才若海，茫无涯涘。说者谓似太白，盖论其古体，若律绝不薄七子，而格律谨严，声调沉雄，纯以史事隶之，与靡靡者异。当事无不重之。吕留良睥睨一世，闻人誉之半似阎古古而喜。计东数康熙初京师耆旧，依年为次，举孙承泽及尔梅、炎武三人，独为王士禛所轻。有戴廷栻者，祁县富商，喜藏书画古器，谨事傅山。尝匿炎武藏金，亦丑诋尔梅，以附于士禛，是所谓蟪蛄不知春秋者矣。"袁行云《清人诗集叙录》卷二著录阎尔梅《阎古古诗集》五卷（近代排印本）："诗集十卷，初刻于康熙十四年，有黄云师序，自识。以中多违碍清廷语，屡为删削。近代刻徐州二遗民集始有增补。一九一九年，张相文重辑阎古古全集诗五卷、杂文一卷附年谱，较为足帙。诗按古逸乐府、四五七言古、五七绝诸体分卷。古体奇辟生思，近体气象浑沦。甲申后感念国家身世，多悲壮嘹亮之音……投赠交往，既见史可法、杨廷枢、倪元璐、张采、张溥、黄道周、陈子龙、吴应箕矣，又与诸遗民寄怀……其诗规橅汉魏、盛唐，于明尤近李梦阳。其集《东城怀古》一首，足与《空同集·秋望》相颉颃。王士禛讥其重梦阳而不重杜甫，执古病今之见也。"

二十七日，曹尔堪（1617—1679）**卒**。施闰章《施愚山集·文集》卷一九《翰林院侍讲学士曹公顾庵墓志铭》："君享年六十三，以康熙十八年己未十一月二十七日卒。"《清史列传·文苑传》:"曹尔堪,字子顾,浙江嘉善人。顺治九年进士,改翰林院庶吉士,散馆授编修,迁侍读,升侍讲学士,以事罢归。尔堪淹博强记,多识掌故。所过山川阨塞,无不指画形势。与之游无贵贱,俱能识其家世,积久不忘。人比之虞世南'行秘书'、李守素'人物志'。尝扈瀛台、南苑受诏,与吴伟业同注《唐诗》,书成,得旨嘉许。工诗,在京师时,与宋琬、沈荃、王士禛、施闰章相唱和。士禛尝荟蕞其诗,并王士禄、程可则诗刻之,称海内八家。罢官后,优游田园间,为远游篇什益富。为诗清丽可讽,尤侗谓尔堪兄弟,人目为云礽王谢、风貌阮何。卒,年六十三。著有《南溪文略》二十卷、《词略》二卷、《杜鹃亭稿》。"沈德潜《国朝诗别裁集》卷三选曹尔堪诗五首,小传云:"诗文顷刻成,同馆无与争捷者。"徐世昌编《晚晴簃诗汇》卷二六选曹尔堪诗十六首,《诗话》云:"顾庵聪察开朗,有经世之志,景陵深赏之,许为学问最优。坐是见嫉,中蜚语罢归,同时京朝诸公多赋诗以饯。"邓之诚《清诗纪事初编》卷七著录曹尔堪《八家诗选》、《顾庵诗选》:"曹尔堪,字子顾,号顾庵,嘉善人,顺治九年进士,入翰林,官至侍讲学士,以事罢归。卒年六十三。事具《清史列传·文苑传》。工填词,有《南溪词》传世,与曹申吉称南北二曹。诗亦清丽,有《南溪诗文略》未见。传其《八家诗选》中二百首而已。"沈雄《古今词话·词评》下卷《曹尔堪南溪词》:"吴梅村曰:顾庵诸词,有渭南之萧散,无后村之粗豪,南宋当家之技。邹程村曰:南溪诸词,能取眼前景物,随手位置,所制自成胜寄。如晏小山善写杯酒间一时意中事,当使莲鸿、蘋云别按红牙以歌之。"郭麐《灵芬馆词话》卷二《曹尔堪词》:"国初浙西词人辈出,嘉善曹顾庵尔堪与吴中尤西堂侗齐名。西堂百末词,自以为花间、草堂之馀。顾庵颇为雅洁,《念奴娇》一阕,殊有竹山风调。"

十二月

是月初一日已交公元1680年1月2日。

李渔为《声山别集》本《三国演义》撰序。李渔《古本三国志序》后署"康熙岁次己未十有二月,李渔笠翁氏题于吴山之层园"。

是年

赵执信在京师初见冯班《钝吟集》,好之。赵执信《饴山诗集》卷一八:"戊午之明年,余留京师。晨夕无间,钝吟先生遗书,子师先得之,转以付余,且为赏析。由是得肆力于诗与书法。"钱林《文献征存录》卷一〇:"(执信)先生最服常熟冯班,称私淑弟子。"

洪昇、赵执信共论诗于王士禛宅中,争论以龙喻诗,一时传为口实。赵执信《谈龙录》:"钱塘洪昉思(昇),久于新城之门矣。与余友。一日并在司寇宅论诗,昉思嫉世俗之无章也,曰:'诗如龙然,首尾爪角鳞鬣,一不具,非龙也。'司寇哂之曰:'诗如神龙,见其首不见其尾,或云中露一爪一鳞而已,安得全体?是雕塑绘画者耳。'余曰:'神龙者屈伸变化,固无定体,恍惚望见者,第指其一鳞一爪,而龙之首尾完好,故宛然在也；若拘于所见，以为龙具在是，雕绘者反有辞矣.'昉思乃服。此事颇传于时，司寇以告后生而遗余语，闻者遂以洪语斥余，而乃侈司寇往说以相难，惜哉！今出余指，彼将知龙。"《四库总目提要》卷一九六著录赵执信《谈龙录》一卷："国朝赵执信撰。执信为王士禛甥婿，初甚相得，后以求作《观海集》序不得，遂至相失。因士禛与门人论诗，谓当作云中之龙，时露一鳞一爪，遂著此书以排之。大旨谓'诗中当有人在'。其谓士禛祭告南海都门留别诗'卢沟河上望，落日风尘昏。万里自兹始，孤怀谁与论'四句，为类羁臣迁客之词。又述吴修龄语，谓士禛为'清秀李于鳞'。虽忿悁著书，持论不无过激，然神韵之说，不善学者往往易流于浮响。施闰章'华严楼阁'之喻，汪琬'西川锦匠'之戒，士禛亦尝自记之。则执信此书，亦未始非预防流弊之切论也。近时扬州刻此书，欲调停二家之说，遂举录中攻驳士禛之语，概为删汰，于执信著书之意，全相乖忤，殊失其真。今仍以原本著录，而附论其纰谬如右。"

吴门啸客撰小说《前七国演义》（一名《前七国孙庞演义》）六卷二十回成书。梅鼎《前七国演义序》后署"康熙己未岁馀月，梅鼎公燮氏题于汇花轩"。编者按，"馀月"古称闰月，是年无闰月，姑系于此。

洪昇改七年之前所作《沉香亭》传奇为《舞霓裳》（《长生殿》的第二稿本）。洪昇《长生殿例言》："忆与严十定隅坐皋园，谈及开元、天宝间事，偶感李白之遇，作《沉香亭》传奇。寻客燕台，亡友毛玉斯谓排场近熟，因去李白，入李泌辅肃宗中兴，更名《舞霓裳》，优伶皆久习之。"章培恒《洪昇年谱》："案，《长生殿》卷首自序，署康熙己未仲秋。考《沉香亭》作于癸丑，改《舞霓裳》为《长生殿》在康熙二十七年戊辰，则己未所作序，盖为序《舞霓裳》者；后改为《长生殿》，序仍沿用未改。《舞霓裳》之作当亦在本年。"

戴名世作《与方灵皋书》、《褐夫字说》、《穷鬼传》等文。据王树民《戴文系年》。（见中华书局 1986 年出版《戴名世集》附录）

曾静（1679—1736）生。《大义觉迷录》卷一："曾静供：弥天重犯是康熙十八年生，吕留良是康熙二十一年死……实未与他会晤。"曾静，号蒲潭先生，湖南永兴人。康熙间诸生。雍正六年，遣徒张熙赴陕投书川陕总督岳钟琪，策动其反清，下狱后，供出系受吕留良遗著影响，引发吕留良文字狱案。乾隆帝即位后，曾静等被磔死。

王昊（1627—1679）卒。朱彭寿《清代人物大事纪年》："康熙十八年己未（公元1679 年），卒岁：王昊，内阁中书衔。卒年五十三。入《国史·文苑传》。"《清史列传·文苑传》："王昊，字维夏，亦太仓州人。束发授书，一过能记诵。稍长，涉猎书史，诗古文辞纵笔为之，并如宿习。作《鸿门行》，兀臬惊拔，吴伟业叹为绝才。于娄东十子中，犹铮铮有声。性傲岸，不肯就省试。时吴下文社盛起，争欲致昊，昊亦具供张设为槃敦以应之。往来江浙间，与诸豪俊缔交好，家以是困。乃归筑当恕轩，寝处其中，研经绎史，授徒自给。康熙十八年，举博学鸿儒，召试，授正字。上以昊文学素著，念其年迈，加内阁中书衔。命下而昊已卒，年五十三。所著《当恕轩随笔》，时称博洽。又有《硕园集》。"沈德潜《国朝诗别裁集》卷一二选其诗七首，小传云："硕园系凤洲司寇之后，娄东十子中，尤铮铮有声。"于《兵船行》后评云："造船累民为清海氛也，乃遇寇退避，复扫村民，兵船之祸烈于寇矣。吴野人有《造船匠》一篇，应纪一时之事。"邓之诚《清诗纪事初编》卷三著录王昊《硕园诗稿》三十五卷、《太仓十子诗选·忍庵集》："王昊，字惟夏，世懋之孙。举鸿博不第，赐内阁中书衔，昊已先卒，年五十三。《清史列传·文苑》有传。撰《硕园诗稿》三十五卷，自崇祯十六年癸未迄康熙十七年戊午，缺丙辰、丁巳（康熙十五六年）两年。二十三卷上以前为昊自编，馀为其子绎高续编，其孙良谷手录，末有良谷乾隆乙丑识语，谓当先刻诗稿。闻太仓图书馆藏有《硕园诗稿》三十卷，宝香阁刊本，未知即良谷所刻否？昊诗才气无双，笔力横逸，足为太仓十子眉目。十子中独许旭高尚其事，读其诗令人感慨，若昊惟穷愁足赏耳。"袁行云《清人诗集叙录》卷八著录王昊《硕园集》三十五卷（中国科学院图书馆藏抄本）："王昊撰。昊字惟夏，江苏太仓人，王世懋曾孙。明诸生，诗负才名，交游海内。清初坐奏销事，为邻邑株连，被逮入都。明年，奉顺治遗诏得释，自是灰心进取，益肆力于诗古文辞。康熙十七年举鸿博，以年老，与邓汉仪、王嗣槐、孙枝蔚俱加衔内阁中书。命下，已先卒，年五十三。吴伟业《太仓十子诗选》选诗一卷。是钞诗自崇祯十六年迄康熙十七年，缺康熙十五六两年。每岁一卷，视选本所益，不知凡几矣。一至二十三卷为昊自编，馀为其子绎高续编，其孙良谷手录，有乾隆十年良谷识语。附词稿，仅十馀阕。诗多感愤，善陈时事。《大雨行》、前后《打鱼歌》、《兵船行》、《秋感》、《棉花行》、《上元行》、《京口》、《鹿城胥》、《金陵杂诗》，郁勃沉健，有亢直之气。作《遭难诗》、《秋村四首》，自述坐奏销事被逮经过。喜读子史书，偶有所得，辄录之，成《读史百咏》、读老庄文中子等篇。交游可考者，前辈为钱、吴、王时敏，友朋赠答，则尤侗、陆元辅、余怀、杜濬、王鉴、邓孝威、吴绮。作《九子篇》，九子即周肇、王揆、许旭、黄与坚、王撰、王扴、顾湄、王摅及其弟王曜升。其诗在九子之上，沈德潜《别裁》谓'十子中尤铮铮有声者'，是矣。是钞凡旧序题词七篇，为计东、姜廷幹、孙金砺、黄虞稷、周云骧、周云骏、陈嘉静，俱昊同学。"

　　陈廷会（1618—1679）卒。据邓之诚《清诗纪事初编》。《清史列传·文苑传》："陈廷会，字际叔，亦钱塘人。以家贫教授河间。性至孝，居父丧，断酒肉，儽然骨立，且夕哀号，闻者为之酸感。营葬发丧，得旧棺，急掩之曰：'冥漠君不安，即亲灵未妥也。'文笔雅健，陆圻以为典册类相如。尤笃于友谊，圻弟培殉难，嘱以妻子，廷会为教其子繁弨成立。"毛先舒《西泠十子诗评》："陈际叔（廷会）如孟公入座，宕迈绝伦。"邓之诚《清诗纪事初编》卷二著录陈廷会《瞻云诗稿》："陈廷会，字际叔，号鵠客，钱塘人。诸生，明亡后，高隐不出。卒于康熙十八年，年六十二。事具朱溶若《陈先生廷会传》、毛际可《西泠五君子传》。际可自称兄事廷会，然称廷会割股愈母疾，廷会七岁丧母，安能有此事？溶若叙事较详，称廷会生数月，闻兄读《左传》'吕相绝秦'而流涕，廷会诗中自言是三岁时事，皆不能无误，以见纪事之难。西泠十子以文采相尚，唯丁澎、吴百朋、虞黄昊事进取，亦不得志。然高尚若陆圻，犹与当事往还，柴绍炳尝走京师，而廷会能峻拒张缙彦、嵇宗孟，足与徐枋比美，际可以与汪沨相次，可谓能知廷会者矣。陆培死事，以遗孤繁弨托廷会，竟能教之成立，以文章显名，尤为世所称。溶若称廷会著有《瞻云集》，似未刊行。此《瞻云诗稿》，门人翁怀岵所录，凡诗二百二十六首，曰《诗稿》者，以别于文也。陆圻推廷会文典册类相如，必有过人者，惜其不传。予尝读陆圻《威凤堂集》、丁澎《扶荔堂集》、沈谦《东江集》，规橅云间，才情飙举，声调于七子为近。独廷会所作，格高韵古，读之动心。朱彝尊、沈德潜、陈田皆未选廷会诗，盖未见《西泠十子诗选》，更无论此集矣。"

周容（1619—1679）卒。据全祖望《鲒埼亭外编》卷六《周征君墓幢铭》。《清史列传·文苑传》："周容，字鄮山，亦鄞县人。明诸生。少即工诗，出入于少陵、圣俞、放翁之间。尝以诗谒钱谦益，谦益称为才子，录入《吾炙集》，赋《越绝》一首以赠之。国难后，弃诸生，放浪湖山间。无日不饮，无饮不醉，狂歌恸哭，杂以诙谐，世比之徐渭。少为御史徐心水所赏契，心水避乱天童，海贼劫之去，要质金帛，容挺身入贼垒，以身质之，心水得返，而容代受刑酷，乘间窃归，自是足为之躄，因别署躄翁。生平负才使气，足迹遍天下，所至皆有诗。与钜鹿杨思圣相友善。已而归里，筑室数楹，为终老计。会有以非意干之者，乃复入京师，时举博学鸿儒科，朝臣争欲荐之，以死力辞。康熙十八年，卒于京邸，年六十一。阎若璩尝曰：'鄮山，吾家白耷山人之俦，而诗过之。'白耷山人者，沛县阎尔梅也。容工书画，书法欧、褚，画不拘宗法，疏木枯石尤佳。所为文，眷眷故国，全祖望谓读其《神宗皇帝御书记》、《白尚书古卣记》，及《发冢铭》，黍离、麦秀之音，令人魂断。时称容画胜于文，诗胜于画，书胜于诗云。著有《春酒堂诗集》十卷、《文集》四卷、《诗话》一卷。"陈田《明诗纪事》辛签卷二七上选周容诗一首，引《画征录》云："鄮山善书工画，疏木枯石，自率胸臆，萧然远俗，不拘拘于宗法。"袁行云《清人诗集叙录》卷六著录周容《春酒堂存稿》不分卷（中国科学院图书馆藏抄本）："此抄本诗止于康熙十八年，分体，附诗馀。咏岳墓、于墓，《过保定谒杨忠愍公祠》等篇，寄怀故国之思。交游中与杨思圣、申涵光善。思圣殁，作诗悼之。其诗气骨遒劲，与陈洪绶在伯仲间，品节亦相近似。"

公元 1680 年（清康熙十九年　庚申）

三月

初三日，王夫之编竣《六十自定稿》。王之春《船山先生年谱》："十九年庚申，公六十二岁……辑己酉、庚戌以来所作古、近体诗，为《六十自定稿》。三月初三日，为之序。"

是年春

李渔（1611—1680）卒。卒年及其季节据《文学评论丛刊》第十三辑（1982）所载远益之《李渔生卒年考辨》一文的考证。董含《三冈识略》卷四《李笠翁》："李生渔者，自号笠翁，居西子湖。性龌龊，善逢迎，遨游缙绅间，喜作词曲及小说，备极淫亵。常携小妓三四人，遇贵游子弟，便令隔帘度曲，或使之捧觞行酒，并纵谈房中术，诱骗重价。其行甚秽，真士林中所不齿者。予曾一遇，后遂避之。夫古人绮语犹以为戒，今观《笠翁一家言》，大约皆坏人伦、伤风化之语，当堕拔舌地狱无疑也。"梁允植《藤坞诗集·哭笠翁》："廿季风雨赋嘤鸣，一夕分飞变羽声。未过君门肠已断，湖山烟树不胜情。""忆昔秦川汗漫游，春风郭李附仙舟。至今不复瞻元礼，落月鸡坛无限愁。""君才合是谪仙人，囊括烟霞数十春。鹤影莫遗华表恨，青莲原是悟前身。""穗帐空庭锁寂寥，孤儿雪夜泣风潮。伤心此道真如土，千载何人续孝标。"刘廷玑《在园杂志》卷一："李笠翁（渔），一代词客也，著述甚夥，有传奇十种、《闲情偶寄》、《无声戏》、《肉蒲团》各书，造意创词，皆极尖新。沈宫詹绎堂先生评曰：'聪明过于学问。'洵知言也。但所至携红牙一部，尽选秦女吴娃，未免放荡风流。昔寓京师，颜其馆之额曰'贱者居'。有好事者戏颜其对门曰'良者居'。盖笠翁所题本自谦，而谑者则讥其所携也。然所辑《诗韵》颇佳，其《一家言》所载诗词及史断等类亦别具手眼。"马先登《勿待轩杂志》卷下："李笠翁《闲情偶寄》一书，自居处饮食及男女日用纤细不遗，要皆故作清绮语导人逾侈之事，无一足取，谓其人亦李贽、屠隆之类，为名教罪人，当明正两观之诛者也。"李调元《雨村曲话》卷下："李渔音律独擅，近时盛行其《笠翁十种曲》。十种者，《怜香伴》、《风筝误》、《意中缘》、《凤求凰》（当为《凰求凤》）、《奈何天》、《比目鱼》、《玉搔头》、《巧团圆》、《慎鸾交》、《蜃中楼》。勾吴虞巍序而行之，称'笠翁妻妾和谐，虽长贫贱，不作《白头吟》，另具红拂眼'。亦可取也。世多演《风筝误》，其《奈何天》，曾见苏人言之。"又云："铅山编修蒋心馀士铨曲，为近时第一。以腹有诗书，故随手拈来，无不蕴藉，不似笠翁辈一味优伶俳语也。"杨恩寿《词馀丛话》卷二："《笠翁十种曲》，鄙俚无文，直拙可笑。意在通俗，故命意、遣词力求浅显。流布梨园者在此，贻笑大雅者亦在此。究之：位置、脚色之工，开合、排场之妙，科白、打诨之宛转入神，不独时贤罕与颉颃，即元、明人亦所不及，宜其享重名也。"杨恩寿《续词馀丛话》卷二："《笠翁十种曲》，意在通俗，失之鄙俚，然其中亦有俊语也。《奈何天》下场诗云：'奈何人不得，且去奈何天。'又云：'饶他百计奈何天，究竟奈何天不得。'语妙乃尔。至《风筝误·逼婚·尾声》云：'怕你不做卧看牵牛的织女星。'本是成句，略改句读，用意各别，尤为巧不可阶。"梁廷枏《曲话》卷三："《笠翁十种》，曲、白俱近平妥。行世已久，姑免置喙。近人惟绵州李太史（调元）最深喜之，谓'如景星庆云，先睹为快'，家居时常令歌伶搬演为乐。其第十种名《比目鱼》，有自题诗云：'迩来节义颇荒唐，尽把宣淫罪戏场。思借戏场维节义，系铃人授解铃方。'太史谓：'读是诗，方知其绣曲心苦。'盖通十种中，命意结穴在此也。客有笑其偏嗜笠翁曲者，太史尝诵此诗答之。"又云："笠翁以《琵琶》五娘千里寻夫，只身无伴，因作一折补之，添出一人为伴侣，不知男女千里同途，此中更形暧昧。是盖矫《琵琶》之弊，而失之过；且必执今之关目以论元曲，则有改不胜改者矣。笠翁痛诋《南西厢》，其论诚正；至欲作《北琵琶》以补则诚之未逮，未免自信太过，毋论其才不及元人，即使能之，亦殊觉多此一事也。"杨际昌《国朝诗话》卷二："李笠翁（渔）工度曲，诗则游戏耳。"徐世昌编《晚晴簃诗汇》卷三三选李渔诗二首，《诗话》云："笠翁少游四方，自金陵移家杭州，因自号湖上笠翁。精于谱曲，时人呼之李十郎，有传奇十种行世。其诗规橅香山，真率而近俚。"《清代野史大观》卷一一《清代述异》："笠翁名渔，钱塘人，能为唐人小说，兼以金、元词曲擅名。所至携小鬟唱歌。吴梅村赠诗云（见顺治十七年庚子编年记事，此略）。尤悔庵又云：'十郎才调福无双，双燕双莺语小窗。送客留髡休灭烛，要看花睡照银缸。'于是北里南曲中无不知有李十郎者。《笠翁十种曲》为《怜香伴》、《风筝误》、

《意中缘》、《蜃中楼》、《凰求凤》、《奈何天》、《比目鱼》、《玉搔头》、《巧团圆》、《慎鸾交》十种。笠翁运笔灵活，科白诙谐，逸趣横生，老妪皆解，能吐人不能吐之句，用人不敢用之字；摹人欲摹而摹不出之情，绘人欲绘而绘不工之态状。且结想摛词，段段出人意表，又语语仍在人意中。陈者出之而新，腐者经之而艳，平者遇之而显，板者触之而活。不独此者，结构离奇，变化令人莫测：事之真者能变之使伪，伪者又能反之使即真；情之信者能笋之使疑，疑者又能使之贴服而归于信。以剧情词曲而论，笠翁洵能摹写人情，为吾国传奇中别开生面者，固不必以文章严格绳墨之也。"吴梅《中国戏曲概论·清总论》："今自开国以迄道光，总述词家，亦可屈指焉。大抵顺康之间，以骏公、西堂、又陵、红友为能，而最著者厥惟笠翁。翁所撰述，虽涉俳谐，而排场生动，实为一朝之冠。"蒋瑞藻《花朝生笔记》："湖上笠翁李渔，以词曲负盛名，著传奇十馀种，纸贵一时，钱虞山、吴梅村诸公，翕然推之。渔尝有句云：'可惜元人个个都亡了，若至今时还寿考，遇余定不题凡鸟。'自负可知。然其为人，实狷薄无耻，又工揣摩，时以术笼取人资。其谱《奈何天》也，先出上半本，所云阙里侯者，盖指衍圣公而言，扮衍丑恶，备极不堪。衍圣公患之，赂以重金。复出下半本，则所谓阙里侯者，已获神佑，完好如常人矣。即此一事，笠翁之为人，亦可概见。"蒋瑞藻《纳川丛话》："李笠翁《十种曲》，实传奇中之铮铮者。后人多轻视之，最不可晓。诋笠翁尤甚者，为袁随园。然随园之为人，与笠翁亦不过五十步百步之分耳。笠翁著有平话小说，曰《十二楼》，仿《今古奇观》体例，书甚佳，可与《十种曲》等观。又俗传《耶蒲缘》亦出笠翁手笔，余读之，良然。"孙楷第《中国通俗小说书目》卷四著录《肉蒲团》六卷二十回，题下注云："一名《觉后禅》，坊本改题名目曰《耶蒲缘》，曰《野叟奇语钟情录》，又曰《循环报》，又曰《巧姻缘》。"正文云："清无名氏撰。题'情痴反正道人编次'，'情死还魂社友批评'。别题'情隐先生编次'。首西陵如如居士序。此书在猥亵小说中颇为杰出，《在园杂志》以为李渔作，殆为近之。嘉庆十五年御史伯依保奏禁，丁日昌禁书目著录。"鲁迅《中国小说史略·明之人情小说》："然《金瓶梅》作者能文，故虽间杂猥词，而其他佳处自在，至于末流，则著意所写，专在性交，又越常情，如有狂疾，惟《肉蒲团》意想颇似李渔，较为出类而已。"鲁迅《且介亭杂文二集·从帮忙到扯淡》："清客，还要有清客的本领的，虽然是有骨气者所不屑为，却又非搭空架者所能企及。例如李渔的《一家言》，袁枚的《随园诗话》，就不是每个帮闲都做得出来的。"袁行云《清人诗集叙录》卷三著录李渔《笠翁诗集》三卷、《馀集》一卷："李渔撰。渔字笠鸿，一字谪凡，号笠翁，浙江兰溪人。少游四方。明亡，避兵山中，后居南京，迁杭州。精于谱曲，时人呼之李十郎。生当万历三十九年，卒于康熙十八九年间。著小说《回文传》、《无声戏》、《十二楼》，戏曲有《风筝误》、《比目鱼》等，称《笠翁十种曲》。诗文词杂著名《一家言全集》，婿王槃刻。内《闲情偶寄》、《窥词管见》，论词曲尤谂当世。诗集有康熙十一年自序，余怀、丁澎序，附钱谦益、吴伟业、顾贞观等人评语。诗主性灵，为公安馀响。甲乙间所作《婺城乱后作》、《避兵行》、《行路难》，时作愤语。后广交达宦，《万柳堂呈冯易斋相国》、《华山歌寿贾大中丞胶侯》、《一人知己行赠佟碧枚使君》，纯属投赠。《大宗伯龚芝麓先生挽歌》、《军兴三异歌为督师李邺园》，亦多腴词。《前后过十八滩诗》、《儋州行》、《黄河篇》、《镇江舟中看雪歌》、《中秋看月歌》，则信口成章，化俗为雅。《酒徒篇为燕中褚山人作》、《奇穷歌为姜次生作》、《和刘子岸先生十无诗》，时近俚谐。《十无诗》为居无屋、行无舆、寝无床、食无米、寒无衣、夜无灯、炉无火、杖无钱、渴无茗、交无友也。渔尝改《琵琶记》、《南西厢》诸剧，复陈为新，兼正其失。观《哭亡姬乔氏黄氏诗》，诸姬皆能歌舞登场。《予携妇女出游有笑其失计者诗以解嘲》云：'尽怪饥驱似饱腾，纷纷儿女共车乘。须知我作浮家客，欲免人呼行脚僧。岁俭移民常就食，力衰呼侣伴担登。他时绝粒长途上，纵死还须拔宅升。'此诗最见情性。乾隆间沈赤然《五砚斋诗钞·书李笠翁一家言诗》云：'词曲当年数笠翁，两朝冠盖揖群公。囊金不惜教歌妓，家具都思夺化工。'又云：'争传纸贵写三郎，顾曲周郎老道途。白下园亭看未足，又移歌舞入西湖。'注云：'笠翁芥子园甲天下，暮年复移家西湖。'唯渔好谈闺情，为后世所讥，诗文都不入选，亦不置目，其《一家言全集》但流行民间耳。夫文学之士，所趋不同，流派如百川赴海，其间固有不待表彰而自显者。此集虽未能悉概人心，然沿波讨源，仍不失为畸人之诗也。笠翁晚年，卜筑杭州云居山，构屋名曰层园。卒，葬于方家峪九曜山，钱唐知县梁允植题其碣。嘉庆间，赵坦复修筑，后人吟题不绝。《周伯衡诗钞》有《汉阳遇李笠翁兼记诸姬之盛》诗。王鹏《半村居诗钞》有《题李笠翁烟波垂钓图小照》云：'五岳归来屐齿孤，等身著述付奚奴。何如独结烟波约，泛宅浮家作钓徒。'鹏，金华人。又朱慎《浮园诗集》（北京图书馆藏抄本）有《李笠翁招引湖上》、《怀笠翁先生》等诗，所撰《菊山词》亦李渔定。陆圻《威凤堂文集》有《李笠翁新居记》（中国社会科学院图书馆藏刻本），有目无文。"王绍曾主编《清史稿艺文志拾遗》著录李渔所编著图书：《千古奇闻》八卷、《读史赘言》一卷、《笠翁偶集摘录》一卷、《芥子园书画》五卷、《闲情偶寄》十六卷、《乔复生王再来二姬合传》、《李笠翁尺牍》一卷、《四六初征》二十卷、《尺牍初征》十二卷、《古今尺牍大全》八卷、《耐得歌词》四卷首一卷、《摘录李笠翁词》一卷、《笠翁词韵》四卷、《笠翁剧论》二卷、《笠翁一家言全集》四种五十三卷。另据孙楷第《李笠翁与〈十二楼〉》（亚东图书馆重印《十二楼》序），李渔尚有诗集《龆龄集》、《名词选胜》、《资治新书》十四卷、《二集》二十卷、《笠翁诗韵》五卷、《纲鉴会纂》、《明诗类苑》、《列朝文选》、《古今史略》等；戏曲除《笠翁十种曲》外，另有《笠翁传奇五种》（包括《万全记》二卷、《双锤记》二卷、《十醋记》二卷、《偷甲记》二卷、《鱼篮记》二卷）、《笠翁新三种传奇》（包括《补天记》二卷、《双瑞记》二卷、《四元记》二卷）；小说除《无声戏》、《十二楼》等短篇小说集外，尚有长篇小说《回文传》十六卷。此外，刘廷玑《在园杂志》认为《肉蒲团》也是李渔的手笔。

五月

五日，黄周星（1611—1680）**卒**。《国朝耆献类征》卷四七三汪有典《黄周星传》："公讳周星，字九烟，上元人……乱后变姓名曰黄人，字略似，号半非，又号圃庵，又曰汰沃主人，又曰笑苍道人。生平正直忠厚，好济利人物，而真率少文，刚肠疾恶……感愤怨怼，无聊不平，则一寓之于诗……年七十，忽感怆伤心，仰天叹曰：

'嘻！而今不可以死乎？'自撰墓志铭……与妻孥绝，取酒纵饮尽数斗，大醉自沉于水，时庚申五月五日也。"康熙《繁昌县志》卷一二："黄周星，字九烟，江宁人。本黄氏子，湖广周姓抱养。成进士，文章奇古，尤长于诗。明季弃官归里，以翰墨自娱。旧邑古氏延设绛帐，遂家焉。时监司周公体观重其才，欲为买山终老，倾盖周星，箨冠野服，相对落落。然观知其廉介，不复以累。有同年友为守者招之，至馈以金，不受。觞咏经旬，卖卜而返，后徙于湖上。"咸丰《南浔镇志》卷一一著录黄周星："著有《唐诗快》、《惊天》、《泣鬼》、《移人》三集，凡三十卷。自编《圃庵诗文》、《刍狗斋集》、《夏为堂集》、《山晓阁诗集》、《千家姓编》、《廋词》、《斝笺》、《复姓纪事》、《夏为堂别集》、词馀、《唐宋八大家文备》、《益蒙集》，又有《梦史》，佚不传。"光绪《湘潭县志·艺文》著录黄周星："《酒社刍言》一卷、《制曲枝语》一卷、《夏为堂赋》、《文纂》四卷、《衡岳游记》一卷、《文阳集》、《圃庵集》、《刍狗斋集》、《夏为堂别集》六卷、《楚村轶草》。"光绪《湘潭县志》卷六六："黄周星，字九烟。祖父之屏，自有传。父逢泰，明万历时举人，教授南京。星生于上元，更姓黄氏，盖母卒，寄养其家云。六岁能文，七岁善真行草篆，江南盛传周郎帖，由是显名。十二入南监，称黄周星。崇祯十三年进士，户部主事。政乱不官，归丁父丧。九弟皆各散居，星仍还上元……南都立主，遂无踪迹之者。福王败没，星流寓湖州。江浙大定，复颇与遗民文人相往还。文词沉博绝丽，而语言若狂易，以己无家辄自诧。有名园东西分建，曰将就二园，自为记，言天仙取其图本为营作矣。江南名士甚重之，争言黄九烟。其诗歌传播一时。湖广人士，惟星及杜濬得与海内胜流相抗接，虽王岱不及也。"卓尔堪《明遗民诗》卷一选黄周星诗五首，小传云："一名人，字略似，一字九烟，号而庵，湖广江夏人。进士，隐居江南。性孤泠，寡言笑，少年多著作。从长沙过洞庭，夜半为剧盗所掠，尽取舟中图籍投之水。后复著成集，乙酉夏五，□□□□，避迹芜阴，苍黄从矛镝丛中攫得一集，挈之以行，复为盗掠。今所存皆鼎革以后作，颇近于骚。素怀灵均之志，终投秦淮以死。选《唐诗快》，著《夏为堂诗集》。"张潮《制曲枝语跋》："制曲之难，《枝语》已详之矣，于难之中求其易之之法，则有二焉……余戊辰岁秋学填词，悟而得之，惜其时九烟先生已殁，不能就正其可否也。心斋居士题。"朱彝尊《静志居诗话》卷二一《黄周星》："九烟晚变名曰黄人，字曰略似，又号圃庵，又曰汰沃主人，又曰笑苍道人。布衣素冠，寒暑不易，人有一言不合，辄嫚骂。尝赋诗云：'高山流水诗千轴，明月清风酒一船。借问阿谁堪作伴，美人才子与神仙。'年七十，忽感怆于怀，仰天叹曰：'嘻！而今不可以死乎？'自撰《墓志》，作《解脱吟》十二章，与妻孥诀，取酒纵饮，尽一斗，大醉，自沉于水，时五月五日也。又仁和陈叟继新居于禾，晚节纳石子怀中，赴龙渊寺门潭中死，均不失为申徒狄、徐衍一流。"沈德潜《明诗别裁集》卷一一选黄周星诗一首。徐世昌编《晚晴簃诗汇》卷一三选黄周星诗二首，《诗话》云："九烟初育于湘潭周氏，从其姓。登第后，疏请复性。国变后，改名曰人，字略似，号半非，又号圃庵、汰沃主人、笑苍道人。尝游西湖，赋诗十首，有句云：'扬州那可死，留命配西施。'其有钱塘程光禋奕先作诗争之，九烟不答。程后遂有诗云：'扁舟一棹兰江去，赢得西湖不字黄。'九烟和云：'酒炉多为黄公醉，肯信兹湖不姓黄。'程复作长歌与争。于湖罗世绣梨柯者为之解纷，遂名其诗曰

337

'西湖三战诗'，亦诗人之轶事也。"邓之诚《清诗纪事初编》卷二著录黄周星《九烟先生遗集》六卷："黄周星，冒周氏，字景虞，号九烟，湘潭人。崇祯十三年进士，户部主事。本出于黄，遂复黄氏。为上元人。明亡不仕，自称黄人，字略似，号半非，别号圃庵，又曰汰沃主人、笑苍道人，寄寓南浔马家巷。诗文书画篆刻，无不精妙。愤激尤甚，汪有典《史外》，误称其以庚申（康熙十九年）五日自沉于维扬，年七十。盖沉于南浔，杜濬有《绝命诗书后》，明其非慎，谓可驾三闾，信然。有《九烟先生遗集》六卷，周星先有《刍狗斋集》，板毁。又有《梦史》、《圃庵诗集》、《百家姓编》、《人天乐》传奇不传。见范锴《浔溪纪事诗注》。近人有藏抄本《前身集》二卷，题黄九烟先生撰，后身樊舟杨凌霄搜录，杨事迹无考，或在周本之前。《昭代丛书》有《衡岳游记》、《廋词》、《酒社刍言》各一卷，此本既收《将就园记》，何以不备收之？吕留良《东庄诗存》寄黄九烟诗云：'闻道新修谐俗书，文章买卖价何如？'自注：'时在杭为坊人著稗官书。'既曰谐俗，是章回说部也，惜不得其名。"袁行云《清人诗集叙录》卷三著录黄周星《九烟先生遗集诗》二卷（嘉庆二十一年刻本）、《九烟诗钞前后集》（近代排印本）："黄周星撰……著有《刍狗斋集》、《九烟诗钞》未刻，《小半斤谣》，张潮辑入《昭代丛书》。自云尝欲评选古今人诗，自葩骚而外，厘为三集，总名《诗贯》。不知是否成书，今所见惟《唐诗快》耳。据董说《丰草庵诗集》载《黄九烟居士重过宝云》注：'自言将制《北俱庐传奇》，又有《梦史》，高一尺。'二书亦不可踪迹矣。是集为湘潭周氏族孙辑本，几经补缀，嘉庆二十一年，始由周诒朴校刊行世。凡文二卷、诗二卷、杂著、时艺各一卷，鳞爪而已。其最著者《楚州酒人歌》，馀如《潇湘八景》、《西湖竹枝》、《和楚女诗十首》、《夕阳诗》，未关宏旨。其诗沿明季馀习，学白居易处，醇朴自然。近代排印《九烟诗钞》，前集为顺治二年至五年诗，后集为顺治九年以后诗，所据为别一抄本，倪剑序。其中与无可、施匪我赠答，并有《集唐》六十首……周星与吕留良交契，尝作《思古堂诗》、《奇才吟》，留良有和诗，见《吕耻翁诗稿》。《伥伥集》有《黄进士歌》，亦赠周星诗。《浔溪诗征》卷三十四有选诗六十二首，《读张苍水绝命词次韵》四首、《董虎吟》、《解蜕吟》、《庚子记年诗》，长篇叙事，多出于是集之外者。所制《人天乐》传奇，有清初刻本，情节皆作者自演。又《惜花报》杂剧，姚燮《今乐考证》著录，为王丹麓记事作，近人或谓佚，或谓收于《夏为堂别集》。此剧有刻本，在王晫《兰言集》卷十，无署题，按之标目，即《惜花报》也。"

六月

十七日，王时敏（1592—1680）卒。 朱彭寿《清代人物大事纪年》："康熙十九年庚申（公元1680年），卒岁：王时敏，字逊之，号烟客。江苏太仓人。故尚宝寺丞。清初六大画师之一。六月十七日卒，年八十九。"王时敏，本名赞虞，字逊之，号烟客，又号偶偕道人、懦斋，晚号归村老农、西庐老人，世称西田先生，江南太仓（今属江苏）人。明崇祯初，以祖父相国文肃公锡爵荫官至太常寺少卿，人亦称之王奉常。甲申国变后，家居不出，师事钱谦益，与吴伟业时相唱酬，工诗文，尤善书画，为清初六大画家之首,有"娄东画组"之美誉。著有《王奉常书画题跋》二卷、《西庐家书》一卷、《王烟客先生集》八种十五卷。吴伟业《吴梅村全集》卷一一《画中九友歌》称颂王时敏:"太常妙迹兼银钩,乐郊拥卷高堂秋。真宰欲诉穷雕镂,解衣盘礴堪忘忧。"王豫《江苏诗征》引《江苏诗事》:"明怀宗时,烟客奉使楚南,馈遗一无所受。入国朝,杜门不出,益工诗文,尤精书画,海内珍宝之。"邓之诚《清诗纪事初编》卷一著录王时敏《王烟客集》十卷:"王时敏本名赞虞,字逊之,号烟客,晚号归村,世称西田先生。太仓人。祖锡爵,万历时官大学士,父衡以进士第二人及第,告终养归,先后卒。时敏年十九,独当门户,以荫为尚宝丞,累官太常寺少卿。崇祯庚辰以病归。为人有智计,锡爵以请三王并封,为世诟病,时敏刻锡爵密揭及神宗御札以释疑。虽门户各别,不免依傍冯铨,称门下士,颇与闻机事。然不乐美宦,易代后以父执事钱谦益,请业甚谨。时与吴伟业酬唱往还,皆东林也。累世富厚,而居乡颇言地方利弊兴革,为民请命。鼎革之际,独能保其家,盖善以术自全者。诸子皆富文采,而掞独贵。以遗老终于康熙十九年,年八十九。事具程穆衡《太仓耆旧传》。著述传者曰《偶偕旧草》一卷、《续草》一卷,为当官奉使四方之作。曰《西庐诗草》二卷、补二卷,则里居所作。曰《西庐诗馀》一卷,曰《遗训》一卷、《尺牍》二卷。自伤失学,不敢言诗,然笔调横恣,故是作者,特为画名所掩。画能立宗开派,一代画人,鲜有能越其范围者。别行《家书》一卷,康熙初与第五子抃者。晚景萧条,家计甚窘,读之知其时征敛之苦。"袁行云《清人诗集叙录》卷一著录王时敏《王烟客诗集》六卷:"王时敏撰。时敏初名赞虞,字逊之,号烟客,晚号西田主人,江苏太仓人。以祖荫尚宝丞,升正卿,迁太常寺卿。明崇祯十三年归里。入清,卜居西田,号归村老农。康熙十九年终,年八十九。时敏为一代画苑领袖,王翚、恽格、吴历,皆亲炙其指授。是集为其子撰辑,凡诗六卷,诗馀、遗训、尺牍四卷,附长子挺《减庵诗存》、子掞《西田诗集》,又附《画史诗简》,为邹登泰编,下及嘉庆间名人。至民国五年始由苏州排印。诗曰《偶偕草》一卷、《续草》一卷,明朝历仕时著也。曰《西庐诗草》二卷、补三卷,颓龄后卜居西村之诗。《村居杂兴》、《赠禅师山民放歌》、《题归元恭僧服小像》,词清逸韵。然亦有雄闳激楚之作。《亥秋书事》四首,记顺治十六年郑成功、张煌言入长江攻南京事,深沉含蓄。又作《感兴诗》以寄志。其诗得少陵神髓,谓工稳逸,不尽是矣。钱谦益、吴伟业、陈瑚、施闰章、宋琬、王士禛、董文骥集有赠诗,吴历、恽格集有挽诗。"

八月

张岱《有明于越三不朽图赞》撰成。据《自序》。

闰八月

十七日,尚之信以谋反在广州被处死,康熙帝念其父尚可喜功劳,免籍没其家。据《清史编年》。

是年秋

万斯同撰《新乐府》二卷成。据陆嘉淑序。

十一月

初八日，李邺嗣（1622—1680）卒。朱彭寿《清代人物大事纪年》："康熙十九年庚申（公元1680年），卒岁：李邺嗣，浙江鄞县诸生。十一月初八日卒，年五十九。入《国史·文苑传》。"《清史列传·文苑传》："李邺嗣，原名文允，以字行，浙江鄞县人。明诸生。生而风骨不凡，年十二三能诗，有秀句。年十六，随父枢官岭外，通人张孟奇叹异之，为忘年交。及长，益肆力为诗古文辞。与黄宗羲校覆古文雅郑，而推原于道艺之一，又与万泰、徐凤垣等从清苑梁以樟倡和。尝自言得宗羲而后敢为文，得以樟而后敢为诗，其诗文破除王、李、钟、谭之窠臼，卓然成家。鄞人多师事之。里中有鉴湖社，仿场屋之例，糊名易书，以邺嗣为主考，甲乙楼上，少长毕集楼下候之，一联被赏，多士胪传，如加十赉。甲申后，父被逮杭州，邺嗣亦驱至定海，缚马厩中七十日，甫得脱，父丧自杭归，一恸几绝。后再下府狱，得免。自是绝意人世，酒痕墨迹，多在僧寮野庙中……全祖望尝谓：'邺嗣一身，流离国难，则宋之谢翱、郑思肖；委蛇家祸，则近之王衷，唐之甄逢；周旋忠义之间，则汉之王敞、闾子直'云。所著有《汉语》、《南朝语》、《续世说新语》。《汉语》不列曹氏一门，三《语》中亦多寓笔削予夺。又集《甬上耆旧诗》为三十卷，人为之传，搜寻残帙，于布衣孤贱，尤所惋结。书成，立诗人之位，祀以少牢，闻者为之轩渠。又有《杲室文钞》六卷、《诗钞》七卷。"沈德潜《国朝诗别裁集》卷七选李邺嗣诗五首，小传云："诗品刊落凡庸。不肯一语犹人，浙人中独开生面者。"《四库总目提要》卷一八二著录李邺嗣《杲堂文钞》六卷、《诗钞》七卷："国朝李邺嗣撰。邺嗣字杲堂，鄞县人，顺治中诸生。其《文钞》，徐姚黄宗羲所定；《诗钞》，其同里徐凤垣所定也。邺嗣自序，称得黄梨洲而后敢为文，得梁中狄而后敢为诗。宗羲序称其皆胸中流出，无比拟皮毛之习。盖破除王、李、钟、谭之窠臼，而毅然自为者也。"徐世昌编《晚晴簃诗汇》卷一七选李邺嗣诗三十五首，《诗话》云："杲堂年十二三能诗，即有秀句，十六补诸生。父枢尝被逮杭州狱，杲堂亦系定海马厩中七十日，父丧自杭归，一恸几绝……辑《甬上耆旧诗》，遍为作传，借存文献。其诗别才逸腕，刻刻异人。"邓之诚《清诗纪事初编》卷二著录李邺嗣《杲堂诗钞》七卷、《文钞》六卷、《杲堂文续钞》五卷："据邺嗣康熙十四年自序，有文集二十卷、诗集十八卷，刻本当自其中录出。全祖望乃以刻本为外集，未刻者为内集，谓必有殉之埋之之志，怂恿李氏后人刻之，为撰《杲堂诗文续钞序》，竟不果刻。近人得邺嗣文一百一十一首，刻为《杲堂文续钞》，寿序几盈一卷。《题合肥先生诗集后》，不免以语言泛爱人，未见有殉之埋之之作也。邺嗣尝问作古文法于宗羲，不肯执弟子礼，因宗羲尊钱谦益，遂亦不薄其为人。文多纪沧桑间事，读之令人思愤。颇赋才辨，笔亦明畅，不似其诗戛戛独造。然宗羲以为数百年所无，则为过誉……论诗与梁以樟相得，不薄七子、钟、谭，专事摹古。古体太半皆乐府，失之生涩。然工力甚深，似在其文之上。"袁行云《清人诗集叙录》卷六著录李邺嗣《杲堂诗钞》七卷（《四明丛书》本）："此近代《四明丛书》本，《文钞》四卷，黄宗羲定，《诗钞》七卷，邓汉仪、徐凤垣选……今所见六百篇，虽为删后之诗，而含蓄沉挚，亦高响矣。徐楒《玉屏山人诗集》有《读李杲堂先生诗》。"浙江古籍出版社 1988 年出版整理本《杲堂诗文集》。

十七日（已交公元 1681 年 1 月 6 日），魏禧（1624—1681）卒。朱彭寿《清代人物大事纪年》："康熙十九年庚申（公元 1680 年），卒岁：魏禧，江西宁都县征士。十一月十七日于仪征舟次卒，年五十七。入《国史·文苑传》。"《清史列传·文苑传》："魏禧，字冰叔，江西宁都人。父兆凤，明诸生。甲申之变，兆凤号哭竟日，不食，匿迹山中，剪发为头陀，隐居金精之翠微峰。是冬箓离之乾，遂名其堂为易堂。年四十，卒。禧儿时不乐嬉戏，嗜古论史，斩斩见识议。年十一，补县学生。甲申后，日哭临县庭，与兄际瑞、弟禧及南昌彭士望、林时益，同邑李腾蛟、邱维屏、彭任、曾灿等九人，为易堂学。皆躬耕自食，切劘读书，而三魏之名遂遍海内。禧束身砥行，才学尤高，门前有池，颜其居曰勺庭，学者称勺庭先生。禧为人形干修颀，目光射人。少善病，参术不去口。性秉仁厚，宽以待物，不记人之过，与人以诚，虽受绐，怡如也。然多奇气，论事每纵横排奡，倒注不穷，事会盘错，指画灼有经纬……喜读史，尤好《左氏传》及苏洵文。其为文，凌厉雄健，遇忠孝节烈事，则益感激，摹画淋漓。年四十，乃出游……论者谓西江自欧阳、邹、魏宗阳明，讲性学；陈、艾依复社，工帖括；其声力气焰，皆足动一时。易堂独以古人实学为归，而风气之振，由禧为之领袖。僧无可尝至山中，叹曰：'易堂真气，天下无两矣！'无可，明检讨方以智也……康熙十八年，诏举博学鸿儒，禧以疾辞。有司催就道，不得已，舁疾至南昌就医，巡抚舁验之，禧蒙被卧，称疾笃，乃放归。后二年，赴扬州，卒于仪征，年五十有七。妻谢氏绝食十三日，以身殉。著有《文集》二十二卷、《日录》三卷、《诗》八卷、《左传经世》十卷。"徐世昌编《晚晴簃诗汇》卷一二选魏禧诗十四首，小传云："魏禧，字冰叔，一字叔子，号裕斋，宁都人。明诸生。康熙己未举博学鸿词，辞不就试。有《魏叔子文集》。"《诗话》云："叔子偕兄际瑞善伯、弟礼和公隐居翠微峰，筑易堂以居。提倡古文实学，一时从风。挽明末陈、艾帖括旧习，进之于古，为西江一带文苑开山。与彭任中叔、邱维屏邦士、彭士望躬庵辈称易堂九子，而叔子文为最。师东坡，理正而词达。尝谓'侯壮悔肆而不醇，姜湛园醇而不肆'，盖自谓兼之也。诗虽非专家，思深语隽，如幽泉咽涧，迥异尘音。"邓之诚《清诗纪事初编》卷二著录魏禧《魏叔子文集》二十二卷："魏禧，字凝叔，号叔子，一号勺庭，宁都人……撰《魏叔子文集》二十二卷，禧学文于维屏，最后始为诗，而成就独大。盖有天资高迈，而刚劲之气可以辟易万夫。为文学三苏，喜传节义事，尤善持议论，多人所未发。世以并侯朝宗、汪琬为三家，不惟志节非禧之比。琬笔嫌弱，而朝宗略无淳洄，视禧坚卓不移，气象万千，不止上下床之别。诗乃似杜。别撰《左传经世》十卷，论治道与兵法。《日录》三卷，就人情物理破析极于毫芒。禧无子，谓不忧嗣子之不立，而忧后起之无人。又谓吾有三男：《左传经世》为长男，《日录》为中男，《文集》为三男。自贵其书，无一空言。复国族，致太平，皆在此云。"张舜徽《清人文集别录》卷二著录魏禧《魏叔子文集》二十二卷（《宁都三魏全集》本）："禧平生志在用世，其言有曰：'考古以用

341

今，练事以验理，求友以大其身，造士以使吾身之可死。而求友、造士二者，为尤大而急（是集卷五《与富平李天生书》）……观此诸论，可以知其治学宗尚与规模，固未尝自安于以文士名后世也……禧与当时学人如朱彝尊、李清、顾祖禹、梅文鼎皆友善，故朱氏《文集》、李氏《南北史合注》、顾氏《方舆纪要》、梅氏《历法通考》诸书，禧皆为之序，以发明其著作之意（均载卷八）。"袁行云《清人诗集叙录》卷七著录魏禧《魏叔子诗集》八卷（《宁都三魏全集》本）："为诗古奥奇峭，不袭前人，是集为彭士望、欧阳士杰序……四言《读水浒》四首，明袁宏道后，此题仅见。清人轻视小说，至晚季朱鉴成又有《读水浒》诗……观其文集，时与名士缙绅有连，而诗无应酬语。交往彭孙贻辈，亦遗民之属。三魏人各自成，以诗而论，当以季子为最，叔子古文大家，其所用力，或在彼不在此矣。"今人有《魏叔子文集》整理本，中华书局2003年出版。

是年

金堡（1614—1680）卒。据王汉章编《澹归大师年谱》。廖燕《二十七松堂文集》卷八《哭澹归和尚文》："庚申十一月二十八日，友某持师绝笔示燕，不禁泪涕交横，仰天大哭。"卓尔堪《明遗民诗》卷一六选释今释诗九首。孙静庵《明遗民录》卷四七《澹归禅师》："澹归禅师今释，一字蔗馀，故金给事堡也。国变后，师天然为僧，从至东莞，辟载庵住十馀年，往仁化，辟丹霞山别传寺。诗文极富，尝序王说作《耳鸣集》云：'余谒雷峰，始识说作，雷峰虽提持祖道，然不废诗，士之能诗者多至焉，皆推说作第一手。余亦时为诗，性既粗直，诗亦愤悱抗激，每见说作诗，辄自失，以为有愧于风人也。'雷峰谓天然。"徐世昌编《晚晴簃诗汇》卷一九五选今释诗三首，《诗话》云："澹归永历间相从转徙，流离琐尾中，尚屡上封事，为五虎之一。及两粤溃，遂出世于丹霞，苦行精勤，兴建丹霞禅榻，刹宇既成，迎其师天然和尚居方丈，身就执事之寮。粗衣蔬食，超然本色沙门。丙戌卒于丹霞。"袁行云《清人诗集叙录》卷四著录今释《徧行堂诗集》十卷（康熙间刊本）："今释撰。今释字澹归，本名金堡，字道隐，号卫公，浙江钱塘人。明崇祯十三年进士，选山东临清知县，旋去官。清兵南下杭州，起兵抗之。仕永历，官礼科给事中。以言得罪，遣戍清浪，移至桂林。顺治七年为僧，法名性因。九年，入粤东雷峰寺受戒，改名今释。康熙元年，主韶州丹霞寺。十六年自粤北行，至浙中。十九年卒，年六十七。撰《徧行堂集》四十八卷，包括文、序、传、墓表、语录、尺牍、杂著、诗词，多清初史料，内十卷为诗。刻集者为高纲、陆世楷，助刻者广东巡抚佟养钜以下多道府官员。乾隆间开《四库全书》馆，以所著《徧行堂杂剧》有违碍语，悉毁全书，并所著《四书义》、《梦蝶庵诗》，俱列禁目。高纲身后获罪。是集今犹及见完帙，真人间《广陵散》也。从来释家之诗，克反于古，神貌相离，或屡入禅语，下者直同梦呓。而清初数释家，本为儒素，借以逃遁，有意摹古，不失其真。是集多咏名山古刹。游罗浮、丹霞，《黄皮墈歌》，均以抒啸为快。交往如李确、方以智、钱谦益、陆圻、顾梦游、程可则、彭而述、陈洪绶、龚鼎孳，酬答之中，悲愉自见。顺治七年梧州诏狱，亦有诗。至《再欢喜歌》、《退一步宽一著歌》、《挑脚叹歌》，多以俚语，掩其愤世疾俗之情。同时人集中有赠诗……沈奕琛刻《寄庵诗集》，由澹归、申涵光评点，世有传本。乾隆间罗天尺作《丹霞歌题徧行堂集后》（见《瘿晕山房诗删》卷四），道光间周三燮有《拜澹归大师塔》四首（见《抱玉堂集》卷三）。盖粤人始终崇奉，不因书禁而稍减也。"有关金堡身后《徧行堂集》文字狱，参见《清代文字狱档》第三册《澹归和尚徧行堂集案》。

黄宗羲自订《南雷文案》行世。 黄炳垕《黄梨洲年谱》："十九年庚申，公七十一岁……自订《南雷文案》，授门人万子充宗校，郑子禹梅序。"

廖燕《二十七松堂文初集》刻成。 廖燕《二十七松堂文集》卷八《哭澹归和尚》："迨后师以戊午出岭，越二年，而燕《二十七松堂文初集》刻成。"

戴名世作《药身说》、《唐西浦记》等文。 据王树民《戴文系年》（见中华书局1986 年出版《戴名世集》附录）。

张岱（1597—1680）**卒。** 卒年据胡益民《张岱研究》（安徽教育出版社 2002 年出版）下编第八章的有关考证。张岱一名维城，《张子文秕》卷一〇《自为墓志铭》："初字宗子，人称石公，即字石公。"号蝶庵、陶庵、古剑陶庵、古剑老人、古剑陶庵老人、古剑蝶庵老人，晚年又号六休居士。山阴（今浙江绍兴）人。出身仕宦富贵之家，清兵南下，避居著述。《自为墓志铭》："好著书，其所成者，有《石匮书》、《张氏家谱》、《义烈传》、《琅嬛文集》、《明易》、《大易用》、《史阙》、《四书遇》、《梦忆》、《说铃》、《昌谷解》、《快园道古》、《傒囊十集》、《西湖梦寻》、《一卷冰雪文》行世。"此外，还有《石匮书后集》、《明纪史阙》、《有明于越三不朽图赞》、《陶庵肘后方》、《诗韵确》、《奇字问》、《夜航船》、《桃源历》、《琯朗乞巧录》、《老饕集》、《皇华考》、《博物志补》、《茶史》、《历书眼》、《琅嬛诗集》、《张子诗秕》、《张子文秕》、《越绝诗》、《柱铭钞》、《蜀鹃舌血录》以及杂剧《乔坐衙》、传奇《冰山记》等，内容广泛，涉及史学、文学、经学、医学、饮馔、地理乃至戏曲创作。今人有《张岱诗文集》整理本，上海古籍出版社 1991 年出版。其《陶庵梦忆》、《西湖梦寻》为散文小品集，最为脍炙人口，整理本坊间多有。康熙《绍兴府志》卷五八："张岱，字宗子，山阴人。明广西参议汝霖孙也。年六岁，汝霖携之适杭，时华亭陈继儒客航，见岱，命属对，奇之，谓汝霖曰：'此吾小友也。'及长，文思迭涌，好结纳海内胜流，园林诗酒之社必颉颃其间。岱累世通显，服食豪侈，蓄梨园数部，日聚诸名士度曲征歌，诙谐杂进之。间以古事挑之，则自四部、《七略》以至唐宋说部荟萃琐屑之书，靡不该悉。明亡，避乱剡溪。素不治生产，至是，家益落，故交朋辈多死亡。葛布野服，意绪苍凉，语及少壮秾华，自谓梦境。著书十馀种，率以梦名。而《石匮书》记明代三百年事，尤多异闻，后谷应泰提学浙江，购得之，为《纪事本末》。六十九，营生圹于项王里，曰伯鸾高士冢，近要离，故有取于项里也。后又十馀年卒。"陈继儒《古今义烈传序》："其条序人物，深得龙门精魄，典赡之中，佐以临川，孤韵苍翠。笔底赞语奇峭，风电云霆，龙蛇虎豹，腕下变现而隽冷悠然，飘渺孤鸿，天外嘹唳，是又《汉书》、《三国》诸赞中所绝不经见者也。"佚名《陶庵梦忆序》："陶庵老人著作等身，其自信者尤在《石匮》一书。兹编载方言巷咏、嬉笑琐屑之事，然略经点染，便成至文。读者如历山川，如睹风俗，如瞻宫阙宗庙之丽，殆与《采薇》、《麦秀》同其感慨而出之以诙谐者钦?"伍崇曜《陶庵梦忆跋》:"昔孟元老撰《梦华录》,吴自牧撰《梦粱录》,均于地老天荒沧桑而后,不胜身世之感,兹编实与之同。虽间涉游戏三昧,而奇情壮采,议论风生,笔墨横恣,几令读者心目俱眩,亦异才也。"王雨谦《西湖梦寻序》:"张陶庵盘礴西湖四十馀年,水尾山头,无处不到。湖中典故,真有日在西湖而不能道者,而陶庵道之独悉。今乃山川改革,陵谷变迁,无怪其惊惶骇怖,乃思梦中寻往也。虽然,西园雅集,得米海岳一叙,而人物园亭俨然未散;建章宫阙,得张茂先一语,而千门万户仿佛犹存。有《梦寻》一书,而使旧日之西湖于纸上活现,则张陶庵之有功于西湖,断不在米海岳、张茂先之下哉。"祁豸佳《西湖梦寻序》:"余友张陶庵,笔具化工。其所记游,有郦道元之博奥,有刘同人之生辣,有袁中郎之情丽,有王季重之诙谐,无所不有。其一种空灵晶映之气,寻其笔墨,又一无所有。为西湖传神写照,政在阿堵矣。"《四库总目提要》卷七六著录张岱《西湖梦寻》五卷:"国朝张岱撰。岱字陶庵,自号蝶庵居士。家本剑州,侨寓钱塘。是编乃于杭州兵燹之后,追记旧游,以北路、西路、南路、中路、外景五门,分记其胜。每景首为小序,而杂采古今诗文列于其下。岱所自作尤夥,亦附著焉。其体例全仿刘侗《帝京景物略》,其诗文亦全沿公安、竟陵之派。"王雨谦《琅嬛文集序》:"陶庵自束发为文,发藻儒林,以彼之才,使其立取一名,身都显要,自当复命造物,爽爽不怍,而以才大莫器。有识者咸为裂眦问天,而陶庵怡然听之,遂潜名成《石匮》一书,上与《左》、《史》等鼎。甲申以后,屏弃浮云,益肆力于文章,自其策论、辞赋、传记、笺赞之类,旁及题额柱铭,出其大力,为能登之重渊,而明诸日月,题曰《琅嬛文集》。盖其为文,不主一家,而别以成其家,故能醇乎其醇,亦复出奇尽变,所谓文中之乌获,而后来之斗杓也。"董金鉴《快园道古序》:"先生本世家子,年五十遭国变,杜门谢朋好,著书等身。其《石匮藏书》、《越人三不朽图赞》、《西湖梦寻》、《陶庵梦忆》诸作,俱脍炙人口。是编门目一仿《世说》,而于乡邦黎献,搜罗潜曜,十居三四。虽不及《梦忆》、《梦寻》之隽雅,然以此肩随何、李,亦为可观。"郑振铎《西谛书话·琅嬛文集》:"岱为明末一大家,身世豪贵,历劫,乃家资荡然。然才情益奇肆;一腔悲愤,胥付之字里行间。《梦忆》一作,盖尤胜《东京梦华》、《武林旧事》。其胜处即在低回悲叹,若不胜情。"

公元1681年(清康熙二十年 辛酉)

正月

二十八日,郑经(1643—1681)卒于台湾。据《清圣祖实录》卷九六。郑经,一名锦,字玄之,小字锦舍,明延平郡王郑成功长子,康熙元年嗣为延平郡王,仍奉南明永历正朔。

二月

初一日,郑成功孙郑克塽(1670—?)在台湾嗣明延平郡王位。据徐鼒《小腆纪闻附考》卷二〇。

九月

初二日，王士祜（1633—1681）卒。据王士禛《渔洋文略》卷一一《先兄东亭行述》。《清史列传·文苑传》："士祜，字子侧，幼颖异。十岁时，客有疑焦竑字弱侯者，即从末座应曰：'此出《考工记》竑其辐以为之弱也。'咸惊其夙慧。尝与诸兄弟夜集东堂，拟和辋川绝句。士祜诗先成，士禄为击节。既贡成均，与兄士禄、弟士禛同在都门，时交推之，有'三王'之目。吴江计东尝曰：'三王并负才，子侧之才，讵肯做蜂腰哉？'其为时推重如此。性友爱，士禄以殿试磨勘下狱，士祜奔走营救，炎蒸风雨，不以为劳。既出，兄弟相抱泣。士禛官扬州，病困，士祜驰千里往视，昼夜手自调药，病遂已。康熙九年成进士，未仕而卒，年五十。尝南游，溯大江而上，过京口，遍眺三山，至姑孰，揽青山、采石之胜，更历吴楚，篇什遂多。士禛搜辑为《古钵山人遗集》。其诗长于情韵，在吴兴，与宋琬辈游白雀寺，赋五言古诗清绝，人比之孟浩然'微云河汉'云。"《四库总目提要》卷一八三著录王士祜《古钵诗选》一卷："国朝王士祜撰。士祜字叔子，一字子侧，号东亭，又号古钵山人。山东新城人，康熙庚戌进士，未仕而卒。是集为其弟士禛所编。其诗长于情韵，士禛序述计东之言曰：'三王并著诗名，西樵、阮亭早达，故声誉易起，若东亭之才，讵肯作蜂腰哉？'然自是士禛笃念有于，存此标榜之词耳。其实士禄不及士禛，士祜不及士禄，天下之公评也。"徐世昌编《晚晴簃诗汇》卷三六选王士祜诗四首。

十一月

二十八日，清赵良栋兵逼昆明，吴三桂孙吴世璠（1666—1681）自杀，三藩之乱平。蒋良骐《东华录》卷一二："康熙二十年……十一月……王师进围云南城，于城东归化城列营，西亘鸡关，贼负固抗拒，数月不下，赵良栋至，连破贼垒，夺土桥、新桥，至得胜桥，先薄城，诸军继之，贼不能抗，吴世璠自杀。诏戮其尸，传首京师。伪相国方光琛伏诛，馀党悉降，云南平，群臣朝贺于乾清门。"

吴兆骞自宁古塔入关还至京师，徐乾学有《喜吴汉槎南还》诗相贺，一时和者如徐元文、纳兰性德、潘耒、陈维崧、尤侗、王鸿绪、毛奇龄、徐釚等多至数十百人。王士禛《渔洋精华录》卷九《和徐健庵宫赞喜吴汉槎入关之作》："丁零绝塞鬓毛斑，雪窖招魂再入关。万古穷荒生马角，几人乐府唱刀环。天边魑魅愁迁客，江上莼鲈话故山。太息梅村今宿草，不留老眼待君还。"参见本书顺治十五年（1658）十一月记事。

是年冬

梁佩兰自编《六莹堂诗集》九卷成。据朱茂暾序。

是年

戴名世作《游浮山记》、《讨夏二子檄》、《疑解》、《鹦鹉赞》等文。据王树民《戴

文系年》。(见中华书局 1986 年出版《戴名世集》附录)

张坚(1681—1763) 生。据钱仲联主编《中国文学家大辞典·清代卷》。张坚，字齐元，号漱石，又号洞庭山人，别署三嵩先生，江宁(今江苏南京)人。诸生。博学多才，擅长词曲，著有《梦中缘》、《梅花簪》、《怀沙记》、《玉狮坠》传奇，合称《玉燕堂四种曲》。其中传奇《梦中缘》为张坚十九岁时所创作，受汤显祖影响较深。

薛雪(1681—1770) 生。朱彭寿《清代人物大事纪年》："康熙二十年辛酉(公元1681 年)，薛雪生，字生白。江苏吴县人。"薛雪，字生白，号一瓢，又号扫叶山人、槐云道人、磨剑山人，长洲(今江苏苏州)人，祖籍山西永济。尝从叶燮学诗法，擅长医术，工书画，能诗文。著有《一瓢诗存》六卷、《扫叶庄诗稿》、《吾以吾鸣集》、《抱珠轩诗存》、《一瓢诗话》一卷等，以后者最为有名。

公元 1682 年(清康熙二十一年 壬戌)

正月

初九日，顾炎武(1613—1682) 卒。张穆《顾亭林先生年谱》："二十一年壬戌，七十岁，正月……初九日丑刻捐馆。"《清史列传·儒林传》："顾炎武，初名绛，字宁人，江南昆山人。生而双瞳子，中白边黑，读书一目十行。年十四，为诸生。耿介绝俗。与同里归庄善，时有'归奇顾怪'之目。见明季多故，弃举业，讲求经世之学。炎武三世俱为显宦，母王氏守节，孝于姑，明亡，不食卒。叛仆陆恩见炎武家中落，欲告炎武通海。炎武沉之水，仆婿投里豪，复讼之，系奴家，危甚。会曲周路泽农救之，得免。遂去之山东，垦田长白山下。复北历关塞，垦田于雁门之北、五台之东。后客淮安，莱州黄氏有狱，词连炎武，乃赴山东听勘。富平李因笃营救之，狱始白。自是往还河北，最后至华阴，置田五十亩，因定居焉。生平精力绝人，自少至老，无一刻离书。所至之地，以二骡、二马载书，遇边塞亭障，呼老卒，询曲折，有与平日所闻不合，即发书对勘；或平原大野，则于鞍上默诵诸经注疏。尝谓经学即理学，自有舍经学以言理学者，而邪说以起；不知舍经学，则其所谓理学者，禅学也。于同时诸人，虽以苦节推孙奇逢、李颙，以经世之学推黄宗羲，而论学则皆不合……炎武之学，大抵主于敛华就实，凡国家典制、郡邑掌故、天文仪象、河漕兵农之属，莫不穷源究委，考证得失。撰《天下郡国利病书》百二十卷，遍览诸史·图经、文编、说部之类，取其关于民生利病者，且周流西北，历二十年其书始成。别有《肇域志》一编，则考索之馀，合图经而成者。尤精韵学，撰《音论》三卷，言古韵者始自明陈第，然创辟榛芜，犹未邃密。炎武乃推寻经传，探讨本原。又《诗本音》十卷，其书主陈第诗无协韵之说，不与吴棫《本音》争，亦不用棫之例，但即本经之韵互考，且证以他书，明古音原作是读，非有迁就，故曰《本音》。又《易音》三卷，即《周易》以求古音，考证精确。又《唐韵正》二十卷、《古音表》二卷、《韵补正》一卷，皆能追复三代以来之音，分部正帙而知其变。又撰《金石文字记》、《求古录》，与经史相证，而《日知录》三十卷，尤为精诣之书，盖积三十馀年而后成。其论治综覈名实，于礼教尤兢兢，谓风俗衰，廉耻之防溃，由无礼以维之，常欲以古制率天下。炎武又以杜预

《左传集解》时有阙失，作《杜解补正》三卷。其他著作，有《石经考》、《九经误字》、《五经异同》、《二十一史年表》、《历代帝王宅京记》、《营平二州地名记》、《昌平山水记》、《山东考古录》、《京东考古录》、《谲觚十事》、《菰中随笔》、《救文格论》、《亭林文集诗集》，并有补于学术世道。国朝称学有根柢者，以炎武为最。又广交贤豪长者，虚怀商榷，不自满假……康熙十八年，诏举博学鸿儒科，次年，修《明史》，大臣争荐之，并力辞不赴。二十一年，卒，年七十。"朱彝尊《静志居诗话》卷二二《顾绛》："宁人早年入复社，与同邑归庄齐名，两人皆耿介不混俗，乡人有'归奇顾怪'之目。兵后尽鬻其产，寄居章丘，别治田舍，久而为土人攘夺，乃又迁于山西，营书院一区，尽取家中所藏十四经、二十一史，暨明累朝《实录》，插签于架。予尝分书题其柱云：'入则孝，出则弟，守先王之道，以待后学；诵其诗，读其书，友天下之士，尚论古人。'然侨居日少，暇则周览山川，考古今治乱之迹，证以金石铭碣，著书盈箧，其卷帙最繁富者，《肇域志》也。宁人没后，遗书悉为弟子吴江潘耒刊行，独《肇域志》散佚，良可惋惜。诗无长语，事必精当，词必古雅，抒山长老所云：'清景当中，天地秋色。'庶几似之。"沈德潜《明诗别裁集》卷一一选顾绛诗十六首，小传云："宁人肆力于学，自天文地理、古今治乱之迹，以及金石铭碣、音韵字画，无不穷极根柢，韵语，其馀事也。然词必己出，事必精当，风霜之气，松柏之质，两者兼有。就诗品论，亦不肯做第二流人。"《四库总目提要》著录顾炎武著述二十四种，如卷二九著录顾炎武《左传杜解补正》三卷，卷三三又著录其《九经误字》一卷，卷四二又著录其《音论》三卷、《诗本音》十卷、《易音》三卷、《唐韵正》二十卷、《古音表》二卷、《韵补正》一卷，卷六三又著录其《顾氏谱系考》一卷，卷六八又著录其《历代帝王宅京记》二十卷，卷七〇又著录其《营平二州地名记》一卷，卷七二又著录其《天下郡国利病书》一百二十卷，卷七六又著录其《昌平山水记》二卷，卷七七又著录其《山东考古录》一卷、《京东考古录》一卷、《谲觚》一卷，卷八六又著录其《求古录》一卷、《金石文字记》六卷、《石经考》一卷，卷一一九又著录其《日知录》三十二卷，卷一二六又著录其《菰中随笔》三卷、《救文格论》一卷、《杂录》一卷，卷一三九又著录其《经世篇》十二卷。陈田《明诗纪事》辛签卷一三选顾炎武诗十九首，引潘耒《遂初堂集》云："宁人先生负绝世之资，潜心古学，《九经》诸史，略能背诵，尤留心当世之故，实录奏报，手自钞节，经世要务，一一讲求。当明末年，奋欲有所自树，而迄不得试，穷约以老；然忧天悯人之志，未尝少衰。事关国计民命者，必穷源溯本，讨论其所以然。足迹半天下，所至交其贤豪长者，考其山川风俗、疾苦利病，如指诸掌。精力绝人，无他嗜好，自少垂老，未尝一日废书。出必载书数箧自随，旅店少休，披寻搜讨，有一疑义，反复参考，必归于至当。有一独见，援古证今，必畅其说而后止。当代文人学士，语学问必敛衽推顾先生。制度典礼，有不能明者，必质诸先生；坠文轶事，有不能知者，必征诸先生。先生口画手讲，探源竟委，人人各得其意以去。天下无贤不肖，皆知先生为通儒也。"又加按语云："亭林五谒孝陵，四谒攒宫，辞大科，却特荐，之死靡他，逝世无悔，为明末之完人，启圣朝之硕学。其诗包孕群材，扶持风教，点窜经籍，字句尤见雅裁。"徐世昌编《晚晴簃诗汇》卷一一选顾炎武诗四十三首，《诗话》云："亭林博学笃行，直大方严。有清诸学，训诂、

五月

初七日，陈维崧（1625—1682）卒。据《陈维崧年表》。（见周韶九《陈维崧选集》后附，上海古籍出版社 1994 年出版）《清史列传·文苑传》："陈维崧，字其年，江苏宜兴人。明左都御史于廷孙，父贞慧，以节概称，著书自娱，往还多当世硕望。维崧资禀颖异，十岁代祖作《杨忠烈像赞》。比长，侍父侧聆诸名士议论，耳濡目染，学日进。或讌会，援笔为记序，顷刻千言，瑰玮无比，皆惊叹，折辈行与交。嗣偕王士禄、士禛、宋实颖、计东等倡和，名益大噪。时有'江左三凤凰'之目，维崧其一也。补诸生，久之不遇。因出游，所在争客之。性落拓，馈遗随手尽。独嗜书，无不渔猎，虽舟车危骇，咿唔如故。尝由河南入都，与秀水朱彝尊合刻一稿，名《朱陈村词》，流传至禁中，蒙赐问，人以为荣。年过五十，会开博学鸿儒科，以大学士宋德宜荐，召试列一等，授翰林院检讨，与修《明史》。在馆四年，勤于纂辑。尝怀江南山水，以史局需人，不果归。疾笃，吟断句云'山鸟山花是故人'，犹握笔作推敲势，遂卒，年五十八，时康熙二十一年也。维崧清臞多须，海内称为陈髯，与字并行。生平无疾言遽色，于诸弟笃友爱。其游公卿间，谨慎不泄，遇事匡正，以故人乐近之，而卒莫之狎。所著《两晋南北史集珍》六卷、《湖海楼诗》八卷、《迦陵文集》十六卷、《词》三十卷。集中文有散有骈，骈体自喜特甚。长洲汪琬谓：'唐以前不敢知，自开宝后七百年，无此等作矣。'琬固少许可者。维崧与琬论六朝之文，钩入深微，多出诸贤寻赏之外。所作散文，亚于骈体。诗始为雄丽跌宕，一变而入杜甫沉郁之调，横绝一世。词至千百八首，尤凌厉光怪，变化若神，前此未有也。国初以骈俪文擅长者，推维崧及吴绮。绮才地视维崧稍弱，维崧导源庾信，泛滥于初唐四杰，故气脉雄厚；绮则追步李商隐，以秀逸胜，盖异曲同工云。"李澄中《迦陵文集序》："其年文散体固少，然琼林之枝，恐未可尽弃也。至于诗尤豪放感激，当不在骈体下。其年少与陈卧子、李舒章游，其持论多祖述历下。中年始穷极变化，复以专攻徐、庾骈体之文，其于古作者之旨，未竟所能至而止。然其天才高逸，每序一事，委曲详尽，钜细毕臻，疑近于琐碎者之所为，不知其原本《史》、《汉》，盖得物之情而肆之于心者也。虽片语单词不乏丽藻，大抵长卿《喻蜀》、《谏猎》之遗耳，乌足为其年病哉！"徐乾学《湖海楼诗集序》："其年检讨……世所艳称者其俪体、填词二种。然其沉思怫郁，尤一往全注于诗，近体似玉川，歌行之运笔顿挫，婉转丰缛，前少陵而后眉山，不足多也。"蒋景祁《陈检讨词钞序》："读先生之词者，以为苏、辛可，以为周、秦可，以为温、韦可，以为《左》、《国》、《史》、《汉》、唐、宋诸家之文可。盖既具什伯众人之才，而又笃志好古，取裁非一体，造就非一诣，豪情艳趣，触绪纷起，而要皆含咀酝酿而后出，以故履其阈，赏心洞目，应接不暇；探其奥，乃不觉晦明风雨之真移我情；噫！其至矣。"沈德潜《国朝诗别裁集》卷一一选陈维崧诗十七首，小传云："陈检讨四六及词，宇内称许，而诗品古今体皆极擅场，尤在四六与词之上，从前人无品评者，故特表之。"《四库总目提要》卷一七三著录陈维崧《陈检讨四六》二十卷："国朝陈维崧撰，程师恭注。维崧有《两晋南北史集珍》，已著录。国朝以四六名者，初有维崧及吴绮，次则章藻功《思绮堂集》亦颇见称于世。然绮才地稍弱于维崧，藻功欲以新巧胜二家，又通为别调。譬诸明代之诗，维崧导源于庾信，气脉雄厚如李梦阳之学杜；绮追步于李商隐，风格秀雅，如何景明之近中唐；藻功刻意雕镂，纯为宋格，则三袁、钟、谭之流亚。平心而论，要当以维崧为冠，徒以传诵者太广，摹拟者太众，论者遂以肤廓为疑，如明代之诟北地。实则才力富健，风骨浑成，在诸家之中，独不失六朝、四杰之旧格，要不能以挦扯玉溪，归咎于三十六体也。"同书卷一九七又著录其《四六金针》一卷："此书载《学海类编》中，取元陈绎会《文说》中所论四六之法，割剥成编，颇为浅陋，必非维崧之笔。殆以维崧工于四六，故假其名，犹《木天禁语》之托言范梈，《诗法家数》之托言杨载耳。"陈廷焯《白雨斋词话》卷三："国初词家，断以迦陵为巨擘。后人每好扬朱而抑陈，以为竹垞独得南宋真脉。呜呼！彼岂真知有南宋哉？庸耳俗目，不值一笑也。"同卷又云："迦陵词气魄绝大，骨力绝遒，填词之富，古今无两。只是一发无馀，不及稼轩之浑厚沉郁。然在国初诸老中，不得不推为大手笔。"同卷又云："蹈扬湖海，一发无馀，是其年短处，然其长处亦在此。盖偏至之诣，至于空前绝后，亦令人望而却步。其年亦人杰哉！"徐世昌编《晚晴簃诗汇》卷四五选陈维崧诗五十三首，《诗话》云："其年诗纯以气胜。七言古体，开合驰骋，出入浣花、眉山，最为擅场。七言近体，佳处雅近唐贤。"邓之诚《清诗纪事初编》卷四著录陈维崧《湖海楼诗集》八卷、《文》六卷、《俪体文》十卷、《词》三十卷："幼有神童之誉，吴伟业称为江左凤凰。长而才名益著，意气若云，当世名流，无不酬唱订交。所著《湖海楼诗集》八卷、《文》六卷、《骈文》十卷、《词》三十卷，文多表章旧事，骈体尤擅盛名。词多至千八百首，一代词家，莫之能比。清中叶以后，骈文规摹六朝，填词取途南宋，作者辈出，跨越前代，然皆不如维崧之为大家，亦不如其使笔如舌，曲折尽致也。维崧早年与朱彝尊齐名，刻《朱陈村词》，今不可见。"张舜徽《清人文集别录》卷二著录陈维崧《湖海楼文集》六卷（光绪十七年崇山铎署重刊本）："是集录文八十馀首，乃其散体古文，大抵皆诗文序、赠序、游记、题跋、书札、传志之作也。余观维崧之文，习用六朝俳体，乃无往而非俪词。是集虽名为散文，而单复并施，加意锤炼。若卷一《陆丽京文集序》、《宋楚鸿古文诗歌序》诸篇，直四六之文耳，焉得目为散体耶！维崧与毛奇龄、朱彝尊、徐乾学、姜宸英生同时而相友，学问乃不逮诸家远甚。有才华而无实学，故其集不为儒林所重。《湖海楼全集》行世既久，板片多残，此本乃光绪中其邑人任光奇所重刊，与《湖海楼俪体文》十二卷，合刻以行世。"袁行云《清人诗集叙录》卷八著录陈维崧《湖海楼诗集》八卷（康熙二十八年刻本）："维崧才力富健，骈文与词，均一时冠杰，诗与汪琬、王士禛、朱彝尊各立门户，亦足名家。《四库全书》别集类著录《陈检讨四六》二十卷。所撰《湖海楼集》为患立堂初刻本，凡诗八卷、文六卷、俪体文十卷、词三十卷，附康熙二十六年陈维岳跋。诗起顺治十八年，迄于康熙二十一年，凡七百七十八首，皆由时人选订……杨伦评其诗'以气为主，虽镂金错彩，绝无堆垛襞积之痕'。此其所以独胜于诸家者欤？惟其中亦时有剑拔弩张之势，恐患在恃才耳。"

十月

黄宗羲《吾悔集》（即《南雷续文案》）付梓。万斯大《吾悔集序》后署"康熙壬戌冬十月门人万斯大百拜谨书"。

十二月

王士禛为孙蕙《笠山诗选》五卷撰序。序后署"康熙二十一年壬戌腊月同学弟王士禛序"。

是年

戴名世作《河墅记》、《纪梦》、《笔赞》等文。据王树民《戴文系年》。（见中华书局1986年出版《戴名世集》附录）

李重华（1682—1755）生。刘大櫆《刘大櫆集》卷七《翰林院编修李公墓志铭》："公姓李氏，讳重华，字君实，又字玉洲，宋忠定公某之十七世孙。世家常州之无锡，其后迁吴江……公以乾隆二十年八月十二日卒，享年七十有四。"李重华，江南吴江（今属江苏）人，雍正二年进士，改庶吉士，授编修，后以故去官。与沈德潜以诗定交数十年。著有《贞一斋集》十卷、《贞一斋诗说》一卷等。

公元1683年（清康熙二十二年 癸亥）

二月

王晫撰《今世说》八卷成。《今世说》卷首自序后署"康熙癸亥仲春，武林王晫题于墙东草堂"。《四库总目提要》卷一四三著录王晫《今世说》八卷："国朝王晫撰。晫有《遂生集》，已著录。是书全仿刘义庆《世说新语》之体，以皆近事，故以'今'名。其分类亦从旧目，惟除自新、黜免、俭啬、谗险、纰漏、仇隙六卷，惑溺一类，则择近雅者存焉。其中刻画摹拟，颇嫌太似，所称许亦多溢量。盖标榜声气之书，犹明代诗社馀习也。至于载入己事，尤乖体例。"

闰六月

十三日，施闰章（1619—1683）卒。汤斌《翰林院侍读前朝议大夫愚山施公墓志铭》："康熙二十二年闰六月十三日，翰林院侍读施公卒于京师之寓舍。"《清史列传·文苑传》："施闰章，字尚白，安徽宣城人。祖鸿猷，以儒学著，世绍其业，孝友雍睦，江南言家法者推施氏。闰章少失怙恃，鞠于祖母，侍祖母孝……里征士沈寿民有声当世，闰章从之游，遂博综群籍，善诗古文辞。顺治六年成进士，授刑部主事，历员外郎，引经断狱，期于平允。寻以试高等充山东学政，取士必先行而后文，崇雅黜华，有冰鉴之誉。秩满，迁江西参议，分守湖西道，所辖吉、临、袁三府，故残破，岁凶饥致盗。闰章遍历岩谷间，拊循帖然，人呼为施佛子。尝作《弹子岭大坑》、《叹竹源坑》等篇，告诸长吏，读者皆曰'今之元结也'。俗多溺女，复作歌劝诱，捐资收养，全活无算。遇事爬梳薅栉，不以为劳。尤崇奖风教，于袁重建昌黎书院，于吉葺白鹭书院，课诸生。屡会讲青原山，从者至千百人……十八年，召试博学鸿儒，列二等四名，授翰林院侍讲，纂修《明史》，覈同异，析是非，无所回枉。二十年，充河南乡试正考官。二十二年，转侍读。寻病卒，年六十六。闰章之学，以体仁为本，磨礲砥砺，历寒暑靡间……天下士益归其门，奉为楷模。文章率原本道义，不欲驰骋张皇。意朴气静，守欧、曾矩度。诗与莱阳宋琬齐名，号南施北宋。新城王士禛爱闰章五言诗，温柔敦厚，得风人之旨，而清词丽句，叠见层出，别为《摘句图》。士禛门人洪昇问诗法于闰章，闰章曰：'而师如华严楼阁，弹指即见；余则不然，如作室者，瓴甓木石，一一就平地筑起。'议者以为确不可易。又谓：'山谷言近世少年不肯深治经史，徒取给于诗，故致远则泥。此最为针砭。诗如其人，不可不慎。'观其持论，即宗旨可见云。著有《学馀堂文集》二十八卷、《诗集》五十卷、《端溪砚品》一卷、《试院冰渊》一卷、《矩斋杂记》二卷、《蠖斋诗话》二卷、《拟明史》七卷、《青原志略补辑》二十卷。闰章与同邑高咏友善，据东南词坛者数十年，号曰宣城体。"沈德潜《国朝诗别裁集》卷二选施闰章诗三十二首，小传云："南施北宋，故应抗行，今就两家论之，宋以雄健磊落胜，施以温柔敦厚胜，又各自擅长。"《四库总目提要》卷七七著录施闰章补辑《青原志略》十三卷："国朝僧大然撰，施闰章补辑。"同书卷一四四又著录其《矩斋杂记》二卷。同书卷一七三又著录其《学馀堂文集》二十八卷、《诗集》五十卷、《别集》二卷："国朝施闰章撰。闰章有《矩斋杂记》，已著录。王士禛选《感旧》、《山木》二集，所录闰章诗最多，又取其五言近体八十二联。为《摘句图》，见所撰《池北偶谈》中。闰章尝语士禛门人洪昇曰：'尔师诗如华严楼阁，弹指即见；吾诗如作室者，瓴甓木石，一一就平地筑起。'士禛亦记于《居易录》。平心而论，士禛诗自然高妙，故非闰章所及。而末学沿其馀波，多成虚响。以讲学譬之，王所造如陆，施所造如朱，陆天分独高，自能超悟，非拘守绳墨者所及；朱则笃实操修，由积学而渐进。然陆学惟陆能为之，杨简以下，一传而为禅矣；朱学数传以后，尚有典型，则虚悟实修之别也。闰章所论，或亦微有所讽，寓规于颂欤？其《蠖斋诗话》有曰：'近世少年，不肯深治经史，徒取给于诗，故致远则泥。'此最为诗人针砭，诗如其人，不可不慎。浮华者浪子，叫嚣者粗人，窘瘠者浅，痴肥者俗，风云月露，铺张满眼，识者见之，直一叶空纸耳。故曰君子以言有物，观其持论，其宗旨可见矣。古文亦摹仿欧、曾，不失矩度。然视其诗品则少亚。魏禧为作集序，乃置其诗而盛许其文，非笃论也。《外集》二卷，一为《砚林拾遗》，乃奉使广东时记所见端溪石品。一为《试院冰渊》，则历年典试序文及条约。今附存之。又有《别集》四卷，其二卷为《蠖斋诗话》，二卷为《矩斋杂记》，《诗话》别择未精，瑕瑜参半。《杂记》颇涉神怪，尤为小说家言。今析出别存其目，故不具录焉。"同书卷一九三又著录蔡蓁春与施闰章合编之《续宛雅》八卷。同书卷一九七又著录其《蠖斋诗话》二卷："国朝施闰章撰……闰章诗深婉蕴藉，世推作手，而诗话乃多可让……殆偶然剟记，不甚经意之作耶？"徐世昌编《晚晴簃诗汇》卷四三选施闰章诗八十六首，《诗话》云："愚山治性理之学，出而莅政，廉明慈爱，泽加于生民。其为湖西道，驻临江，江环城，而流民号为'使君江'，以喻其清。在当时实睢州、当湖一流人，特以素负诗名，晚又以词科进，称之者遂详其文学，而行诣政事若稍略焉。其文学正与行诣政事相发，根柢深厚，为有德之言……惟渔洋专称其五言近体，尝举'朔风一夜至'一篇，以为惊心动魄，不减《十九首》。《摘句图》所列，名篇略备。刘海峰论列历朝诗，亦但录五律之五十馀篇。然愚山诗精严坚栗，各体皆同，正不徒四十贤人，著一屠沽不得也。"邓之诚《清诗纪事初编》卷五著录《施愚山先生学馀文集》二十八卷、《诗集》五十卷、《别集》四卷、《遗集》六卷："施闰章……十八年举博学鸿儒，以卷中有'清彝'二字，几被摈，李霨力争得列二等。授侍讲，转侍读。卒于康熙二十二年，年六十六。事具《清史列传·文苑传》，及汤斌《翰林院侍读前朝议大夫愚山施公墓志铭》。有《施愚山先生学馀文集》二十八卷、《诗集》五十卷、《别集》四卷、《遗集》六卷。闰章少从沈寿民问学，深入其室。为文朴宜说理，动合矩矱。尝序《石臼集》及顾与治诗，及编集时，几尽易之。知其惨淡经营，不自满假。志传之属，无溢美亦无溢恶，足供稽考。清初词宗，必诗文并茂，而后可以树帜。钱、吴而后，朱、王、施、宋继之。朱、王学钱，若闰章者，庶几足以继响娄东也。宣城诗教，倡自梅尧臣，闰章由之加以变化，章法意境，遂臻绝诣。愁苦之事，皆温柔敦厚以出之。尤工五言，王士禛为《摘句图》，载于《池北偶谈》。顺、康间，好事能主持风雅者，推周亮工、龚鼎孳，士多归之。闰章后起，而收恤寒畯，得士与埒，为世所称。然人不同科，即诗文静噪，亦当有别矣。"袁行云《清人诗集叙录》卷五著录施闰章《学馀诗集》五十卷（康熙四十七年刻本）："所著《学馀堂文集》二十八卷、《诗集》五十卷、《别集》四卷、《遗集》六卷，曹寅刻本，《四库全书》别集类著录。乾隆三十年重刻本附《外集》、《年谱》。诗分体，都三千二百九十一首，汪琬序。闰章古文醇雅，于诗尤邃爱王士禛……其诗受宋梅尧臣影响，加以变化，为清初宋诗派巨擘……清初诗人率多沿明七子学唐，高者远逾元明，下者肤廓空疏，在所不免。有一二主宋诗者未称专业。自闰章出，诗风大变，欧、梅、苏、黄、陆、范，各争肖之，且无比拟皮毛之习。此清人学宋之胜于明人学唐也。诗至近日，新事层出不穷，体亦不得不变。宋诗长于记事议论，故习宋亦为时代所趋也。观是集赠别题图之作……以及与陶季、陆圻、毛先舒、余怀、董俞、张风、龚贤交往之诗，其中大都为清初布衣野老，闰章以平生所接士夫，一一谱而传之，不仅可见交游，且多有得于传记之外也。"

七月

张潮《虞初新志》成书。《虞初新志自叙》："此《虞初》一书，汤临川称为小说家之珍珠船，点校之以传世，洵有取尔也。独是原本撰述，尽撷唐人佚事，唐以后无闻焉。临川续之，合为十二卷，其间调小滑稽，离奇诡异，无不引人着胜。究亦简帙无多，搜采未广，予是以慨然有《虞初后志》之辑。需之岁月，始可成书，先以《虞初新志》授梓问世。其事多近代也，其文多时贤也，事奇而核，文隽而工，写照传神，仿摹毕肖……康熙癸亥新秋，心斋张潮撰。"按，此书以后续有增订再版，影响甚大。

八月

施琅收复台湾。蒋良骐《东华录》卷一二："康熙二十二年……八月，施琅……又奏：'臣于八月十一日自彭湖进发，十三日入鹿耳门至台湾。十八日，郑克塽及伪武平侯刘国轩、伪忠诚伯冯锡范及伪文武官俱薙发。收伪延平王金印一、招讨大将军金印一、公侯伯将军银印五，授克塽公爵隶汉军正红旗。所有成功子郑聪等六人，克塽弟克举等九人，伪武平侯刘国轩等子弟，俱陆续移入内地。'"

十三日，吕留良（1629—1683）**卒**。吕公忠《行略》（《吕晚村先生文集》附录）："病革，门人陈钺等入问，勖以细心努力为学；呼不孝辈，谕以孝友大义而已。已而曰：'我此时鼻息间气，有出无入矣。'言毕，又手安寝长逝。此癸亥八月十有三日也。"钱谦益《牧斋有学集》卷五〇《吕留侯字说》："崇德吕子留良，请更其字于余，余字之曰留侯……吕子摇笔为诗歌，师承太白，其于子房，固有旷世而相感者。余之更其字也，窃有望焉。"吴之振、吕留良、吴自牧选《宋诗钞·凡例》："癸卯之夏，余叔侄与晚村读书水生草堂，此选刻之始也。时甬东高旦中过晚村，姚江黄太冲亦因旦中来会，连床分檠，搜讨勘定，诸公之功居多焉。数年以来，太冲聚徒越中，旦中修文天上，晚村虽相晨夕，而林壑之志深，著书之兴浅。余两人补掇较雠，勉完残稿，思前后意致之不同，书成展卷，不禁慨然。"钮琇《觚賸》续编："石门吕晚村，初名留良，字冀野。中年以后，屏黜风骚，精研理学。然其少时，每一点笔，辄成佳咏。五言一联云：'病嫌宾客满，贫觉子孙多。'"《清代文字狱档·曾静遣徒张倬投书案》载雍正七年五月"上谕"云："据曾静供称，生长山僻，素无师友，因应试于州城，得见吕留良评选时文，内有妄论夷夏之防及井田封建等语，遂被蛊惑，遂遣张熙至浙江吕留良家访求书籍，吕留良之子吕毅中授以伊父所著诗文，内皆愤懑激烈之词，益加倾信……是吕留良之罪大恶极诚有较曾静为倍甚者也。"又载雍正八年十二月"上谕"云："吕留良……追思旧国，诋毁朝章，造作恶言，妄行记撰，猖狂悖乱，罪恶滔天……照议将吕留良、（伊子）吕葆中挫尸枭示，伊子吕毅中斩决。其所著文集、诗集、日记及他书，已经刊刻刷印暨抄录者，尽行燔毁。"徐世昌编《晚晴簃诗汇》卷三九选吕留良诗二十一首，引沈季友之语云："晚村意气勃发，论辨锋涌，社中推为渠师。久不遇，弃去子衿，构南阳村庄以自老。凡百工杂艺，心会手制，无不精妙。为诗似学诚斋，颇有杰句。当酉、戌之交，文风靡敝，乃取历科房牍大加选剔，为之抉书义、树文品，使天下学者取则焉。二十年间为制艺者犹知去陋就高，斥邪崇正，晚村之力也。"《诗话》云："制举文以天、崇为最盛，士子束发受四子书，研求经注，即易入程、朱畦径。晚村工制举文，晚以讲学致盛名。时初遭鼎革，放言高论，多涉偏宕，流传远近，坐遭奇祸，著述皆遭禁毁。至宣统季年，始稍稍复出。诗纯用宋法，风调雅近黄叶村庄，而益以苍劲，颇多警策。惟以自处殷顽，不循汉法，往往以质直出之。学子相承，变而加厉，初不图为祸若是其烈也。"邓之诚《清诗纪事初编》卷二著录吕留良《晚村先生文集》八卷、《续集》一卷、《东庄诗存》七卷："吕留良，字庄生，原名光轮，字用晦，号晚村，崇德人。顺治十年始出就试，为邑诸生。康熙五年不入试，以学法除名。与桐乡张履祥发明濂洛之学，编辑朱子书。卒于康熙二十二年，年五十五。事具其子公忠所撰《行略》，初留良从黄宗羲游，后乃差池，坚谓友而非师，然宗羲先朝大臣，党人之魁，长于留良几二十岁，宜不可与之为友。然李邺嗣亦友而非师也。黄、吕启衅之由，谓由高旦中《墓志》（见《三鱼堂日记》），宗羲谓旦中之医，善于望闻，留良疑为讥己，力主高氏不以此石下窆。此为决裂，而非衅由此启。全祖望以为起于争买淡生堂书，尤为细微。盖留良任侠好义，结连海上，阴有所图，不能不倚宗羲名位，以事招纳；宗羲亦恃之以为及厨。留良有富名，家已中落，拮据不能应其求。康熙之初，永历既亡，郑成功没于台湾，张煌言为清所戮。留良实主煌言饷饩，及其死也，为葬南屏山下。时移事变，宗羲与留良皆知事无可为，欲藉著书讲学，以寓其郁勃不平之气。留良自揣文章声气，已足独树一帜，于是诋象山、阳明，诋《明儒学案》，诋宗羲晚节。'顿首复顿首，尻高肩压肘'一诗，几于毒口。宗羲以《骂先贤》一文报之曰：'骂象山、阳明者，以晦庵为主，类豪奴之嫚宾客，猘犬之逐行人，雅道扫地。'社盟之局，隙末凶终，类此者多，无如是之甚也。留良之求于吴之振，又有甚焉。资财衣物，饮馔器玩，无不取给，幸之振富人畏事，不敢绝交，唯于葆中有微词。葆中为公忠改名，康熙四十五年以高第入翰林，殆忘其父尺布裹头之训矣。雍正中，有曾静、张熙之狱，谓读《天盖楼选文》，始知夷夏之防，因论留良、葆中戮尸，毅中立斩，留良门人严鸿逵戮尸，鸿逵门人沈在宽立斩，子孙遣戍，妇女入官，他所牵连甚众。留良身后得祸最酷，得名亦最盛。所撰有《晚村先生文集》八卷、《续集》一卷，首载康熙五十九年孙学颜序云：'得江敛谷藏本刻之。'有雍正三年留良曾孙为景跋云：'白门刊本仅十之二三，又其间叙次之舛错，字句之谬讹，不可殚述。私心窃耿耿焉，惧先人之遗稿反因是贬损，非惟无以扬之，且抑之也。'因取其祖葆中手辑本，厘为八卷，文后多采孙江评语。《续集》则取《宋诗钞序》、《质亡集小序》并《行略》为一卷。别本无孙序及评语，而刊改跋语'白门刊本'以下云：'系桐城孙舫山所编，惜彼时未见全集，惟据传本授梓，虽考订精核，而挂漏尚多，惧夫世之学者，以为先人之集只如此，不无遗憾。'凡五十字，是孙氏诘难后所易。其《续集》别录《宋诗钞小传》二卷、《质亡集小序》一卷、《保甲事宜》一卷，并《行略》为五卷。以是知吕刻实有二本。《东庄诗存》七卷，从无刻本，曰《万感集》、《伥伥集》、《梦觉集》、《真腊凝寒集》、《零星集》、《东将集》、《欵气集》。是时竞尚宋人集部，曹溶所得最多，宗羲、留良、黄虞稷亦各相亚，故留良文似朱熹，翻澜不休，善于说理，唯谿刻处，令人望而生畏。诗学杨万里、陈师道，深情苦语，能令人感怆。如曰'甲申以后山河尽，留得江南几句诗'，曰'十年游侠千金尽，九世仇雠一剑知'，曰'空城不返青衣主，大泽犹存雪窖臣'，曰'天下几家忘主客，此身今日系存亡'，曰'但存佣保髡钳意，肯作人天鼓笛思'，以诗文论，诚宗羲劲敌，唯史学不如。"袁行云《清人诗集叙录》卷九著录吕留良《东庄诗存》七卷（中国科学院图书馆藏抄本）："《东庄诗存》未刻，向赖抄本以传。近代排印本曰《何求老人残稿》者，包括《万感集》、《伥伥集》、《梦觉集》，所据系傅增湘先生旧藏写本。全帙于《梦觉集》后尚有《真腊凝寒》、《零星》、《东将》、《欵气》四集，今北京各大图书馆亦多有之。盖留良身后因祸得名，清季藏书家已惧其诗文湮没，至民初并《家训》、评八股文等杂著，俱显于世矣。其诗学杨万里，多沉苦之言，偶有讽刺感喟……并不多见。集中大都为闲居杂咏，其风调与吴之振《黄叶山庄诗》颇近……中国科学院图书馆藏《吕耻翁诗稿》有吴晋德注，晋德，武原人。"钱钟书《谈艺录》四二："清初浙中如梨洲、晚村、孟举，颇具诗识而才力不副。晚村较健放，仍是小家薄相，如鸡肋刀豆，槎枒寡味，学诚斋、石湖，劣得短处，尚不及同时汪钝翁之清折妥溜。"

九月

是科殿试改期九月。王士禛《池北偶谈》卷四："国朝每科殿试之期，在三月十五日。自辛丑科后，以三月十九日为万寿节，遂改殿试于二十日，至今为例。壬戌科。驾幸盛京谒陵，改殿试于九月二十日。"

是年

王士禛《渔洋续集》编成。王士禛《渔洋山人自撰年谱》卷下："是年，盛侍御珍示哀集辛亥迄癸亥之诗，共十六卷，重为编次，曰《京集》，曰《蜀集》，曰《家集》，合为《渔洋续集》，属常熟黄子鸿（仪）书之。明年，刻之吴中。"

戴名世作《醉乡记》、《与余生书》（《南山集》文字狱罪状之一）等文。据王树民《戴文系年》。（见中华书局 1986 年出版《戴名世集》附录）

赵殿成（1683—1756）生。朱彭寿《清代人物大事纪年》："康熙二十二年癸亥（公元 1683 年），生辰：赵殿成生，字武韩，号松谷。浙江仁和人。享年七十四。"赵殿成，又字武幹，又号目耕园，仁和（今浙江杭州）人。著有《古今年谱》、《群书索隐》、《临民金镜录》，注释王维诗，有《王右丞集笺注》二十八卷传世，《四库总目提要》卷一四九著录。

周肇（1615—1683）卒。邓之诚《清诗纪事初编》卷三言周肇："年六十九，当卒于康熙二十二年癸亥。肇长王昊十二岁，昊卒于康熙十八年己未，年五十三，以是推知之。"周肇为太仓十子之一，吴伟业《吴梅村全集》卷三一《周子俶东冈稿序》："子俶之为余友也，海内莫不闻；海内之知余者无不识子俶，其识子俶者无不以其交于余也。子俶少于余数岁，实兄事余。余两人生同时，居同里，长同学，其文章议论卓然见于当世者，人尽知之，其合乎性情，浃乎道义，则恐人未尽知之也。子俶之行也，余可以无言乎？余好覈人物，持臧否，不能与时俯仰；子俶多通而少可，性不喜俗儒：此其志行同也。余坦怀期物，不立町畦，遇有急难，先人后己；子俶与人交，输心泄腹，不侵然诺：其节概同也。余不问生产，通籍二十年，濩落犹诸生；子俶家贫好客，室中有图书千卷，无担石之储，妻子不立：其穷困同也。余忧时感命，坎壈无聊生，子俶自以有才不遇，醉后酒悲，辄据地而哭：其佗傺同也。其间有不同者：子俶尚黄老，而余好佛；子俶好饮，而余口不识杯铛；乃至辩驳疑滞，论难锋起，纷然争驰，久而皆服。盖余两人互有短长，终归于同者，则又如此。而余今日毕志家园，杜绝人事；子俶入京师，游太学，交王公大人以成名，若有异乎两人之踪迹者。余则曰：不然。夫君子之道，可以出而不出，可以处而不处，皆非也。余受遇当年，滥叨宫相；子俶少而遭乱，门户未显。余秉受赢弱，积疢沉绵；子俶精力强济，负当世之具。子俶而不出，则又谁出哉？余所患者，独居端忧，知交零落，止一子俶，今又舍我而去，则余之德业何所劝，过失何所规乎？余之穷愁不益深，而病苦不亦甚乎？而余又何以送子俶？子俶刻其诗文以问世，子俶之才，天下所共知，天下知子俶为余之友，则其诗若文可以无用余言也，亦书其平生之交以告之而已。"王豫《江苏诗征》引《文学录》："肇十岁工文章。张溥举复社，肇总角为高弟，盛有诗名。举京兆试，科场狱起，同考官论死，肇为治敛。由青浦教谕令新淦，除弊恤民。"沈德潜《国朝诗别裁集》卷一四选周肇诗《赠陆翼王》、《病中元夕有感》两首，前者后有注云："翼王为黄陶庵高弟，当日有保全遗孤事，故专及之。"徐世昌编《晚晴簃诗汇》卷三八选其诗与《国朝诗别裁集》所选相同，《诗话》云："子俶与王揆端士、许旭九日、黄与坚庭表、王撰异公、王昊惟夏、王抃怿民、王曜升次谷、顾湄伊人、王摅虹友，称'娄东十子'，大抵瑰词雄响，瓣香弇州者。梅村序其合集云：'与云间、西泠诸子上下其可否，东南坛坫互相辉映也。'"邓之诚《清诗纪事初编》卷三著录周肇《东冈文稿》一卷、《东冈集》一卷："周肇。字子俶，太仓州人。总角入复社，顺治十四年顺天举人。晚乃得青浦教谕，举卓异，升新淦知县。未几卒，年六十九，当卒于康熙二十二年癸亥。肇长王昊十二岁，昊卒于康熙十八年己未，年五十三，以是推知之。肇工诗文，吴伟业选其诗为太仓十子之首。此《东冈文稿》，世无传本，多代人之作，盖橐笔幕游时，信笔为文，非其至也。《梅村集》有《东冈稿序》，谓子俶刻其诗文以问世，然则当时有刻本矣，惜其诗稿不传。此册有侯研德序，言失其前稿。观其为文若泉流，下笔不能自休，平生为文，当数倍于此，而皆不传，幸而留于天壤间者尚馀此数十篇也。十子诗选肇诗一卷，又见于《国门集》者五古三首、五律十二首、七言律绝各三首，信是才人。若辑诸选本，当更有若干篇。《燕台文选》有《吕石香传》、《祭侯伯子文》二首，此集失载。"袁行云《清人诗集叙录》卷五著录周肇《东冈集》一卷（《太仓十家诗》选本）云："周肇撰。肇字子俶，江苏太仓人。明季入复社，为张溥弟子。顺治十四年举人。科场事起，同考官论死，肇为治敛，兼济其家。康熙十一年，官青浦教谕，举卓异，升新淦知县，二十二年卒，年六十九。吴伟业选《娄东十子诗》，以肇为首。集中与吴伟业、陆元辅、龚鼎孳、施闰章、米汉雯均有赠酬。《怀陵述感》、《金陵忆旧》，犹存故国之思。历杭州、豫章、汴梁，登临怀古，苍凉之至。明清之际，江南文人极盛。娄东十子，诗俱学唐，取径相近，造诣略同。肇诗无专集，此钞多存佳什，亦可见选家宁严勿滥之旨。"

李清（1602—1683）卒。朱彭寿《清代人物大事纪年》："康熙二十二年癸亥（公元1683年），卒岁：李清，故大理寺左寺丞。卒年八十二。"《清史稿·遗逸传》："李清，字水心，号映碧，兴化人。天启辛酉举人，崇祯辛未进士，授宁波府推官。考最，擢刑科给事中……京师陷，福王建号南京，迁工科给事中……清事两朝，凡三居谏职，章奏后先数十上，并寝阁不行。寻迁大理寺左寺丞，遣祀南镇，行甫及杭，而南都失守矣。乃由间道趋隐松江，又渡江寓高邮，久乃归故园，杜门不与人事。当道屡荐不起，凡三十有八年而殁。清忠义盖出天性，庄烈帝之变，适在扬州，闻之，号恸几绝。自是每遇三月十九日，必设位以哭。尝曰：'吾家世受国恩，吾以外吏，蒙先帝简擢，涓埃未报。'国亡后，守其硁硁，有死无二，盖以此也。晚著书自娱，尤潜心史学，为

《诗论》若干卷，又删注南、北二史，编次《南渡录》等书，藏于家。"全祖望《鲒埼亭集外编》卷二九《跋三垣笔记后》："映碧先生《三垣笔记》最为和平，可以想见其宅心仁恕。当时多气节之士，虽于清议有功，然亦多激成小人之祸，使皆如映碧先生者，党祸可消矣。其中力为弘光洗雪，言其窃童季女之诬，至于主立潞藩诸臣，皆绝不计及。又言其仁慈胜而决断少。当时遗臣中不没其故君者，有几人欤？于龚鼎孳直书其垣中之过不少贬，更人所不尽知也。其中记甲申死难诸臣有李国桢，记乙酉死难诸臣有张捷、杨雄垣，则失考也。至郑鄤一案，当主梨洲先生之说，而笔记所言太过耳。"《四库总目提要》附录《四库撤毁书提要》著录李清《南北史合注》一百九十一卷、《南唐书合订》二十五卷、《历代不知姓名录》十卷。

　　朱鹤龄（1606—1683）卒。《清史列传·儒林传》："朱鹤龄，字长孺，江苏吴江人。明诸生。颖敏嗜学。尝笺注杜甫、李商隐诗，盛行于世。故所作韵语，颇出入二家。入国朝。屏居著述，晨夕一编，行不识途路，坐不知寒暑。人或谓之愚，遂自号愚庵。尝自谓'疾恶如仇，嗜古若渴，不妄受人一钱，不虚诳人一语'云。著《愚庵诗文集》，其《书元好问集后》云：'好问于元，既足践其土，口茹其毛，即无反噬之理。乃今之讪诮不少避者，若欲掩其失身之事，以诳国人。非徒悖也，其愚亦甚。'其言盖指国初居心反覆之辈，可谓知大义矣。初为文章之学，及与顾炎武友，炎武以本原相勖，乃湛思覃力于诸经注疏及儒先理学。以《易》理至宋儒已明，然《左传》、《国语》所载占法，皆言象也，本义精矣，而多未备，撰《易广义略》四卷；以蔡氏释《书》未精，斟酌于汉学、宋学之间，撰《尚书埤传》十七卷；以朱子掊击《诗小序》太过，与同县陈启源参考诸家说，疏通序义，撰《诗经通义》二十卷；以胡氏撰《春秋》，多偏见凿说，乃合唐宋以来诸儒之解，撰《春秋集说》二十二卷；又以杜氏注《左传》未尽合，俗儒复以林氏注紊之，因详证参考，撰《读左日钞》十四卷。又有《禹贡长笺》十二卷，作于胡渭《禹贡锥指》之前，虽不及渭书，而备论古今利害，旁引曲证，亦多创获。康熙二十二年，卒，年七十八。"朱彝尊《静志居诗话》卷二二《朱鹤龄》："长孺说经铿铿，长于笺疏之学。所撰《毛氏通义》、《尚书埤传》、《禹贡笺注》、《左传日钞》，发明宋儒集注、集传所未及，顾不甚传。惟杜甫、李商隐集注，盛行于时。松陵文献，称其'遗落世事，晨夕一编，行不识路径，坐不知寒暑，或谓之愚，因以愚庵自号'，盖实录也。"沈德潜《明诗别裁集》卷一一选朱鹤龄《感遇》诗一首。《四库总目提要》卷一二著录朱鹤龄《尚书埤传》十七卷、《禹贡长笺》十二卷。同书卷一六又著录其《诗经通义》十二卷。同书卷二九又著录其《读左日钞》十二卷、补二卷。同书卷一五一又著录其《李义山诗注》三卷、《附录》一卷。同书卷一七三又著录其《愚庵小集》十五卷："国朝朱鹤龄撰。鹤龄有《尚书埤传》，已著录。此集凡赋一卷、诸体诗五卷、杂著文九卷，末附《传家质言》十三则。鹤龄始专力于词赋，自顾炎武勖以本原之学，始研思精义，于汉、唐注疏皆能爬梳抉剔，独出心裁。故所作文章，亦悉能典雅醇实，不蹈剽窃模拟之习。其《邶鄘卫三国》、《禹贡三江》、《震泽太湖》、《嶓冢汉源》诸辨，多有裨于考证。尝笺注杜甫、李商隐诗集，故所作韵语，颇出入二家之间，而寄兴清远，能不自掩其神韵。与钱谦益为同郡，初亦以其词场宿老，颇与倡酬，既而见其首鼠两端，居心反覆，薄其为人，遂与之绝。所作《元裕之集后》一篇，称裕之举金进士，历官左司员外郎，及金亡不仕，隐居秀容，诗文无一语指斥者。裕之于元，既足践其土，口茹其毛，即无反噬之理，非独免咎，亦谊当然。乃今之讪辞诋语，曾不少避，若欲掩其失身之事，以诳国人者，其愚亦甚云云。其言盖隐指谦益辈而发，尤可谓能知大义者矣。"同书卷二〇〇又著录其《群贤梅苑》十卷，但出以"旧本题松陵朱鹤龄编"之疑似之词。陈田《明诗纪事》辛签卷二八选朱鹤龄诗四首。徐世昌编《晚晴簃诗汇》卷一五选朱鹤龄诗十四首，《诗话》云："长孺，明季诸生。国变，著书不出，所学以说经为长。其《尚书埤传》、《诗经通义》、《读左日钞》、《李义山诗注》及《小集》十五卷，皆著录《四库》。集后附《传家质言》十馀条，谓：'庚午、辛未间，复社盛兴，邑侯亨宇唐师荐于张天如先生，欲得余一见，卒不往。由今观之，大社果非美事，余之不往不失为自立。'又《与吴汉槎书》云：'三十年来，奄忽无成，始而泛滥诗赋，既而黾勉古文。后因老友顾宁人以本原之学相勖，始湛思覃力于注疏诸经解以及儒先理学诸书，粗有成编……《明诗综》录《广志》、《感遇》二篇，皆不见集中。其五、七古多感怆低回、惊心动魄之作，今备采以补之。"邓之诚《清诗纪事初编》卷一著录朱鹤龄《愚庵小集》十五卷："朱鹤龄……《清史·儒林》有传，称鹤龄卒于康熙二十二年，年七十八。据集中《传家质言》，甲申年三十七，则享年当七十六，否则卒年必有参差。诗近香山，文醇而不肆。乃谓王烟客称其文可继虞山，又谓人比之亭林、梨洲、二曲，为海内四大布衣，不知何人诳之。称亭林为畏友，亭林集有《朱处士长孺寄尚书埤传》一诗。与徐乾学交游，尤可云贞不绝俗，奉王士禛兄弟则近名矣。《书元裕之集后》一文，明为钱谦益而作。乃他文推崇至何也？《传家质言》有云：'拳拳著述，横遭谗忌。'又云：'见一越友选时贤诗，嗤薄艳体，另为一编，故借《西昆》以晓正之。而不知者，疑义丛生，盖为所撰《李义山笺注》而发。'汪琬《钝翁续稿》跋笺注云：'常熟释道源解义山诗未成而没，朱长孺作笺注，颇采用之。钱夕公、冯定远、陈氏、潘氏诸说附焉，未尝掩没其姓氏，于道源亦然。长孺示予道源注原本颇多芜累，且间有遗漏，长孺剪裁裒益，不啻十之六七。吴人不察，往往窃意以为郭窃向注。'此为鹤龄辨白甚力。然谓道源注未成而没则不然，钱谦益《有学集·道源注李义山诗集序》：'累年削稿，出以示予。吾家夕公为考新、旧《书》，尚论时事，推见其作为之指意。'岂有书未成而先作序之理？谦益《朱长孺笺注李义山诗序》：'予取源师遗本以畀长孺，长孺先有成稿，取源师注择其善者，为之剔其瑕砾，搴其萧稂，更数岁而告成。'是鹤龄之笺，本于道源，序已名言，何至复生疑议？牧斋尺牍《与朱长孺》云：'义山改窜之后，尚多剥啄。'意者不没姓氏之说，未必尽然。不然，鹤龄注杜亦本于谦益，何以不横遭疑忌乎？"袁行云《清人诗集叙录》卷二著录朱鹤龄《愚庵小集》诗五卷（康熙十年刻本）："朱鹤龄撰……钱谦益、王光承、计东序……交游王时敏、吴伟业、余怀、徐枋、曹溶、姜垓、陈瑚、金孝章、冯班、顾梦麟、毛奇龄、钱肃润、方文、汪琬、孙默、朱彝尊、徐乾学、沈永裪、王士禄、士禛兄弟，俱海内名辈，而仕清与不仕者，亦各参其半。吴祖修《柳塘诗集》卷一有《赠朱长孺先生》长诗。"

来集之（1604—1683）卒。据邓长风《明清戏曲家考略》。朱彭寿《清代人物大事纪年》："康熙二十一年壬戌（公元1682年），卒岁：来集之，故太常寺少卿。卒年七十□。"不从。康熙《安庆府志》卷一二:"来集之,浙江萧山人,崇祯庚辰进士,壬午司皖……崇祯癸未秋,左兵艘泊江浒,妇女被掳者无算。集之直入总兵方国安营赎回,民获完聚,至今尸祝之。集之负文章誉,分闱摸索皆名士,雅称得人。著有《易象图》、《易隅通》诸书,尤善古文辞,好引士类。稍暇,进诸文学,论晰疑义,问字者相踵相错,奖励不倦。后以行取去,人士如失师保。"康熙《绍兴府志》卷五〇:"来集之,字元成,萧山人。崇祯乙亥拔贡,乙卯魁两浙,庚戌成进士,司皖城……家居手不释卷。"乾隆《萧山县志》卷二四:"(马)士英稔其才,荐授兵科给事,时马、阮比周,耻附其门。士英恚改枢部。未几,晋太常少卿……卒后,崇祀乡贤祠。所著有《易图亲见》、《读易隅通》、《卦易一得》、《春秋志在》、《四传权衡》、《樵初二编》、《南行偶笔》、《载笔》、《倘湖近刻》若干卷。又《倘湖遗稿》二十四卷未梓。"民国《萧山县志稿》卷三〇著录其"《红纱》、《碧纱》、《秋风三叠》传奇三种、《读易偶通》二卷、《春秋志在》十二卷、《樵书》初编、二编、《博物汇编》十二卷、《茗馀录》、《倘湖遗稿》二十四卷、《南行载草》、《南行偶笔》"。《四库总目提要》卷八著录来集之《读易隅通》二卷、《易图亲见》一卷,同书卷一三二又著录其《倘湖樵书》十二卷、《博学汇书》十二卷。陈田《明诗纪事》辛签卷二一选来集之诗一首。邓之诚《清诗纪事初编》卷二著录来集之《倘湖近诗》二卷:"来集之,字元成,号樵道人,又号倘湖樵人,浙江萧山人。崇祯十三年进士,官安庆推官。明亡,以遗老终。著有《倘湖樵书》,事详毛奇龄所撰《墓碑》。据林时对《荷锸丛谈》,记集之于鲁王时,以兵科给事中监兵长河,则毛《碑》之所未及者也。毛《碑》谓南都以兵科招晋太常少卿,不应加以骤擢。盖鲁王时,始加少卿,亦见《荷锸丛谈》。奇龄纪事,往往不加深考如此。此集皆七言绝句,曰《月令诗》一卷,咏月令,补月令,花月令;曰《游仙诗》一卷,则悼亡之作。"庄一拂《古典戏曲存目汇考》卷六著录来集之杂剧三种《秋风三叠》、《两纱剧》、《挑灯剧》,谓"所作杂剧六种,仅存三种"。

公元 1684 年(清康熙二十三年 甲子)

正月

小说《精忠演义说本岳王全传》(即《说岳全传》)二十卷八十回刊行。卷首题"仁和钱彩锦文氏编次"、"永福金丰大有氏增订"。卷首有序,后署"甲子孟春上浣,永福金丰识于馀庆堂"。钱彩、金丰,生平不详。或谓序后署"甲子"为乾隆九年。

二月

初九日,傅山子傅眉(1628—1684)卒。据傅山作《哭子诗》十四章。

五月

吴嘉纪(1618—1684)卒。据杨积庆《吴嘉纪年表》(见《吴嘉纪诗笺校》附录)考证。汪懋麟《吴处士墓志》:"处士生于前明万历戊午九月二十二日,殁于国朝康熙甲子春三月，年六十有七。所为《陋轩诗》若干卷，板行于世。"卒日相差二月。又朱彭寿《清代人物大事纪年》谓吴嘉纪卒于康熙二十二年（1683），卒年六十八，似有误。《清史列传·文苑传》："吴嘉纪，字宾贤，江苏泰州人。布衣。家安丰盐场之东淘，地滨海，无交游，自名所居曰陋轩。贫甚，虽丰岁常乏食，独喜吟诗，晨夕啸咏自适，不交当世。郡人汪楫、孙枝蔚与友善，时称道之。遂为王士禛所知，尤赏其五言清冷古淡，雪夜酌酒为之序，驰使三百里致之。嘉纪因买舟至扬州，谒谢定交。由是四方知名士，争与唱和。嘉纪工为危苦严冷之词，尝撰《今乐府》，凄急幽奥，能变通陈迹，自为一家。所著《陋轩集》，多散佚，友人复哀集之，为四卷。其诗风骨遒劲，运思亦镌刻，由所遭不偶，每多怨咽之音，而笃行潜修，特为一时推重云。"卓尔堪《明遗民诗》卷八选吴嘉纪诗六十三首，小传云："吴嘉纪，号野人，字宾贤，泰州安丰场人，布衣。性情浑朴，生平不事游览，与孙枝蔚、汪楫交最善，著有《陋轩诗集》，为海内大家。乐府、五、七言古，尤擅绝一时。"王士禛《分甘馀话》卷四："吴嘉纪，字野人，家泰州之安丰盐场，地滨海，无交游，而独喜为诗。其诗孤冷，亦自成一家。其友某，家江都，往来海上，因见其诗，称之于周栎园先生，招之来广陵，遂与四方之士交游唱和，渐失本色。余笑谓人曰：'一个冰冷底吴野人，被君辈弄做火热，可惜。'然其诗亦渐落，不终其为魏野、杨朴。始信余前言非尽戏论也。"王士禛《悔斋诗集序》："予居扬州三年，而后知海陵吴嘉纪。嘉纪贫士，所居濒海斥卤之地，老屋败瓦，苦竹数亩蔽亏之；蛇虎蒙翳。鼪鼯啼啸，人迹昼绝，四方宾客之所不至。嘉纪苦吟其中，不求知于人，而名亦不出百里之外。广陵去海陵百里，嘉纪所居，去海陵又百里；虽见其诗，而无由见其人。一夕雪甚，风籁窅窱，街鼓寂然，灯下检箧中故书，得嘉纪诗，读且叹，遂为其序。明日，遣急足驰二百里，寄嘉纪于所居之陋轩。嘉纪感余意，为余刺舟一来郡城，相见极欢。始余知嘉纪，以前户部侍郎浚义周公，周公知嘉纪则以汪楫。汪楫字舟次，嘉纪所为赋《管鲍篇》者也。窃以为真赏日稀，有才如嘉纪，天下之人不知之，乡曲之人不知之，及其妻孥亦且骇异唾弃之，举世无知之者，而独有一汪楫知之，然则楫之为人何如也？"沈德潜《国朝诗别裁集》卷六选吴嘉纪诗十九首，小传云："渔洋诗以学问胜，运用典实而胸有炉冶，故多多益善，而不见痕迹；陋轩诗以性情胜，不须典实而胸无渣滓，故语语真朴，而越见空灵，然终以无名位人。予持此论而众人不以为然，然其诗具在，试平心易气读之，近人中有此孤怀而高寄者否？"《四库总目提要》卷一八二著录吴嘉纪《陋轩诗》四卷："国朝吴嘉纪撰。嘉纪字野人，泰州人。泰州多以煮海为业，嘉纪多食贫吟咏，屏处东淘，自名所居曰陋轩，因以名集。其诗颇为王士禛所称，后刊板散佚。此本乃其友人方于云哀集重刻者也。其诗风骨颇遒，运思亦复镌刻，而生于明季，遭逢荒乱，不免多怨咽之音。"陈田《明诗纪事》卷一〇选吴嘉纪诗三十六首，按语云："陋轩古诗，序事得之史公，沉痛得之少陵。五七律俊爽，亦不失为元遗山。明末诗家，可与孟贞抗行。"徐世昌编《晚晴簃诗汇》卷一六选吴嘉纪诗十九首，《诗话》云："国初诸家，有以质朴胜者，杜茶村、孙豹人及陋轩皆是。陋轩闭门觅句，绝依傍，谢文饰，戛戛独造，清旷遒上，要不失为邢石白、潘南村一流人。渔洋'火热'之嘲固非定论，潘四农盛为称许，与亭林并论，亦未免推崇稍过也。"邓之诚《清诗纪事初编》卷一著录吴嘉纪《陋轩诗》六卷、《陋轩诗》十二卷、《续集》二卷:"吴嘉纪,字宾贤,号野人,泰州人。明诸生。能忍饥,有志节。卒于康熙二十三年,年六十七。事具《清史列传》,有《陋轩诗》。据康熙十八年汪懋麟序,野人诗初集为周栎园所刻,汪华斯分司东淘为再刊其集,于云复裒其前后诗刊之,懋麟所序即此本也。计东序初集之刊在康熙戊申(七年),先于于云十二年。吴周祚序于云所刊共四百馀首。今六卷本,盖嘉纪殁后,其友程岫所刊者,后于于云凡五年。陆廷抡《江村诗序》:'甲子秋客广陵,再过云家,则野人已前死数月,遗稿多放失未梓,云家悉捃拾排缵,付其友汪悔斋太史发梓为《陋轩集》六卷,凡一千十二首。'《江村诗》者岫所撰,云家为岫之字。嘉道间宿州王相有信芳阁活字重刻本,泰州缪中有十二卷本。夏荃得未刻诗三百六十馀首,选出百二十首,编为续集二卷。于是嘉纪之诗,先后凡七刻。其诗学杜,得其神,遗其貌。若《风潮行》、《朝雨下》、《残夜不寐闻佣者鞭碾稻》、《东家行》、《粮船妇》、《归东淘答汪三韩过访》、《催麦村》、《挽船行》、《归里与胡石明》、《德政诗五首》、《采莩行》、《堤绝诗十首》、《望君来三首》,诸诗字字皆血泪也。彼赋冶春词者乌能知之!近人有以之拟卢仝者,亦非。"袁行云《清人诗集叙录》卷五著录吴嘉纪《陋轩诗》十二卷、续二卷(道光间泰州夏氏刻本):"诗集初刻八卷,周亮工选订,康熙初,赖古堂刊。汪苇斯重刊本。康熙十八年,于方云复裒其前后诗刊之,编为四卷,即《四库存目》著录本。二十三年,其友程岫字云家,捃旧稿为六卷,由汪懋麟付梓,乾隆间泰兴陈汕校补刊行。嘉道间泰州缪中刻十二卷本。又有王相信芳阁活字本,即《清初十大家集》本。后夏荃据缪本增补未刻诗一百二十首为续编,即此本。首载周亮工、王士禛、孙枝蔚、计东、吴周祚、汪懋麟、陆廷抡序。嘉纪诗学杜,极写社会荒乱与民生艰苦……其间寄以易代之悲,尤见郁勃。伏居海滨,结纳李沂、邓孝威、冷士嵋、方文、龚贤,多遯迹之士。与施闰章、钱陆灿、汪楫、孙枝蔚、汪懋麟、吴耼、王士禄、士禛兄弟,亦有酬答。晚年则与戴胜徵往还较密……其诗目击流离,伤于荆棘,固自不可磨灭。而周亮工为之扬㧊,故当日即成名家……柯振岳《兰雪集读遗敏诗》云:'耆艾沉埋不怨穷,老来鸣盛气如虹。陋轩集抵精华录,此论吾尤仰至公。'然王、吴贵贱不同,岂能比埒耶。后来知音者益众,淮海诗人尤奉以为宗。"杨积庆《吴嘉纪诗笺校》,上海古籍出版社1980年出版。

五月

初四日,清廷修《大清会典》。据《清史稿·圣祖本纪二》。

六月

十二日,傅山(1607—1684)卒。丁宝铨《傅青主先生年谱》:"二十三年甲子……六月十二日先生卒。"注云:"振玉案,先生年岁及卒之年月,诸家所记异同不一……惟《阳曲志》卷一四《文征》及张《谱》引先生五世孙履巽所编《事实》作康熙二十三年六月十二日卒……考《阳曲志·傅寿毛先生传》,言眉(傅眉,字寿毛)卒未几,征君亦卒。又李天生《受祺堂集·存殁口号》诗一百一首之第六十二云'哭儿兼折郑司农'注：'傅处士眉，青主先生子，眉卒，先生哭之恸，亦亡。'与《阳曲志·寿毛传》正合。"邓长风《明清戏曲家考略三编》订傅山生卒为"1606—1685"。不从。《清史列传·文苑传》："傅山，字青主，山西太原人。少与孙传庭共学，过目成诵，愤明季诸缙绅腐恶，乃坚苦持气节。袁继咸为张振孙所诬，山约曹良直等三上书讼之，不得达。后乃伏阙陈情，袁竟得雪。马士奇作传，以谓裴瑜、魏劭复出。既，曹良直任兵科，山贻书曰：'谏官当言天下第一等事。'曹慨然。即疏劾周延儒、骆养性，直声振一时。甲申后，居土穴，养母。给事中李宗孔、刘沛先荐应博学鸿儒科，时年七十四矣，固辞不获，至京师，疾甚，大学士冯溥首过之，卧床不能具礼。蔚州魏象枢以山老病上闻，免试，特授内阁中书，放还。山工分隶及金石篆刻，画入逸品。赵执信推山书为国朝第一。尝失足堕崩崖，见风峪甚深，石柱林立，则高齐所书佛经也，摩挲终日乃出。其嗜奇如此。精医。晚年颇资以自给。二十二年卒，年八十二。"《清史稿·遗逸传》："傅山，字青主，阳曲人。六岁，啖黄精，不谷食，强之，乃饭。读书过目成诵。明季天下将乱，诸号为缙绅先生者，多迂腐不足道，愤之，乃坚苦持气节，不少婉娩。提学袁继咸为巡按张孙振所诬，孙振，阉党也。山约同学曹良直等诣通政司，三上书讼之，巡抚吴甡亦直袁，遂得雪。山以此名闻天下。甲申后，山改黄冠装，衣朱衣，居土穴，以养母。继咸自九江执归燕邸，以难中诗遗山，且曰：'不敢愧友生也。'山省书，恸哭，曰：'呜呼！吾亦安敢负公哉！'顺治十一年，以河南狱牵连被逮，抗词不屈，绝粒九日，几死。门人中有以奇计救之，得免。然山深自咤恨，谓不若速死为安，而其仰视天、俯视地者，未尝一日止。比天下大定，始出与人接。康熙十七年，诏举鸿博，给事中李宗孔荐，固辞。有司强迫，至令役夫舁其床以行。至京师二十里，誓死不入。大学士冯溥首过之，公卿毕至，山卧床不具迎送礼。魏象枢以老病上闻，诏免试，加内阁中书以宠之。冯溥强其入谢，使人舁以入，望见大清门，泪涔涔下，仆于地。魏象枢进曰：'止，止，是即谢矣！'翼日归，溥以下皆出城送之。山叹曰：'今而后其脱然无累哉！'既而曰：'使后世或妄以许衡、刘因辈贤我，且死不瞑目矣！'闻者咋舌。至家，大吏咸造庐请谒。山冬夏著一布衣，自称曰民。或曰：'君非舍人乎？'不应也。卒，以朱衣、黄冠敛。山工书画，谓'书宁拙毋巧，宁丑毋媚，宁支离毋轻滑。宁真率毋安排。'人谓此言非止言书也。诗文初学韩昌黎，倔强自喜。后信笔抒写，俳调俗语，皆入笔端，不愿以此名家矣。著有《霜红龛集》十二卷。子眉，先卒，诗亦附焉。眉，字寿髦。每日出樵，置书担上，休则把读。山常卖药四方，与眉共挽一车，暮抵逆旅，篝灯课经，力学，继父志。与客谈中州文献，滔滔不尽。山喜苦酒，自称老蘖禅，眉乃称小蘖禅。"《霜红龛集·附录一》录戴梦熊《傅征君传》："征君傅山，字青主，一字公他，别号石道人，世为山西之忻州人。祖霖登明嘉靖壬戌进士，历官少参，父之谟以明经硕彦衣被学徒，山其仲子也。少参通籍后寓居太原，因隶籍阳曲云。山生而颖异，读书十行并下，过目辄成诵，少参极钟爱。迨长，学益该博，凡古今典籍、诸子百家，靡不淹贯。工诗赋，善古文词，临池神似二王，晋之人重焉。且精绘事，每搦管写意，各极其妙。又以徐力学祁黄术，擅医之名，遍山右罔弗知者。方山年十四，即受知于文太青先生，十六饩于庠，为督学袁袁山先生深所器重。先生檄取晋士数十人，俾读书三立书院，山与焉。后袁为直指诬奏，下诏狱，山以诸生诣阙讼冤，海内因是无不知有傅山其人矣。迨袁诬既白，出督九江，屡遣使召山，山终不往。甲申岁，贼李自成犯阙，怀宗殉国，山遂弃置青衿为黄冠侣。时而遨游平定、祁汾之间，不则坐深山，阅释典，户外事弗问也……康熙戊午举博学鸿词，屡辞弗获，抵都门，复以老病恳辞，未就试。乃归后授中书职衔。山不欲违厥初志，避居远村，惟以医术活人，登门求方者户常满，贵贱一视之，从不见有倦容。里党姻戚有缓急，视其力而竭其心。与人言，依于忠孝，谋事要于诚义。虽足迹不入城市，而达官士夫、骚人墨客钦其名者，率纡道求见，冀得一面以为荣焉。"全祖望《阳曲傅先生事略》："先生少长晋中，得其山川雄深之气，思以济世自见，而不屑为空言。于是蔡忠襄公抚晋时，寇已亟，讲学于三立书院，以及军政、军器之属，先生往听之，曰：'迂哉，蔡公之言，非可以起而行者也。'甲申，梦天帝赐之黄冠，乃衣朱衣，居土穴，以养母。"沈德潜《国朝诗别裁集》卷一二选傅山诗《送友之秦中》一首。延君寿《老生常谈》："《晋两征君诗钞》，于傅青主五律，误收工部《秦州杂诗》一首，殊不成事，何怪海内人之笑话山西人也。青主诗奇辟精奥，与其嗣寿耄诗皆孤行传世，本不当与莲洋合刻也……先生五古诗不能明其学那一家，即当一种子书读可也。集中有学东坡一种，老笔纷披，绝似坡公老年海外文字……五律以古体行其疏荡之气，学太白、襄阳一派，唐以后尚不乏人，如徐祯卿'吾怜范巨卿，悃愊不邀名。作史竹林下，清风讼狱平'之类。若以古体行奇郁之气，工部后竟难其人，以吾所见，独霜红龛犹能为之。此非关读书，全是一种神力，所以眼空四海，寥寥无人。"徐世昌编《晚晴簃诗汇》卷一二选傅山诗二十首，《诗话》云："青主好奇任侠，为诸生时，伏阙上书，为提学袁临侯讼冤，义声震海内。国变后，为道士装，隐青羊山土室，即所谓霜红龛也。诗、书、画兼医学皆绝。人论诗宗少陵，亦取径钟、谭，第才大学博，不为所囿。亭林尝曰：'萧然物外，自得天机，吾不如傅青主。'赠诗云：'太行之西一遗老，楚国两龚秦四皓。春来洞口见桃花，尽许相随拾芝草。'又云：'待得汉庭明诏近，五湖同觅钓鱼槎。'及应征至京师，称疾不试。乃授官放归，高亢过于李天生。国初，山右诗人吴莲洋才名最播，青主不屑标榜。传稿晚出，论其深湛之思，莲洋殆非其匹也。"邓之诚《清诗纪事初编》卷二著录傅山《霜红龛集》四十卷、《附录》一卷、《年谱》一卷："傅山，字青主，号啬庐，又号真山，别署公之佗，阳曲人。少励志行。崇祯九年，提学道袁继咸为巡按御史张孙振诬劾被逮，孙振阉党也。山集诸生三十馀人，伏阙争之，得直，孙振以他事逮，于是义声震一时。事具山自撰《因人私记》。明亡，居土塘村南土窑内所谓土室者。顺治十一年，因叛案宋谦供出傅青主出家作道人，身穿红衣，号朱衣道人，逮讯实不知情得免，而父子兄弟皆茹严刑矣。世述此事者，自全祖望以次，多不得其详。往适求得三法司原案，乃知主其事者左都御史龚鼎孳，盖有意宽之。自后山隐于松庄，不与世事，然系一方人望。顾炎武入晋依之，称其萧然物外，独得天机，后乃入关依王弘撰也。康熙十八年，举鸿博，山与杜越老病，敦迫就道，山卧板床，子眉及两孙肩之以行，越则几于提解矣。入都，卧病阜成门外慈明寺，不与世人接。久之得放归。二十二年二月，眉卒，年五十七，山赋诗数十首以哀之。七月山亦卒，年七十八。事具全祖望《阳曲傅先生纪略》及刘霖《仙儒外纪》。曩得山手书二十三僧纪略，署乙丑秋，然则卒年应在八十一以外矣。有《霜红毫集》四十卷。山博学多通，著述甚众。论文不喜欧、曾，以为是江南之文也，故自号西北老人。诗文外若真率，实则劲气内敛，蕴蓄无穷，世人莫能测之。至于心伤故国，虽开怀笑语，而沉痛即因寓其中，读之令人悽怆。晋人重其诗文，自戴廷栻、张耀先两刻后，屡有增辑，片语只词，无不搜罗。述傅山事者，杂以神仙，不免近诞，然至今妇人孺子咸知姓名。皆谓文不如诗，诗不如字，字不如画，画不如医，医不如人。其为人所慕如此。"张舜徽《清人文集别录》卷一著录傅山《霜红毫集》四十卷（宣统三年山阳丁氏刊本）："阳曲傅山撰。山字青主，号啬庐，或别署公之佗，亦曰石道人，明季诸生。初有志于用世，尝自叹曰：'弯强跃骏之骨，而以佔毕朽之，是则埋吾血千年，而碧不可灭者矣。'或强以宋诸儒之学问，则曰：'必不得已，吾取陈同甫。'其志趣可见矣。明亡后，始以黄冠自放，居土室以养母。康熙十七年，举博学鸿词，屡辞不获，抵都门，复以老病辞，未就试而归。顾炎武尝称其人萧然物外。自得天机。盖其晚年意存避世，徜徉于山水间，故人皆推其高节焉。山于学无所不通，书画医术，尤极精能，贯穿四部，旁涉二藏。清初诸老，多以经史植其基，鲜有能究心诸子者。山于经史之外，复沉潜于百家之书，校勘甚勤，而复多创获。治《墨经》尤仔细，阎若璩复称其长于金石遗文之学，足以正经史之讹而补其缺，厥功甚大。其后乾嘉诸儒，若汪中、毕沅之理董诸子，庄述祖、阮元之考证金石，功力加密，而所得亦多。然循流溯源，要必推山为先路之导也。故其学规模至大，而沾溉于后来者亦至广，在清初儒林中，最为博雅矣。是集前十四卷为赋及古今体诗，卷十五至二十六为传、叙、题跋、墓铭、碑、记、书札、家训、杂文，卷二十七至三十为杂著，卷三十一至三十五为读经史、读诸子，卷三十六至四十为杂记。自二十七卷以下多为读书有得之言，足以觇其涉览之博。读史四卷中，尤多精诣，能发人之所未发，以其用功深也。"袁行云《清人诗集叙录》卷二著录傅山《霜红毫集》四十卷（宣统三年山阳丁氏刻本）："傅山撰。山初名鼎臣，字青主，一字仁仲，又字啬庐，别署老蘖禅、公之它，山西太原人。诸生。明亡，居土穴，养母。顺治十三年入狱，未几释还。康熙十八年应博学鸿词，固辞，不获，至京师，疾甚。魏象枢乃以老疾上闻，特免试，授内阁中书，放归。二十三年卒，年七十八。山善书工画，精于医，隐于道。声名远披，明遗民中仅稍后于顾、黄。凡所遗著，已有三、四刻。宣统三年，山阳丁宝铨刊本四十卷、附三卷及《年谱》，较为易得。诗学昌黎。《青羊庵》、《种菁行》、《李宾山松歌》、《咏史感兴》三十六首、《读传灯》、《读杜偶书》、《土堂杂诗十首》、《村居杂诗十首》、《口号十二首》、《调饥三首》，以其精神所注，足验其志节。《咏晋祠》、《游乐平石马寺》，亦较超逸。顾炎武尝曰：'萧然物外，自得天机，吾不如傅青主。'两家有唱和，见本集与《亭林集》赠诗。王士禛《池北偶谈》亦数称之。山不事应酬，与显贵无一赠答，人品甚峻。唯晚年涉心仙释，多作颓唐悲愉语，时近迂奇。盖明季三晋文风未开，又时取径钟、谭，流于奥涩，此正学韩所不易到也。后世仰慕其人，于其所施，亦无不奉为圭璧矣。惠周惕有《赠傅青主先生》长歌，汾阳朱之俊诗集有《赠傅青主》诗多首。"

八月

孟称舜（1599—1684）卒。据徐朔方《孟称舜行实系年》。邓长风《明清戏曲家考略三编·孟称舜的生年及〈蚬斗过乐府〉的作者》考孟称舜之生年为明万历二十二年（1594）。平步青《霞外攟屑》卷四《孟次微监州》："次微名远，会稽人，子塞广文称舜仲子，前诸生……甲子八月，浙江乡试，十九日，丁子塞先生忧。"孟称舜，字子塞，又作子若，号卧云子、花屿仙史。会稽（今浙江绍兴）人，早年与兄孟称尧曾同入复社。清顺治六年贡生，曾任松阳训导。编《古今名剧合选》五十六种（包括他自己的四种），创作杂剧《红颜少年》（已佚）、《眼儿媚》、《桃园三访》（即《桃花人面》）、《花前一笑》、《残唐再创》（即《英雄成败》）、《死里逃生》，创作传奇《二乔记》（已佚）、《赤伏符》（已佚）、《娇红记》、《二胥记》、《贞文记》。康熙《会稽县志》卷一九："孟称舜，顺治六年贡生，称尧弟，有《史发》诸书及传奇数种。"乾隆《松阳县志》卷七："孟称舜，字子塞，会稽人。训导。品方正，孤介不肯与俗伍，不肯以私阿，力以励风俗、兴教化为己任。朔望升堂讲道，阐明濂闽心学，课士严整，毋敢或哗。学富才敏，昕夕诵读不绝，寒暑著述无休。适学宫颓废，谋如家事，汲汲不休，庙庑俎豆有未备者，皆缮补之，尊经阁籍其落成，其有功圣门盖不少云。"陈洪绶《节义鸳鸯冢娇红记序》："子塞文拟苏、韩，诗追二李，词压秦、黄，然其为人，则以道气自持。乡里小儿，有目之为迂生、为腐儒者，而不知其深情一往、高微盲渺之致……观此记者，其亦可以想其性情之至矣。昔时子塞有《古今名剧选》及《桃花》诸曲行于世，一老先生见而呵之，以为不正之书；又一老先生以为诗曲等也，夫子删诗，不废《郑》、《卫》，况子塞所著、所选，又皆以情而出于正者乎！此言是矣……崇祯己卯腊月诸暨陈洪绶题。"祁彪佳《孟子塞五种曲序》："会稽孟子塞先生之为曲，则真古之诗也。亦非仅古之诗，而即古之乐也。先生前后有曲五种。《二胥》、《二乔》则所言君臣、父子、兄弟、夫妇、朋友之道毕备……《赤伏符》则言天命有定，奸邪不得妄干；大业世授，子孙不容轻弃。《鹦鹉墓》则专言男女夫妇之情。《娇红》变而卒返于正；《贞文》正而克持其变。至其为文也，一人尽一人之情状，一事具一事之形容；雄壮则若铜将军铁绰板唱'大江东去'之辞，妩媚则如十七八小女娘唱'晓风残月'之句。按拍填词，和声协律，尽善尽美，无容或议。可兴、可观、可群、可怨，《诗》三百篇，莫能逾之。则以先生之曲为古之诗与乐可；而且以先生之五曲作《五经》读，亦无不可也。昔人谓梨园子弟有能唱孟家词者，其价增重十倍，夫犹仅以其情、文之特绝言之耳。《娇红》、《二胥》久行于世，《二乔》、《赤伏符》俱后出，而斯记则携至金陵，同志诸子为之锓而传焉。"

十月

十八日，吴兆骞（1631—1684）卒。徐钪《南州草堂集》卷二九《孝廉汉槎吴君墓志铭》："汉槎以前辛未十一月某日生，其卒以康熙二十三年十月某日，年五十四。"又叶舒颖《叶学山先生诗稿》卷六甲子稿有《吴汉槎于十月十八日客死京邸，诗以哭之，即用徐学士旧韵》诗。《清史列传·文苑传》："吴兆骞，字汉槎，江苏吴江人。少逋故居；渡浙江，溯桐庐，登严光钓台，展谢翱墓，徘徊赋诗而返。会开博学鸿儒科，有司欲举以应诏，以疾辞，遂杜门不复出。诗学陶、韦，巉刻处更似孟郊。士禛目之为'硐松露鹤'，尝索其稿不可得，乃就所藏为编缀百馀篇刻之。"沈德潜《明诗别裁集》卷一二选徐夜诗一首《九日得顾宁人书》。陈田《明诗纪事》卷一六选徐夜诗十首，有按语云："东痴诗清真绝俗，时有独造之语，非隐处岩穴者不能道也。"徐世昌编《晚晴簃诗汇》卷三三选徐夜诗十一首，《诗话》云："东痴五言澄思幽复，结响坚奥，写难状之景，神似东野，其作田园语柔厚澹古，渐近自然，又去陶、储不远，风骨特胜于近体也。"邓之诚《清诗纪事初编》卷二著录徐夜《徐东痴诗》二卷："顾炎武不轻许可，亲至山中访之。炎武尝有诗曰：'今日大梁非故国，夷门仇杀老侯嬴。'夜之诗曰：'不堪频北望，曾是旧神州。'盖皆有不与同中国之慨，足证同心。所著书没于水，诗稿又没于九江。王士禛与为中外兄弟，辑得百馀首，为《徐东痴诗》二卷，与《萧亭诗选》，足称双逸。夜诗学阮籍《咏怀》，士禛谓学陶、韦，巉刻处似孟郊，非也。不得其年，初入土室时年二十九，至辞鸿博之荐，已六十二矣。"袁行云《清人诗集叙录》卷三著录徐夜《徐东痴诗》二卷（康熙间刻本）："李念慧为新城知县，最敬礼之，与相唱和。尝入浙游杭州，登钓台，渡浔阳而归……二十二年卒，年七十三。夜为王象春外孙，王士禛表兄，少读书外家，濡染风气。诗稿没于九江……诗学魏晋，宗陶、韦，节概深高……《和秋柳诗》，丰骨峻上，较王士禛自高一层。顾炎武亲至山中访问，赠以诗。五律《九日得顾宁人书曰游黄山》、七律《富春山中吊谢皋羽》二篇，尤为绝唱，以为足传不朽，非过论也。"身后，康熙三十八年（1698）王士禛编纂、评点《徐诗选》二卷付梓，选诗二百五十四首；民国甲戌（1934）刊行《隐君诗集》四卷，收诗五百三十二首，为徐夜诗传世最全之本。

公元1685年（清康熙二十四年　乙丑）

二月

王士禛与陈恭尹定交。王士禛《香祖笔记》卷三："予以乙丑二月抵南海，始与陈元孝（恭尹）定交。"

三月

二十八日，孔尚任撰《出山异数记》成。是书末署"康熙乙丑三月二十八日，孔尚任私记"。

毛奇龄撰《古今通韵》十二卷成。据其进书疏。

仇兆鳌考中二甲第八名进士。

五月

三十日，纳兰性德（1655—1685）卒。纳兰性德《通志堂集》卷一九附录上徐乾学《通议大夫一等侍卫进士纳兰君墓志铭》："君生于顺治十一年十二月，卒于康熙二十四年五月己丑，年三十有一。"《清史列传·文苑传》："性德，原名成德，字容若，纳兰氏，满洲正黄旗人。康熙十五年进士，授乾清门侍卫，少从姜宸英游，喜为古文辞；乡试出徐乾学之门，遂授业焉。善诗，其诗飘忽要眇，绝句近韩偓，尤工于词。所作《饮水》、《侧帽词》，当时传写，遍于村校邮壁。生平淡于荣利，书史外无他好。爱才喜客，所与游皆一时名士。晚更笃意经史，嘱友人秦松龄、朱彝尊购求宋元诸家经解，后启于徐乾学，得钞本一百四十种，晓夜穷研，学益进。尝延友人陆元辅，合订删补《大易集议萃言》八十卷、《陈氏礼记集说补正》三十卷。又刻《通志堂九经解》一千八百馀卷，皆有功后学。精鉴藏书，学褚河南，见称于时。尝奉使觇梭龙诸羌。二十四年，卒，年三十一。殁后旬日，适诸羌输款，上时避暑关外，遣中使拊其几案，哭而告之，以其尝有劳于是役也。著有《通志堂诗集》五卷、《词》四卷、《文》五卷、《渌水亭杂识》四卷。又有《全唐诗选》、《词韵正略》。"严绳孙《成容若遗稿序》（见《通志堂集》卷首）："始余与成子容若定交，成子年未二十，见其才思敏异，世未有过之者也……成子虽处贵盛，闲庭萧寂，外之无扫门望尘之谒，内之无裙屐丝管、呼卢秉烛之游。每夙夜寒暑、休沐定省，片晷之暇，游情艺林，而又能撷其英华，匠心独至，宜其无所不工也。至于乐府小词，以为近骚人之遗，尤尝好为之。故当其合作，飘忽要眇，虽列之《花间》、《草堂》，左清真而右屯田，亦足以自名其家矣。"朱彝尊《国朝诗别裁集》卷一〇选成德诗六首，小传云："成德，字容若，辽阳人，康熙癸丑进士，丙辰殿试，官侍卫。著有《通志堂集》。侍卫生长华阀，淡于荣利，书史友生外，无他好也。诗情飘忽要眇，断肠人远，伤心事多，年之不永，即于韵语中知之。"《四库总目提要》卷六著录纳喇性德编《合订删补大易集议粹言》八十卷，同书卷二一又著录其所撰《陈氏礼记集说补正》三十八卷，同书卷一八三又著录其《通志堂集》十八卷、《附录》二卷："国朝纳喇性德撰。性德有《合订删补大易集议粹言》，已著录。性德生长华阀，勤于学问。乡试出徐乾学之门，遂授业焉。《九经解》即其所刻。而徐乾学延顾湄校正之，以书成于性德殁后，版藏徐氏，世遂称'徐氏九经解'，并通志堂而移之徐氏，实相传之误也。是编为乾学所裒辑，凡诗五卷、词四卷、文五卷、《渌水亭杂识》四卷，又附录碑志哀挽之作为二卷。"冯金伯《词苑萃编》卷八《成容若有侧帽饮水词》："容若读书机速过人，辄能举其要。诗有开元风格。作长短句，跌宕流连以写其所难言。有集名《侧帽》、《饮水》者，皆词也（韩慕庐）。"又同卷《容若不喜南宋》："容若自幼聪敏，读书过目不忘，善为诗，尤工于词。好观北宋之作，不喜南渡诸家，而清新秀隽，自然超逸。海内名人为词者，皆归之（徐健庵）。"又同卷《容若词凄惋》："容若词，一种凄惋处，令人不能卒读，人言愁我始欲愁（顾梁汾）。"又同卷《饮水词哀感顽艳》："《饮水词》哀感顽艳，得南唐二主之遗（陈其年）。"陈廷焯《白雨斋词话》卷三《饮水词措词浅显》："容若《饮水词》在国初亦推作手，较《东白堂词》（佟世南撰）似更闲雅。然意境不深厚，措词亦浅显。余所赏者，惟《临江仙·寒柳》第一阕及《天仙子·渌水亭秋夜》、《酒泉子·谢却荼蘼一篇》三篇耳，馀俱平衍。"徐世昌编《晚晴簃诗汇》卷三七选纳兰性德诗二十三首，《诗话》云："容若以词名一代，诗才俊逸，飘飘凌云。拟古诸篇，直欲上希太白，绝句尤多深婉。如《秣陵怀古》云：'中原事业如江左，芳草何须怨六朝。'

《柳枝词》云：‘生憎飞絮吹难定，一出红窗便不归。’皆所谓伤心人别有怀抱也。”邓之诚《清诗纪事初编》卷六著录纳兰成德《通志堂集》二十卷：“成德举壬子（康熙十一年）秋试，由乾学房荐，遂师事之。一三六九日至乾学所，镇日讲习。乾学素附明珠，盛称成德之学。先于己未（十八年）为刻《通志堂经解》，复于辛未（三十年）辑刻其诗文，为《通志堂集》二十卷。是时明珠已罢相，实由乾学受圣祖密旨嗾郭琇劾罢之。旋乾学亦解尚书任回籍修书。明珠外甥傅腊塔官江南总督，正督过乾学兄弟，为明珠报复，徐元文愤恚而死。乾学之刻此集或意在释嫌修好欤？集凡赋一卷、诗、词、文、《渌水亭杂识》各四卷，附录二卷。成德喜填词，初为《侧帽词》，后改《饮水词》，一时以秦观、柳永拟之。诗吐属清隽，文多经解序录。经解之刻，顾湄实任校勘，疑其序皆湄代撰。《杂识》钞撮成书……成德喜延接文士，最厚善者，严绳孙、顾贞观、秦松龄、陈维崧、姜宸英。徇贞观之请，赎吴兆骞于戍籍，俾居西席授读。未几兆骞没，复归其丧，以是尤为人所称。然如徐嘉炎所言，则门客争怜妒宠者大有人在。康熙初，侍卫主传宣，与南书房主拟制者对掌枢机，贵要莫比，成德即不藉父势，固足令蝇集蚁附而有馀矣。”袁行云《清人诗集叙录》卷一五著录纳兰性德《通志堂集诗》四卷：“撰《通志堂集》，《四库》列入《存目》，卷一为赋，二至五卷为诗，分体，凡三百十九首，有严绳孙序。诗多拟古及效齐梁杂体。《长安行赠叶讱庵（方蔼）》、《送荪友严绳孙》以及寄朱彝尊、姜宸英、顾贞观等诗，可见交游之一斑。绝句缛美，近于词者不免弱调。读七古《填词》一篇，知其所恉雅不在诗也。”

是年

徐乾学等奉敕编纂《古文渊鉴》六十四卷成。据十二月康熙帝序。

戴名世作《睡乡记》、《书归震川文集后》等文。据王树民《戴文系年》。（见中华书局1986年出版《戴名世集》附录）

曹溶（1613—1685）**卒。**据吴荣光《历代名人年谱》。《清史列传·贰臣传》：“曹溶，浙江嘉兴人。明崇祯十年进士，官御史，巡视西城。尝劾大学士张四知溺职，不报。本朝顺治元年五月，投诚，仍原官……六月，授顺天学政……三年……三月，迁太仆寺少卿……十一年，授太仆寺少卿，寻迁左通政……擢户部右侍郎……授广东布政使……降山西阳和道……十七年，诏举博学鸿儒，大学士李霨、杜立德、冯溥合疏荐溶，以丁忧未赴。十九年，学士徐元文荐溶佐修《明史》，部议俟服满，牒送史馆。二十四年，卒。”沈德潜《国朝诗别裁集》卷二选曹溶诗十首，小传云：“芝麓长于近体，秋岳长于古诗，而古诗之中五言尤胜。惟著述太多，不免良枯并见耳。”《四库总目提要》卷六二著录曹溶《崇祯五十宰相传》一卷，同书卷六四又著录其《刘豫事迹》一卷，同书卷八四又著录其《明漕运志》一卷，同书卷八七又著录其《金石表》一卷，同书卷一一六又著录其《倦圃莳植记》三卷，同书卷一三四又著录其《学海类编》无卷数，同书卷一八一又著录其《静惕堂诗集》四十四卷：“溶记诵淹博，诗文亦富，然其集初无定本，篇帙多寡不一，有作三十卷者，有作正集八卷、续集三卷者，皆不知何人所编。此本为雍正乙巳刊行，凡古今体诗几四千首，乃其外孙朱丕戭所裒辑，溶生平吟咏，该具在于是矣。"徐世昌编《晚晴簃诗汇》卷二〇选曹溶诗二十一首，《诗话》云："阮亭《秋柳》诗，和者甚众，以亭林、秋岳为绝唱。秋岳少有诗名，中年风格日进，李天生称其五古：'如羚羊挂角，无迹可寻，而浑金璞玉中，奕奕自露神采。'又云：'意取其厚，词取其自然，所以复汉京也；调取其俊逸，格取其整，所以明《选》体也。'……集中古体诸诗，当之无愧，五七律根柢浣花，间涉昆体，盖魄力深厚，故能奄有众长也。秋岳家富藏书，勤于诵览，好收宋、元人文集。天性爱才，闻人有一艺，未尝识面，誉不去口。主诗坛者数十年，才士归之如水赴壑。晚年自号锄菜翁，又号金陀老圃，筑室范蠡湖，颜曰'倦圃'，杂栽花竹，文宴无虚日，时有'北海宾朋，东山丝竹'之目。"邓之诚《清诗纪事初编》卷六著录曹溶《静惕堂诗集》四十四卷、《静惕堂词》一卷："溶在崇祯时，与龚鼎孳同有声台谏。入清后，屡踬屡起同，而诗才如海亦略同。又与陈之遴同年相善，其降职正坐党陈也。杂忆旧友，首数之遴，次及鼎孳，论诗于钱、吴皆有微词，独推李因笃诗，为海内第一，自负可知。以好结纳，富藏书，为一时胜流所归。林时对独指其倾险黩货，必非无因。撰《静惕堂诗集》四十四卷、词一卷。诗集雍正三年直隶总督李维钧所刻，是冬维钧以党年羹尧得罪，故削去维钧原序，及末板李维钧校刊字样。维钧又刻周笃《采山堂集》八卷，今更不可得。凡兵乱及前朝字样，皆作墨钉，知是时已有忌讳。道光中王相刻清初《十大家诗钞》，求其集仅得钞本，选刻八卷，今日正赖信芳阁本，可以补其缺字。溶填词最负盛名，《静惕堂词》之刻较早，不附于诗集。"袁行云《清人诗集叙录》卷四著录曹溶《静惕堂诗集》四十四卷（雍正三年刻本）："溶诗名与龚鼎孳相埒，赠诗甚多。而王崇简、周亮工、陈之遴、吴伟业、王铎，亦降清官员。论诗独推李因笃，以为海内第一。此集分体各卷，时附因笃识语……《杂忆平生诗友十首》，论北京旧侣颇尚宋诗，虞山诗派沿袭不已，云间称诗极盛，康熙初诗借可知大凡……通观全集，殊足名家。"沈雄《古今词话·词评》下卷《曹溶寓言集》："陈素庵曰：秋岳词，从无一蹈袭之语，正不必拟之以周、秦，周、秦合让一头地。龚芝麓曰：君词如晏小山，合情景之胜，以取径于风华者，所云'舞低杨柳楼心月，歌罢桃花扇底风'，庶乎。"陈廷焯《白雨斋词话》卷六《曹洁躬满江红》："国初曹洁躬《满江红》（钱塘观潮）云：'城上吴山遮不住，乱涛穿到严滩歇。是英雄未死报仇心，秋时节。'沉雄悲壮，笔力千钧，读之起舞。竹垞和作，已非敌手，何论馀子！"

丁澎（1622—1685）卒。江庆柏《清代人物生卒年表》据《浙江古今人物大辞典》上括注丁澎生卒为"1622—1685"。字飞涛，号药园，仁和（今浙江杭州）人。著有《扶荔堂诗集选》十二卷、《扶荔词》三卷、《词变》一卷，另有《药园闲话》与杂剧《演骚》。《清史稿·艺文志》著录其《扶荔词别录》一卷。《清史列传·文苑传》："丁澎，字飞涛，亦仁和人。顺治十二年进士，官刑部主事，调礼部。十四年，充河南乡试副考官，洊升郎中。以事谪塞上，居五年乃归。澎少有俊才，未达时即名播江左。与仲弟景鸿、季弟漮皆以诗名，时称'三丁'。有《白燕楼诗》流传吴下，士女多采撷以书衫袖。初官刑部，无事日作诗，与宋琬、施闰章辈称'燕台七子'。既，调礼部，兼司主客。贡使至，译问主客为谁，廉知为澎，持紫貂、银鼠、美玉、象犀，从吏人易其诗归国，京师缙绅荣之。澎天性愉爽，不耐披剔，染翰伸纸，宛尔妍好。其诗盖以自然胜也。及谪，渡辽海，崎岖三千里，至靖安，卜筑东冈，躬自饭牛，与牧竖同卧起。一日，爨无烟，取芦粟、小米和雪啖之。日晡，忽闻扣门声，童子喜从隙窥之，虎方以尾击户，澎吟诵自若。所作诗，语多忠爱，无怨诽意。著有《扶荔堂集》、《信美堂诗选》。"《清史稿·文苑传》："丁澎，字飞涛，仁和人。有俊才。嗜饮，一石不乱。弟景鸿、漈并能文，时有'三丁'之目。澎，顺治十二年进士，官礼部郎中。尝典河南乡试，得一卷奇之。同考请置之乙，澎曰：'此名士也！'榜发，乃卢阳李天馥，出语人曰：'吾以世目衡文，几失此士。'坐事谪居塞上五载，躬自饭牛，吟啸自若。所作诗多忠爱，无怨诽之思。有《扶荔堂集》。先是陈子龙为登楼社，（陆）圻、澎及同里柴绍炳、毛先舒、孙治、张丹、吴百朋、沈谦、虞黄昊等并起，世号'西泠十子'。"毛先舒《西泠十子诗评》："丁飞涛澎如黻帐初寒，银筝未阕，月光通曙，与灯竞辉。"徐釚《本事诗后集》："药园祠部盛名臕仕垂二十年，中遭迁谪，颓然自放。己酉南还，与仆相遇于任城酒楼，典裘痛饮，尝著杂剧以自况，故仆有'东冈遗恨题华表，南部新词托管弦'之句。"陶元藻《全浙诗话》引张安茂《扶荔堂集序》："我友丁子飞涛，弁冕乎西泠者也。其诗温丽而含清，雄杰而尽伦，故述怀之思渊以平，赠别之思慨以慷，关塞之思劳以壮，征人思妇之思忧以□。"沈德潜《国朝诗别裁集》卷四选丁澎诗十七首，小传云："丁澎，字飞涛，浙江仁和人，顺治乙未进士，官礼部郎中，有《扶荔堂诗》。严灏亭云：'祠部少有《白燕楼诗》，流传吴下，士女争相采撷以书衫袖。婺州吴之器有句云：恨无十五双鬟女，教唱君家白燕楼。为时倾倒如此。'"邓之诚《清诗纪事初编》卷七著录丁澎《扶荔堂诗集选》十二卷："丁澎，字飞涛，仁和人。顺治十二年进士，官刑部主事，调礼部。十四年主河南乡试。以罪废，卒年无考。著《扶荔堂诗集选》十二卷，诗学晚唐，独无拟古乐府，不尽依云间矩矱。七律至四卷之多，最工此体，西泠风气如此也。五古《录别》八首、七律《东郊》十首，皆言迁谪事，怨而不怒，颇有蕴藉之致。七古《风霾行》、《哀潼关》、《赠王鹤山给谏》三首，有关史事；惟言周遇吉从孙传庭死潼关，大误。西泠十子中惟澎成进士，顺治十七年庚子谪辽东靖安，五载始放归。据《实录》顺治十五年七月，河南主考黄沁、丁澎违例更改举人原文作程文，且于中式举人朱卷内，用墨笔添改字句，刑部议沁、澎照新例籍没家产，流徙尚阳堡。然则澎当以康熙四年放归。《录别》诗有'筋力日以衰，老至瞆乡里'句，当已五六十矣。尚有老亲，归后甚贫，游食四方，亦足哀也。诗分《京集》、《居东集》、《游集》、《杂集》，首署李天馥、许三礼编辑，分署辑者若干人，皆河南乡试门生。或即刻于豫中。"选录其诗《听石城寇白弦索歌》一首。沈雄《古今词话·词评下卷·丁澎扶荔词》："沈雄曰：药园祠部于拂意时，不作侘傺怅语，偏工旖旎愁肠。故《扶荔词》曲尽纤艳之思。其友亦有以词柬之者：'劝君莫负赏花时，幸归矣，长嘘复奚为。黄须笑捋凭红肌，论英雄如此足矣。'其中《行香子》、《两同心》诸作，犹有旧悲馀绪。"

公元1686年（清康熙二十五年　丙寅）

二月

严禁淫词艳曲，毁淫祠。蒋良骐《东华录》卷一三："康熙二十五年二月……江宁巡抚汤斌疏言：'吴中风俗，尚气节，重文章。而佻巧者每作淫词艳曲，坏人心术。蚩愚之民，敛财聚会，迎神赛社，一幡之值，至数百金。妇女有游冶之习，靓妆艳服，联袂寺院，无赖少年，习学拳勇，轻生好斗，名为打降。臣严加训饬，委曲告诫，一年以来，寺院无妇女之游，迎神罢会，艳曲绝编，打降敛迹，惟妖邪巫觋，习为怪诞之说，愚民为其所惑，牢不可破……请赐特旨严禁，勒石山巅，庶可永绝根株。'疏上，得旨：'淫祠惑众诬民，有关风化，如所请，勒石严禁。直隶及各省有似此者，一体饬遵。'"汤斌《汤子遗书》卷九《苏松告谕》："为政莫先于正人心，正人心莫先于学术，朝廷崇儒重道，文治修明，表章经术，罢斥邪说，斯道如日中天。独江苏坊贾，惟知射利，专结一种无品无学、希图苟得之徒，编纂小说传奇，宣淫诲诈，备极秽亵，污人耳目，绣像镂版，极巧穷工，致游侠无行，与年少志趣未定之人，血气摇荡，淫邪之念日生，奸伪之习滋甚，风俗陵替，莫能救正，深可痛恨，合行严禁。仰书坊人等知悉：除《十三经》、《二十一史》及《性理》、《通鉴纲目》等书外，如宋、元、明以来大儒注释经学之书，及理学、经济、文集、语录，未经刊板或板籍毁失者，照依原式，另行翻刻，不得听信狂妄后生，轻易增删，致失古人著述意旨。今当修明正学之时，此等书出，远近购之者众，其行广而且久，尔等利亦当出此。若曰古书深奥，难以通俗，或请老诚纯谨之士，选取古今忠孝廉节、敦仁尚让实事、善恶感应、懔懔可畏者，编为醒世训俗之书，既可化导愚蒙，亦可检点身心，在所不禁。若仍前编刻淫词小说戏曲，怀乱人心，伤败风俗者，许人据实出首，将书板立行焚毁。其编次者、刊刻者、发卖者，一并重责，枷号通衢；仍追原工价，勒限另刻古书一部，完日发落。"

三月

初六日，**孙蕙**（1632—1686）卒。高珩《栖云阁文集》卷一四中《户科给事中树百孙公墓志铭》："君生于崇祯壬申二月十六日子时，卒于康熙二十五年三月初六日寅时，享年五十有五。"沈德潜《国朝诗别裁集》卷六选孙蕙诗七首。《四库总目提要》卷六二著录孙蕙《历代循良录》一卷。同书卷一八二又著录其《笠山诗选》五卷："国朝孙蕙撰。蕙有《历代循良录》，已著录。是集为汪懋麟所选定。诗格清丽，无尘俗之气，而边幅微狭，盖才分弱也。王士禛序称其五七言诗虽古作者无以加，亦一时奖进之言耳。"徐世昌编《晚晴簃诗汇》卷三一选孙蕙诗十七首，《诗话》云："笠山初官县令，有异政。入台，亦有直声。诗延明七子声律，而出以隐秀，安谐流美，蔚然成家。渔洋称其七律中'河声入洛三门合，岳色来秦万里明'，'岛藏诸国晴时见，风卷洪涛静夜闻'，'黄菊候中无雁到，绿榕林外有莺啼'，古作者无以过也。"袁行云《清人诗集叙录》卷一〇著录孙蕙《笠山诗选》五卷（康熙二十一年刻本）："是集为王士禛、汪懋麟选评，各为序。凡诗五卷，共四百二十四首，《四库存目》著录。《晚晴簃诗汇》录十七首，多登临游览之什。关涉世事者，如《南池阻兵》、《漳河有感》、《挽船行》、《打鱼歌》、《安宜行》、《濬河行》、《入闽杂感》，均未及之。蕙尝官宝应县令，以治河著称。官给事中有直声。徐元文作《二给事诗》，以蕙与任辰旦并称。与蒲松龄有交，惟此集不见往还。其诗由明七子学唐，王士禛举佳句……以为虽古作者，无以加也。"

是年春

朱彝尊撰《腾笑集》成。据其自序。

四月

初九日，魏裔介（1616—1686）卒。朱彭寿《清代人物大事纪年》："康熙二十五年丙寅（公元1686年），卒岁：魏裔介，太子太傅，原任保和殿大学士。四月初九日卒，年七十一。入祀贤良祠（入祀在雍正十年十月），追谥文毅（追谥在乾隆元年正月）。"《清史列传·大臣传》："魏裔介，直隶柏乡人。顺治三年进士，由庶吉士授工部给事中……圣祖仁皇帝康熙元年，云南平……二年，迁吏部尚书。三年，擢保和殿大学士。六年，充纂修《世祖章皇帝实录》总裁官。遇恩诏，加一级……十一年，《实录》告成，加太子太傅。二十五年四月，卒，赐祭葬如例。雍正十年，入祀贤良祠。所著有《兼济堂集》及《希贤录》诸书。乾隆元年，上念裔介与尚书汤斌等未邀易名之典，诏予追谥，谥曰文毅。"沈德潜《国朝诗别裁集》卷二选魏裔介诗三首，小传云："国朝诸大典，半属文毅，奏议所定，学宗朱子。著有《约言录》、《知统录》诸书，风节侃侃，时称二魏，谓公及敏果公也。"《四库总目提要》著录魏裔介著述近二十种，卷一七三著录其《兼济堂文集》二十卷："国朝魏裔介撰。裔介有《孝经注义》，已著录。是编《奏疏》三卷、《序》六卷、《书牍》二卷、《传志》二卷、《祭文论》二卷、《杂著》二卷、《乐府古今体诗》三卷，附《年谱》一卷。其平生著述，刻于江南者，有《兼济堂集》十四卷。刻于荆南者，有《兼济堂集》二十四卷。刻于京师者，有《文选》二集上下编、《昆林小品》上下二编、《昆林外集》一编、《奏疏尺牍存馀》七卷。其刻于林下者，有《文选》十卷、《屿舫近草》五卷、《诗集》七卷、《樗林三笔》五卷。此集乃詹明章裒集诸本，简汰繁冗，合刊为一编者也。裔介立朝，颇著风节，其所陈奏，多关国家大体。诗文醇雅，亦不失为儒者之言。虽不以词章名一世，而以介于国初作者之间，固无忝焉。"徐世昌编《晚晴簃诗汇》卷二三选魏裔介诗六首，《诗话》云："文毅风节侃侃，论事鲠切，与敏果时称二魏，其所陈多关国家大典。尝与梁蕉林论诗，持'贵真不贵伪'之说，以为诗之真者原本性情，自出机杼，不屑屑捃摭剽窃为工，伪者反是，故性情正而天下之真诗出。蕉林极韪之。"邓之诚《清诗纪事初编》卷五著录魏裔介《兼济堂诗集》八卷、《兼济堂文集选》二十卷："裔介以理学自任，诗文皆不能工，而好弄笔，尤喜与文士游。田茂遇、吴殳结纳最深。尤惓惓于孙奇逢、申涵光，当时号为遗老者也。刻《观始集》、《清诗溯回集》，虽为竞名，然胜于高谈性命、束书不观者矣。其时理学名臣，若魏象枢、熊赐履、李光地皆好士，略同于裔介，士亦往往归之。"袁行云《清人诗集叙录》卷五著录魏裔介《兼济堂诗集》八卷（康熙间刻本）："裔介守朱熹之学，为理学名臣。与魏象枢合称二魏，以奏议见长而人品弗及……作《五君咏》，为杨思圣、魏象枢、李光地、申涵光、郝浴。馀多不能佳，亦不足称述焉。"

五月

曹贞吉撰《朝天集》一卷成。据靳治荆跋。

九月

三十日，颜光敏（1640—1686）**卒。**朱彝尊《奉政大夫吏部考功清吏司郎中颜君（光敏）墓志铭》："康熙二十五年九月晦，以疾卒。"《清史列传·文苑传》："颜光敏，字逊甫，山东曲阜人。颜子六十七世孙。幼好读书，九岁工行草，十三娴诗赋。康熙六年进士，除国史馆中书舍人。会圣祖幸太学，加恩四氏子弟之官于朝者，光敏由中书舍人授礼部主事。次年，充会试同考官，出督龙江关税务，调吏部主事，洊升考功司郎中，充《一统志》纂修官。光敏书法擅一时，尤工诗，辇下称诗有十子之目，谓田雯、宋荦、王又旦、丁澎、曹禾、曹贞吉、谢重辉、叶封、汪懋麟及光敏也。新城王士禛尝曰：'吾乡后来英绝，当让此人。'其五言原本三谢，七古在李颀、杜甫之间，近体秀逸深厚，出入钱、刘。吴江计东谓以此鼓吹休明，即孔颜世室中之乐府琴瑟也，当时以为知言。读书折衷群儒，言自出新义，其于《大学章句》，持论尤断断。雅善鼓琴，精骑射、蹴鞠。喜山水，尝西登太华，循伊阙，南浮江淮，观涛钱塘，泝三衢，凡所游历，光敏必命画工为图，得金石文，恒悬之屋壁。性孝友，厚于睦族。居乡以礼让人，立朝遇政事侃侃不阿，有一善未尝自矜也。眉宇英异，锐意读书，明于律法、勾股之数。著有《未信编》、《乐圃集》、《旧雨堂集》、《南行日记》。二十五年，卒，年四十七。颜氏多以忠孝文学著。"沈德潜《国朝诗别裁集》卷九选颜光敏诗十首，小传谓其"诗品端厚正大，不轻佻，不板滞，于十子中为雅音。"徐世昌编《晚晴簃诗汇》卷三六选颜光敏诗十七首，《诗话》云："修来以诗鸣山左，为十子之一。王阮亭谓施愚山：'吾乡迩来英绝当让此人。'其诗高华丽则，格调老成。古体浑灏流转，近体秀逸绝尘，五七言如《太华》、《麦雨》诸作，苍郁雄高，怪伟百态。"《四库总目提要》卷一八一著录颜光敏《乐圃集》七卷："国朝颜光敏撰……此集为王士禛所定，版心题曰《十子诗略》……而十人各为卷帙，其版亦分藏于各家，往往别本单行。版心所题，犹其全编之总名也。"邓之诚《清诗纪事初编》卷六著录颜光敏《乐圃集》七卷："其诗初刻入《金台十子集》，近体明秀可诵。善接纳，知交遍海内。顾炎武诗案狱亟，光敏为之经营颇力。精骑射、蹴鞠，喜山水。尝西登太华，循伊阙，南浮江淮，观涛钱塘，泝三衢而归。所至命画工为图，盖振奇人也。"袁行云《清人诗集叙录》卷一二著录颜光敏《乐圃集》八卷（康熙间刻本）："是集为施闰章、陈玉璂、邓汉仪序。《四库存目》著录七卷。卷首顾炎武题词云：'古诗训辞深厚，往往得古人微旨，可称大雅遗音。迩来殆无出其右者。近体清新婉约，逼似唐人，所谓不意永嘉之末，复闻正始之音者矣。'集中《戊申六月十七日齐鲁地大震歌以纪之》、《昔闻》、《野老》、《驱蝗》诸篇，多涉时事，沉痛指切。登太华山，游伊门，渡易水诸作，格调苍郁，词句练达。游邹县绎山，诗记山如累卵，洞壑不可穷诘。咏孔庙碑，王士禛有和诗。《送宋荔裳观察之蜀》、《送王考功西樵归里》、《喜李天生至都赋赠》，俱非泛泛应酬，要非凡手所及。"

是年秋

王士禛向巡抚张鹏推荐王苹。王士禛《池北偶谈》卷一九："历城秀才王苹，字秋史，少年能诗，颇清拔绝俗……丙寅秋，寄诗于予，予偶以书寓巡抚张中丞南溟鹏，言苹之才，中丞特召见，引之客座，且赠金焉。"

是年

查慎行著《人海记》四卷。陈敬璋《查他山先生年谱》："二十五年丙寅，先生年三十七……著《人海记》。凡四卷，杂记都中事，皆得之闻见者。"

吴乔撰《围炉诗话》六卷成。据其自序。

董说（1620—1686）**卒。**朱彭寿《清代人物大事纪年》："康熙二十五年丙寅（公元 1686 年），卒岁：董说，浙江乌程县诸生。卒年六十七。"朱彝尊《静志居诗话》卷二二《董说》："董说，字若雨，乌程人。晚为僧，名南潜。字宝云。有《丰草庵》等十八集。若雨腹笥便便，未免有才多之恨。至其硬语涩体，绝不犹人，方诸涪翁不足，比于饶德操有馀。"乾隆《乌程县志》引《蓬蒿类稿》："董说，字若雨，斯张子。少补弟子员，长工古文词，江左名士争相倾倒。未几，罹闯祸，屏迹丰草庵，宗亲莫睹其面，以塞自名，改氏曰林，精研五经，尤邃于《易》。丙申秋，削发灵岩，时往来浔川。甲子母亡，遂不复至，寓吴之夕香庵，一当事屏舆从访之，闻声避匿，当事叹息而去。"钮琇《觚剩续编》："吴兴董说，字若雨，华阀裔孙，才情恬旷，淑配称闺阁之贤，佳儿获芝兰之秀。中年以后，一旦捐弃，独归静域，自号月涵，所至之地，缁素宗仰，于是海内无不推月函为禅门尊宿矣。月涵于传钵开堂飞锡住山之辈，视若蒆如，而身心融悟，得之典籍。每一出游，则有书五十担随之，虽僻谷之深，洪涛之险，不暂离也。余幼时曾见其《西游补》一书，俱言孙悟空梦游事，凿天驱山，出入《庄》、《老》，而未来世界历日先晦后朔，尤奇。"陈田《明诗纪事》辛签卷二八选董说诗十三首，小传云："说字若雨，乌程人，诗人遐周子。崇祯诸生。晚为僧，名南潜，字宝云。有《人间》、《可哀》、《采杉》、《落叶》、《西台》、《病孔雀》、《红蕉》、《登峰》、《临兰亭》、《雒阳》、《洞庭雨》、《斗韵牌》、《画石》、《西荒》、《洗药》、《积雨》、《夕香》、《挂瓢》、《拂烟》等集。"又加按语云："若雨遁迹空门，未黜绮语。观其自序云：'我不能如世之诗，珠联汉魏，璧合三唐也；又不能如世之诗，鬼言无蒂，沉堕秋烟也。'耽情于方外，合社于渔樵，游梦于山经，孤癖于香法，可以得其意境矣。"鲁迅《中国小说史略》第十八篇《明之神魔小说》："《西游补》十六回，天目山樵序云南潜作；南潜者，乌程董说出家后之法名也……其云鲭鱼精，云青青世界，云小月王者，即皆谓情矣。或以中有'杀青大将军'、'倒置历日'诸语，因谓是鼎革之后，所寓微言，然全书实于讥弹明季世风之意多，于宗社之痛之迹少，因疑成书之日，尚当在明亡以前，故但有边事之忧，亦未入释家之奥，主眼所在，仅如时流……惟其造事遣辞，则丰赡多姿，恍惚善幻，奇突之处，时足惊人，间以俳谐，亦常俊绝，殊非同时作者所敢望也。"

公元 1687 年（清康熙二十六年　丁卯）

正月

孙枝蔚（1620—1687）卒。孙枝蔚《溉堂后集》卷首有其子孙匡"康熙辛丑岁中秋后五日男匡薰沐百叩敬识"之语云："先中翰公生于前明万历庚申，终于今康熙二十六年丁卯谷旦，得年六十有八。生平著述甚富。"洪昇《稗畦集·挽孙豹人先生》："一江风雪人才到，二月莺花讣已来。"《清史列传·文苑传》："孙枝蔚，字豹人，陕西三原人。布衣。康熙十八年，举博学鸿儒，以年老不能应试，特旨偕邱钟仁等七人授内阁中书。枝蔚始遭闯贼乱，尝结里中少年奋戈逐贼，失足堕土坎中，幸不死，乃走江都，从贾人游，累致千金，辄散之。既而折节读书，肆力诗古文，僦居董相祠，高不见之节。王士禛官扬州，特访之，先之以诗，称为奇人，遂订莫逆交，然未尝一日忘故乡也。因颜所居曰溉堂，以寓西归之思。时左赞善徐乾学方激扬士类，一时才俊争趋之，枝蔚独弗屑也。三十六年（？）卒，年六十七。其为诗词，气近粗，然有真意，称其人品之高。所著《溉堂集》九卷、《续集》六卷、《后集》六卷、《诗馀》二卷，原本秦声，多激壮之词。"李天馥《溉堂诗集序》："豹人之为诗，当竟陵、华亭互相兴废之际，而又有两端杂出，傍启径窦如虞山者，而豹人终不之顾。则以豹人之为诗，固自为诗者也。夫自为其诗，则虽唐、宋、元、明昭然分画，犹不足为之转移，况区区华亭、竟陵之间哉……豹人诗初不一种，今刻之长安，亦不一集，即诸集所列，亦不一体。前后年岁各有转变。"陈维崧《溉堂前集序》："今年来广陵，与秦人孙枝蔚豹人歌诗……孙子诗数十卷，名《溉堂集》。溉堂者，即董相祠旁孙子僦居处也。《诗》不云乎：'谁能烹鱼，溉之釜鬵。'孙子以是名其堂也，其犹秦人之志也。"汪懋麟《溉堂文集序》："予论诗于当代推一人，为征君孙豹人先生。其为诗不仅宗一代一人，故能独为一代之诗，亦遂为一代之人，他不敢知矣。亦时为文，多谦让不自居，曰：'吾非工此者，用以殿吾诗耳。'属予序。予于征君，非第好其诗，且并爱其文。其为文甚异，夫今之为文者也，独取径唐人，或摹晋、魏、六朝，独不肯学宋，时之人或非之，不知其文之可爱，亦如其诗者，正在乎此耳。不见征君之为诗乎？最喜学宋，时之人大非之，而其诗之工又奚啻其文也欤？此征君诗之所以异，即其文之所以异也乎！扬州汪懋麟撰。"魏禧《溉堂续集序》："三原孙豹人先生，以诗文名天下垂三十年。予往见《溉堂初集》，古诗非汉魏、律非盛中唐则不作，作则必有古人为之先驱。至其所以似古人者，渐濡陶冶，若丹乌之藏物，初非出于依傍而后有。己酉八月，予客南州，豹人别且八年，忽自楚中至，其颜渥丹，其髭髯洁白如雪，相见执手劳问。既出其《溉堂续集》示予……今其诗自宋以下则皆有之矣。冲口而出，摇笔而书，磅礴奥衍，不可窥测。然豹人年五十，浮客扬州，若妻妾、子女、奴婢之待主人开口而食者且三百指。世既不重文字，身又不能力耕田以自养，长年刺促，乞食于江湖，伤逝悲来，较甚往昔，故其诗别有所以为工者，而豹人亦不自知也。"施闰章《送孙豹人舍人归扬州序》：“豹人今年亦已六十矣，而掉头抗辞，视今人又何如也。其诗操秦声，出入杜、韩、苏、陆诸家，不务雕饰。吏部赵公玉峰既为刻其书，余独叙其语以送之，后之称是官者，其知所由重矣。宛陵年眷弟施闰章拜撰。”沈德潜《国朝诗别裁集》卷一二选孙枝蔚诗七首，小传云：“溉堂诗辞气近粗，然自有真意，称其人品之高。今有秦人，胸无典籍，好为大言，至云作诗先洗去李、杜俗调，庸妄如此，而人群然信之，云远胜豹人，不可解也。”《四库总目提要》卷一八一著录孙枝蔚《溉堂前集》九卷、《续集》六卷、《后集》六卷、《诗馀》二卷：“《前集》九卷，各以体分；《续集》六卷，则起康熙丙午，止戊午；《后集》六卷，起己未还山以后，迄丙寅，皆编年为次。枝蔚在当时名甚重，然诗本秦声，多激壮之词，大抵如昔人评苏轼词，如铜将军铁绰板，唱大江东去也。”徐世昌编《晚晴簃诗汇》卷一二选孙枝蔚诗十七首，引汪楫语云：“汪舟次云：溉堂诗，朴处到不得，俚处学不得。愈俚愈古，愈朴愈秀。读书一万卷，养气三十年，乃能办此。”《诗话》云：“溉堂以诗文名天下三十馀年，其诗当竟陵、华亭、虞山迭兴之际，卓然自立，出入杜、韩、苏、陆诸家，不务雕饰。同时名流推服，以为当代一人。王阮亭云：‘古诗能发源十九首、汉魏乐府，而兼有陶、储之体，以少陵为尾闾者，今惟焦获先生一人耳。’尝与魏易堂论诗，魏言：‘学古人之文章，纵不得抗衡古人，亦当为其子孙，不当为奴婢。’溉堂言：‘学古人诗，既当知古人祖父，又当知其子孙。知祖父则我可与古人并为兄弟，然不知子孙，则不识其流弊所至。’闻者皆是之。”邓之诚《清诗纪事初编》卷二录孙枝蔚《溉堂前集》九卷、《续集》六卷、《文集》五卷、《诗馀》一卷：“其诗由苏以学杜，奥折可喜。其辞气近于粗率者，乃似杜荀鹤、司空图。知其生丁离乱，有同概也。文不事摹拟，真气流行，自成理路，境界甚高。极服钱谦益。述方文之言，谓其老年终日抄录蝇头小字卷帙无数；又言近日钱虞山每劝学者通经，先汉而后唐、宋；又言惜虞山氏逝矣，不及一见之，未尝有平生之欢。而向往若此。”张舜徽《清人文集别录》卷二著录孙枝蔚《溉堂文集》五卷（康熙甲子刊全集本）：“其诗集有《溉堂前集》九卷、《续集》六卷、《后集》六卷及《诗馀》二卷，并著录于《四库存目》，独阙其文集五卷。盖枝蔚本不以文名，亦不常作，故当日采进之本无之。是集五卷，篇幅不丰，笺札几居其半，短者尤佳。观其自述生平有曰：‘吾少时闻张良潜身下邳故事，心窃奇之。遂朝友屠狗，夕客鸡鸣，短衣匹马，入北山中，谓当尽射猛虎，然后归见妻子。何其雄也！至于事既不成，遂来扬州，隐于鱼盐之市。先人产业，尚足自给。乃复愤懑不平，无所寄托，则以饮酒近妇人为事。谓丈夫不得行胸怀，虽速死声色中可也。志日奇而趣日卑，心日放而名日损。玩世不恭，狎及倡优。当此之时，岂复知有贫穷老病之苦哉！昔弃万金如敝屣，今谋一饱若登天。于是东奔西走，不以乞食为耻。见不愿见之人，强颜欢笑，行同优丐。前后矛盾，失其本心，乃至于此。推其所由，岂非烈士之不易为，过高之能为累耶（是集卷四《诫子文》）！’盖枝蔚以秦士任侠使气，放浪形骸，兼有魏晋人风致，故其人旷达洒落，文亦如之。至其教子读《论语》、《孟子》，不应拘泥朱注，谓程、朱之义，不必尽是，宜参考汉、唐诸家之说以自广（详是集卷一《论语孟子广义序》）。又谓居今之世，惟多读书可以使人敬，惟至诚可以使人感，惟耕田可以不求人。此三者外，吾不能为儿计也（卷四《诫子文》）。若此诸言，信为明达，又不可以求之世俗文士也。"袁行云《清人诗集叙录》卷六著录孙枝蔚《溉堂前集》九卷、《续集》六卷、（康熙十八年刻本）、《后集》六卷（康熙二十六年刻本）："《溉堂前集》诗分体，为明末及顺治间作。《续集》编年，为康熙五年迄十七年诗，与《文集》、《诗馀》合刻。首李天馥、陈维崧序，《四库存目》著录，王士禛、吴嘉纪诸家评语。其诗盖取法汉魏、六朝、杜、苏诸家。《前集》乐府古诗《乌夜啼》、《行路难》、《蒿里曲》、《佃者歌》，五古《避乱杂述》、《哀纤夫》，七古《水叹》，五律《乱后过瓜州二首》，七律《初至扬州客有谈南京事者感赋》、《历阳怀古》、《吊张文昌遗宅》，七绝《难妇词》诸篇，多乱离激壮之音。《续集》中《借盐篇》，亟言当日盐政之弊。《贾客妇》、《流民船和吴野人》，词旨凄惋。枝蔚与王士禛笃交，唱赠友为施闰章、周亮工，而与遗民姜埰、龚贤、萧云从、林茂之、方文、吴嘉纪、杜濬均有寄赠。《后集》为康熙十八年至二十五年诗，八载中得诗二千馀首，自删存六卷。首王泽弘、方象瑛序。其诗转为朴质，益近宋人。记京师见闻，火葬记严州所见，水葬记苏州所见，关系社会风尚，语多俚语。交往多布衣寒素，不欲与达官通接。枝蔚应鸿博而未终试，与傅山、王方谷、邓汉仪境况略同，仍不失于遗民之列。"

洪昇《稗畦集》编定。朱溶《稗畦集叙》后署"康熙丁卯春正月华亭弟朱溶拜撰"。

万树《词律》杀青付梓。万树《词律自叙》："录之成帙，稍有可观。计为卷二十，为调六百六十，为体千一百八十有奇。其篇则取自唐、宋，兼及金、元，而不收明朝自度、本朝自度之腔；于字则论其平仄，兼分上、去，而每详以入作平、以上作平之说，此虽独出乎一人之臆见，未必有符于四海之时流。然试注目而发深思，平心而持公论，或片言之微中，或一得之足收，亦有偶合于古人，未必无裨于后学也……会制府有梓书之役，故琰青为订稿之谋，率付杀青，殊多曳白，因为祖述鄙意……康熙二十六年岁在丁卯上元夕，阳羡万树题。"

二月

十六日，禁淫词小说。《康熙起居注》："康熙二十六年丁卯……二月……十六日甲子。辰时，上御乾清门听政，部院各衙门官员面奏毕。九卿等近前奏曰：'刑科给事中刘楷条陈，禁止淫词小说。臣等会议，顺治十六年、康熙二年，杨雍建、黄熙缵曾奏淫词小说应行禁止，礼部覆准，通行内外禁止在案。今所奏似无容再议。'上曰：'淫词小说人所乐观，实能败坏风俗，蛊惑人心。朕见人乐观小说者多不成材，是不惟无益，而且有害。至于僧道邪教，素悖礼法，其惑世诬民尤甚。愚人遇方术之士，闻其虚诞之言，辄以为有道，敬之如神，殊堪嗤笑，俱宜严行禁止。'"又见《大清圣祖仁皇帝实录》卷一二九、《大清圣祖仁皇帝圣训》卷二五《严法纪一》。琴川居士编《皇清奏议》卷二二："刑科给事中臣刘楷谨奏：为正学昌隆已久，旧刻匪习宜除，请严杜根诛，以仰佐王道之观成事。臣窃思学术人心，教育之首务也。我皇上天纵生知，躬亲讨论，阐孔、孟之正脉，接尧、舜之心传，重经史以劝士，颁十六谕以劝民，海内蒸蒸然，莫不观感而兴起矣。昔孟轲云：'杨、墨之道不息，孔子之道不著。'自皇上严诛邪教，异端屏息，但淫词小说，犹流布坊间，有从前曾禁而公然复行者，有刻于禁后而诞妄殊甚者。臣见一二书肆刊单出赁小说，上列一百五十馀种，多不经之语。海淫之书，贩卖于一二小店如此，其馀尚不知几何。此书转相传染，士子务华者，明知必无其事，金谓语尚风流，愚夫鲜识者，妄拟实有其徒，未免情流荡佚，其小者甘效倾险之辈，其甚者渐肆狂悖之词，真学术人心之大蠹也……臣请敕部通行五城直省，责令学臣并地方官，一切淫词小说……立毁旧板，永绝根株；即儒门著作，嗣后惟仰宗我皇上圣学，始能阐发孔、孟、程、朱之正理者，方许刊刻；不许私立名目，各逞己说，贻误后人；违者并作何严禁；庶学术端，人心正，移风易俗，亘古为昭矣。"

三月

蒋景祁编成词总集《瑶华集》二十二卷付梓。 卷首有序，后署"时康熙二十五年秋八月上浣雪苑宋荦撰"，又有《瑶华集序后》，后署"康熙丁卯三月玉山人顾景星书"。另卷首又有《瑶华集词人》表，下署"康熙丙寅夏编"。是书选清初词人五〇七家，词二四六七首。王士禛《居易录》卷四："宜兴门人蒋景祁京少编《瑶华集》，凡二十卷，搜采国朝名家填词甚富。二十年前予在扬州，与故友武进邹祗谟程村撰《倚声集》，起万历末，迄顺治初年，以继卓珂月、徐野君《词统》之后。蒋此编又起顺治，迄于今，以继《倚声集》之后。观三集，三百二十年间作者略备矣。"中华书局1982年出版是书天藜阁藏板影印本。

四月

孔尚任、卓尔堪等春江社友于扬州秘园大会八省名流。 孔尚任《湖海集》卷二《停帆邗上，春江社友王学臣、望文、卓子任、李玉峰、张筑夫、彝功、友一，招同社杜于皇、龚半千、吴嵒次、丘柯村、蒋前民、查二瞻、闵宾连、义行、陈叔霞、张谐石、倪永清、李若谷、徐丙文、陈鹤山、钱锦树、僧石涛，集秘园，即席分韵》诗后注："定九云：'停帆大会，多至三十馀人，萃八省之彦。'"

五月

清廷停止捐纳岁贡。 叶梦珠《阅世编》卷二："自康熙二十年，海宇荡平，停止各项援纳之例，独岁贡仍许生员捐纳。至二十六年丁卯二月，礼部题请停止岁贡……是年五月，又以兵科给事中王绅疏请停止岁贡捐纳之例，户部奏覆遵准，岁贡之途始清。"

六月

杜濬（1611—1687）**卒。** 方苞《方苞集》卷一三《杜茶村先生墓碣》："先生生于明万历辛亥年正月十六日，卒于康熙丁卯年六月某日，葬以康熙丙戌年二月十六日。"《清史列传·文苑传》："杜濬，字于皇，湖广黄冈人。明副贡生。少倜傥，尝欲赫然著奇节，既不得有所试，遂刻意为诗，于并世人，独重宣城沈寿民、吴中徐枋。避地金陵，寓居鸡鸣山之右，茅屋数间，梁欹栋朽，求诗者踵至，濬多谢绝。功令有排门之役，有司注籍优免。濬曰：'是吾所服也。'躬杂厮舆，夜巡绰，众莫能止。性廉介，不轻受人之惠。晚年穷饥自甘，王猷定尝问穷愁何似，答曰：'往日之穷以不举火为奇，近日之穷以举火为奇。'猷定笑曰：'所言亦何俊也？'濬尝曰：'吾有绝粮，无绝茶。'尝举所用茶之败叶，聚而封之，谓之茶丘。已而贫益甚，往来维扬间，遂卒，年七十七。贫无以葬，陈鹏年知江宁府，始葬诸蒋山北梅花村。著有《变雅堂集》。弟芥。芥，明诸生，亦工诗……后濬七年卒，年亦七十七，著有《些山集》。"《清史稿·遗逸传》："杜濬……其在金陵，与方仲舒善，仲舒，苞父也。金陵冠盖辐辏，诸公贵人求诗者踵至，多谢绝。钱谦益尝造访，至闭门不与通。惟故旧徒步到门，则偶接焉。门内为竹关，关外设坐，约客至，视键闭，则坐而待，不得叩关，虽大府至，亦然……年七十七，卒于扬州。"归庄《归庄集》卷五《与杜于皇》："昨岁家公自皖郡还，携兄台大刻甚富，弟得伏而读之，往往至叫绝。前有少陵，后有樊川，尝以为千古难继，睹于皇著作，叹二公风流不坠也，心仪已久。"卓尔堪《明遗民诗》卷二选杜濬诗一百五十八首，小传云："杜濬，一名茶星，字西止，又字于皇，号茶村，湖广黄冈人。乡试卷拟列第一，以结语侵枢府，置副车，授司李。性傲岸，睥睨公卿间，气概峥嵘，不可一世。每一诗成，脍炙人口，洵乎卓然大家。客死广陵，葬燕子矶之东麓，有《变雅堂集》，未全梓。"鲁元裕《变雅堂诗钞序》："唐诗尚矣，后之克继唐响者惟明；明诗尚矣，后之集明之大成者为黄冈杜茶村先生。茶村诗雄浑高确，能直撼其胸臆，而含蓄蕴藉，无卑俚易尽之陋。维扬卓君子任尝刊以冠诸遗民之集，湘潭陈公沧洲亦曾称为楚诗之尤而梓之。"陈纲《变雅堂文集序》："先生之志行虽或过于中庸，然皆出于忠君爱国之诚心；其词旨虽或流于跌宕怨诽，然变而正，怨而不激，有《离骚》之遗风焉。"沈德潜《明诗别裁集》卷一二选杜濬诗五首，小传云："茶村长篇颇近颓唐，《又闻灯船鼓吹歌》以此得名，其实颓唐之尤者也。兹录其整顿有骨格者。"方濬师《蕉轩续录》卷一《杜茶村》："随园先生《与邵厚庵书》曰：'枚前席间贬茶村文，太守色不许。我以见彼文绝少，未敢争之固，辨之疾。今赐《变雅堂集》读之，文之未是，又安论其古不古也。然茶村至今尚不至于草亡木卒者，亦有故焉。当鼎革时，诸名士流离江湖，结社群居足已，而不学。其诸老先生多晚节不臧，欿然病乎己，遇胜国士人，争罗致燠咻之，冀免其清议。而其时冒称逸民者，遂乘其虚而劫焉，往往屣破履，登高座，居之不疑。以为李、杜、韩、苏，摇笔便是，既无刿怵之苦心，又无畏友之劘切，借国家危亡，盗窃名字，盖不止于茶村然也。使生今日文教罩罦之时，荆楚一伧，技止此乎，久没没矣。'又陈锡路《黄奶馀话》曰：'杜于皇咏坡公诗云："堂堂复堂堂，子瞻出峨眉。少读范滂传，晚和渊明诗。"此四句用山谷语。按，山谷《赞东坡真》有"堂堂子瞻，出于峨眉"之句。又诗有"吃饱惠州饭，细和渊明诗"云云。杜故不免掊扯。钝翁《说铃》及《渔洋诗话》并称之，亦不可解。'濬师于茶村诗文皆未寓目，近得《变雅堂全集》，方信随园之言不谬。其集中有《祭龚太夫人》文一篇，以欧阳修、严延年之母为比，谓：'修得母训，遂以文章、气节、经济名当时而传后世；严母之言，其子不能用，以及于祸。'又云：'由欧母而后，惟太夫人一人。'按，龚端毅曾降李贼，作北城御史，复归大清。维时甫当鼎革，我圣朝恢阔大度，不咎既往之辜，端毅得以敀历台省，其人实无足取也。茶村受端毅恩，贡谀则可，何至谓欧母后仅得一龚氏之母？直将七八百年贤母、节妇、忠臣、孝子一齐抹煞，安乎，不安乎？至与屈大均书，许为鲁仲连不帝秦，言尤狂妄，桀犬吠尧，奚足污人齿颊。第逞其曲笔，未免颠倒是非。沈归愚选茶村诗，目以颓唐，尚不能定茶村之品诣也。吾家望溪公垂老之年，亲铭其墓。毋亦偏于私谊欤？"徐世昌编《晚晴簃诗汇》卷一八选杜濬诗十九首，《诗话》云："茶村避乱居金陵，慕诗名者踵至，多谢绝之。钱牧斋造访，闭门不与通，其高峻如此。诗亦肮脏自遂，尤长五言。吴梅村尝言：'吾五言律得茶村《焦山》诗而始进。'阎百诗于时流多所訾謷，独许其五律，称为诗圣。"邓之诚《清诗纪事初编》卷二著录杜濬《变雅堂文集》五卷、《茶村诗》三卷、《变雅堂诗钞》八卷、《变雅堂遗集》二十卷："杜濬，本名绍先，字于皇，号茶村，黄冈人。崇祯十一年副贡生。侨寓江宁者四十年。卒于康熙二十六年，年七十七。事具《清史列传·文苑传》、方苞《杜茶村先生墓碣》。诗文及身刻者，诗有《倦游草》、《三山游诗》、《闻喜诗》、《游摄山诗》各一卷，文有《变雅堂文集》五卷，别有不分卷本，文多数篇，似是初刻。其诗未尽刻，而刻者复流行未广。后来增辑者，汪观有《茶村诗》三卷，刻于康熙五十二年，取已刻诗乱其次第，不录序，稍有增益，为诗共二百馀首。独无古体。卓尔堪《遗民诗》久已行世，所选濬诗一百五十馀首，多为未刻稿，竟未之见，何也？乾隆中彭湘怀、陈师晋求得诗六百五十首，刻为《变雅堂诗钞》八卷，后来递有增益。光绪中，始刻为《变雅堂遗集文》八卷、诗十卷、附录二卷。濬才气奔放，不可一世。诗学太白，尤工五言，几于盖代。他体间有粗率颓唐者，后人择之未精，乃知不刻，具有微意。文学三苏，纯乎气盛。志传亦以议论行之。传者九十八首，若再搜辑，当可得二十馀篇，然足存者仅矣。濬老而益贫，贫而益狂。传濬事者多异闻，谓钱谦益访之，拒不与见；又谓谦益过贬公安、竟陵，将为楚人报仇者。濬兄弟皆受谦益之知，濬有投献诗在集中，晚乃渐疏。吴伟业为国子师，形迹亦不密。素性通脱，侈用不节。自言绝粮而未绝茶，茶与马吊为时深害，茶值十倍于粮，苟无绝茶，其粮无经理。唯龚鼎孳可以振之，然赠之诗曰：'渐喜白头经世故，错将青眼望他人。'盖讥之也。此则熊赐履，慰藉多而沾溉少。又有谓仇家取其稿焚之者。方苞言著述手定四十七册，陈大章言未刻诗三千馀篇、杂文一帙在上元张氏，秘不示人。大章之子师晋，言全稿在金陵某氏，天门唐太史尝亲见之。则付之一炬，殆为虚语矣。三十年前，尝于书肆见钞本《茶村诗文》二十馀册，多出刻本之外，度其书尚在世间，好事者终有得之之一日也。"张舜徽《清人文集别录》卷一著录杜濬《变雅堂文集》四卷（咸丰十年江夏彭崧毓重刊本）："诗文豪健，而诗尤有名，王士禛极礼重之。文集传世较晚，所存不多，殊遒宕有气势，固一代作家也。观其忠告孙枝蔚，劝毋作两截人，不作两截人有道，曰忍痒；忍痒有道，曰思痛（详是集卷一《与孙豹人书》）。而平生推服屈大均，许其为鲁仲连之流，有骨有识，足以继武古人（详同卷《复屈翁山书》）。则其一生志向，概可知矣，又未可徒目为文士也。濬尝欲于六十后，北走燕市，投知己故人，为碗饭粗足息肩养耻之计，然后归而闭户，究经史未竟之业，寻古人已坠之绪，并自删订四十以后所作诗古文辞，定为一集，而焚弃其不欲存者（详卷三

《六十自序》)。惜乎此志未遂，而遗稿之仅有存者，亦由其乡人搜辑而得。文尤残佚，盖不及十之二三。是集凡经数刻，一为作者自刻本（传抄本文集有《初刻文集自序》一篇，光绪甲午刻本已补刊入集），一为黄冈汪氏刻本（据《黄州府志·文苑传》），一为咸丰庚申江夏彭氏刻本，是为文集单刻本，一为同治庚午永康胡氏所编诗文合刻本。自刻本及汪刻本，均不可见，通行彭、胡二本，编次未善。光绪甲午，黄冈沈氏得传抄本，以校二本，既多厘正，复有增补，乃改编为诗十卷、文八卷，较彭、胡二本均胜。"袁行云《清人诗集叙录》卷三著录杜濬《变雅堂诗集》十卷（光绪二十年黄冈沈氏重刻本）："所撰《变雅堂集》，康熙间凡三刻，俱非全帙，而卓尔堪《明遗民诗》选一百五十八首，已具规模。《四库》不收濬诗，而乾隆间彭湘怀、陈师晋有辑本八卷，名《杜茶村诗钞》，濬诗流传又广。光绪间，黄冈沈自申增刻《遗集》，凡文八卷、诗十卷、附录二卷载序跋佚文赠答诗。后又有《黄冈二处士》排印本，附汪燮记，益为完善。《湖北诗征》卷十五辑诸家诗话数十条，多采自罕见书，足供研究者参稽。为濬为明末遗民中杰出诗人，不独江汉之首推也。五古渊源陶、谢。《感遇十二首》、《钟山》、《九日临高台诗》、《苦雨诗》气韵遒古。七古沉雄顿挫。《初闻灯船鼓吹歌》，尤名负当时。此诗衡明代之盛，推原张居正之当国，考其衰则归咎于马、阮之秉政，能使读者唏嘘太息而不自禁，乃沈德潜诋为颓唐，不尽然矣……五律精深，力追少陵。阎尔梅许为诗圣……唯七律一体，稍欠蕴藉耳。"

七月

曹贞吉撰《鸿爪集》一卷成。据靳治荆序。

三十日，魏象枢（1617—1687）**卒。**魏象枢口授《寒松老人年谱》"丁卯，七十一岁"后魏学诚附记："七月二十九日，夜呼诚，口授遗疏谢恩……三十日……未时，殁于正寝。"《清史列传·大臣传》："魏象枢，山西蔚州人。明崇祯举人，本朝顺治三年进士，选庶吉士。明年，改授刑科给事中……九年，转吏科都给事中……十六年，以母老请终养。康熙十一年，母忧服除，用大学士冯溥荐，授贵州道监察御史……是年冬，擢督察院左都御史。明年二月，迁顺天府尹，四月，转大理寺卿，七月，擢户部右侍郎，十二月，转左侍郎……十七年，授都察院左都御史……明年，迁刑部尚书……二十三年，以病乞休，许之，赐御书'寒松堂'额宠其归。著有《寒松堂集》。二十六年，卒于家，年七十有一。赐祭葬如典礼，谥敏果。雍正八年，入祀贤良祠。"沈德潜《国朝诗别裁集》卷二选魏象枢诗二首，小传云："公为本朝直臣第一，弹劾必匪人，如余司任、刘显贵、程汝璞诸人是也；荐引必正人，如汤文正斌、陆清献陇其二公是也。任都御史时，特命巡察畿辅，攘除尤见风力。归田后，书数千卷外，无长物。尝笑曰：'尚书门第，秀才家风。'又可想其清节矣。"《四库总目提要》卷一八一著录魏象枢《寒松堂集》九十二卷："国朝魏象枢撰……其平生立朝端劲，为人望所归。讲学亦醇正笃实，无空谈标榜之习。文章朴直，亦如其为人。惟子学诚编此集时，意在于先人手泽，一字无遗，遂细大不捐，几盈百卷，未免有榛楛勿剪之憾耳。"徐世昌编《晚晴簃诗汇》卷二三选魏象枢诗八首，《诗话》云："沈归愚称敏果为本朝直臣第一，荐举必正人，弹劾必宵小。清节冠世，时称'尚书门第，秀才家风'。诗直抒胸臆，不假雕琢。"邓之诚《清诗纪事初编》卷六著录魏象枢《寒松堂集》十二卷："魏象枢，字环极，一曰环溪，号昆林，又曰庸斋，蔚州人。顺治三年进士，由刑科给事中，官至刑部尚书。以疾告归，卒于康熙二十六年，年七十一。事具《清史列传·大臣传》。著《寒松堂集》十二卷，为奏疏四卷、诗三卷、文五卷。象枢久在谏垣，著直声，屡有建白，多与时政得失有关。其奏疏最足参稽。喜吟咏，而诗文皆非当行。好字说引汉关公之言曰：'愿天常生好人，愿人常行好事。'流传俚语，据为典要，其陋可知。素以理学自负，集中多说理之文。《征君孙钟元先生墓表》，可以知其向往。与柏乡魏裔介齐名，称'二魏'。然屡仕屡已，近乎知耻。视裔介罢相，尚欲与鸿博之试者，迥然有别。其议论俱近人情。"袁行云《清人诗集叙录》卷五著录魏象枢《寒松堂集》诗三卷（康熙四十七年刻本）："魏象枢撰……象枢与魏裔介同时，并以奏议称著，时称'二魏'。然象枢敢谏，立朝有直声，归田布衣蔬食，每曰'尚书门第，秀才家风'，裔介实不足媲。所撰《寒松堂集》十二卷，熊赐履序，《四库》列入存目。内五、六、七三卷，为崇祯末年至康熙十一年诗。《剥榆歌》，叙榆关老翁日食榆皮。《宿灵石县》，记环邑地疲土瘠，民仅百馀户。俱清兵入关后北方荒凉情景，盖纪实也。《弹琴峡》、《悬空寺》、《韩信岭》、《易州怀古》诸篇，气韵尚朴。象枢与申涵光、张伯行、曹溶、施闰章、张文光等交好，后则周旋于诸大位之间，以扈从、纪恩、祝嘏之什，充其篇幅。意味寡淡，不足观矣。"

是年秋

朱彝尊撰《日下旧闻》四十二卷成。据徐乾学序。

十月

十一日，汤斌（1627—1687）**卒。**朱彭寿《清代人物大事纪年》："康熙二十六年丁卯（公元1687年），卒岁：汤斌，工部尚书。十月十一日卒，年六十一。入祀贤良祠（入祀在雍正十年十月），追谥文正（追谥乾隆元年正月），从祀文庙（从祀在道光三年）。"《清史列传·大臣传》："汤斌，河南睢州人……流寓浙江衢州。世祖章皇帝顺治二年，大兵定江南、江西，斌随其父还里。九年，举进士，由庶吉士授国史院检讨……圣祖仁皇帝康熙十七年，诏举博学鸿儒，尚书魏象枢荐斌学有渊源，躬行实践；副都御史金铉荐斌文词淹雅，品行端醇。召试一等，授翰林院侍讲，同编修彭孙遹等纂修《明史》……二十三年二月，擢内阁学士，充《大清会典》副总裁官……上谕大学士曰：'……朕闻学士汤斌曾与孙奇逢讲明道学，颇有定行。前典试浙江，操守甚善，可补授江宁巡抚。'……上谕吏部曰：'自古帝王谕教太子，必简和平谨恪之臣，统领官僚，专资赞导。江宁巡抚汤斌在讲筵时，素行勤慎，朕所稔知。及简任巡抚以来，洁己率属，实心任事，允宜拔擢大用，风示有位。特授为礼部尚书，管詹事府事。'……二十六年……九月，改工部尚书。未几，疾作，遣太医院诊视。十月，卒，年六十有一……所著有《洛学编》、《潜庵语录》、诗文诸集。"沈德潜《国朝诗别裁集》卷三选汤斌诗六首，小传云："文正为国朝第一流人，而韵语葩流，温温蔼蔼，洵为德人之言。因亟登之。"《四库总目提要》卷六三著录汤斌《洛学编》四卷，同书卷九七又著录其《常语笔存》一卷，同书卷一七三又著录其《汤子遗书》十卷、《附录》一卷："国朝汤斌撰。斌有《洛学编》，已著录。斌在国初，与陆陇其俱号醇儒。陇其之学，笃守程朱，其攻击陆王，不遗馀力；斌之学源出容城孙奇逢，其根柢在姚江，而能持新安、金谿之平。大旨主于刻励实行，以讲求实用，无王学杳冥放荡之弊，故二人异趣而同归。今集中所载语录，可以见其所得力。又斌虽平生讲学，而康熙己未召试，实以词科入翰林。故集中诗赋杂文，亦皆彬彬典雅，无村塾鄙俚之气。至其奏议诸篇，规画周密，条析详明，尤昭昭在人耳目者矣。盖其著述之富，虽不及陆陇其，而有体有用，则斌尤通达于治体云。"徐世昌编《晚晴簃诗汇》卷四一选汤斌诗四首，《诗话》云："潜庵师事夏峰，为姚江之学，而亦推崇洛、闽，持论最为平实。值鸿博大科，应试之作乃斐然可观，亦讲学家所罕有也。诗无意求工，自然雅澹，固是有德者之言。"邓之诚《清诗纪事初编》卷八著录《汤子遗书》十卷："汤斌，字孔伯，号荆岘，别号潜庵，睢阳人……《汤子遗书》由田兰芳辑为口卷，王廷灿副因蔡方炳所辑增为十卷，一语录，二奏疏，三序文，四碑记，五书牍，六赋颂论辨，七传志述状，八杂文，九告谕，十诗词……斌为余国柱所陷至死，天下皆知之，故吴祖修诗云：'齐骂武昌余阁老，黑心谗害杀忠良。'二十七年，徐乾学奉命嗾郭琇劾罢明珠、余国柱，琇为斌所举吏，不啻为斌报复。何金兰复劾国柱罢政居江宁买第宅设钱店典肆，得旨勒令回籍，汤、余之争始结。方苞谓万斯同为斌作传，姜宸英有《遗事记》，今与宗羲《神道碑》俱不载本集，盖畏国柱也。"张舜徽《清人文集别录》卷二著录汤斌《潜庵先生遗稿》五卷（康熙三十四年乙亥刻本）："斌自少笃志力学，研精义理。年四十，始往见孙奇逢，服其躬行卓绝，北面执弟子礼甚谨，从之受业。期年而学益进，故其平生论学，一依奇逢，与朱、陆不执异同，而以实践为先……举所学以见诸行事，尤为深切著明。在清初士大夫中，颇以笃实名于时，视托夫理学之名，徒争辨于心性之论，迂远而阔于事情者，固有不同也。"

是年

万树（？—1687）**卒**。张慧剑编著《明清江苏文人年表》于是年下据《璇玑碎锦弁语》云："宜兴万树此际以病自粤北还，行至广西濛江死。"嘉庆《宜兴旧志》卷八："万树，字花农，又字红友。学识明达，以国子生游都下，才名藉甚，然弗轻与人交。客游秦晋，归购吴氏鹦鹉园故址，葺而居之。绕园种绿杨，名堆絮。名其轩曰萝隐。吴大司马兴祚总督两广，爱其才，延至幕，一切奏议，皆出其手。暇则制曲为新声，甫脱稿，大司马即令家伶捧笙璈，按拍高歌，以侑觞。所填乐府二十馀种。又以《诗馀谱》旧图多纷乱，取宋元以来名家词，字栉句比，别同异，辨谬讹，成《词律》二十卷，艺林珍之。归自粤中，殁于江西舟次。著《堆絮园集》、《香胆词》、《花农集》、《璇玑碎锦》、乐府十六种、《左传论文》行世。其《词律》采入《钦定四库全书》。"叶恭绰《全清词钞》卷六选其词五首，小传云："万树，字红友，一字花农，江苏宜兴人。监生。有《香胆词》一卷（一名《堆絮词》）、《词律》二十卷。"万树又号山翁，著有杂剧八种、传奇九种。今传《空青石》、《念八翻》、《风流棒》三种传奇，合称《拥双艳三种曲》。又有传奇《锦尘帆》、《十串珠》、《玉双飞》、《金神凤》、《资齐鉴》、《黄金瓮》与杂剧《珊瑚球》、《舞霓裳》、《邈姑仙》、《青钱赚》、《焚书闹》、《骂东风》、《三茅宴》、《玉山庵》，皆无刻本，或已佚。（以上传奇九种、杂剧八种，均见庄一拂《古典戏曲存目汇考》著录）《四库总目提要》卷一八三著录万树《璇玑碎锦》二卷："国朝万树撰。树字红友，宜兴人。是集皆迴文诗图，上卷三十幅，各以名物寓题，组织颇巧，然亦弊精神于无用之地矣。苏若兰事不可无一，亦不必有二也。"又同书卷一九九著录万树《词律》二十卷："国朝万树撰。树有《璇玑碎锦》，已著录。是编纠正《啸馀谱》及《填词图谱》之讹，以及诸家词集之舛异，如《草堂诗馀》有小令、中调、长调之目，旧谱遂谓五十八字以内为小令，五十九字至九十字为中调，九十一字以外为长调。树则谓《七娘子》有五十八字者，有六十字者，将为小令乎，中调乎？《雪狮儿》有八十九字者，有九十二字者，将为中调乎，长调乎？故但列诸调，而不立三等之名。又旧谱于一调而长短不同者，皆定为第一、第二体，树则谓调有异同，体无先后，所列次第，既不以时代为差，何由知孰为第几？故但以字数多寡为序，而不列名目。皆精确不刊。其最入微者，以为旧谱不分句读，往往据平仄混填，树则谓七字有上三下四句，如《唐多令》'燕辞归客尚淹留'之类。五字有上一下四句，如《桂华明》'遇广寒宫女'之类。四字有横担之句，如《风流子》'倚栏杆处'、'上琴台去'之类。一为词字平仄，旧谱但据字而填，树则谓上声、入声有时可以代平，而名词转折迭宕处，多用去声。一为旧谱五七字之句，所注可平可仄，多改为诗句，树则谓古词抑扬顿挫，多在拗字。其论最为细密。至于考调名之新旧，证传写之舛讹，辨元人曲词之分，斥明人自度腔之谬，考证尤一一有据。虽其考核偶疏，亦所不免，如《绿意》之即为《疏影》……如斯之类，千虑而一失者，虽间亦有之，要之，唐宋以来，倚声度曲之法久已失传，如树者，固已十得八九矣。"沈雄《古今词话·词评》下卷《万树香胆词》："沈雄曰：读红友词，已见细心微诣。近得《词律》一书，留情倚声，服其上下千载，有功词学，固当以公瑾望之。"吴衡照《莲子居词话》卷一《万树词宗护法》："万红友当椎辐榛楛之时，为词宗护法，可谓功臣。旧谱编类排体，以及调同名异，调异名同，乖舛蒙混，无庸议矣。其于段落句读，韵脚平仄间，尤多模糊。红友《词律》，一一订正，辩驳极当。所论上、去、入三声，上、入可替平，去则独异。而其声激厉劲远，名家转折迭宕，全在乎此，本之伯时。煞尾字必用何音方为入格，本之挺斋。均造微之论。"丁绍仪《听秋声馆词话》卷一《万树词》："格调之舛，明词为甚，国初诸家，亦尚不免。盖奉程、张二家《啸馀》、《图谱》为式，踵讹袭陋，如行云雾中。康熙初，宜兴万红友（树）断断辩证，定为《词律》，廓清之功不小。惜所收各调，错漏尚多。其所自著，亦鲜杰作。殆与考据家罕工古文相似。兰泉司寇《词综》，仅录其《浣溪沙》一阕。"杜文澜《憩园词话》卷一："阳羡万氏红友，独求声律之原，广取唐、宋十国之词，折衷剖白，精撰《词律》二十卷，虽不免尚有遗漏舛误，而能于荆棘之内，力辟康庄，实为词家正轨。"又云："万红友作《词律》，不收明人自度腔，极为卓识。"李佳《左庵词话》卷上《词律少发明》："宋沈义父所著《乐府指迷》、元张炎所著《词源》、陆辅之所著《词旨》，法律讲明特备，不可不读。万红友《词律》，不过备载各调，词家妙处，却少所发明。"江顺诒《词学集成》卷一《万树不明宫调》："红友开辟榛莽，二百年来填词家恪遵矩矱，一洗明人之荒谬。近时讲究益密，乃有摘其疵颣，补其罅漏者，其草昧之功不可没也。惜不明宫调，仅从四声斤斤比较，究非探源星宿耳。"谢章铤《赌棋山庄词话》卷八《万红友词》："红友《词律》、去矜《词韵》，皆声名极盛之作，而二君于词，都非超乘，但红友较强耳。"又云："去矜、红友，皆工院本，红友所撰杂剧、传奇至十六种之多（黄文旸《曲海》），盖红友为吴石渠（炳）之甥，石渠以四种得名，渊源固有所自。"陈廷焯《白雨斋词话》卷一《引言》："词兴于唐，盛于宋，衰于元，亡于明，而再振于我国初，大畅厥旨于乾嘉以还也。国初诸老，多究心于倚声。取材宏富，则朱氏（彝尊）《词综》；取法精严，则万氏（树）《词律》；他如彭氏（孙遹）《词藻》、《金粟词话》及《西河词话》（毛奇龄）、《词苑丛谈》（徐釚）等类，或讲声律，或极艳雅，或肆辨难，各有可观。"又同书卷三《万树词与词律如出两人手》："万红友《香胆词》，颇多别调，语欠雅驯，音律亦多不协处。与所著《词律》，竟如出两人手，真不可解。"陈匪石《声执》卷上《词律与词谱》："以句法平仄言律，不得已而为之者也。在南宋时，填词者已不尽审音，词渐成韵文之一体。有深明音律者如姜夔、杨缵、张枢辈，即为众所推许，可以概见。及声律无考，遂仅有句法平仄可循，如诗之五七言律绝矣。万树《词律》，作于清康熙中。前乎万氏者，明有张綖《诗馀图谱》、程明善《啸馀谱》，清有沈际飞《词谱》、赖以邠《填词图谱》，触目瑕瘢，为万氏所指摘。证以久佚复出之各词集，万说十九有验。为明人以五十九字以内为小令，五十九字至九十字为中调，九十字以上为长调，其无所据依，朱彝尊讥之，实先于万氏。万氏之书，虽不能绝无疏舛，然据所见之宋元以前词，参互考定，且未见《乐府指迷》，而辨别四声，暗合沈义父之说。凡所不认为必不如是，或必如何始合者，不独较其他词谱为详，且多确不可议之论，莫敢訾以专。辄识见之卓，无与比伦，后人不得不奉为圭臬矣。后乎万氏者，有《白香词谱》，有《碎金词谱》，既沿词谱体例，取材不丰。叶申芗《天籁轩词谱》，虽偶补万氏之阙，亦莫能相尚。清圣祖命王奕清等定《词谱》四十卷，后于万氏三十年，沿袭万氏体例。中秘书多，取材宏富，且成书于历代诗馀后，词人时代先后，已可考见。依次收录创调者，或最先之作者，什九可据。惟以备体之故，多觉泛滥，所收之调，涉入元曲范围，不如万氏之严。同治间，徐本立参合所见之晚出各书，作《词律拾遗》。杜文澜又据王敬之、戈载订正万氏之本，并参己意，作《词律校勘记》。然词集孤本，续出不穷，不得谓徐、杜已竟其业也。"

公元 1688 年（清康熙二十七年　戊辰）

三月

汤右曾考中二甲第五名进士。

梁佩兰考中二甲第三十七名进士。

是年春

孔尚任在扬州与顾彩相识。据袁世硕《孔尚任年谱·孔尚任交游考》。

四月

十一日，汪懋麟（1639—1688）卒。王士禛《比部汪蛟门传》（见《百尺梧桐阁遗稿》卷首）："既得疾弥留，令洗砚磨墨嗅之，复令烹佳茗以进，自谓香沁心骨，口占二绝……大笑呼奇绝而逝。实康熙二十七年四月十一日也，年止五十。所著诗文集合二十四卷行于世。"徐乾学《刑部主事汪君懋麟墓志铭》："以康熙二十七年四月十八日卒。"卒日小有参差。《清史列传·文苑传》："汪懋麟，字季角，江苏江都人。与楫同里，同有诗名，时称二汪。康熙六年进士，授内阁中书。十八年，荐举博学鸿儒，以持服不与试。服阕，以主事候补，左都御史徐乾学复荐，懋麟遂以刑部主事入史馆，充纂修官，讨论严密，撰述最多。懋麟学持正而才通敏，其为中书时，楚人朱方旦挟邪说倾动公卿，懋麟独作《辨道论》诋之，学士熊赐履见其文，与之定交。及居刑曹，勤于职事，听断矜慎，虽强御不顾也……旋罢归，键关谢宾客，昼治经，夜读史，日有课程，锐意成一家言。甫三年，遽以疾卒。著有《百尺梧桐阁集》二十六卷。"《清史稿·文苑传》：懋麟从王士禛学诗，而才气横逸，视士禛为别格。有《百尺梧桐阁集》。"计东《百尺梧桐阁集序》："余客广陵五阅月，汪子蛟门每过余论诗，听其言皆有法度。既汇其所为诗属余序。余为穷数日之力，浏览无遗，爱其精深整暇，莫可指摘。"徐乾学《百尺梧桐阁集序》："余以谫陋之资，读书中秘，于诗窃好之，而愧未能涉其门庭。所相与晨夕唱酬者，有汪子蛟门。蛟门海内才杰士也，于学无所不窥，下笔妙天下，而尤长于诗。家于广陵，当舟车之冲，日与四方贤豪相应和，江潮湖波，上下吞吐，故其诗雄爽而激发。来官京师，入直纶阁，掌故章程，靡不练习，故其诗典实而春容。兵兴多事，慨然有闻鼙枕戈之志。奉讳庐居，衔悲风木，忠孝至性，郁积于中，故其诗慷慨而深沉。读其诗，知为博达之才、经世之器，其于镂月裁华，蚓窍蝇鸣者相万万也……康熙十七年夏四月昆山徐乾学谨序。"王士禛《比部汪蛟门传》："君诗才票姚跌宕，其诗法在退之、子瞻两家，而时出新意。古文犹喜王介甫，晚岁为文章峭刻近之。君称诗辇下，与今刑部侍郎田公纶霞、巡抚都御史宋公牧仲、前国子祭酒曹君颂嘉、湖广按察使丁君澹汝、故给事中王君幼华、吏部郎中颜君修来、工部主事叶君井叔、今礼部郎中曹君升六、刑部郎中谢君千仞相倡和，时号十子……渔洋山人曰：予居扬州，得汪生众人中，时才弱冠耳，其论诗家流别甚晰。尝戏谓，王门弟子升堂者众矣，至于入室，或难其人，懋麟未敢多让。其序予诗，历举汉儒说诗四家授受源流，而愿居郑康成、谢曼卿之列。其重师传若此，予愧不能当也。呜呼！君之名固以显于天下矣，使其不死，当必有进于是者。长辔甫驰而芳兰早凋，悲夫！"赵执信《谈龙录》："江都汪主事蛟门（懋麟），王门高足也，内崛强。阮翁适得《浯溪磨崖碑》，蛟门亟为四十韵以呈，阮翁赞之不容口，以示余。余览其起句云：'杨家姐妹颜妖狐。'遽掷之地曰：'咏中兴而推原天宝致乱之由，虽百韵可矣，更堪作尔语乎？'阮翁为之失色者久之。"沈德潜《国朝诗别裁集》卷九选汪懋麟诗四首，小传云：

"比部师法韩、苏两家，故才情横溢。归田后，留心经学，皮毛剥落矣。因未见晚年作，故仍取才华绚烂之篇。"《四库总目提要》卷一八三著录汪懋麟《百尺梧桐阁集》二十六卷："国朝汪懋麟撰……其诗法传自王士禛，而才气纵横，视士禛又为别格。赵执信《谈龙录》……虽以懋麟为新城弟子，借懋麟以攻士禛，未免操之已蹙，然亦足见其少所剪裁矣。"徐世昌编《晚晴簃诗汇》卷三六选其诗十一首，《诗话》云："蛟门执贽渔洋门下，诗多磊落使才，称心而言，不以修饰锻炼为工。自序初由唐人、六朝、汉、魏上溯《风》、《骚》，及官京师，涉笔于昌黎、香山、东坡、放翁之间，体乃稍变。相传有《浯溪磨崖碑四十韵》，为渔洋所称，而赵秋谷非之。此诗不见集中。"邓之诚《清诗纪事初编》卷四著录汪懋麟《百尺梧桐阁诗集》十六卷、《文集》八卷、《遗稿》十卷、《锦瑟词》一卷："汪懋麟，字季角，后更蛟门，晚号觉堂，江都人。以刑部主事与修《明史》，劾归。杜门谢客者三年。卒于二十七年，年五十。事具王士禛所为传及《清史列传·文苑传》。著《百尺梧桐阁诗》十六卷、文八卷。诗刻于康熙十八年，身后复刻《遗稿》十卷，则己未以后之诗也。其文凡书八首、序四十九首、书后二首、跋九首、传十五首、墓志铭八首、墓志一首、阴阳二首、杂文四首、祭文十四首。先后增刻至乙未（康熙五十四年）始得成集，与《遗稿》同布，懋麟没已二十馀年矣。文颇修洁，善为表幽之作。《董妪传》言屠城之惨，知《扬州十日记》未必尽诬。诗有捷才，韵响格清，声名甚盛。盖缘早得科名，交游浸广。最受梁清标知赏，鸿博未试，荐入史馆，一时名士，咸推奖之。得罪不悉何事，乔莱《祭汪蛟门比部文》曰：'忤文党社，酿祸非常。乃荷殊恩，放归故乡。省愆学道，影匿形藏。吟讽一室，号曰觉堂。'是其晚景亦甚凄凉也。"袁行云《清人诗集叙录》卷一二著录汪懋麟《百尺梧桐阁诗集》十六卷（康熙十七年刻本）、《遗稿》十卷（康熙五十四年刻本）："懋麟……受贽于王士禛，与田雯、宋荦、曹禾、丁炜、王又旦、颜光敏、曹贞吉、谢重辉、叶封相唱和，称十子。诗学韩、苏，才情横溢，视士禛为别格。康熙十八年举宏博，丁忧未试。二十七年卒，年五十。《诗集》初刻于康熙十七年，计东序、自序，收康熙元年至十七年编年诗一千二百九十首。《蒋州曲》、《铜雀台》、《姑苏行》、《从军行》、《无家叹》、《司徒庙》、《玉叔观察招陪龚大宗伯西樵阮亭诸先生集寓园泛舟观剧违曙作歌》、《涉江杂诗》、《元夜禁中观放烟火歌》、《趵突泉》、《登金山绝顶》、《支硎山》、《灵岩寺馆娃宫故址》、《进山五首》、《黄河口观赛神歌》、《河水决》、《补裘歌》、《彰仪门行》、《洗象行》、《秦淮灯船歌》，得意之作，层见叠出。《柳敬亭说书行》、《题黄虞邰千顷斋书册目》（见《晚晴簃诗汇》），尤备故实……懋麟早年进士，行辈较高，往还多达官清要兼及遗民宿老。《百尺梧桐阁遗稿》为其侄荃搜辑，凡未刻诗十卷，有顾图河、宋荦、费锡璜等序。皆四十以后诗。盖康熙十八年开博学鸿词，懋麟复北上，故应酬诗亦多也。"

六月

初一，徐釚《词苑丛谈》镂板刊行。《词苑丛谈·自序》后补识云："丁卯之秋，余既放归，游于鄂渚。适丁雁水观察见之（《词苑丛谈》稿），谓其可传，乃捐俸为余锓板。而仍系以戊午旧序者,不忘曩日偕周子雪客荟萃之勤也。康熙二十七年岁次戊辰,六月朔日,虹亭徐釚又识于吴江城西之松风书屋。"丁雁水,即丁炜(生卒年不详),曾官湖北按察使,工诗词,"金台十子"之一,著有《问山诗集》十卷、《文集》八卷、《紫云词》一卷。

七月

王士禛选《唐贤三昧集》三卷成,明其神韵说之论诗宗旨。 王士禛《唐贤三昧集序》云:"严沧浪论诗云:'盛唐诸人,惟在兴趣,羚羊挂角,无迹可求;透彻玲珑,不可凑泊。如空中之音,相中之色,水中之月,镜中之象,言有尽而意无穷。'司空表圣论诗亦云'妙在酸咸之外'。康熙戊辰春杪,归自京师,居宝翰堂,日取开元、天宝诸公篇什读之,于二家之言别有会心,录其尤隽永超诣者,自王右丞而下四十二人,为《唐贤三昧集》,厘为三卷……康熙二十七年七夕后王士禛阮亭书。"

十月

初五日,毛先舒 (1620—1688) **卒。** 朱彭寿《清代人物大事纪年》:"康熙二十七年戊辰(公元 1688 年),卒岁:毛骙(原名毛先舒)。浙江仁和县诸生。十月初五日卒,年六十九,入《国史·文苑传》。"《清史列传·文苑传》:"毛先舒,字稚黄,亦仁和人。初以父命为诸生,改名骙。父殁,弃诸生,不求闻达。少奇慧,八岁能诗,十岁能属文。十八岁著《白榆堂诗》,陈子龙见而奇赏之,因师子龙。复著有《歊景楼诗》,子龙为之序。又从刘宗周讲学,文不一格而必本经术,常曰:'文须具根柢,根柢无他,诚厚虚静而已矣。诚通天心,厚养元气,虚则受益,静乃生慧。文章本根,端在乎是。'与毛奇龄、毛际可齐名,时人为之语曰:'浙中三毛,文中三豪。'诗音调浏亮,有七子馀风。以古学振起西泠,天下翕然称之。柴绍炳尝谓其诗如伶伦调管,气至音成,比竹之能而欲近天籁。人以为中的。好谈韵学,著《韵学指归》,以为字有声、有音、有韵,而韵为尤要。顾韵有六说:一穿鼻,二转辅,三敛唇,四抵腭,五直喉,六闭口。又撰《唐韵四声表》、《词韵》、《南曲韵》、大指与《柴氏韵通》、顾氏《韵正》相表里。其讲学以宋儒为归,取宋儒习语有俾实行者录之,题曰《镌心类钞》。惟论格物,则专言去欲,谓欲去则理存,所谓闭邪而存诚,克己而复礼也。康熙二十七年,卒,年六十九。著有《东苑文钞》二卷、《东苑诗钞》一卷、《思古堂集》四卷、《匡林》二卷、《潠书》八卷、《小匡文钞》四卷、《蕊云集》一卷、《晚唱》一卷、《格物问答》三卷、《螺峰说录》一卷、《圣学真语》二卷、《诗辨坻》四卷、《南唐拾遗记》、《声韵丛说》、《韵白》、《鸾情集选》、《填词名解》。"柴绍炳《西泠十子诗选序》:"驰黄素工韵语,复精鉴裁,沈婉名秀,罕出其右。或整栗为乖,神韵恰合。小词杂著,都属可传。"王士禛《渔洋诗话》卷上:"余最喜武林毛稚黄(先舒)《咏西施绝句》云:'别有深恩酬不得,向君歌舞背君啼。'此意未经前人道过。"沈德潜《国朝诗别裁集》卷八选毛先舒诗二首。《四库总目提要》卷一八一著录毛先舒《潠书》八卷:"国朝毛先舒撰。先舒有《声韵丛说》,已著录。是编皆所作杂文,诸篇之末,间附王猷定、柴绍炳、沈谦评语。先舒自记云:'惟三君语略载数条,以其为亡友之笔故也。'则是集乃先舒自订矣。中颇多考证之文,而不能皆有根据,其议论尤多臆断,行笔颇隽爽,而不免于作态弄姿。大致好辨如毛奇龄,而才与学则皆不逮之。"同书卷一八一又著录其《思古堂集》四卷:"国朝毛先舒撰。前有康熙乙丑潘耒序,称所著有《潠书》、《匡林》、《格物问答》、《圣学真语》、《东苑文钞》、《诗钞》,凡若干册,不下数十万言,而复有此集。则此集之成在诸书之后,而先舒裒刻其书十四种,乃以此集为首,殆自以晚年定本,故用为弁冕焉?然所见与早年等也。"同书卷一八一又著录其《东苑文钞》二卷、《诗钞》一卷:"国朝毛先舒撰。先舒尝读书杭州之东苑故址,因以名其所作诗文。《文钞》凡三十三篇,其《赵盾论》,解越境为出奔不归,较前人所说为允,《方正学论》,责其当巽词以免十族,则其说刻而迂。当生死呼吸之际,稍一转念瞻顾,岂复能抗节不挠。且成祖天性惨毒,瓜蔓之抄,亦不因此一语。至引侯君集谋反伏诛,乞免一子以存宗祀为例,尤为不伦。其《武成论》,谓圣人存'血流漂杵'一语,见纣之世臣捐躯报国者众。虽因鼎革之际,抗节死事者发,未免附会经义,穿凿太过。《诗钞》凡九十六首,大抵音调浏亮,犹有七子之馀风焉。"同卷又著录其《小匡文钞》四卷:"国朝毛先舒撰。前有自序曰:'《小匡文钞》者,文皆小有所匡者也。'又自称谓求契于天心,怀其意久,而后落笔。今观所录之文,大抵以口舌相辨难……皆不足为训,未见果契于天心也。"同书卷一八一又著录其《蕊云集》一卷、《晚唱》一卷:"国朝毛先舒撰。《蕊云集》皆所作艳体,其曰蕊云者,取《古织锦词》'蕊乱云盘相间深,此意欲传传不得'语也。《晚唱》皆摹李商隐、李贺、温庭筠、韩偓四家之体,以别于初唐、盛唐之格,故以晚名焉。"同书卷一九七又著录其《诗辨坻》四卷:"国朝毛先舒撰。先舒有《声韵丛说》,已著录。是编评历代之诗,首为总论,次为经,次为逸,次为汉至唐,次为杂论,次为学诗经录,次为竟陵诗解驳议,而终以词曲。其曰坻者,扬雄称所作《方言》如鼠坻之与牛场,用实五稼,饱邦民,不用遂为粪壤。坻之于道,先舒取是意也。然先舒诗源出太仓、历下,故宋、元皆置不论,而尤好为高论……又谓胡应麟性骛多,故于宋、元诗俱评,然眼中能容如许尘物,即胸次可知,而上下千古,所铸金呼佛者,则惟一李攀龙焉。"张谦宜《茧斋诗谈》卷七:"读毛君诗,无冷水浇背、新茶醒脾之意,不知何故。大抵此老学淹才短,眼高手拙,每求甚佳处不可得,辄恨恨不已。"又云:"乐府颇有入处,然亦到得晚唐境界,向上一步趱不去,此病不独毛君也。无汉、魏之劲峭,逊六朝之典重。"又云:"长曲学温飞卿,颇能得解。"又云:"此君于古诗见地本高,所学亦正亦深,第才力不济,担不起许多物料耳。其佳者气静味淡,不在字句讨好,有元次山之风。"又云:"仿《选》体患其太似,著力摹古,痕迹不化。褚河南临帖,正以独存本色为佳。极力深浑,却只在字句见得,按之亦自显然。"徐世昌编《晚晴簃诗汇》卷三三选毛先舒诗五首,《诗话》云:"稚黄初出陈卧子之门,又尝从刘念台讲心性之学,渊思盛藻,华实双佩,与西河、鹤舫齐名,时人为之语曰:'浙中三毛,文中三豪。'列于西泠十子。"邓之诚《清诗纪事初编》卷七著录毛先舒《潠书》八卷、《小匡文钞》四卷、《稚黄子文泭》一卷、《思古堂文集》四卷、《东苑文钞》二卷、《蕊云集》一卷、《晚唱》一卷、《东苑诗钞》一卷、《鸳情集选》一卷:"毛先舒,字稚黄,一名骙,字驰黄，钱唐人。诸生，旋弃去。卒于康熙二十七年，年六十七。事具《清史列传·文苑传》。所撰文有《潠书》八卷、《小匡文钞》四卷、《稚黄子文洴》一卷、《思古堂文集》四卷、《东苑文钞》二卷，诗有《蕊雪集》一卷、《晚唱》一卷、《东苑诗钞》一卷，词有《鸳情集选》一卷。先舒少受知于陈子龙，许以能文，为作《敢景楼诗序》。长与柴绍炳相善，同订《西陵十子诗选》，古文名甚著。为文善持议论，所涉理学、佛学、音韵皆有阐发。《潠语》中两与顾炎武书，争《礼部韵略》即《唐韵》。与魏禧书，争李国桢实为死节。又书禧题王氏文后，争不当以贾谊、葛亮许王安石，皆嫌近名。其他翻案，多不能使人心服。性恶小说，有《止友作传奇书》。又《说史》谓士大夫辄取《三国演义》诸书，皆娓娓以资谈助而助行文，将来或有取《西游》、《水浒》故事，补入史书，而以《琵琶曲》傅入中郎文集中者。盖为金人瑞诸人而发。集中少纪事之作，为《小匡文钞》有《毛太保公传》，叙毛文龙戮于崇祯二年六月五日，年五十四，载屯田主事徐尔一为文龙疏辨，足备参考。徐则传闻失实，有屈杀君一刀，他日偿君百刀语，极可笑。其诗一宗初盛唐，别以摹六朝者为《蕊云》，摹温、李者为《晚唱》。尝著《诗辨坻》四卷，论诗极精，举诗疢凡十有七端，深以讥刺为戒，故所作篇章，不涉时事，可谓善于自全者。他著刊行者十馀种，在十子中为最幸。一生不出里门，晚居东园，即宋之东苑。恽格卖画养亲，世称高洁。每至钱唐，必主东园，自号东园客。则先舒之贤可知矣。"袁行云《清人诗集叙录》卷六著录毛先舒《蕊云集》一卷、《晚唱》一卷、《东苑诗钞》一卷（康熙间刻本）："毛先舒撰。先舒初名骙，字稚黄，浙江钱塘人。明季诸生，出陈子龙门。入清弃举业，未仕进。有文名，名列西泠十子，卒于康熙二十七年，年六十九。所撰《潠书》、《小匡文钞》、《螺峰说录》、《韵学通旨》、《韵白》、《文洴》，为论学著述及杂文尺牍。《鸳情集选》，为词。《诗辨坻》，为诗话。诗集凡三种，与前九种合刻，世称《毛稚黄十二种》。《蕊云集》为乐府诗。《晚唱》诗亦古体。《东苑诗钞》兼有今体。尚有《思古堂集》，未见。先舒精于理学，复长词藻。论诗主学古而不摹古，所谓学诗如学书，必先求其似，然后求其不似。集中《李娃歌》、《吹潮曲》、《游东园》、《题王西樵画像卷子》、《读十笏草堂卷子》、《恽正叔渡钱塘南去寄》，以及游西湖诸什，吐属自然，令人读之亹亹不倦。毛奇龄序称其'达于诗而能工，研辨风雅，覃悉毫末'是也。惟所存皆中年之作，不欲废者，是不足耳。先舒为洪昇师，与顾炎武、魏禧均有往还。《诗钞》今见恽格、柴绍炳、沈谦、袁于令，尚不足考交游。"

二十九日，王夫之编《七十自定稿》成。其《〈七十自定稿〉自序》："戊辰岁杪戊辰日，草堂自记。"

十一月

黄宗羲自编《南雷文定前集》十一卷成。靳治荆《南雷文定序》后署"康熙戊辰一阳月，武密后学靳治荆拜纂"。一阳月，古人谓冬至所在之月。是年冬至为农历十一月二十九日。

是年

洪昇改《舞霓裳》为《长生殿》成。洪昇《长生殿》卷首载"长洲同学弟徐麟
（灵昭）"所撰序云："稗畦洪先生以诗鸣长安，交游宴集，每白眼踞坐，指古摘今，无
不心折。又好为金、元曲子。尝作《舞霓裳》传奇，尽删太真秽事。予爱其深得风人
之旨，岁戊辰，先生重取而更定之，或用虚笔，或用反笔，或用侧笔、闲笔，错落出
之，以写两人生死深情，各极其致。易名曰《长生殿》。一时朱门绮席、酒社歌楼，非
此曲不奏，缠头为之增价。若夫措词协律，精严变化，有未易窥测者。"

董俞（1631—1688）卒。据钱仲联主编《中国文学家大辞典·清代卷》。康熙《江
南通志》卷一六六："董俞，字苍水，华亭人，顺治庚子举人。诗文与钱芳标齐名，人
称才子推钱董云。举博学鸿儒，至山东遇盗，劫其装，生平著作在行箧中，追索之，
被刃伤而返。好游，所至多吟咏。"沈德潜《国朝诗别裁集》卷六选董俞诗四首，小传
云："董俞，字苍水，江南华亭人，顺治庚子举人。有《浮湘》、《度岭》诸稿。康熙
初，江南奏销案起，绅士同日除名者万馀人，苍水与其列。于是弃举子业，专心风雅
正变，天欲使之为诗人也。"杨际昌《国朝诗话》卷二："董苍水俞举孝廉，以事永废，
卜筑南村，歌啸自如。宋荔裳称其穷极于风雅正变之间。钝翁独标《送客入都》诗云：
'萧条易水逝，趋马向空台。岸柳春前放，江鸿雪后来。'以为雅淡自然。前辈赏鉴如
此。"彭孙遹《金粟词话》："董苍水、钱宝汾，善为婉丽之词，亦往往风美动人。"沈
雄《古今词话·词评》卷下评董俞《玉凫词》："张砚铭曰：宋尚木为词家老手，推重
董樗亭，津津不置。近复见潮阳所寄赫蹄云：'每日荒陬无事，辄焚香咏《玉凫乐
府》。'其虚怀折服如此。汪晋贤曰：樗亭婉丽之什，源于清商诸曲，遂与'子夜'、
'欢闻'竞爽。若矫健疏宕处，则又歌行佳境，非学步辛、陆者也。"

公元 1689 年（清康熙二十八年　己巳）

是年春

邓汉仪《诗观三集》成书。据其《〈诗观三集〉自序》。

七月

初九日，康熙帝皇贵妃佟氏病危，册立为皇后，次日佟皇后卒。《清史稿·圣祖本
纪二》："二十八年己巳……秋七月……癸卯，册立贵妃佟氏为皇后。甲辰，皇后崩，
谥曰孝懿。"

八月

洪昇招伶人于佟皇后丧期在京师宅中演《长生殿》，以"大不敬"罪惹祸，牵连多
人。戴璐《藤阴杂记》卷二："赵秋谷执信去官，查他山慎行被议，人皆知于国忌日同
观洪昉思昇《长生殿》。昉思巅踬终身，他山改名应举，秋谷一蹶不振。赠他山云：
'与君南北马牛风，一笑同逃世网中。'竹垞赠洪句'梧桐夜雨词凄绝，薏苡明珠谤偶

然'是也。近于吏科见黄六鸿原奏，尚有侍读学士朱典、侍讲李澄中、台湾知府翁世庸同宴洪寓，而无查名，不知何以牵及？又传黄以知县行取入都，以诗稿土宜送赵，答刺：'土宜拜登，大稿璧谢。'因之挟嫌讦奏。黄有《福惠全书》，坊间盛行，初仕者奉为金针。李字渭清，己未鸿博，与朱、毛倡和，世无知其被论，何也？"梁绍壬《两般秋雨庵随笔》卷四："黄六鸿者，康熙中由知县行取给事中入京，以土物并诗稿遍送名士。至宫赞赵秋谷执信，答以柬云：'土物拜登，大稿璧谢。'黄遂衔之刺骨。乃未几而有国丧演剧一事，黄遂据实弹劾。仁庙取《长生殿》院本阅之，以为有心讽刺，大怒，遂罢赵职；而洪昇编管山西。"按，洪昇编管山西，并无其事，只革其国学生籍。查慎行等亦被革国学生籍。赵执信、朱典、翁世庸等则被革官职。

李因笃撰《古今韵考》四卷成。据其自序。

九月

邓汉仪（1617—1689）**卒。**据钱仲联主编《中国文学家大辞典·清代卷》。孔尚任《湖海集》卷七有《哭邓孝威中翰》诗云："吾从先生游，非但论风雅。举世慕浮云，谁为最真者……"《清史列传·文苑传》："邓汉仪，字孝威，亦泰州人。康熙十八年，召试博学鸿儒，以年老授内阁中书。汉仪少颖悟，读书数千言。尤工诗，称骚雅领袖。试归，日以吟觞自适，暇或扁舟至郡，坐卧董子祠中，执经问业者，车马塞路。生平著述甚富，游淮有《淮阴集》，居扬有《官梅集》，游粤有《过岭集》，游颖有《濠梁集》，游燕有《燕台集》，游越有《甬东集》，膺荐有《被征集》，皆逐年编纪，手自删订。所选《诗观》凡四集，别裁伪体，力追雅音，海内诗家咸宗之。"沈德潜《国朝诗别裁集》卷一二选邓汉仪诗六首，小传云："孝威与国初诸前哲游，洽闻广见，所选《诗观》共四集，虽未脱酬应，然亦足备后人采择。尝度大庾岭，有句云：'人马盘空细，岚烟返照浓。'新城王公赏之。"选其《题息夫人庙》一诗："楚宫慵扫黛眉新，只自无言对暮春。千古艰难唯一死，伤心岂独息夫人？"后有评云："其用意处，须于言外领取。"《四库总目提要》卷一九四著录邓汉仪《诗观》十四卷、《别集》二卷："国朝邓汉仪编……是编皆选辑国初诸人之作，《别集》则闺阁诗也。"徐世昌编《晚晴簃诗汇》卷四六选邓汉仪诗十七首，《诗话》云："孝威早负诗名，与吴梅村、龚芝麓游。当时名流，多申缟纻。所辑《诗观》四集，搜罗最富。其中遗集罕传者，颇赖以得梗概。及征鸿博，已老矣。偕孙豹人、傅青主同授中书舍人，放归。诗人际遇，固胜于方干身后赐第也。近体雅近钱、刘，七绝态浓意远，胜处尤多。《息夫人庙》一首，为时传诵。"袁行云《清人诗集叙录》卷七著录邓汉仪《慎墨堂诗拾》不分卷（北京图书馆藏抄本）："邓汉仪撰。汉仪字孝威，江苏泰州人。与兄旭并负诗名。同吴伟业、龚鼎孳游，主盟风雅者二十馀年。康熙十八年开博学鸿词，年已老，授内阁中书即归。辑《诗观》四集，于顺、康间采访甚广，乾隆间开《四库全书》馆，以有应禁之人，奉旨抽毁。汉仪之诗，只《过岭》一刻。是钞为道光间周庠辑录，歌诗分体，有钱谦益、王士禛、陈维崧、李郢嗣序。《过岭集》之外，辑自《同人集》、《感旧集》、《诗持一集》、《昭代诗存》者一百三十七首，辑自《诗观》初、二、三集者三百三十二首。道光人喜辑佚，清初诸老诗文，多赖以传……其诗学唐，后及苏、陆，为当时正轨……《逃亡行》等篇，涉及时事，亦有揭露。赠答诗最多，盖欲辑清初诸家诗，薄海多知交矣。《淮海英灵集》有小传，称汉仪'归寓董子祠，执业就问，车马塞市'，晚景可见。"

是年

王士禛与蒲松龄就《聊斋志异》唱和。王士禛《蚕尾集》卷一《戏书蒲生聊斋志异卷后》："姑妄言之妄听之，豆棚瓜架雨如丝。料应厌作人间语，爱听秋坟鬼唱时。"蒲松龄《聊斋诗集》卷二《次韵答王司寇阮亭先生见赠》："志异书成共笑之，布袍萧索鬓如丝。十年颇得黄州意，冷雨寒灯夜话时。"据路大荒编《蒲柳泉先生年谱》。

钱澄之撰《田间诗学》十二卷成。据其自序。

谢济世（1689—1756）生。朱彭寿《清代人物大事纪年》："康熙二十八年己巳（公元1689年），谢济世生，字石霖，号梅庄。广西全州人。享年六十八。"谢济世，康熙五十一年进士，改庶吉士，授检讨。雍正四年，以劾河南巡抚田文镜，被指为'科甲朋党'，革职发往阿尔泰军前效力。七年，又被诬在军中批注《大学》，诽谤程朱，论死，得宽免。乾隆初，授湖南粮道，又遭诬解职，后得昭雪，改盐驿道。以老病休致，家居十二年，卒。《清史列传》入《循吏传》。著有《易在》、《以学居业集》、《离骚解》、《谢梅庄先生遗集》等。

许旭（1620—1689）卒。据钱仲联主编《中国文学家大辞典·清代卷》。许旭为太仓十子之一，著有《秋水集》十卷。吴修《昭代名人尺牍》："九日与顾湄齐名，并工诗，为梅村所称。"沈德潜《国朝诗别裁集》卷一四选许旭诗三首。易宗夔《新世说》："世目许九日天才隽拔，风格雄峭。"邓之诚《清诗纪事初编》卷一著录许旭《秋水集》十卷："许旭，字九日，太仓人，诸生。尝客范承谟幕。撰《秋水集》十卷，五七律各三卷，刻于康熙二十八年己巳，时年七十，未几卒。五七古、五七绝各一卷，则身后所刻，故卷数参差。旭诗为梅村所重，刻入《太仓十子诗选》。诗格阑入宋元，雄深浑折，诚一时作手。虽非高逸，而不慕仕宦。《国门集》周肇《人日》诗云：'丁卯桥成诗万首，甲申龙去泪三千。'盖赠旭作也。"选其诗二首。

公元 1690 年（清康熙二十九年　庚午）

四月

《大清会典》一百二十卷修成。蒋良骐《东华录》卷一五："康熙二十九年四月，《大清会典》告成。"

韩菼奉敕撰《孝经衍义》一百卷成。据康熙帝序。

五月

高士奇撰《左传纪事本末》五十三卷成。据韩菼序。

十月

康熙帝责翰林官撰文。蒋良骐《东华录》卷一五："十月，谕曰：'凡拟撰文章，系翰林官职掌，理当加意详慎，克肖其人，何可意为轻重。今览杨瑄所撰内大臣都统公舅舅佟国纲祭文，引用王彦章事迹，极其悖谬。朕见所撰祭文，每于旗下官员，多隐藏不美之言，于汉人则多铺张粉饰，是何意见？'并传张英及撰文者，以从前姚文然、魏象枢、叶方霭祭文与此祭文较看。寻准部议编修杨瑄革职，罚奉天八旗当差，张英革去礼部尚书，仍管翰林院詹事府事。"

十一月

孔尚任与王士禛交往开始。孔尚任《孔尚任诗文集》卷三《王阮亭先生招饮，同顾梁汾、孙孝堪》有句："羡君宠命新，朱门隔广厦。谁知一片心，却向寒僚写。"

十二月

初十日（时已交公元 1691 年 1 月 8 日），汪琬（1624—1691）卒。《清代碑传全集》卷四五陈廷敬《翰林编修汪先生琬墓志铭》："康熙二十九年十二月十日，翰林编修汪先生琬卒。"《清史列传·文苑传》："汪琬，字苕文，江苏长洲人。顺治十二年进士，授户部主事，充大通桥监督。迁员外郎改刑部郎中。以奏销案降北城兵马司指挥。再迁户部主事，榷江宁西新关。以疾假归，结庐尧峰山，闭户著书者九年。康熙十八年，以左都御史宋德宜、翰林院掌院学士陈廷敬荐，召试博学鸿儒，列一等，授翰林院编修，纂修《明史》，在史馆六十日，撰史稿百七十五篇。以病乞归。康熙二十九年，卒，年六十七。初，圣祖仁皇帝尝问廷敬：'今世谁能为古文者？'廷敬举琬以对。遂荐琬应鸿博，及琬病归，仁皇帝南巡，还次无锡，谕巡抚汤斌曰：'汪琬久在翰林，文名甚著。近又闻其居乡，不与外事，是诚可嘉！'特赐御书一轴。当时荣之。琬少孤，自奋于学，锐意为古文辞。古文自明代肤滥于七子，纤佻于三袁，至启、祯而敝极。国初风气还醇，一时学者始复唐宋以来之矩矱。琬学术既深，轨辙复正，其言大抵原本于六经，灏瀚疏畅，颇近南宋诸家，庐陵、南丰，固未易言；接迹唐、归，无愧色也。其叙事尤善，一时公卿志铭表传，必以琬为重。诗则兼范成大、陆游、元好问之胜。少年所拟六朝、三唐诸体，则夷然弃之。尝叹文章家好名寡实，鲜自重特立之士，故褒讥不少宽假。又性卞急，不能容人过，意所不可，辄面批折人，虽诗文小得失，不肯稍徇，以是人多嫉之。士友相传：'汪钝翁喜嫚骂人。'钝翁，琬号也。然坦率无城府，后进片语之佳，称扬不容口。遇其服善处，不难俯首至地。尝语人曰：'学问不可无师承，议论不可无根据，出处不可无本末。'其大指如此……琬自辑诗文为《类稿》六十二卷，先刊版置之尧峰皆山阁；归田后十年，为《续稿》三十卷，又取《明史列传》稿、汪氏族谱及其父行略，为《别集》二十六卷刻之。后复取其惬意者，为《尧峰诗文钞》，嘱门人林佶缮之，惠周惕序之。世间多有其本，而《类稿》遂不显。"沈德潜《国朝诗别裁集》卷四选汪琬诗十六首，小传云："钝翁官部曹，后与王西樵昆弟诸人称诗都下。风格原近唐人，中年后以剑南、石湖为宗，后则颓然降格矣。兹择其矜贵有馀者著于卷中，不使捃扯字面者以钝翁为借口也。生平穿穴经史，议论俱有根柢，虽被其齮龁者，终称许焉。"《四库总目提要》卷一七三著录汪琬《尧峰文钞》五十卷："国朝汪琬撰……初，琬自哀其文为《钝翁类稿》六十二卷、《续稿》五十六卷，晚年又手自删汰，定为此编，其门人侯官林佶为手写而刊之。古文一脉。自明代肤滥于七子，纤佻于三袁，至启、祯而极敝。国初风气还醇，一时学者始复讲唐宋以来之矩矱。而琬与宁都魏禧、商丘侯方域称为最工。宋荦尝合刻其文以行世。然禧才杂纵横，未归于纯粹。方域体兼华藻，稍涉于浮夸。惟琬学术既深，轨辙复正，其言大抵原本六经，与二家迥别。其气体浩瀚，疏通畅达，颇近南宋诸家，蹊径亦略不同……琬性狷急，动见人过，交游罕善其终者。又好诋诃，见文章必摘其瑕颣。故恒不满人，亦恒不满于人。与王士禛为同年，后举博学鸿词时，乃与士禛相忤。其诗有'区区誓墓心，岂为一怀祖'句，以王述比士禛，士禛载之于《居易录》中。又与阎若璩议《礼》相诟，若璩载之《潜丘劄记》中，皆为世口实。然从来势相轧者，必其力相敌，不相敌则弱者不敢，强者不屑，不至于互相排击，否则必有先败者，亦不能久相支拄。士禛词章名一世，不与他人角，而所与角者惟赵执信及琬。若璩博洽亦名一世，不与他人角，而所与角者惟顾炎武及琬，则琬之文章学问，可略见矣。"同书卷一八二又著录其《钝翁前后类稿》一百十八卷，同书卷一九四又著录其《姑苏杨柳词》一卷："国朝汪琬编。琬有《尧峰文钞》，已著录。初，琬自翰林告归，居尧峰别业，偶仿白乐天作《姑苏杨柳词》十八章，一时东南文士多相属和。琬乃手自选定，得一百十二家，一百九十七首，令周枝枻排次成帙，而周靖为之笺注。刊本题为枝枻所辑，非其实也。今仍题琬名焉。"徐世昌编《晚晴簃诗汇》卷四五选汪琬诗四十首，《诗话》云："尧峰以诗受知于龚芝麓，与王渔洋齐名。圣祖尝论本朝人物，首称尧峰。两次南巡，谕抚臣汤斌曰：'汪琬久在翰苑，文名甚著。'召见之日，赐以饼饵果品，时论荣之。其在京师，士人挟诗文来者，必谒刘公勔及渔洋与尧峰三人。尧峰性狷急，少许可，故忌之者多。然其诗实不逮其文远甚。阎百诗讥其诗谓'仅可装点山林，附庸风雅'，比于山人清客。郑荔乡《诗人小传》云："三复其集，大致脱去唐人窠臼，而专以宋为师。于宋人中所心摹手追者，石湖居士而已。取径太狭，造语太纤。今观其律体，平庸纤俗，意复语重，诚不能免。七绝时露俊警，古体圆融流亮，间闯入香山之室。《续稿》诸作，则愈老愈颓唐矣。论者乃以遗山拟之，未免不伦。"邓之诚《清诗纪事初编》卷三著录汪琬《钝翁前后类稿》六十二卷、《续稿》五十六卷、附《箑庵遗稿》、《姑苏杨柳枝词》："《类稿》刻于康熙十五年丙辰，凡诗稿十二卷，文稿三十八卷，外稿十二卷。《续稿》刻于二十四年乙丑，凡诗稿八卷，文稿二十二卷，别稿二十六卷。琬初撰《毓德堂》、《戊己》、《玉遮山人》诸集，删为《类稿》二十四卷，后复增益续作，故曰前、后《类稿》，合两稿为汪氏传家集。《四库总目提要》竟题曰《钝翁前后类稿》一百十八卷，非也。《外稿》为《古今五服考异》，以律为主，非为说经；《东都事略跋》，搜罗众事，宜曰劄记；《归氏考异》则与归庄角口而作。《外稿》为《明史》拟稿，以王象乾传于满洲有大金金人之称，足资参考，颇为世人称道。然六十日中成列传一百七十五篇，何其神速。琬诗《史馆有感》云'文字只愁誊

399

旧牍'，盖琬敏于为文，刻《类稿》时，自谓有文五六千篇，当非夸语。然诸传于类传之体，似未措意，安得为良史乎……琬为徐沇外甥，少受知赏，与宋实颖同预二株园文会。人复社后，实颖为慎交魁硕，则琬已成进士，故辈行甚先，文名早著。与梁熙论《类稿》云：'从庐陵入，非从庐陵出。'其实专橅归有光，较同时侯、魏不如其恣肆，而雅洁过之。于人多所诋诃，跋王于一遗集，谓侯方域《马伶传》、王猷定《汤琵琶传》，皆以小说为古文。讥刺钱谦益不遗馀力，谓文章之道，为所败坏，固以扬己，亦为钱门若归庄诸人而发。读《初学集》，指其以朱文公、吕成公为俗学，王、李、李、何为谬学，遂诋谦益所撰《天台泐法师灵异记》、万尊师、徐霞客诸传，踦驳不经，曾郢书燕说之不若……其诗先摹初唐，折而入宋，读宋人诗，亦是瓣香玉局，配以范、陆。然轻率以出之，已开袁、蒋、赵、张先河，所不同者，腹有诗书耳。"袁行云《清人诗集叙录》卷七著录汪琬《钝翁诗稿》十三卷、《续诗稿》八卷（康熙间刻本）："琬以受知于龚鼎孳，与王士禛齐名。其诗渐脱唐人窠臼，以宋诗为宗。论事论理之作，虽取径较窄，而时露俊警……《官军行》、《田家行》等篇，则讽刺时事，关心民瘼。清初诗人中，可谓别开一派。董文骥《微泉阁诗集》有和诗多首。徐时盛《逶步集》有《奉挽汪钝翁夫子四首》。清末谢应芝《会稽山房诗集·读汪尧峰集》尤可参考。"

是年

赵灿英撰《诗经集成》三十卷成。

黄宗羲撰《南雷诗历》四卷成。其诗止于庚午。

戴名世作《子遗录》（《南山集》文字狱罪状之一）等。据王树民《戴文系年》。（见中华书局 1986 年出版《戴名世集》附录）

田雯著《黔书》四卷，编《历代诗选》等。田雯自撰《蒙斋年谱》："庚午，五十六岁。著《黔书》一卷、《历代诗选》十二卷、《历代文选》二十卷、《诗传备义八股文》八卷。"

徐乾学在洞庭东山开书局纂修《大清一统志》，阎若璩、顾祖禹、姜宸英、黄云等受邀分纂。据张穆《阎潜丘先生年谱》。

公元 1691 年（清康熙三十年　辛未）

五月

定会试取额分域。蒋良骐《东华录》卷一六："五月癸卯，回宫。礼部会议：会试应于南北中卷内再分江南、浙江为南左，江西、湖广、福建、广东为南右，直隶、山东为北左，河南、山、陕为北右，四川、云南为中左，广西、贵州为中右。从之。"

闰七月

二十七日，徐元文（1634—1691）卒。《清代碑传全集》卷一三张玉书《文华殿大学士户部尚书掌翰林院事徐公神道碑》："公以康熙三十年闰七月庚辰终于昆山里第。"《清史列传·大臣传》："徐元文，江南昆山人。初冒姓陆，后复本姓。顺治十六年一甲一名进士，授修撰。圣祖仁皇帝初御极，元文以名列江南逋赋籍中，降銮仪卫经历。乞假归里，辨释其事，得旨，复修撰……九年，擢国子监祭酒……十三年，擢内阁学士，充重修《太宗文皇帝实录》副总裁。十四年，改翰林院掌院学士，充日讲起居注官……十八年，召为《明史》监修总裁官……十九年，擢督察院左都御史……二十六年……十二月，元文迁刑部尚书，旋调户部……二十八年五月，授元文为文华殿大学士……时纂修《平定三逆方略》、《政治典训》、《一统志》，命元文并充总裁官……二十九年四月，诏修三朝国史，以大学士王熙为监修总裁官，大学士伊桑阿、阿兰泰、梁清标及元文为总裁官。五月，两江总督傅拉塔疏劾之曰……疏入，得旨，所参各款从宽免其审明，徐元文著休致回籍。三十年七月，元文卒于家，年五十有八。所著有《含经堂集》。"沈德潜《国朝诗别裁集》卷六选徐元文诗二首。徐世昌编《晚晴簃诗汇》卷三一选徐元文诗十五首，《诗话》云："立斋兄弟并掇巍科，同跻台鼎，文章上结主知，士林奉为泰斗，而皆不安于位。立斋致仕后未久卒于家。其诗修洁整饬，律句长于隶事，犹有几社之馀韵焉。"邓之诚《清诗纪事初编》卷三著录徐元文《含经堂集》三十卷、《别集》二卷、《附录》二卷："元文及兄乾学、秉义先后以文采掇巍科，向用于时，世称三徐。乾学倾心以延后进，东南文学之士，思自见者，莫不依倚之以取功名，为众所奉，号为党魁。元文久主史局，亦留心人才，尝荐先朝遗逸给事中李清、主事黄宗羲，又鸿博未与试者曹溶、汪懋麟、黄虞稷、姜宸英修史。皆善能窥伺人主之意，以议论取重，因得操纵时局。独秉义谨畏无所营……元文、乾学先后以忧死，党局始稍结。元文撰《含经堂集》三十卷、《别集》二卷、《附录》二卷，与乾学《憺园集》俱无人为之作序，盖忧危中虑为人持执，刻成不敢公然行世。秉义《培林堂集》始终未刻，仅流传写本，亦有所诫。尤侗谓元文前集被焚，后集未刻，或徐氏后人托辞谢客，或所焚者即未刻之第十六卷赋也。诗文不如两兄弟博赡。诗十五卷，起登第，迄罢官。奏议六卷，《察除叛藩虐政疏》、《推广皇仁疏》，俱可考见当时政情。"

八月

姜宸英撰《湛园札记》四卷成。据其自序。

是年秋

毛奇龄撰《韵学要指》十一卷成。据李天馥序。

王士禛编次《池北偶谈》二十六卷成。《〈池北偶谈〉序》："予所居先人之敝庐，西为小圃，有池焉，老屋数椽在其北。予宦游三十馀年无长物，唯书数千卷庋置其中，辄取乐天池北书库之名名之……因忆二十年来官京师所闻见于公卿大夫之间者，非甚不暇，未尝不笔之简册，散在箧中，未遑编划。一日，乃出鼠蠹之馀，尽付儿辈，总次第为一书，区其条目：曰谈故，曰谈献，曰谈艺，曰谈异；其无所附丽者，稍稍以类相从，凡二十六卷。藏之家塾，示吾子孙，大之可以蓄德，小亦可以多识，贤乎博弈，昔闻诸圣人之言矣。康熙辛未秋，渔洋山人王士禛序。"

十二月

十一日，（时已交公元 1692 年 1 月 28 日）冯溥（1609—1692）卒。朱彭寿《清代人物大事纪年》："康熙三十年辛未（公元 1691 年），卒岁：冯溥，太子太傅，原任文华殿大学士。十二月十一日卒，年八十三。谥文毅。"《清史列传·大臣传》："冯溥，山东益都人。顺治三年进士，四年补殿试，改庶吉士，六年授编修。十年五月，迁司经局洗马。七月，迁国史院侍读。十一年，授国子监祭酒。十三年正月，迁弘文院侍读学士。十二月，转秘书院侍读学士，充经筵讲官。十六年九月，擢礼部右侍郎……圣祖仁皇帝康熙元年，转左侍郎……六年，充会试副考官。明年，擢左都御史……十年二月，授文华殿大学士……十八年，充会试正考官。二十一年六月，复乞休……三十年十二月，卒于家，年八十有三。遗疏上，赐祭葬如典礼，谥文毅。"沈德潜《国朝诗别裁集》卷二选冯溥诗一首《汉文帝幸代图》，小传云："文毅力荐魏环极为名臣。在阁不诡随，不矫激。诗以雅正为主，不争长于字句之间。"《四库总目提要》卷一八一著录冯溥《佳山堂集》十卷："国朝冯溥撰。溥字易斋，益都人。顺治丁亥进士，官至大学士。康熙己未，召试博学鸿词，溥与高阳李霨、宝坻杜臻、昆山叶方蔼四人同为阅卷官，得人最盛，故毛奇龄等为作集序，皆称门人。其诗则未能精诣也。"徐世昌编《晚晴簃诗汇》卷二四选冯溥诗九首，《诗话》云："文毅壮岁登朝，回翔台阁，一时高文典册多出其手。康熙己未，召试博学鸿词，与高阳李文勤、宝坻杜尚书、昆山叶文敏同阅卷，得人最盛。在京城东隅筑万柳堂，偕诸名士觞咏其中，风流儒雅，照耀当世。《佳山堂集》，王贻上、毛大可、陈其年诸人为之序，至谓其'言大义深，浑括万有，上继谟诰，风雅之遗'，称颂师门，不无太过。"邓之诚《清诗纪事初编》卷六著录冯溥《佳山堂集》十卷、《二集》八卷："冯溥……撰《佳山堂初集》十卷，刻于康熙十九年；《二集》八卷为归田后作。青州冯氏世皆有集，溥诗或伤之率，然捷才斗靡，不失雅音。其时文网未峻，略无忌讳。是集不难见之。又其时居高位者，皆称好士，逸民野老，常与黄阁均礼数。溥尤喜延接，以此颇得士心。相业虽无可称，而言不宜以大臣监督抚，言春收夏粮及预借关盐税之非，言强盗人命宜定限结案免累证佐，皆有裨益，为人所不敢言。诗中每可考见当时典故。"袁行云《清人诗集叙录》卷三著录冯溥《佳山堂集》十卷、《二集》八卷（康熙间刻本）："冯溥撰……作序者高珩、魏象枢、施闰章、梁清标、李天馥、毛奇龄、方象瑛、徐乾学、王嗣槐、黄与坚、陈维崧、曹禾、王士禛、汪懋麟、陈玉璂，门下居泰半。溥在京城东南夕照寺侧筑万柳堂别业，偕名士觞咏其中，极唱和之盛。集中诗多可考交游，而与孙廷铨、高珩最密。赠傅青主、吴志伊、丁野鹤诗，益见其好士无畛域分矣……其诗学唐，不喜宋人。施闰章序有云：'尝窃论诗文之道与治乱终始，先生则喟然叹曰，宋诗自有其工，采之可以综正变焉。近乃欲祖宋元而祧前古风，渐以不竞，非盛世清明广大之音也。愿与子共振之。'毛奇龄《西河诗话》则谓'益都师相同馆集万柳堂大言宋诗之弊'，可见当时提倡宋诗，跬步寸进。后来踵而效之，亦时代使然也。"

是年

　　方苞与戴名世等订交。《方苞集·集外文》卷四《书时文稿岁寒章四义后》："忆辛未秋，余初至京师，偶思此题，成四义；言洁、潜虚（即戴名世）、诒孙三君子深许之，遂订交。余每以事出，必诣三君子；三君子以事出，必过余。问辨竟日，往往废其所事而归。"

　　方苞作《读孟子》文。苏惇元《方苞年谱》："三十年辛未，先生二十四岁。作《读孟子》文，杜苍略先生见之，评曰：'前儒所未发，却妇人小子所共知。方郎十岁，初为时文，先兄即劝以何不舍此而发愤著书？不意十五年后，所造至此。'"编者按，杜苍略即杜岕（1617—1693），字苍略，号些山，湖广黄冈人，诸生，为方苞祖父与父亲的友人。先兄指杜濬。

　　汪森编《词综补遗》二卷成。据其自序。

　　沙张白（1626—1691）**卒**。据钱仲联主编《中国文学家大辞典·清代卷》。《四库总目提要》卷一八二著录沙张白《定峰乐府》十卷："国朝沙张白撰。张白原名一卿，号定峰，江阴人。是集皆所作乐府，或用古题，或自制新题，曹禾为之评点。"徐世昌编《晚晴簃诗汇》卷三九选沙张白诗九首，《诗话》云："定峰长于史学，著《读诗论略》。诗亦多咏古之作，当时诗家皆推其乐府。吴梅村为介谒龚芝麓，芝麓赠二律云：'娄东吴祭酒，云外尺书来。说汝扬雄赋，携登郭隗台。藏山名士业，入洛古人才。每见文章进，风檐喜一开。''高阁斜阳里，题诗为送秋。迹奇名姓换，客久雪霜稠。车上谁张禄，人见问马周。因风报旧雨，老懒渐知休。'后倦游归，著书终老。"花病鹤《十朝诗话》："高念东曰：《定峰乐府》如扬子《法言》，如焦氏《易林》。"又云："钱牧斋见《定峰乐府》，许为作序，而定峰却之。"袁行云《清人诗集叙录》卷八著录沙张白《定峰乐府》十卷（道光十八年重刻本）："沙张白撰。张白原名一卿，字介人，号定峰，江苏江阴人。崇祯末年年十五补郡学生。张能麟督学延至家塾。读《思辨录》，谒陆世仪执弟子礼。会奏销案作，魏裔介为首撰，张白以布衣三上相国书，裔介手书三答之，一时闻人莫不折节缔交。康熙八年秋闱不第，从李赞元客河北。十一年再试，再北，遂闭户读书，研习经史与理学。著有《读史大略》六十卷。三十年卒，年六十六。事具光绪间重思斋丛书本《定峰文选》卷首王家枚撰《定峰沙先生传》。撰《莽辟园诗钞》，未见。此《乐府诗》十卷，初刻于康熙间，同学曹禾评，即《四库存目》之本。此道光重刻本，有鲍桂星跋。其中《读史》十二首、《咏古器物三十首》、《快战诗咏以寡胜众者十二首》，大抵依据史书，铺衍成章。《澉浦歌四首》、《秦淮竹枝词六首》、《金陵十二月并闰月歌》、《琴川女》、《冶铁行》、《扬州竹枝词六首》、《宝应竹枝词四首》、《燕游纪行十四首》、《燕都竹枝词四首》，杂记山川异境、风土传闻。其最可推美者，为效张王乐府体，揭露社会黑暗之诗歌……张白蓄目民瘼，感极而悲，倾注全力以写，一时罕有其匹。此集卷首有《诸公论乐府书》，为曹禾、徐遵扬、钱陆灿、杜濬、王崇简、朱媚、魏裔介、施端教、汪琬、龚鼎孳、高珩、吴山涛、詹棻锡、洪昇、陈玉琛、曹延懿，凡十六家，多属佚文。是集不甚难得，乃《清诗纪事初编》未收，不悉何故也。"

黄虞稷（1629—1691）卒。据钱仲联《中国文学家大辞典·清代卷》。《清史列传·文苑传》："黄虞稷，字俞邰，原福建晋江籍。父居中，明季为南京国子监监丞，甲申闻变，不食死。虞稷遂家上元，为上元人。诸生，七岁能诗，号神童。康熙十八年，举博学鸿儒，遭母丧不与试。既，左都御史徐元文荐修《明史》，召入史馆，食七品俸，分纂列传及《艺文志》。二十三年，充《一统志》纂修官。二十八年，总裁徐元文假归，特诏携志稿于家编辑，元文奏言虞稷学问渊博，健文笔，乞随相助，许之。至包山书局，刻苦搜讨，逾年力疾竣事。竟以劳卒，年六十三。虞稷笃内行，持己矜廉而勇于义。王士禛、毛奇龄、吴雯咸称其诗。家世藏书，凡八万卷，与江左诸名士约为经史会，以资浏览。及来京师，辇下士大夫辄就之借阅，无虚日。著《千顷堂书目》三十二卷，自题曰闽人者，不忘本也。所录有明一代之书，最为详备，其史部分十八门，《簿录》一门，用尤袤《遂初堂书目》之例，以收《钱谱》、《蟹录》之属，又有《楮园杂志》、《我贵轩》、《朝爽阁》、《蝉窠》诸集。"沈德潜《国朝诗别裁集》卷七选黄虞集诗一首，小传云："俞邰以诸生召入修《明史》，食七品俸，当时以为盛事。"《四库总目提要》卷八五著录黄虞稷《千顷堂书目》三十二卷："考明一代著作者，终以是书为可据，所以《钦定明史艺文志》颇采录之。略其舛驳而取其赅赡可也。"徐世昌编《晚晴簃诗汇》卷四六选黄虞集诗五首，《诗话》云："俞邰流寓金陵，其父海鹤先生居中尝为南京国子监丞，藏书至八万卷。世所传《千顷堂书目》是也……姜西溟题钱孝修《山中煮药图卷》云：'题诗旧日东华侣，好句惊看泪满襟。'自注：'前有亡友黄俞邰七律四首极精工，有"抽书尽日向东华"句，读之泫然。'毛西河《答赠俞邰》亦有'王通家有三株树，和峤身如千丈松'，'秋尽论诗逢沈约，年来讲易共田何'之句。为同时名辈推重如此。"

公元 1692 年（清康熙三十一年　壬申）

正月

康熙帝论修《明史》。蒋良骐《东华录》卷一六："康熙三十一年正月……谕大学士等：'前者进呈《明史》诸卷，命熊赐履校雠，赐履写签呈奏，于《洪武》、《宣德本纪》訾议甚多。朕思洪武系开基之主，功德隆盛。宣德乃守成贤辟。朕反厥躬于古圣君亦不能逮，何敢轻议前代令主。若表扬弘、宣，朕尚可指示词臣撰文称美，倘深求刻论，朕不惟本无此德，本无此才，亦非意所忍为也。至开创诸臣，若撰文臣事实优于武臣，则议论失平，难为信史，尔等当知之。'"

初二日，王夫之（1619—1692）卒。王之春《船山公年谱后编》："（国朝康熙）三十一年壬申，公七十四岁。居湘西草堂。正月初一日，公衣冠谒祖。初二日清晨，起坐不怿，指手录《武夷公行状》、《墓铭》，付长孙生若曰：'汝慎藏之。'谓子敬曰：'勿为吾私立谥也。'良久，命整衾。时方辰，遂就箦。正衾甫毕，届午时，公卒，年七十有四。"《清史列传·儒林传》："王夫之，字而农，湖南衡阳人。兄介之，邃于经学，明亡，匿不复出，著有《周易本义质》四卷、《诗经尊序》十卷、《春秋四传质》十二卷。夫之少负俊才，读书十行俱下，与兄介之同举崇祯十五年乡试。流贼张献忠陷衡州，设伪官招夫之，夫之走匿。贼执其父为质，夫之引刀自刺肢体，舁往易父，贼见其创也，免之，父子俱得脱归……顺治四年，大兵下湖南，夫之入桂林依大学士瞿式耜。尝三上疏劾王化澄，化澄欲杀之，会有救者得不死。闻母病，乃间道归。筑土室石船山，名曰观生居。杜门著述，其学深博无涯涘。以汉儒为门户，以宋五子为堂奥，所作《大学衍》、《中庸衍》皆力辟致良知之说，以羽翼诸子。而于《正蒙》一书，尤有神契，精绎而畅衍之，为《正蒙注》九卷、《思问录》内外篇各一卷。以为张子之学上承孔、孟之志，下救来兹之失，如皎日丽天，无幽不烛，圣人复起，未之能易。惟其门人未有，殆庶事之信从者寡，道之诚然者不著，是以不百年而异说兴；又不二百年而邪说炽。因推本阴阳法象之状，往来原反之故，反复辩论，所以归咎上蔡、象山、姚江者甚峻。所著诸经有《易》、《书》、《诗》、《春秋稗疏》，共十四卷，其说《易》不信京房之术，与先天诸图及纬书杂说排之甚力，而亦不空谈玄妙附和老庄之旨。其说《尚书》，诠释经文，多出新意，驳苏轼《传》及蔡《传》之失大都辞有根据，不同游谈。其说诗，辨正名物训诂，以补传笺诸说之遗，不为臆断。《辨叶韵》一篇，持论明通，足解诸家之缪辖。其说《春秋》，考证地理，多可以补杜《注》之失。国朝经学继起者无虑百十家，然诸家所著有辄为夫之所已言者，如子纠为齐襄公子之说，梁锡玙据为新义；翚不书族，定姒非谥之说，叶酉亦据为新义；皆未见其书也。他著有《周易内外传》、《大象解》、《尚书引义》、《诗广传》、《礼记章句》、《春秋家说》、《世论》、《续左氏传博议》、《四书》、《稗疏》、《训义》、《俟解》、《读四书大全说》、《诸经考异》、《说文广义》、《读通鉴论》、《宋论》、《永历实录》及注释《老》、《庄》、《吕览》、《淮南》、《楚辞》、《姜斋诗文集》等书，凡三百馀卷，后人汇刊之为《船山遗书》。康熙间，吴逆在衡湘，夫之又逃入深山。吴逆平，巡抚郑端嘉之，馈粟帛请见。夫之以病辞，受粟反帛。三十一年，卒，年七十四。时海内硕儒，推馀姚黄宗羲、昆山顾炎武。夫之多闻博学，志节皎然，世谓相亚云。"《四库总目提要》卷六著录王夫之《周易稗疏》四卷、附《考异》一卷，同书卷一二又著录其《诗经稗疏》四卷，同书卷一四又著录其《尚书引义》六卷，同书卷一六又著录其《诗经稗疏》四卷，同书卷二九又著录其《春秋稗疏》二卷，同书卷三一又著录其《春秋家说》三卷。陈田《明诗纪事》辛签卷一三选王夫之诗四十二首，小传云："夫之字而农，衡阳人。崇祯壬午举人。桂王时，以荐授行人。光绪三十四年从祀孔庙。有《买薇稿》、《漧涛园初集》、《姜斋五十自定稿》、《六十自定稿》、《七十自定稿》、《柳岸吟》、《落花诗》、《遣兴诗》、《和梅花百咏》、《洞庭秋雁字诗》、《仿体诗》、《岳馀集》。"又加按语云："船山先生博通经史，阐明正学，允为儒者之宗。究心吟事，自述早年问津北地、信阳未就，而中改从竟陵，晚乃和阮、和陶，取境益上。自定为《五十》、《六十》、《七十》三稿。余谓先生诗，讲学则拟白沙、定山；摹仿则师汉、魏、盛唐，下逮于明之作家，无所不拟。其论诗则薄宋、元，犹是七子成说，而于东坡、山谷亦多诋諆之词，未可尽为典要。然其学问深邃，才力宏富，古体时与魏、晋、盛唐合辙，七律、七绝，音调洪亮，词旨沉著，可与遗山、山谷分席。又其遭时多变，嚣音屠口之作，往往与杜陵之野老吞声、皋羽之西台痛哭，同合于《变雅》、《离骚》之旨。即专论诗，亦明季一作家也。"徐世昌编《晚晴簃诗汇》卷一一选王夫之诗二十六首，

《诗话》云："船山诗以《自定稿》为正本，馀编亦多杰作，而寸心得失所在可以微窥。昔人评亭林诗如泰华秋色，先生则衡岳之云、清湘之瑟，楚材称雄，斯冠一代矣。"邓之诚《清诗纪事初编》卷二著录王夫之《姜斋文集》十卷、《补遗》二卷、《经义》二卷、《五十自定稿》一卷、《六十自定稿》一卷、《七十自定稿》一卷、《姜斋诗分体稿》四卷、《姜斋诗编年稿》一卷、《姜斋诗剩稿》一卷、《柳岸吟》一卷、《落花诗》一卷、《遣兴诗》一卷、《和梅花百韵诗》一卷、《洞庭秋诗》一卷、《雁字诗》一卷、《仿体诗》一卷、《岳馀集》一卷、《忆得》一卷、《船山鼓棹初集》一卷、《二集》一卷、《潇湘怨》一卷："《船山遗书》，康熙中刻者十馀种，《四库全书》以其说经著书入录。道光中刻十八种百五十卷，同治中重刻为五十九种三百二十二卷。近岁刻成者七十种三百五十八卷。尚有知其名而未见，与不知其名而见者，时时增益。盖夫之避地往来，或入深山，或居瑶峒，笔札取给于门人故旧，所纂皆蝇头细书，首尾不懈。书成，即举以赠之，乡人皆知宝贵，故经数百年历禁忌而其稿尚存。夫之为学，宗张载，撰《张子正蒙注》九卷，复阐为《思问录》内外篇各一卷，主张以格物为始教，而恶夫离物求觉者……夫之本有史才，所撰《永历实录》，虽间不免传闻失实，而不诬不苟，有足多者。《读通鉴论》、《宋论》，读史有识，或谓皆针对顺、康间时事则非，深山穷谷中，何从知有朝局乎？所撰诗文甚富，今能见者，《姜斋文集》十卷、《补遗》二卷、《五十自定诗》一卷、《六十自定诗》一卷、《七十自定诗》一卷、《姜斋诗分体稿》四卷、《姜斋诗编年稿》一卷、《姜斋诗剩稿》一卷、《洞庭秋诗》一卷、《雁字诗》一卷、《仿体诗》一卷、《岳馀事》一卷、《忆得诗》一卷、《船山鼓棹初集》一卷、《二集》一卷、《潇湘怨》一卷。其文善能阐发名理。诗学六朝、初唐，取径甚高，而深情一往，往往令人悲涕。其论诗见于《诗绎》、《夕堂永日绪论》者，谓子建（曹植）不如子桓（魏文帝），元美（王世贞）不如元敬（王世懋），是有真知灼见人语。不喜东坡以至淮海、剑南，或以深恶虞山（钱谦益）之故，然颇持平。非难阳明，而不许吕留良以东坡拟阳明，亦不许世人以元美拟东坡，谓非其伦。七子、钟、谭皆在菲薄之列，亦不尽没其善。尝以文章之变化，莫妙于《南华》；词赋之源，莫高于屈、宋。因作《庄子解》、《庄子通》、《楚辞通释》。知其为文，汪洋恣肆，盖得力于此。邓显鹤论其《遗书》，谓其时海内硕儒，北有容城，西有盩厔，东南则昆山、馀姚，而亭林先生为之魁。先生刻苦似二曲，贞晦过夏峰，多闻博学，志节皎然，不愧顾、黄两先生。显鹤之言，可谓能知先生者。然夫之独完发以终，有手书《惜发赋》，清季犹存，又顾、黄之所不如也。"张舜徽《清人文集别录》卷一著录王夫之《姜斋文集》十卷（《船山遗书》本）、《姜斋文集补遗》二卷（光绪十三年船山书院补刊本）："当时学者，惟刘献廷一称及之，谓洞庭之南，天地元气，圣贤学脉，仅此一线（见《广阳杂记》卷二）。沉埋二百年之久，直至道、咸间，新化邓显鹤始得其遗书七十七种二百五十卷，同治间始有《船山遗书》刊行于世，而未刻及已佚之书犹多。夫之之学，博涉多通，凡所述造，遍及四部，而以说经之作为广。凡阐述义理，皆自抒心得，确有发明，不蹈宋、明诸儒旧论。至于文章一道，特其馀事，平生着墨无多，而亦不自收拾。此仅存之十卷，乃后人掇取于残丛之中，比辑而成。故阙脱最甚，卷六全缺，他卷不全者尚多。其他杂文，如连珠、传状、碑志、序跋、书启、词赋之类，编次失伦。盖由一时凑聚，零篇断简，本无类可分也。卷十为家世节录，则笔记之作，亦以入集矣。"袁行云《清人诗集叙录》卷六著录王夫之《姜斋诗》七卷（《船山遗书》本）："其诗宗汉魏、六朝，重在兴观群怨，与顾、黄取径不同，而寓意家国之痛，造意深邃，则不相上下。《落花诗》、《补落花诗》、《遣兴诗》、《读指南集》诸篇，信在必传。论诗薄宋、元，反对立门庭，尤恶代人悲欢之诗，谓为'诗佣'。观所著《诗绎》、《夕堂永日绪论》，所选唐诗、明诗，可知大较。至鄙钱谦益之为人，与顾、黄不谋而合。可见作诗只争气韵，亦末见耳。作诗不当自我作古，故门径不可无，而门庭不当有也。康熙以降，湘中几无诗家。乾隆时张九钺学李白，自树一帜。道光间邓显鹤始称夫之，以后学汉魏者日众，至王闿运竟为正宗。《湘绮楼说诗》云：'江谢遗音久未闻，王何二李枉纷纷。船山一卷存高韵，长伴沅湘兰芷芬。'然则夫之诗为世所重，已在身后二百年也。"

三月

杜登春撰《社事始末》一卷成。据其自序。

万斯同撰《历代史表》五十九卷成。据朱彝尊序。

是年春

王士禛寄《唐贤三昧集》稿与门人盛符升，待付梓。盛符升《十种唐诗选序》："壬申春，我师渔洋先生以《唐贤三昧集》垂示……而雠校之。集成，读者靡不叹其神简。盖集中所载，直取性情，归之神韵。凌前邈后，迥然出众家之上。由是先生论诗之宗旨，益足征信于天下。"

是年春夏之际

查慎行辑《庐山志》，撰《庐山纪游》。陈敬璋《查他山先生年谱》："三十一年壬申，先生年四十三……辑《庐山志》，凡八卷。又为《庐山纪游》一卷。"

五月

初二日，厉鹗（1692—1752）生。朱彭寿《清代人物大事纪年》："康熙三十一年壬申（公元 1692 年），生辰：厉鹗，五月初二日生，字太鸿，号樊榭。浙江钱塘人。享年六十一。"厉鹗，字太鸿，一字雄飞，号樊榭，一号南湖花隐，又号西溪渔者，浙江钱塘（今杭州）人。康熙五十九年举人，乾隆元年举博学鸿词，未遇。诗风宗宋，清人吴应和尝选厉鹗、严遂成、钱载、王又曾、袁枚、吴锡麒诗为《浙西六家诗钞》。工词，擅南宋诸家之胜。熟悉宋代文献。著有《樊榭山房集》二十卷、《樊榭山房词》二卷、《续词》一卷、《集外词》一卷、《宋诗纪事》一百卷、《南宋杂事诗》七卷、《东城杂记》二卷、《秋林琴雅》四卷等。

九月

陆陇其撰《战国策去毒》二卷成。据其自记。

十一月

十四日，王士禛为陈维崧《箧衍集》作序。《箧衍集》卷首王士禛序后署"康熙壬申长至雪夜济南王士禛序"。是年冬至为农历十一月十四日（1692 年 12 月 21 日）。

二十二日，李因笃（1631—1692）卒。据吴怀清编《关中三李年谱·天生先生年谱》。《清史列传·儒林传》："李因笃，字天生，陕西富平人。明诸生……康熙间，诏举博学鸿儒，因笃素负重名，公卿交荐，母劝之行，试列一等，授翰林院检讨。未逾月，以母老乞养……母殁仍不出。因笃性忼直，然尚气节，急人之急。顾炎武在山左，被诬陷，因笃走三千里，为脱其难。尝著《诗说》，炎武称之曰：'毛、郑有嗣音矣！'又著《春秋说》，汪琬见之，亦折服。与毛奇龄论古韵不合，奇龄强辨，炎武是因笃而非奇龄，所著《音学五书》，因笃与有力焉。归后，岐山令及淳化宋振麟等请讲学于朝阳书院，因笃首发横渠以礼教人之旨，次论有守有为之义，而断之于审几，以著思诚之体。其论学必绾以经，说经必贯以史，使表里参伍，互相发明。当时学者洒然有得，因记之为《会讲录》。尤熟于有明事迹，王鸿绪《史稿》成，就正因笃，时老病卧床褥，令二人读稿，命之窜易，半载而毕，由是《史稿》知名。他著有《受祺堂集》三十五卷、《汉诗音注》五卷、《汉诗评》五卷、《古今均考》一卷。"沈德潜《国朝诗别裁集》卷一一选李因笃诗十六首，小传云："诗品似李北地之宗杜陵，骨干有馀而神韵或未副焉。"《四库总目提要》卷一八三著录李因笃《受祺堂集》三十四卷："国朝李因笃撰。因笃字子德，又字天生，富平人……顾炎武作《音学五书》，特载与因笃一札，盖颇重之。阎若璩作《潜丘剳记》，则云'杜造故事，莫过于李天生'，然所谓杜造故事者，今不可考，则姑存其说矣。是集为因笃所自定，本三十五卷，此本独缺第四卷，目录注云未出，其为因笃自删之，或为随写随刻，误排卷数，不得已而立一虚卷，均未可知也。其诗大抵意气苍莽，才力富赡，而亢厉之气一往无前，失于粗豪者盖亦时时有之，殆所谓利钝互陈者欤？"同书卷一九四又著录其《汉诗音注》五卷、《汉诗评》五卷。徐世昌编《晚晴簃诗汇》卷四一选李因笃诗四十一首，《诗话》云："天生应征，出于敦迫，授官后陈情乞养，疏词悱恻，世比之李令伯。诗宗少陵，于明代独推二李，有句云：'沧溟表齐帜，北地本秦风。绝构皆千古，雄才有二公。雪岚尝抱日，金翮久摩空。薄哂看流辈，江河逐渐东。'具见渊源所自。其胎息深厚，本于朴学，非驰骋才华者比。五七言近体，纯用杜法，得其神理，不仅袭其皮毛。长律《赠曹秋岳》一篇，为渔洋所推，馀亦多杰作。诗集原缺第四卷未刊，《别裁集》所载《边上》一首，当即在其中也。"邓之诚《清诗纪事初编》卷八著录李因笃《受祺堂诗》三十五卷、《文》四卷、《续》四卷："其诗激楚凄凉，得工部之神。最善五言排律，哀然一集，足称大家。故曹溶论诗，推为一代之首。《文集》四卷、《续集》四卷，道光中始刊行，非其至者也。"张舜徽《清人文集别录》卷三著录李因笃《受祺堂文集》四卷、《续刻》四卷（道光七年杨浚刊本）："因笃与炎武游处相好之日久，而治学之道，乃不期而与之俱化。观因笃诋斥当时言理学者，大抵撦拾语录，妄称性命之旨，而绝不知经学。不惜大声急呼，乃谓未有不深于经学而能以理学名世者。（详《续刻》卷四《与孙少宰》）此与顾氏论学之旨，如出一辙矣。因笃学富而诗最工，《四库全书》著录其《受祺堂诗集》三十四卷入别集存目……因笃以康熙十八年己未举博学鸿词，与朱彝尊、严绳孙、潘耒同称四布衣，供检讨职。未久，以母老告归。是集卷一《告终养疏》，为一时传诵之作。论者谓不减李密《陈情表》。于是式仪其人者，又不仅重其诗文而已。诗集早行世，而文集刊布甚晚，以此本为最朔。其中与友朋书札，亦以论诗者为最多而最精云。"袁行云《清人诗集叙录》卷九著录李因笃《受祺堂诗》三十五卷（康熙三十一年刻本）、《受祺堂诗集补佚》（近代刻本）："其诗时失于粗豪，喜用经典。有句云：'林谷观音本，乾坤老象才。'王士禛《池北偶谈》以为不足法。曹溶论诗，则推为一代之首，又不免过誉矣。因笃生卒年无确说，邓之诚先生以因笃试博鸿年四十九，考为崇祯四年生，可据。然据王弘撰《待庵日札》（刻于康熙三十七年）寄李中孚札云'孟常既逝，子德继陨'，谓因笃当卒于康熙三十七八年间，恐不确。康乃心《苹野集》有《哭李天生》，编年康熙三十二年，推其卒年在康熙三十二年间，近是矣。《受祺堂诗》卷四既阙，二百年后，张鹏一得佚诗一卷，凡八首，由鸳鸯七志斋刻板，名曰补佚。于右任序谓：'第四卷之诗，即此手写诸篇，以时方鼎革，语多忌讳，故未敢刊行问世。'其中有《同顾征士恭谒天寿山十三陵长歌》（并注），作于康熙七年。《天高五首》，伤明思宗之死。潘耒云：'陵诗藏之箧中，绝不示人。'即此本也。"

十二月

初五日（已交公元 1693 年 1 月 10 日），**赵进美**（1620—1693）**卒**。赵执信《饴山文集》卷一〇《中大夫福建提刑按察使司按察使先叔祖韫退赵公暨元配张淑人合葬行实》："公生于庚申年九月二十二日寅时，卒于康熙三十一年十二月初五日未时，卜以今年己卯九月二十四日葬于虎山之西北公所自营之兆。"沈德潜《国朝诗别裁集》卷二选赵进美诗七首。徐世昌编《晚晴簃诗汇》卷二二选赵进美诗十三首，小传云："赵进美，字嶷叔，一字韫退，号清止，益都人。明崇祯庚辰进士。入国朝，授太常寺博士，历官福建按察使。有《清止阁集》。"《诗话》云："韫退少即工诗，与姜如须、宋荔裳、陈卧子、李舒章、宋辕文辈分据南北坛坫。遭乱，与荔裳避地吴中。称诗服膺沧浪、昌谷、元美三家。分守左江日，尝寓书渔洋论诗，渔洋答以诗曰：'风尘憔悴赵黄门，岭表迁移役梦魂。昨见端州书一纸，说诗真欲到河源。'秋谷为其从孙，论其诗谓'践信阳、历下之庭'。盖国初诸家多自七子入，不独韫退为然也。"袁行云《清人诗集叙录》卷六著录赵进美《清止阁集》九卷（康熙间刻本）："赵进美撰……卒于康熙三十一年，年七十三。王士禛为撰《墓志》，从孙赵执信为撰《行实》。是集分《燕市》、《西征》、《清止阁》、《白鹭》、《楚役》、《江粤》等集，凡诗八卷、词一卷，首自序。进美少与姜埰、宋琬、方以智、陈子龙、李雯为友，避地吴闾、嘉禾间。为诗清真绝俗，得王、孟之趣。使江西时刻意二谢，其《放吟》一卷，皆乐府诗。官京师，与龚鼎孳、曹溶等人唱和，一变而高华声调。使楚诗多纪时事，尤为世所重……王士禛称其诗几经变格，而生平服膺于李梦阳、何景明、徐祯卿三家。盖以七子为旨，少加融贯，故其诗句清而理平也。"

二十七日（已交公元 1693 年 2 月 1 日），**陆陇其**（1630—1693）**卒**。杨开基《陆清献先生年谱原本》："三十一年壬申，是岁先生年六十三……十二月……二十七日亥时，先生卒。"《清史列传·大臣传》："陆陇其，浙江平湖人。康熙九年进士。十四年，授江南嘉定知县……十七年诏举博学鸿儒，工部主事吴源起荐陇其理学纯深，文行无愧，得旨召试，陇其赴京，未及试，丁父忧归……二十二年，补直隶灵寿知县……二十九年……授陇其四川道监察御史……三十一年十二月，卒于家，年六十有三。所著有《困勉录》、《松阳讲义》、《三鱼堂文集》诸书……陇其寻祀直隶、江南名宦，浙江乡贤。世宗宪皇帝雍正二年，临雍释奠，谕九卿议增文庙从祀贤儒，因议曰：'陇其自幼以斯道为己任，精研程朱之学，两任邑令，务以德化民。平生孝友端方，言笑不苟。其所著述，实能发前人所未发，弗诡于正，允称纯儒，宜配飨俎豆。'得旨俞允。今上乾隆元年，诏九卿核议应予追谥诸臣，因议曰：'宋儒胡瑗、吕祖谦诸儒皆未居显职而有谥，陇其虽官止五品，已从祀文庙，应予追谥。'上特赐谥曰清献。寻礼部以《会典》未载五品官予谥立碑给价之例，请上裁定，得旨：'陆陇其着加赠内阁学士兼礼部侍郎，照例给予碑价。'"《四库总目提要》卷一四著录陆陇其《古文尚书考》一卷，同书卷二二又著录其《读礼志疑》六卷，同书卷三六又著录其《四书讲义困勉录》三十七卷、《松阳讲义》十二卷，同书卷三七又著录其《三鱼堂四书大全》四十卷、《续困勉录》六卷，同书卷五二又著录其《战国策去毒》二卷，同书卷九四又著录其《读朱随笔》四卷、《三鱼堂滕言》十二卷，同书卷九七又著录其《学术辨》一卷、《问学录》四卷，同书卷一七三又著录其《三鱼堂文集》十二卷、《外集》六卷、《附录》一卷："国朝陆陇其撰。陇其有《古文尚书考》，已著录。是集为其门人侯铨所编，凡杂著四卷、书一卷、尺牍一卷、序二卷、记一卷、墓表志铭圹记传共一卷。《外集》六卷则裒其奏议、条陈、表策、申请、公移而终之以诗，陆陇其《行状》之类亦并附焉。目录之末，有其从子礼徵跋，言陇其平生不屑为诗古文词，尤以滥刻文集为戒，故易簧时，箧中无遗稿。至康熙辛巳，礼徵乃旁搜广辑，汇成是集，而属铨分类编次。盖陇其没后九年，此集乃出也。其文既非陇其所手定，则其中或有未定之稿与夫偶然涉笔，不欲自存者，均未可知。然陇其学问深醇，操履醇正，即率尔操觚之作，其不合于道者，固已鲜矣。惟是陇其一生，非徒以讲明心性为一室之坐谈，其两为县尹，一为谏官，政绩亦卓卓可纪，盖体用兼优之学。而铨等乃以奏议、公牍确然可见诸行事者别为《外集》。夫诗歌非陇其所长，列之《外集》可也，至于圣贤之道，本末同原，心法治法，理归一贯……以此本久行于世，故姑仍原刻录之，而附纠其编次之陋如右。"徐世昌编《晚晴簃诗汇》卷三六选陆陇其诗二首，《诗话》云："清献学宗徽国，文亦似之，间为韵语，皆粹然有德之言，学者可终身诵之也。"张舜徽《清人文集别录》卷二著录陆陇其《三鱼堂文集》十二卷、《外集》六卷（康熙原刻本）："平湖陆陇其撰……为学专宗朱子，排斥陆、王甚力。论学大旨，具见是集卷二《学术辨》三篇，其次若卷五《答嘉善李子乔书》、《上汤潜庵先生书》、《答同年臧介子书》、《答秦定叟书》诸篇亦大有关系。陇其尝曰：'夫朱子之学，孔孟之门户也，学孔孟而不由朱子，是入室而不由户也。故今日有志于圣学者，有朱子之成书在，熟读精思而笃行焉，如何津馀干可矣。'（是集卷五《答嘉善李子乔书》）……由其论学定于一尊，自不免举一而废百，言论所至，又不第诋斥陆、王而已。后之为程、朱之学者，极推其卫道之功，而相与私淑之。然末流所届，高者习其诋訾，以排斥异己为能，隘焉无以得是非之公；下者专事墨守，自《四书》朱注外，不复知有学问。藐焉无以见天地之大，高谈欺世，徒益形其伪诈耳。是集为其门人侯铨所编，以奏议、条陈、表策之属，录为《外集》。《四库提要》尝纠其编次之陋，且讥其以太极冠诸篇首，欲使陇其接迹周子云云。此则不情之论也……诗集虽非陇其手定，而编次先后，其门人固尝亲承指授，《提要》举此相讪，盖犹未达其用意也。"

是年

戴名世作《一壶先生传》等文。据王树民《戴文系年》。（见中华书局 1986 年出版《戴名世集》附录）

顾祖禹（1631—1692）卒。据夏定域《顾祖禹年谱》（载《文献》1989 年第一至第二期）。朱彭寿《清代人物大事纪年》："康熙十九年庚申（公元 1680 年），卒岁：顾祖禹，江苏无锡县布衣。卒年五十七。入《国史·文苑传》。"今不从。《清史列传·文苑传》："祖禹，字复初，性沉敏，有大略，善著书。柔谦（祖禹父）精于史学，尝谓《明一统志》于战守攻取之要，类皆不详山川，条例又复割裂失伦，源流不备。祖禹承其志，撰《历代州域形势》九卷、《南北直隶十三省》一百十四卷、《川渎异同》六卷、《天文分野》一卷，共一百三十卷，名曰《读史方舆纪要》。凡职方、广舆诸书，承讹袭谬，皆为驳正。详于山川险易，及古今战守成败之迹，而景物名胜，皆在所略。创稿时年二十九，及成书，年五十矣。宁都魏禧见之，叹曰：'此数百年所绝无仅有之书也……'其倾倒如此。世以其书与梅文鼎《历算全书》、李清《南北史合钞》，称三大奇书，然李书实非二者匹也。祖禹与禧为金石交，禧客死，祖禹经济其丧。徐乾学奉敕修《一统志》，延致祖禹，将荐起之，力辞罢，后终于家。"徐世昌编《晚晴簃诗汇》卷一五选顾祖禹诗四首，小传云："顾祖禹，字景范，无锡人。有《宛溪集》。"《诗话》云："景范侨居常熟之钓渚，故以宛溪自号。晚年，昆山徐司寇聘修《一统志》。书成，司寇欲疏荐之，力辞，盖自甘为遗民也。所著《读史方舆纪要》，亦于志局成之。采摭要删，博而能精。诸行省皆有总论，胪举形势，证以史事，足与马端临《文献通考》总、分诸序相埒。开朗诚挚，善与人交。与魏叔子为友，叔子来游，与同观桃花，值雨，亲为执盖。叔子客死真州，奔哭甚哀，为文以悼之，其笃友谊如此。遗集久佚不传，仅于《梁溪诗钞》、《海虞诗话》中略见片羽。"

彭师度（1624—1692）卒。江庆柏《清代人物生卒年表》据彭师度《彭省庐先生文集》卷首彭士超《家传》括注彭师度生卒为"1624—1692"。事详本书 1624 年纪事。

公元 1693 年（清康熙三十二年　癸酉）

汪琬子刻《尧峰文钞》葳事。《尧峰文钞》卷首宋荦序，后署"康熙癸酉二月"。

五月

十五日，《肉蒲团》（全称《肉蒲团觉世真言》，又名《觉后禅》，坊本或题《耶蒲缘》、《野叟奇语钟情录》、《循欢报》、《巧姻缘》）六卷二十回成书，题"情痴反正道人编次，情死还魂社友批评"，另题"情隐先生编次"。如如居士《肉蒲团序》后署"癸酉夏五之望，西陵如如居士题"。是书属较有名之淫秽小说，康熙间刘廷玑《在园杂志》卷一谓为李渔所作。

九月

初一日，钱澄之（1612—1693）卒。朱彭寿《清代人物大事纪年》："康熙三十二年癸酉（公元 1693 年），卒岁：钱澄之（原名钱秉镫），字幼光、饮光，号西顽。安徽桐城人。故翰林院编修（授官后未经任职），桐城县诸生。九月初一日卒，年八十二。入《国史·儒林传》。"《清史列传·儒林传》："钱澄之，初名秉镫，字饮光，安徽桐城人。明诸生。弱冠时，有阉党为御史，巡按至皖，盛威仪，谒孔子庙，观者如堵。澄之徐正衣冠，植立昌言以诋之，由是名闻四方。崇祯朝，以明经贡京师，屡上书言时政得失，不报。游吴越间，复社、几社名流，雅相引重，遂为云龙社以联吴淞，冀接武于东林。云间陈子龙、夏允彝。嘉善魏雪渠，与相友善。又尝问《易》于漳浦黄道周。后避党祸至震泽，遇兵跳身南遁，崎岖闽越间。乱定归里，遂杜足田间，治诸经课耕以自给。著《田间易学》十二卷，其学初从京房、邵康节入，故言数颇详，盖道周之馀绪也。后乃讲求义理，参取注疏，及程《传》本义，而本旨以朱子为宗。其说不废图，而以陈抟《先天图》及《河洛》二图皆因《易》而生，非《易》因此而作。图中奇偶之数，乃揲蓍之法，非画卦之本，持论极为允当。又著《田间诗学》十二卷，谓《诗》与《尚书》、《春秋》相表里，必考之三《礼》以详其制作，征诸三《传》以审其本末，稽之五《雅》以覈其名物，博之《竹书纪年》、《皇王大纪》，以辨其时代之异同，与情事之疑信，即今舆记以考古之图经，而参以平生所亲历。其书以《小序》首句为主，所采诸儒论说，自《注疏》、《集传》外，凡二程、张子至明黄道周、何楷，共二十家，持论精覈，无所攻亦无所主，而于名物训诂、山川地理，言之尤详。他著有《屈宋合诂》二册、《诗集》二十八卷、《文集》三十卷。康熙三十二年卒，年八十二。"《清史稿·遗逸传》："钱澄之，字饮光，原名秉镫，桐城人。少以名节自励。有御史巡按至皖，盛仪从，谒孔子庙，诸生迎迓门外。澄之忽前扳车，御史大骇，止车，因抗声数其秽行。御史故阉党，方自幸脱'逆案'，内惧不敢究其事，澄之以此名闻。是时复社、几社始兴，比郡中主坛坫者，宣城沈寿民，池阳吴应箕，桐城则澄之及方以智，而澄之又与陈子龙、夏允彝辈联云龙社，以接武东林。澄之体貌伟然，好饮酒，纵谈经世之略。尝思冒危难，立功名。阮大铖既柄用，刊章捕治党人，澄之先避吴中，妻子赴水死，事具《明史》。于是亡命走浙、闽，入粤，崎岖险绝，尤数从锋镝间支持名义不少屈。黄道周荐诸唐王，授吉安府推官，改延平府。桂王时，擢礼部主事，特试，授翰林院庶吉士，兼诰敕撰文。指陈皆切时弊，忌者众，乃乞假，间道归里。结庐先人墓旁，环庐皆田也，自号曰田间，著《田间诗学》、《易学》。澄之尝问《易》道周，依京房、邵雍说，究极数学，后乃兼求义理。其治《诗》，遵用《小序》首句，于名物、训诂、山川、地理尤详。自谓著《易》、《诗》成，思所以翊二经者，而得庄周、屈原，乃复著《庄屈合诂》。盖澄之生值末季，离忧抑郁无所泄，一寓之于言，故以庄继《易》，以屈继《诗》也。又有《藏山阁诗文集》。卒年八十二。"钱澄之《生还集自序》："予自总角学诗，迄今二十年，其十年茫如也。戊巳以后，始能明体审声，一窥风雅之指。所拟乐府，以新事谐古词，本诸弇州新乐府，自谓过之。五言诗远宗汉、魏，近间有取乎沈、谢，誓不作陈、隋一语。唐则惟杜陵耳，七言诗及诸近体，篇章尤富，皆欲出入于初盛之间，间有中晚者，亦断非长庆以下比。此平生学诗之大概也。每岁春花零乱，秋风萧瑟，即无日不诗，大约笥中过千首。家贫不能梓，梓者，或游草，或咏物，皆一时兴会，率尔而成，非为工也。癸未居白门，与吴鉴在，集同乡诸作，为《过江诗略》一选，予诗属鉴在点定，信手抽取，得意者殊少。党祸之日，匿复壁中，有《咏怀》、《拟古》、《咏史》诗百馀首，颇多风人遗意，合前此诸作，日置案头，将反复改订，欲以是名千秋也。岂意震泽之难，竟烬于一炬乎！难后无赖，遇境辄吟，感怀托事，遂成篇帙。既困顿风尘，不得古人诗时时涵泳，兼以情思溃裂，凤殖荒芜，得句即存，不复辨所为汉、魏、六朝、三唐矣。间道度岭，悉索敝簏，断自弘光元年乙酉，迄永历二年戊子冬止，约计四载，共得诗若干篇，为六卷，付诸剞劂，目曰《生还集》，志幸也。其间遭遇之坎壈，行役之崎岖，以至山川之胜概，风俗之殊态，天时人事之变移，一览可见。披斯集者，以作予年谱可也。诗史云乎哉？"朱彝尊《静志居诗话》卷二二《钱秉镫》："幼光禁网潜踪，麻鞋间道，或出或处，或嘿或语，诗屡变而不穷，要其流派，深得香山、剑南之神髓，而融会之。钱氏录其作人《吾炙集》，盖深取之矣。昔贤评陶元亮诗云：'心存忠义，地处闲逸，情真景真，事真意真。'《田间》一集，庶几其近之。《效陶渊明饮酒诗》云：'寄生大块中，何者为我故。譬如逆旅物，暂有安足据。在世虽百年，毕竟舍之去。临去岂不恋，恋亦不得住。所以达观人，澹然随所遇。委顺生死间，不厌亦不慕。日饮一杯酒，可以全此趣。'……"韩菼《田间文集序》："龙眠钱田间先生，当吾世学之博者鲜及焉。自少负盛名，为诸生祭酒。遭明季根株党人，以最著名字，几不免。跳身远游，崎岖丧乱之馀，惓怀屡王之世，与时消息，全身远害……读先生之诗，冲淡深粹，出于自然，度王、孟而及陶矣。"潘耒《钱饮光八十寿序》："先生少负隽才，遭时辗轲，浩然独行其志，间关转徙，备尝人世之艰难。中有感慨，一一发之于诗。其质直真挚，如家人对语，未尝稍加缘饰，而情事切至，使人欲喜欲悲，不能自已。"《四库总目提要》卷六著录钱澄之《田间易学》十二卷，同书卷一六又著录其《田间诗学》十二卷："国朝钱澄之撰。澄之有《田间易学》已著录。是书成于康熙己巳，大旨以《小序》首句为主，所采诸儒论说，自《注疏》、《集传》以外，凡二程子、张子、欧阳修、苏辙、王安石、杨时、范祖禹、吕祖谦、陆佃、罗愿、谢枋得、严粲、辅广、真德秀、邵忠允、季本、郝敬、黄道周、何楷二十家，其中王、杨、范、谢四家，今无传本，盖采于他书。陆、罗二家本无诗注，盖草木鸟兽之名，引其《埤雅》、《尔雅翼》也。自称毛、郑、孔三家之书，录者十之二，《集传》录者十之三，诸家各本录者十之四。持论颇为精核，而于名物训诂、山川地理，言之尤详。徐元文序称其非有意于攻《集传》，于汉、唐以来之说，亦不主于一人，无所攻，故无所主。无所攻无所主，而后可以有所攻有所主云云，深得澄之著书之意。张英序又称其尝与英书，谓《诗》与《尚书》、《春秋》相表里，必考之三《礼》以详其制作，征诸三《传》以审其本末，稽之五《雅》以核其名物，博之《竹书纪年》、《皇王大纪》以辨其时代之异同（案二书所序时代多不可据，此语殊为失考，谨附订于此），与情事之疑信，即今舆记以考古之图经，而参以平生所经历云云。则其考证之切实，尤可见矣。"同书卷一三四又著录其《庄屈合诂》（无卷数）："国朝钱澄之撰。澄之有《田间易学》，已著录。是编合《庄子》、《楚辞》二书为之训释。《庄子》止诂内篇，先列郭象注，次及诸家。《楚辞》则止诂屈原所作，以朱子《集注》为主，而以己意论断于后。其自序云：'著《易学》、《诗学》成，思所以翊二经者，而得庄子、屈原，以庄继《易》，以屈继《诗》，足以转相发明。'然屈原之赋，固足继《风》、《雅》之宗，至于以《老》、《庄》解《易》，则晋人附会之失，澄之经学笃实，断不沿其谬种。盖澄之丁明末造，发愤著书，以《离骚》寓其幽忧，而以《庄子》寓其解脱，不欲明言，托于翼经焉耳。"沈德潜《明诗别裁集》卷一一选钱秉镫诗八首，小传云："秉镫字幼光，桐城人。幼光自抒情性，无意工诗。五言似陶公，亦在神理不在字句，与高忠宪、归待诏所谓同工异曲者也。"陈田《明诗纪事》辛签卷一〇选钱澄之诗二十首，按语云："田间五古拟柴桑，七古拟张、王，乐府亦近香山。残明逸老，可与邢孟贞肩随。"又引徐乾学《憺园集》："饮光先生自甲申变后，南都拥立新主，奸邪柄国，群小附之，浊乱朝政，而为之魁者，其乡人也。以凤负盛名之士，慷慨好持正论，与乡人忤。及其得志，修报复，固欲得而甘心焉。刊章捕治，将兴大狱。于是亡命走浙、闽，又自闽入粤，崎岖绝徼，数从锋镝间支持名义，所至辄有可记。"又引姚经《三无异堂集》："饮光南渡时遭党锢，亡命流滞岭峤，归则幡然老头陀矣。好饮酒诙谐，放浪山水间，每酒后谈说平生，声泪俱下。时时吟诗，不拘一格。上有汉魏，下迄中晚，随兴所至即为之，古诗感慨讽谕，婉而多风，真得古《三百篇》之旨。"徐世昌编《晚晴簃诗汇》卷一六选钱澄之十七首诗，《诗话》云："田间为诸生，即有声于时。与阮大铖同郡，凤与相忤。南渡后，大铖欲兴大狱，刊章捕治，田间亡命走浙，而闽、而粤，崎岖绝徼，备尝险阻。归里，削发为僧，名幻光。既乃复冠带。诗五古近陶，他体出入白、陆。原本忠孝，冲和淡雅中时有沉至语。"邓之诚《清诗纪事初编》卷一著录钱秉镫《藏山阁集》二十卷："钱秉镫，字饮光，粤归后，更名澄之，号田间，桐城人。早入社盟，有名诸生间。以《留都防乱揭》几为马、阮所中。南都破，与钱棅起兵震泽，不克，乃入闽，其师大学士黄道周疏荐之，由贡生考授漳州府推官。福京破，入粤授礼部仪制司主事，考授翰林院庶吉士，知制诰。数言事，颇与五虎通声气。广州、桂林相继陷，崎岖兵间。顺治八年间道归乡里，自后南北谋食，不废问学，然无意于世事矣。卒于康熙三十二年，年八十二。事具《清史列传·儒林传》。所著书刊行者：《田间易学》十二卷、《田间诗学》十二卷、《庄屈合诂》一卷、《田间诗集》三十卷、《田间文集》二十八卷。未刻者曰《藏山阁集》，为《过江集》二卷、《生还集》七卷、《行朝集》三卷、《失路吟》一卷、《行脚吟》一卷、文六卷，起崇祯十一年，迄顺治九年。《生还》、《行脚》二集，曾刊行，后以沧桑间事，与时抵触，遂皆秘之不出。秉镫颇负文名，诗文有法，吐词骏快可喜，尤善论事。四十以后与海内名流酬酢，辈行日尊，篇翰益富，然征考旧事，则不如《藏山》。秉镫自贵其文，意在庀史，署年月唯谨。有《皖髯纪略》及《髯绝篇》，钱与左、阮世为婚姻，左、阮成仇，而秉镫亲于左氏，故与大铖交恶，述其降清事甚丑，《明史》因之。马、阮众恶所归，降清可以意揣得之，然实无确证，不能遽作定论。他所撰《所知录》，亦多传闻未审之言，知纪事之作，为最难矣。"张舜徽《清人文集别录》卷一著录钱澄之《田间文集》三十卷（宣统二年钱氏振风学社铅印本）："桐城钱澄之撰。澄之字饮光，明季诸生。中遭党祸，避难吴中。及清军南下，从亡闽粤，思立功名以自见。王夫之《永历实录》尝为之传，纪其事甚详。追事不可为，始遁迹髡缁，窜归故里。筑室田间，以课耕著书终其身，自号田间老人。著有《田间易学》、《田间诗学》诸书，《四库》已著录。其文集在康熙中昆山徐氏曾为刊板，光绪戊申，上海复排印徐刻所无者，为《藏山阁文存》，皆非完本。此本最后出，盖集诸本之成，最称全备矣。澄之少负奇气，有用世志，故发之于文，浩乎沛然，而明白宣畅，无难解之句，无晦涩之辞。其友髡残石溪尝谓之曰：'某公为文，句句要人不解；子为文，句句要人解，可喜也。'（见是集卷廿一《髡残石溪小传》）今观集中文字，几乎篇篇可诵，石溪所言，信不虚矣。澄之论文，深以依傍古人为病。其言有曰：'凡文之可传者，不妨有可议，而欲无可议，其文决不传。盖由其于圣贤之理、古今得失之数，无所独见，不能自持一论，惟是依傍经传，规模前人。其理不悖于常说，其法一本诸大家，周旋顾忌，苟幸无议而已，宁有一语发前人之未发，使向来耳目之久锢者，能一时豁然者乎！若是，则何以传也。'（是集卷十三《陈椒峰文集序》）……此皆名通之言，足以矫俗士模拟之陋。今持澄之斯论，以衡其所自为之文，信乎无所依傍，自辟蹊径，孤怀高识，创见极多。若卷二三《国论》，力斥自来毁誉失平之弊，而为曹操辨诬。卷三《大吏论》，详申《庄子》上无为而下有为之旨，以谓大吏之要，在于察吏。卷五《答池州喻太守书》，阐明因革损益、随时变通之理，若寒暑之代推，顺乎自然，而非人力所能强。皆非深达政理之本者，不能道也。至于言野史之可信，高于国史，兢兢以方志为重，则卷十二《明末忠烈纪实序》、卷十三《汉阳府志序》诸篇，尤数数道之，非博观载籍、深造有得者，殆未易窥涉及此矣。余观澄之之文，才气骏发，不可控抑，非特一扫明季之陋，即清初诸大家，亦鲜有能与抗衡者。由其学养深醇，气积势盛，有诸中，形诸外，不期工而自工。即以文论，亦自不废大家。当时有此雄厚之气者，惟大兴王源，庶几近之。澄之不以文名，而文章之事，莫之或先。顾余以为其尤大过人者，不在文章而在学识也……澄之在清初诸儒中，最为老寿，年至八十有二。获交当时名流如顾炎武、钱谦益、唐甄、吴任臣、方以智及徐乾学兄弟，往来南北，闻见博洽。论学与顾炎武多不合，尝与顾炎武言及阳明之学，至不欢而散。又谓炎武之学，详于事而疏于理，精于史而忽于经，皆切中其病痛（详卷四《与徐公肃司成书》）。盖顾氏之学，根柢在史，故于经学无专门著述。而澄之颇以经学自负（卷十《西庄记》有云：'吾所望于子孙者，但能明白义理，通达古今之事势，传吾之经学，以不愧为田间子孙足矣。'）观其平生专力致精，足践所言。治经之功，似非顾氏所能逮。不知近人考论清初学术者，何以忽之？"袁行云《清人诗集叙录》卷三著录钱澄之《藏山阁诗存》十四卷（光绪三十四年排印本）、《田间集》十卷（康熙元年乐易堂刻本）："钱澄之撰……所著《藏山阁诗文存》有康熙原刻本，当时所见者已稀，自《四库》列入违碍书目，尤为罕觏。此光绪三十四年龙潭室据萧穆抄本排印，凡诗存十四卷、文存六卷、尺牍六卷。又宣统二年钱氏振风学社本别附钱扐禄撰《年谱》一卷。诗分《过江集》、《生还集》、《行朝集》、《失路吟》、《行脚诗》，为明崇祯十一年迄顺治九年诗。记甲申国变及南明各朝见闻，足可征史。其中《传疑诗》记假亲王、假后、假太子，《三吴兵起纪事答友人问》、《闻道奔江右发横坑即事》、《哀绍武》、《留发生》，蓄目时艰，悲伤荆棘。凡身经乱离，均寄诗以暴之。《哀江南》自注江南死者多人，各赋一章，以备异日野史采择。《南京六君咏》自注：'南京陷，死者寥寥，得乞与卒而六焉。'愤懑极深。至悼念抗清义士，尤有佚出史外者。《悲湘潭》、《悲信丰》、《悲南昌》、《桂林杂诗》、《行路难》以永历时事寄于诗。亦多愁恨之音。而半生厄运，不读此集无以知之。《田间集》为分体诗十卷，一名《西顽道人近诗》，乐易堂刻本。有康熙元年姚文燮序略云：'钱子游十年归，归十年始有庐，庐在先人墓傍，废瓜田盈亩，为之环庐田也，故名田间。其未有庐前，往来鸠兹、白下、天柱、龙眠间，足迹不出五百里。所至有诗，诗且千数百首。既居田间，则覃心学易，故又名其居曰乐易堂。'所收殆晚近十年诗，其中《田园杂诗》、《感怀诗》、《咏史》、《杂诗》、《田园杂诗》等成组诗歌，多见于诸家选本。澄之晚年究于性命之理，而于当世之故，仍托以声歌。《乌栖曲》、《雉将雏》、《空仓雀》、《孤雁篇》、《燕巢行》、《捉捕行》、《丈洲行》、《催粮行》、《水夫谣》、《获稻词》、《乞儿行》、《泣象行》、《痴羊行》、《老狐行》、《青楼女》、《绿林豪》、《县门行》、《泥鳅行》、《北风行》、《捉船行》、《野鹤篇》、《打旗船行》、《老驴行》、《捕匠行》、《苦寒行》、《秋水叹》、《捕鱼歌》状写率兽食人，而民众流离无告之惨状，情景逼肖。此前后两集，各寓兴意。同时诗家，罕可比埒。生平经历，杜甫无逾之，以为专得力于陶（朱彝尊《静志居诗话》），斯言非是。"

十月

二十五日，郑燮（1693—1766）生。嘉庆修《昭阳郑氏族谱》（见齐鲁书社1985年出版卞孝萱编《郑板桥全集》后附《板桥研究资料》）："十四世长门，立庵公第□子，进士，克柔公，讳燮，号板桥。生于康熙癸酉年十月二十五日子时，娶徐氏、郭氏，侧饶氏。殁于乾隆乙酉年十二月十二日未时，寿七十三岁。"编者按，乙酉年十二月十二日已交公元1766年1月22日。郑燮，字克柔，号理庵，又号板桥，扬州府兴化县（今属江苏）人。乾隆元年进士，选山东范县知县，调潍县，以为民请赈忤大吏，罢官。居扬州以卖画为生，扬州八怪之一。工诗词，善书画，画擅兰竹，书隶楷参半，号"六分半书"。著有《板桥集》，今人有整理本《郑板桥全集》，齐鲁书社 1985 年出版。

十一月

仇兆鳌撰《杜诗详注》二十三卷、《杜赋详注》一卷、《杜文集注》一卷成。据进书表。

十二月

宋荦为顾嗣立《元诗选》作序。序云："顾子选元诗凡百家，刻成，以序请予，乃为之序曰……先是予友石门吴孟举有《宋诗钞》行世，学者靡然趋之，距今将三十年矣，而顾子乃起而为元诗之选。论者谓元诗不如宋，其实不然，宋诗多沉僿，近少陵；元诗多轻扬，近太白。以晚唐论，则宋人学韩、白为多，元人学温、李为多，要亦娣姒耳。间浏览是编，遗山、静修导其先，虞、杨、范、揭诸君鸣其盛，铁崖、云林持其乱，沨沨乎亦各一代之音，讵可阙哉……顾子第悬是编于国门，以徐俟其变之所之焉耳矣！顾子名嗣立，字侠君，年少而才隽，盖有志于立言者。康熙癸酉嘉平月，商丘宋荦序。"

冒襄（1611—1693）卒。朱彭寿《清代人物大事纪年》："康熙三十二年癸酉（公元 1693 年），卒岁：冒襄，江苏如皋县故副贡生。十二月卒，年八十三。入国史《文苑传》。"《清史列传·文苑传》："冒襄，字辟疆，江苏如皋人，明副贡生。少游董其昌门，其昌序其十四岁时诗，方之王勃。性至孝，时流寇纵横，父起宗以吏部郎出历官副使，犯权贵忌，抑陷襄阳监军，置必死地。襄走京师，泣血上书，乃得调宝庆，于是孝子之名闻天下。所与游皆当时雄俊，与桐城方以智、宜兴陈贞慧、归德侯朝宗矜名节，持正论，品骘执政，裁量公卿，时称四公子。襄负盛气，高才飙涌，尤能倾动人。尝置酒桃叶渡，会东林六君子诸孤，酒酣，辄狂以悲，呵詈奄党。因与诸孤结社金陵相抗，马、阮当国，憾之。党狱兴，捕得贞慧，几死，襄仅免。国变后，遂无意用世。性喜客，家故有水绘园，擅池沼亭馆之胜，四方名士招致无虚日。尝恣游大江南北，穷览山水，每于歌楼酒壁，纵谈前代名卿党逆、门户排击、是非邪正之事，以及南都才人学士、名倡狭客、文酒游宴之欢，风流文采，映照一时。当事屡荐于朝，皆不就。贞慧子维崧少而才，邀至家，饮食教诲之，以成其名。好周三党之急，尝鬻产两救凶荒，全活无算，家遂中落。晚年却扫家居，构匿峰庐以图书自娱。年八十，犹作擘窠大书，体势益媚，人争宝之。康熙三十二年，卒。著有《水绘园诗文集》、《朴巢诗文集》，又编其诗友投赠诗文为《同人集》十二卷。子丹书。丹书，字青若，贡生，官同知。能读父书。祖起宗殁时，呼至榻前，手勒十字示之曰：'尔父天生孝子，不可不学。'丹书谨受教。庚申秋，贼挟利刃突入襄家，丹书以身护父身，受四创，襄得脱，人称至孝。著有《枕烟堂》、《西堂》等集。"《清史稿》本传："冒襄，字辟疆，别号巢民，如皋人。父起宗，明副使。襄十岁能诗，董其昌为作序。崇祯壬午副榜贡生，当授推官，会乱作，遂不出。与桐城方以智、宜兴陈贞慧、商丘侯方域，并称四公子。襄少年负盛气，才特高，尤能倾动人。尝置酒桃叶渡，会六君子诸孤，一时名士咸集。酒酣，辄发狂悲歌，訾詈怀宁阮大铖，大铖故奄党也。时金陵歌舞诸部，以怀宁为冠，歌词皆出大铖。大铖欲自结诸社人，令歌者来，襄与客且骂且称善，大铖闻之益恨。甲申党狱兴，襄赖救仅免。家故有园池亭观之胜，归益喜客，招致无虚日，家自此中落，怡然不悔也。襄既隐居不出，名益盛。督抚以监军荐，御史以人才荐，皆以亲老辞。康熙中，复以山林隐逸及博学鸿儒荐，亦不就。著述甚富，行世者，有《先世前徽录》、《六十年师友诗文同人集》、《朴巢诗文集》、《水绘园诗文集》。书法绝妙，喜作擘窠大字，人皆藏弄珍之。康熙三十二年卒，年八十有三。私谥潜孝先生。"沈德潜《国朝诗别裁集》卷六选冒襄诗《寄吴梅村先生》、《赠柳敬亭》两首，于后者评云："赠敬亭并吊宁南，可作羽声歌之。"

是年

　　黄宗羲《明文海》四百八十二卷编竣。据黄炳垕《黄氏旧谱》。

　　余怀《板桥杂记》成书。据李金堂校注《板桥杂记·前言》。秦际唐《题余澹心〈板桥杂记〉》云："笙歌画舫月沉沉，邂逅才子订赏音。福慧几生修得到，家家夫婿是东林。"

　　李颙《二曲集》刊竣，郑重、高嵩侣为之序。据吴怀清《二曲先生年谱》。

　　史震林（1693—1779）生。据陈敏杰《史震林生卒年小考》（载《文教资料》1987 年第 5 期）。字公度，一字岵冈，又字梧冈，号筊冈居士，金坛（今属江苏）人。乾隆二年（1737）进士，历官淮安府学教授。工书，擅诗文，著有《华阳诗稿》、《仙游散草》及《西青散记》等。

公元 1694 年（清康熙三十三年　甲戌）

二月

　　顾嗣立《元诗选》初集刻印成书。顾嗣立《元诗选凡例》："是集之成，非敢云选也，姑以稍汰繁芜，存其雅正，随人所著，各自成家。春兰秋菊，期于毋失其真而已……元诗姓名见于各选本者，四百馀人。其专集刊行于世，百家而已。然有史传所载鸿文钜集，而今已散佚不存。亦有隐士逸民、破瓢残篚，而幸为人所珍惜者。余家藏元集，合之亦陶手钞及所借传是楼藏本，得纵观采择，甚为快事。以至属在亲朋好古博雅之士，凡有元诗，必皆借阅入选。所惧寡交荒学，遗漏者多。其或四方君子，笥珍枕秘未经寓目者，幸乞惠示，当与天下同好者共之。康熙甲戌首春，长洲顾嗣立题于秀野草堂。"《四库总目提要》卷一九〇著录《元诗选》一百一十一卷："国朝顾嗣立编。嗣立有《温飞卿诗注》，已著录。是选凡三集，每集之中，又以十干为十集，而所为癸集，实有录无书，故皆止于九集。盖其例以甲集至壬集分编有集之人，以癸集总收零章断什不成卷帙之作。其事浩繁，故欲为之而未成也。所录自帝王别为卷首外，初集凡元好问以下一百家，二集所录凡段克己兄弟以下一百家，三集所录凡麻革以下一百家。每人下各存原集之名，前列小传，兼品其诗。虽去取不必尽当，而网罗浩博，一一采自本书，具见崖略，非他家选本饾饤缀合者可比。有元一代之诗，要以此本为巨观矣。嗣立称所见元人之集约四百馀家，方今诏采遗书，海内秘藏，大都辐辏，中间有嗣立所未见者，固指不胜屈。而嗣立所见，今不著录者，亦往往而有。盖相距五六十年，隐者或显，而存者亦或偶佚，残膏剩馥转赖是集以传，正为可以未备为嫌也。"中华书局 1987 年出版《元诗选》整理本。

三月

三日，徐乾学设宴遂初园，为耆年之会。王应奎《柳南随笔》卷三："康熙甲戌上巳，昆山有耆年之会，设宴于徐氏之遂园，宾主共十二人，合八百四十二岁。举人通判常熟钱陆灿，年八十有三；前广西道监察御史昆山盛符升，年八十；翰林院检讨长洲尤侗，年七十有七；右春坊赞善太仓黄与坚，年七十有五；前户部尚书华亭王日藻，年七十有二；提学佥事长洲何棟，年七十；举人常熟孙旸，年六十有九；按察使华亭许缵曾，年六十有八；前刑部尚书昆山徐乾学，年六十有四；司经局洗马上海周金然，年六十有四；右春坊右中允昆山徐秉义，年六十有二；前左春坊左谕德无锡秦松龄，年五十有八；而盛御史、徐尚书、中允兄弟实为主人。以齿序坐，即席各赋七言近体二首，用兰亭二字为韵，其诗编成三卷，名曰《遂园禊饮集》。"

七月

十七日，徐乾学（1631—1694）卒。《清代碑传全集》卷二〇韩菼《资政大夫经筵讲官刑部尚书徐公乾学行状》："公生于有明崇祯四年十一月初二日，卒于康熙三十三年七月十七日，年六十有四。"《清史列传·大臣传》："徐乾学，江南昆山人。康熙九年一甲三名进士，授编修……二十一年，充《明史》总裁官，二十二年，迁翰林院侍讲，二十三年，迁侍讲学士……二十六年九月，擢左都御史，二十七年二月，充会试正考官，即于是月迁刑部尚书……三十年，山东巡抚佛伦鞫潍县知县朱敦厚加收火耗事，劾乾学曾致书前任巡抚钱珏徇庇敦厚，部议乾学与珏均革职……三十三年七月，谕大学士于翰林官员内奏举长于文章、学问超卓者，大学士王熙、张玉书等荐乾学与王鸿绪、高士奇。得旨：'徐乾学等著来京修书。徐乾学之弟徐秉义学问亦优，并著来京。'乾学未闻命，于四月疾卒，年六十有四。所著有《憺园集》、《读礼通考》诸书。遗疏进其所纂《一统志》，下所司察收。"邓汉仪《诗观二集》："予尝论健庵诗以汉、魏、四唐为主，不杂宋人一笔。是能主持风气，不为他说所移者。"沈德潜《国朝诗别裁集》卷九选徐乾学诗十四首，小传云："昆山顾亭林先生融贯古今，学人非诗人也，而其诗醇雅可传。尚书为亭林外甥，熟于朝章国故之大，盈廷议礼必折衷焉。及发言为诗，亦复诸体惬当。艺林谓酷似其舅，信然。"《四库总目提要》卷一八三著录徐乾学《憺园集》三十八卷："国朝徐乾学撰。乾学有《读礼通考》，已著录。乾学家富图籍，圣祖仁皇帝购求遗书，乾学奏进十二部，其疏今在集中。近所藏虽已散佚，而《传是楼书目》犹存于世。所著《读礼通考》及《续宋元通鉴长编》，皆闳通淹贯，确有可传。集中考辨议说之类，亦多与传注相阐发。盖乾学为顾炎武之甥，而阎若璩诸人亦多客其家，师友渊源，具有所自，故学问颇有根据。然文章则功候未深，大抵随题衍说，不甚讲求古格。赋颂用韵，尤多失考，尚未能掉鞅词坛，与诸作者争雄长也。是集刻于康熙丁丑，据宋荦原序，称尚有外集，今未之见，或此本偶佚欤？"同书卷一八九又著录其奉敕编注之《御选古文渊鉴》六十四卷。徐世昌编《晚晴簃诗汇》卷三六选徐乾学诗十一首，《诗话》云："健庵遭际昌时，躬被殊遇，一时朝廷大著作多出其手，尤以宏奖为怀，士林仰如泰斗。晚去官，仍领书局……集中高文典册，多关掌故。诗虽馀事，要皆雍容宽博，自然名贵，此台阁之异于山林也。"邓之诚《清诗纪事初编》卷三著录徐乾学《憺园文集》三十六卷："徐乾学，字原一，号健庵，昆山人……有《憺园集》三十六卷，凡赋一卷、诗八卷、文二十七卷。乾学文辞渊雅，学有本原，其才不下潘耒，使不为达宦，或更足取重于人。光绪中，昆山知县金吴澜喜刻书，得改本《憺园集》为之重刻，云集初刻成，乾学即没，丧中以数十部赠人，或有言其非者，秘不肯出，故流传不广。观改本皆措辞不得体，或用事有误，他无忌讳，然即此足知当日徐氏危疑之状矣。乾学兄弟皆缀巍科，寖寖向用，舅氏顾炎武学行为海内所推，乾学为之征书，缓黄县之狱，辞鸿博之荐，筹南归之计，虽由母命，亦实藉其馀光以收士类。自顺治中禁社盟，士流遂无敢言文社者。然士流必有所主，而弘奖风流者尚焉。乾学尤能交通声气，士趋之如水之赴壑，同时宋德宜、叶方蔼不能及也。余国柱独与之争，遂成怨府。李光地欲抑之使不得速化而已……明珠既斥，天子始得尽揽八旗兵权，恶乾学反复，必欲痛抑之……自后数年间，日有告讦徐氏者。明珠则已复职矣。三十三年，元文已前卒，有诏取乾学、鸿绪、士奇回京修书，乾学知有使者来，而不测祸福，遂卒。盖悸死也。文士多作诗哀思之，鲜有讥刺者。"袁行云《清人诗集叙录》卷九著录徐乾学《憺园诗集》八卷（光绪九年刻全集本）："徐乾学撰。乾学字原一，号健庵，江苏昆山人。父子念，为本乡豪绅。弟元文，先以顺治十六年己亥科状元及第，康熙九年，乾学以一甲三名进士授编修，十二年，弟秉义殿试探花。乾学初附明珠以进，后与高士奇、王鸿绪结党与明珠争权，官至刑部尚书。秉义官礼部侍郎，元文至文华殿大学士，一门极显贵。二十八年，以纵容子侄占田受贿，为副都御史许三礼纠劾，放归。卒于三十三年，年六十四。乾学在朝，标榜文史，尝奉命修《会典》、《明史》，纂集《古文渊鉴》。在洞庭南山修《一统志》，招揽学者甚众。所著《读礼通考》、《续宋元资治通鉴长编》，均未必全出己手。为纳兰性德成《通志堂经解》，亦经学巨帙。筑传是楼，富藏书，有《传是楼书目》行世。自著《憺园诗文集》，宋荦序，初刊于康熙三十六年。光绪九年，昆山知县金吴澜据改本刻全集三十六卷，并为之序。《诗集》八卷，首卷为赋，曰《虞浦集》者三卷，曰《词馆集》者二卷，曰《碧山集》者三卷。以其经历交游，所为或不止于此，盖晚年罢官，有所删避也。"

九月

十三日，**李良年**（1635—1694）卒。据李良年《秋锦山房集》附朱彝尊撰《征士李君行状》。朱彭寿《清代人物大事纪年》："康熙三十三年甲戌（公元 1694 年）：李良年，浙江嘉兴县征士。九月十三日卒。"《清史列传·文苑传》："李良年，字武曾，亦秀水人。诸生。生有隽才。与兄绳远、弟符，并著诗名，时称'三李'。少与朱彝尊、王翃、周篔、缪泳、沈进集里中为诗课，良年与彝尊齐名，时又称'朱李'。诗初学唐人，持格律甚严。尝钞撮《诗中禁字》一卷授学者，继乃舍初盛趋中晚，及宋元诸集。词不喜北宋，爱姜尧章、吴君特，所作颇似之。古文长于议论，为长洲汪琬所推许。生平游踪遍天下，后至京师，举博学鸿儒科，罢归。康熙三十三年，卒，年六十。著有《秋锦山房集》二十二卷。绳远，字斯年。由诸生入国学，考授州同知。著有《寻壑外言》五卷、《獭祭录》五十卷、《正字通补正》二十卷。符，字分虎。著有《香草居集》七卷。"李绳远（1633—1708），字斯年，号寻壑，自号樵岚山人，又号补黄村农，工诗，擅长俪体文。李符（1639—1689），原名符远，字分虎，一字耕客，号桃乡，工诗善词。沈德潜《国朝诗别裁集》卷一四选李良年诗五首，小传云："徐尚书健庵开史局于洞庭西山，武曾任分修，应亦邃于古者。"《四库总目提要》卷一八三著录李良年《秋锦山房集》二十二卷："国朝李良年撰。良年字武曾，秀水人。康熙己未，尝荐举博学鸿词，初冒姓虞氏，名兆潢，故当时荐牍无良年名。朱彝尊所作《墓志》，仅载其原名，而未载其冒姓，亦偶疏也。是编凡诗集十卷、词二卷、文集十卷。良年少有隽才，其游踪几遍天下，所未至者秦蜀、岭峤耳。其诗清峭洒落，亦颇得江山之助，惟自少至老，风调不变。其蹊径之狭，殆才分所偏欤？文则长于议论，而短于叙述，不逮其诗。词则已刻入六家词中者殆三分之二，品在其诗文之间云。"徐世昌编《晚晴簃诗汇》卷四六选李良年诗三十一首，《诗话》云："武曾十岁能诗，与兄绳远、弟符称'三李'。善为古文，间作俪体，脱稿辄弃去。人问其故，答曰：'吾家伯季并擅斯长，阿京不欲争胜。'阿京，其小字也。"邓之诚《清诗纪事初编》卷七著录李良年《秋锦山房集》二十二卷、《外集》三卷："徐乾学放归，开书局于洞庭山，良年常应聘与修《一统志》。良年集中有《奉简徐大司寇八百字》诗云：'嘉招惬所慕，菁华未销歇。便拟一蹇裳，稍待南风疾。'是招而未至之证。撰《秋锦山房》诗文各十卷、词二卷、《外集》三卷，则简札也。卒于三十三年，年六十。事具《清史列传·文苑传》及朱彝尊所撰《行状》。初良年于康熙十年入黔，客于巡抚曹申吉，选刻丙午（康熙五年）以后诗，自题其后曰：'幼慕微之称子美云，非有为而作，则诗不妄作。旋经兵燹，遂作为牢愁激楚之音。后与周篔、钟渊映辈相切劘自是稍趋法度。盖矜慎有馀，而排宕不足矣。出游万里，不废吟咏。要其所作，不过山川临眺、友朋赠答之作，盖田野之士所宜言止此。若夫有为而为，予则非其人也。'观其自评，可谓至当。盖惧贻祸患，不敢伤时，而格律深细，正其擅长处，亦'朱李'齐名胜于朱处……顾炎武尝与之札云：'此书中有一二条舛误，未得高明驳正，辄乃自行检举，容改得再呈。'所指为《日知录》。炎武未尝轻许人，而视良年若畏友，故不能谓良年学不如彝尊。"袁行云《清人诗集叙录》卷一○著录李良年《秋锦山房诗集》十卷（康熙三十四年刻本）："《诗集》十卷与《文集》十卷、《词》二卷、《外集》三卷合刻，《四库存目》无《文集》与《外集》。凡一千二百四十一首，起顺治十七八年间，迄康熙三十三年，但以行止出处为卷次，不编年月。兄绳远为之序。以所历名山巨河奇观胜迹，一一矢

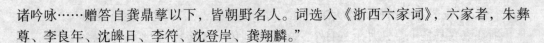

诸吟咏……赠答自龚鼎孳以下，皆朝野名人。词选入《浙西六家词》，六家者，朱彝尊、李良年、沈皞日、李符、沈登岸、龚翔麟。"

孔尚任与顾彩合著传奇《小忽雷》成。顾彩《桃花扇序》："犹记岁在甲戌，先生指署斋所悬唐朝乐器小忽雷，令余谱之。一时刻烛分笺，叠鼓竞吹，觉浩浩落落，如午夜之联诗，而性情加畅。翌日而歌儿持板待韵，又翌日而旗亭已树赤帜矣。"

吴之振自编《黄叶村庄诗集》八卷成。据冬日自识。

徐乾学撰《憺园集》三十八卷成。据宋荦序。

严遂成（1694—？）生。江庆柏《清代人物生卒年表》据《清代官员履历档案全编》卷一一括注严遂成生卒年为"1694—？"。袁行云《清人诗集叙录》卷二四著录严遂成《海珊诗钞》十二卷、《补遗》二卷（乾隆间刻本）、《明史杂咏笺注》四卷（道光七年刻本）："严遂成撰。遂成字崧瞻，号海珊，浙江乌程人。雍正二年进士，授知县，乾隆元年，举博学鸿词，未与试。官至云南嵩明知州。生于康熙三十三年，程晋芳为撰《小传》，无卒年。"乌程，今浙江吴兴。严遂成工于咏物，其《明史杂咏》四卷尤有名于时，或以诗史目之。海盐吴应和将他与厉鹗、钱载、王又曾、袁枚、吴锡麒并称为"浙西六家"，有《浙西六家诗钞》之刻。

魏礼（1629—1694）卒。朱彭寿《清代人物大事纪年》："康熙三十三年甲戌（公元 1694 年），卒岁：魏礼，江西宁都县诸生。卒年六十六。入国史《文苑传》。"《清史列传·文苑传》："礼，字和公，禧弟。少鲁钝，受业于禧，禧尝笞詈之，礼弗憾，曰：'兄固爱弟也。'禧喜过望。方九岁，父将析产，持一田券，踟蹰曰：'与祥，则礼损矣，奈何！'礼适在旁，应声曰：'任损我，毋损伯兄！'父笑曰：'是故鲁钝者耶？'礼寡言，急然诺，喜任难事。恒郁郁不得志，乃益事远游，足迹遍天下。所至必交其贤豪，物色穷岩遗侠之士。年五十，倦游，反于翠微左干之巅，构屋五楹。是时伯叔踵逝，石阁勺庭，久虚无人，诸子各散处，不复居易堂。礼独身率妻子居十七年，未他徙。卒，年六十六。著有《诗文集》十六卷。"陈田《明诗纪事》辛签卷一六选魏礼诗七首，又加按语云："宁都三魏，长善伯，次叔子，季和公。善伯任侠好义，当时隐君子暨族戚倚以为安危者三十馀年；叔子豪于文，以议论倾动海内；和公稍晚出，师事叔子，其文尤奇辟警动，而终归于正大。"徐世昌编《晚晴簃诗汇》卷一二选魏礼诗七首，《诗话》云："季子五言古诗，辞朴而意深。彭躬庵论其《再到岭南》诗一章'诵之惨怛，过于《春陵行》'，洵为知言。"邓之诚《清诗纪事初编》卷二著录魏礼《魏季子文集》十六卷："撰《魏季子文集》十六卷，禧为之序。谓诗好汉魏，文好周秦诸子，及其成也，诗类韩推之，文则近柳子厚。自今观之，才气奔放不如禧。而较谨饬有法。诗则颇近江西宗派，《西行诗》一百三首，一气贯注，实为杰作。子世效、世俨，继以古文著名，与从兄世杰称'小三魏'。"张舜徽《清人文集别录》卷二著录魏礼《魏季子文集》十六卷（《宁都三魏全集》本）："礼于文章之事，实不逮其兄远甚，盖为天资所限，仅以鲁得之，未能若其兄之才气发越也。"袁行云《清人诗集叙录》卷八著录魏礼《魏季子诗集》六卷（《宁都三魏全集》本）："是集首魏禧、彭士望序……集中作于粤中及琼崖者，《云零石歌》、《乘月渡海歌》，并联袂交陈恭尹。而《海南道中三十首》，尤称杰作，彭士望评云：'三十首中，水陆舟车，人民城郭，花木虫鱼，风俗物色，成败枯荣，甘苦夷险，雄奇细碎，阴晴寒暑，靡不毕载，令读者如身置其地，目击其情。'"

吴绮（1619—1694）卒。朱彭寿《清代人物大事纪年》："康熙三十三年甲戌（公元 1694 年），卒岁：吴绮，前浙江湖州府知府。卒年七十六。入国史《文苑传》。"《清史列传·文苑传》："吴绮，字薗次，江苏江都人。五岁能诗，长益淹贯。顺治十一年拔贡生，以荐，授秘书院中书舍人。奉诏谱《杨继盛乐府》，迁兵部主事，洊历郎中，授浙江湖州府知府，多惠政，不畏强御。湖州人称为'三风太守'，谓多风力，尚风节，饶风雅也。未几，罢归。贫无田宅，购废圃以居。有求诗文者，以花木润笔，因名其圃曰种字林。日读书，坐卧其中，箪瓢屡空，泊如也。性坦易，喜宾客。在湖州时，四方名流过从，赋诗游讌无虚日，其去官亦坐此。所作诗词骈体，合编为《林蕙堂集》二十六卷。诗才华富艳，瓣香晚唐，词最有名，儿童妇女皆能习之，以有'把酒祝东风，种出双红豆'之句，号曰红豆词人。又尝著《岭南风物记》，叙述简雅，与宋范成大《桂海虞衡志》相伯仲。辑《宋金元诗永》，能刊除宋人生硬之病与元人缛媚之失。《选声集》标举平仄，足为倚声家程式。"《四库总目提要》卷七〇著录吴绮《岭南风物记》一卷，同书卷一七三又著录其《林蕙堂集》二十六卷："国朝吴绮撰。绮有《岭南风物记》，已著录。王方岐作绮小传，称所著有《亭皋集》、《艺香词》、《林蕙堂文集》诸编。绮没之后，其子寿潜蒐访遗稿，合而编之。此本一卷至十二卷为四六，即所谓《林蕙堂集》也，十三卷至二十五卷为诗馀，即所谓《艺香词》也，二十六卷则以所作南曲附焉。国初以四六名者，推绮及宜兴陈维崧二人，均原出徐、庾。维崧泛滥于初唐四杰，以雄博见长；绮则出入于《樊南》诸集，以秀逸擅胜……其诗才华富艳，瓣香玉溪、樊川之间。诗馀亦颇擅名，有红豆词人之号……所作院本，如《啸秋风》、《绣平原》之类，当时多被管弦，以各有别本单行，故仅以散曲九阕缀之集末。统而观之，鸿篇巨制，固未足抗迹古人，而跌宕风流，亦可谓一时才士矣。"同书卷一九四又著录其所选《宋金元诗永》二十卷、《补遗》二卷，同书卷二〇〇又著录其《选声集》三卷、《词韵简》一卷。徐世昌编《晚晴簃诗汇》卷二七选吴绮诗十四首，《诗话》云："薗次以诗、古文词名海内者四十年，骈体文尤工，与陈其年并称。诗才富艳，在玉溪、樊川间。性好客，罢官后与诸名宿结春江花月社，凡索诗文者多以花木竹石为润笔资，不数月成林，因名种字林。尝选《宋金元诗》行世。"邓之诚《清诗纪事初编》卷四著录吴绮《林蕙堂全集》二十六卷："吴绮，字薗次，号听翁，江都人。顺治十一年拔贡生，荐授弘文院中书舍人，升兵部主事。奉诏撰《椒山乐府》，即以椒山之官官之，为武选司员外郎。曲子得官，唐宋所未有也。康熙五年，由郎中出为湖州府知府，八年以风雅好事失其官。贫不能自振，游食四方。卒于三十三年，年七十六……有《林蕙堂全集》二十六卷，凡文十二卷、诗十卷、词三卷、曲一卷，广州长寿寺僧大汕为出资二百缗刻之。绮工骈体文，与陈维崧、陆繁弨齐名。诗摹徐、庾，以清新为主。词有隽语。又谱《秋风啸》、《绣平原》院本，所谓才子也。"袁行云

《清人诗集叙录》卷六著录吴绮《林蕙堂诗集》十卷（康熙三十九年刻本）："撰《林蕙堂全集》二十六卷……作序者汪洪度、尤侗、杜濬、魏禧、靳治、陈维崧、大汕、鲁超、陶之典、沈恺。其诗胎息六朝，宗三唐，诸体皆工……与余怀、冒襄、纪映钟、施闰章、王士禛、宋荦、曹溶、梅庚、汪楫、蒋易、张潮、孙默、朱彝尊、沙张白、田雯、孔尚任更唱酬和，足见交游。其中广陵诗社诸子，尤可稽考。尝于吴兴构亭，纪念明诗人孙一元，集中有《拜孙太初墓》，称颂其人。为诗研精熟练，以妍词为重，是以诗名大江南北者数十年。"陈廷焯《白雨斋词话》卷六《红豆词人与王桐花》："'把酒嘱东风，种出双红豆'，吴茝次词也，当时有红豆词人之号；'郎似桐花，妾似桐花凤'，王阮亭词也，京师人呼为王桐花。此类皆一时情艳语，绝无关于词之本原。而当时转以此得名，何其浅也。"

公元 1695 年（清康熙三十四年　乙亥）

三月

张竹坡旬有馀日评点《金瓶梅》成。 乾隆四十二年刊本《张氏族谱·传述》载张道渊《仲兄竹坡传》："（竹坡）曾向余曰：'《金瓶》针线缜密，圣叹既殁，世鲜知者，吾将拈而出之。'遂键户旬有馀日而批成。"又张竹坡《第一奇书凡例》："此书非有意刊行，偶因一时文兴，借此一试目力，且成于十数天内，又非十年精思……"另康熙三十四年湖南刊本张竹坡评点《金瓶梅》卷首有序，后署"时康熙岁次乙亥清明中浣，秦中觉天者谢颐题于皋鹤堂"。

四月

初八日，尹继善（1695—1771）生。 朱彭寿《清代人物大事纪年》："康熙三十四年乙亥（公元 1695 年），生辰：尹继善，四月初八日生，字元长，号望山，满洲镶黄旗，章佳氏。享年七十七。"尹继善，雍正元年进士，改庶吉士，授编修，历官侍讲、户部郎中、内阁侍读学士、江苏巡抚，一督云贵，二督川陕，三督两江，官至文华殿大学士兼军机大臣，卒赠太保，谥文端。平生好诗，性耽吟咏，与袁枚唱和较多。著有《尹文端公诗集》十卷。

二十五日，孙致弥为褚人获《坚瓠集》作总序。 孙致弥《坚瓠集总序》（《笔记小说大观》本）："余自辛未岁归里留寓海涌峰，岑寂无赖，辱褚先生稼轩携屐过访，相见恨晚，余亦时往过从。稼轩意气豪迈，跌荡声酒，谢安石之丝竹，孔文举之壶觞，致足乐也。年少时与诸名士较胜文坛，誉日益起，既乃有子云之悔，益肆志于前代之载，二酉四库之藏，靡不博览而究心焉。发为诗古文辞类，足以度越流俗，追复正始，而间以其暇，搜录秦汉，以迄故明历代轶事；并访诸故老之旧闻，摘其佳事佳话之尤者，次为一编，命之曰《坚瓠集》……康熙乙亥岁首夏望后十日，年家同学弟孙致弥松坪漫题。"

五月

二十五日，褚人获为《封神演义》作序。序后署"康熙乙亥午月望后十日，长洲褚人获学稼题于四雪草堂"。午月，古人称农历五月。《封神演义》（又名《封神传》、《商周列国全传》）一百回，明舒载阳刊本卷二题云"钟山逸叟许仲琳编辑"。小说约成书于明代隆庆、万历年间，演义周武王伐纣故事。撰者许仲琳，号钟山逸叟，明应天府（今江苏南京）人。或云撰者乃陆西星，字长庚，明南直隶兴化（今属江苏）人，诸生。今褚人获序本较易见，另外，人民文学出版社 1973 年出版整理本《封神演义》。

七月

初三日，黄宗羲（1610—1695）卒。全祖望《鲒埼亭集》卷一一《梨洲先生神道碑文》："康熙三十四年，岁在乙亥，七月初三日，姚江黄公卒……公讳宗羲，字太冲，海内称为梨洲先生，浙江绍兴府馀姚县黄竹浦人也。忠端公尊素长子，太夫人姚氏，其王父以上世系，详见忠端公墓铭中。"《清史列传·儒林传》："黄宗羲，字太冲，浙江馀姚人。年十四，补诸生。父尊素，明天启间官御史，以抗直死魏阉之难。宗羲年十九，袖长锥入京颂冤，至则魏阉已磔，即疏请诛曹钦程、李实；又于对簿时，锥许显纯流血，殴崔应元胸，拔其须，归祭其父……及归，从刘宗周游，姚江末派援儒入释，宗羲力摧其说。时称御侮陈贞慧等作《南都防乱揭》，署名曰，被难诸家推宗羲居首。福王时，阮大铖案揭中姓名欲杀之，会大兵至，得免。寻归浙东，纠合黄竹浦子弟数百人，随诸军于江上，时呼世忠营。大兵定浙，宗羲间行归家，遂奉母里门，毕力著述。既而请业者日至，乃复举证人书院之会于越中，以申宗周之绪。其后东之鄞，西之海宁，皆请主讲，守令亦或与会，然非其志也。康熙十八年，诏征博学鸿儒，掌翰林院学士叶方蔼欲荐之，宗羲辞以疾，且言母老。十九年，左都御史徐元文监修《明史》，荐宗羲，辞如初。及诏取所著书关史事者，宣付史馆。二十九年，上访求遗献，刑部尚书徐乾学复荐宗羲，仍不出。然宗羲虽不在史馆，而史局每有疑事必咨之。宗羲之学，虽出宗周，不恣言心性，教学者，说经则宗汉儒，立身则宗宋学……上下古今，穿穴群言，自天官地志、九流百家之教，无不精研……史学则欲辑《宋史》而未就，仅存《丛目补遗》三卷；又辑《明史案》二百四十四卷……又《明文海》四百八十二卷，汇集明人文集二千馀家，撷其菁华，典章人物，灿然具备，与十朝国史亦多弹驳参正。文集则有《南雷文案》、《吾悔》、《撰杖》、《蜀山》诸集，及诗集，后又分为《南雷文定》，晚年复定为《文约》，《文定》十一卷、《文约》四卷。又《深衣考》一卷、《今水经》一卷、《四明山志》九卷、《历代甲子考》一卷、《二程学案》二卷。尚书汤斌尝曰：'黄先生论学如大禹导山导水，脉络分明，吾党之斗杓也。'……三十四年，卒，年八十六。弟宗炎、宗会，并负异才，有'三黄'之目。子百家。"《四库总目提要》卷六著录黄宗羲《易学象数论》六卷，同书卷二一又著录其《深衣考》一卷，同书卷三六又著录其《孟子师说》二卷，同书卷五八又著录其《明儒学案》六十二卷，同书卷七五又著录其《今水经》一卷，同书卷七六又著录其《四明山志》九卷，同书卷九〇又著录其《历代甲子考》一卷，同书卷九七又著录其《二程学案》二卷，同书卷一七四又著录其《剡源文钞》四卷，同书卷一八一又著录其《南雷文定》十一卷、《文约》四卷："国朝黄宗羲撰。宗羲有《周易象数论》，已著录。其所作古文，旧有《南雷文案》、《吾悔》、《撰杖》、《吾山》等集，晚年手自删削，名曰《文定》，后更刊存四卷，故曰《文约》云。"同书卷一九○又著录其《明文海》四百八十二卷："宗羲于康熙乙卯以前，尝选《明文案》二百卷，既复得昆山徐氏所藏明人文集，因更辑成是编。分体二十有八，每体之中，又各为子目。赋之目至十有六，书之目至二十有七，序之目至五，记之目至十有七，传之目至二十，墓文之目至十有三，分类殊为繁碎……明代文章，自何、李盛行，天下相率为沿袭剽窃之学，逮嘉、隆以后，其弊益甚。宗羲之意，在于扫除摹拟，空所依傍，以情至为宗，又欲使一代典章人物，俱借以考见大凡，故虽游戏小说家言，亦为兼收并采，不免失之泛滥。然其搜罗极富，所阅明人集几至二千馀家……亦可谓一代文章之渊薮，考明人著作者，当必以是编为极备矣。"同书卷一九四又著录其《姚江逸诗》十五卷、《明文授读》六十二卷，同书卷一九六又著录其《金石要略》一卷。徐世昌编《晚晴簃诗汇》卷一一一选黄宗羲诗三十三首，《诗话》云："梨洲受业蕺山之门，于学无所不通，诗其馀事。罗万藻序中所称《铁琴死战马》、《老狐行》诸篇，今《诗历》皆无之，盖少作删落不少矣。其自序有云：'多读书则诗不期工而工，若学诗以求其工，则必不可得。'即其诗可知已。"邓之诚《清诗纪事初编》卷二著录黄宗羲《南雷文定前集》十一卷、《后集》四卷、《三集》三卷、《四集》四卷、《南雷诗历》五卷："桂王既败没，知天下事无可为，乃作《明夷待访录》以见志，本《孟子》'民为贵'之义，欲改有明三百年不古不今之制，以救时弊。顾炎武贻书推之，谓惟建都金陵一事，不敢苟同。自是聚徒讲学，专意著述，巍然为东南文献者三十年。《明史》之修，屡征不起，以遗民终。卒于康熙三十四年，年八十六。事具全祖望所为《梨洲先生神道碑》。宗羲教人穷经以经世，而经世重在读史，其所成就者，亦以史为多……尤工为文，初师钱谦益，颇得其笔。撰《南雷文案》十卷、《南雷文定前集》十一卷、《后集》四卷、《三集》三卷、《四集》四卷、《五集》三卷，复约之为《南雷文约》四卷。南雷者，唐谢无尘故居，距宗羲所居竹桥数里，故以之名集。文多表彰先烈，所谓其文则史。诗摹山谷，硬语盘空，而有情致。刻《文案》时汰其诗十之二三，凡四百馀首，为《南雷诗历》。后全祖望增以晚年诗，厘为五卷，仅三百馀首而已。弟子中得其传者，首万斯同，《明史》之成，与有力焉。"张舜徽《清人文集别录》卷一著录黄宗羲《南雷文定前集》十一卷、《后集》四卷、《三集》三卷、《四集》四卷（耕馀楼精刊本）、《南雷馀集》不分卷（宣统三年顺德邓氏风雨楼丛书本）："宗羲之学，虽渊源于蕺山，然其趣径，实已廓而大之，非复明人讲心性理气、讲诚意慎独之旧规矣……宗羲治史，尤留意于当代文献，及乡邦掌故，实开浙东学派之先。是集文字，以碑、志、状之作为最多，信足以补正史传。其后万斯同、全祖望、邵晋涵、章学诚相继以起，而浙东史学乃臻极盛，皆宗羲倡导之力也。"袁行云《清人诗集叙录》卷三著录黄宗羲《南雷诗历》五卷（嘉庆间刻本）："《诗历》为手自汰存，有二老阁刻本，非全帙。此五卷本由全祖望增以晚年诗，郑大节校刻，共三百馀首，以《三月十九日闻杜鹃》始……虽学黄庭坚，而无聱牙之态。于明七子、钱谦益均有不满之词。与顾炎武、王夫之两大家，取径不同，而作诗之旨一也。"

邵长蘅撰《王氏渔阳诗钞》十二卷、《宋氏绵津诗钞》八卷成。据其自序。

十月

十六日，褚人获据《隋唐志传》改编《隋唐演义》二十卷一百回刊行。褚人获《隋唐演义序》："他不具论，即如《隋唐志传》，创自罗氏，纂辑于林氏，可谓善矣。然始于隋唐剪彩，则前多阙略，厥后铺缀唐季一二事，又零星不联属，观者犹有议焉。昔箨庵袁先生，曾示予所藏《逸史》，载隋炀帝、朱贵儿，唐明皇、杨玉环再世姻缘事，殊新异可喜，因与商酌，编入本传，亦为一部之始终关目。合之《遗文》、《艳史》，而始广其事；极之穷幽仙证，而已竟其局。其间阙略者补之，零星者删之，更采当时奇趣雅韵之事点染之，汇成一集，颇改旧观……时康熙乙亥冬十月既望，长洲褚人获学稼氏题于四雪草堂。"

王士禛自编《渔洋文略》十四卷成。据张云章序。

是年

洪昇请毛奇龄为《长生殿》作序。毛奇龄《西河合集·长生殿院本序》："洪君昉思好为词，以四门弟子遨游京师。初为《西蜀吟》，既而为大晟乐府，又既而为金、元间曲子。自散套、杂剧以至院本，每用之作长安往来歌咏酬赠之具。尝以不得事父母，作《天涯泪》剧，以寓其思亲之旨。予方哀其志而为之序之。暨予出国门，相传应庄亲王世子之请，取唐人《长恨歌》事作《长生殿》院本，一时勾栏多演之……今其事又六、七年矣，康熙乙亥，予医瘠杭州，遇昉思于钱湖之滨，道无恙外，即出其院本，固请予序。曰：'予敢序哉！虽然，在圣明固宥之矣。'"

吴乔（1611—1695）卒。江庆柏《清代人物生卒年表》据《围炉诗话》卷四、光绪《昆新两县续修合志》卷三四括注吴殳生卒为"1611—1695"。吴乔，原名殳。《清史列传·文苑传》："吴殳，字修龄，江苏昆山人。工诗，王士禛尝以善学西昆许之。其论诗，谓诗中须有人在，赵执信服膺以为知言。所著《围炉诗话》七卷……阎若璩尝读之，叹以为'哀梨并翦'云。"徐世昌编《晚晴簃诗汇》卷三八选吴殳诗五首，《诗话》云："修龄诗效西昆，好谈艺，著《围炉诗话》，臧否诸家。又作《正钱论》，专诋牧斋，为渔洋所不喜。秋谷因取其'诗中须有人在'一语入《谈龙录》以讥渔洋，遂成诗家门户标志。归愚谓其'自作獭祭，而未能自然，与平日议论不相照'，盖笃论也。"蒋寅《清诗话考》下编《清诗话经眼录》："吴氏自谓'一生困厄，息交绝游，唯常熟冯定远班、金坛贺黄公裳所见多合'，故书中采其议论独多……《围炉诗话》之增订实有慨于当时宋诗之风，欲公然独树一帜以矫之也。其多采贺说，即欲读者'读之则宋诗可不读'（自序）。然吴氏究不通宋诗，其比较唐宋诗之得失仅持比兴为言，批评宋诗又以唐诗为准绳，未见宋人佳处，徒自形其见解之狭隘而已。"《围炉诗话》今有《清诗话续编》整理本。

公元 1696 年（清康熙三十五年　丙子）

二月

二十六日，胡天游（1696—1758）生。朱彭寿《清代人物大事纪年》："康熙三十五年丙子（公元 1696 年），生辰：胡天游，二月二十六日生，字稚威，号云持。浙江山阴人。享年六十三。"胡天游，榜姓方，一名骙，字稚威，号云持，山阴（今浙江绍兴）人。雍正七年，中浙闱副车，乾隆元年荐举博学鸿词，以持服未与试。终生未仕，一生潦倒。工散文、骈体文，能诗，别树一帜。著有《石笥山房文集》六卷、《补遗》一卷、《诗集》十一卷、《诗馀》一卷、《补遗》二卷、《续补遗》二卷。

四月

二十八日，杭世骏（1696—1773）生。朱彭寿《清代人物大事纪年》："康熙三十五年丙子（公元 1696 年），生辰：杭世骏，四月二十八日生，字大宗，号堇甫、秦亭老民。浙江仁和人。享年七十八。"杭世骏，仁和（今浙江杭州）人。雍正二年举人，乾隆元年，召试博学鸿词，授翰林院编修。后以事罢归，主讲扬州安定书院、广东粤秀书院，为南屏诗社中人。工诗文，著有《道古堂诗集》二十六卷，分为《橙花馆集》、《过春集》、《补史亭剩稿》、《闽行杂录》、《赴召集》、《翰苑集》、《归耕集》、《寄巢集》、《修川集》、《桂堂集》、《岭南集》、《闲居集》、《韩江集》、《送老集》等十四集，另《集外诗》一卷。

五月

邵长蘅撰《古今韵略》五卷成。据宋荦序。

六月

二十日，余怀（1616—1696）卒。据李金堂校注《板桥杂记·前言》。江庆柏《清代人物生卒年表》据《明清江苏文人年表》括注余怀生卒年为"1616—1695"。不从。尤侗《艮斋倦稿》卷九《挽余曼翁八绝句》之二云："老来建在正堪夸，序齿居然先子牙。何意道场终九九，并非太岁在龙蛇。"《清史列传·文苑传》："余怀，字澹心，福建莆田人，侨居江宁。才情艳逸，工诗。生明季乱离之际，词多凄丽。尝赋《金陵怀古诗》，王士禛以为不减刘禹锡。与杜濬、白梦鼐齐名，时号'余杜白'，金陵市语转为'鱼肚白'。词藻艳轻俊，为吴伟业、龚鼎孳所赏。晚隐居吴门，徜徉支硎、灵岩间，征歌选曲，有如少年，年八十馀矣。尝撰《板桥杂记》三卷，记狭邪事，哀感顽艳，亦唐人《北里志》之类。又有砚癖，蓄砚最多，既老，分与内外诸孙，著《砚林》一卷。后竟以客死。著有《味外轩文稿》、《研山堂集》、《秋雪词》一卷，《宫闺小名后录》一卷。"余怀《板桥杂记序》："或问余曰：'《板桥杂记》何为而作也？'余应之曰：'有为而作也。'或者又曰：'一代之兴衰，千秋之感慨，其可歌可录者何限，而子唯狭邪之是述，艳冶之是传，不已荒乎？'余乃听然而笑曰：'此即一代之兴衰、千秋之感慨所系，而非徒狭邪之是述、艳冶之是传也。'"又其《板桥杂记后跋》云："余甲申以前，诗文尽皆焚弃。中有赠答名妓篇语甚多，亦如前尘昔梦，不复记忆。但抽毫点注，我心写兮，亦泗水潜夫记《武林旧事》之意也。知我罪我，余乌足以知之。"吴伟业《三吴游览志序》："余子博览群籍，耽情山水，游屐半东南。随见辄纪，日无虚策。顷来吴下，探胜选幽，山巅水涯，烟墨葱蔚。偶刻《三吴游览》一书，余伏而读之，曰：嗟夫！异哉！古今一时一事、一草一木，遇其人则传，不遇其人，则湮灭无闻者多矣。然其间哀乐之趣不同，要以性情触之，发为歌啸，著为文章，各自孤行一意。而兴会机境，因之以传，如阮步兵途穷之哭，谢康乐凿山之游，谢太傅泛海之舟，韩吏部华山之怵，皆是也。今余子汗漫寥萧，玄情艳照，虽陶写于丝竹，总无损其神明。推己外求，可以累心处都尽。昔务观《蜀记》有事而无诗，致能《吴船》详今而略古，而余子兼之，尺幅中居然有万里之势。抑何必抚琴动操，而后众山皆响也哉！"沈雄《古今词话·词评下卷·余怀秋雪词》："吴梅村曰：澹心词，大要本于放翁，而点染藻艳，出脱清俊，又得诸金荃、兰畹。此由学富而才俊，无所不诣其胜耳。龚芝麓曰：澹心余子，惊才绝艳，吐气若兰。而搦管题词，直搴淮海之旗，夺小山之篝者。"杨际昌《国朝诗话》卷一："莆田余澹心（怀）居建康，风流领袖，所著《板桥杂记》，世眼以为艳情，道眼以为殷鉴。《金陵怀古》诗，如《谢公墩》、《孙楚酒楼》、《雨花台》诸作，渔洋山人比之刘宾客。近人多爱其'绿萝僧院孤烟外，红树人家小阁西'一联。予谓写景虽工，要是装色画，非逸品也。不如'芳草故都春闭月，落花寒食夜开樽'淡宕有味。"

九月

十五日，陈宏谋（1696—1771）生。 朱彭寿《清代人物大事纪年》："康熙三十五年丙子（公元1696年），生辰：陈宏谋，九月十五日生，字汝咨，号榕门。广西临桂人。享年七十六。"陈宏谋，原名弘谋，以避乾隆帝弘历讳，改宏谋。临桂（今广西桂林）人，雍正元年进士，选庶吉士，授编修，历官云南布政使、江苏巡抚、东阁大学士兼工部尚书，卒谥文恭。能文章，亦善诗。著有《培远堂偶存稿》十卷、《文集》十卷，辑有《五种遗规》。

阎若璩撰《四书释地》一卷成。 据宋荦序。

是年

戴名世作《种树说》、《曹氏怪石记》等文。 据王树民《戴文系年》。（见中华书局1986年出版《戴名世集》附录）

屈大均（1630—1696）卒。 据汪宗衍《屈翁山先生年谱》。《清史列传·文苑传》："屈绍隆，字翁山，广东番禺人。明诸生。遭乱弃去，为浮屠，名今释，后返初服，更名大均。能书善诗。尝读书祁氏寓山园，不下楼者五月。久之，游吴，北走秦陇，与李因笃辈为友。又自固原携妻至代州、上谷，走马射生，纵博饮酒，世嘲笑之，不顾也。再上京师，下吴会，泝江宁，还粤。诗长于山林边塞，五言近体尤工，与陈恭尹齐名，王士禛亟称之。著有《九歌草堂集》。"沈德潜《明诗别裁集》卷一二选"方外"今种诗六首。陈田《明诗纪事》辛签卷一一选屈大均诗四十首，有按语云："翁山五言咏古诗，突兀奇崛，多不经人道语；七律雄宕豪迈，五律隽妙圆转，一气相生，有明珠走盘之妙。与区海目后先合辙。"徐世昌编《晚晴簃诗汇》卷一八选屈大均诗三十六首，《诗话》云："翁山少丁丧乱，尝逃于释氏，名今种，字一灵，又字骚馀，晚乃返冠服。诗自谪仙人，念乱忧生，盘郁哀艳，又以初遭鼎革，每多故国之悲。"邓之诚《清诗纪事初编》卷二著录屈大均《翁山诗外》十八卷："屈大均，字华夫，原名绍隆，字介子，号翁山，番禺人。据所撰《四松阡表》云：'永明王即真，赴肇庆行在，上《中兴六大典书》，以大学士王公化澄荐引，将得服官中秘，闻公寝疾遄归。'然则大均实永历遗臣也。后尝东至会稽，与魏耕、祁班孙同预通海之谋，又尝与李天生同客代州，当有规画。三藩事起，复左右其间……生平事迹，可得窥知者，仅此而已。生于崇祯三年庚午，没于康熙三十五年丙子，年六十有七。所撰《翁山易外》、《诗外》、《文外》、《翁山文钞》、《诗略》、《广东新语》、《广东文选》、《四朝成仁录》，皆以乾隆严禁之故，流传极稀。世传其遭禁由《雨花台衣冠冢志》，其实他文有关薙发者，若《藏发冢铭》、《长法乞人赞》、《秃颂》、《藏发赋》，皆为当时所万万不容者，愤激指斥之语，几于篇篇有之。未兴身后之狱，已为厚幸。据《清代文字狱档》，翁山书遭禁始于雍正八年，所颁《大义录》中张熙供辞，涉及屈翁山集。其子惠来县教谕屈明洪，自行投首，照出首减等，与子自暎、宗昌遣戍福建，乾隆二年赦归。翁山祔葬番禺思贤村父宜遇墓下，原拟剉尸枭示，得旨宽免。至乾隆三十九年，于屈昭泗家查出《翁山文外》，内有《雨花台衣冠冢铭》，严查未获。稔滇、昭泗初拟斩决，得旨但毁其书，不必治罪，并免翁山剉尸。此其案大略也。乾隆一朝禁书，以翁山为最严，其恶护发，殆有胜于诽谤矣。大均有著述之才，不止以诗文重，然诗文独步一时，未有能及之者。"张舜徽《清人文集别录》卷三著录屈大均《翁山文外》十六卷（宣统二年国学扶轮社铅印本）、《翁山文钞》十卷（前四卷《广东丛书》第一集影印清初刻本，后六卷《广东丛书》第二集影印传抄本）、《翁山佚文辑》三卷（番禺徐信符辑，《广东丛书》第一集本）、《翁山佚文二辑》一卷（番禺黄荫普辑，《广东丛书》第二集本）："大均诗文，在当时有盛名。所为文简古雅洁，浸淫秦汉，自是清初岭南一大家。顾其所以自托于诗文者，固别有在也。故其言曰：'吾少遭变乱，屏绝宦情，盖隐于山中者十年，游于天下者二十年，所见所闻，思以诗文一一载而传之。诗法少陵，文法所南，以寓其褒贬予夺之意。而于所居草堂，名曰二史，盖为少陵以诗为史，所南以信为史云。'（详《文钞》卷二《二史草堂记》）大均生值明清之际，目睹家国破亡之惨，一欲纪其实迹，托诗文以昭之来叶。视夫世俗规规于词翰之末以图不朽者，顾夐然远矣。其诗文虽早有刻本，然亦其中多触犯清廷忌讳，乾隆时禁毁之令尤严。故其遗文，多致残佚改窜，无复旧观。《文外》原刻本，流传既罕，旧刻本实非完璧。嘉业堂刻本，国学扶轮社铅印本，则更多臆改。《文钞》十卷之书，钞本与刻本，多寡亦殊。近得粤人徐信符、黄荫普搜辑遗佚，刊入《广东丛书》，于是大均遗文，始稍全备。"袁行云《清人诗集叙录》卷九著录屈大均《翁山诗外》十八卷（宣统二年排印本）："屈大均撰……尝读书祁氏寓山园，复与同里诸子为西园诗社。又逾岭北游，抵京师。东出榆关，西至秦晋，北出雁门，与秦中名士王弘撰、李因笃为友。代州将军有甥女，妻之。后又往来荆楚、粤西，晚归里，于康熙三十五年卒，年六十七。诗集初刻曰《道援堂集》，二刻曰《翁山诗略》，三刻曰《诗外》，均从二集简出，自谓聊应同人之求。今以《诗外》与十二卷本相覆，重要篇章，悉已收录。自序云：'吾诗之内者，以《书》以《春秋》为之，其外者乃以诗为之。'是为命之自。其诗忧忾任气，历落使才，极奔驶之状，前人已有定评。而抚时感事，无不心怀明室……大均与陈恭尹齐名，与梁佩兰称岭南三家。有清一代，岭南诗人绵延不绝，三子实开其端。惟大均明亡时年未弱冠，初入沙门，后为代州将军作赘（见毛奇龄《湘中集》为屈生悼亡诗），五十年作汗漫游。既无恢复之图，作诗痛哭，遂成大梦。复广交贤达，而散发行吟，自比屈子，较诸陈恭尹身遭家难，终身完节，亦不过含蓄委曲发于叹息，自有任意与不任意之别矣。观陈、梁二家寄怀诗，及汪森《寄屈翁山》长歌（见《小方壶存稿》），于其平生志节，可窥大概。朱彝尊、潘耒、毛奇龄、周在浚、吴苑，同时朝野名家，均有寄赠。遗民交往之广，无逾于大均者也。大均生前三刻其集，声名藉甚。直至雍正八年，以张熙案牵涉，书始遭禁。原拟戮尸，得宽免。乾隆三十九年，书列全毁。雍、乾间文人诗集于大均诗稍有顾忌，见有作诗谩骂者。唯《岭南群雅二集》有崔弼答屈超元四首，题为《超元以藏翁山书入狱既而恩免诗以慰之且答其狱中札》，其一云：'道援堂前欲断魂，难凭青草对黄昏。不将一死酬君父，空著遗书累子孙。炼石已无天可补，覆巢宁见卵犹存。西陵台下歌千叠，击竹伤心不忍论。'罪及藏书。弼字积巨，番禺人。嘉庆六年举人。超元当为大均族孙。诗约作于乾隆后期。道光后读大均诗集者又多颂扬。清末国粹派将《翁山易外》、《广东新语》、《四朝成仁录》等书陆续印出。是集即《广东丛书》本，而原刻本亦不甚难得也。"

王揆（1619—1696）卒。江庆柏《清代人物生卒年表》据《江苏艺文志·苏州卷》括注王揆生卒为"1619—1696"。王揆为太仓十子之一。田雯《太仓王氏诗总序》："《芝廛集》如天女散花，幽香万片，行云天际，舒卷自如。渊明云'清谣结心曲'，芝廛之谓也。"徐釚《本事诗后集》："芝廛渡江，访阮亭于扬州，为绝句数十首，兴酣歌唱，不减旗亭。王昊惟夏云：'骑鹤腰缠未必兼，赢他才藻比江淹。琼花浪自夸仙种，敢与词人斗笔尖。'王曜升次谷云：'莫话雷塘一段愁，锦帆风月已千秋。知君更有伤心处，芳草斜阳懒上楼。'"姚莹《识小录》："余考十子，大抵师法梅村，故诗皆以绵丽为工，悲壮为骨；中以端士、伊人、虹友为最。"《清史列传·文苑传》："王揆，字端士，亦太仓州人。顺治十二年进士。父时敏，字逊之，崇祯初以荫历官太常寺卿。工诗文，兼精隶画，画师黄子久，为海内所珍。与从子王鉴、弟子王翚，称'三王'，时敏尤为领袖。入国朝，隐居不仕。卒年八十九，著有《西田集》。揆承家学，与弟撰、抒、摅，结课赋诗，宗尚正轨。揆诗曰《芝廛集》，田雯甚称之。康熙十八年，巡抚慕天颜疏荐博学鸿儒，揆力辞。居乡，志切民生，尝请当事厘剔泸州税课蠹弊。刘家河久淤，上书巡抚请浚凿之。"沈德潜《国朝诗别裁集》卷四选其诗四首。邓之诚《清诗纪事初编》卷三著录王揆《太仓十子诗选·芝廛集》："王揆，字端士，时敏次子。顺治十二年进士，以推官用不出。康熙十七年，诏举博学鸿儒，巡抚慕天颜疏荐，力辞。卒年七十一，有《芝廛集》。"选其诗二首。袁行云《清人诗集叙录》卷六著录王揆《芝廛集》一卷（《太仓十子诗选》本）："吴伟业选其诗七十九首，刻入《太仓十子诗选》。十子诗首为周肇《东冈集》，次为《芝廛集》。以下为许旭《秋水集》、黄与坚《忍庵集》、王撰《三馀集》、王昊《硕园集》、王抃《健庵集》、王曜升《东皋集》、顾湄《水乡集》、王摅《步檐集》。其中《秋水集》有十卷刻本，黄与坚诗单刻名《愿学斋集》，王昊诗单刻《硕园诗稿》有三十卷本，王抃诗单刻名《巢松集》，王摅诗单刻名《芦中集》，馀五家俱赖诗选以传。《四库提要》谓十家之作，如出一手，是未寓目所有专集，未免武断。唯诸见于康熙间人诗文集及郡志佚文，尚可收集。观此集诗，眺览山川，跌宕有自然之趣，与顾湄、陈瑚等往还，有诗亦可见交游。"

公元 1697 年（清康熙三十六年　丁丑）

正月

顾嗣立撰《温飞卿诗集笺注》九卷成。据其自序。

三月

姜宸英考中一甲第三名进士。

是年秋

洪昇在苏州，江宁巡抚宋荦命梨园演《长生殿》，为一时盛事。尤侗为《长生殿》作序。王锡《啸竹堂集·闻吴门演长生殿传奇一时称盛不得往游与观有作并小序》于"宋璟梅花赋，何嫌铁石肠"下注云："宋大中丞命梨园演《长生殿》，水陆观者如蚁。"又《长生殿》卷首有尤侗序云："洪子既归，放浪西湖之上，吴越好事闻而慕之，重合伶伦，醵钱请观焉。洪子狂态复发，解衣箕踞，纵饮如故……乃洪子持此传奇，要余题跋。余八十老翁，久不作狡狯伎俩，兼之阿堵昏花，坐难卜夜，虽使妖姬蹈宴，亦未见其罗袖动香香不已也。聊酬数语，以代周郎一顾而已。西堂老人尤侗书于亦园之揖青亭。"

十月

初五日，惠栋（1697—1758）生。《清代碑传全集》卷一三三王昶《惠先生墓志铭》："先生生康熙三十六年丁丑十月初五日，终乾隆二十三年戊寅五月二十二日，年六十有二。"惠栋，字定宇，号松崖，吴县（今属江苏）人。诸生，以乾隆九年乡试被黜，遂无意进取，笃志向学，深于经术，著述宏富。著有《毛诗古义》、《古文尚书考》、《后汉书补注》、《松崖笔记》、《松崖文钞》等。少嗜王士禛《渔洋精华录》，尝撰《精华录训纂》二十四卷，为世所传。

公元 1698 年（清康熙三十七年　戊寅）

四月

六日，钱陆灿（1612—1698）卒。杨钟羲《雪桥诗话》卷二："圆沙字尔韬，一字湘灵，以乙亥拔贡，复中丁酉江南第二名举人，尝得通判不仕。康熙壬申卒，年八十一。有《圆砚居士集》。"朱彭寿《清代人物大事纪年》谓钱陆灿卒于康熙三十六年（1697）。皆不从。邓之诚《清诗纪事初编》卷三谓钱陆灿"卒于康熙三十七年戊寅四月六日，年八十七"，今从。沈德潜《国朝诗别裁集》卷五选钱陆灿诗一首，小传云："湘灵为牧斋族子，然其诗不为虞山派所缚，别调独弹，戛戛自异，毗陵学诗者多宗之。"王豫《江苏诗征》引《荻汀录》："先生诗骨力雄厚，一扫浮靡。古文不名一家，磊落自喜。晚年与徐乾学、王日藻、秦松龄、周金然、尤侗、黄与坚为耆年会，先生齿尊名高，诸公皆兄事之。"徐世昌编《晚晴簃诗汇》卷二八选钱陆灿诗二首。邓之诚《清诗纪事初编》卷三著录钱陆灿《调运斋诗文随刻》："钱陆灿，字尔弢，号圆沙，常熟人。补无锡县学生，后始复本姓钱。顺治十一年，以前明贡生廷试得候缺通判。十四年举北闱第二人，以奏销案褫革。卒于康熙三十七年戊寅四月六日，年八十七。此集随时所刻，后始裒为一编。首有自序，作于戊辰（康熙二十七年），而有作于戊寅之文，盖后有增益也。诗为乙丑（康熙二十四年）后数年所作七律八十一首、七古一篇。门人倪师霍题其后曰：'己酉（康熙八年）以后有诗千馀篇未刻。'然则明季至己酉之诗，宜数倍于此，不下数千首，可称大家，惜皆失传矣。又《和陶诗》一卷，则吕留良辛亥（康熙十年）所刻者。文凡四十九首，陆灿自谓文有二百馀首，此特四之一而已。其诗富于才情，稍伤率易。文则力矫其时欧、曾之习，务为高古，而不免于冗蔓。所师事者，文则顾大韶，诗则吴伟业，诗文则马世奇，佛则熊开元。于谦益为族孙，而不仰其馀光，且讥依倚谦益者，以妖冶为温柔，堆砌为敦厚，不知诗家有悟入一路，盖不满于冯氏兄弟。然吴殳《正钱录》出，立起而驳之，使无置喙馀地。力称谦益之文，不名一家，不拘一体，学则地负海涵，文则班、马、韩、柳，不止为谦益捍卫，亦隐以自负焉……自谦益长东南文坛数十年，陆灿以一穷老书生继之，巍然领袖一方，至良择而虞山诗教始衰矣。陆灿尝辑《列朝诗集小传》别行，补苴是正，为功不少，试以两本对勘，即可辨之。又手批《梅村诗集》，程穆衡取其有关旧事者，入所撰《梅村诗笺》，所谓'钱笺'是也。予藏康熙中曹炎过录本，于梅村诗鄙俚处，及用事失当者，纠弹不为师讳，盖直谅多闻人也。惜其诗文传者仅此，为辑诗八十馀首、文六首、尺牍八首，成《补遗》一卷，附此集之后。"袁行云《清人诗集叙录》卷四著录钱陆灿《调运斋诗集》五卷、《和陶诗》一卷、《再生录》一卷："钱陆灿撰……客游扬州、金陵几三十年。晚年主讲常州，严虞惇、王弘撰、庄楷、钱名世皆其弟子。卒于康熙三十七年，年八十七。是集名《调运斋诗文随刻》，去文取诗，得七卷。诗多以杂诗、古近体若干首为目，而各首不著标题。首有门人总序。陆灿为钱谦益族孙，诗宗晚唐，兼学白居易，以鞭丽为尚，在东南颇负文望。尝批校《杜诗》、《梅村集》。学识不高，乃主持一方文会，学者争师事之，俨然宿学老儒。虽然，据门弟子跋云，其诗尚有千馀首未刻。又散见诸家集中诗文，如孙宗彝《爱日堂集》所附

《墓志铭》、陈维崧《箧衍集》卷七所选七古《凤阳与戚价人叹旧》、沈德潜《别裁》卷五所选七古《牡丹花下同袁箨庵》等长句，刻意经营，笔力甚肆，是亦有过人之处矣。许之渐《击壤纪年笺》载唱和诗。"

五月

十五日，刘大櫆（1698—1779）生。 朱彭寿《清代人物大事纪年》："康熙三十七年戊寅（公元 1698 年）：生辰：刘大櫆，五月十五日生，字耕南，号才甫、海峰。安徽桐城人。享年八十二。"姚鼐《惜抱轩文集后集》卷五《刘海峰先生传》："刘海峰先生名大櫆，字才甫，海峰其自号也。桐城东乡滨江地曰陈家洲，刘氏数百户居之，为农业多富饶。独海峰生而好学，读古人文章，即知其意而善效之。年二十余，入京师。当康熙末，方侍郎苞名大重于京师矣，见海峰大奇之，语人曰：'如苞何足言耶！吾同里刘大櫆，乃今世韩、欧才也。'自是天下皆闻刘海峰。然自康熙至乾隆数十年，应顺天府试，两登副榜，终不得举。乾隆元年举博学鸿词，乾隆十五年举经学，皆不录用……年逾六十，乃得黟县教谕。又数年，去官归枞阳，不复出，卒年八十三……天下言文章者，必首方侍郎。方侍郎少时，尝作诗以视海宁查侍郎慎行。慎行曰：'君诗不能佳，徒夺为文力，不如专为文。'方侍郎从之，终身未尝作诗。至海峰，则文与诗并极其力，能包括古人之异体，熔以成其体，雄豪奥秘，麾斥出之，岂非其才之绝出今古者哉？其文与诗皆有雕版，鼐欲稍删次之合为集，未就，乃次其传。"编者按，此言卒年八十三，似有误。吴定《海峰先生墓志铭》："先生姓刘氏，讳大櫆，字耕南，号海峰，桐城人也。曾祖日燿，明崇祯时，以贡士廷试授歙县训导；祖甡、父柱皆县学生。先生状貌丰伟，而性情直谅宽博，读书工辞章之学。自古文亡于南宋，前明归太仆震川暨我朝方侍郎灵皋继作，重起其衰，至先生大振。其才之雄，兼及《庄》、《骚》、《左》、《史》，韩、柳、欧、曾、苏、王之能，瑰奇恣睢，铿锵绚烂，足使震川、灵皋惊退改色。诗亦孕育百氏，供我使令。元、明以来，辞章之盛，未有盛于先生者也。年二十九，应举入京师，钜公贵人，皆惊骇其文，而尤见赏于方侍郎暨吴荆山阁学，以为昌黎复出。已而两中副榜，贡生以终。乾隆之初，邵开府、余京兆欲荐先生贤良方正，辞。会举博学鸿词，方侍郎以先生荐，及试，为大学士张文和所黜，而文和后大悔。洎乾隆五十年，诏举经学，文和独举先生，而文和旋去位。乃出为教谕于黟。黟士至今感诵先生教育之仁不息。国家用经义选天下士，二先生以振古之文，生于列盛相承、文教累洽之日，又有持权者为之引延，而卒沦溺下僚，不获展其才以没，则信乎命之穷也。然而富贵之荣，没则寂焉，斗筲之功名，亦泽竭则忘焉。天地之光华一日不掩，则先生之文章一日不磨。畀先生以旷世不数畀之才，而特假岩壑宽闲之岁月，以成先生千古之荣，天之眷佑之者至矣。即使先生数奇，屈于生复屈于死，卒致泯没于无闻，而先生之可不朽乎此生者自在也，其又奚怼焉？所著诗文集已久行世。其卒也以乾隆四十四年十月初八日，年八十有二。"《清史列传·文苑传》："大櫆虽游方苞之门，所为文造诣各殊，苞择取义理于经，所得于文者义法；大櫆并古人神气音节得之，兼及《庄》、《骚》、《左》、《史》，韩、柳、欧、曾之长，其气肆，其才雄，其波澜壮阔，尝著《观化篇》，其诡似庄子。其他言义理者，又极醇正。诗能包括前人，熔诸家为一体。著有《海峰文集》八卷。从游者多以诗文鸣，而姚鼐、吴定为最著。"刘师培《论文杂记》："凡桐城古文家，无不治宋儒之学以欺世盗名，惟海峰稍有思想。"孙殿起《贩书偶记》卷一四著录刘大櫆《海峰文集》无卷数、《诗集古体》五卷、《今体》六卷，又著录《海峰文集》八卷、《小称集》一卷，孙殿起《贩书偶记续编》卷一九著录刘大櫆选《历朝诗约选》九十二卷，卷二〇著录《论文偶记》一卷。今人有整理本《刘大櫆集》，上海古籍出版社 1990 年出版。

六月

阎若璩撰《困学纪闻笺》成。据阎咏跋。

九月

十五日，张竹坡（1670—1698）卒。乾隆四十二年刊本《张氏族谱·族名录》："道深……生年二十九岁，于康熙戊寅年九月十五日疾终于直隶保定府永定河工次。"又同书《传述》载张道渊《仲兄竹坡传》："（竹坡）遇故友于永定河工次，友荐兄河干效力，兄曰：'吾聊试为之。'于是昼则督理插畚，夜仍秉烛读书达旦。工竣，诣钜鹿会计帑金，寓客舍。一夕突病，呕血数升。同事者惊相视，急呼医来，已不出一语。药铛未沸，而兄淹然气绝矣，时年二十有九。"以上有关考证均采自吴敢《张竹坡年谱简编》，见吴敢《曲海说山录》，文化艺术出版社 1996 年出版。刘廷玑《在园杂志》卷二《历朝小说》："若深切人情世务，无如《金瓶梅》，真称奇书。欲要止淫，以淫说法；欲要破迷，引迷入悟。其中家常日用，应酬世务，奸诈贪狡，诸恶皆作，果报昭然。而文心细如牛毛茧丝，凡写一人，始终口吻酷肖到底。掩卷读之，但道数语，便能默会为何人。结构铺张，针线缜密，一字不漏，又岂寻常笔墨可到者哉！彭城张竹坡为之先总大纲，次则逐卷逐段分注批点，可以继武圣叹，是惩是劝，一目了然。惜其年不永，殁后将刊版抵偿凤逋于汪苍孚，苍孚举火焚之，故海内传者甚少。"孙楷第《中国通俗小说书目》卷四著录《金瓶梅》一百回："以上诸本（指日本内阁文库藏明本、日本长泽规矩也藏本、北京市图书馆藏明本、北京大学图书馆藏明本——编者）皆无欣欣子序，盖皆崇祯本。以校词话原本，原本开首数回演武松事者删去，易以西门庆事；诸回中念唱词语亦一概删去，白文亦有删去者。每回前附诗多不同。是为说散本《金瓶梅》。张竹坡评本《金瓶梅》自此本出。"同卷又著录四种《张竹坡评金瓶梅》一百回，谓"皆有谢颐序，版心题第一奇书"。又云："乾隆丁卯刊本，板心上题奇书第四种，半叶十一行，行二十四字。亦有谢颐序。"编者按，此谢颐，或谓即张竹坡友人涨潮，或谓乃张竹坡之化名。

十一月

初四日，曹贞吉（1634—1698）卒。据张贞《潜州集·祭曹实庵先生文》。《清史列传·文苑传》："曹贞吉，字实庵，山东安丘人。康熙三年进士，官至礼部郎中。生而嗜书，以歌诗为性命。始得法于三唐，后乃旁及两宋，泛滥于金元诸家，所为诗，气清力厚，一往情深，而不喜矜言体格。尝为《黄山纪游》诸作，宋荦见之曰：'此山名作，向推虞山，今被实庵压倒矣。'在京师时，和王士禛《文姬归汉》等长歌，极有笔力。士禛选《十子诗略》，贞吉与焉。间倚声作词，追踪宋人。吴绮名家词选，以为压卷，流传江左，一时推为绝唱。为人介特自许，意所不欲，万夫不能回。以是多取嫉于人，而亦以是为清议所重。尤笃于师友，尝从施闰章游，闰章殁，经纪其后，不遗馀力。每与汪士铉话及往事，涕泗交颐。所作《拜愚山野殡》三章，低徊欲绝。著有《朝天鸿爪》、《黄山纪游》等集。其后人汇刻之，曰《珂雪诗》。然士禛《感旧集》所撰诸诗，皆不见集中，盖全稿多散失云。"黄宗羲《曹实庵先生诗序》（见《黄宗羲全集》第十册）："余至新安，得交实庵先生。其为人渊渟岳峙，望之使人意消。英辞风誉，播于寰宇，而处之若无。靳使君架上有先生《珂雪诗》净本，因携至舟中读之。其为诗如江平风霁，微波不兴，而汹涌之势，澎湃之声，故已隐然在其中矣。世称李诗得变风之体，杜诗得变雅之体，先生盖兼有之……先生之诗。以工夫胜，古今诸家，揣摹略尽，而后归之自然，故平易之中，法度历然，犹不识之治兵也。不求与古人合而不能不合，不求与古人异而不能不异，谓之有所学可也，谓之无所学亦可也。"邓汉仪《诗观三集》："张山来曰：词赋之盛首推西清，而山左尤擅。其最如田公纶霞、颜公修来、谢公方山，皆矫然独出者。而实庵曹公则深沉博丽，众美悉兼。近复刊华，全以识胜。《朝天》诸作，得之车尘马足间，而精诣如许，真不可及。"沈德潜《国朝诗别裁集》卷六选曹贞吉诗三首，小传云："商丘宋公极推作者《游黄山诗》，谓此山名作寥寥，向推虞山，今被实庵压倒矣。惜未能多见，只存《文殊院》一篇。"《四库总目提要》卷一八三著录曹贞吉《珂雪诗》："国朝曹贞吉撰……王士禛有《十子诗略》之刻，贞吉与焉。因其版分藏各家，故往往各以别本单行。后其曾孙益厚，即士禛所录，附以《朝天》、《鸿爪》、《黄山纪游》等集，总颜之曰《珂雪诗》。贞吉诗格遒炼，其《黄山》诸作，极为宋荦所推。在京师时，和其《文姬归汉图》等长歌，极有笔力。今检集中，不载。又士禛《感旧集》所选《登望海楼》、《吴山晚眺》、《金山》诸诗，亦皆不见集中，则全稿散失者多矣。"同书卷一九九又著录其《珂雪词》二卷："国朝曹贞吉撰。贞吉有《珂雪诗》，已著录。是编则其诗馀也。上卷凡一百三十四首，下卷凡一百五首。其总目所载补遗，尚有《卜算子》、《浪淘沙》、《木兰花》、《春草碧》、《满江红》、《百字令》、《木兰花慢》、《台城路》等八调，而皆有录无书，殆以附在卷末，装辑者偶失之欤？其词大抵风华掩映，寄托遥深，古调之中，纬以新意。不必模周范柳，学步邯郸，而自不失为雅制。盖其天分于是事独近也。"徐世昌编《晚晴簃诗汇》卷三五选曹贞吉二首诗，《诗话》云："升六以填词名世，诗多豪迈之作。《黄山纪游集》尤有奇趣。"田同之《西圃词话·浙西六家词》："本朝士夫，词笔风流，自彭、王、邹、董，以及嘉陵、实庵、蛟门、方虎并浙西六家等，无不追踪两宋，掉鞅后先矣。而其间惟实庵先生，不习闺襜靡曼之音，既细咏之，反觉妩媚之致，更有不减于诸家者，非其神气独胜乎？由是知词之一道，亦不必尽假裙裾，始足以写怀送抱也。"毛大瀛《戏鸥居词话·曹贞吉赠柳敬亭词》："曹禾曰：柳生敬亭以平话闻公卿，入都时，邀致接踵。一日过石林许曰：薄技必得诸君子赠言以不朽。家实庵首赠以二阕，合肥龚尚书见之扇头，沉吟叹赏，即援笔和韵珂雪之词，一时称盛。京邑学士顾庵叔自江南来，亦连和二章，敬亭名由此增重。实庵首调寄《沁园春》云：'席帽单衫，击缶鸣鸣……'其次阕，调寄《贺新凉》云：'咄汝青山叟……'王阮亭曰：'赠柳生诗词，牛腰束矣，当亦此两词为压卷。'"冯金伯《词苑萃编》卷八《曹实庵咏物词》："词至南宋始工，斯言出，未有不大怪者，惟实庵舍人意与余合。今就咏物诸词观之，心摹手追，乃在中仙、叔夏、公谨，兼出入天游、仁近之间。北宋自方回、美成外，慢词有此幽细绵丽否（朱竹垞）。"陈廷焯《白雨斋词话》卷三《珂雪词取径较正》："曹升六《珂雪词》，在国初诸老中，最为大雅，才力不逮朱、陈，而取径较正。国朝不乏词家，《四库》独收《珂雪》，良有以也。"邓之诚《清诗纪事初编》卷六著录《珂雪集》一卷、《朝天集》一卷、《鸿爪集》一卷、《黄山纪游诗》一卷、《珂雪词》二卷："贞吉诗从七子入手，世贵眉山、剑南，乃稍变其体，故为士禛所赏。然读其七古诸篇，悲歌慷慨，自是才人。与弟申吉可称二难。盖盛衰之感，不能寓于肤阔，此其所以折而入宋欤？尤工填词，出入南北宋，无语无寄托。不为闺襜靡曼之音，时人以比嘉善曹尔堪，称南北二曹。然其变化无端处，非尔堪所能及也。"袁行云《清人诗集叙录》卷一〇著录曹贞吉《珂雪诗》六卷（乾隆三十五年补刻本）："曹贞吉撰……《珂雪词》行世甚早，而诗无全刻。乾隆三十五年曾孙益厚搜罗单行板刻，裒为此集。卷一曰《珂雪集》，王士禛评。卷二曰《珂雪二集》，李良年序，弟申吉序。有王士禛、宋荦选宋琬、王又旦、曹贞吉、颜光敏、叶封、田雯、谢重辉、丁炜、曹禾、汪懋麟之诗，为《十子诗略》。此本截取贞吉诗，为卷三。以下《朝天集》一卷，以内阁中书出为徽州府同知作。袁启旭序，赵执信评。《鸿爪集》一卷，为往来陵阳作。《黄山纪游诗》一卷，凡三十七首。其诗长篇短韵，曲折尽致。感而多风……生卒年向未究，仅曹申吉序云'兄长予一岁'。今于张贞《潜州集》见《祭曹实庵先生文》，又有《曹贞吉墓志》，知为崇祯七年正月二十二日生，康熙三十七年十一月四日卒。得年六十五。"

公元 1699 年（清康熙三十八年　己卯）

三月

顾嗣立撰《昌黎诗集注》十一卷成。据其自序。

四月

初十日，康熙帝南巡驻江宁织造曹寅署，见曹寅母孙氏（康熙幼时乳母），有"此吾家老人也"之语，赐书"萱瑞堂"三字。据冯景《解春集文钞》卷四《御书萱瑞堂》。

十五日，康熙帝为明太祖陵题"治隆唐宋"碑额，命巡抚宋荦、江宁织造曹寅修明太祖陵。据《清史编年》。

阎若璩撰《孟子生卒年月考》一卷成。见顾嗣立序。

六月

孔尚任撰《桃花扇》传奇三易稿而成。孔尚任曾改徐旭旦《世经堂初集》卷一〇《桃花扇题辞》为《桃花扇小引》："《桃花扇》一剧，皆南朝新事，父老尤有存者。场上歌舞，局外指点，知三百年之基业，隳于何人，败于何事，消于何年，歇于何地？不独令观者感慨涕零，亦可惩创人心，为末世之一救矣。盖予未仕时，山居多暇，博采遗闻，入之声律，一句一字，抉心呕成。今携游长安，借读者虽多，竟无一句一字着眼看毕之人，每抚胸浩叹，几欲付之一火。转思天下大矣，后世远矣，特识焦桐者，岂无中郎乎？予姑俟之。康熙己卯三月，云亭山人偶笔。"又孔尚任《桃花扇本末》："予未仕时，每拟作此传奇，恐见闻未广，有乖信史，寤歌之馀，仅画其轮廓，实未施其藻采也。然独好夸于密友曰：'吾有《桃花扇传奇》，尚秘之枕中。'及索米长安，与僚辈饮宴，亦往往及之。又十馀年，兴已阑矣。少司农田纶霞先生来京，每见必握手索览，予不得已，乃挑灯填词以塞其求，凡三易稿而书成，盖己卯六月也。"

闰七月

十四日，汪楫（1636—1699）卒。朱彭寿《清代人物大事纪年》："康熙三十八年己卯（公元1699年），卒岁：汪楫，原任福建布政使。闰七月十四日卒，年六十四。入《国史·文苑传》。"比《清史列传》等所言生卒年适晚十年。今从。《清史列传·文苑传》："汪楫，字舟次，安徽休宁人，寄籍江苏江都县。岁贡生，署赣榆训导。康熙十八年，巡抚慕天颜荐应博学鸿儒，召试列一等，授翰林院检讨，纂修《明史》。楫言于总裁，先仿宋李焘《长编》，凡诏谕、奏议、邸报之属汇辑之，由是史材皆备。二十一年春，充册封琉球国正使，条奏七事：其一谓国朝文教诞敷，颁赐御书于封疆大吏，宜并及海外属国。上允其请，命赉宸翰以往。比至，宣布威德，王及臣民皆大悦服。濒行，例有馈赠，楫概却不受，国人建却金亭志之。归撰《使琉球录》，详载礼仪暨山川景物；又因谕祭故王入其庙，默识所立主，兼得《琉球世缵图》，参之明代事实，铨次为《中山沿革志》。上以楫奉使尽职，敕部优叙。久之，出知河南府，治绩为中州最。尝置学田于嵩阳书院，聘詹事耿介主讲席，士习丕振。寻擢福建按察使，迁布政使。莅官五载，民戴其惠。召来京，途次得疾。会圣祖南巡，强起迎谒扬州，上熟视曰：'非汪楫耶？今老矣！'以御书命侍郎李柟就第宣赐。二十八年，卒，年六十四。楫伉直，意气伟然，能力学。处广陵南北辐辏渔盐之地，日索奇文秘籍读之，四方客至，非著声实而善文章者，则闭户不出见。少工诗，与三原孙枝蔚、泰州吴嘉纪齐名。所作以古为宗，以清冷峭拔为致，务去陈言，又不堕涩体。诗文有《悔斋正续集》、《观海集》。"王士禛《悔斋诗集序》："楫以诗来谒，酒阑月堕，抵掌汉、魏、六代以来作者升降之故。当其神解意尽，麈尾奋掷，头没杯案中，一座屏息……楫之诗以古为宗，以洁为体，以清冷峭拔为致，大抵与嘉纪同。当其自得于心，即亦不必尽同也。"王士禛《池北偶谈》卷二《琉球世缵图》："琉球国，或云流求，或云留求，自元以前不通中国……予门人汪翰林舟次（楫）使琉球归，作《中山沿革志》进呈御览。"倪匡世《诗最》于汪楫名下评云："吾友洪昉思尝称先生诗为天下第一，余不敢信。兹读《悔斋》、《山闻》二种集，真杜甫之髓，真摩诘之神。高朗于茶村司理，幽贤于陋轩山人，别有一种疏荡不群之致；如轻鸿踏云，如飞星过水。非慧业之迥绝者，孰能若此？昉思之言，洵不诬矣。"施闰章《施愚山集》文集卷五《汪舟次诗序》："往岁丁未在豫章，与汪子舟次、高子阮怀，同游西山，甚乐也。已，汪子又独游匡庐，集其往来登览赠酬之诗若干首，属予论序。读之累日，洋洋若无尽，是可惮也……譬有美玉，治之以良玉，磨之以岁月，求其光气掩覆，不可得也。古之读书将以向学，今人作诗或不暇读书。汪子之所为乃大异，故其诗日进而方张。夫扬其波弗忘乎其源，循其途弗知其所止，君子之于道亦如是矣。"又同书文集卷八《送汪舟次游庐山序》："汪子家白岳，并力读书，性故少可，以其不得志者，发愤为诗，有合于古人之道。栎园先生及吾友荔裳、楼冈、西樵、苕文、豹人、伯吁、筑夫诸子，皆推引之，见于文词，所谓不即人而即之者也。顾耻以客自处，喜放浪于名山邃谷之游。"沈德潜《国朝诗别裁集》卷一一选汪楫诗九首。徐世昌编《晚晴簃诗汇》卷四一选汪楫诗十四首，小传谓其有《悔斋》、《山闻》、《消寒》、《观海》、《京华》诸集。邓之诚《清诗纪事初编》卷四著录汪楫《悔斋集》五种十卷："汪楫，字次舟，号悔斋，江都人。举康熙十八年鸿博，授检讨。尝出使琉球，著《中山沿革志》二卷，未几，出为河南府知府。词林而为外史，无异贬谪。积升福建布政使，又无故开缺，鸿博之遇，可谓穷矣。卒于二十八年，年六十七。撰《悔斋集》五种，曰《悔斋诗》六卷、《山闻诗》一卷、《山闻续集》一卷、《京华诗》一卷、《观海集》一卷，为丙午（康熙五年）至癸亥（二十一年）之诗。闽中独无所作。楫诗名早著，与族人懋麟齐名称二汪。文不多见，而诗律细密深稳，似非懋麟所及。为赣榆学官时，力推吴嘉纪，为之刻集，嘉纪由是致盛名。又与孙枝蔚酬唱，知楫之初志，未尝不慕高逸也。"袁行云《清人诗集叙录》卷八著录汪楫《悔斋集》六卷、《山闻诗》、《山闻续集》一卷、《京华诗》一卷（康熙间刊本）、《观海集》一卷（雍正十一年刻本）："汪楫撰……初刻《悔斋集》六卷，周亮工、方体乾、王士禛、王岩、李长祚序。续刻《山闻诗》、《山闻续集》各一卷，为《悔斋二集》，施闰章、孙枝蔚、黎元宽序，张贞生、魏禧、严沆题词。三刻《京华诗》一卷，为《悔斋三集》，无序跋。皆生前刊版。又《观海集》一卷，为奉使琉球作，雍正十一年徐用锡刻并为序，又陈章序（《四库》著录《中山沿革志》，无诗集）。楫早负诗名，与汪懋麟齐名称二汪。为王士禛弟子……多交遗老，推重吴嘉纪，为刻《陋轩诗》，有《乞水行》、《哀鸤鸠》二篇，均为吴野人赋。又作《一钱行》赠林古度。《秦淮灯船鼓吹歌》，和杜濬……与洪昇亦有交，昇推楫诗为'天下第一'。"

八月

方苞中式江南乡试第一名解元。其制义刊刻，戴名世为作《方灵皋稿序》："今岁之秋，当路诸君子毅然廓清风气，凡属著才知名之士多见收采，而灵皋遂发解江南。灵皋名故在四方，四方见灵皋之得售而知风气之将转也，于是莫不购求其文，而灵皋属余为序而行之于世。"

是年秋

康熙帝急索《桃花扇》。孔尚任《桃花扇本末》："《桃花扇》本成，王公荐绅，莫不借抄，时有纸贵之誉。己卯秋夕，内侍索《桃花扇》本甚急，予之缮本莫知流传何所，乃于张平州中丞家觅得一本，午夜进之直邸，遂入内府。"

十月

十五日，李天馥（1635—1699）卒。朱彭寿《清代人物大事纪年》："康熙三十八年己卯（公元1699年），卒岁：李天馥，武英殿大学士。十月十五日卒，年六十五，谥文定。"《清史列传·大臣传》："李天馥，河南永城人。顺治十五年进士，改庶吉士。十八年，散馆，授检讨。康熙七年，丁父忧。十年服阕，补原官……二十年，擢户部左侍郎……二十四年，充《政治典训》副总裁。二十七年，擢工部尚书……三十一年，授武英殿大学士……三十六年，充《平定朔漠方略》总裁。三十八年七月，疾，上遣内阁学士特默德及太医官三员存问，赐尚方药物。十月，卒……寻赐祭葬如例，谥文定。"《清史稿》本传："李天馥，字湘北，河南永城人。先世在明初以军功得世袭庐州卫指挥佥事，家合肥。有族子占永城卫籍。天馥以其籍举乡试。"沈德潜《国朝诗别裁集》卷五选其诗四首。徐世昌编《晚晴簃诗汇》卷二八选李天馥诗十七首，《诗话》云："王渔洋云：'容斋相国服阕入都，其壬戌诸门生已多通显，置酒新第，读学史胄司即席赋诗曰：郎君馆阁称前辈，弟子门墙半列卿。盖纪实也。'平生遭际圣明，陶写风雅，故其诗经经纬史，而皆以雍容渊秀出之；古诗排奡诘曲，似少陵、昌黎；近体格律、神韵俱在王、杜间。其托辞近而寓意远，一唱三叹，玉节金和，泬泬乎盛世之元音也。"邓之诚《清诗纪事初编》卷五著录李天馥《容斋千首诗》："李天馥，字湘北，号容斋，安徽桐城籍，河南永城人。顺治十五年进士，由检讨历官至武英殿大学士。卒于康熙三十八年，谥文定。事具《清史列传·大臣传》。撰《容斋千首诗》不分卷。天馥素好士，尝举彭鹏、陆陇其自知县行取御史，文士从游者众。其诗体格清偶，自注时事，足为参考之资。别有古宫词百首，盖为董鄂妃作……明言悼亡，后来因有忌讳，宫词遂未入集。"袁行云《清人诗集叙录》卷一〇著录李天馥《容斋千首诗》不分卷："是集为王士祯、陈廷敬、毛奇龄序，子孚青校。存诗千首，分四言、五七古、五律、五七绝，无卷数。其诗风格峻洁。古体《裂帛湖》、《明景帝废陵》……萧疏简远，情景兼到。《拟古论汉魏诗三十首》，辞气尚厚，亦可见风旨所在。《赠古古》、《送洪昉思归里》、《寄怀郝雪海侍御戍辽左》、《偶忆洪昉思己巳被斥事即题其集后》，涉及阎尔梅、洪昇、郝浴轶事。天馥行迹北至蒙古，西行三巴。诗中囊括时事，《喜四川大捷十首》、《秋怀十首》、《帐中纪事》，于三藩边疆之变，多有史实可资。绝句学唐人飒爽……此集为门人毛奇龄选本，惜经删汰，已非全帙。至咏物、观剧、伤逝、竹枝等诗，则又不必尽有也。"

十一月

初三日，江南道御史鹿祐疏参顺天乡试考官李蟠、姜宸英等取士不公。见《清圣祖实录》卷一九六、吴振棫《养吉斋丛录》卷四、陈康祺《郎潜纪闻二笔》卷五。

复试顺天乡试举人。蒋良骐《东华录》卷一八："康熙三十八年……十一月，御史鹿祐疏参顺天乡试正副考官修撰李蟠、编修姜宸英以宾兴之典为行私之地。奉上谕：'此科考试不公已极，且闻代倩之人亦复混入，著将举人齐集内廷复试。'寻复试举人等去留有差。又奉上谕：'顺天中式者童稚甚多，物议沸腾，著将李蟠等严加议处，鹿祐题参可嘉。'"

重设会试与顺天乡试内帘官满、汉御史各一员。蒋良骐《东华录》卷一八："陕西道御史李先复疏言：'科场之弊，与其既萌而严其罚，何如未发而绝其根。向例会试及顺天乡试内帘设满、汉御史各一员，不预衡文之事，专察场中情弊，嗣经停止，后科场往往滋弊，应复设以杜弊端。'下九卿议，从之。"

十二月

是月初一日已交公元 1700 年 1 月 20 日。

姜宸英（1628—1700）**卒。**朱彭寿《清代人物大事纪年》："康熙三十八年己卯（公元 1699 年），卒岁：姜宸英，前翰林院编修。十二月卒于狱中，年七十二。入国史《文苑传》。"王士禛《分甘馀话》卷四："慈溪姜西溟宸英，文章豪迈有奇气，本朝古文一作手也……后以科场事连染，竟病卒于请室。余时为刑部尚书，惟太息而已。"《清史列传·文苑传》："姜宸英，字西溟，浙江慈溪人。明太常寺卿应麟曾孙。少工举子业，兼善诗古文辞，屡踬于有司，而声誉日起。圣祖仁皇帝稔闻之，尝与秀水朱彝尊、无锡严绳孙并目为'三布衣'……久之得举顺天乡试，康熙三十六年成进士，及廷对，近呈名稍殿，上识其手书，特拔置第三人，授翰林院编修，年已七十矣。三十八年，充顺天乡试副考官，比揭榜，御史鹿祐以物论纷纭，劾奏，命勘问，并复试举子于内廷。上谕：'诸生俱各成卷，尚属可矜，落第怨谤，势所必有，焉能杜绝？只黜数人，馀仍令会试。'正考官李蟠遣戍，宸英坐蟠系狱事未白，病卒，年七十二……生平读书，以经为根本，与注疏务穷精蕴。自《二十一史》及百家诸子之说，靡弗披阅。绩学勤苦，至老犹笃。故其文闳博雅健，有北宋人意。魏禧尝谓：'侯方域肆而不醇，汪琬醇而不肆，惟宸英在醇肆之间。'论者以为实录。诗无赘瘀葩，宗杜甫而参之苏轼，以尽其变。书法钟、王，尤入神品。著有《江防总论》、《海防总论》各一卷，《湛园集》八卷，《苇间集诗》十卷，又《劄记》二卷，皆证经史之语，虽小有疏舛，而考论礼制，精覈者居多。"沈德潜《国朝诗别裁集》卷一八选姜宸英诗四首，小传云："苇间根柢经史，以古文名。年将老，因大臣荐，食七品俸，与修《明史》，然仍艰于遇合也。至入词馆时已七十馀矣。己卯典北闱试，因正主考李殿撰累及下狱，旋殒其生，天下共悲叹之。"《四库总目提要》卷七五著录姜宸英《江防总论》一卷、《海防总论》一卷，同书卷一一九又著录其《湛园札记》四卷，同书卷一七三又著录其《湛园集》八卷："国朝姜宸英撰。宸英有《江防总论》，已著录。初编其文为《湛园未定稿》，秦松龄、韩菼皆为序。后武进赵同敥摘为《西溟文钞》。此本为黄叔琳所重编，凡八卷。宸英少习古文，年七十始得第，绩学勤苦，用力颇深。集中有《与洪虞邻书》，论两浙十家古文事，谓两浙自洪、永以来三百馀年，不过王子充、宋景濂、方希直、王阳明三四人，其馀谢方石、茅鹿门、徐文长等，尚具体而未醇，不应浙东西一水之间，一时至十人之多，不欲以身厕九人之列，盖能不涉标榜之习，以求一时之名者。其文闳肆雅健，往往有北宋人意，亦有以也。是集前二卷皆应酬之作，去取之间，未必得宸英本意，然梗概亦略具于斯矣。集末《札记》二卷，据郑羽逵所作《宸英小传》，本自单行，今亦别著于录，不入是集焉。”同书卷一八四又著录其《湛园未定稿》六卷：“国朝姜宸英撰……此本为其未入书局以前所自定，不及大兴黄氏本之完备，以别行已久，姑附存其目。”同卷又著录其《真意堂文稿》一卷：“此本前有秦松龄序，言宸英奉纂修之命，治装北上，裒为此集。盖其中年所作，初出问世之本也。”徐世昌编《晚晴簃诗汇》卷五四选姜宸英诗三首，《诗话》云：“诗自玉局入少陵，兀臬磅礴，能以气举其辞。”邓之诚《清诗纪事初编》卷七著录姜宸英《姜先生全集》三十三卷：“光绪中，鄞人冯保燮、王定祥裒集宸英所为诗文而尽刻之，为《湛园未定稿》十卷、《西溟文钞》四卷、《真意堂佚稿》一卷、《湛园藏稿》四卷、《湛园杂记》四卷、《湛园题跋》一卷、《苇间诗集》五卷、《湛园诗稿》三卷、《诗词拾遗》一卷，都九种三十三卷，曰《姜先生全集》。惟《四库》著录之《湛园集》八卷未得，而藏稿则皆自宸英手稿录出，序例称于原集不敢增省。然《未定稿》原为六卷，今改十卷，门目次第，亦俱变易，所称初刻《未定稿》，较二老阁本多二十馀篇，亦未指出所多者，何不即以初刻本重雕乎？宸英集外诗词，尚为之补辑，而序文之散见于清初文集者不少，乃不为收拾，未为得也。然宸英之书，久而渐佚，求之不易，今竟能刻为全集，表章之功，为不可没矣。宸英之文，较侯、魏为近雅，较汪为弘肆，叙事或稍逊耳，究不失为清初高手。诗亦调高格稳，颇有寄托，自注尤足征轶事。何焯素轻之，焯博览，善校勘之学，固非宸英所及。如以文论，则焯集具在，安能望宸英乎？”张舜徽《清人文集别录》卷二著录姜宸英《湛园未定稿》十卷、《西溟文钞》四卷、《真意堂佚稿》一卷、《湛园藏稿》四卷、《湛园题跋》一卷（光绪十五年毋自欺斋校刻《姜先生全集》本）：“《西溟文钞》卷二有《张使君提调陕西乡试闱政记》一篇，叙述科举败坏人才与夫士子困辱之状，至为痛切，盖不啻自道其生平也。宸英经史之学，根柢深厚，故发为文辞，有物有则……集中论古之篇，多具特识……至其善于属辞，自是清初一大家。”袁行云《清人诗集叙录》卷九著录姜宸英《苇间诗集》五卷、《湛园诗稿》三卷、《拾遗》一卷（光绪十五年刻《姜先生全集》本）：“康熙十八年举博学鸿词，不遇。入《明史》馆充纂修，分撰《刑法志》，极言明诏狱廷杖立枷、东西厂卫之害。后从徐乾学在洞庭山《一统志》局为分纂……宸英淹通经史，工书能文，才力雄富，负气自高，方其庾死，人皆知其无罪，世争惜之……其诗沉著工稳，亦斫轮老手。”

是年

洪昇为褚人获《坚瓠补集》作序。洪昇《坚瓠补集序》：“遂安毛鹤舫先生归自吴门，出褚子稼轩《坚瓠全集》示余，且索余序其补集……兹《补集》所载，专收有韵之文，较之前集为尤备，自兹以往，无毫发之遗憾，可云完书。独是余无用于世，以'稗畦'为集；而褚子之'坚瓠'名其书，不知余之取'稗'，褚子之名'瓠'，其寄托同异如何？他日过吴门与褚子相遇，或有相视而笑，莫逆于心者乎？归而讯之毛先生，其亦以余为知言否？钱唐洪昇昉思撰。"

戴名世作《中西经星同异考序》、《崇祯癸未榆林城守纪略》、《崇祯甲申保定城守纪略》、《弘光乙酉扬州城守纪略》等文。据王树民《戴文系年》。（见中华书局1986年出版《戴名世集》附录）

顾贞立（1623—1699）卒。生平见其生年。

王摅（1636—1699）卒。据邓之诚《清诗纪事初编》，详下引。王士禛《分甘馀话》卷四："娄江十子虹友（王摅）才尤高，余尝序其《金陵集》。"沈德潜《国朝诗别裁集》卷一四选其诗九首，有云："太原王氏昆季多才，不啻过江王、谢，而《芦中》一集尤为矫矫。"于《黄海歌》后评云："庚午岁予游黄山，亲见其景，吐词未能工也。读此实获我心，如重观云海一次。"邓之诚《清诗纪事初编》卷三著录王摅《芦中集》十卷："王摅，字虹友，号汲园，时敏九子：挺字周臣，号减庵，有《不盲集》、《离忧集》；撰字端士，号芝廛，有《芝廛集》；撰字异公，号随庵，有《三馀集》、《揖山集》；抃字怪民，号鹤尹，有《巢松集》；扶字匡令，号砥庵；掞字藻儒，号颢庵，有《西田集》；抑字诵侯，号南湖，数次四，早卒；摅次七，最有声，撰《芦中集》十卷。吴伟业选撰、撰、抃、摅之诗入《太仓十子诗选》。田雯《太仓王氏诗总序》，以《芝廛》如天女散花，幽香万片；《揖山》如天风海涛，鱼龙出没；《巢松》奇思硬语，殿驳才华；《芦中》精于持论，研寻物理；《西田》逸兴新晴，霏霏衮衮。其言未必尽当。抃、摅最穷，其辞易工，不宜与居台阁者并论也。此集起顺治十三年丙申，迄康熙三十六年丁丑，卒于三十八年，年六十四。诗有才笔，师事钱、吴。七言歌行，一唱三叹，有极似梅村者。惜以游食贫窭，损其壮心，多伤郁伊，未能奇兀。然刻画山川，每有佳咏，亦足以传矣。王士禛序，声称其幽奇悲壮，《感旧》一集独无名字，以此见今传《感旧集》，必非真本。"袁行云《清人诗集叙录》卷一一著录《芦中集》十卷云："王摅撰。摅字虹友，号汲园，江苏太仓人，时敏第七子。颖敏过人，受业于陈确，学诗于吴伟业，以廪生入均，名噪都下。历游燕晋豫粤三江，未授官，卒于康熙三十八年，年六十三。是集为顺治十三年至康熙三十六年诗，共八百十九首。视《太仓十子诗选》选一百首，数倍过之。首朱彝尊序。《今社言怀》自云：'生平无所长，所事惟雕虫。少壮忽已过，率颓成老翁。往者树赤帜，实惟祭酒公。蔚村与之匹，两师籍磨砻。'集中《教坊老叟行》、《西洲曲》、《上阳白发人》、《过宋行宫》、《婺州开府行》、《吴将军歌》、《潞河铁狻猊歌》，词采华赡，差近吴伟业。《黄海歌》、《登始信峰》、《望石简矼诸胜》、《游石门洞》、《十八滩》、《观音岩》、《滕王阁》，刻画山水之奇，清宕俊逸，亦不可一辙测。王士禛自谓：'登临怀古之作，不逮虹友远甚，余身至而不能言者，虹友未至而能言之。'其推重如此。摅与清初胜流、明季遗老多有往复，《赠牧斋夫子》、《吊松园诗老》、《留别杜于皇屈翁山》、《寿王石谷六十》、《挽龚芝麓先生》、《哭宋荔裳》、《送惠研溪北行》、《吴汉槎谪戍宁古塔》、《雪滩钓叟歌为顾茂伦赋》、《答陈元孝》，摅事言怀，真情自然。又有《居庸关歌次顾亭林先生韵二首》、《题梅瞿山黄海浮岚图》、《题王石谷仿黄子久富春山图》，篇幅益阔。时敏诸子，以摅工力最深。吴伟业初选娄东十子诗，摅与兄抃等与焉。摅亦选《娄东后十子诗》，曰《积薪集》。其宏奖风流，几与伟业相埒。王抃《巢松集》抄本《哭虹友七弟》诗云：'学诗推吾弟，真登大雅堂。惊才曾梦笔，佳句每投囊。评论兼今古，研求合宋唐。一从君去后，疑义向谁商。'"

曹禾（1637—1699）卒。据邓之诚《清诗纪事初编》，详下引。《清史列传·文苑传》："曹禾……工诗，在京师时，与田雯、宋荦等相唱和，称诗中十子。尝疏请封禅，为给事中王成祖所驳，方象瑛与倪灿读其文，谓'钟惺评司马相如《封禅颂》，言长卿岂有所求？直是胸中好文字，不肯埋没。禾亦想是此意'云。天性简易，沉酣六经子史，尝撰《靖难十六功臣传》，论者谓得《史》、《汉》神髓。罢归后，集后进孔毓玑、汤大辂、耿人龙、徐恪之、高玉行辈为文会，家故贫，至典衣鬻产以给饮馔。尝与盛符升选王士禛诗。著有《峨嵋集》。"沈德潜《国朝诗别裁集》卷九选曹禾诗二首，有"访其诗不能多得，为之怃然"之叹。徐世昌编《晚晴簃诗汇》卷四二选曹禾诗十二首，《诗话》云："颂嘉为渔洋门下士，诗列都门十子中。偕盛诚斋编《渔洋精华录》。其论诗语载《分甘馀话》，当时号为都讲。自刊诗集篇帙甚富，久佚不存……惟《江上诗钞》存数十首，大都寄意深婉，不以藻绘求工。"邓之诚《清诗纪事初编》卷四著录曹禾《未庵初集文集》四卷、《诗集》四卷："曹禾，字颂嘉，号未庵。玑子，玑字子玉，崇祯十年进士，户部主事。入清与弟诸生玑，皆擅名画竹，以高逸终。禾于康熙三年成进士，官内阁中书，告归养母。十八年举博学鸿儒科，授编修。屡官至国子祭酒，以事谴误去官。卒于三十八年，年六十三。事具《清史列传·文苑传》。撰《未庵初集文集》四卷、《诗集》四卷，诗文学韩、杜，文尤有成就，视同学诸子，陈玉璂或稍亚，汪懋麟则远逊之矣。诗字字锤炼，在金台十子之列。此集为丁酉（顺治十四年）至丙辰（康熙十五年）之诗。家居困于征徭，南北困于行李，一官浮系，将母食贫，故多感慨。去官年仅四十，膺荐再出，终于不达。盖性耽词赋，即沉滞之由；而况纵酒嗜弈，乐闲品茗。是时党见甚淆，门户各别，稍一参差，动致倾踬。禾谴误未知何事，为人排挤中伤则可必也。禾初师陆世仪，世仪为之作介于魏裔介、王崇简，力戒其不可先文而后道，禾竟背之，终至铩羽而归。酒友乔莱、汪懋麟皆几即于祸。"袁行云《清人诗集叙录》卷一一著录曹禾《未庵初集诗稿》二卷（康熙间刻本）："是集与《文集》二卷合刊，有吴伟业、李霨、计东、高照、盛符升序。禾在京师时，与田雯、宋荦等相唱和，称诗中十子。诗由明学唐，又介乎梅村、渔洋之间……此集较全，亦可宝矣。"

蒋景祁（1646—1699）卒。据蒋寅《王渔洋事迹征略》"康熙二十一年壬戌"中括注生卒年。另据1986年版《中国大百科全书·中国文学》括注蒋景祁生卒年为"1659—1695"。江庆柏《清代人物生卒年表》据蒋景祁《东合集》储欣序、宋荦序括注蒋景祁生卒为"1644—1697"。王豫《江苏诗征》："储同人云：京少一困于丁巳之京闱，再困于己未之荐举，三困于吏部之谒选，皆俟得俟失。无聊不平，昼夜治诗，而京少之诗遂盛传于天下。既殁，子开泰哀其遗集刻之。"沈德潜《国朝诗别裁集》卷二一选蒋景祁《伏波庙》诗一首。徐世昌编《晚晴簃诗汇》卷四六选蒋景祁《伏波庙》

诗一首，小传云："蒋景祁，字京少，宜兴人。康熙己未举博学鸿词，官同知。有《东舍集》。"叶恭绰《全清词钞》卷五选蒋景祁词四首，小传云："蒋景祁，字京少，江苏宜兴人，贡生，官至府同知，有《梧月词》二卷、《罨画溪词》一卷，又辑《瑶华集》二十二卷。"沈雄《古今词话·词评》下卷《蒋景祁罨溪词》："宋牧仲曰：《罨溪词》，清苍似片玉，流丽似草窗，并不作意标新，而词情自浮动楮墨间。逐影寻声之徒，正未足以语此也。聂晋人曰：京少擅潘江陆海之奇，而工晓风残月之句，便有大才于人自不羁之势，故慢词不让其年。"冯金伯《词苑萃编》卷八《蒋京少词》："蒋京少《梧月词》，秾而不靡，直而不俚，宛曲而不晦，庶几可嗣古人之遗响（朱竹垞）。"丁绍仪《听秋声馆词话》卷三《蒋景祁辑瑶华词》："诗文而加圈点，自是陋习。然词句长短不齐，不加识别，易滋讹错。宜兴蒋京少（景祁）所辑《瑶华词》，仅圈句读，最得体要。若读用尖点，句用圆点，韵用空圈，似更明晰。至双调分段处，亦宜照宋椠《花间集》式，中间以圈为是。京少少与宋牧仲尚书友，以乐府相切劘。虽所选珉玞糅杂，而明末清初词人姓氏，实赖以存，乃王氏《词综》多未录。"谭献《复堂词话》："选次《瑶华词》，为予《箧中词》始事。"

公元 1700 年（清康熙三十九年　庚辰）

正月

十五日，金斗班初演《桃花扇》。孔尚任《桃花扇本末》："己卯除夜，李木庵总宪遣使送岁金，即索《桃花扇》为围炉下酒之物。开岁灯节，已买优扮演矣。其班名'金斗'，出之李相国湘北先生宅，名噪时流，唱《画扇》一折，尤得神解也。"

二十八日，顺天科场复试，康熙帝亲阅卷。据《清史编年》。

二月

初一日，顺天乡试主考官李蟠遣戍。据《清史编年》。

尤侗为褚人获《坚瓠秘集》作序。尤侗《坚瓠秘集序》："褚子稼轩，其得圣人之遗意乎？少而好学，至老弥笃；搜群书，穷秘笈，取经史所未及载者，条列枚举。其事小可悟乎大，其事奇而不离乎正，逐物求知，各有原本，其去庄周之寓言、邹衍之诞说远矣。其书自初集始，累为十集，搜罗略备，更继以续集、广集、补集，今秘集又成焉……时康熙庚辰仲春，鹤栖老人尤侗撰。"

三月

孔尚任以疑案罢官。据袁世硕《孔尚任年谱》。

张廷玉考中三甲第一百五十二名进士。

四月

十二日，陈恭尹（1631—1700）卒。据温肃《陈独漉先生年谱》。《清史列传·文

苑传》：“陈恭尹，字元孝，广东顺德人。明赠兵部尚书邦彦子。性聪敏端重，幼承父训，习闻忠孝大节。邦彦殉国难时，恭尹十馀龄，无家可归，留闽、浙者七年。一日，有父友遇于途，责之曰：‘君先人未葬，宗祀无托，奈何徒欲以一死塞责，绝忠臣后耶？’恭尹泣而谢之。既乃归葬先人于增城，因泛舟出虎门，渡铜鼓洋，访故人于海外，久之归。与陶窳、梁无技就同邑何衡、何绛兄弟家，抑志读书相砥砺，世称为北田五子。已，复游赣州，转泛洞庭，再游金陵，至汴梁，北渡黄河，徘徊太行之下。于是南归，载影田间，筑室羊城之南，以诗文自娱，自称罗浮布衣。恭尹修髯伟貌，气局深沉，其为诗真气盘郁，激昂顿挫，足以发幽忧哀怨之思，而寓忠孝缠绵之致。自言志学以往，皆为忧患之日，故于文辞取诸胸臆者为多。又有志当世之务，尝绘《九边图》，疏明扼吭，晰若毫芒，不欲仅以诗传也。年七十一，卒。著有《独漉堂集》，新城王士禛、赵执信至粤，于广州诗人独重恭尹。其后杭世骏、洪亮吉皆于恭尹推挹尤至云。”朱彝尊《静志居诗话》卷二二《陈恭尹》：“元孝降志辱身，终当进之逸民之列。其自序略云：‘志学以往，皆为患难之日，东西南北，不能多挟书卷自随。而意有所感，复不能已于言，故于文辞取诸胸臆者为多，而稽古之力不及。’其辞可云不自满矣。”沈德潜《明诗别裁集》卷一二选陈恭尹诗七首。陈田《明诗纪事》卷一一选陈恭尹诗三十四首，有按语云：“元孝诗温雅有则，身际沧桑，多感愤之言，而音调仍归和平，则泽古者深也。”徐世昌编《晚晴簃诗汇》卷一八选陈恭尹诗十七首，《诗话》云：“元孝少遭家国之难，间关江海，飘泊无归，忧愤之志，一形于诗。及三藩之变，以重名为时所忌，下狱二百日。得脱，乃筑舍羊城之南，韬光和俗，以诗文自娱。其诗真气盘郁，激昂顿挫，在江南所作《怀古》及《虎丘题壁》诸诗尤倾动一时。王渔洋谓其清迥拔俗，得唐人三昧，其卒也，有殄瘁之叹。杭大宗吊以诗云：‘南村晋处士，汐社宋遗民。’”邓之诚《清诗纪事初编》卷二著录陈恭尹《独漉堂诗集》十五卷、《文集》十五卷、《续编》一卷：“顺治八年，郑成功方起海上，思就之，入闽不达。自赣出九江，顺流至苏杭，复往返杭州、宁国间，盖密有结连，历四年无成，始归娶。又四年入海，收拾馀众，又无成。十六年将入滇从桂王，道阻，乃北走衡湘，渡彭蠡，下至池州，寓芜湖。值成功大举围金陵，张煌言进取徽宁，恭尹与共策画。旋成功败走，煌言间道出海，恭尹遂北游汴梁。逾年归，则桂王已入缅甸矣，然犹与梁楫、陶窳、何衡、何绛身相结纳，世称北田五子，遥与宁都易堂九子声应气求。康熙十七年以嫌疑下狱，明年事解。是后天下已定，乃与世徜徉。卒于三十九年，年七十一。《清史列传·文苑》有传。恭尹尝自刻《独漉堂稿》六卷，载诗至康熙十九年庚申，似即其时所刻，分体，字句与后来刻本小异；有应酬数诗，为全集所无。其子赣刻全集于康熙五十六年丁酉……尝谓岭南滨海之人，狎波涛，轻生死，嗜忠义若性命。其间未尝无觊美趋利之徒，若恭尹与屈大均庶乎不磨者已。恭尹少大均一岁，后四年而亡。两人幼同学，大均走浙东，走塞外，晚参孙延龄军，行径若与恭尹不相谋，而所志则一。恭尹诗所谓‘中间一杯酒，各有万里行’是也。恭尹自评其诗，谓与大均及梁佩兰为能发掘性灵，自开面目。又谓大均江河之水，佩兰瀑布之水，己则幽涧之水，盖寓其不肯平也。实则屈、陈皆擅近体，屈以五言胜，陈工于七字，未易轩轾。梁则蒲伏明珠、徐乾学之门，人品诗格，胥有间矣。其文长于议论，短于记叙，盖未致力于史，不若大均之有《四朝成仁录》、《广东新语》也。《文集》第九卷奏疏、启笺原缺，谓毁于火，实惩于大均《军中草》，为大汕劫持，因畏祸不敢刻耳。"袁行云《清人诗集叙录》卷九著录陈恭尹《独漉堂诗集》十四卷（近代重刻本）："所撰《独漉堂集》合诗文词三十卷，初刻于康熙五十七年，道光五年重刻增奏疏、杂文各一卷。此民国六年广州刻本，有吴道镕、温肃序，附作者《年谱》，并载初刻本自序，彭士望、赵执信、潘鼎珪旧序。卷一名《初游集》、《增江前集》、《中游集》，卷二、三名《增江后集》，卷四名《江村集》，卷五至八名《小禺初二三后集》，卷九至十三名《唱和集》，卷十四名《咏物诗》。恭尹少悲覆巢，壮困行役，终罹狱事。其诗衔痛含悲，感时怀古，沉挚动人……恭尹生平志虽未伸，而诗名千古。时与屈大均、梁佩兰并称岭南三大家。屈擅五律，梁长七古，恭尹则以七律独步一时。梁入仕途，屈、陈皆在遗民之列，朱彝尊选《明诗综》，尊其志也。王士禛、赵执信至岭南，均推重之。其后杭世骏作《独漉先生遗像诗》，倾服尤甚。乾隆间修《四库全书》，以屈、陈二家集均列禁毁，而颂声不绝。洪亮吉论岭南三家有句云：'尚得古贤雄直气，岭南犹似胜江南。'汪端于《瓯北诗话》独推查慎行不满，拟举恭尹以代。林昌彝论诗绝句云：'风雅能追正始还，诗坛拔戟独当关。长歌短句皆沉挚，律中黄钟无射间。'此论殊精允。然终为名家之诗，非大家诗易于人人效摹也。"

张潮增订《虞初新志》二十卷成。据其《总跋》后署"康熙庚辰初夏三在道人张潮识"。

六月

清廷整顿科场。蒋良骐《东华录》卷一八："康熙三十九年……六月，礼部题御史郑维孜奏冒籍举人令其自首，议准行。又贡监回籍考试，议不准行。上曰：'此二事俱著依部议，主试惟在于得人耳，若谓贡监在京考试，必生情弊，岂令回籍即不生情弊乎？部议不准，深为得宜。'给事中满晋条陈科场积弊，总督郭琇条陈学校弊端，并下九卿等详议。上以大臣子弟遇科场考试即中者多，诏令编立字号，不致防孤寒进身之路。时九卿议上命录示巡抚李光地、彭鹏及总督张鹏翮、郭琇，谕曰：'四臣皆持行清廉，李光地为学院时官声最好，令阅九卿等所议，果否得当，如何方能除去弊端，永远可守，各抒己见具奏。'寻李光地疏言：'……迩来学臣率多苟且从事，致士子荒经蔑古，虽《四书》本经不能记忆成诵，仅读时文百十篇，剿袭雷同，侥幸终身，殊非国家作养成就之道。前岁旨下，学臣使童子入学兼用小学论一篇，其时幼稚见闻一新，就中顿明古义，此以正学诱人之明验也。然书不熟记，终非己得，宜令学臣于考校之日，有能熟读经书小学讲解《四书》者，文理粗成，便与录取，如更能成诵《三经》以至《五经》者，更与补廪，以示鼓励，庶几人崇经学，稍助圣世文明之化。有童生既令熟习小学，以端幼志，生员及科场论题，专出《孝经》，每重复雷同，似当兼命《性理》、《纲目》，以励宏通之士。'疏入，仍下九卿等，与张鹏翮、郭琇、彭鹏三疏参合定议，乡试另编官字号，以民卷九、官卷一为额，论题以《太极图说》、《通书》、《西铭正蒙》，一并命题。"

八月

阎若璩撰《四书释地续》一卷成。据宋荦序。

九月

王士禛撰《古懽录》八卷成。据其自序。

彭孙遹（1631—1700）卒。朱彭寿《清代人物大事纪年》："康熙三十九年庚辰（公元1700年），卒岁：彭孙遹，原任吏部右侍郎。九月卒，年七十。"《清史稿·文苑传》："彭孙遹，字骏孙，海盐人。父期生，明唐王时官太仆卿，死赣州。长子孙贻以毁卒，孙遹其少子也。顺治十六年进士，授中书。素工词章，与王士禛齐名，号曰'彭王'。康熙十八年，开博学鸿儒科……天子亲擢孙遹一等一名，授编修……孙遹历官吏部侍郎，充经筵讲官。《明史》久未成，特命为总裁，赐专敕，异数也。年七十，致仕归，御书'松桂堂'额赐之，遂以名其集。"沈德潜《国朝诗别裁集》卷六选彭孙遹诗八首，小传云："羡门词和气平，在唐人中最近大历十子，在十子中最近文房。"《四库总目提要》卷一七三著录彭孙遹《松桂堂集》三七卷、《延露词》三卷、《南溪集》三卷："国朝彭孙遹撰……今观是集，才学富赡，词采清华，馆阁诸作，尤瑰玮绝特，知其独邀甄拔，领袖群才，不偶然也。孙遹所著《南溪集》、《香奁倡和集》、《金粟词》、《延露词》，俱先有刊本，惟全集未刊。孙遹没后五十年，至乾隆癸亥，其孙景曾始为开雕，并以旧刊《南溪集》、《延露词》附录于后云。"徐世昌编《晚晴簃诗汇》卷四一选彭孙遹诗十四首，《诗话》云："羡门幼慧，七岁咏凤，号神童。既成进士，为推官，罢归。己未大科，名第一。集中有《寄内》诗云：'小叠红笺寄语频，横云初破远山颦。玉宸昨夜亲承诏，夫婿承恩第一人。'可见一时声誉之盛。晚年归里，尝与子侄九日登高赋诗，得句云：'平生几两游山屐，更不登临老奈何。'观者讶其衰飒。不久，谢世。早年诗有《南溪集》，才气尤盛，倚声时推独步。渔洋称其'吹气如兰，每当十郎，辄自愧伧夫'。"邓之诚《清诗纪事初编》卷七著录彭孙遹《松桂堂全集》三十七卷、《南溪集》三卷、《延露词》三卷："彭孙遹……由文字受知，历十年，遂至礼部侍郎，久之始迁吏部侍郎，兼翰林院掌院学士。康熙三十六年，请告归。越三年卒。集中于丙寅（康熙二十五年）自称年五十六，卒年当为六十九……其诗始于顺治十年，迄康熙三十八年，各体皆备。世独赏其香奁艳体及应制之作耳。"袁行云《清人诗集叙录》卷九著录彭孙遹《松桂堂全集》三十七卷、《南溪集》三卷（乾隆八年刻本）："所撰《松桂堂集》诗三十四卷、文二卷、表奏一卷、附《延露词》，为乾隆八年其孙载奕刻，有钱陈群序。《南溪集》三卷，为康熙二年至五年游粤之诗，有旧刻，陈恭尹题。《四库总目》别集类著录清初翰林名家诗，多主清丽，而出语自然。鸿博开科，颂扬骤多，以布衣举鸿博者，受宠若惊，歌咏升平。孙遹少时喜为艳情诗，尝作《金粟闺词百首》，才情别集，俱宗温、李，杂于调笑。中年以后遂屏除绮语，诗学唐，最近大历十子……惟通籍后独以应制诗见胜，为鸿博大魁，文章声价，纸贵一时。"邹祗谟《远志斋词衷·彭金粟词》："长调为南宋诸家，才情蹀躞，尽态极妍。阮亭尝云：词至姜、吴、姜、史，有秦、李所未到者。正如晚唐绝句，以刘宾客、杜紫微为神诣，时出供奉、龙标一头地。彭十金粟所作数十阕长调，妙合斯旨。阮亭戏谓彭十是艳词专家。余亦云：词至金粟，一字之工，能生百媚，遂欲怫然不受，岂可得耶？"沈雄《古今词话·词话》下卷《羡门词家独步》："《今世说》曰：羡门惊才绝艳，词家独步。阮亭称其吹气如兰，每当十郎，则自愧伧父。故其词绰然有生趣，又诞甚，耐人长想。如'旧社酒徒零乱，添得红襟燕。落花一夜嫁东风，无情蜂蝶轻相许'，无理而入妙，非深于情者不办。"陈廷焯《白雨斋词话》卷三《彭羡门词力量未足》："彭羡门词，意境较厚，但不甚沉著，仍是力量未足。"同卷《羡门词小令为胜》："羡门词，长调、小令均有可观，而小令为胜。《忆王孙》（寒食）、《苏幕遮》（娄江寄家信）等篇，颇得北宋人遗韵。"

是年

戴名世作《忧庵记》等文。据王树民《戴文系年》。（见中华书局 1986 年出版《戴名世集》附录）

李柏（1630—1700）**卒**。据吴怀清《雪木先生年谱》。《清史列传·儒林传》："李柏，字雪木，陕西郿县人。九岁失怙，事母至孝，备历艰辛而色养不衰。稍长，读《小学》，曰：'道在是矣！'遂尽焚帖括，日诵古书。尝东登首阳，拜夷齐墓，归而师扑之，曰：'汝欲学古人，吾必令汝学今人也。'则应曰：'必学古人。'师再三扑之，应如前。以母命一就试，遂补诸生。母卒，入太白山中，布衣蔬食，极人之所不堪……盖有主于中不动于外，所谓不忘沟壑也。年四十八，将贡，或劝之行，怆然曰：'昔为吾母应此役，今奚恋耶？'康熙三十三年，卒，年七十一。著有《槲叶集》十卷。蓥屋李颙与因笃及柏相善，康熙间关中称儒者，咸曰三李也。"编者按，《清史列传》所记李柏生卒年均早于《年谱》六年，不从。徐世昌编《晚晴簃诗汇》卷一二选李柏诗八首，《诗话》云："雪木孤贫力学，尝负锄出芸，家人馈之食，方倚树读《汉书》。又尝驱羊出牧，背日诵《晋处士传》，羊亡而不知。母殁，弃诸生，结庐太白山中，读书学道。与中孚、子德齐名，称关中三李。文率出自胸臆，不蹈袭前人。诗则自成一家，而声韵颇与彭泽相近。好作书，自言'吾希觐前贤名迹，而以山中之见闻发之于书'，盖以山为骨，水为肉云。"邓之诚《清诗纪事初编》卷二著录李柏《槲叶集》五卷、附《南游草》一卷："柏甘寂寞，不务声施，隐居太白山，忍饥乐道，非二子所及也。卒于康熙三十三年，年七十一。事具《清史列传·儒林传上》。撰《槲叶集》五卷，附《南游草》一卷。诗文皆险怪遒峭，盖心伤故国，歌哭行吟，通天入地，一寄其悲愤无穷之感。若加绳墨，则为不知柏者也。《南游草》有云：'嘉靖、天启以来，笃实君子在野，虚文小人满朝廷，上欺其君，下虐其民，民不堪命，聚而为盗，盗满天下，由盗满朝廷也。'此顾炎武、黄宗羲所不能道者。观其浮潇湘，吊屈原，不啻以屈、贾自居。清初遗逸多矣，如柏者实罕。"袁行云《清人诗集叙录》卷九著录李柏《槲叶集》诗二卷、附《南游草》一卷（康熙二十六年刻本）："李柏撰。柏初名如泌，更名柏，字雪木，陕西郿县人。崇祯三年生。入清弃诸生，隐居太白山，与李颙、李因笃号为关中三李。卒于康熙三十九年，年七十一。撰《槲叶集》，自识云：'山中乏纸，采幽岩之肥绿，沤心血之馀沥，积久盈筐，遂为集名。'首康熙二十六年许孙荃序，骆文肃震生及弟子王于京序。宣统三年有重刻本增附录为《传状》，诗止四、五两卷……其人大节无可疵，诗亦高人逸轨。明代遗民，有诗集传世者，约二百馀家。试举决传不朽者，似为顾炎武、邢昉、阎尔梅、黄宗羲、杜濬、方文、王夫之、钱澄之、吴嘉纪、李柏、屈大均、陈恭尹。此十二家，即所谓'不废江河万古流'者也。"

主要参考书目

A

《安雅堂稿》明 陈子龙著 辽宁教育出版社 2003 年出版

B

《白雨斋词话足本校注》 屈兴国校注 齐鲁书社 1983 年出版

《板桥杂记》清 余怀著（李金堂注）上海古籍出版社 2000 年出版

《三吴游览志》清 余怀著（李金堂注）上海古籍出版社 2000 年出版

《北游录》清 谈迁撰 中华书局 1960 年出版

C

《长生殿》清 洪昇著 人民文学出版社 1958 年出版

《陈维崧选集》 周韶九选注 上海古籍出版社 1994 年出版

《陈子龙诗集》明 陈子龙著 上海古籍出版社 1983 年出版

《词话丛编》 唐圭璋编 中华书局 1986 年出版

《词苑丛谈》清 徐釚撰 上海古籍出版社 1981 年出版

《词苑丛谈校笺》 王百里校笺 人民文学出版社 1988 年出版

D

《担当诗文全集》明 担当著 云南人民出版社 云南美术出版社 2003 年出版

《澹园集》明 焦竑撰 中华书局 1999 年出版

《戴名世集》 王树民编校 中华书局 1986 年出版

《戴名世遗文集》 王树民等编校 中华书局 2002 年出版

《戴名世年谱》 ［法］戴廷杰著 中华书局 2004 年出版

《帝京景物略》明 刘侗 于奕正撰 北京古籍出版社 1983 年出版

《东华录》清 蒋良骐撰 中华书局 1980 年出版

《董小宛汇考》 吴定中编著 上海书店出版社 2001 年出版

E

《二十七松堂文集》清 廖燕著 上海远东出版社 1999 年出版

F

《方苞集》清　方苞著　上海古籍出版社 1983 年出版

《方望溪遗集》清　方苞撰　黄山书社 1990 年出版

《方以智晚节考》　余英时著　三联书店 2004 年出版

《方以智年谱》　任道斌编著　安徽教育出版社 1983 年出版

《方志著录元明清曲家传略》赵景深 张增元编　中华书局 1987 年出版

《分甘馀话》清　王士禛撰　中华书局 1989 年出版

《冯惟敏、冯溥、李之芳、田雯、张笃庆、郝懿行、王懿荣年谱》　刘聿鑫主编
山东大学出版社 2002 年出版

《复堂日记》清　谭献著　河北教育出版社 2001 年出版

《负苞堂集》明　臧懋循撰　古典文学出版社 1958 年出版

G

《杲堂诗文集》清　李邺嗣撰　浙江古籍出版社 1988 年出版

《古本戏曲剧目提要》　李修生主编　文化艺术出版社 1997 年出版

《古典戏曲存目汇考》　庄一拂编著　上海古籍出版社 1982 年出版

《古夫于亭杂录》清　王士禛撰　中华书局 1988 年出版

《古今人生日考》　朱彭寿编纂　北京图书馆出版社 2002 年出版

《顾亭林先生年谱》清　张穆编　中华书局 1985 年新一版（《丛书集成初编本》）

《顾亭林诗文集》清　顾炎武著　中华书局 1959 年出版

《顾亭林诗集汇注》　王蘧常辑注　上海古籍出版社 1983 年出版

《广东新语》清　屈大均著　中华书局 1985 年出版

《归庄集》清　归庄著　上海古籍出版社 1984 年新一版

H

《海东逸史》（外三种）清　翁洲老民等　浙江古籍出版社 1985 年出版

《寒松堂集》清　魏象枢撰　中华书局 1996 年出版

《侯朝宗文选》　徐植农等注释　齐鲁书社 1988 年出版

《洪昇年谱》　章培恒著　上海古籍出版社 1979 年出版

《黄宗羲年谱》　徐定宝主编　华东师范大学出版社 1995 年出版

《黄宗羲全集》　沈善洪主编　浙江古籍出版社 1987 年出版

J

《江南才子塞北名人吴兆骞年谱》　李兴盛主编　黑龙江人民出版社 2001 年出版

《江盈科集》　黄仁生辑校　岳麓书社 1997 年出版

《金瓶梅续书三种》清　丁耀亢著　齐鲁书社 1988 年出版

《金瓶梅资料汇编》　侯忠义　王汝梅编　北京大学出版社 1986 年出版（增订本）

《金圣叹文集》清　金圣叹著　巴蜀书社 1997 年出版

《近三百年人物年谱知见录》　来新夏著　上海人民出版社 1983 年出版

《近世中西史日对照表》　郑鹤声编　中华书局 1981 年出版

《九籥集》明　宋懋澄撰　中国社会科学出版社 1984 年出版

《井中奇书考》　陈福康著　上海文艺出版社 2001 年出版

《静志居诗话》清　朱彝尊著　人民文学出版社 1990 年出版

K

《康熙起居注》　中国第一历史档案馆　中华书局 1984 年出版

《珂雪斋集》明　袁中道著　上海古籍出版社 1989 年出版

《孔尚任年谱》　袁世硕著　齐鲁书社 1987 年出版

《孔尚任诗文集》　汪蔚林编　中华书局 1962 年出版

《旷世大儒—黄宗羲》　曹国庆著　河北人民出版社 2000 年出版

L

《李塨年谱》清　冯辰 刘调赞撰　中华书局 1988 年出版

《李贽评传》　张建业著　福建人民出版社 1992 年出版

《历代妇女著作考》　胡文楷著　商务印书馆 1957 年出版

《历代名人年谱》　吴荣光编　商务印书馆 1933 年出版

《历史文献》第三辑　上海图书馆历史文献研究所编　上海科学技术文献出版社 2000 年出版

《聊斋诗集笺注》　赵蔚芝笺注　山东大学出版社 1996 年出版

《聊斋志异资料汇编》　朱一玄编　中州古籍出版社 1985 年出版

《列朝诗集小传》清　钱谦益著　上海古籍出版社 1983 年新一版

《刘大櫆集》清　刘大櫆著　上海古籍出版社 1990 年出版

《刘铎刘淑父女诗文》　王泗原校注　人民教育出版社 1999 年出版

《柳南随笔续笔》清　王应奎撰　中华书局 1983 年出版

《柳如是别传》　陈寅恪著　上海古籍出版社 1980 年出版

《柳如是诗文集》　谷辉之辑　上海古籍出版社 2000 年出版

《陆陇其年谱》清　吴光西等撰　中华书局 1993 年出版

《吕坤年谱》　郑涵　中州古籍出版社 1985 年出版

《吕留良年谱长编》　卞僧慧撰　中华书局 2003 年出版

M

《茅坤研究》　张梦新著　中华书局 2001 年出版

《明代文论选》　蔡景康编选　人民文学出版社 1993 年出版

《明清进士题名碑录索引》　朱保炯 谢沛霖　上海古籍出版社 1980 年出版

《明清散曲作家汇考》　庄一拂著　浙江古籍出版社 1992 年出版

《明清史论著集刊》　孟森著　中华书局 1959 年出版

《明清史论著集刊续编》　孟森著　中华书局 1986 年出版

《明清戏曲家考略》　邓长风著　上海古籍出版社 1994 年出版

《明清戏曲家考略续编》　邓长风著　上海古籍出版社 1997 年出版

《明清戏曲家考略三编》　邓长风著　上海古籍出版社 1999 年出版

《明清之际党社运动考》　谢国桢著　中华书局 1982 年出版

《明清之际苏州作家群研究》　李玫著　中国社会科学出版社 2000 年出版

《明人传记资料索引》 台湾中央图书馆编 中华书局 1987 年出版

《明人小品十六家》明 陆云龙等选评 浙江古籍出版社 1996 年出版

《明儒学案》清 黄宗羲著 中华书局 1985 年出版

《明史》清 张廷玉等撰 中华书局 1974 年出版

《明诗别裁集》清 沈德潜等编 中华书局 1975 年出版

《明诗纪事》清 陈田辑撰 上海古籍出版社 1993 年出版

《明通鉴》清 夏燮编辑 中华书局 1959 年出版

《明遗民录》 孙静庵编著 浙江古籍出版社 1985 年出版

《明遗民诗》清 卓尔堪选辑 中华书局上海编辑所 1961 年出版

《明遗民传记索引》 谢正光编 上海古籍出版社 1992 年出版

《牧斋初学集》清 钱谦益著 上海古籍出版社 1985 年出版

《牧斋有学集》清 钱谦益著 上海古籍出版社 1996 年出版

N

《南明史》 顾诚著 中国青年出版社 1997 年出版

《南明史料》（八种）清 黄宗羲 顾炎武等撰 江苏古籍出版社 1999 年出版

P

《拍案惊奇》明 凌濛初著 上海古籍出版社 1982 年出版

《潘之恒曲话》 汪效倚辑注 中国戏剧出版社 1988 年出版

《蒲松龄集》清 蒲松龄著 上海古籍出版社 1986 年新一版

《蒲松龄全集》清 蒲松龄著 学林出版社 1998 年出版

Q

《祁彪佳集》明 祁彪佳撰 中华书局上海编辑所 1960 年出版

《秦淮旧梦：南明盛衰录》 赵伯陶著 济南出版社 2002 年出版

《清初人选清初诗汇考》 谢正光 佘汝丰编著 南京大学出版社 1998 年出版

《清初诗坛：卓尔堪与遗民诗研究》 潘承玉著 中华书局 2004 年出版

《清代碑传全集》 上海古籍出版社 1987 年出版

《清代闺阁诗人征略》 施淑仪辑 上海书店 1987 年出版

《清代女作家弹词小说论稿》 鲍震培著 天津社会科学院出版社 2002 年出版

《清代人物大事纪年》 朱彭寿编著 北京图书馆出版社 2005 年出版

《清代人物生卒年表》 江庆柏编著 人民文学出版社 2005 年出版

《清代文论选》 王镇远 邬国平编选 人民文学出版社 1999 年出版

《清人诗集叙录》 袁行云著 文化艺术出版社 1994 年出版

《清诗纪事》 钱仲联主编 江苏古籍出版社 1989 年出版

《清诗纪事初编》 邓之诚著 上海古籍出版社 1984 年新一版

《清诗别裁集》清 沈德潜编 中华书局 1975 年出版

《清诗话》清 王夫之等撰 上海古籍出版社 1963 年出版

《清诗话考》 蒋寅撰 中华书局 2005 年出版

《清诗话续编》 郭绍虞编选 上海古籍出版社 1983 年出版

《清史编年》第一卷　史松 林铁钧主编　中国人民大学出版社 1985 年出版

《清史编年》第二卷　林铁钧 史松主编　中国人民大学出版社 1988 年出版

《清史编年》第三卷　林铁钧 史松主编　中国人民大学出版社 1988 年出版

《清史稿》　赵尔巽等撰　中华书局 1975 年出版

《清史稿艺文志及补编》　中华书局 1982 年出版

《清史稿艺文志拾遗》　王绍曾主编　中华书局 2000 年出版

《清史列传》　王钟翰点校　中华书局 1987 年出版

《清史史料学》　冯尔康著　沈阳出版社 2004 年出版

《清史述得》　王政尧著　辽宁民族出版社 2004 年出版

《秋茄集》清　吴兆骞撰　上海古籍出版社 1993 年出版

《瞿式耜集》明　瞿式耜著　上海古籍出版社 1981 年出版

《曲海说山录》　吴敢著　文化艺术出版社 1996 年出版

《曲品校注》　吴书荫校注　中华书局 1990 年出版

《全本新注聊斋志异》　朱其铠主编　人民文学出版社 1989 年出版

《全校会注集评聊斋志异》　任笃行辑校　齐鲁书社 2000 年出版

《全清词钞》　叶恭绰编　中华书局 1982 年出版

《全祖望集汇校集注》清　全祖望撰（朱铸禹汇校集注）　上海古籍出版社 2000 年出版

R

《二刻拍案惊奇》明　凌濛初著　上海古籍出版社 1983 年出版

《二曲集》清　李颙撰　中华书局 1996 年出版

《二十史朔闰表》　陈垣著　中华书局 1962 年新一版

《阮大铖戏曲四种》明　阮大铖撰　黄山书社 1993 年出版

S

《少室山房笔丛》明　胡应麟著　上海书店出版社 2001 年出版

《沈自晋集》明　沈自晋撰　中华书局 2004 年出版

《诗薮》明　胡应麟著　上海古籍出版社 1979 年新一版

《施愚山集》清　施闰章著　黄山书社 1992 年出版

《书影》清　周亮工著　上海古籍出版社 1981 年出版

《霜红龛集》清　傅山著　山西人民出版社 1985 年影印山阳丁氏刊本

《四库全书总目》清　永瑢等撰　中华书局 1965 年出版

《宋诗钞》清　吴之振等选　中华书局 1986 年出版

《宋琬全集》清　宋琬著　齐鲁书社 2003 年出版

T

《谈龙录注释》　赵蔚芝 刘聿鑫注释　齐鲁书社 1987 年出版

《谈迁诗文集》清　谈迁撰　辽宁教育出版社 1998 年出版

《谭元春集》明　谭元春著　上海古籍出版社 1998 年出版

《汤显祖年谱》　徐朔方编著　中华书局上海编辑所 1958 年出版

《汤显祖研究资料汇编》 毛效同编 上海古籍出版社 1986 年出版

《桃花扇》清 孔尚任著 人民文学出版社 1959 年出版

《通志堂集》清 纳兰性德撰 上海古籍出版社 1979 年影印本

《桐城三祖年谱》 孟醒仁著 安徽大学出版社 2002 年出版

《嵞山集》清 方文撰 上海古籍出版社 1979 年影印本

W

《晚晴簃诗汇》 徐世昌编 中华书局 1990 年出版

《王夫之年谱》清 王之春撰 中华书局 1989 年出版

《王渔洋事迹征略》 蒋寅著 人民文学出版社 2001 年出版

《王渔洋先生年谱》 伊丕聪编著 山东大学出版社 1989 年出版

《吴嘉纪诗笺校》 杨积庆笺校 上海古籍出版社 1980 年出版

《吴梅村年谱》 冯其庸、叶君远著 江苏古籍出版社 1990 年出版

《吴梅村全集》清 吴伟业著 上海古籍出版社 1990 年出版

《午梦堂集》 冀勤辑校 中华书局 1998 年出版

X

《戏曲小说丛考》 叶德均著 中华书局 1979 年出版

《夏完淳集》明 夏完淳撰 中华书局上海编辑所 1959 年出版

《香祖笔记》清 王士禛撰 上海古籍出版社 1982 年出版

《醒世姻缘传研究》 段江丽著 岳麓书社 2003 年出版

《徐朔方集》（1—5 卷） 徐朔方著 浙江古籍出版社 1983 年出版

《徐夜诗选注》 张光兴等编著 天津古籍出版社 1993 年出版

《续修四库全书总目录索引》 上海古籍出版社 2003 年出版

《雪桥诗话》清 杨钟羲撰集 北京古籍出版社 1989 年出版

《雪桥诗话续集》清 杨钟羲撰集 北京古籍出版社 1991 年出版

《雪桥诗话三集》清 杨钟羲撰集 北京古籍出版社 1991 年出版

《雪桥诗话馀集》清 杨钟羲撰集 北京古籍出版社 1992 年出版

《雪翁诗集》明 魏耕撰 浙江古籍出版社 1985 年出版

Y

《颜元年谱》清 李塨撰 中华书局 1992 年出版

《袁宏道集笺校》 钱伯城笺校 上海古籍出版社 1981 年出版

《元明清三代禁毁小说戏曲史料》 王利器辑录 上海古籍出版社 1981 年出版

《隐秀轩集》明 钟惺著 上海古籍出版社 1992 年出版

《涌幢小品》明 朱国祯撰 文化艺术出版社 1998 年出版

《愚庵小集》清 朱鹤龄撰 上海古籍出版社 1979 年影印本

《虞初新志》清 张潮辑 河北人民出版社 1985 年出版

《渔洋精华录集注》清 惠栋 金荣注 齐鲁书社 1992 年出版

Z

《在园杂志》清 刘廷玑撰 中华书局 2005 年出版

《查继佐年谱·查慎行年谱》清　沈起　陈敬璋撰　中华书局1992年出版

《张苍水集》明　张煌言撰　上海古籍出版社1985年新一版

《张岱诗文集》明张岱著　上海古籍出版社1991年出版

《张岱研究》　胡益民著　安徽教育出版社2002年出版

《张溥年谱》　蒋逸雪著　齐鲁书社1982年出版

《赵执信年谱》　李森文　齐鲁书社1988年出版

《赵执信全集》清　赵执信著　齐鲁书社1993年出版

《郑板桥全集》　卞孝萱编　齐鲁书社1985年出版

《中国古典戏曲论著集成》　中国戏曲研究院编　中国戏剧出版社1959年出版

《中国古典戏曲序跋汇编》　蔡毅编著　齐鲁书社1989年出版

《中国古典小说大辞典》　刘叶秋　朱一玄等主编　河北人民出版社1998年出版

《中国年谱辞典》　黄秀文主编　百家出版社1997年出版

《中国历代年谱总录》　杨殿珣编　书目文献出版社1980年出版

《中国历代文论选》（三）　郭绍虞主编　上海古籍出版社1980年出版

《中国历代小说序跋集》　丁锡根编著　人民文学出版社1996年出版

《中国历史大事编年》第四卷　邓珂　张静芬编著　北京出版社1987年出版

《中国历史人物生卒年表》　吴海林、李延沛编　黑龙江人民出版社1981年出版

《中国通俗小说家评传》　周钧韬主编　中州古籍出版社1993年出版

《中国通俗小说书目》　孙楷第　人民文学出版社1982年出版

《中国通俗小说总目提要》　江苏省社会科学院明清小说研究中心文学研究所编
中国文联出版公司1990年出版

《中国文学家大辞典》　谭正璧编　上海书店1981年出版

《中国文学家大辞典·清代卷》钱仲联主编　中华书局1996年出版

《中国文学史》（第四卷）　袁行霈主编　高等教育出版社1999年出版

《中国文言小说总目提要》　宁稼雨撰　齐鲁书社1996年出版

《中国戏曲史探微》　蒋星煜著　齐鲁书社1985年出版

《中国小说史料》　孔另境辑录　古典文学出版社1957年出版

《中国小说史略》　鲁迅著　人民文学出版社1973年出版

《中外历史年表》　翦伯赞主编　中华书局1961年新一版

《朱舜水集》明　朱之瑜著　中华书局1981年出版

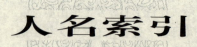

人名索引

后 记

　　明末清初，风云变幻，甲申之变，天崩地解。虽治乱相仍，事有必至，而铜驼荆棘，百姓涂炭，亦云悲矣！文学盛衰，固关乎国运，其间妍媸消息，又何与于政事？所谓"国家不幸诗家幸，赋到沧桑句便工"者，未必尽然也。文人士夫，于天下板荡之际，或义无反顾，致命成仁；或随波逐流，与世浮沉；或特立孤行，冰操雪节；或腼颜更仕，名标贰臣。行藏出处，人各相异，毁誉荣辱，总成寂寞身后之事。然身当鼎革之世，苍黄反覆，皆有难言之隐者，则人人尽同，不必以群分也。华表归鹤，服饰尽易；江头燕子，旧垒都非。昔日"顾误"之癖，转为"黍离"之歌；旗亭较胜，翻成泽畔之吟矣。加之圈地迁海，奏销文网，科场纷纭，三藩乱作，文人顾影自怜，何暇兼济？修齐治平，总成虚幻。于是感慨万端，形诸文字，或作变徵之声，或作和平之音，滔滔汨汨，言有尽而意无穷，差可为写心胜筹，此则渔洋神韵之所由兴也。将此百年文学，赓续编年，丛书体例俱在，雷池有界，不敢妄越。然时世有别，质文代变；资料参差，迥然相异。划一求之，难免胶柱鼓瑟，寿陵失步，何如会通规矩，我用我法，统一之下，不避变通，庶几春兰秋菊，各极其妍。

　　分百年为两段，以永历之亡为限，而不以建州定鼎中原划界，盖一代文学与文人心态如影随形：桂王之死，已绝遗民重见汉官威仪之望；而康熙登极，清廷渐趋"盛世"，人心思安，文风自有别于前朝矣。

　　文学编年，以人为纲，则作品、形迹皆可集中，脉络清晰，纲举目张。举事略于生年，详于卒年，则尊盖棺定论之传统。若卒年不详或在十七世纪之后，则视其人之文学地位与文学活动年代距康熙三十九年之远近，而于生年或多或寡胪列事实，以俾本书自成体系又能与前后文学编年相继有绪。

　　编年以人为纲，并非执一而求。无作者或作者生卒年不详者，自当以作品或事迹为纲，按时间胪列。总之，以有限之篇幅提供读者尽可能多之资料为最终目的。

　　古人以帝王年号纪年，所遵者农历（或曰夏历），其岁末之若干日，或已交公历年份之翌年。本套丛书纪年概以公历为首，而以帝王年号纪年为括注，年下之月份又从农历，不无龃龉之处。为解决此矛盾，若遇文学家之生卒年在农历岁末者，本书皆括注其公历之年月，并作为判定作家生卒公历纪年之依据。

本书选取明清文学家以诸多文学史为参照，另有极少数与作家、作品两相关涉之人如柳敬亭、朱方旦等，亦在选中，共达三百三十四人（不计引文中所涉及者）。未知可否概括百年之文学风貌？

腹笥有限，益信书囊无底，绠短汲深，成此资料之书，总赖主编陈君文新之青睐与湖南人民出版社诸君子之大度，敢不黾勉以求？虽然，挂一漏万，混淆错讹亦在所难免，使读者阅后不作"扣槃扪烛"、"隔靴搔痒"之评，于愿已足，遑论其他！

是为记。

乙酉仲夏赵伯陶记于京北天通楼

图书在版编目（CIP）数据

中国文学编年史. 明末清初卷 / 陈文新主编；赵伯陶分册主编. —长沙：
湖南人民出版社，2006.9
ISBN 7-5438-4465-6

Ⅰ.中… Ⅱ.①陈…②赵… Ⅲ.①文学史—编年史—中国—明清时期 Ⅳ.I209

中国版本图书馆 CIP 数据核字（2006）第 095533 号

中国文学编年史·明末清初卷

责任编辑：李建国　胡如虹　曹有鹏	
聂双武　邓胜文　张志红　杨　纯	
主　编：陈文新	
书名题字：卢中南	
装帧设计：陈　新	
出　版：湖南人民出版社	
地　址：长沙市营盘东路 3 号	
市场营销：0731-2226732	
网　址：http://www.hnppp.com	
邮　编：410005	
制　作：湖南潇湘出版文化传播有限公司	
电　话：0731-2229693　2229692	
印　刷：中华商务联合印刷（广东）有限公司	
经　销：湖南省新华书店	
版　次：2006 年 9 月第 1 版第 1 次印刷	
开　本：787×1094　1/16	
印　张：30.5	
字　数：669,000	
书　号：ISBN 7-5438-4465-6/I·438	
定　价：226.00 元